ACCESO GRATIS *a la Lectura en la Nube*

Para visualizar el libro electrónico en la nube de lectura envíe junto a su nombre y apellidos una fotografía del código de barras situado en la contraportada del libro y otra del ticket de compra a la dirección:

ebooktirant@tirant.com

En un máximo de 72 horas laborales le enviaremos el código de acceso con sus instrucciones.

La visualización del libro en **NUBE DE LECTURA** excluye los usos bibliotecarios y públicos que puedan poner el archivo electrónico a disposición de una comunidad de lectores. Se permite tan solo un uso individual y privado

DERECHO DE FAMILIA Y LECCIONES SOBRE TRIBUTACIÓN

TOMO I
EVOLUCIÓN HISTÓRICA DEL TRATAMIENTO DE LAS RENTAS FAMILIARES EN COLOMBIA

DERECHO DE FAMILIA Y LECCIONES SOBRE TRIBUTACIÓN

Tomo I
Evolución Histórica del Tratamiento de las Rentas Familiares en Colombia

MATEO VARGAS PINZÓN

LL.M Columbia University in the City of New York
Catedrático del Colegio Mayor de Nuestra Señora del Rosario

tirant lo blanch
Bogotá D.C., 2024

Vargas Pinzón, Mateo, autor.
Derecho de familia y lecciones sobre tributación / Mateo Vargas Pinzón. – Primera
edición. – Bogotá : Tirant lo Blanch, 2024.
   2 volúmenes.
   Incluye referencias bibliográficas.
   ISBN: 978-84-1071-440-3
1. Derecho de familia – Colombia. I. Plazas Vega, Mauricio A., escritor de prólogo.
II. Diez Vargas, Cecilia, escritora de prólogo. III. Título.
LC: KHH1011
CDD: 346.861015 ed. 23
Catalogación en publicación de la Biblioteca Carlos Gaviria Díaz

©   Mateo Vargas Pinzón

©   TIRANT LO BLANCH
EDITA: TIRANT LO BLANCH
Calle 11 # 2-16 (Bogotá D.C.)
Telf.: 4660171
Email: tlb@tirant.com
Librería virtual: www.tirant.com/co/
ISBN: 978-84-1071-439-7

Si tiene alguna queja o sugerencia, envíenos un mail a: *atencioncliente@tirant.com*. En caso de
no ser atendida su sugerencia, por favor, lea en *www.tirant.net/index.php/empresa/politicas-
de-empresa* nuestro procedimiento de quejas.

Responsabilidad Social Corporativa: http://www.tirant.net/Docs/RSCTirant.pdf

Índice

A Dios,

a Humberto y Milena, mis padres;

a David y Juan Pablo, mis hermanos;

a Aníbal Casado y Gloria Pinzón (*in memoriam*), mis tíos;

a Andrés Hoyos Ramírez (*in memoriam*), mi primo, un brillante jurista quien fue prontamente llamado a departir en el reino de los cielos.

Agradecimientos

Expreso mis más sentidos agradecimientos al prologuista de este tomo, Mauricio A. Plazas Vega, en quien concurre la doble condición de amigo y Maestro, por iluminar con su sindéresis y las innumerables enseñanzas el sendero de esta obra. De igual manera, agradezco a Cecilia Díez Vargas, en quien también concurre la doble condición de amiga y Maestra, por cultivar y afianzar, cada día, mis conocimientos en el ámbito del *derecho de familia.* Así mismo, extiendo mi profunda gratitud a Gabriel de Vega Pinzón (*in memoriam*), Patricia Mújica Cuéllar, Sofía de Vega Mújica y Pablo de Vega Mújica por la desinteresada y amable donación de múltiples reliquias de su biblioteca familiar y personal, todas las cuales, sin excepción y según se los prometí, fueron materia capital de consulta para la elaboración de este y los demás tomos que componen la obra.

Igualmente, debo reconocer la encomiable tarea de Nicolás de Brigard Garnica, mi entrañable amigo, por darse a la faena de leer los avances de la *obra* y contribuir, con su participación en acaloradas discusiones, a la formación de posiciones y críticas que aquí se defienden y formulan; a Estefanía Delgado Franco, gran jurista, quien siempre estuvo presta para formular agudas opiniones sobre diversas temáticas; y a Juan Pablo Anzola Pinzón, importante conocedor de la política pública, por su nutrida bibliografía en temáticas económicas y de hacienda pública.

A todos ellos, y a quienes por torpeza humana omití en estas líneas, ¡gracias infinitas!

Mateo Vargas Pinzón
Madrid, mayo de 2022

Prólogo

Cumplo el honroso encargo de prologar el Tomo I de la obra del doctor MATEO VARGAS PINZÓN intitulada *Derecho de familia y lecciones sobre tributación*, tomo que, como se indica en el subtítulo, contiene una *evolución histórica del tratamiento de las rentas familiares en Colombia.*

No es fácil encontrar un texto que aborde, de manera concurrente y admirablemente armónica, la temática del *derecho tributario* con el *derecho de familia*; como no lo es, en general hallar una simbiosis de características similares entre el *derecho tributario* y otras especialidades de lo jurídico. Con mayor razón si esa simbiosis no se limita a paralelos normativos rutinarios que nada agregan al conocimiento, sino que se desarrolla de una forma propositiva y crítica, con aportes constantes del autor que, sin duda, amplían de manera considerable las perspectivas de análisis y estudio de las dos ramas del derecho que ejerce y profesa VARGAS PINZÓN.

El enfoque histórico que se pone de manifiesto en la obra tiene el mérito de abordar el pasado desde una perspectiva actual, con lo cual, en la era del *big data*, la *sociedad de la información*, la *infocracia*, que con tanta lucidez cuestiona el filósofo BYUNG – CHUL HAN, en medio de la insólita, inconcebible y triste referencia de nuestros días a una supuesta "sociedad post humana", los lectores encontrarán, como yo encontré, una aguda réplica a quienes abogan por lo fácil, lo expedito, lo breve, y denigran por ello de cualquier apelación a los orígenes de las instituciones. Es un placer transitar por las páginas a que aludo y avizorar en ellas la crucial importancia de la historia, confirmar que los verdaderos juristas no se alienan en los códigos ni ignoran que el presente es la síntesis de la biografía del espíritu universal, popular y nacional.

Pero he de decir que la distinción que me ha hecho MATEO VARGAS PINZÓN al invitarme a escribir estas líneas es trascendida por un sentimiento sublime, como es el que fluye de la amistad que me une con él, quien otrora fuera mi discípulo en la Facultad de Jurisprudencia del Colegio Mayor de Nuestra Señora del Rosario y hoy es un destacado colega como jurista práctico, en términos de BENTHAM, y como profesor y académico muy destacado en esa misma Facultad.

Conozco al doctor VARGAS PINZÓN desde los años en que culminaba sus estudios de secundaria, lo vi afirmarse como un estudiante brillante en las aulas rosaristas, he observado con atención su ininterrumpido crecimiento como jurista, como hombre de pensamiento y acción, y he seguido, muy de cerca, su sorprendente entronización, en las letras y en el foro, con una seguridad en los análisis y conclusiones, que constantemente realiza desde esas dos perspectivas, que es poco común o, si se quiere excepcional. De él puede decirse, sin error, que, por su rigor profesional e intelectual, es ya viejo en un cuerpo y una mente que escasamente llega a los treinta años.

En veintiún capítulos escritos con un castellano impecable, el autor aborda las leyes y regímenes tributarios y de familia que han regido en Colombia durante toda una centuria: de 1919 a 2019.

El Capítulo I se ocupa en la Ley 56 de 1918, por la cual se creó el *impuesto sobre la renta en Colombia* con la impronta del ilustre hacendista ESTEBAN JARAMILLO. Aborda, al efecto, las reglas más relevantes del *derecho de familia* que regían en su momento y se detiene en los aspectos tributarios que, bajo ese cuerpo normativo, le fueron aplicables. Sobresale en el Capítulo el justo reconocimiento que hace del primer gran hacendista de la historia de Colombia, el jurista del Rosario y rector de su Alma Mater, JOSÉ MARÍA DEL CASTILLO Y RADA, a quien le correspondió avalar y procurar, de la mano del igualmente hacendista PEDRO GUAL, la aplicación de la revolucionaria ley del 20 de septiembre de 1821, por la que se estableció una *contribución directa* en el país que se reconoce como notable antecedente de la ley de 1918, que orientó ESTEBAN JARAMILLO.

El Capítulo II examina la Ley 64 de 1927, promulgada durante el gobierno de MIGUEL ABADÍA MÉNDEZ, en la que, como lo anota el autor, se acogió para Colombia el régimen sintético, y no analítico, para la cuantificación de la base imponible y la liquidación del impuesto sobre la renta. Se detiene también, como en general lo hace a lo largo del texto, en las disposiciones del *derecho de familia* que concurrieron con la Ley 64.

El Capítulo III aborda la ley 81 de 1831, promulgada durante el inicio de los gobiernos liberales, durante la administración OLAYA HERRERA, después de la larga *hegemonía conservadora* de las tres primeras décadas de la pasada centuria, con la muy importante impronta de la Misión Kemmerer, para incrementar la incidencia del impuesto sobre la renta y mantener el sistema de síntesis que había adoptado la ley 64 de 1927. Sobresale especialmente el análisis que hace el autor de la histórica reforma del *régimen de la sociedad conyugal,* que se aprobó con la ley 28 de 1932.

El extenso Capítulo IV, ilustrativo y riguroso en grado sumo, aborda las leyes tributarias y de familia que se promulgaron desde el gobierno de la *revolución en marcha,* de LÓPEZ PUMAREJO, hasta la dictadura de ROJAS PINILLA. Trata el autor, con detenimiento, entre otros cuerpos normativos, las leyes 78 dc 1935, 63 de 1936, 35 de 1944 y 35 de 1948 y los Decretos Legislativos 2317 y 2615 de 1953. Con ese contexto examina, con gran claridad, los orígenes de los impuestos al patrimonio y al exceso de utilidades, el significativo incremento de la progresividad en el impuesto sobre la renta y los avances del régimen de filiación, entre muchos otros temas cuya alusión en este prólogo excedería sus alcances.

El Capítulo V se detiene, en lo fundamental, en el análisis de dos leyes que han hecho historia y hoy tienen una proyección clara y vigente en Colombia: La Ley 81 de 1960, por la cual se reformó de manera integral el régimen del *impuesto sobre la renta* en Colombia, y la Ley 75 de 1968, por la que se creó el Instituto Colombiano de Bienestar Familiar y se avanzó significativamente en lo relacionado con la superación de la odiosa distinción entre los tratamientos jurídicos y tributarios para los hijos *legítimos* y *naturales*. Esta fase de nuestra historia jurídica tributaria y de familia, que relata y comenta con propiedad VARGAS PINZÓN, corresponde a los cuatro gobiernos del *acuerdo consociacional* del Frente Nacional que aprobó el pueblo colombiano mediante el Plebiscito, en realidad Referendo, de 1957, liderados, en su orden cronológico, por ALBERTO LLERAS CAMARGO, GUILLERMO LEÓN VALENCIA, CARLOS LLERAS RESTREPO Y MISAEL PASTRANA BORRERO.

La ley 81, como bien lo expone el autor, dio lugar a cuestionamientos e interrogantes porque, si bien sentó las bases para la regulación actual y acorde con las tendencias internacionales en el *impuesto sobre la renta* y llegó a ser reconocida como una de las más rigurosas y coherentes de América Latina, tuvo como efecto inmediato la reducción de los recaudos tributarios.

Pero la reforma de la ley de 1960 no solo se destacó en el ámbito del *derecho sustancial*. Uno de sus principales méritos y logros, referente indudable para cualquier análisis del presente que se haya de desarrollar en torno al *procedimiento tributario*, fue el decreto ley 1651 de 1961, expedido por el presidente de la Republica con base en facultades extraordinarias otorgadas por la Ley 81. Puede decirse, sin exageración, que para la nueva y actual reorganización normativa del procedimiento tributario, que hoy se requiere con urgencia ante los nuevos aires de la *era digital* y la *automatización* creciente de las actuaciones de la Administración Tributaria, apelar al Decreto Ley 1651 como fuente de inspiración constituiría un camino seguro y enriquecedor. De esta manera se demuestra, una vez más, que las aproximaciones al presente a partir de análisis crítico de lo acontecido en el pasado, que es el eje de la obra de VARGAS PINZÓN, representan "el camino que se debe seguir".

El autor analiza con detenimiento, desde los orígenes mismos del impuesto sobre la renta en Colombia, lo relacionado con la tributación de los cónyuges y las implicaciones fiscales de la sociedad conyugal y aborda la cuestión del tratamiento tributario previsto en las normas que precedieron a la Ley 81, y en la propia Ley 81, para los hijos "naturales" y "legítimos" y los hijos "adoptivos". Aborda los impuestos a *la masa global hereditaria* y a *las sucesiones y donaciones* que creó, en su momento, la Ley 63 de 1936, y resalta el hecho de que el artículo 29 de la Ley 75 de 1968 igualó la incidencia tributaria del *impuesto a las sucesiones y donaciones* para los hijos legítimos y naturales, pero "aglutinó a los *parientes adoptivos* en otro grupo, con otra tarifa más elevada".

También repara la obra en el tradicional sistema de exenciones personales que venía rigiendo de tiempo atrás en el país, para morigerar los efectos del impuesto sobre la renta en función de las peculiaridades de cada contribuyente (vgr personas a cargo o gastos personales), sistema que, sin duda alguna, entrañaba complejidades que, a lo largo de nuestra historia financiera pública, han dado lugar a recurrentes modificaciones. La primera de ellas, mediante la ley 27 de 1969, de la administración LLE-RAS RESTREPO, y la segunda por la ley 6ª de 1973, durante el gobierno de MISAEL PASTRANA BORRERO, último presidente del Frente Nacional.

Ya en lo que atañe a las problemáticas del descenso en la recaudación y la evasión tributaria, anota VARGAS PINZÓN, el gobierno de GUILLERMO LEÓN VALENCIA logró la aprobación y sanción de la ley 21 de 1963, por la cual, bajo el rótulo de un *impuesto extraordinario*, se tomaron dos determinaciones relacionadas con los impuestos directos: i) El establecimiento de una *sobretasa* del 20% al *impuesto sobre la renta*, sus *complementarios y recargos*; y ii) El incremento, en un 30%, de las tarifas de los impuestos *sobre masa global hereditaria* y *asignaciones y donaciones*. Pero, aunque el asunto no sea materia de la obra en análisis, es de destacar, como lo hace el autor, que la ley 21, en comentario, tuvo el mérito fundamental de haber dado origen al *impuesto sobre las ventas* (llamado IVA por su estructura técnica), mediante las facultades extraordinarias que le otorgó al Presidente de la República para tal fin, fruto de las cuales fue precisamente el decreto ley 3288 de 1963, con el cual se inició, en la historia hacendística y tributaria de Colombia, el sostenido y creciente auge de este tributo, fuente trascendental de recursos para las *finanzas públicas*.

Por lo que toca con la ya comentada disminución de los recaudos y el objetivo, siempre presente, de la lucha contra la evasión y el fraude, sobresale el Decreto Ley 1366 de 1967, expedido por el presidente CARLOS

LLERAS RESTREPO con fundamento en las facultades extraordinarias que le otorgó el Congreso mediante la Ley 28 de 1967. Un cuerpo normativo necesario y reconocido, que estableció medidas para contrarrestar la evasión y, adicionalmente, incrementó las tarifas del *impuesto sobre la renta* hasta arribar a alícuotas del 52%.

Finalmente, por el muy relevante rol que hoy mantiene en el contexto de la *hacienda pública*, es de destacar el régimen de *retención en la fuente* sobre "sueldos, salarios, dividendos e intereses", establecido para Colombia con la impronta de la Misión Taylor, de 1965, y su *Informe* intitulado "*Fiscal survey of Colombia – Fiscal problems and proposals for reform*". La Misión recomendó, entre otras medidas, la simplificación de la estructura tarifaria del impuesto sobre la renta y la eliminación de numerosas deducciones y de los recargos e impuestos adicionales.

El Capítulo VI se dedica a la reforma tributaria de 1974, de la administración LÓPEZ MICHELSEN, estructurada mediante decretos legislativos de emergencia económica expedidos con fundamento en el artículo 122 de la Constitución Política, en su momento vigente. Se trató de una modificación profunda a la normativa tributaria colombiana que, en lo que concierne al *impuesto sobre la renta* y *complementarios*, se materializó, esencialmente, en los términos del Decreto Legislativo 2053 y, en lo que atañe al *impuesto sobre las ventas,* en el decreto Legislativo 1988.

Como lo pone de presente el autor, la reforma en análisis conservó la distinción entre los regímenes de *porción conyugal* y *gananciales* vinculadas con la sociedad conyugal, que en su momento estableció la Ley 63 de 1936, para advertir que la *porción conyugal* quedaba, como hoy, gravada con el impuesto sobre la renta, en tanto que los *gananciales,* no.

Hace particular énfasis, además, en la sustitución del tradicional sistema de *exenciones personales*, que precedentemente regía, por el más sencillo y expedito de los *descuentos tributarios* contra el *impuesto sobre la renta* a cargo del contribuyente.

Del propio modo, pone de presente que, para la división de rentas de los cónyuges, se dejó establecido que simplemente se requería la condición de tales, sin que fuera necesario, en contraste con lo que establecía la normativa anterior, el requisito de la *cohabitación*.

Al hacer hincapié en la inspiración de la reforma en el *Informe de 1971,* de la Misión Musgrave, que integró en su momento la administración LLERAS RESTREPO en los términos del Decreto 462 de 1969, precisa acertadamente el autor que la impronta ideológica que inspiró tanto a la Misión como a sus expresiones en la reforma lopista de 1974 fue intervencionista y, en términos de nuestro Subcontinente, marcadamente estructuralista y acorde con los planteamientos de la Comisión Económica para la América Latina y el Caribe (CEPAL). Sobre esas bases, se adoptó un sistema tarifario para las personas naturales altamente progresivo y afirmado a partir de una suerte de mixtura entre la *alícuota progresiva por escalones* y la *alícuota progresiva continua,* con un nivel tope del 56 %.

Resalta igualmente Vargas Pinzón la entronización del *impuesto complementario de ganancias ocasionales,* dirigido a gravar ciertos ingresos extraordinarios de los contribuyentes y acogido, en alguna medida, en sustitución del *impuesto sobre exceso de utilidades,* que rigiera en los términos de la Ley 81 de 1960, en armonía con la reforma al régimen impositivo de las sucesiones. Se ocupa, como corresponde a la temática de la obra, en el *impuesto de ganancias ocasionales* generado por herencias y legados y reitera que, según lo estableció la reforma en análisis, lo que reciba el cónyuge por *gananciales* en virtud de la liquidación de la sociedad conyugal no era, como no es hoy, constitutivo de *ganancia ocasional,* en tanto que sí lo era, como hoy, lo recibido a título de *porción conyugal.*

Comenta también el decreto reglamentario 187 de 1975, un cuerpo normativo de especial importancia en el *derecho tributario colombiano,* hoy incorporado en el Decreto Único Reglamentario en Materia Tributaria y, a continuación, aborda el Decreto Ley 2820, de 1974, proferido por el presidente López Michelsen en desarrollo de las facultades extraordinarias que le otorgó la Ley 24, del mismo año, un decreto de especial importancia en el *derecho de familia,* conocido como Estatuto de la Igualdad, por haber superado las diferencias que aún subsistían entre el hombre y la mujer, en el matrimonio, tanto en lo que tiene que ver con sus patrimonios en el ámbito de la sociedad conyugal, y el viejo rezago la ley 28 de 1932 al someter a la mujer a seguir la residencia por la que optara el marido, como en lo que toca con sus atribuciones y deberes respecto de los hijos, en el marco de la *patria potestad.*

El Capítulo aborda, *in extenso,* los aspectos fundamentales de la Ley 1ª, de 1976, en lo que concierne al nacimiento y regulación de los denominados "divorcio vincular perfecto" y "divorcio vincular imperfecto" (*quoad thorum et cohabitationem*). Prosigue con la ley 20 de 1979, para comentar las importantes disposiciones que introdujo en lo relacionado con el *impuesto complementario de ganancias ocasionales* y los *descuentos personales especiales* y culmina con el análisis de la Ley 29 de 1982, relacionada con el compendio normativo de la *filiación* y el régimen de sucesiones, en particular en lo que concierne a los *órdenes hereditarios.*

En el Capítulo VII, la obra se detiene en el análisis de la Ley 9ª, de 1983, de la administración BETANCUR, Ley que tuvo su antecedente inmediato en decretos de emergencia económica por los que se pretendió entronizar una reforma tributaria, de manera similar a lo acontecido en 1974 durante el gobierno de LÓPEZ MICHELSEN, pero con el inesperado cambio en la jurisprudencia de la Corte Suprema de Justicia, en su momento encargada de la guarda de la integridad de la Constitución, fruto del cual cerró el paso a esta vía de modificación de la normativa tributaria vigente. Tal fue el motivo para que las modificaciones al orden tributario se hubieran adoptado finalmente mediante la Ley 9ª, sobre cuyo articulado el autor hace énfasis en la modificación que se dispuso para el régimen de alícuotas, con un nivel o tope superior del 49%.

El Capítulo VIII se ocupa en la reforma más importante del derecho tributario colombiano a lo largo de su historia, en lo que concierne al impuesto sobre la renta, realizada por la Ley 75 de 1986. Con motivo de su análisis, VARGAS PINZÓN identifica una de las Secciones del Capítulo con el sugestivo título de "*El asentamiento del neoliberalismo en el sistema tributario colombiano*" y dedica interesantes páginas a la temática del *neoliberalismo filosófico* y *económico* para arribar, en el número III, al "*neoliberalismo en el ámbito tributario*", siempre de la mano de las ideas centrales de las diversas escuelas neoliberales. De esta manera, ya en el número IV, alude al *asentamiento del neoliberalismo en Colombia en general y en la ley 75 de 1986 en particular.*

La revolucionaria ley 75 de 1|986, como se recordará, redujo significativamente las tarifas del impuesto sobre la renta a cargo de las sociedades y eliminó la doble tributación económica de la sociedad y sus socios, materializada en la sujeción al impuesto tanto de las utilidades de la sociedad como de los dividendos o participaciones de los socios. Su efecto muy positivo en el recaudo, lejos de lo que llegaron a presentir y dictaminar números analistas de las finanzas públicas, demostró que entró a regir en momentos en que Colombia sufría los efectos del llamado "efecto Laffer", conforme al cual el exceso en las tarifas del impuesto sobre la renta disminuye los recaudos en lugar de aumentarlos.

Ya en lo que atañe a las implicaciones de la comentada ley en el *derecho de familia*, cita el autor el artículo 82, por el cual subrogó al artículo 9° del Decreto Legislativo 2053 de 1974 para disponer que "los cónyuges, individualmente considerados, son sujetos gravables en cuanto a sus correspondientes bienes y rentas" y agregar que "durante el proceso de liquidación de la sociedad conyugal, el sujeto del impuesto sigue siendo cada uno de los cónyuges o la sucesión ilíquida, según el caso". Apunta, al respecto, con total razón y a partir del verdadero significado del matrimonio y la sociedad conyugal, que, en 1986, con la ley 75, como en 1960 con la ley 81, la motivación de la norma tuvo como referente el equivocado criterio según el cual la "división de rentas" entre cónyuges entraña un beneficio tributario.

El Capítulo IX lo dedica Vargas Pinzón al Estatuto Tributario (Decreto Ley 624 de 1989), proferido por el presidente de la República con base en las facultades extraordinarias otorgadas, sucesivamente, por los artículos 90, de la Ley 75 de 1986, y 41, de la Ley 43 de 1987. Fue el Estatuto, y lo es actualmente, una magnífica codificación de tipo francés en la que se integran disposiciones sustanciales y de procedimiento relacionadas con los impuestos administrados por la hoy Dirección de Impuestos y Aduanas Nacionales. Un trabajo meritorio, sin duda, que ha contribuido en alto grado a brindar a los contribuyentes y a la Administración Tributaria un contexto normativo ordenado y coherente que superó, en mucho, el caos precedente, de innumerables disposiciones sobre la materia insertas en las más variadas leyes; pese a lo cual, hoy subsisten algunas regulaciones aisladas en las que el legislador no ha tenido el cuidado de incorporarlas al Estatuto. A esa labor codificadora es de agregar el importante Decreto Reglamentario Unificado en materia Tributaria (Decreto 1625 de 2016, con modificaciones y adiciones que se han venido incorporando a su texto original).

Con ese contexto, el autor comenta, entre otros, los artículos 8°, sobre tributación de los cónyuges, 26, sobre depuración de la renta, 47, sobre tributación de las ganancias ocasionales y la porción conyugal, 302, sobre tratamiento de las herencias, legados y donaciones, 307 y 308, sobre ganancias ocasionales exentas, 313 y 314, sobre tarifas del impuesto de ganancias ocasionales y 555, sobre capacidad y representación. La referencia al impuesto de ganancias ocasionales, en lo concerniente a herencias, legados y donaciones, es muy pertinente porque ya no rigen en Colombia ni el *impuesto sobre la masa global hereditaria* ni el *impuesto a las sucesiones*. Uno y otro fueron sustituidos por el *impuesto complementario de ganancias ocasionales*.

En el Capítulo X se aborda el tránsito del *concubinato* a la *unión marital de hecho* y se examinan temáticas como las condiciones para que se configure la unión marital, los deberes personales entre compañeros permanentes, la sociedad patrimonial susceptible de conformar entre ellos y la prueba de la unión marital.

El Capítulo XI examina las leyes 49, de 1990, y 6ª, de 1992, ambas sancionadas durante la administración Gaviria Trujillo, para tratar temáticas relacionadas con la obligación de presentar declaración de renta, la sobretasa al impuesto sobre la renta que estableció en su momento la Ley

6ª y la depuración de la base de retención en la fuente a practicar a los empleados a título de *impuesto sobre la renta,* siempre desde la perspectiva de su incidencia en la familia.

En el Capítulo XII examina el autor la Ley 25 de 1992, por la cual se regulan el divorcio y la cesación de efectos civiles de los matrimonios religiosos. Un análisis muy interesante, que ofrece respuestas a los interrogantes que han surgido acerca de lo dispuesto por el artículo 42 de la Carta Política en el sentido de que "los efectos de todo matrimonio cesan por divorcio", en particular en lo que concierne a los matrimonios católicos: "¿Cuál era el cauce que debían seguir los matrimonios católicos que quisieran optar por el divorcio?" "¿Eran aplicables, analógicamente, las normas sobre divorcio de matrimonios civiles?" "¿No se podría impetrar la acción de divorcio por no tener un trámite y unas causales específicamente definidas?" Sobre esos interrogantes presenta el autor la posición de la doctrina y, con el respaldo de sus sólidos conocimientos en *derecho de familia,* arriba a conclusiones concretas relacionadas con las diferentes causales de divorcio.

El Capítulo XIII se dedica a la Ley 223 de 1995, sancionada durante el gobierno de Ernesto Samper Pizano en momentos en que se anunciaba el tránsito del neoliberalismo a un neo estructuralismo partidario de políticas sectoriales para la apertura económica y medidas de orden social y redistributivo. Pese a que el Gobierno estructuró un proyecto de ley dirigido, entre otros objetivos, a obtener mayores ingresos para financiar los nuevos cauces de la política, lo cierto es que no lo logró debido a que, en términos reales, quedó en manos del Congreso ante el funesto escándalo de la financiación de la campaña presidencial con dineros provenientes del narcotráfico, que en esos años lideraba el "cartel del Valle".

La Ley 223 tuvo el mérito de haber incluido el artículo 264, conforme al cual los conceptos emitidos por la Dirección de Impuestos y Aduanas Nacionales comprometían a la Administración y debían ser atendidos como garantía de seguridad para los contribuyentes. Una disposición que acogió, para el derecho positivo, el reconocimiento de la buena fe de quienes obran según la doctrina oficial, pero, infortunadamente, fue modificada, sucesivamente, por las leyes 1943 de 2018 y 2010 de 2020, leyes que solo mantuvieron la obligatoriedad de esa misma doctrina para los funcionarios de la Administración Tributaria y eliminaron la garantía de seguridad jurídica que con tanto acierto había previsto la Ley 223.

El profesor Vargas Pinzón realiza su análisis desde la óptica de la nueva Carta Política de 1991, transita en su discurso por el modelo económico adoptado y comenta disposiciones como las relacionadas con la deducción de intereses por préstamos de vivienda y gastos de salud y educación, el régimen de tarifas y el artículo 594-2, conforme al cual las declaraciones presentadas por no obligados no producen efecto alguno.

En el Capítulo XIV, el autor aborda la Ley 488 de 1998, sancionada durante la administración PASTRANA ARANGO, cuyo objetivo fue fundamentalmente recaudatorio, y se detiene, específicamente, en disposiciones como las relacionadas con la deducción de intereses por préstamos para vivienda o la disminución de la base de retención por pagos indirectos efectuados al trabajador, con la mediación de terceros, por concepto de alimentación del empleado o su familia o bonos o tiquetes con el mismo destino, en cuanto no excedan de dos salarios mínimos mensuales vigentes (artículo 387-1 del Estatuto Tributario), norma hoy en vigor, con algunas modificaciones que introdujo la Ley 788 de 2002.

En los Capítulos XV a XVIII, la obra examina las recurrentes leyes tributarias que se aprobaron en el país entre 2002 y 2010, durante las administraciones URIBE VÉLEZ y la primera administración SANTOS CALDERÓN, en cuanto regularon aspectos que interesan para el análisis tributario de las materias inherentes a la familia, como ocurrió con las leyes 788 de 2002, 863 de 2003 y 1111 de 2006. En particular, se comenta lo relacionado con la obligación de declarar, la exención general para los trabajadores prevista en el artículo 206 del Estatuto Tributario, las alícuotas del impuesto sobre la renta y el régimen de pagos indirectos a los empleados. Sobre la Ley 1111 de 2006 destaca la adopción de la *unidad de valor tributario* (UVT) como unidad dineraria que, a partir de su vigencia, se viene utilizando para la actualización de las cifras contenidas en el Estatuto Tributario. Del propio modo, enfatiza el autor en la creciente importancia de la *retención en la fuente* a título de impuesto sobre la renta, tanto en lo que tiene que ver con la recaudación como en lo que atañe al sistema de control cruzado que comporta respecto de empleadores y empleados, para los fines de la tasación del tributo. Y sobre la Ley 1607 de 2012, además de las temáticas mencionadas, aborda el texto el muy importante cambio que dispuso en lo que concierne al *impuesto complementario de ganancias ocasionales*, con medidas como la adopción de la tarifa del diez por ciento (10 %), hoy incrementada al 15 % por la Ley 2277 de 2022, en lugar de la alícuota progresiva igual a la del *impuesto básico de renta* que hasta entonces rigió. Una medida razonable, sin duda, porque, por una parte, los *ingresos extraordinarios* que tipifican a las *ganancias ocasionales* no deben ser gravados con la misma incidencia que ha de recaer sobre los *ingresos ordinarios* y, por otra, era cuestión ampliamente conocida en el país la de la evasión del tributo, especialmente en lo que toca con la venta de activos fijos poseídos por más de dos años, mediante la estipulación de precios amañados que no correspondían a la realidad. Adicionalmente, el libro examina las que denomina *exenciones objetivas* y *subjetivas* previstas por el nuevo régimen para las ganancias ocasionales materializadas en herencias, legados y donaciones.

Seguidamente, en el Capítulo XIX, VARGAS PINZÓN se ocupa en la ley 1819 de 2016, de la segunda administración SANTOS CALDERÓN, por la cual, en lo que toca con las personas naturales, se transitó del tradicional sistema de tributación sobre la *renta global* al de la *renta cedular,* con apoyo en las recomendaciones que, sobre ese particular, formuló la Comisión de Expertos que ordenó conformar la Ley 1739 de 2014 y sesionó, con esmerada dedicación, hasta proponer reformas muy relevantes para el sistema del *impuesto sobre la renta* en Colombia. En esta materia de las rentas de las personas naturales, que son las que interesan en esencia al autor para su estudio integrado de los *derechos tributario* y *de familia,* la Ley 1819 migró del *sistema de renta global* al de *renta cedular,* fruto de lo cual la tasación del impuesto sobre la renta se desagregó en cinco *cédulas,* cada una con tratamiento tributario independiente, a saber: i) Cédula de rentas de trabajo; ii) Cédula de rentas de pensiones; iii) Cédula de rentas de capital; iv) Cédula de rentas no laborales; y v) Cédula de dividendos y participaciones. No sobra advertir, al respecto, que, en lo atinente a las sociedades, la ley en mención mantuvo, como hoy ocurre, el sistema de tributación sobre la *renta global.*

En el mismo capítulo, aborda el profesor VARGAS PINZÓN la Ley 1934 de 2018 y examina, *in extenso,* la reforma al régimen de sucesiones, que introdujo, con énfasis en la muy relevante ampliación de la facultad de testar, por la vía de la eliminación de la llamada *cuarta de mejoras* y, en últimas, la disponibilidad con que cuenta el testador sobre la mitad de sus bienes resultante de restar la mitad de los legitimarios, tal como lo establece el artículo 1242 del Código Civil, según el texto que le asignó la ley citada. El análisis que se expone en la obra es de sumo interés porque expone, con innegable claridad, pese a los equívocos y omisiones en que incurrió el legislador de 2018, los alcances del nuevo ordenamiento sobre las sucesiones en Colombia. En particular, son de destacar el paralelo que realiza entre la normativa que precedió a la Ley 1934 y el nuevo régimen, los contundentes argumentos que aduce para concluir que, así no lo haya reproducido la comentada ley, el primero de los *acervos imaginarios* continúa vigente, y los ilustrativos ejemplos que propone para explicar los alcances de las sucesiones testada, mixta e intestada.

El Capítulo XX examina las leyes 1943 de 2018 y 2010 de 2019, de la administración DUQUE MÁRQUEZ, la primera de las cuales, en los términos de la sentencia número C-481 de 2019, fue declarada inexequible por la Corte Constitucional, por vicios de trámite, pero de manera diferida, de manera que el Congreso, a más tardar en 2019, como en efecto lo hizo, aprobara y el Gobierno sancionara una nueva ley que subsanara el vacío dejado por el fallo. Tal fue el origen de la Ley 2010 de 2019 que, como lo anota el profesor VARGAS PINZÓN, reprodujo, en esencia, lo previsto por la frustrada Ley 1943.

Observa el libro que las leyes en comentario obedecieron al relevante incremento en el gasto público que generó el acuerdo de paz suscrito entre las "Fuerzas Armadas Revolucionarias de Colombia, FARC" y el gobierno nacional presidido por JUAN MANUEL SANTOS CALDERÓN. Y ya en lo que concierne a las modificaciones a la normativa tributaria vigente, temática del volumen I, en análisis, hace particular énfasis en la relacionada con el sistema cedular o analítico de tributación de las rentas de las personas naturales, en dos aspectos fundamentales: i) El aumento de los tramos de progresividad unido al incremento del tope tarifario del 33 al 39%, respecto de lo que disponía la Ley 1819 de 2016; y ii) La reducción de las cédulas, de las cinco que contemplaba la Ley 1819 (rentas de trabajo, pensiones, rentas de capital, rentas no laborales y dividendos) a tres (cédula general comprensiva de rentas de trabajo, de capital y no laborales, rentas de pensiones y dividendos).

Sobre el incremento en las alícuotas del impuesto sobre la renta a cargo de las personas naturales interesa observar aquí que halla su origen, en alto grado, en las "recomendaciones" de la Organización Europea para la Cooperación y el Desarrollo Económico (OCDE), de la que hace parte Colombia, conforme a las cuales nuestro sistema tributario lo requería y lo requiere. Aún más, hoy la misma OCDE aboga por aumentos mayores, siempre a partir de un discurso relacionado con la pírrica participación de las personas naturales en los recaudos, a diferencia de lo que ocurre en los restantes Estados miembros de la Organización. Lo que resulta insólito, por decir lo menos, es que el obediente legislador colombiano haya venido atendiendo esas "sugerencias", pero, salvedad hecha de lo previsto por las leyes 1943 y 2010, de fugaz vigencia en esa materia, no se haya tomado el trabajo de reducir la tarifa del impuesto sobre la renta a cargo de las sociedades pese a que, según la misma OCDE lo reconoce, es una de las más altas, si no la más alta, entre los países miembros. Dada esa circunstancia, los niveles efectivos de tributación en Colombia, para sociedades y personas naturales, en concurrencia con beneficios tributarios para sectores privilegiados, que contrastan con los requerimientos financieros del Estado y operan al lado de una informalidad superior al cincuenta por ciento (50 %) que lesiona gravemente la solidez financiera del ente público y alberga una gran injusticia, son excesivos y vienen dejando al país en precarias condiciones para competir fiscalmente con otras jurisdicciones de América Latina, en lo que atañe a la atracción de inversiones.

Ante lo cual resulta muy pertinente y acertada la observación del autor sobre el ostensible retroceso que registra el país, en su política fiscal, al haber establecido, a partir de la Ley 1819 de 2016, y reiterado en leyes posteriores como la 1943 y la 2010, el impuesto a los dividendos percibidos de sociedades nacionales por las personas naturales e inversionistas de capital del exterior, actualmente con la tarifa real del 10 %. Una doble tributación económica que, inexplicablemente y en medio de un populismo lamentable, echó hacia atrás la rueda de la historia para volver a fases que ya había superado el país desde la crucial reforma contenida en la Ley 75 de 1986. Parecen no haber entendido, ni el legislador ni en general los pregoneros de esta sinrazón, que la doble tributación económica consentida por el *derecho tributario positivo* solo sería admisible en función de una reducción muy significativa de la tarifa del impuesto a las sociedades, hoy del 35 %, a no más de un 30 %. Entre tanto, la situación es insostenible, porque la tarifa integrada "sociedad – socio" es del 41,5 %.

VARGAS PINZÓN trae a colación, además, la importante Sentencia C-120, de 2018, de la Corte Constitucional, por la cual la exención general a las rentas laborales, prevista en el numeral 10° del artículo 206 del Estatuto Tributario, y equivalente al 25 % de los pagos laborales, con un límite mensual de 240 UVT (en 2021 $8.714.000), se hizo extensiva, en los términos el parágrafo 5° del citado artículo, que acogió lo dispuesto por la Corte, a los honorarios percibidos por personas naturales prestadoras de servicios "que contraten o vinculen por un término inferior a noventa (90) días continuos o discontinuos menos de dos (s) trabajadores o contratistas vinculados a la actividad".

El Capítulo culmina con una breve referencia a la Ley 2155 de 2021, promulgada y sancionada en medio de los requerimientos financieros generados por la pandemia del COVID-19 y con el antecedente de un frustrado proyecto de ley tributaria que el presidente DUQUE MÁRQUEZ había sometido a la consideración del Congreso, pero hubo de ser archivado en medio de crecientes protestas y un extendido paro nacional, que alteraron sensiblemente el orden público. Por una generosa iniciativa dirigida a colaborar para la superación de la crisis, por parte de las empresas colombianas, la tarifa del impuesto para las sociedades, que debería haber llegado a un 30 %, en los términos de las leyes 1943 y 2010, pasó a ser del 35 %. Es de esperarse que, en breve, en el ámbito de una reforma tributaria sólida e integral, se reduzca significativamente. Huelga decir que la ley en cuestión no abordó las temáticas sobre las que se ocupa la obra, ni tuvo objetivos distintos al del simple recaudo.

En el Capítulo XXI, último de la obra materia de este prólogo, el autor aborda las modificaciones previstas al ordenamiento tributario por la Ley 2277 de 2022, en lo que concierne a la temática de la obra. La aludida Ley acentuó, aún más, la incidencia del impuesto sobre la renta a cargo de las personas naturales, redujo el tope de la exención del 25 % de los pagos laborales gravables, aumentó la tarifa aplicable a los dividendos y participaciones percibidos por personas naturales, por la vía de someterlos al régimen de alícuota progresiva aunque con un descuento tributario equivalente al 19% en el marco de las sub cédulas por "dividendos y participaciones", que creó, redujo significativamente el tope máximo de las exenciones y deducciones relacionadas con la llamada "cédula general", estableció un importe estimado del 60 % para costos y gastos asociados a las rentas de trabajo no laborales, habilitó a la Dirección de Impuestos y Aduanas Nacionales (DIAN) para establecer topes indicativos en esa materia e incrementó el tipo impositivo para las ganancias ocasionales del 10 al 15 %.

Como aspiro a haberlo puesto de presente en este prólogo, la obra del doctor Mateo Vargas Pinzón es rigurosa, seria, propositiva, crítica, en sentido kantiano, oportuna, clara, generosa, muy completa, nutrida con referencias doctrinarias y jurisprudenciales de indudable pertinencia y muy bien escrita. Los juristas de la academia, la asesoría y el foro, los estudiantes, el Estado en sus tres dimensiones (ejecutiva, legislativa y judicial), los órganos de control, en lo suyo, los estudiantes y los analistas de las relaciones de familia encontrarán en este estupendo volumen, para sus labores, un apoyo de altísimo nivel.

Al poner fin a estas líneas no me queda más que felicitar al autor, reconocer el enorme esfuerzo que evidencia este magnífico logro personal, profesional e intelectual y manifestar, sin ditirambos de ninguna clase, que ésta, su creación, pone de manifiesto que estamos ante un sólido jurista y un aventajado profesor: el doctor Mateo Vargas Pinzón, capaz, como pocos, de integrar con suficiencia y entrelazar, con el fuego de la pasión, las dos ramas del derecho que con tanto entusiasmo ha asumido y en las que es protagonista de muy alto rango. Sus padres, Humberto y Milena, por quienes profeso una profunda amistad, han de disfrutar, como propias, con la impronta insuperable del espíritu y el amor, esta y las demás realizaciones que nos ha ofrecido y no ofrecerá su hijo a lo largo de su vida.

MAURICIO A PLAZAS VEGA

Bogotá, junio de 2022

Introducción

El estudio de la fiscalidad en la familia parte de la realidad, porque es objetiva e incontestable, de que al interior de un núcleo tan íntimamente ligado al fuero personal surgen también, en todos los casos, fenómenos de contenido económico que interesan a la actividad ordenadora del Estado. Y es que la familia en el derecho y la sociología ha sido denominada como "célula básica de la sociedad", expresión que bien puede recoger la visión eminentemente economicista.

En efecto, si la constante histórica ha sido la conformación de grupos para el establecimiento de las sociedades, desde la *polis* griega hasta la consolidación del Estado-nación, fluye palmaria la incidencia que, para la economía, tiene la familia. A fin de corroborarlo, basta estudiar la raíz etimológica de la expresión que se deriva del griego *oikos* (casa) y *nomos* (administración); de ahí que se considere a JENOFONTE, con su obra *Oiko-nomikos*, el primer exponente de la ciencia económica[1].

En su más primigenia expresión, el término economía se circunscribe a la administración de la casa, o, en palabras de MANKIW, "el que adminis-tra el hogar"[2], luego se reconoce por antonomasia que la familia ha sido también, para la ciencia económica, uno de los más importantes focos de estudio. Y no podría ser distinto porque, en todos los casos, cualquiera que sea la óptica o matiz que se le quiera dar, los seres humanos han debido recurrir a dinámicas productivas para satisfacer sus necesidades. Ya en las más sofisticadas y actualizadas versiones del campo de estudio de la ciencia económica se ha ampliado la referencia otrora hecha al hogar, como es apenas natural, a las "sociedades" o al "Estado-nación", habida cuenta de que es la tendencia histórica actual por la que transitamos[3].

---

[1]   GREGORY MANKIW, *Principios de Economía*, Tercera Edición, (Madrid: Ed. McGraw Hill/Interamericana, 2004), 2.

[2]   *Ibidem*, 3.

[3]   Para proponer solamente dos ejemplos, SAMUELSON y NORDHAUS, *Economía*, De-cimoséptima Edición, (McGraw Hill), 4, definen la economía como "[e]l estudio de la manera en que las sociedades utilizan los recursos escasos para producir mercancías valiosas y distribuirlas entre los diferentes individuos", en tanto que MANKIW (*cfr. Principios de Economía*, 3) la define como "el estudio del modo en que la sociedad gestiona sus recursos".

En todo caso, parece ser pacífico que la familia tiene una naturaleza que de suyo emana manifestaciones económicas, por lo que ha sido estudiada en esa materia como una "unidad" o "subsistema" en su comportamiento[4]. En su condición de tal, la familia actúa como un ente productor y consumidor de recursos, con indudable incidencia en la sociedad, por cuanto pueden todos sus miembros colaborar con actividades de producción (*v. gr.* en materias agrarias y artesanales), así como ser foco de consumos y egresos (*v. gr.* los hijos, cónyuges o compañeros permanentes improductivos[5] o los ancianos sin pensión).

El anterior preludio ha de servir, no para proponer un estudio de la familia desde un criterio economicista, sino para reiterar las distintas manifestaciones económicas que de la llamada "célula básica de la sociedad" se derivan. A partir del esbozado cariz económico se abre paso un segundo análisis, jurídico, cual es el que se colige del Derecho Financiero (o Derecho de la Hacienda Pública)[6] y, más específicamente, del Derecho Tributario (o Derecho Fiscal)[7].

Para explicar la pretendida aproximación, resultaría necio en este punto, por decir lo menos, desatender las no pocas causas emprendidas por los estudiosos de la Hacienda Pública a fin de reivindicar su juridicidad, no ya desde el plano eminentemente formal y descriptivo, sino desde los planos deontológico y axiológico en general, así como *dikelógico* en particular. Recuérdese, al efecto, que buena parte de la doctrina del siglo pasado se ocupó de precisar la importante diferencia que presenta la Ciencia de la

---

[4]   KARL MARX, *El Capital* (Madrid: Ed. Siglo XXI de España Editores, 2017), 45, anunciaba que "[l]os diversos trabajos que engendran estos productos, la agricultura y la ganadería, el hilar y el cortar, etc. son, por su forma natural, funciones sociales, puesto que son funciones de una familia en cuyo seno reina una división propia y elemental, ni más ni menos que en la producción de mercancías. Las diferencias de sexo y edad y las condiciones naturales de trabajo, que cambian con las distintas estaciones del año, regulan la distribución de esas funciones dentro de la familia y el tiempo que los individuos que la componen han de trabajar". Con ello el tratadista pone de manifiesto que, además de ser una unidad económica, la familia debe ser tratada como un subsistema, al interior del cual la distribución de roles se incardina a la producción de recursos para su ulterior consumo.

[5]   Entiéndase la expresión dentro del contexto económico de productividad asociada a la generación efectiva de ingresos.

[6]   En esta obra emplearemos, indistintamente, las expresiones derecho financiero o derecho de la hacienda pública.

[7]   En esta obra emplearemos, indistintamente, las expresiones derecho tributario o derecho fiscal.

Hacienda Pública con el Derecho Financiero, por cuanto la primera se ocupa de la visión eminentemente económica mientras el segundo abarca instituciones y regulaciones propias que ordenan la actividad financiera estatal[8].

Empero, si el objeto de estudio del Derecho de la Hacienda Pública es el fenómeno financiero, pero desde una perspectiva jurídica, no parece posible pasar por alto las manifestaciones económicas de la familia que precedentemente se anotaron. Tanto más si se tiene en cuenta que, después de transitar por los caminos del Estado absolutista y del Estado gendarme, hemos arribado en la actualidad a una concepción más tozuda del Estado: la del Estado Social de Derecho. Esta última consideración sugiere que la nueva concepción del Estado, adoptada en Colombia por el artículo

---

[8]   Fundamental resulta para este estudio evocar algunas de las múltiples y variadas posiciones que han surgido en torno a la Hacienda Pública. No son pocos quienes, de vieja data, han mencionado que su naturaleza eminentemente económica, y por tanto absolutamente autónoma, desplaza, en todo, cualquier estudio jurídico de la actividad financiera estatal; incluso, se ha mencionado que las cátedras de la Hacienda Pública solo pueden ser enseñadas por economistas. Ello, al decir de RANELLETTI, *Diritto finanziario,* (Milán: Ed. Stab. Tipo-Litográfico G Tenconi, 1927), 5 y 6, parte del equívoco insalvable de confundir la *ciencia de las finanzas* con el *derecho financiero,* veamos: "(...) Es una unión de dos disciplinas profundamente distintas. Una y otra tienen por objeto el fenómeno financiero (...) Pero es distinto el punto de vista a partir del que cada una estudia esa actividad financiera estatal. La ciencia de las finanzas se ocupa en el punto de vista económico (y por consiguiente social) y del político (...) El derecho financiero, en cambio, es una ciencia jurídica que, como tal, estudia el fenómeno financiero desde el punto de vista jurídico". Sobre el ámbito jurídico de la Hacienda Pública (o derecho financiero), señala SAINZ DE BUJANDA, *Hacienda y Derecho,* Tomo II, (Madrid: Ed. Instituto de Estudios Políticos. 1962), 34 y 35: "El derecho financiero (...) se puede definir como 'la disciplina que tiene por objeto el estudio sistemático de las normas que regulan los recursos económicos del Estado y los demás entes públicos pueden emplear para el cumplimiento de sus fines, así como el procedimiento jurídico de percepción de los ingresos y de ordenación de los gastos y pagos, que se destinan al cumplimiento de los servicios públicos'". Esa definición, que bien podría perdurar hoy en su vigencia, viene acompañada de unas lapidarias frases que desestiman, y a nuestro juicio con razón, la aproximación de quienes califican la labor jurídica en la Hacienda Pública como eminentemente descriptiva: "(...) no es, en modo alguno, suficiente formular una mera alusión al tipo de realidades que en una rama del Derecho se regulan, para llegar a penetrar en la esencia de la correspondiente disciplina. Para conseguir esto, el jurista debe conocer, al menos en sus aspectos fundamentales, el soporte fáctico del Derecho -lo que se regula- así como otros elementos cualitativos, de tipo funcional, causal, o teleológico. A saber: cómo se regula; por qué se regula; para qué se regula".

1° de la Carta Política de 1991[9], ha de superar el individualismo histórico que propugnó el Estado liberal para, en su lugar, como lo afirma Pérez Luño, gestionar el alcance y plena materialización de los valores constitucionales[10], uno de los cuales es la justicia.

Pero al margen de las interesantes discusiones que podría plantear la temática en comentario, y que por mucho desbordarían el objeto de este texto, lo cierto es que la actividad económica Estatal ha sido reconocida, con mayor o menor intensidad, a lo largo de toda su existencia. Es, precisamente, en virtud de la existencia de esa actividad económica reconocida, y con mayor razón en el contexto actual, que se reclama la inmersión de la disciplina hacendística, desde una óptica jurídica, no como simple instrumento descriptivo sino como un verdadero elemento que encauza la actividad ordenadora del Estado y le propina su tan necesario basamento de *justicia*[11].

---

[9] **Artículo 1o.** Colombia es un Estado social de derecho, organizado en forma de República unitaria, descentralizada, con autonomía de sus entidades territoriales, democrática, participativa y pluralista, fundada en el respeto de la dignidad humana, en el trabajo y la solidaridad de las personas que la integran y en la prevalencia del interés general".

[10] Véase a Antonio Enrique Pérez Luño, *Derechos humanos, Estado de derecho y constitución.* (Madrid: Ed. Tecnos, 1995).

[11] De manera que no se trata solamente, como ya se manifestó, de mantener una tesis eminentemente descriptiva de la actividad financiera o hacendística del Estado porque en ella penetra el derecho propiamente dicho también. Por ello se espera que los juristas conozcan, cuando menos, los elementos fundamentales de la materia de la que se pretenden ocupar, como lo afirmaran en su minuto Sainz de Bujanda (en su obra *Hacienda y Derecho*, 34 y 35) y Trotabas (Revue de science et de législation financière. Año 46. (París: Ed. Giard et Brière, 1954), 232). Pero el andamiaje de justicia que proporcionan lo explica Plazas Vega, *Derecho de la hacienda pública y derecho tributario*, Tomo II, (Bogotá: Ed. Temis., 2017), 39. Con tal sencillez, que amerita su transcripción *in extenso*: "Pero sorprende que al amparo de tal autonomía [la del derecho tributario] se afirme que los restantes aspectos de la hacienda pública solo deban ser enseñados en las facultades de derecho por los economistas y desde una perspectiva económica que, sin embargo, tenga en cuenta los aspectos jurídicos en forma secundaria o accidental. Una conclusión como esa no solo parece lógica, sino que sugiere serios, aunque obvios, interrogantes: ¿se puede pretender que los aspectos constitucionales y jurídicos del gasto público (iniciativa legislativa, contenido y consecuencias de la autorización del gasto, frentes jurídicos del gasto, controles anteriores y posteriores del gasto, participaciones de los particulares y del Estado en el destino del gasto, etc.) sean señalados por los economistas? ¿es acertado afirmar, con rigor, que la enseñanza de la estructura jerárquico-normativa del presupuesto del Estado (noción de norma constitucional, ley orgánica, ley estatutaria, ley ordinaria, ley de aprobación, ley material, ley for-

Así las cosas, no resulta extraño que la intervención económica de la familia sea un criterio relevante para el fenómeno financiero estatal, el cual reclama su estudio desde los cauces del Derecho de la Hacienda Pública.

---

mal, ley adjetiva, ley definitiva, ley temporaria, decretos-leyes, decretos legislativos, etc.) sea reservada a los economistas? ¿Estos estudiosos pueden tratar, como de su competencia, los aspectos del derecho penal relativos a la violación del destino del gasto o de su relación con el presupuesto del Estado? ¿Pueden definir los aspectos de la violación de las normas presupuestales en la validez de los contratos del Estado? ¿Corresponde a su formación la definición del contenido de la vigencia de las leyes por medio de las cuales se aprueba el presupuesto estatal? Desde el punto de vista de la naturaleza jurídica de la ley del presupuesto, ¿pueden los economistas verificar su legitimidad cuando incluyan disposiciones que no sean estrictamente inherentes al presupuesto? ¿Participa de la materia económica el objeto del debate sobre las competencias del Parlamento y del gobierno sobre la elaboración y la aprobación del presupuesto público? ¿Constituyen materias propias de los economistas las relativas a la legitimidad constitucional, a la naturaleza jurídica y a las condiciones de las inversiones forzosas de los ciudadanos en favor del Estado? ¿Pertenece a la competencia propia de los economistas el análisis de la relación que vincula el derecho comunitario con el derecho nacional en cuanto atañe a los diferentes sectores del derecho de la hacienda pública que tienen relevancia para los fines de la integración económica (gastos comunitarios, deuda pública comunitaria, presupuesto del Estado y presupuesto de la comunidad supranacional, monopolios estatales, estados de excepción, libertad de mercado, etc.)? ¿Participa de la materia económica la definición de la responsabilidad del Estado y de sus funcionarios relacionada con los servicios públicos y las condiciones en que, desde una perspectiva financiera pública, ellos pueden participar con los particulares en el desarrollo de la actividad o simplemente deben, en caso de privatización, controlar la prestación del servicio de que se trate? ¿La definición de la autonomía del Banco Central y de su poder de decidir en materia de endeudamiento público o privado y de emisión o circulación de la moneda, en lo que atañe a su expresión mediante actos jurídicos de alcance general e impersonal, debe ser elaborada por los economistas? ¿Pueden los economistas evaluar la legitimidad de los monopolios fiscales y su compatibilidad constitucional con los impuestos directos o indirectos y con las libertades y principios propios del derecho supranacional? ¿Es de su competencia definir los límites y las condiciones del poder financiero de los órganos nacionales, subnacionales y supranacionales? ¿Les corresponde a los economistas evaluar, desde el punto de vista constitucional, si el presupuesto público que cada año somete el gobierno a la consideración del Congreso consulta los lineamientos del Estado social de derecho, respeta los principios fundamentales de igualdad y de justicia y garantiza el respeto y la consolidación de los derechos fundamentales previstos en la Carta Política? ¿Es función de los economistas establecer criterios y premisas para la interpretación de las leyes de la hacienda pública y para resolver las tensiones que suelen presentarse entre principios constitucionales cuando se trata de definir sobre su compatibilidad con la norma de normas?"

¿Cuáles son los recursos que el Estado podría obtener o esperar de una familia productiva? O ¿Cómo se ha de ordenar el gasto público para proteger a los núcleos familiares que más lo necesitan? Son algunos de los cuestionamientos que se debe formular el Derecho Financiero, al amparo del Estado Social de Derecho, para materializar los contenidos mínimos de justicia.

El estudio aquí propuesto no desconoce los planteamientos que, de tiempo atrás, han formulado los profesores Sainz de Bujanda, Trotabas o Plazas Vega, en el sentido de que los juristas no han de ocuparse de la materia económica propiamente tal, porque ello comportaría una inoportuna inmersión en terrenos desconocidos. Por el contrario, aquí se propone dar pleno sentido a sus afirmaciones, en la medida en que se aboga por el efectivo conocimiento y la penetración del ámbito que se pretende regular, desde el derecho, para poder hacerlo con la completitud requerida[12]. De

---

[12] Plazas Vega, *Derecho de la hacienda pública y derecho tributario*, Tomo II, (Bogotá: Ed. Temis, 2017), 36. Explica, claramente, que "los juristas no deben invadir temas propios de otras ciencias", pero "no por esa razón pueden ignorar el contenido económico, social o político del conjunto de normas jurídicas financieras que deban interpretar, porque si el derecho no se aborda en todos sus alcances, sino que se limita al a simple forma, deviene vacío y sin sustancia". A su turno, Trotabas, "Une présentation synthétique de la science des Finances. A propos d'un *livre* récent de Benvenuto Griziotti", en *Revue de science et de législation financière. Año 46.* (París: Ed. Giard et Brière, 1954), 232. Reitera la interdisciplinariedad del punto que abordamos, así: "[L]a science des finances se révèle sous une triple allégeance: l'économiste ne devient pas financier s'il n'est pas juriste, de même que le juriste ne sera financier que dansla mesure où ils'enrichira de science économique et cette double culture s'épanouit dans la primauté des données politiques, en dehors desquelles la science des finances ne peut pas se concevoir". Ambas posiciones, sumadas a la de Sainz de Bujanda que se transcribió en nota anterior, ponen de relieve la necesidad de tomar en consideración los diferentes aspectos que se pretenden regular, sin que por ese solo hecho sea posible caer en la inadecuada inmersión en campos extraños. Importa indicar, con absoluta claridad, que las anteriores reflexiones no nos llevan a coadyuvar la tesis sincrética de Griziotti, "Per l'unitá della cattedra didiritto finanziario e scienza delle finanze e per il prestigio degli studi finanziari in Italia", *Rivista di Diritto Finanziario e Scienza delle Finanze*, 1942. Según la cual "es necesario mantener la unidad [en la actualidad inexistente] de la cátedra para las dos enseñanzas financieras [ciencia de las finanzas y derecho financiero] cuyos vínculos son particularmente estrechos". A pesar de esa estrechez a que alude Griziotti, coincidimos con la posición de Giannini "Diritto finanziario e scienza delle finanze" *Rivista Italiania Diritto finanziario e scienza delle finanze.* 1939, 1 y 2. Para quien la tesis sincrética del Maestro de Pavía "sería tanto como querer transformar químicamente la madera en hierro (…) [por lo que] no queda otro remedio para poner fin a este desorden que romper el cordón que liga dos materias tan profun-

consiguiente, hemos tomado como punto de partida el análisis económico de la familia y su relevancia para la actividad financiera estatal, a fin de corroborar que al Derecho Financiero, como rama autónoma[13], le interesa

---

damente diversas". Abogamos aquí, entonces, por el reconocimiento de la importancia de que las Facultades de Jurisprudencia alberguen juristas que enseñen el Derecho Financiero, a partir de nociones fundamentales de economía también, para que les sea posible penetrar en el área objeto de estudio y, de la misma forma, economistas que impartan cátedras, distintas, de la Hacienda Pública (en cuanto Ciencia), con pleno conocimiento de los criterios jurídicos que la informan.

[13] Frente al cuestionamiento que aparece en la doctrina, relacionado con la autonomía del derecho financiero (o de la Hacienda Pública) respecto del derecho administrativo, se han acogido las siguientes posturas: DE LA CUEVA, *Derecho Fiscal*, Quinta Edición. (México: Editorial Porrúa, 2017), 40. Por ejemplo, defiende la tesis administrativista del Derecho Financiero, a saber: "[E]stimamos que el derecho administrativo, el cual deriva a su vez del derecho constitucional, dá origen a lo que conocemos como derecho financiero y como rama de éste encontramos al derecho fiscal, tributario o impositivo". En el mismo sentido, MAYER (*Derecho administrativo alemán*, (Buenos Aires: Ed. Depalma, 1950) y ORLANDO (*Primo trattato completo di diritto amministrativo italiano*. (Milán: Ed. Società Editrice Libraria, 1915). Empero, en nuestro sentir son correctas las posiciones que abogan por la construcción jurídica del Derecho Financiero como rama interrelacionada pero autónoma a la del derecho administrativo. Somos conscientes de que resulta insuficiente la dedicación de una nota a tan importante debate, pero también es cierto que no corresponde al objeto de este escrito detenerse en su pormenorizado estudio. Por ello, el lector puede referirse a las juiciosas obras que a continuación se citan (todas las cuales pertenecen a exponentes de la autonomía del Derecho Financiero como rama de estudio, a quienes adherimos): MARIO PUGLIESE, *Istituzioni di diritto finanziario: diritto tributario*. (México: Ed. Fondo de Cultura Económica, 1939), 1 a 25; GIORGIO TESORO, *Principii di diritto tributario*. (Bari: Ed. Luigi Macri, 1938), 7 y ss.; GUSTAVO INGROSSO, *Diritto finanziario*. (Nápoles: Ed. Jovene Editore, 1956), 5 y ss.; NICOLA D'AMATTI, "Nozione critica del diritto finanziario", *Rivista di Diritto e Pratica Tributaria*, Núm. 4, 1957, 24 y ss.; CINO VITTA, *Diritto amministrativo*, 3 Edición. Tomo II. (Torino: Ed. Unione tipografico-editrice torinese, 1950), 31 y ss.; GUIDO ZANOBINI, *Corso di diritto amministrativo*. Vol. IV. (Milán: Ed. Simone, 1948), 248; ANDREA AMATUCCI, *La autonomía del derecho de la hacienda pública y el derecho tributario* (Obra donde participan como autores de distintos capítulos RUBÉN ASOREY y MAURICIO A. PLAZAS VEGA. (Bogotá: Ed. Universidad del Rosario, 2008.); JOSÉ OSVALDO CASÁS, "El deber de contribuir como presupuesto para la existencia del Estado. Notas preliminares en torno a la justicia tributaria", en *El tributo y su aplicación: perspectivas para el siglo XXI*. CÉSAR GARCÍA NOVOA y CATALINA HOYOS JIMÉNEZ (coord.) (Buenos Aires: Ed. Marcial Pons, 2008); CARLOS MARÍA GIULIANI FONROUGE, *Derecho Financiero*, vol. I, 5 Edición. (Buenos Aires: Ed. De Palma, 1993), 30 y ss.) y FERNANDO SAINZ DE BUJANDA, *Hacienda y Derecho*, vol. II, (Madrid: Ed. Instituto de Estudios Políticos, 1962), 137.

su estudio, siempre a la luz de los postulados del Estado Social de Derecho. Mas el estudio de la familia que aquí se plantea tiene un mayor grado de especialidad, por lo cual no se abordará desde el Derecho Financiero en general, sino desde una de sus ramas en particular: el Derecho Tributario.

Abstracción hecha de las consideraciones propias sobre su relativa autonomía[14], el Derecho Tributario es la rama del Derecho Financiero incar-

---

[14]   Es cierto que alguna parte de la doctrina ha negado la pretendida autonomía del derecho tributario, sujetándolo sin bemol de naturaleza alguna a otras ramas del derecho como son la administrativa o la hacienda pública. Ejemplo de ello son ER-NESTO FLORES ZAVALA (*Elementos de Finanzas Públicas Mexicanas,* 13 Edición. (México: Ed. Porrúa, 1971), 10), quien no solamente unifica los conceptos de derecho financiero y derecho fiscal, sino que los ubica como una simple ramificación del derecho administrativo: "El derecho financiero público o derecho fiscal, es una rama del derecho administrativo que estudia las normas legales que rigen la actividad financiera del Estado o de otro poder público"; VICENTE-ARCHE COLOMA (*Principii di diritto tributario,* vol I. (Madrid: Ed. De Derecho Financiero. Madrid, 1964), 45-46.) plantea, en las notas a la traducción de la obra de BERLIRI, una clara subordinación del Derecho Tributario al Derecho Financiero, aunque lo emancipa del Derecho Administrativo: "Yo propugno por ello (…) la construcción del Derecho financiero y el encuadramiento en su seno del Derecho tributario (…) Por el momento, y ante el estado actual de los estudios jurídico financieros, me inclino a utilizar, cuando se hace referencia al tratamiento jurídico de la Hacienda pública, una denominación doble: Derecho financiero y tributario, para aludir así a la necesaria sistematización jurídica de la Hacienda pública (…) y destacar a su vez el Derecho tributario (…)". Sin perjuicio de tan respetables consideraciones, en la actualidad parece haber un relativo consenso en que, aun cuando el Derecho Tributario puede ser una disciplina que no reclama absoluta autonomía, sus normas guardan tal grado de relevancia y especialidad que, incluso como subclasificación del Derecho Administrativo o de la Hacienda Pública, según el caso, merece un estudio independiente. Basta citar, a modo enunciativo, al Maestro GIANNINI, quien reconoce la materia tributaria como ramificación del derecho administrativo y, además, como la única parte relevante para estudio autónomo del derecho financiero por su singular relevancia (*Istituzioni di diritto tributario,* 7 Edición. (Madrid: Ed. De Derecho Financiero, 1957), 7): "Precisamente por la diversa naturaleza de las materias que componen la vasta trama del Derecho financiero, parece más conforme con un exacto criterio sistemático adoptar como objeto de una disciplina jurídica diferenciada tan sólo aquella parte del Derecho financiero que se refiere a la imposición y a la recaudación de los tributos, cuyas normas son, en efecto, susceptibles de coordinarse con un sistema científico, por ser las que regulan de un modo orgánico una materia bien definida, la relación jurídico-tributaria, desde su origen hasta su realización. La autonomía del Derecho tributario se justifica, además, por las especiales características que esta rama del Derecho administrativo presenta frente a las demás"; BERLIRI (*Principii di diritto tributario,* vol I. (Madrid: Ed. De Derecho Financiero, 1964), 25) se alinea con la con-

clusión GIANNINI; MICHELI (*Corso di diritto tributario*. (Caracas: Ed. De Derecho Reunidas, 1975), 75), por su parte, plantea: "Como rama de la ciencia jurídica, el derecho tributario tiene, por tanto, como objeto el estudio sistemático de aquellas normas y se presenta como una parte del derecho público. Por ello, podría ser incluido dentro del Derecho Administrativo (siempre que éste se considerara en sentido amplio) puesto que éste contempla indudablemente también la actividad tributaria del ente impositor y sus relaciones con los sujetos pasivos; por otra parte, el tributo supone estrechos lazos de conexión con numerosos campos del derecho positivo, que hacen necesario un estudio particularizado de las normas al respecto (…) En el conjunto de las normas tributarias cabe distinguir un grupo que disciplinan directamente la imposición, de las que son deducibles algunos principios generales autónomos (…)"; RAMÍREZ CARDONA (*Derecho sustancial tributario*. (Bogotá: Ed. Retina, 1974), 10-17), a pesar de que reconoce en un primer momento que el Derecho Tributario hace parte del Derecho Financiero ("El Derecho Tributario, al limitar su objeto de análisis al fenómeno estrictamente fiscal o tributario, se debe considerar como una parte del derecho financiero"), algunas páginas después reclama su independencia, al menos en lo que hace al componente sustancial de la disciplina: "Sin embargo, la autonomía del Derecho Tributario puede predicarse aún frente al Derecho Financiero (…) Estructuralmente, es decir, en cuanto a la institución que regula, el Derecho Tributario Sustancial posee autonomía frente al Derecho Financiero ya que este comprende además del impuesto otros tantos institutos de índole muy diferente como son los empréstitos, las tasas, las participaciones financieras, las rentas contractuales, los precios, etc. (…) Desde el punto de vista dogmático dicha autonomía es también manifiesta. Al poseer principios y conceptos propios, el derecho tributario es doctrinariamente autónomo. Y no solo porque son principios y conceptos originales, sino porque se oponen con frecuencia a los de las demás ramas del derecho"; PLAZAS VEGA plantea lo siguiente (*Derecho de la hacienda*, Tomo II, 27): "Otra parte de la doctrina, a la cual adhiere el autor de esta obra, considera que el derecho tributario constituye una rama del derecho de la hacienda pública, con dos precisiones: en primer lugar, el derecho de la hacienda pública constituye una rama jurídica que, si bien surgió en el campo de la evolución del derecho administrativo, ha adquirido reconocida independencia que encuentra su fundamento en principios e instituciones propias. En segundo lugar, el derecho tributario, aunque forme parte del derecho de la hacienda pública, ostenta una relativa autonomía que justifica su enseñanza independiente como área de profundización (…)"; ANDREA AMATUCCI (*La autonomía*, 75) señala: "Así las cosas, se tiene que mientras el Derecho Financiero tiene una autonomía científica plena, el Derecho Tributario ostenta una autonomía científica relativa"; GOMES DE SOUSA (*Hacienda y Derecho*, vol. II, (Madrid: Ed. Instituto de Estudios Políticos., 1962), 54 y 55.), en el marco de las Primeras Jornadas de Derecho Tributario, organizadas por la Facultad de Derecho y Ciencias Sociales de Montevideo, en 1956, expresó: "Así que, acallados los debates —prosiguió—, el reconocimiento de aquella autonomía [del Derecho Tributario] puede ser ahora analizado en su verdadero sentido, como solución de un problema esencialmente metodológico y, por eso, de interés primordial para la enseñanza del De-

dinada al estudio de las normas que regulan los tributos en general[15]. Por

recho (…) [solicitó que se aprobara] una moción dirigida a las autoridades educacionales de todos los países latinoamericanos, donde todavía no exista la cátedra de derecho tributario en las Facultades de Derecho, para que dichas autoridades estudien y propongan, en el más breve plazo posible, la creación de esa Cátedra con carácter de disciplina obligatoria en el currículo normal de los cursos jurídicos"; pero ya en el estudio en Comisión, el profesor GIULIANI FONROUGE apuntó: "Lo importante es que se organicen cursos; la enseñanza también en forma orgánica y separada de los principios y normas del Derecho tributario". Hay una tercera postura, según la cual el derecho tributario no pertenece a ninguna de las antedichas disciplinas. Para efectos académicos y didácticos, pudiéramos clasificar en esta tesis los planteamientos de ANDREOZZI (*Derecho tributario argentino*. (Buenos Aires: Ed. Tipográfica Editora Argentina, 1951), 39.), con la justa aclaración de que el autor siempre defendió que el derecho se debía tratar como una unidad y, por tanto, hablar de "autonomía" *stricto sensu* no era más que una imprecisión; por ello, lo que aquí se pretende es poner de manifiesto que el profesor argentino, en lugar de clasificar al derecho tributario como parte de las disciplinas administrativa o financiera, simplemente lo categorizó como rama del derecho público: "[E]l derecho tributario es la rama del derecho público que estudia los principios, fija las normas que rigen la creación y percepción de los tributos y determina la naturaleza de los caracteres de las relaciones del Estado con el administrado que está obligado a pagarlos"; y JARACH (*El hecho imponible*, tercera edición. (Buenos Aires: Ed. Abeledo-Perrot, 1943), 24, 25 y 46), después de explicar los motivos por los que el derecho financiero no cuenta con autonomía alguna y, por su parte, el derecho administrativo resulta incapaz de albergar al derecho tributario, culmina contundentemente, así: "Concluimos, pues, dando por sentada la autonomía estructural del derecho tributario material, frente al derecho administrativo o, más general, frente al derecho público y en el sistema global del derecho objetivo". Con motivo de la orientación y el objeto de este escrito, resulta inconveniente, así como insuficiente, dedicar tan solo una nota a una discusión tan nutrida que amerita, en verdad, un texto separado que estudie con suficiencia su contenido. En consecuencia, solo dejaremos sentado que, en nuestro sentir, el derecho tributario puede ser considerado como una disciplina del derecho financiero que, por su grado de importancia, reclama una autonomía, aunque sea parcial. Y esa es la visión a partir de la cual estructuramos nuestros planteamientos, con miras a arribar al estudio de la familia frente a la tributación.

[15] La definición que aquí se plantea encuentra apoyo en aquellas que, sobre el particular, han expresado los siguientes autores: MICHELI (*Corso*, 75): "[L]as normas que se agrupan bajo la denominación de Derecho Tributario disciplinan el tributo, cualquier tributo, en sus más variadas fases". DE LA GARZA (*Derecho financiero mexicano*, 5ª Edición. (México: Ed. Porrúa, 1973), 21): "[E]l derecho tributario es el conjunto de normas jurídicas que se refieren al establecimiento de los tributos, esto es, a los impuestos, derechos y contribuciones especiales; a las relaciones jurídicas principales y accesorias que se establecen entre la administración y los particulares con motivo del nacimiento, cumplimiento o incumplimiento; a los proce-

tanto, bajo los principios que inspiran el sistema tributario, algunos de los cuales se desglosarán a medida que avance nuestro estudio, la regulación de la familia en la fiscalidad cobra especial interés.

Con ese contexto, sea lo primero hacer nuestras las palabras del profesor Bravo Arteaga, en el sentido de afirmar que "[e]l Derecho Tributario se construye sobre tres pilares fundamentales: la realidad económica, la normatividad jurídica y la finalidad social. En una terminología filosófica, se puede decir que cada uno de ellos constituye causa material, causa formal y causa final del tributo"[16]; de ahí que las manifestaciones ontológicas de contenido económico, nacidas incluso en razón de fenómenos cuya pretensión no es económica —como la de conformar una familia—, tengan efectos jurídicos en ramas del derecho que, *ab initio*, podrían parecer distantes —verbigracia, la tributaria—. Porque la disciplina fiscal no mira si ha habido interés o no en generar efectos económicos; ella se erige como fundamento orientador de la actividad económica estatal, persigue garantizar la justicia y efectiva redistribución de la riqueza, para lo cual demanda de los asociados su contribución[17].

Por consiguiente, reconocidos los aspectos económicos enquistados en la familia, el punto de partida para estudiar los alcances tributarios, a nuestro juicio, ha de ser el impuesto sobre la renta, habida cuenta de la utilidad y simpleza que permite su análisis.

---

dimientos oficiosos o contenciosos que pueden surgir y a las sanciones impuestas por su violación". Vanoni (*Elementi di diritto tributario*. (Padua: Ed. CEDAM, 1940), 2): "[R]ama de la ciencia jurídica que estudia el nacimiento, modificación y extinción de la relación jurídica del tributo". Bravo Arteaga (*Nociones fundamentales de derecho tributario*. Bogotá: Ed. Instituto Colombiano de Derecho Tributario, 1973), 42), citando a Giannini, señala: "El derecho tributario es aquella parte del derecho administrativo que estudia el establecimiento y la aplicación de los tributos, así como las obligaciones tributarias y accesorias". Por último, Valdés Costa (*Instituciones de derecho tributario*, Segunda Edición. (Buenos Aires: Ed. Depalma, 2004), 1): "Es el conjunto de normas que regulan los derechos y obligaciones entre el Estado, en su calidad de acreedor de los tributos, y las personas a quienes la ley responsabiliza de su pago".

[16] Juan Rafael Bravo Arteaga, "El impuesto de renta sobre dividendos", en *Comentarios a la reforma tributaria estructural*. (Bogotá: Ed. Instituto Colombiano de Derecho Tributario e Instituto Colombiano de Derecho Aduanero, 2017), 42.

[17] Por eso no resulta extraño que en el artículo 95, numeral 9º, de la carta, se establezca como deber fundamental "[c]ontribuir al financiamiento de los gastos e inversiones del Estado dentro de conceptos de justicia y equidad".

La renta, de acuerdo con Due y Friedlander, es "toda <u>ganancia</u> económica que una persona tuvo durante un periodo"[18] (resaltado propio). Por su parte, Alvarado y Raisbeck la definen como "todo ingreso que haga más rico al que lo recibe"[19]. Si se mira con detenimiento, el hecho imponible[20] del impuesto, al que enseguida nos abocaremos, se concreta en una expresión económica sencilla, abstracción hecha de que en torno a su cálculo pueda haber distintas aproximaciones[21]: el enriquecimiento.

---

[18]   John Due y Ann Friedlander. *Análisis económico de los impuestos*. (Buenos Aires: Ed. Editorial de Derecho Financiero, 1990).

[19]   Manuel Alvarado y James Raisbeck. *Su impuesto sobre la renta, patrimonio y exceso de utilidades*. (Bogotá: Ed. ABC, 1938), 3.

[20]   Alguna parte de la doctrina no repara en la diferencia que divide los conceptos de *hecho imponible* y *hecho generador*. A nuestro juicio, la distinción resulta imperiosa porque de sus diferencias se alcanza la precisión entre lo que quiere gravar el legislador, por una parte, y, por otra, la manifestación exterior del sujeto, fruto de la cual el derecho pretende constatar el acaecimiento de lo que quiere gravar. Para ponerlo en términos más sencillos, es menester acudir a las siguientes definiciones que, sobre el particular, los autores han plasmado. El *hecho imponible*, dice mehl (*Elementos de ciencia fiscal*. (Barcelona: Ed. Bosch Casa Editorial, 1964), 66), es "el elemento económico sobre el que se asienta el impuesto y en el que directa o indirectamente tiene su origen". Por su parte, el *hecho generador* (o *hecho gravado*), en palabras de bravo arteaga (*Nociones fundamentales de derecho tributario*. Segunda Edición. (Bogotá D.C: Ed. Ediciones Rosaristas, 1997), 239), es "el tipo de conducta social, revelador de una capacidad económica y previsto en la ley, cuya realización produce el nacimiento de la obligación tributaria".

[21]   Para señalar las distintas aproximaciones que se han hecho en la doctrina, con miras a cuantificar si ha operado el enriquecimiento de un sujeto, y por tanto es pasible del gravamen sobre la renta, nos valdremos del estudio preparado por eleonora lozano rodríguez en la obra intitulada "«El impuesto sobre la renta en el derecho comparado. Reflexiones para Colombia» (Concepción del rédito de enriquecimiento como hecho imponible del impuesto de renta: una perspectiva de derecho comparado", en *El impuesto sobre la renta en el derecho comparado. Reflexiones para Colombia. Homenaje al Dr. Juan Rafael Bravo Arteaga*, tomo I. álvaro leyva zambrano, paul cahn-speyer wells, mauricio a. plazas vega, mauricio piñeros perdomo, carlos ramírez guerrero y.vicente amalla mantilla (coords.) (Bogotá: Ed. Instituto Colombiano de Derecho Tributario, 2008), 3-18), que expone las tres teorías económicas tradicionales a partir de las cuales se ha tratado de definir la renta. La primera de ellas es la teoría de la "renta-producto", cuyos exponentes son phlen, herman y alix. Según la teoría en comento, el capital es la fuente de riqueza y la renta es la utilidad producida por la fuente. En palabras de héctor b. villegas (*Curso de finanzas, derecho financiero y tributario*. (Buenos Aires: Ed. Astrea de Alfredo y Ricardo Depalma, 2005), 701-704): "El capital se asemejaría al árbol y la renta a los frutos que dicho árbol produce". En

A fin de continuar con la breve, pero necesaria aproximación al impuesto sobre la renta como punto de partida del estudio propuesto, es menester volver sobre la clasificación de los impuestos *directos* e *indirectos*[22].

---

ese orden de ideas, la teoría *clásica inglesa*, como la denomina BECERRA BECERRA, únicamente admite como enriquecimiento gravable los ingresos percibidos periódicamente, fruto del capital (que en sentido lato incluye el humano) y no los extraordinarios. A su turno, la segunda teoría es la de "renta-incremento patrimonial", ideada por VON SCHANZ, SIMONS, MUSGRAVE y DUE. Abstracción hecha de las diferencias que la profesora LOZANO plantea en su escrito, en esta formulación se incluyen, además de las ganancias de capital, todos los incrementos patrimoniales surgidos a título gratuito (donación entre vivos, herencias o legados), lo cual implica eliminar los impuestos sobre las sucesiones o ganancias ocasionales, después de lo cual se restan los gastos a que haya lugar según la normativa de que se trate. Algunas legislaciones, como señala BECERRA BECERRA, han optado, empero, por mantener en sus legislaciones los impuestos sobre las sucesiones o ganancias ocasionales para gravar esos enriquecimientos. Finalmente, la teoría del Informe Carter, al decir de LOZANO, se asemeja a la de "renta-incremento patrimonial", pero desarrolla los conceptos de "renta íntegra" y "renta gravable". Aquélla es "el poder para demandar bienes y servicios para uso propio, es decir, contempla el consumo, las donaciones y los cambios normales en el patrimonio neto", en tanto que esta "resulta de restar al anterior concepto los gastos no discrecionales de una persona; es decir, aquellos que cubren sus necesidades esenciales y obligaciones familiares". En Colombia, bueno es advertirlo, el artículo 26 del Estatuto Tributario establece como punto de partida para la depuración de la base gravable "la suma de todos los ingresos ordinarios y extraordinarios realizados en el año o periodo gravable, que sean susceptibles de producir un incremento neto del patrimonio en el momento de su percepción". Así pues, parece claro que la teoría adoptada por la normativa es interna es la de "renta-incremento patrimonial", con la salvedad de que, en los artículos 299 y siguientes del Estatuto Tributario, se regula el impuesto complementario sobre las ganancias ocasionales, que grava, a una tarifa proporcional inferior a la tarifa marginal superior del impuesto sobre la renta básico, los siguientes rubros: (i) la utilidad en la venta de activos fijos poseídos por más de dos años; (ii) la utilidad derivada de la liquidación de sociedades, siempre que su existencia haya sido superior a dos años; (iii) donaciones, herencias o legados; y (iv) loterías, rifas, apuestas y semejantes.

[22] Ha habido una discusión en la doctrina, en torno a la utilidad práctica de la distinción entre impuestos directos e indirectos. De una parte, LUCIEN MEHL (*Elementos...*, 95 a 107), MAFFEO PANTALEONI (*Teoria della traslazione dei tributi*. (Roma: Ed. A. Paolini, 1882), 39), EDWIN ROBERT ANDERSON SELIGMAN (*On the shifting and incidence of taxation*, Cuarta Edición. (Nueva York: Ed. Columbia University Press, 1921), 390 y ss.) y HENRY LAUFENBURGER (*Théorie économique et psychologique des finances publiques*, Vol. I, Quinta Edición. (París: Ed. Sirey, 1956), 259) sostienen que la diferenciación carece de un contenido científico real y serio. De otra, MAURICE DUVERGER (*Éléments de fiscalité*. (París: Ed. Presses Universitaires de France, 1976), 44 y

La historia que antecede a su génesis se remonta, en sus primeros atisbos, a la segunda mitad del siglo XVII cuando se formularon en Inglaterra las facultades del Parlamento en materia de votación impositiva y se dio origen a la institución presupuestaria que conocemos en la actualidad[23]. Sin embargo, no fue sino con los *fisiócratas* que la distinción tuvo un verdadero robustecimiento, pues a partir de su filosofía se indicó con precisión que sería *directo* el impuesto que gravara la tierra, única fuente de riqueza, y que todos los demás impuestos, que denominarían *indirectos*, no serían más que transgresiones a la idea del tributo único que defendían. Por ello, no resulta extraño que autores como FEDELE[24] o PLAZAS VEGA[25] se refieran a aquella época histórica como el momento del verdadero nacimiento de la diferenciación.

Ahora bien, es de advertir que, aunque en sus inicios la clasificación en comentario tuvo como factor definitorio *la tierra*, con el paso del tiempo el criterio se adecuó a una dualidad económico-jurídica que en nuestros tiempos subsiste. La lógica es dual, y no meramente económica o semántica en lo jurídico como algunos han planteado, porque desde la teoría económica clásica, que toma como exponentes a ADAM SMITH y DAVID RICARDO, el impuesto *directo* es el que se calcula "directamente" en función de la renta, mientras que el *indirecto* está constituido por mediciones solo "mediatas" que dan cuenta de la renta. Por su parte, en la lógica estrictamente jurídica, la diferenciación entre ambas categorías surge, en palabras de SAINZ DE BUJANDA, desde el

> método de exacción del tributo. La exacción se produce, efectivamente, en forma directa, cuando el ente público obtiene las cuotas impositivas de aquellas personas a las que la ley quiere someter al gravamen; la exacción se produce, en cambio, en forma indirecta, cuando el ente público obtiene las cuotas impositivas de personas distintas de aquéllas a las que la ley quiere gravar (…)[26]

---

45), ADOLPH WAGNER (*Finanzwissenschaft,* Vol. II, Segunda Edición Leipzig, (1890), 244 y 245) y PAUL LEROY-BEAULIEU (*Traité de la science des finances,* Vol. I, Segunda Edición. (Paris: Ed. Guillaumin et Cie, 1879), 434) defienden su utilidad, a partir de planteamientos relacionados con la justicia en la imposición y la posibilidad de consultar la capacidad contributiva real para efectos de materializar, en el mayor grado posible, la incidencia tributaria según la verdadera intención del legislador.

[23] Véase a FERNANDO SAINZ DE BUJANDA, *Hacienda y Derecho,* Vol. II, (Madrid: Ed. Instituto de Estudios Políticos, 1966), 430.

[24] Véase a ANDREA FEDELE. *Appunti della lezioni di diritto tributario.* (Torino: Ed. Giappichelli Editori, 2000), 187-190.

[25] Al respecto, véase a MAURICIO A. PLAZAS VEGA, *Derecho de la…,* Tomo II, 309.

[26] FERNANDO SAINZ DE BUJANDA, *Hacienda y…,* Vol. II, 456.

Es notable, y merece mención, que desde la lógica dual propuesta se avizora un concepto económico claro, que no le es extraño al Derecho Tributario: la capacidad contributiva. Así, se conjuga la incidencia pretendida por el legislador en dos planos, a saber: (i) el primero de ellos, económico, relativo a la capacidad contributiva de quien se ve conminado a sufragar el importe reclamado por el Estado, una vez verificado el acaecimiento del hecho jurídico consagrado en la norma; y (ii) el segundo, jurídico, que dice relación con la persona de quien se obtiene el importe fiscal en cuestión[27].

---

[27] La conjugación dual a la que nos hemos venido refiriendo no es, necesariamente, pacífica en la doctrina. Abstracción hecha de los comentarios sobre la pertinencia, o no, del estudio o la manutención de una clasificación de los impuestos, que se da por sentada entre quienes participan de este debate y que abordamos en otro fragmento, la discusión se centra en el factor que sirve de andamiaje para la bifurcación entre los impuestos directos e indirectos. GIANNINI, en su magistral obra (*Istituzioni...*, 150-151), describe tres teorías que se estructuraron para fundamentar la división entre impuestos directos e indirectos, a saber: (i) la surgida en razón de la persona obligada a satisfacerlos (por tanto, serán directos si recaen sobre la persona que los debe satisfacer e indirectos si quien los satisface cuenta con la posibilidad de trasladárselo a terceras personas); (ii) la surgida en función de la formación de una matrícula o registro de contribuyentes (así, los impuestos directos gravan "cosas o situaciones duraderas", mientras que los indirectos se "ligan a acontecimientos pasajeros"); y (iii) la surgida con base en "el dato que la ley tiene en cuenta para la determinación de la carga tributaria" (por lo cual son directos los impuestos que gravan una manifestación inmediata de capacidad contributiva e indirectos si el gravamen recae sobre una manifestación apenas mediata de tal capacidad). El profesor italiano, después de analizar el Convenio entre Italia y Alemania y normas de derecho positivo interno, concluye con la siguiente afirmación: "La categoría de impuestos directos comprende, por tanto, aquellos en los que el presupuesto consiste en la propia existencia de la persona, en el patrimonio o en la renta; todos los demás son impuestos indirectos". A manera de réplica, BERLIRI (*Principii...*, tomo I, 392 y 393) explica que la tesis de GIANNINI "presenta un grave defecto: el de no preocuparse en absoluto de armonizar los mencionados convenios con todas las demás normas legales en las cuales se alude a la distinción en estudio". Así, después de estudiar varias normas de derecho positivo interno, BERLIRI (*Principii...*, 399) señala que "el criterio de diferenciación entre impuestos directos e indirectos está constituido, precisamente, por su método de liquidación y recaudación: los que se recaudan con arreglo a una lista cobratoria son impuestos directos, y todos los demás son impuestos indirectos"; es decir, BERLIRI acoge la segunda teoría que explica GIANNINI en su obra. Por su parte, ZANOBINI (*Corso...*, 261), RANELLETTI ("Natura giuridica dell'imposta en Municipio Italiano". *Revista Diritto e pratica tributaria*, 1974, 195), GUSTAVO INGROSSO (*Istituzioni di diritto finanziario*, Vol. II, (Nápoles: Ed. Jovene, 1935), 19), CINO VITTA (*Diritto amministrativo*, vol. II, tercera edición. (Torino: Ed.

De todo lo expuesto, no cabe duda de que, con base en este criterio de distinción, el impuesto sobre la renta es, por excelencia, *directo*. Es así, habida cuenta de que las normas que lo gobiernan no pretenden identificar capacidades mediatas de renta, en términos económicos, ni mucho menos la exacción se obtiene de terceros distintos a quien la ley quiere gravar[28].

Unione tipografico-editrice torinese, 1950), 240) y Attilio Brunialti (*Il diritto amministrativo italiano e comparato nella scienza e nelle istituzioni*, Vol. II, (Torino: Ed. Unione tipografico-editrice torinese, 1914), 396) sostienen que el criterio de diferenciación radica en el objeto del tributo. Así, se consideran directos los que gravan manifestaciones inmediatas de capacidad contributiva e indirectos los que gravan manifestaciones mediatas. Es esta la tesis admitida en la actualidad y a la que adhiere el autor de la presente obra. Al propio tiempo, y en escrito distinto ("La classificazione delle imposte nel diritto tributario", en *Studi dedicati alla memoria di Pier Paolo Zanzucchi /dalla Facoltà di giurisprudenza*. (Milán: Ed. Vita e Pensiero, 1927), 16), Giannini expresó que "la referencia genérica a la capacidad contributiva no basta para determinar ni el origen ni la extensión de la obligación tributaria, por depender uno y otra de presupuestos de hecho más específicos y concretos, sino que sólo sirve para expresar el concepto que ha servido de guía al legislador al establecer los distintos tributos; aquélla indica la razón, no el contenido de la norma, y constituya por ello una razón extrajurídica". Berliri (*Principii...*, tomo I, 409) acoge la tesis de Giannini en torno a la capacidad contributiva, anuncia que se trata de una distinción económica, que no jurídica, y reitera que, a su juicio, el criterio de distinción radica en la lista cobratoria de recaudación elaborada por la administración de hacienda. Desde luego, la interesante controversia, que aún subsiste en nuestros días, ha superado ya la discusión traída a manera de anécdota en este texto entre Berliri y Giannini. Como lo reconoce Vicente-Arche Coloma, en sus apuntes a la traducción de la obra de Berliri (*Principii...*, tomo I, 422), las tesis de este último han quedado ya desuetas. En el mismo sentido, véase a Sainz de Bujanda (*Hacienda...*, tomo II, 429 a 458).

[28]   En la actualidad no es del todo exacto sostener que la exacción del tributo, en tratándose del impuesto sobre la renta, se obtiene por completo del incidido económico. En efecto, como consecuencia de las diferentes aproximaciones para mitigar la evasión fiscal y cumplir con el principio económico de comodidad en el recaudo del impuesto se ha incorporado en las distintas legislaciones el sistema de retención en la fuente (*withholding tax*), por medio del cual el pagador de cierta suma constitutiva de ingreso para el receptor debe, como su nombre lo indica, retener (no pagar) un importe al beneficiario y, en su lugar, ingresarlo directamente al fisco como abono a buena cuenta del tributo que habrá de liquidar el sujeto pasivo al final del período fiscal. En tales casos se podría decir que la exacción no se obtiene directamente del incidido económico, pues el encargado de transferir al Estado la suma correspondiente es un tercero distinto, pero esa sola consideración no logra desvirtuar la tesis que aquí se esgrime.

Otro criterio de clasificación, en palabras de PLAZAS VEGA, es el surgido en función del campo de aplicación[29], según el cual el impuesto puede ser *real* o *personal*. GIANNINI propone, como denominación alternativa, la división entre impuestos *objetivos* y *subjetivos*[30].

En opinión de GIANNINI,

> [i]impuestos subjetivos son aquellos que gravan el conjunto de las rentas o de los bienes del contribuyente o una parte de los mismos, pero sólo en cuanto corresponden a una determinada persona, y teniendo en cuenta, por tanto, en mayor o menor medida sus condiciones personales; los impuestos objetivos, por el contrario, corresponden a bienes o a rentas particulares o a grupos de bienes o de rentas, considerados en su objetividad, sin referencia a las condiciones personales del sujeto pasivo del impuesto[31].

Por su parte, PLAZAS VEGA explica que es real el impuesto que "[a]fecta o grava un elemento económico, sin consideración a la situación personal del sujeto pasivo", en tanto que el impuesto personal "[a]fecta al sujeto pasivo en función de su capacidad contributiva y sus especiales condiciones personales (personas a cargo, salud, educación, etc.)"[32]

Expresado en otros términos, el impuesto real u objetivo será aquel que persiga bienes y/o servicios, sin importar el sujeto que a la postre resulte incidido económicamente con el tributo, mientras que el impuesto personal o subjetivo, como su nombre lo indica, tiene por objeto perseguir al deudor tributario directamente. Así, el impuesto sobre el valor agregado (IVA) o el impuesto predial serían ejemplos de impuestos reales, en tanto que el impuesto sobre la renta tendría la vocación de ser personal, por cuanto el Estado persigue directamente a su deudor y no recae sobre bienes y/o servicios en particular.

Con todo, la aparente simpleza que plantea el objeto del tributo que elegimos como punto de partida ha llevado a que, por lo menos hasta ahora, se considere el impuesto más importante en lo que toca con la recaudación en los Estados Miembro de la Organización para la Cooperación y el Desarrollo Económico[33].

---

[29] MAURICIO A. PLAZAS VEGA. *Derecho de la,* tomo II, 315.

[30] ACHILLE DONATO GIANNINI. *Istituzioni...,* 152.

[31] *Ibidem.*

[32] MAURICIO A. PLAZAS VEGA. *Derecho de la,* tomo II, 315.

[33] Cfr. OCDE/CEPAL/CIAT/BID (2017), *Revenue Statistics in Latin America and the Caribbean 1990-2015.*

Ahora bien, cuando se mira a la familia desde la óptica de su contenido, y no como continente, esto es, cuando se estudia a sus integrantes de manera independiente, se avizora que respecto de cada individuo se pueden predicar las más variadas circunstancias económicas. Ello hace que brote, del solo contraste de lo expuesto, la inextricable relación entre el impuesto sobre la renta y la familia, que dan origen a que sea éste, y no otro, el tributo con el cual damos inicio a nuestro estudio.

Proemio

El impuesto sobre la renta, como lo explica ESTEBAN JARAMILLO, tuvo su primera manifestación en Inglaterra, a finales de 1797, cuando WILLIAM PITT propuso ante el Parlamento la aprobación del *Triple Assesment*. Por medio del tributo, que pretendía solventar las erogaciones del Estado inglés por la guerra que para entonces sostenía contra Napoleón, se buscó gravar la renta de los contribuyentes, medida en función de los gastos en que incurrían durante el periodo fiscal[34].

Empero, pese a su aprobación parlamentaria, el tributo tuvo un recaudo muy inferior al estimado, por lo cual, en 1799, el propio PITT reformuló su propuesta fiscal para dejar de lado el sistema de cálculo de la fortuna en función del gasto y, en su lugar, adoptar un tributo que gravara directamente el ingreso[35]. Después de la renuncia de PITT, el joven, como primer ministro, y de la proposición de abolir el impuesto por la carga fiscal que representaba para los contribuyentes, HENRY ADDINGTON, en 1803, ante los nuevos vientos de guerra que soplaban, propuso la adopción del denominado '*property tax*' ('impuesto a la propiedad') que en esencia correspondía al tributo reformulado por PITT con algunas variaciones[36].

El llamado 'impuesto a la propiedad' adoptado por el Parlamento es considerado el origen del impuesto sobre la renta analítico, cedular o inglés, por medio del cual las rentas, según su fuente, son separadas y se someten a tratamiento diferente en cuanto a las condiciones y reglas de depuración y recaudación. Así, por ejemplo, la normativa que gobierna la determinación de la base gravable y la tarifa de las rentas de capital (*v. gr.* arrendamientos) será distinta de la relativa a las rentas de trabajo; pero una vez depurada la

---

[34] Cfr. ESTEBAN JARAMILLO. *La reforma tributaria en Colombia, un problema fiscal y social.* (Bogotá: Ed. Banco de la República, 1918).

[35] *Ibidem.* En el mismo sentido, GABRIEL ARDANT. *L'histoire de l'impôt.* (París: Ed. Fayord, 1972).

[36] Véanse, sobre el particular, a JOHN AVERY JONES, *The sources of Addington's income tax.* https://media.bloomsburyprofessional.com/rep/files/9781849467988sample.pdf y a JOHN JEFFREY COOK, *William Pitt and his taxes.* http://www.taxadvisers.org.uk/content/view.cfm/downloads/BTR_04_2010_Pitt_and_his_taxes_Offprint1_1.pdf.

renta y aplicada la alícuota sobre cada cédula, los resultados se sumarán para establecer el impuesto total a cargo del contribuyente[37].

Esa primera tipología de impuesto sobre la renta contrasta con el método unitario, sintético o personal, según el cual la depuración de la base gravable y la aplicación de la tarifa correspondiente se efectúa sobre la totalidad de los ingresos percibidos por los contribuyentes, sin importar su fuente[38]. Esta modalidad que, como recuerda BELTRAME, constituyó la tendencia en la mayoría de los Estados a principios del siglo XX[39], es también denominada "sistema alemán"[40], porque su primera expresión en el derecho legislado tuvo lugar en ese país[41].

Las breves referencias que hemos formulado, a manera de conceptualización general sobre los métodos de cuantificación y determinación del impuesto sobre la renta, tienen por objeto facilitar la comprensión del desarrollo histórico del tributo en Colombia. Lo anterior, en razón de que, como se expondrá a continuación, la normativa nacional tampoco ha sido uniforme en la adopción de una u otra metodologías.

---

[37]   Cfr. FEDERICO FLORA, *Manuale di scenza delle finanze*. (Madrid: Ed. Librería General de Victoriano Suárez, 1928), 52 y 118.

[38]   *Ibidem*.

[39]   Véase a PIERRE BELTRAME. *Los sistemas fiscales*. (Barcelona: Ed. Oikos Tau, 1977), 50-52.

[40]   FEDERICO FLORA, *Manuale…*, 52 y 118.

[41]   Como lo puntualiza ESTEBAN JARAMILLO en su obra (*La reforma…*), en 1820, bajo la Confederación Germánica, en Prusia se creó el "impuesto de clases". Con este tributo se pretendió gravar a los individuos en función de su posición y ubicación social. Pese a las deficiencias, que no conviene comentar en este texto, el aludido tributo era considerado un "término medio entre el impuesto sobre la renta y el impuesto por cabeza sobre los individuos sin proporcionalidad". Más adelante, en 1851, el gobierno de Prusia adoptó el "impuesto sobre las clases y sobre las rentas clasificadas", con lo cual se buscó dotar de algún grado de progresividad el sistema. Pero el verdadero impuesto sobre la renta alemán se avizoró, propiamente dicho, en 1878, ya durante la vigencia del Imperio Alemán, en Baden y Sajonia, el cual fue después reformulado por el gobierno prusiano en 1891 y finalmente extendido a todo el territorio imperial en 1913, bajo el nombre de "contribución de defensa". Pese a las muy respetables consideraciones de los tratadistas en torno a la denominación de esta tipología como "método alemán", por razones de la definitiva adopción en ese territorio de la modalidad sintética del tributo, cabe observar, como se planteó en párrafos precedentes, que en Inglaterra esa tipología ya había surgido con el "income tax" de PITT, en 1799. Empero, dada su corta duración y rápida modificación al sistema cedular, la doctrina se ha inclinado por acuñar el gentilicio germánico para distinguir este sistema de cuantificación del impuesto sobre la renta.

Capítulo I.
Régimen de la Ley 56 de 1918

El impuesto sobre la renta, en Colombia, fue incorporado por la Ley 56 de 1918, fruto de la importante gestión adelantada por ESTEBAN JARAMILLO, como lo recuerdan RESTREPO[42] y PIZA[43]. En efecto, además de señalar con precisión los diferentes inconvenientes que presentaban los impuestos indirectos que hasta la fecha habían sido adoptados en el territorio nacional, puso de manifiesto, en el capítulo V de su obra, los avances mundiales en materia de tributación directa que informaban una buena alternativa para su adopción en Colombia[44].

---

[42] Cfr. JUAN CAMILO RESTREPO, *Hacienda pública*, 10 edición, (Bogotá: Ed. Universidad Externado de Colombia, 2015), 194: "en la adopción de este impuesto [sobre la renta] tuvo un papel decisivo el libro de ESTEBAN JARAMILLO denominado La reforma tributaria en Colombia y publicado en 1918, en el que se hacía un análisis de todos los antecedentes en Colombia de la tributación indirecta, de sus problemas, de lo que había sido la historia fiscal en el siglo XIX, y se daba cuenta de todo lo que estaba sucediendo en ese momento en Europa y en Estados Unidos en cuanto a la tributación directa. Como consecuencia muy inmediata de la publicación de este libro y de su gran resonancia se expidió la Ley 56 de 1918 que estableció entre nosotros el impuesto directo a la renta".

[43] Cfr. JULIO ROBERTO PIZA RODRÍGUEZ. "Evolución del impuesto sobre la renta en el sistema tributario colombiano", en *El impuesto sobre la renta y complementarios, consideraciones teóricas y prácticas.* (Bogotá: Ed. Universidad Externado de Colombia, 2010), 40: "[T]an solo hasta 1918, con la Ley 56 se puede decir que se implantó el impuesto sobre la renta en Colombia, por iniciativa de ESTEBAN JARAMILLO, que por sus experiencias con Leroy-Beaulieu y Seligman, puso al país a tono con los países desarrollados que por la misma época habían implantado este impuesto".

[44] Importa advertir que, como lo precisa PLAZAS VEGA (*Las ideas políticas de la independencia y la emancipación en la Nueva Granada*, Segunda Edición. (Bogotá: Ed. Temis.), aunque el impuesto sobre la renta propiamente tal vino a ser incorporado en nuestra legislación doméstica mediante la ley 56 de 1918, los antecedentes sobre contribución directa entre nosotros ya estaban dados. Cuando JOSÉ MARÍA DEL CASTILLO Y RADA, el notable hacendista del Colegio Mayor de Nuestra Señora del Rosario, fungió como primer ministro de hacienda de Colombia en propiedad, ayudó a gestar y aprobar la ley del 30 de septiembre de 1821, por medio de la cual se "[g]ravaba anualmente con el 10 % las rentas producidas por la explotación de la tierra y el capital (renta agrícola, renta de propiedad inmobiliaria urbana, renta de propiedad mobiliaria, renta minera o industrial, renta de préstamos y depósitos y renta comercia), con el 12,5 % las originadas por propiedades no enajenables o

La ley estableció un sistema cedular, en virtud del cual las rentas de capital estarían gravadas a la tarifa del tres por ciento (3 %), las provenientes "del capital combinado con la industria del hombre" a la tarifa del dos por ciento (2 %) y las de la industria o trabajo humano a la tarifa del uno por ciento (1 %). Adicionalmente, se previó una deducción de trescientos sesenta pesos ($360) para todos los contribuyentes[45].

Por su parte, el artículo 3° de la ley en comentario estableció un descuento tributario (bajo la denominación de "rebaja") del cinco por ciento (5 %) del impuesto a cargo, sin exceder del cincuenta por ciento del impuesto total (50 %), para los contribuyentes que tuvieran dos o más dependientes cuya manutención estuviere fijada por la ley. Sin embargo, si los dependientes tenían una profesión lucrativa o peculio propio, la ley excluía la posibilidad de tomar el descuento tributario para el contribuyente.

SECCIÓN I. DECRETO 794 DE 1919

El Decreto número 794 de 1919, reglamentario de la Ley 56 de 1918, precisó el tratamiento de las rentas familiares en el tributo, en los siguientes términos:

> **Artículo 2°.** El impuesto recaerá sobre el jefe de la familia, tanto por razón de sus rentas personales, como por las de la sociedad conyugal o las de la mujer o de los hijos que vivan bajo su dependencia. Pero se impondrá aparte sobre las rentas de la mujer separada de bienes o sobre las que emanen de propiedades de los hijos que el padre no administra.

Nótese que la disposición reglamentaria encuentra su fundamento en las odiosas disposiciones sobre administración de la sociedad conyugal, para entonces vigentes, consagradas en el capítulo III del título XXII del libro IV del Estatuto Civil, que serán objeto de comentario en los acápites siguientes. Así pues, se explica la redacción normativa en función de la "jefatura" de la familia, en los mismos términos que disponía el artículo

---

de manos muertas, con el 2 % los sueldos o rentas personales que oscilaran entre $150 y $1.000 y con el 3 % los superiores a $1.000. La misma ley estableció rentas presuntivas, ante las dificultades de control y fiscalización por parte de las inexpertas e insuficientes autoridades tributarias, así: i) Sobre el capital invertido en minería o manufacturas, el 5 % anual; ii) Sobre el capital invertido en comercio, el 6 %; y iii) Sobre la propiedad territorial, el 5 %". En el mismo sentido, véase a ABEL CRUZ SANTOS. *Finanzas públicas.* (Bogotá: Ed. Lerner, 1988), 223 y 224.

45   Cfr. Artículo 2° de la Ley 56 de 1918.

1805 del Código Civil: "El marido es jefe de la sociedad conyugal y como tal administra libremente los bienes sociales y los de su mujer (…)". Adicionalmente, el reglamento se apoyó en el texto original del artículo 177, *ibidem*, según el cual la potestad marital era "el conjunto de derechos que las leyes conceden al marido sobre la persona y bienes de la mujer".

Se observa, entonces, que procedía la acumulación de rentas familiares en cabeza del cónyuge varón con dos importantes excepciones: (i) la imposición sobre las rentas de la mujer separada de bienes; y (ii) las rentas provenientes de propiedades de los hijos de familia, respecto de las cuales el padre no ostentara la administración. Para efectos de proporcionar mayor claridad, nos detendremos en cada una de las excepciones. Veamos:

I. Excepción de las rentas atribuibles a la mujer separada de bienes

La primera excepción versa, *prima facie*, exclusivamente sobre la "separación de bienes", figura jurídica que, como se explica en los títulos que siguen, sufrió importantes modificaciones a lo largo del siglo pasado. Las normas que gobernaban la figura a la que aludimos, vigentes en 1918, se encontraban consagradas en los artículos 197 y siguientes del Estatuto Civil. En ellas se preveía que la separación de bienes judicial procedía, en lo pertinente, cuandoquiera que mediara "insolvencia o administración fraudulenta del marido" (artículo 200 del Código Civil), sin extinguir el vínculo matrimonial. Su consecuencia natural era la disolución de la sociedad conyugal[46] y la devolución a la mujer de los bienes aportados al matrimonio, así como la parte que le correspondiera en la división de los gananciales (artículo 203, *ibidem*). Así mismo, cuando los contrayentes se encontraren domiciliados en el exterior y allí celebraren su matrimonio (inciso segundo del artículo 180 del Código Civil), al pasar a domiciliarse en Colombia se presumirían separados de bienes, salvo que en la legislación del país extranjero se consagrara ese sistema patrimonial para los cónyuges.

De otra parte, la normativa preveía que la mujer recobraría la administración de todos aquellos bienes que le hubieren correspondido (artículo 204, *ibidem*), por lo que no necesitaría autorización del marido para la celebración de actos y contratos. Recuérdese, sobre este aspecto, que el inciso 3° del artículo 1504 del Código Civil establecía que las mujeres casadas adquirirían la condición de incapaces relativas y, de acuerdo con el artículo

---

[46]   El ordinal 3° del artículo 1820, entonces vigente, disponía que la sociedad conyugal se disolvía "por sentencia de divorcio perpetuo o de separación total de bienes".

62 de la misma codificación, el marido habría de fungir como su curador o representante para todos los efectos.

Con ese contexto, aunque la separación de bienes no tenía la entidad de disolver el vínculo matrimonial —en la actualidad tampoco la tiene—, y por tanto una vez decretada la mujer no recobraba su plena capacidad de ejercicio, lo cierto es que sí se le confería la administración de parte de su peculio, fruto de la disolución de la sociedad conyugal, lo cual explica que el reglamento autorizara la imposición separada de sus rentas. Esta conclusión solamente se refuerza por la nítida aseveración del texto original del inciso segundo del artículo 203 del Estatuto Civil:

> (…) La mujer no tendrá desde entonces [desde que se decreta judicialmente la separación de bienes o cuando opera ope legis] parte alguna en los gananciales que provengan de la administración del marido; y el marido a su vez no tendrá parte alguna en los gananciales que provengan de la administración de la mujer.

Ahora bien, si se mira con detenimiento, la norma del decreto reglamentario al que aludimos no se podría ligar únicamente con la figura jurídica de la "separación de bienes". Si bien es cierto que se trata de una importante impropiedad, la disposición se tiene que entender referida a los demás casos en los cuales opera un régimen distinto al de absorción patrimonial del marido sobre los bienes de la mujer y de los de la sociedad conyugal (sobre este aspecto, el lector puede acudir al tomo III de la obra). De otro modo, no solo se habría incurrido en un yerro de armonización del ordenamiento jurídico, entre el Derecho Tributario, y en particular, el impuesto sobre la renta, y el Derecho Común, sino que se abriría paso a una importante evasión fiscal, toda vez que solo las rentas de los bienes adjudicados a la mujer en una "separación de bienes" estarían gravadas, pero no serían objeto de imposición las provenientes de bienes reservados como propios en capitulaciones o adjudicados por la declaratoria de divorcio imperfecto.

Si el criterio para autorizar la acumulación de rentas en cabeza del marido descansaba sobre la vigencia de la sociedad conyugal, surgida por la celebración del matrimonio (artículo 180 del Código Civil[47]), especialmente en el

---

[47] En su redacción original, la disposición establecía: "Artículo 180. Por el hecho del matrimonio se contrae sociedad de bienes entre los cónyuges y toma el marido la administración de los de la mujer, según las reglas que se expondrán en el título 22, libro 4°., De las capitulaciones matrimoniales y de la sociedad conyugal. Los que se hayan casado fuera de un territorio y pasaren a domiciliarse en él, se mira-

hecho de que el artículo 1805, citado, le confiriera plena administración de sus bienes y los de la mujer, parecería lógico admitir que la imposición separada se produjera ante la disolución de la sociedad conyugal y no únicamente en presencia de la separación de bienes. Por consiguiente, se ha de entender que el decreto desplegó sus efectos también sobre el divorcio imperfecto[48] y sobre los matrimonios en los que se hubieren suscrito capitulaciones.

Así las cosas, se impone el estudio de la redacción original del artículo 1820 del Estatuto Civil, con miras a robustecer cuanto aquí se ha expuesto: la procedibilidad de la imposición separada, respecto de las rentas de la mujer, se consideraba para todos los casos allí previstos, que desencadenarían en que coloquialmente se pudiera decir que la mujer se encontraba "separada de bienes". Veamos:

> Artículo 1820. La sociedad conyugal se disuelve:
>
> 1°) Por la disolución del matrimonio;
>
> 2°) Por la presunción de muerte de uno de los cónyuges, según lo prevenido en el título Del principio y fin de las personas;
>
> 3°) Por la sentencia de divorcio perpetuo o de separación total de bienes; si la separación es parcial, continuará la sociedad sobre los bienes no comprendidos en ella;
>
> 4°) Por la declaración de nulidad del matrimonio.

En primer lugar, es preciso advertir que la norma recogía profusas impropiedades, que fueron parcialmente superadas con la expedición de la Ley 1ª de 1976, como son las provenientes de disgregar, en causales distintas, la disolución del matrimonio, la presunción de muerte de uno de los cónyuges y la declaratoria de nulidad. Lo anterior, porque la primera de las causales es el género que aglutina, en condición de especies, a la segunda

---

rán como separados de bienes, siempre que en conformidad a las leyes bajo cuyo imperio se casaron, no haya habido entre ellos sociedad de bienes".

[48] Según la disposición original del Código Civil, el divorcio imperfecto (*o quoad thorum et cohabitationem*) podía ser perpetuo o temporal. En realidad, la clasificación correspondía a una gran impropiedad del legislador que, al adoptar el Código chileno, falló en la labor de depuración de la normativa. En consecuencia, desde ahora se debe hacer ver que en Colombia solo rigió una clase de divorcio imperfecto, no dos, como se advierte en el punto 3) de la subsección III de la sección VIII del capítulo VI de este tomo.

y la cuarta; esto es, el matrimonio se disolvía, para aquella época, entre nosotros, (i) por la muerte real o presunta de uno o ambos cónyuges y (ii) por su declaratoria de nulidad[49].

En todo caso, no es este el escenario para elucubrar sobre los errores de técnica legislativa, porque nuestro propósito es poner de presente que, para entonces, ya se habían regulado otros eventos que derivaban en la disolución de la sociedad conyugal y, por tanto, en la administración autónoma de la mujer sobre su peculio, los cuales fueron también considerados por la normativa fiscal.

Desde luego, el rompimiento del vínculo matrimonial desembocaba en que la mujer readquiriera su estado civil de soltería, su plena capacidad de ejercicio y la administración autónoma de sus bienes, por lo que podría ser sujeto pasivo del impuesto sobre la renta. Ello no supone mayor dificultad. En cambio, distinto es el escenario cuando, sin disolver el vínculo matrimonial, cesa la sociedad conyugal, dado que en ese supuesto los cónyuges siguen unidos entre sí, pero la normativa que disciplina la administración y conformación patrimonial de ambos muta. En este último caso, reiteramos, el legislador permitió la plena manifestación del Derecho Común en materia fiscal, por la vía de autorizar la imposición individual de las rentas de los cónyuges cuandoquiera que hubiere desaparecido la sociedad conyugal. Visto lo anterior, a continuación haremos unas breves precisiones sobre los dos casos cuya regulación, a nuestro juicio, incluyó el reglamento.

1. Divorcio *quoad thorum et cohabitationem*

En primer lugar, se ha de distinguir, con absoluta rigurosidad, el divorcio vincular, objeto de comentario en la sección VIII del capítulo VI de este texto, y el divorcio imperfecto (o *quoad thorum et cohabitationem*). Al decir de CLARO SOLAR, "[e]n su sentido más lato la palabra divorcio significa toda separación legítima del marido y de la mujer"[50]. De consiguiente, la expresión ha tenido dos connotaciones en las legislaciones: (i) la imperfecta, para admitir la emancipación de los cónyuges, esto es, la extinción del deber de cohabitación, pero con preservación de los deberes de fidelidad, auxilio y socorro mutuos, así como la proscripción que de contera surge, de

---

49   En la actualidad, el matrimonio se disuelve también por el divorcio vincular, consagrado en el ordenamiento colombiano por la Ley 1° de 1976.

50   Véase a LUIS CLARO SOLAR. *Explicaciones de derecho civil chileno y comparado*, volumen I. (Santiago de Chile: Ed. Jurídica Chile, 1978), 34.

contraer nuevas nupcias[51]; y (ii) la perfecta, o vincular, por medio de la cual se reconoce la plena disolución del vínculo marital y, consiguientemente, la posibilidad de que los cónyuges readquieran su estado civil de solteros.

En Colombia, la figura del divorcio imperfecto, que a partir de la Ley 1ª de 1976 fue rebautizada como separación de cuerpos —y así se mantiene hasta nuestros días—, tuvo regulación normativa en la versión original de los artículos 153 y siguientes del Código Civil. Como fue la usanza en las primeras legislaciones de la mayoría de países influenciados por la fe católica[52], la solicitud de declaratoria judicial del divorcio imperfecto se contraía al siguiente cúmulo de causales, distintas de las previstas para el petitorio de separación de bienes: (i) adulterio de la mujer; (ii) amancebamiento del marido; (iii) embriaguez habitual de uno de los cónyuges; (iv) absoluto abandono en la mujer de los deberes de esposa y de madre, y/o absoluto abandono del marido en el cumplimiento de los deberes de esposo y de padre; y (v) ultrajes, trato cruel y maltratamientos de obra, si con ellos peligra la vida de los cónyuges, o se hacen imposibles la paz y el sosiego domésticos (artículo 154 del Código Civil).

A más de lo anterior, la legislación preveía, en los artículos 160 a 168 y 1820, *ejusdem,* que la sociedad conyugal se disolvería, los bienes de la mujer le serían restituidos y se haría a su porción de gananciales, con lo cual quedaba plenamente facultada para administrarlos con independencia del marido[53]. En los anteriores términos, si entretuviéramos que el espíritu del reglamento hubiera sido gravar individualmente solo a la mujer que hubiera acudido a la figura jurídica de "separación de bienes", necesariamente dejaríamos las rentas provenientes de los bienes que le fueron adjudicados

---

[51]   En este sentido, véase a JUAN IGNACIO LARREA HOLGUÍN. *Derecho civil del Ecuador,* volumen II, Derecho matrimonial, Cuarta Edición. (Quito: Ed. Corporación de Estudios y Publicaciones, 1985), 190 y siguientes.

[52]   Al respecto, véase la importante obra *El divorcio en el derecho iberoamericano,* ÁNGEL ACEDO PENCO y LEONARDO PÉREZ GALLARDO. (Bogotá, México, Madrid y Buenos Aires: Ed. Temis, Ubijus, Reus y Zavalia, 2009).

[53]   Lo anterior, sin perjuicio de que el artículo 163, en su texto original, removía el derecho a percibir gananciales para la mujer que hubiere dado lugar al divorcio imperfecto y adjudicaba al marido la administración y usufructo de la totalidad de bienes de la sociedad conyugal. Veamos: "Si la mujer hubiere dado causa al divorcio por adulterio, perderá todo derecho a los gananciales, y el marido tendrá la administración y el usufructo de los bienes de ella, excepto aquellos que la mujer administre como cosa separada de bienes y los que adquiera a cualquier título después del divorcio".

por razón del divorcio *quoad thorum et cohabitationem* sin tributar, lo cual carecería de todo fundamento lógico.

2. Capitulaciones matrimoniales

Por su parte, las capitulaciones, objeto de comentario en el tomo III de esta obra, tienen por objeto la libre regulación del régimen patrimonial del matrimonio, con limitación infranqueable en las normas de orden público y las buenas costumbres (artículo 1773 C. C.) Sin necesidad de entrar en la discusión relativa a la posibilidad que les asiste a los futuros contrayentes de enervar, por medio del pacto capitular, el nacimiento de la sociedad conyugal[54], lo cierto es que sí es factible, antes como ahora, que se formulen reglas distintas a las previstas en el Estatuto Civil en torno a la masa que integra la sociedad conyugal.

Así las cosas, bien se podría extrapolar la preceptiva del ordinal tercero del texto original del artículo 1820 del Código Civil, citado, al caso de las capitulaciones, cuando señala que, "si la separación [de bienes] es parcial, continuará la sociedad sobre los bienes no comprendidos en ella". Siendo ello así, habría lugar a considerar que los contrayentes estarían habilitados para reservar como propios algunos de los bienes que, en la regulación del Código Civil, serían considerados sociales. Y si en gracia de discusión entretuviésemos, como en efecto lo hacemos, la teoría de que para entonces no era viable enervar el nacimiento de la sociedad conyugal, *in toto*, tendríamos que arribar forzosamente a la conclusión de que, respecto de los bienes no excluidos en las capitulaciones, continuaría la masa universal[55].

---

[54] Cfr. tomo III de esta obra.

[55] JAIME RODRÍGUEZ FONNEGRA es suficientemente ilustrativo cuando se refiere al sistema de sociedad conyugal imperante con anterioridad al incorporado por la Ley 28 de 1932 y, en particular, al régimen de separación parcial de bienes. Veamos: "Instituyendo la sociedad conyugal, prohibía el Código que se pactase la separación total de bienes (n. 429, *a*); pero se admitía que por excepción la hubiera parcial, o referente a determinados bienes propios de la mujer, en virtud de haberse acordado tal en las capitulaciones matrimoniales o aceptándose por la mujer la donación, la herencia o el legado que se le hubiera hecho o asignado con la condición de que las cosas donadas, heredadas o legadas fueran tenidas como objeto de tal separación parcial de bienes. Autorizábase lo segundo con el artículo 211 (…). La posibilidad de esta separación parcial de bienes se concibió al hacerse el Proyecto de 1853 [de Andrés Bello], cuyos textos en el particular pasaron al Código Chileno sin haber sido en lo sustancial modificados". (*De la sociedad conyugal; o, régimen de bienes determinado por el matrimonio*, tomo I. (Bogotá: Ed. Lerner, 1965), 553 y 554).

Al diapasón de lo expuesto, aunque el artículo 1820 del Estatuto Civil no preveía expresamente la disolución de la sociedad conyugal por la vía de las capitulaciones, es claro que su suscripción entre los contrayentes, admitida por la misma codificación, sí tenía entidad de modificar algunas regulaciones patrimoniales del matrimonio y se clasificaba como la denominada "separación de bienes parcial". De ello se deriva nuestra apreciación, en el sentido de que el reglamento extendió la imposición separada, también, a las rentas derivadas de los bienes que la mujer hubiere reservado como propios en el pacto capitular.

II. Excepción sobre rentas provenientes de propiedades de los hijos que el padre no administra

La segunda regla de imposición separada, prevista en el artículo 2º del Decreto 794 de 1919, es la relativa a las rentas provenientes de las propiedades de los hijos que el padre no administra. Comoquiera que la disposición se estructuró en función de la "administración" que el padre ostenta, o no, respecto de los bienes de sus hijos, será necesario abordar, al respecto, la normativa del derecho común para entonces vigente.

El punto de partida para analizar la administración parental sobre los bienes de su descendencia ha de ser la distinción entre hijos "legítimos" e "ilegítimos". Los primeros, de acuerdo con el artículo 6º de la Ley 57 de 1887, eran aquellos "concebidos durante el matrimonio verdadero o putativo de sus padres, que produzca efectos civiles, y los legitimados por el matrimonio de los mismos, posterior a la concepción". Los segundos, en cambio, conforme lo disponía el artículo 52 del Estatuto Civil, eran todos los que no fueran legítimos y se subdividían, a su vez, en hijos naturales e hijos de dañado y punible ayuntamiento[56].

---

[56]   El artículo señalaba: "Artículo 52. Los hijos ilegítimos son naturales, o de dañado y punible ayuntamiento, o simplemente ilegítimos". Se llaman naturales los hijos habidos fuera de matrimonio de personas que podían casarse entre sí al tiempo de la concepción, cuyos hijos han obtenido el reconocimiento de su padre o madre, o ambos, otorgado por escritura pública o en testamento. Se llaman de dañado y punible ayuntamiento los adulterinos y los incestuosos.
Es adulterino el concebido en adulterio; esto es, entre dos personas de las cuales una, a lo menos, estaba casada al tiempo de la concepción con otra; salvo que dichas personas hayan contraído matrimonio putativo que respecto de ellas produzca efectos civiles.

1. De los hijos "legítimos" y la patria potestad

Respecto de los primeros, es decir, los hijos "legítimos", fruto de la filiación surgía la potestad parental (o patria potestad)[57] que, entre nosotros, se reguló en los artículos 288 y siguientes del Código Civil. El texto inicialmente consignado en nuestra legislación, que se fundó en la concepción que de esta figura se tenía en la Roma gobernada por Constantino El Grande, únicamente confería al padre *legítimo*, y en ningún caso a la madre, la patria potestad sobre los hijos de familia[58]. Sin embargo, para la época en que fue proferido el Decreto 794, reglamentario de la Ley 56 de 1918 se encontraba vigente el siguiente texto del artículo 288 del Código Civil, subrogado por el artículo 53 de la Ley 153 de 1887:

> **Artículo 53.** La patria potestad es el conjunto de derechos que la Ley reconoce al padre legítimo sobre sus hijos no emancipados.
>
> Muerto el padre, ejercerá estos derechos la madre legítima mientras guarde buenas costumbres y no pase a otras nupcias.
>
> Los hijos de cualquiera edad no emancipados serán hijos de familia, y el padre o madre con relación a ellos padre o madre de familias.

Fluye de la norma transcrita que la potestad parental, como institución derivada de la filiación, se predicaba, en principio, de los varones que ostentaran la calidad de padres *legítimos* y solo de manera excepcional, luego del deceso del padre se reconocía la posibilidad de que la madre la adquiriera.

Es incestuoso para dichos efectos, el hijo habido entre dos personas que no pueden casarse por las relaciones de parentesco natural o civil, y por las cuales sería nulo el matrimonio".

[57]   Por razones de oportunidad, no es del caso detenernos aquí en la explicación de sus antecedentes históricos. Empero, sobre el particular véase a POLYNICE ALFRED HENRI VAN WETTER, *Pandectes*, Volumen 5°. *Des droits de famille. Du droit héréditaire.* (París: Ed. Librairie Génerale de Droit Et De Jurisprudence, 1911), 58 y s.s.; a LUDWIG ENNECCERUS, THEODOR KIPP y MARTIN WOLFF, *Tratado de derecho civil*, tomo IV, Vol. I, El Matrimonio. (Barcelona: Ed. Bosch, 1941). Sección 78; y, en la doctrina patria, a ARTURO VALENCIA ZEA, *Derecho civil*, tomo V, *Derecho de familia*. (Bogotá: Ed. Temis, 1983), 393 y s.s.; a ROBERTO SUÁREZ FRANCO. *Derecho de familia*, tomo II. (Bogotá: Ed. Temis, 2014), 160 a 198; y a JORGE PARRA BENÍTEZ. *Derecho de familia*, tomo I, *Parte sustancial.* (Bogotá: Ed. Temis, 2019), 584 a 597.

[58]   Cfr. LOUIS JOSSERAND. *Cours de droit civil positif français*, tomo I. (París: Ed. Recueil Sirey, 1938), 589.

Por su parte, el cúmulo de derechos que recoge la patria potestad se pueden aglutinar en tres grupos, a saber: (i) la representación legal de los hijos de familia; (ii) el "usufructo legal" de su peculio adventicio ordinario; y (iii) la <u>administración</u> sobre ese mismo peculio. Pese a que es la tercera clasificación la que interesa al ámbito tributario objeto de este comentario, haremos una breve mención a los otros dos, con miras a fijar su alcance[59].

A. Representación legal, judicial y extrajudicial

La representación legal, como no podría ser distinto, dimana de la condición de incapaces que la ley les asigna a los menores de edad. En efecto, quienes carecen de capacidad plena, o de ejercicio, requieren actuar por intermedio de otras personas que sí se encuentren habilitadas para ese propósito, en aras de garantizar la protección y goce efectivo de sus derechos, así como el debido cumplimiento de sus obligaciones.

De consiguiente, en tratándose de hijos de familia *legítimos* (para la época a que nos referimos, habida cuenta de que la patria potestad sería luego extendida a todos los hijos, con independencia de su filiación, según se estudia *infra*), la ley previó, expresamente, que su representación legal estaría a cargo del padre preferentemente, relevándolo de cualquier requisito distinto al de la prueba de la filiación; esto es, no se requería, como sí aplicaba para cualquier otro tipo de representante, la autorización judicial o discernimiento. Además, la facultad de representación legal desplegaba (y así se mantiene en nuestros días) plenos efectos en dos campos diferentes: (i) el judicial, según el cual el padre habría de obrar en nombre del menor de edad para constituir un apoderado que ostentara el *ius postulandi* requerido para comparecer al proceso ante la judicatura; y (ii) el extrajudicial, a todas luces más importante, que imponía al padre la obligación de celebrar o ratificar, dependiendo de si se trataba de un impúber o un menor adulto, todo negocio jurídico, entendido en sentido lato que pudiera llegar a comprometer la esfera personal o patrimonial del individuo (*v. gr.* contrato de enseñanza en una institución educativa, contratos de compraventa o arrendamiento de bienes inmuebles, contrato de suscripción de acciones, etc.)

---

[59]   Para un desarrollo mucho más detallado sobre el particular, el lector puede acudir al tomo II de esta obra.

B. El *"usufructo legal"*

El Legislador colombiano, como el chileno, incurrió en la impropiedad de denominar esta prerrogativa como "usufructo legal", con lo cual parece dar a entender que se trata de una especie del género regulado por los artículos 823 y siguientes del Código Civil[60]. El usufructo, como figura jurídica, es nítidamente explicado por la Corte Suprema de Justicia en los siguientes términos:

> El derecho real de dominio confiere al titular un poder pleno sobre la cosa que tiene por objeto, del cual deriva la potestad para obtener de ella toda cuanta ventaja esté en posibilidad de proporcionar, desde luego dentro de las fronteras que puedan resultar del respeto debido a la ley, como a los derechos de los demás, poderío en el cual se conjugan las conocidas atribuciones de utilizarla (*jus utendi*), percibir sus frutos (*jus fruendi*) y disponer, material o jurídicamente de ella (*jus abutendi*).
>
> **Las apuntadas prerrogativas, sin embargo, pueden disgregarse por fuerza de la constitución de otros derechos reales, como el usufructo,** uso o habitación sobre la misma cosa, **que son derechos de la indicada estirpe de los cuales obtiene el titular la facultad para usar y gozar de un bien que pertenece a otro, de ahí que se les conozca como derechos de goce sobre cosa ajena, en veces pleno, como en el caso del usufructo,** o limitado, en los demás, cuyo ejercicio importa siempre el reconocimiento del dominio que sobre ella ostenta el dueño, por cuenta del cual la detentan.
>
> **Se suscita así una hipótesis de concurrencia de dos derechos reales sobre idéntico objeto, que gozan del respeto recíproco de sus titulares: el dominio, por un lado, en razón del cual conserva el propietario la facultad de disposición sobre él, y el usufructo (…) que en tanto perdure concede el disfrute de ella al usufructuario (…) derechos que al despojar el dominio de sus más importantes ventajas, lo limitan, constituyen desmembraciones de él, de ahí que en tales eventos la propiedad sea mera o nuda, como la define el artículo 669 del Código Civil, porque a diferencia de lo que ocurre con la propiedad plena, está privada de algunas de sus prerrogativas esenciales**[61] (Bastardillas, negrilla y subrayado fuera del original).

Entre nosotros, el derecho real de usufructo se encuentra regulado, en su totalidad, por el Código Civil y su constitución, al decir de esa ordena-

---

[60]   Sobre la impropiedad que aquí se comenta, el lector puede acudir al punto 1) de la subsección I de la sección II del capítulo II del tomo II de esta obra.

[61]   Sentencia de la Corte Suprema de Justicia, Sala de Casación Civil y Agraria, proferida el 16 de abril de 2008, M. P. Jaime Arrubla Paucar, expediente SS-4128931030022000-00050-01.

ción, se puede alcanzar de tres maneras, a saber: (i) *ex lege*, como en el caso del padre de familia sobre los bienes del peculio adventicio ordinario del hijo; (ii) *voluntario*, en cuyo caso se puede transferir la nuda propiedad con la reserva del usufructo o, por el contrario, transferir el usufructo bajo reserva de la nuda propiedad (artículos 823 y s.s. del Código Civil); y (iii) *por causa de prescripción*[62].

En línea con lo anterior, el usufructo voluntario se constituye (i) *ex contractu*, caso en el cual el negocio jurídico puede ser a título gratuito u oneroso; o (ii) por disposición testamentaria que, aunque *stricto sensu* constituye un acto jurídico, por razones de oportunidad lo hemos ubicado en clasificación aparte (cfr. artículos 825, 829 y 830 del Código Civil)[63].

Así conceptualizada la figura jurídica, parece inobjetable que el "usufructo legal" del padre de familia es una especie del género del "usufructo-derecho real" regulado en nuestro Código. Sin embargo, varias son las diferencias entre uno y otro que los hacen verdaderamente incompatibles y que, consiguientemente, desdicen cualquier intento por catalogar al primero como una simple modalidad del segundo. A fin de evitar repeticiones innecesarias, sobre este punto el lector puede acudir al punto 1) de la subsección I de la sección II del capítulo II del tomo II de esta obra. Solo traeremos a cuento, por su magnífica nitidez e importancia, las palabras de RODRÍGUEZ PIÑERES al aludir a la temática en cuestión:

> A nuestro juicio, este concepto no se ajusta a la verdad jurídica, porque de que el Código no haga la distinción de palabras que se hace en Francia entre el *usufruit* y la *jouissance légale*, no se deduce que lo que aquí se llama 'usufructo legal' sea un verdadero derecho real de usufructo, que si lo fuera, estaría sujeto a las normas que gobiernan los derechos reales, como sería la inscripción en el registro de los inmuebles en el concepto de que la nuda propiedad fuera del hijo y el usufructuario el padre; éste podría reivindicarlo por separado si estuviera algún bien del hijo en poder de terceros, cuando lo que procedería en caso tal sería reivindicar el bien para un hijo, etc.

> El Código, por el solo hecho de no haber traducido *jouissance légale* por 'goce legal' y haber empleado la expresión 'usufructo legal', no ha querido, a nuestro juicio, cambiar la tradicional institución de un verdadero derecho real, por una desmembración al derecho de propiedad; él se ha limitado, aquí como en Francia, a conceder al sujeto del derecho de la patria potestad, el

---

[62]   Cfr. Ordinal 4° del artículo 825 del Código Civil, concordante con el artículo 2533 *ibidem*.

[63]   Para una explicación más detallada, véase a LUIS GUILLERMO VELÁSQUEZ JARAMILLO, *Bienes*. (Bogotá: Ed. Temis, 1996), 326 a 338.

'saldo' de los frutos del patrimonio del hijo que resulte después de hechos los gastos de crianza, educación y establecimiento del hijo y los de conservación y administración de su patrimonio[64].

Precisado lo anterior, interesa a esta obra profundizar en el cúmulo de bienes respecto de los cuales se configura el goce legal (impropiamente denominado por el Código usufructo legal) para el padre, y solo subsidiariamente para la madre en aquel entonces, habida cuenta de que el propio artículo 291 del Estatuto Civil excluía (y en la actualidad permanece incólume) al *peculio adventicio extraordinario* y al *peculio profesional o industrial* de tal prerrogativa.

Pues bien, el *peculio profesional o industrial* fue definido por el ordinal primero del artículo 291 del Código Civil como aquel conjunto de "bienes adquiridos por el hijo en el ejercicio de todo empleo, de toda profesión liberal, de toda industria, de todo oficio mecánico". A su turno, el *peculio adventicio extraordinario* se integra por (i) aquellos bienes recibidos por el hijo, a título de donación, herencia o legado respecto de los cuales el donante o testador haya expresado su voluntad de que el padre no adquiriera el usufructo y (ii) aquellos bienes recibidos por el hijo, a título de donación herencia o legado, a causa de la incapacidad, indignidad o desheredamiento de su padre.

En ese orden de ideas, y por sustracción de materia, el *peculio adventicio ordinario*, respecto del cual sí se predica el goce legal del padre "legítimo"[65],

---

[64]   EDUARDO RODRÍGUEZ PIÑERES, *Curso elemental de derecho civil colombiano*, tomo I. (Bogotá: Ed. Librería Americana, 1919), 308.

[65]   Al respecto, una importante parte de la doctrina ha sido enfática en criticar la denominación de la figura como *usufructo legal*, entre otras razones, porque no obedece a la estructura habitual de las demás clases de usufructo (en ese sentido, CECILIA DÍEZ VARGAS, Cátedra de Derecho de Familia en Colegio Mayor de Nuestra Señora del Rosario. Marzo 19 de 2019; LUDWIG ENNECCERUS, THEODOR KIPP Y MARTIN WOLFF, *Tratado de derecho civil*, Sección 81; HEINRICH LEHMANN, *Derecho de familia*, (Madrid: Ed. Revista de Derecho Privado, 1953), sección 31; y JORGE PARRA BENÍTEZ. *Derecho de familia*, tomo I, *Parte sustancial*. (Bogotá: Ed. Temis, 2019), 587. 589). En sustento de su postura, a la cual adherimos, la doctrina sostiene que el usufructo, como derecho real, se constituye sobre bienes singulares (no nos inmiscuiremos, en esta oportunidad, en el complejo e inconcluso debate sobre la posibilidad de constituir usufructo, o no, sobre cosas incorporales), en tanto que la prerrogativa legal que aquí se describe despliega plenos efectos sobre una universalidad jurídica. Además, con buen tino recuerdan que, en la mayoría de los países, incluido Colombia, el derecho real de usufructo que se constituye sobre

está conformado por todos los demás bienes que ingresen a la esfera patrimonial del hijo y que no se puedan clasificar en ninguna de las dos clases patrimoniales a que aludimos en el párrafo precedente.

C. La administración de los bienes

Finalmente, en relación con las facultades de administración, baste por ahora su conceptualización, en palabras de la profesora CECILIA DÍEZ VARGAS, como aquel "poder de ordenación u organización de los bienes sobre los cuales recae, para lo cual se llevan a cabo todos los actos y/o negocios de mantenimiento y conservación requeridos"[66]. El artículo 295 del Estatuto Civil, vigente para la época que se comenta, indicaba los bienes sobre los cuales esta prerrogativa desplegaba sus efectos:

> **Artículo 295.** El padre administra los bienes del hijo, en que la ley le concede el usufructo.
>
> No tiene esta administración en las cosas donadas, heredadas o legadas bajo la condición de que no las administre el padre.
>
> Ni en las herencias o legados que hayan pasado al hijo por incapacidad o indignidad del padre, o por haber sido éste desheredado.

Como se observa, la ley consagró, por regla general, que el padre administraría los bienes respecto de los cuales la ley le concediera el goce legal, por lo cual se podría pensar, *prima facie*, que tal prerrogativa operaría exclusivamente en relación con el *peculio adventicio ordinario* del hijo de familia. Esa conclusión sería aceptable, pero solo en forma parcial, porque puede ocurrir que el padre ostente el derecho de administración sobre algunos bienes del *peculio adventicio extraordinario* del hijo o que perciba para sí el usufructo sin poder ejercer el derecho de administración, como se expone a continuación:

En primer lugar, el artículo 294, *ibidem*, señala que el hijo no emancipado se debe considerar, en lo que a su *peculio profesional o industrial* con-

---

bienes inmuebles está sujeto a solemnidades imprescindibles como es la protocolización mediante documento público e inscripción en el folio de matrícula inmobiliaria, mientras que la apuntada prerrogativa del artículo 291 del Estatuto Civil no lo exige así.

[66] Cfr. CECILIA DÍEZ VARGAS, Cátedra de Derecho de Familia en Colegio Mayor de Nuestra Señora del Rosario.

cierne, como emancipado y, por consiguiente, ostenta plenas facultades de "administración y goce" sobre él. Así, la interpretación armónica de los artículos 291, 294 y 295 no ofrece duda alguna respecto de la imposibilidad de que el padre pueda ejercer, siquiera mínimamente, el derecho de administración sobre tales bienes.

A su turno, el transcrito artículo 295 dispone que las herencias o legados que recoja el hijo de familia, en ejercicio del derecho de representación que le asiste por la indignidad o desheredamiento de su padre, tampoco son susceptibles de administración por quien ostenta la potestad parental. Esa consecuencia jurídica tampoco sería en absoluto extraña, pues tales bienes, como se expuso líneas atrás, integran el *peculio adventicio extraordinario*.

Pero puede ocurrir que el hijo reciba un cúmulo de bienes, por herencia, legado o donación, bajo la condición de que ninguno de los padres perciba para sí el usufructo. Esos bienes harían parte del *peculio adventicio extraordinario* del hijo de familia y, consiguientemente, en estricta aplicación de la regla general no podría el titular de la potestad parental ejercer el derecho de administración. Empero, el artículo 296 del Código Civil contempló la hipótesis en comentario y dispuso, como excepción, que el padre de familia preservará el derecho de administración sobre los bienes donados o heredados al hijo no emancipado si el donante o testador únicamente expresó su voluntad de privarlo del derecho de usufructo.

Así mismo, el citado artículo 296 del Estatuto Civil señaló que la condición de que el padre no pudiera ejercer el derecho de administración sobre los bienes objeto del acto jurídico no impedía que pudiera preservar para sí el usufructo. Por tanto, en esta hipótesis tampoco resultaría aplicable la regla general que atrás se comentó.

D. Problema fiscal-Administración y "usufructo" derivados de la patria potestad

De acuerdo con lo expuesto, no son necesariamente coincidentes los bienes sobre los cuales recae el goce legal y la administración por parte de los progenitores que ostentan la patria potestad, según sea el caso de que se trate. También es claro que el Decreto 794 de 1919 ordenó la atribución de las rentas provenientes de los bienes sujetos a la "administración" del padre, en cabeza suya. Ello no ofrece duda alguna. Pero a raíz de la interpretación normativa surgía un caso que, sin haber sido contemplado por el reglamento, obligaba también a que el padre reflejara en su denuncio rentístico otro tipo de ingresos: aquellos provenientes del goce legal que ostentaba sobre el peculio adventicio ordinario de su hijo.

Sea lo primero reiterar nuestra vehemente oposición a que se haya bautizado como "usufructo legal" al aprovechamiento económico que la patria potestad le confiere al padre sobre los bienes del peculio adventicio ordinario del hijo. Varios en la doctrina han optado por denominar esta prerrogativa como un anacronismo histórico que no debió ser recogido por nuestras legislaciones modernas. En su visión del asunto, está claramente documentado[67] que la concepción de la patria potestad de la Roma de Constantino, según la cual la herencia materna que recibía el hijo era de su propiedad pero el uso y goce se deferían al *pater familias*, no estaba cimentada sobre la idea de favorecer o proteger al menor de edad incapaz, sino de atemperar la primitiva visión de que esa institución estaba pensada en función del *pater familias* (ello porque antes de esa época se transfería incluso la propiedad de las herencias que recogieran las personas a su *pater familias*)[68]. Por tal motivo, sostienen que era innecesario, además de inconveniente, adoptar esta figura en nuestros ordenamientos civiles, en lugar de diseñar una nueva que sí mirara por la protección y cuidado de los hijos.

A la verdad, nos parece cuestionable el razonamiento. Nadie pone en tela de juicio el fundamento histórico que subyació a la institución de que aquí se trata. Pero ello no se puede traducir, sin más, en la necesidad de eliminar el goce legal como prerrogativa derivada de la patria potestad, porque con ese planteamiento se podrían llegar a lesionar gravemente los intereses y la estabilidad de las familias. Que ese fuera el fundamento del goce legal en su minuto no significa, ni puede significar en manera alguna, que siga siéndolo ahora; el derecho es siempre cambiante y, en su condición de tal, las instituciones que antiguamente se apoyaban en consideraciones que hoy pueden parecer vetustas no dejan de ofrecer una gran utilidad si, en la actualidad, descansan sobre otro tipo de cimientos igualmente válidos.

El fundamento actual del goce legal es detalladamente explicado por el literal d) del punto 2) de la subsección i de la sección ii del capítulo ii del tomo ii de esta obra. En apretada síntesis, a nuestro juicio esta prerrogativa descansa hoy sobre la base de la solidaridad familiar y permite, como consecuencia inevitable, la distribución de la riqueza al interior de las familias,

---

[67] Cfr. Henri, Leon y Jean Mazeaud. *Leçons de droit civil*, tomo I. (París: Ed. Montchrestien, 1955), núm. 1156.

[68] Véase a marcel planiol, georges ripert y jean boulanger. *Traité élémentaire de droit civil*. (París: Ed. Librairie Générale de Droit et de Jurisprudence, 1961), núm. 1929.

con lo cual se evitan molestas situaciones de inequidad al interior de un mismo núcleo que pueden resultar en el resquebrajamiento de la unidad de la célula básica de la sociedad.

En todo caso, como se ha dejado expuesto, la estructura del goce legal no se puede equiparar, ni mucho menos confundir, con la de las demás clases de usufructo reguladas en el Código Civil, porque éstos se constituyen sobre bienes singulares, en tanto que la prerrogativa legal que aquí se describe despliega plenos efectos sobre una universalidad jurídica, cual es aquella constituida por todos los derechos patrimoniales que integran el peculio adventicio ordinario del hijo.

Además, en tratándose del usufructo que se constituye sobre bienes inmuebles, es necesario observar una serie de solemnidades sin cuyo acatamiento deviene inoponible el derecho real, como es la protocolización mediante documento público e inscripción en el folio de matrícula inmobiliaria. Sin embargo, al surgir *ope legis*, el usufructo legal sobre el peculio adventicio ordinario no lo exige así; lo que permite entrever que se trata de una figura que no guarda relación con el resto de los usufructos a que alude nuestro Código Civil[69]. Y si lo anterior no fuera suficiente, se debe también apuntar que, contrario a lo que ocurre con las demás clases de usufructo, el legal no admite arriendo ni cesión por parte del usufructuario (artículo 852 del Código Civil).

A pesar de las diferencias planteadas, y sobre las cuales ahondamos en el punto 1) de la subsección I de la sección II del capítulo II del tomo II de esta obra, lo cierto es que la normativa civil no distinguió los efectos de una y otra clases de usufructos con total claridad, a la vez que aglutinó su regulación en el título ix del libro 2º del Estatuto Civil. Ello podría dar como resultado, *prima facie*, que se debiera entender que lo allí previsto los gobierna, por regla general, en forma común. Esta conclusión, aunque susceptible de los reparos que se formularán en capítulo posterior, sugiere el nacimiento de la consecuencia fiscal[70] que a continuación se expone:

El ordenamiento sobre el usufructo, que ha permanecido incólume desde su consagración en el Código Civil, concede al usufructuario los frutos

---

[69]   Cfr. CECILIA DÍEZ VARGAS, Cátedra de Derecho de Familia en Colegio Mayor de Nuestra Señora del Rosario. LUDWIG ENNECCERUS, THEODOR KIPP Y MARTIN WOLFF. *Tratado de derecho civil*, Sección 81; y HEINRICH LEHMANN, *Derecho de familia*, Sección 31.

[70]   La visión sobre esta consecuencia fiscal, bueno es advertirlo, sería luego prohijada por la administración tributaria y la jurisdicción de lo contencioso administrativo, según adelante se estudiará.

naturales (artículo 840) y civiles (artículos 849 y 851) de la cosa, así como el producto de la explotación de minas y canteras (artículo 843).

Ello significaría que, para proponer un ejemplo, los cánones de arrendamiento que percibieran los progenitores, en su condición de usufructuarios, respecto de inmuebles de sus hijos, serían propiedad de aquéllos y no de éstos. Lo propio ocurriría con las cosechas recogidas por la explotación de una finca agrícola. Evidentemente, esta visión correspondería a una muy equivocada interpretación sobre lo que significa la prerrogativa del goce legal, porque no hay, según se ha explicado aquí, una verdadera desmembración del derecho real de dominio.

En materia del impuesto sobre la renta, tanto la ley (civil y tributaria) como el reglamento guardaron silencio sobre la persona a quien le correspondería reflejar el ingreso. Pero no se requiere un profundo análisis jurídico para descifrar que, en el "usufructo-derecho real", las rentas producidas, al ingresar a la esfera patrimonial del usufructuario, deben ser reflejadas en su denuncio rentístico y no en el del nudo propietario. Sostener lo contrario implicaría desconocer la realidad jurídico-económica y, consiguientemente, forzar a alguien que en realidad no se ha enriquecido a que satisfaga una carga fiscal desproporcionada, sin fundamento alguno.

Sin embargo, no se podría decir, sin caer en error insalvable, que esa misma regla sería o debería ser aplicable para los titulares del goce legal. Porque, se insiste, los progenitores reciben los ingresos, pero no para sí, sino con el objeto de invertirlos en la crianza, educación y establecimiento de sus hijos. El saldo, si lo hay, será destinado al resto de menesteres familiares. Ello impide concebir, sin más, que hay un enriquecimiento de los padres. Sobre este aspecto insistiremos a lo largo de la presente obra.

Empero, según se hará ver más adelante, fue opinión consistente de la Administración Tributaria y la Jurisdicción de lo Contencioso Administrativo que los progenitores debían incluir tales ingresos en sus propias declaraciones tributarias, y no en las de sus hijos. Ello sería luego elevado a rango normativo.

2. De los hijos "ilegítimos" y la administración de sus bienes

Otro es el caso de los hijos naturales, a quienes el Derecho Común de antaño privó de estar sujetos a la potestad parental, recién comentada, y en su lugar los ató al régimen de guardas que rigió entre nosotros hasta su modificación con la Ley 1306 de 2009[71] y que, posteriormente, sería reformado por la Ley 1996 de 2019. Así se sigue del artículo 458 del Código Civil que, en su redacción original, dispuso:

> Artículo 458. Es llamado a la guarda legítima del hijo natural, el padre o madre que primero le reconozca, o a quien primero se le asigne ese carácter, y si ambos le reconocen o son declarados a un tiempo padres naturales del menor, es llamado a la guarda de este, preferentemente, el padre. Este llamamiento pondrá fin a la guarda en que se hallare el menor, salvo el caso de inhabilidad o legítima excusa del que, según el inciso anterior, es llamado a ejercerla.

Sobre el particular, es de advertir que la referencia a la "guarda legítima" se debe entender en los términos de los artículos 443, 456, 457, 460, 461 y 462, *ejusdem*, según los cuales la curaduría legítima se ejercía, en primer lugar, por el padre del pupilo, en segundo lugar, por la madre, en tercer lugar, por los demás ascendientes de uno y otro sexo, en cuarto lugar, los por hermanos varones del pupilo y, en quinto lugar, por los hermanos varones de los ascendientes del pupilo. Mas cuando faltaren todos los anteriores, al tercero designado por el juez para fungir como tutor se lo denominaba "curador dativo". En ese contexto, podemos afirmar que, en líneas generales, sería legítima la curaduría que ejercían los consanguíneos del pupilo, en tanto que la curaduría que detentaba cualquier tercero sería dativa[72].

Puesta de manifiesto la diferencia que hay entre los hijos "legítimos" e "ilegítimos" y guardas "legítimas" y "dativas", es menester detenernos en la facultad de administración que ostentan los curadores respecto de los bienes del pupilo. Comoquiera que no es este el escenario para abocarnos al estudio del régimen de tutelas y curatelas, el cual debería incluir las obligaciones de discernimiento y elaboración del inventario de bienes, según el caso, simplemente nos detendremos en el título XXIV del libro primero del Estatuto Civil, intitulado *de la administración de los tutores y curadores relativamente a los bienes,* pues el artículo 481 disponía con palmaria

---

[71] Sobre el particular, consúltese la obra de Juan Enrique Medina Pabón, Cecilia Díez Vargas, Manuel Guillermo Rueda Serrano y María Lucía Torres Villarreal, intitulada *Nuevo régimen de protección legal a las personas con discapacidad mental.* (Bogotá: Ed. Universidad del Rosario, 2009).

[72] El artículo 443 del Estatuto Civil, hoy derogado, disponía: "Artículo 443. Las tutelas o curadurías pueden ser testamentarias, legítimas o dativas. Son testamentarias las que se constituyen por acto testamentario. Legítimas, las que se confieren por la ley a los parientes o cónyuge del pupilo. Dativas, las que confiere el magistrado. Sigue las reglas de la tutela testamentaria la que se confiere por acto entre vivos, según el artículo 450".

nitidez: "Artículo 481. El tutor o curador **administra** los bienes del pupilo, y es obligado a la conservación de estos bienes y a su reparación y cultivo. Su responsabilidad se extiende hasta la culpa leve inclusive".

Síguese de la norma transcrita que la administración de los bienes del hijo natural quedaba en cabeza del padre o la madre, según fuera el caso, que obrara como curador. De manera que se advierte desde ahora una importante diferencia en relación con el régimen de la potestad parental a que estaban sujetos los hijos legítimos: la obligación de administración de los bienes que recaía en cabeza de los padres de hijos naturales no se limitaba al "peculio adventicio ordinario", sino que se extendía a la totalidad de su peculio.

En términos prácticos, debido a que las tarifas del impuesto sobre la renta eran proporcionales, de acuerdo con la naturaleza que tuvieran los ingresos, no se generaba la vulneración al principio de equidad vertical que, a la postre, fue denunciada por buena parte de la doctrina. En efecto, en los casos en los que las tarifas ascienden conforme incrementa la renta, pretender que un padre incluya como parte de sus ingresos aquellos derivados de los bienes que administra en favor de sus hijos comportaría una inmensurable afectación para éstos, toda vez que los recursos con que se debería atender su congrua subsistencia estarían gravados a tarifas que, a no dudarlo, desconocerían por completo su real capacidad contributiva.

3. Conclusiones

Sobre las bases de lo expuesto, bueno es advertir que el miramiento que se le debe dar a la patria potestad, como sucede con el sistema de guardas y tutores, no es otro que el de la protección de los derechos de los hijos de familia, considerados incapaces para la ley civil. Cualquier acepción que pretenda concebir las prerrogativas como derechos en favor de los padres debe ser repudiada. Por eso, tal como anotamos en líneas previas, el sistema de atribución o integración de las rentas de los hijos a los padres es susceptible de cuestionamientos si no se corrigen las vulneraciones a la progresividad.

Ahora bien, para avizorar los alcances de la denominada "facultad de administración", debemos detenernos en el Diccionario de la Real Academia de la Lengua que define la "administración" como la "acción y efecto de administrar". A su turno, el verbo "administrar", en su tercera acepción, lo define como "ordenar, disponer, organizar, en especial la hacienda o los bienes".

De la sola lectura de las definiciones transcritas, aunadas a la conceptualización de la profesora DÍEZ VARGAS, fluye que los actos de administración entrañan, en realidad, una patente manifestación de la facultad de representación; allí fundan sus verdaderas raíces. Y no podría ser distinto, porque cuando quien ejerce la potestad parental ordena, dispone u organiza uno o varios bienes ajenos, lo hace en representación de un tercero, no para enriquecerse a sí mismo.

En el Derecho Común la doctrina se ha inclinado por distinguir cuidadosamente los meros actos de administración de los actos de disposición. Como su nombre lo sugiere, éstos dicen relación con la facultad de "disponer" (o gravar) del derecho de dominio sobre un determinado bien, en tanto que aquéllos se identifican con las facultades de conservación y productividad de las cosas[73].

En síntesis, es posible afirmar, con propiedad, lo siguiente: para el derecho, la facultad de representación, conferida a quienes ostentan la patria potestad y a quienes son designados simples guardadores legítimos, es el género que aglutina, para lo que a nuestro estudio interesa, las facultades de administración y disposición. Por consiguiente, no elucubraremos sobre la autorización judicial que se requeriría para disponer de los bienes del hijo de familia o del pupilo, ya que los actos de mera administración, como tiene enseñado la doctrina[74], escapan a esa autorización.

Ello no quiere decir que la administración es siempre libre e incuestionada, porque, como no podría ser distinto, en los casos en los que se encontrara probada la culpa leve del padre de familia (artículo 298 del Código Civil) o del guardador (artículo 481, *ibidem*), le sería removida la administración que detentara sobre los bienes.

Hechas las anteriores precisiones, se abre paso el siguiente interrogante: ¿Por qué el criterio para la atribución de las rentas de los hijos a los padres se estructuró en función de las facultades de administración y no del usufructo?

La respuesta obvia obedece a que el Legislador no podía fijar como criterio de atribución ostentar la condición de usufructuario porque, de haberlo hecho, se excluiría la atribución de las rentas de los hijos naturales, respecto de quienes sus padres, en condición de guardas legítimas, únicamente adquirirían la facultad de administración.

---

[73]   Para mayor claridad, véase a Arturo Valencia Zea. *Derecho civil*, tomo I, *Parte general y personas*. (Bogotá: Ed. Temis, 1972), 488 a 494.

[74]   *Ibidem*.

Sin embargo, hemos de añadir desde ahora, ese y cualquier otro criterio de atribución parece inapropiado e impertinente porque parte(n) de la premisa de que las rentas de los hijos se deben declarar por los padres, habida cuenta de que ellas aprovechan éstos. A nuestro juicio, esa comprensión es inadmisible, toda vez que la única razón para que la potestad parental conceda facultades de administración o de usufructo se cimienta, según se dejó expuesto, en la protección de los menores de edad, lo que desemboca en la conclusión de que las rentas provenientes del peculio de los hijos de familia no están llamadas a aprovechar, en manera alguna, a los padres sino directamente a sus propietarios. Cuestión distinta es que la ley, por su condición de progenitores, presuma que son las personas más idóneas para hacerse cargo de su prole, que tiene la condición de incapaz relativa y, de consiguiente, les imponga determinados deberes en relación con ese peculio.

III. Descuento por dependientes y mínimo exento

El Decreto 794 de 1919 reiteró, en sus artículos 9° y 10°, lo dispuesto en el inciso final del artículo 1° y el artículo 2° de la Ley 56 de 1918, en el sentido de establecer una deducción de la base gravable del tributo y un descuento tributario cuando el declarante tuviere dependientes, a saber:

> Artículo 9°. Del total de la renta de cada individuo, se deducirá la suma de trescientos sesenta pesos ($360) que no pagará impuesto.

> Artículo 10. Los contribuyentes que tengan más de dos hijos que vivan a costa de aquéllos, o más de dos personas a cuya subsistencia deban atender por la ley, y atiendan efectivamente, tienen derecho a que se les rebaje del monto del impuesto que deberán pagar, un cinco por ciento por cada uno de dichos hijos o personas.

> Exceptúese el caso de que éstos tengan profesión lucrativa o peculio propio.

> Esta rebaja tendrá como límite el cincuenta por ciento del impuesto que les corresponda.

La primera norma transcrita tenía por objeto, como es natural, permitir que los individuos reservaran un monto, fijado en trescientos sesenta pesos, exonerado del tributo, para efectos de garantizar su digna subsistencia. La segunda, en clara aplicación del principio de capacidad contributiva, abogaba por permitir que las erogaciones derivadas de la manutención de los dependientes fueran susceptibles de resta contra el importe que se hubiera liquidado a cargo del contribuyente.

SECCIÓN II. DECRETO 2406 DE 1919

El 10 de diciembre de 1919, tan solo unos meses después de la publicación en el Diario Oficial del Decreto 794 de 1919 (abril 11), fue proferido el Decreto 2406 de 1919, también reglamentario de la Ley 56 de 1918, por el cual el Gobierno nacional introdujo nuevas regulaciones en torno al régimen del impuesto sobre la renta. En lo fundamental, la normativa incorporó disposiciones relativas a la conformación y organización de la administración y respecto del tratamiento de las sociedades comerciales, pero mantuvo incólume todo lo atinente a la atribución de rentas y a las deducciones y descuentos que fueron objeto de comentario en la sección I. Veamos:

> Artículo 2°. El impuesto recaerá sobre el jefe de la familia, tanto por razón de sus rentas personales, como por los de la sociedad conyugal o las de la mujer o de los hijos que vivan bajo su dependencia. Pero se impondrá aparte sobre las rentas de la mujer separada de bienes o sobre las que emanen de propiedades de los hijos que el padre no administra (…)

> Artículo 12. Del total de la renta de que disfrute cada individuo se deducirá la suma de trescientos sesenta pesos anuales o de ciento ochenta pesos semestrales, que no pagará impuesto.

> Artículo 13. Los contribuyentes que tengan más de dos hijos que vivan a costa de aquéllos, o más de dos personas a cuya subsistencia deban atender por la ley, y atiendan efectivamente, tienen derecho a que se les rebaje del monto del impuesto que deberán pagar, un cinco por ciento por cada uno de dichos hijos o personas, inclusive los dos primeros. Exceptúanse el caso de que tengan profesión lucrativa o peculio propio.

> Para gozar de estas rebajas deberá especificar el contribuyente, bajo palabra de honor, el número de personas que tenga a su cargo: el parentesco que con ellas l[]os unan, y tratándose de hijos, si ellos son menores de edad. Esta rebaja tendrá como límite el cincuenta por ciento del valor del impuesto.

Como se observa, únicamente se añadió la exigencia de que, para la procedencia del descuento tributario, el contribuyente presentara una declaración juramentada en la cual especificara las personas por las cuales tomaba el beneficio tributario. En lo demás, las apreciaciones que formulamos en el acápite precedente siguen sin alteración alguna.

SECCIÓN III. DECRETO 59 DE 1924

El 12 de enero de 1924, durante el gobierno de Pedro Nel Ospina, se publicó en el Diario Oficial 19450 un nuevo decreto reglamentario de la primera ley del impuesto sobre la renta. La norma procuró ampliar su espectro de cobertura, en lo que toca con la atribución de las rentas a quienes detentaran la condición de guardas o curadores de terceras personas, sin limitarlo a sus propios hijos, a saber:

> Artículo 7º. El impuesto que grava los beneficios obtenidos por personas jurídicas o por personas naturales que no tengan la administración de sus bienes, deberá pagarse por el Gerente o la persona que ejerza la guarda, en su caso. El marido es responsable del gravamen que pesa sobre los beneficios de la sociedad conyugal, y los tenedores de bienes o capitales productivos de renta pertenecientes a sucesiones ilíquidas, fideicomiso o legados a término deben pagar el impuesto que a los beneficios de tales bienes o capitales corresponden.

Según se ha dejado anotado, respecto de los hijos de familia "legítimos" no se aplicaba el régimen de tutelas y curatelas, sino la patria potestad, por lo que incurrió en una impropiedad el reglamento al sujetar la atribución de rentas a quienes ostentaran la condición de "guardas". Pero esa impropiedad, que solo da cuenta de que no se consultó adecuadamente el Derecho Común para su extrapolación al Derecho Tributario, no ha de ser vista como un óbice insalvable, capaz de crear una laguna jurídica[75], porque es claro que las facultades de administración que se coligen de la potestad parental también están sujetas a la consecuencia jurídica de atribución de rentas consagrada en la norma. Ello no riñe con las conclusiones a que se arribaron en la sección I, conforme a las cuales los ingresos provenientes de los bienes sobre los cuales los titulares de la patria potestad detentaban el usufructo legal debían ser declarados por ellos, ni tampoco desdice la crítica que en este texto se formuló sobre el particular.

A más de lo anterior, el decreto en comentario consagró, en su artículo 8°, las rentas por las cuales la mujer separada de bienes estaba llamada a tributar: "Artículo 8°. La mujer separada de bienes responderá por el gravamen que recaiga sobre los beneficios del capital que administre, o de la industria

---

[75] Entendida la figura como lo anunciara Ernst Zitelmann en su discurso, posteriormente transcrito y editado para el público, *Lücken im Recht* (Leipzig: Ed. Dunker & Humbolt, 1903). Con la expresión no pretendemos, ni mucho menos, adentrarnos en el movedizo terreno de la existencia, o no, de este tipo de figuras, que confrontó a buena parte de los tratadistas del siglo pasado como Kelsen, García Maynez O Russel, entre otros.

o profesión que ejerza". Repárese en que, por primera vez, el reglamento abordó los ingresos que las mujeres separadas de bienes debían incluir en su denuncio rentístico, circunscribiéndolos a todos aquellos provenientes de los bienes que administrara y los percibidos por su industria o profesión.

Mas lo realmente notable de esta norma no es solamente haber abordado, por primera vez, el espectro de ingresos que debía imputar la mujer en su denuncio rentístico, sino que aclaró la confusión en torno al tipo de rentas sujetas a imposición en cabeza de la mujer, en el sentido que advertimos en la subsección I de la sección I de este capítulo. Previo a detenernos en la explicación pormenorizada de la acertada integración del Derecho Civil y el Derecho Tributario, hemos de recordar, a manera de antecedente forzoso, el texto de la Ley 8ª de 1922:

> Artículo 1°. La mujer casada tendrá siempre la administración y el uso libres de los siguientes bienes:
>
> 1° Los determinados en capitulaciones matrimoniales; y
>
> 2° Los de su exclusivo uso personal, como son sus vestidos, ajuares, joyas e instrumentos de su profesión u oficio.
>
> De estos bienes no podrá disponer en ningún caso por sí solo uno de los cónyuges, cualquiera que sea su valor.
>
> Artículo 2°. Son también causales de separación de bienes las que autorizan el divorcio por hechos imputables al marido de acuerdo con el artículo 154 del Código Civil, y la disipación y el juego habitual de que trata el artículo 534 del mismo Código.
>
> (…) Artículo 5°. Si la mujer hubiere dado causa al divorcio por adulterio, conservara su derecho a los gananciales; pero el marido tendrá la administración de los bienes de ella cuando haya habido sucesión en el matrimonio, excepto de aquellos que la mujer administre como cosa separada de bienes, de los de su uso personal y de los que adquiera a cualquier título después del divorcio.
>
> El usufructo de los bienes de la mujer divorciada pertenecerá a esta, salvo la cuota parte con que deberá concurrir para el sostenimiento de sus hijos legítimos, cuota parte que determinará el Juez.
>
> El marido asegurara siempre, a satisfacción del Juez, el valor de los bienes que administre y del usufructo de dichos bienes que correspondan a la mujer divorciada.

El indudable impacto positivo de esta ley, por motivos de orden, será comentado conforme se efectúe la conceptualización del alcance y contenido del artículo 8° del Decreto 59 de 1924. Pues bien, aunque el artículo 8° del Decreto 59 de 1924 preservó la impropiedad de aludir al término "separación de bienes", la precisión incorporada en torno a la sujeción al gravamen de las rentas provenientes de todo "el capital que administre" la mujer confirió mayores elementos para concluir que la intención del reglamento era la de cobijar, también, las rentas de los bienes adjudicados en un divorcio *quoad thorum et cohabitationem* o reservados como propios en el pacto capitular. Aúnese a ello que, al diapasón de lo establecido por el artículo 7° del decreto en comentario, "[e]l marido e[ra] responsable del gravamen que pesa[ba] sobre los beneficios de la <u>sociedad conyugal</u>" (subrayado propio) y se arribará contundentemente a la conclusión de que, dentro de la hermenéutica jurídica, se deben integrar las normas que disciplinan la sociedad de gananciales, una de las cuales es el artículo 1820 del Estatuto Civil, relativo a su disolución.

Así las cosas, no sería admisible, ni siquiera por asomo, considerar como requisito *sine qua non* una sentencia que declare "separación de bienes" para poder proceder con la atribución de rentas a la mujer, sino que se impone la conclusión según la cual la atribución se debía aplicar a las rentas provenientes de todos los bienes que administrara la cónyuge. Admitir conclusión distinta, se reitera, llevaría a que, disuelta la sociedad conyugal, o parte de ella, sin la correlativa disolución del matrimonio (por mediar *divorcio quoad thorum et cohabitationem* o bienes reservados como propios en las capitulaciones), las rentas provenientes de los activos que hubieren quedado en cabeza de la mujer, con su libre administración, no estuvieran cobijadas por el impuesto sobre la renta, porque no serían atribuibles al marido en tanto que los ingresos no serían "beneficios derivados de la sociedad conyugal", ni a la mujer por cuanto no se había acudido a figura específica de "separación de bienes".

Por ese motivo, aunque la norma preservara una impropiedad al aludir a la "separación de bienes", es claro que cobijaba todo el cúmulo de activos respecto de los cuales la mujer ostentara la libre administración.

En lo que a las capitulaciones concierne, los artículos 1776 del Código Civil y 1° de la Ley 8ª de 1922 previeron que los bienes reservados como propios por la mujer, mediante convenciones celebradas con las solemnidades previstas en los artículos 1771 y siguientes, serían libremente administrados por ella.

A su turno, el artículo 165 del Código Civil previó, sobre el divorcio imperfecto, la libre administración de los gananciales que la mujer hubiera obtenido, así como de los bienes que con posterioridad adquiriera, en los siguientes términos: "Artículo 165. La mujer divorciada administra con independencia del marido los bienes que ha sacado del poder de éste, o que después del divorcio ha adquirido".

Sin embargo, otro sería el caso en el cual el divorcio imperfecto hubiera sido impetrado bajo la causal de adulterio de la mujer pues, en ese evento, de acuerdo con las disposiciones de la Ley 8ª de 1922, el cónyuge varón tendría derecho de administrar los bienes de ella y, por consiguiente, las rentas derivadas de tal peculio serían atribuibles a él.

En relación con el mínimo exento, el artículo 14 del decreto replicó la disposición legal y fijó una deducción, para cada contribuyente, de una suma equivalente a trescientos sesenta pesos ($360). Además, en su artículo 15, estableció una serie de rubros con los cuales se podía depurar la renta bruta de los contribuyentes, pero excluyó, en el literal a), "las expensas relativas a los gastos de familia", lo cual halla sustento en que no se trata de erogaciones necesarias para la producción de los ingresos.

Aunado a lo anterior, el decreto en comentario nada dispuso en torno a la rebaja del cinco por ciento (5%) para los contribuyentes que tuvieran dos o más dependientes cuya manutención estuviere fijada por la ley. Empero, tal silencio se podía superar fácilmente mediante la aplicación directa del artículo 3° de la Ley 56 de 1918.

SECCIÓN IV. DECRETO 802 DE 1926

El Decreto 802 de 1926 reiteró las regulaciones del Decreto 59 de 1924, con pequeñas modificaciones. En primer lugar, en el artículo 7°[76] unificó las disposiciones sobre imposición separada del marido y la mujer. La variación ocurrió en lo tocante con el mínimo exento y la "rebaja" por dependientes, según se lee en el artículo 30 de la norma:

---

[76] **Artículo 7°**. El impuesto que grava las utilidades obtenidas por personas jurídicas, o por personas naturales que no tengan la administración de sus bienes, deberá pagarse por el Gerente o por la persona que ejerza la guarda, en su caso. El marido es responsable del gravamen que pesa sobre las utilidades de la sociedad conyugal. La mujer casada separada de bienes, responderá por el gravamen que recaiga sobre las utilidades del capital que administra o de la industria o profesión que ejerza".

Artículo 30. Del total de la renta gravable de cada contribuyente, se harán las siguientes deducciones:

a) Por toda persona soltera, o casada que no viva con su cónyuge, la suma de cuatrocientos pesos ($400);

b) Por toda persona casada que viva con su cónyuge, la suma de seiscientos pesos ($600). Es entendido que ésta es una deducción total sobre la suma de las rentas de ambos cónyuges;

c) Por cada persona que no sea el cónyuge pero que reciba del contribuyente su principal apoyo y dependa de él, si dicha persona es menor de veintiún años o incapaz de sostenerse por deficiencia física o mental, cincuenta pesos ($50).

Nótese que la disposición separó el mínimo exento deducible para los contribuyentes solteros, casados sin cohabitación y casados con cohabitación. La inteligencia del artículo estriba en identificar las erogaciones que debe atender cada tipo de individuo, porque los gastos difieren ostensiblemente entre un hogar con una sola persona y otro con varias.

No nos referiremos aquí sobre el incremento, en cuarenta pesos ($40), del monto fijado inicialmente por la ley ($360), porque entendemos que se trató de una corrección monetaria. Sí conviene, en cambio, desagregar los aspectos sustanciales de la disposición reglamentaria, para identificar su plena extensión. Veamos: El decreto discriminó el monto exento para los contribuyentes casados, según hubieran fijado la misma residencia o no. Al propio tiempo, sostuvo que la deducción se debía entender como una sola para las rentas de ambos cónyuges, siempre que cohabitaran.

Es preciso anotar, primeramente, que la razón para que el mínimo exento se fijara en función de la cohabitación obedece al contexto de la norma. En efecto, para aquella época en Colombia no se había incorporado el divorcio vincular como vehículo jurídico para disolver el matrimonio. Sin embargo, quienes obtuvieran sentencia declaratoria de divorcio *quoad thorum et cohabitationem* quedaban emancipados de la vida en común, lo que equivale a fijar residencias separadas. Y también podía ocurrir que mediara una separación de hecho definitiva.

Ahora bien, entendido lo anterior, la variación en el monto del mínimo exento ($400 para los cónyuges que no cohabitaran y $600, en total, para aquellos que sí lo hicieran) se explica por las erogaciones en que se ven forzados a incurrir quienes fijan residencia independiente y quienes no lo hacen. En tal sentido, si los cónyuges disolvían su sociedad conyugal, pero mantenían su residencia común, la sumatoria total del mínimo exento debía ascender, como máximo, en todos los casos, a $600, lo que equivaldría a una minoración de $300 per cápita[77]. Pero si fijaban residencias separadas, cada uno tendría derecho a una deducción de $400.

En todo caso, la disposición no originó mayores discusiones, habida cuenta de que para la época era ínfimo el número de parejas que tributaban individualmente porque los casos de separación de bienes, capitulaciones y divorcios imperfectos (léase, en la actualidad, separación de cuerpos) eran muy pocos[78].

Por su parte, el literal c) de la norma transcrita, según el cual se autorizaba una deducción de $50 por cada persona, distinta del cónyuge, que dependiera del contribuyente para su subsistencia y además fuera menor de edad o estuviera en situación de discapacidad, sí es susceptible de reproche en este texto. En efecto, el Decreto 802 fue intitulado como "Reglamentario del impuesto sobre la renta", por lo que su condición le imponía la obligación de actuar dentro de los parámetros prefijados por la ley. Claramente, la norma reglamentaria trasgredió la disposición legal, de jerarquía superior, en cuanto cambió la naturaleza del beneficio tributario, de descuento a deducción, y arbitrariamente modificó la cuantía.

---

[77] Esta cifra parte de dividir, por partes iguales, la deducción concedida. Sin embargo, nada obstaría para que los cónyuges distribuyeran el mínimo exento en forma diferente, bajo la condición de que la sumatoria de ambas deducciones ascendiera, como máximo, siempre a $600.

[78] Al respecto, véase a Luis Felipe Latorre, *El estatuto de la mujer casada*. (Bogotá: Ed. Kelly, 1941).

Capítulo II.
Régimen de la Ley 64 de 1927

La Ley 64, segunda regulación de orden legal del impuesto sobre la renta, fue publicada en el Diario Oficial número 20648 del 18 de noviembre de 1927, durante el gobierno de MIGUEL ABADÍA MÉNDEZ. En su texto se adoptó el método sintético de depuración del tributo, por lo cual el origen de los ingresos de los contribuyentes era irrelevante para determinar su importe a cargo. Además, en el artículo 3° se introdujo la progresividad del impuesto, a saber:

Artículo 3°. Establécese un impuesto sobre todo individuo residente en Colombia, que será retrasado, exigido, recaudado y pagado anualmente con relación a su renta total liquida, como aquí se define, correspondiente al año civil anterior, según la siguiente tarifa:

1 por 100 de la renta líquida en cuanto exceda de las exenciones establecidas en el Artículo 7o. y no pase de $ 2.000.

1 ½ por 100 en cuanto exceda de $ 2.000 y no pase de $3.000.

2 por 100 en cuanto exceda de $ 3.000 y no pase de $4.000.

2 ½ por 100 en cuanto exceda de $ 4.000 y no pase de $5.000.

3 por 100 en cuanto exceda de $ 5.000 y no pase de $6.000.

3 ½ por 100 en cuanto exceda de $6.000 y no pase de $8.000.

4 por 100 en cuanto exceda de $ 8.000 y no pase de $12.000.

4 ½ por 100 en cuanto exceda de $12.000 y no pase de $15.000.

5 por 100 en cuanto exceda de $15.000 y no pase de $50.000.

5 ½ por 100 en cuanto exceda de $50.000 y no pase de $100.000.

6 por 100 en cuanto exceda de $100.000 y no se pase de $200.000.

6 ½ por 100 en cuanto exceda de $200.000 y no pase de $300.000.

7 por 100 en cuanto exceda de $ 300.000 y no pase de $400.000.

7 ½ por 100 en cuanto exceda de $400.000 y no pase de $500.000.

8 por 100 en cuanto exceda de $ 500.000.

A su turno, el artículo 7° señaló que, sin importar su estado civil o condición, todo contribuyente era beneficiario de una exención inicial de mil doscientos pesos y, adicionalmente, por cada persona distinta del cónyuge que dependiera de él, una suma de doscientos cuarenta pesos:

Artículo 7°. Todo contribuyente gozara de las siguientes exenciones:

a) Una exención inicial de mil doscientos pesos ($1.200.00) cualquiera que sea el estado o condición del contribuyente.

b) Doscientos cuarenta pesos ($240.00) por cada persona que no sea el cónyuge que reciba el contribuyente su principal apoyo y dependa de él, si dicha persona dependiente es menor de veintiún años de edad o es incapaz de sostenerse.

Parágrafo. Para gozar de las exenciones concedidas por esta Ley, el contribuyente deberá probar que las personas por las que pide rebaja están realmente a su cargo, mediante certificación de dos personas honorables.

Cuando la Junta dude de la veracidad de la certificación, podrá exigir que si refuerce la prueba con dos declaraciones recibidas en forma legal y en papel común.

Finalmente, el artículo 16 de la ley señaló una derogatoria general de "todas las disposiciones [que le fueren] contrarias".

SECCIÓN I. DECRETO 1923 DE 1927

Pocos meses después de la expedición de la ley 64, el Gobierno nacional, por intermedio de su ministro de hacienda, ESTEBAN JARAMILLO, profirió el Decreto 1923, por el cual introdujo una nueva reglamentación del impuesto sobre la renta. A pesar de que, en lo fundamental, el decreto se encargó de ordenar aspectos operativos de la recaudación (*v. gr.* integración de las Juntas Municipales, sus reuniones, entre otros), de especial interés para este texto es su artículo 14, cuyo tenor literal rezaba así: "Artículo 14. Todo fideicomisario y todo el que represente una sucesión, así como los guardadores que administren bienes ajenos, deberán presentar un informe detallado sobre la renta bruta de los respectivos representados y de las exenciones, deducciones y créditos concedidos por la Ley".

La norma transcrita omitió cualquier referencia, como sí lo habían hecho los decretos reglamentarios estudiados precedentemente, a la calidad de los hijos o al tipo de tributación de la sociedad conyugal. Simplemente se limitó a disponer que los guardadores que tuvieran a su cargo la administración de bienes ajenos debían presentar un informe sobre la renta bruta de sus administrados, con la correlativa depuración. Ello da cuenta de que la normativa abdicó de la atribución de rentas de los hijos al padre, así ordenada por los reglamentos anteriores, y acogió las normas del Derecho Común para conminar a los representantes a depurar el impuesto sobre la renta de sus representados.

Esa conclusión comporta un indudable acierto del Gobierno, toda vez que, de un lado, incorporó el criterio de progresividad en la determinación del tributo a cargo, pero, de otro, evitó que las rentas de los hijos se sometieran a tarifas que por completo desconocerían su capacidad contributiva al eliminar la atribución de ingresos que se comenta líneas atrás.

Empero, la virtud del reglamento no llegó a corregir la desafortunada situación en que quedaban las rentas provenientes de los bienes sobre los cuales el padre de familia ostentara el "usufructo legal". Y es que esos ingresos, se repite, nunca han tenido por objeto aprovechar al "usufructuario" —que, como se explicó, no es tal en esta figura jurídica—, porque con ellos se busca solventar la manutención y protección de los hijos no emancipados. De manera que, aunque no integraban la esfera patrimonial de los padres, sí quedaban sometidos a imposición en cabeza suya, lo que en últimas conducía a que gravar las rentas provenientes del goce legal a la tarifa de los padres sí sea, al menos desde una perspectiva crítica del ordenamiento jurídico, una vulneración al principio de capacidad contributiva de los hijos.

Ahora bien, en relación con los cónyuges, hemos dicho que, en primer lugar, la mujer se hacía incapaz relativa por el hecho del matrimonio, por lo que su marido se convertía en su representante (artículos 62 y 1504, inciso 3°, del Código Civil). Además, mencionamos que el artículo 1805 del Estatuto Civil designaba al cónyuge varón como jefe y administrador de los bienes que integraban la sociedad conyugal, así como de los de su mujer. Al anterior recuento normativo es de agregar, en este punto, lo que en aquel entonces preveía el artículo 1806, *ibidem* (hoy derogado):

> Artículo 1806. El marido es, respecto de terceros, dueño de los bienes sociales, como si ellos y sus bienes propios, formasen un solo patrimonio, de manera que durante la sociedad, los acreedores del marido podrán perseguir

tanto los bienes de este como los bienes sociales; sin perjuicio de los abonos o compensaciones que a consecuencia de ello deba el marido a la sociedad o la sociedad al marido.

Podrán, con todo, los acreedores perseguir sus derechos sobre los bienes de la mujer en virtud de un contrato celebrado por ellos con el marido, en cuanto se probare haber cedido el contrato en utilidad personal de la mujer, como en el pago de sus deudas anteriores al matrimonio.

La regla transcrita señalaba, con absoluta claridad, que el marido se reputaba dueño de todos los bienes sociales respecto de terceros, uno de los cuales indudablemente viene a ser el Fisco. Sin embargo, nada decía respecto de los bienes propios de la mujer. Por consiguiente, una justa interpretación del alcance del artículo 14 del Decreto 1923 de 1927, armónicamente conjugado con las normas de Derecho Común, conduciría a que el marido debía integrar, en el denuncio rentístico por él presentado, sus rentas propias y las provenientes de los activos de la sociedad conyugal. La anterior conclusión se robustece con las nítidas aseveraciones hechas por la Jefatura de Rentas e Impuestos Nacionales en la Resolución 1550, del 13 de octubre de 1947, cuyos apartes se transcriben a continuación:

¿Y cuál era el régimen a que estaban sometidas las sociedades conyugales formadas con anterioridad a la vigencia de la citada Ley 28? Pues el establecido por el Código Civil en su Título 22, el cual en el capítulo 3°, artículo 1806, estableció que 'el marido es, respecto de terceros, dueño de los bienes sociales, como si ellos y sus bienes propios, formasen un solo patrimonio'.

Y como el carácter de tercero que corresponde al Estado no ha sido puesto en duda por el señor apoderado del reclamante, no es menester insistir en ello y por tanto para el Estado el señor N. es dueño de los bienes sociales adquiridos antes del 1° de enero de 1933, como si ellos y sus bienes propios formasen un solo patrimonio y, en consecuencia, sin desconocer que el aporte y utilidades del reclamante en la sociedad XZ son bienes sociales que deben repartirse entre los esposos cuando se liquide (...) la sociedad conyugal, tales bienes deben ser gravados íntegramente en cabeza del reclamante como se hizo en la liquidación reclamada, la que por tanto debe confirmarse.

Mas si se hubiere disuelto la sociedad conyugal, bien por medio de divorcio imperfecto, ora por separación de bienes, o incluso si se hubieren reservado bienes como propios de la mujer mediante capitulaciones matrimoniales, la normativa preveía que la cónyuge se hacía a la libre administración de sus activos (artículos 165 y 203 del Código Civil, entonces vigentes, y 1° de la Ley 8 de 1922). En ese sentido, si bien el marido continuaba siendo el representante de la mujer, considerada incapaz relativa por el hecho del matrimonio, no se configuraba ningún supuesto de hecho contemplado en el artículo 14 del Decreto 1923 para que aquél quedara facultado para presentar, en escrito separado, la depuración de las rentas de ésta. De consiguiente, en tales casos cada cónyuge debía presentar su denuncio rentístico por separado.

Capítulo III.
Régimen de la Ley 81 de 1931

En 1931, un año después de que el Partido Liberal, con la candidatura de ENRIQUE OLAYA HERRERA, quebrara la que los historiadores denominaron "Hegemonía Conservadora", se expidió la tercera ley del impuesto sobre la renta: la Ley 81. La norma, fruto de las iniciativas propuestas por la Misión Kemmerer, cuyo objeto fue el de mejorar la administración del tributo[79], mantuvo el régimen sintético de depuración que había adoptado la Ley 64 de 1927, así como el esquema de progresividad en las tarifas del impuesto, como se observa en su artículo 3°:

> Artículo 3°. 1°. Establécese un impuesto sobre la renta de todo individuo, sea o no residente en Colombia, y sobre la de los bienes en comunidad, sucesiones y fideicomisos en el país. Se entiende por residente cualquiera persona natural que tenga permanente o provisionalmente su domicilio en el país y que permanezca en él por seis meses consecutivos o más del año gravable. Se entiende por no residente cualquier persona natural domiciliada en un país extranjero y que permanezca en Colombia, consecutivamente, menos de seis meses del año gravable.
>
> 2° Con las excepciones previstas, todo residente en Colombia será gravado sobre su renta, cualquiera que sea el origen de ella, ya sea obtenida dentro o fuera del país. Pero en cualquier impuesto asignado de acuerdo con esta Ley a un extranjero residente en el país, se le descontará de su renta líquida gravable la suma de cualesquiera impuestos pagados o debidos, durante el año gravable, al país extraño en donde dicho contribuyente tenga negocios establecidos, si en la legislación de tal país se hacen descuentos semejantes a los ciudadanos de Colombia residentes en él. Este descuento se concederá únicamente si el contribuyente suministra la información requerida por el Director General de Renta s Nacionales para su verificación. Los extranjeros residentes que presten su servicio por contrato a la Nación, a los Departamentos o a los Municipios, no serán gravados sobre los sueldos que se les paguen por dichas entidades, si la exención se estipula en el contrato.
>
> 3° La renta del no residente en Colombia, originada dentro del país, será gravada.
>
> 4° Todos los bienes en comunidad, sucesiones y fideicomisos en Colombia, serán gravados sobre las rentas producidas por ellos, ya sea que se originen dentro o fuera del país.

---

[79]   Cfr. JULIO ROBERTO PIZA. *El impuesto...*, 41.

5° Con las excepciones ya previstas, el impuesto establecido por este artículo será tasado, exigido, recaudado y pagado anualmente sobre la renta líquida, como se define en esta Ley, correspondiente al año civil inmediatamente anterior, de acuerdo con la siguiente tarifa:

1 % de la renta líquida en cuanto exceda de las exenciones establecidas en el Artículo 10 y no pase de $ 2.000.

1 ½ % en cuanto exceda de $ 2.000 y no pase de $3.000.

2 % en cuanto exceda de $ 3.000 y no pase de $4.000.

2 ½ % en cuanto exceda de $ 4.000 y no pase de $5.000.

3 % en cuanto exceda de $ 5.000 y no pase de $6.000.

3 ½ % en cuanto exceda de $6.000 y no pase de $8.000.

4 % en cuanto exceda de $ 8.000 y no pase de $12.000.

4 ½ % en cuanto exceda de $12.000 y no pase de $15.000.

5 % en cuanto exceda de $15.000 y no pase de $20.000.

5 ½ % en cuanto exceda de $20.000 y no pase de $30.000.

6 % en cuanto exceda de $30.000 y no se pase de $60.000.

6 ½ % en cuanto exceda de $60.000 y no pase de $100.000.

7 % en cuanto exceda de $ 100.000 y no pase de $170.000.

7 ½ % en cuanto exceda de $170.000 y no pase de $250.000.

8 % en cuanto exceda de $ 250.000.

6° Los asignatarios de bienes destinados a fines especiales en virtud de disposiciones testamentarias, adjudicados con el carácter de asignación modal, mientras dure el ejercicio de su encargo testamentario, pagarán el impuesto sobre la renta líquida de tales bienes a la tasa fijada en el inciso 5o. de este artículo y con la exención inicial de mil doscientos pesos sobre dicha renta líquida, como lo establece el artículo 10. de esta Ley, y siempre que el asignatario no la usufructúe personalmente.

Basta un sencillo cotejo entre las tarifas incorporadas por la regulación recién transcrita y aquellas previstas en la Ley 64 de 1927 para advertir, con facilidad, que medió un ostensible incremento. Pese a que no hubo una modificación en el valor nominal de la alícuota marginal superior, que permaneció en el 8 %, los ingresos que estaban sujetos a cada uno de los niveles tarifarios sí variaron. Así pues, piénsese en un contribuyente que hubiera obtenido una renta líquida gravable del ejercicio de $251.000. Bajo la Ley 64 de 1927 habría estado sometido a la tarifa del 6 ½ %, en tanto que en el régimen de la Ley 81 de 1931 la alícuota aplicable será del 8 %.

A más de lo anterior, el artículo 10 de la ley mantuvo la exención inicial de $1 200, prevista en el artículo 7° de la Ley 64 de 1927, pero en buena hora retomó los alivios diferenciales para los cónyuges que cohabitaban y aquellos que no lo hacían, al tiempo que elevó la exención por dependientes a $360. Veamos:

> Artículo 10. Establécese las siguientes exenciones sobre la renta líquida de todo individuo:
>
> a). Una exención inicial de mil doscientos pesos, cualquiera que sea el estado o condición del contribuyente. Los cónyuges que vivan unidos no gozarán sino de una sola exención personal cuya cuantía será de mil quinientos pesos. Si dichos cónyuges hacen declaración de renta por separado, la exención personal puede ser concedida a cualquiera de los dos o dividida entre ellos.
>
> b). Una exención de trescientos sesenta pesos por cada persona distinta del cónyuge que dependa o reciba su principal apoyo del contribuyente, si dicha persona dependiente es menor de veintiún años de edad o incapaz de sostenerse por sí misma, por incapacidad mental o física.
>
> c) Para gozar de las exenciones concedidas por este artículo, el contribuyente debe probar, por medio de un certificado firmado por dos vecinos honorables que las personas aludidas están realmente a su cargo. Si el Director General de Rentas o el empleado que haga sus veces duda de la veracidad de tal certificado podrán exigir que los hechos se prueben con dos declaraciones recibidas en forma legal y en papel común.
>
> d). En el caso de sociedades anónimas y en comandita se concederá una exención de mil doscientos pesos sobre su renta líquida.

Nótese que, en este caso, la norma fue cuidadosa también al hacer gravitar la exención sobre el hecho de haber fijado o no una residencia común, en lugar de consultar por el estado civil de los cónyuges. Ello guarda armonía, según hemos expuesto en líneas anteriores, con el análisis de la situación económica de los contribuyentes, por cuanto aquellos que, aun casados, vivían solos, razonablemente deberían asumir cargas para su soste-nimiento mayores que quienes cohabitaban, individualmente considerados.

En tal sentido, un soltero podría tomar la deducción de $1200 para su sostenimiento; pero para una pareja que cohabitara, en la que un solo cónyuge producía rentas (mono rédito), éste podría tomar la exención completa de $1500, bajo el entendido de que las cargas de sostenimiento que debía asumir eran mayores a las del soltero, aunque no en proporción aritmética. De ahí que, si los cónyuges presentaban declaraciones indepen-dientes, la exención ascendería, como máximo, a $750 para cada uno.

SECCIÓN I. DECRETO 2244 DE 1931

El Decreto 2244 de 1931, reglamentario de la Ley 81 del mismo año, no se ocupó de precisar los términos en los cuales las familias debían tributar. Únicamente, mediante su artículo 1°, reiteró que las exenciones de la ley habrían de ser aplicadas en los términos allí previstos: "Artículo 1°. El im-puesto sobre la renta se hará efectivo sobre la renta líquida de los contribu-yentes, tal como la define la Ley 81 de 1931, con derecho a las exenciones que en ella se establecen".

SECCIÓN II. DECRETO 92 DE 1932

El Decreto Extraordinario 92 de 1932, en su artículo 19, subrogó el texto del artículo 10 de la Ley 81 de 1931, en el sentido de disminuir las exenciones a que tenían derecho las personas naturales, contribuyentes del impuesto sobre la renta, así:

Artículo 19. Las exenciones establecidas en el artículo 10 de la Ley 81 de 1931, quedan reducidas en la siguiente forma:

a). A $600 la exención por toda persona soltera, o casada separada legalmen-te de bienes de su cónyuge.

b). A $900 la exención para los dos cónyuges que no se hallen legalmente se-parados de bienes.

c). A $200 por cada persona que no sea el cónyuge, a cargo del contribuyen-te, si dicha persona es menor de veintiún años de edad, o incapaz de soste-nerse por sí misma por imposibilidad mental o física.

d). Las sociedades anónimas y en comandita no tendrán exención alguna.

> En consecuencia, todo individuo sujeto a las prescripciones de la Ley 81 de 1931, que reciba una renta bruta de seiscientos pesos o más durante el año gravable, estará obligado a presentar durante el mes de enero de cada año el informe de que trata el artículo 11 de la expresada Ley 81.

Tal modificación, según se ha venido a saber, tuvo propósitos eminentemente recaudatorios.

SECCIÓN III. LEY 28 DE 1932: LA GRAN REFORMA AL RÉGIMEN DE LA SOCIEDAD CONYUGAL

Tras la derrota del proyecto de reforma al Estatuto Civil, promovido por la comisión encabezada por el profesor EDUARDO RODRÍGUEZ PIÑERES, el Gobierno de Enrique Olaya Herrera encargó al abogado consultor de la presidencia, LUIS FELIPE LATORRE URIZA, la formulación de una reforma estructural al régimen de la sociedad conyugal previsto en el Código Civil de 1887. En desarrollo de su encargo, el abogado diseñó una propuesta innovadora, cuando menos constitutiva de un hito en el Derecho de Familia, la cual a la postre sería discutida y adoptada por el Congreso de la República como Ley 28 de 1932.

No nos proponemos hacer un recuento de las profundas y acaloradas discusiones que se surtieron al interior del Parlamento, pues ello comportaría una innecesaria desviación de la temática objeto de estudio. Pero sí es menester destacar algunas de las regulaciones incorporadas en la ley, con miras a establecer su neurálgica incidencia en la forma de tributación que hasta aquí se ha explicado. Veamos:

Los artículos 1°[80] y 5°[81] de la norma reivindicaron los derechos de las mujeres, en el sentido de restituirles la plena capacidad de ejercicio que,

---

[80] **"Artículo 1°**. Durante el matrimonio cada uno de los cónyuges tiene la libre administración y disposición tanto de los bienes que le pertenezcan al momento de contraerse el matrimonio o que hubiere aportado a él, como de los demás que por cualquier causa hubiere adquirido o adquiera; pero a la disolución del matrimonio o en cualquier otro evento en que conforme al Código Civil deba liquidarse la sociedad conyugal, se considerará que los cónyuges han tenido esta sociedad desde la celebración del matrimonio, y en consecuencia se procederá a su liquidación".

[81] **"Artículo 5°**. La mujer casada, mayor de edad, como tal, puede comparecer libremente en juicio, y para la administración y disposición de sus bienes no necesita autorización marital ni licencia de juez, ni tampoco el marido será su representante legal".

al cobijo de las odiosas disposiciones hasta entonces vigentes, perdían por causa del matrimonio. Con toda razón decía el presidente Olaya Herrera al presentar el proyecto de ley al Congreso: "Es aberrante la inferioridad artificial en que nuestras instituciones colocaban a la mujer, que siendo plenamente capaz antes del matrimonio deja de serlo apenas se casa"[82].

La restitución de la plena capacidad de ejercicio a las mujeres trajo consigo la ruptura de la concepción histórica que recibía la sociedad conyugal, toda vez que arrebató de las manos del cónyuge varón la jefatura de la sociedad conyugal, así como el régimen unitario de su administración. De consiguiente, el artículo primero, con total acierto, dispuso la administración dual y libre de la sociedad conyugal surgida por el hecho del matrimonio; los bienes que la conformaban estaban sujetos a la voluntad de quien figurara como titular del derecho real de dominio, de ahí que algunos hayan afirmado que, a partir de la expedición de la norma en comentario, la sociedad conyugal solo se consideraba existente al momento de su liquidación[83].

La capacidad civil plena a que aquí se alude tuvo efectos inmediatos, a partir de la promulgación de la Ley 28 de 1932, pues el artículo 23 de la Ley 153 de 1887 así lo previó: "La capacidad de la mujer para administrar sus bienes se regirá <u>inmediatamente</u> por la ley posterior. (…)". Por ese motivo, no resultaba de recibo, ni entonces ni ahora, la tesis de que solo las mujeres cuyo matrimonio se hubiere celebrado con posterioridad a la vigencia de la Ley 28 de 1932 serían consideradas plenamente capaces, en tanto que quienes hubieran contraído nupcias con anterioridad a su entrada en vigor continuaban siendo relativamente incapaces para el ordenamiento jurídico[84].

Por su parte, el artículo 7° de la ley les confirió a los matrimonios que tuvieren sociedad conyugal vigente a 1° de enero de 1933 la posibilidad de liquidarla provisionalmente, con miras a que los cónyuges distribuyeran entre sí los activos y pasivos existentes a la fecha. Decía la norma:

> Artículo 7°. Respecto de las sociedades conyugales existentes, los cónyuges tendrán capacidad para definir extrajudicialmente, y sin perjuicio de terceros,

---

[82]   Luis Felipe Latorre Uriza. *Régimen patrimonial en el matrimonio*, (Bogotá: Ed. Imprenta Nacional de Colombia, 1932), 7.

[83]   A esta tesis, importa decirlo, no adscribimos. Sin embargo, para un mayor desarrollo el lector puede remitirse al tomo III de esta obra.

[84]   Infortunadamente, como más adelante se verá, el legislador adoptó la inconcebible tesis negacionista de la capacidad civil de la mujer.

> las cuestiones relativas a la distribución de los bienes que deban corresponder
> a cada uno de ellos, conforme a esta ley, y si se distribuyeren gananciales,
> se imputarán a buena cuenta de lo que hubiere de corresponderles en la li-
> quidación definitiva. De los perjuicios que se causen a terceros, en virtud de
> estos arreglos, que deberán formalizarse por escritura pública, responderán
> solidariamente los cónyuges, sin perjuicio de que puedan hacerse efectivos
> sobre los bienes sociales que se distribuyan.

Fue de esta forma como se rompió, parcialmente, el paradigma con que los alemanes HEINRICH LEHMANN[85] y KIPP y WOLF[86] definían el vínculo matrimonial: "un cuerpo, un alma y un patrimonio" (*ein Leib, eine Seele, ein Vermögen*). El inveterado aforismo, como se recordará, sirvió de fundamento para que nuestro Estatuto Civil, inspirado en aquel propuesto por ANDRÉS BELLO, unificara en cabeza del cónyuge varón la plena y libre administración del peculio matrimonial. Así las cosas, a raíz de la promulgación de la Ley 28 de 1932 se desdibujó la absoluta absorción de los bienes sociales y los de la mujer por el marido, confundiéndose su patrimonio frente a los terceros.

Pues bien, sobre la preceptiva en comentario resulta imperioso formular la precisión de que la liquidación provisional no entrañaba, *per se*, la extinción de la sociedad conyugal[87]; tan solo permitía que los cónyuges distribuyeran entre sí los bienes que la integraban para dar sustancia a la administración dual que se incorporó en esa ley. Por manera que la provi-

---

[85] Cfr. HEINRICH LEHMANN, *Derecho de familia*, Sección 12.

[86] Cfr. LUDWIG ENNECCERUS, THEODOR KIPP y MARTIN WOLFF. *Tratado de derecho civil,* Sección 60.

[87] Véanse, al efecto, las sentencias proferidas por la Sala de Casación Civil y Agraria de la Corte Suprema de Justicia el (i) 17 de agosto de 1955, Gaceta Judicial LXXXI, página 12; y (ii) 15 de septiembre de 1954, Gaceta Judicial LXXVIII, página 305. Dijo la Corte en la primera de las providencias citadas: "La Ley 28 de 1932 autorizó en su artículo 7° la liquidación provisional de las sociedades conyugales existentes a la época en que entró en vigencia ese estatuto legal, con el objeto de determinar cuáles de los bienes que formaban el acervo de las sociedades pasaban a poder de los cónyuges para que ellos continuaran administrando y disponiendo libremente de tales bienes, pero los efectos de esa liquidación provisional se entienden como que los bienes adjudicados a cada uno de los cónyuges se entrega a buena cuenta de lo que a dichos cónyuges les debe corresponder a título de gananciales en la liquidación definitiva, que se practicará, precisamente cuando la sociedad conyugal quede disuelta; y ese evento se presenta cuando ocurra alguna de las causales que determina el artículo 1820 del Código Civil, la primera de las cuales es la disolución del matrimonio. Cuando el matrimonio se disuelve queda también disuelta, por ministerio de la ley, la sociedad conyugal, y es bien sabido que dentro del sistema legal colombiano el matrimonio queda disuelto por la muerte de uno de los cónyuges".

sionalidad se avizoraba en que, una vez se produjera la liquidación definitiva de la sociedad conyugal, por alguna de las causas previstas en el artículo
1820 del Código Civil, lo que se hubiere repartido previamente se imputaría a los gananciales que a la postre le correspondieran a cada cónyuge.

Del propio modo, la autorización prevista en el artículo 7° era tan solo
eso, una autorización. Expresado en otros términos, se trataba de una potestad conferida a los cónyuges que tuvieran una sociedad conyugal vigente a 1° de enero de 1933, mas no de un mandato de obligatoria observancia
para quienes estuvieran unidos en matrimonio.

Ello conduce a la tercera circunstancia que interesa comentar: los efectos y alcances de la liquidación provisional solo se predicaban de las sociedades conyugales vigentes y los bienes que las integraran a 1° de enero de
1933. Por tanto, no era posible pensar que una sociedad conyugal nacida
con posterioridad a esa fecha pudiera ser provisionalmente liquidada, así
como tampoco podrían los cónyuges, a su arbitrio, distribuir activos o pasivos que hubieren adquirido con posterioridad a esa fecha.

Piénsese, a manera de ejemplo, en la siguiente hipótesis: un matrimonio
con sociedad conyugal vigente era propietario, a 31 de diciembre de 1932,
de un carro y una casa. Posteriormente, el 11 de febrero de 1933, el marido
adquirió por compraventa un lote. Más adelante, el 18 de mayo siguiente,
los cónyuges decidieron acogerse a lo previsto en el artículo 7° de la Ley 28
de 1932 y, para efectos de la liquidación provisional de su sociedad conyugal, quisieron adjudicarle a la mujer el lote y el carro, mientras el marido
preservaría la casa. Tal liquidación sería improcedente y susceptible de ser
declarada nula de nulidad absoluta, en cuanto a la adjudicación del lote
atañe, toda vez que se habría dispuesto de un bien adquirido con posterioridad al 1° de enero de 1933. Así las cosas, ese acto de voluntad debía ser
recaracterizado como una donación irrevocable entre cónyuges, negocio
jurídico que el artículo 3° de la Ley 28 de 1933 proscribía por completo[88]
(importa poner de relieve que, más tarde, esa proscripción fue declarada inexequible por la Corte Constitucional, mediante Sentencia C-068 de
1999, M.P. Alfredo Beltrán Sierra).

La estrecha relación de los anteriores planteamientos con el objeto de
estudio de este texto (la tributación) se comprende si se tiene en cuenta
que la razón por la cual procedía la atribución de las rentas de la mujer en

---

[88]   **"Artículo 3°.** Son nulos absolutamente entre cónyuges las donaciones irrevocables
        y los contratos relativos a inmuebles, salvo el de mandato general o especial".

cabeza del marido obedecía a la facultad de administración que las normas civiles le conferían a éste respecto de los bienes que aquélla hubiese adquirido antes del matrimonio, así como de los bienes sociales, salvo las ya apuntadas excepciones. Pero forzosamente surge la siguiente inquietud: ¿cuáles eran los efectos del compendio normativo que aquí se comenta en lo que toca con aquellas sociedades conyugales surgidas antes de la entrada en vigor de la ley y que no se liquidaron provisionalmente por los cónyuges?

Una primera postura sugeriría que las sociedades conyugales que no se hubieran liquidado provisionalmente seguían amparadas por las reglas de administración del Código Civil, por lo cual el marido continuaría administrando los bienes sociales. Y la naturaleza imperativa de la administración conferida a la mujer solo se manifestaría respecto de los bienes adquiridos con posterioridad a la entrada en vigor de la ley (1º de enero de 1933). Otra perspectiva permitiría afirmar que, por la naturaleza imperativa de la materia reglada, los efectos de la norma eran aplicables también a las sociedades conyugales vigentes y no liquidadas provisionalmente, con lo cual cada cónyuge estaría llamado a reflejar en su denuncio rentístico los ingresos que percibiera por los bienes de los que figurara como titular del derecho real de dominio, sin importar si eran considerados "propios" o "sociales".

A nuestro juicio, la segunda interpretación ha debido prevalecer. En efecto, no parecería razonable, a pesar de que así lo haya afirmado la Ley 68 de 1946 (que será objeto de comentario cuando avancemos cronológicamente), entender que las disposiciones sobre la administración de la sociedad conyugal solo desplegarían sus efectos en las sociedades conyugales vigentes al momento de la promulgación de la Ley 28 de 1932 si éstas hubieren sido liquidadas provisionalmente por los cónyuges. La referida liquidación provisional era una facultad conferida a los cónyuges, no para incorporar todos los efectos cada uno de los artículos de la Ley 28 (verbigracia el de administración dual de la sociedad, de naturaleza verdaderamente imperativa por consultar el orden público), sino para que pudieran dar plena vida a esos postulados, mediante la readjudicación del derecho real de dominio de los bienes que integraban la sociedad conyugal entre uno y otro consortes.

Así, cuando el cúmulo de bienes habidos durante la vigencia del matrimonio se hallare radicado en cabeza del marido, la liquidación provisional aparecería como herramienta idónea para dotar de sustancia la capacidad plena (reflejada en la posibilidad de administrar y disponer del peculio) reivindicada a la mujer. Y si algunos bienes sociales estuvieran radicados en cabeza de la mujer, pero por mandato del sistema original del Estatuto Civil venían siendo administrados por el hombre, es mandatorio suponer que la entrada en vigor de la Ley 28 le arrebató la facultad de administración y disposición al marido para restituírsela, *ipso iure*, a la mujer, incluso si no hubiere tenido lugar la liquidación provisional de esa sociedad conyugal.

Es que la sana lógica debería conducir a la conclusión que prohijamos, en la medida en que resultan indiscutiblemente irreconciliables el texto de la Ley 28 de 1932 con el sistema consagrado originalmente en el Código Civil. Por consiguiente, como ya se dijo, los artículos sobre jefatura y administración omnipotente de la sociedad conyugal por el marido fueron tácitamente derogados.

Si al anterior análisis se añade la cláusula del efecto general inmediato de las leyes, se debería arribar, indefectiblemente, a la conclusión de que las situaciones jurídicas que no hubieren cerrado, o, en otras palabras, las sociedades conyugales que continuaran vigentes, necesariamente quedarían cobijadas por la nueva legislación. Y no se diga, so pretexto de aplicar ultractivamente el odioso régimen original del Código Civil sin que la ley lo haya dispuesto así, que el nacimiento de la sociedad conyugal es el hecho que permite deducir las normas que la disciplinan. Esa conclusión, que sería respaldada más tarde por el legislador de 1946, se opone al orden público y desconoce que, en realidad, lo que debió operar fue el fenómeno de retrospectividad de la ley, según la cual los postulados de la norma miraron a las sociedades conyugales vigentes para predicar, respecto de ellas, la naturaleza imperativa de sus reglas.

Mucho menos se podría argüir, en nuestro criterio, que la abstención de proceder con la liquidación provisional de la sociedad conyugal entrañaba, en últimas, la abdicación, por parte de la mujer, del derecho de administración sobre los bienes sociales que le había reivindicado la Ley 28 de 1932. Al respecto, es preciso recordar que los artículos 15 y 16 del Estatuto Civil, vigentes en aquel momento como ahora, regulan los supuestos según los cuales los derechos son renunciables y, con claridad meridiana, imponen como límite infranqueable el orden público, el cual, sin asomo de duda, se comprometía con la nueva reglamentación de la sociedad conyugal.

Pese a que la noción de "orden público" ha sido, desde siempre, de muy difícil precisión, no podría esgrimirse una imposibilidad absoluta para desentrañar su sentido, ni mucho menos vaciar su contenido como límite axiológico de la normativa. Para José María González Valencia se trata de "[t]odas aquellas disposiciones en que la sociedad está interesada y que

miran al interés social y no al individual"[89]. Por su parte, EDMOND CHAM-
PEAU y ANTONIO JOSÉ URIBE definen el orden público como "[a]quella
noción [que] resulta del conjunto de las ideas religiosas, sociales, políticas,
morales y económicas que, en cada época, predominan en un país, y se
consideran como esenciales en él para la vida misma y la marcha regular
del Estado"[90]. A juicio del autor de esta obra, es preciso sostener que la administración dual de la sociedad conyugal, conferida por la Ley 28 de 1932,
verdaderamente miraba al interés social y no al individual, a pesar de que
se tratara de nociones de tipo económico surgidas en una relación matrimonial. ¿Y cómo no? El paradigmático cambio en la visión del matrimonio,
acompasado con las lapidarias aseveraciones del presidente de la república
cuando radicó el proyecto de ley en el Parlamento, solo dan cuenta de que
no era una modificación tendiente a "ofrecer" una simple posibilidad a la
mujer, sino que se perseguían la reivindicación social de sus derechos; fue
un cambio normativo incardinado a tocar las fibras más íntimas del Estado
y a posicionar a las mujeres casadas en un plano de igualdad frente a sus
maridos, de cara a la administración pública y a la sociedad. Nuestra postura se afianza, además, en la medida en que se entienda que ni siquiera mediante capitulaciones quedaban facultados los futuros contrayentes para
pactar el régimen de administración unitario por el marido.

Nuestro razonamiento conduciría, ante la ausencia de disposiciones especiales y precisas sobre la materia, a la necesidad de que el marido y la
mujer pudieran, en forma independiente, declarar las rentas que perci-
bían por los bienes sobre los cuales detentaran el derecho real de dominio,
fueran "propios" o "sociales", con posibilidad de optar por presentar una
sola declaración tributaria del impuesto sobre la renta. Ello porque, como
se explicará en el tomo III de esta obra, y así se insistirá en los capítulos que
siguen, más allá de quien figure nominalmente como titular de un bien, si
se satisfacen las condiciones previstas en los artículos 1781 y siguientes del
Código Civil, el verdadero dueño es la sociedad conyugal, de la cual son
partícipes ambos consortes. Esa es la realidad económica y jurídica.

Pero si se entretuviera la tesis opuesta, según la cual las normas originales del Código Civil continuaban siendo aplicables a las sociedades con-

---

[89]　Cfr. JOSÉ MARÍA GONZÁLEZ VALENCIA. "Comentarios al Código Civil por el doctor
José María González Valencia", *Revista Jurídica*, n.° 194, 1916, 69.

[90]　Cfr. EDMOND CHAMPEAU y ANTONIO JOSÉ URIBE. *Tratado de derecho civil colombiano*,
tomo I, *de las personas*. (París: Ed. Librairie de la Société du Recueil General des
lois et des arrets, 1899).

yugadas que no se liquidaran provisionalmente, el régimen de tributación sería el de atribución de rentas al marido de los bienes sociales, los suyos y los de la mujer, adquiridos con anterioridad al 1° de enero de 1933 (con excepción de aquellos reservados como propios por ella en pacto capitular y los demás propios).

Como se advierte en estas líneas, nuestra interpretación, que es también la de la Corte Suprema de Justicia, no fue compartida por el legislador de 1946. Ello da cuenta de las múltiples controversias que originó la disposición en comentario, objeto de análisis en las obras de los profesores Suárez Franco[91], Valencia Zea[92], Gómez R.[93], Rodríguez Fonnegra[94] y Guzmán Álvarez[95], no solo en el Derecho de Familia sino también en el Derecho Fiscal. Por lo tanto, en esta última materia, ante la falta de doctrina pacífica, creemos que los cónyuges podrían optar por cualquiera de las alternativas de tributación explicadas.

Otro era el caso de las sociedades conyugales provisionalmente liquidadas por los cónyuges. En tal evento, era absolutamente claro que los ingresos provenientes de los bienes adjudicados a la mujer para su libre administración y disposición debían ser por ella reflejados en su denuncio rentístico, separadamente de su cónyuge, a falta de regulación legal sobre el particular. Sin embargo, en atención a elementales principios de justicia en la tributación, hubiera sido deseable que les admitiera optar por presentar una única declaración, según los argumentos esbozados en los párrafos que anteceden. Sobre esta última posibilidad no se hallan documentos que daten de controversia semejante y nos permitan aclarar la cuestión.

---

[91] Cfr. Roberto Suárez Franco, *Derecho de Familia...*, 286 y ss.

[92] Cfr. Arturo Valencia Zea, *Derecho Civil...*, 294 a 296.

[93] Cfr. José J. Gómez. R, *Régimen de bienes en el matrimonio*, tercera edición. (Bogotá: Ed. Temis, 1961), 242 a 253.

[94] Cfr. Jaime Rodríguez Fonnegra, *De la sociedad conyugal: o, Régimen de los bienes determinado por el matrimonio*, tomo II, (Bogotá: Ed. Lerner, 1964), núms. 746 y ss.

[95] Cfr. Martha Patricia Guzmán Álvarez. *El régimen económico del matrimonio*. (Bogotá: Ed. Universidad del Rosario, 2006), 55 y ss.

SECCIÓN IV. DECRETO 2432 DE 1934

El artículo 8º del Decreto 2432 de 1934 modificó las exenciones previstas en el artículo 10º de la Ley 81 de 1931, que ya habían sido objeto de reforma por el Decreto 92 de 1932, así:

Artículo 8º. El artículo 10, reformado por el 19 del Decreto número 92 de 1932, quedará así:

Establécese las siguientes exenciones en favor de las personas naturales exclusivamente:

1ª Una exención inicial de seiscientos pesos por toda persona soltera, viuda o separada legalmente de su cónyuge.

2ª Los cónyuges que vivan unidos gozarán de una sola exención conjunta de novecientos pesos. Si hicieren declaración por separado, la exención total puede ser concedida a uno cualquiera de ellos, con exclusión del otro, si así lo solicitaren de común acuerdo. Si no se pusieren de acuerdo sobre este punto, o nada expresaren acerca de él, la exención se dividirá por mitad entre los cónyuges; y

3ª Una exención de doscientos pesos ($ 200) por cada persona a quien el contribuyente, según la ley civil, esté obligado a sostener y educar, si dicha persona es menor de edad, o si siendo mayor de veintiún años estuviere imposibilitada para sostenerse por sí misma por incapacidad física o mental. Si se tratare de hijos legítimos, la exención se concederá en los mismos términos del ordinal anterior, a uno de los cónyuges, con exclusión del otro, o se dividirá entre ellos por partes iguales.

Parágrafo. Para tener derecho a la exención concedida en el numeral 3º anterior, el contribuyente debe probar, por medio de una atestación de tres vecinos honorables, jurada ante el funcionario de hacienda el grado de parentesco que ligue al contribuyente con las personas sostenidas, el número de éstas y si tienen o no peculio propio. Al pie del certificado debe anotarse con toda claridad el nombre completo de los que lo firman y su dirección o domicilio. Las atestaciones que no tengan la referida anotación, carecerán de valor y serán desestimadas.

Lo novedoso de la disposición reglamentaria estribó, por un lado, en la eliminación de la proscripción de exenciones para las sociedades anónimas y en comandita y, por el otro, en la precisión de la exención de $200 por dependientes. En el último caso, al confrontar la disposición del Decreto 92 de 1932 con la recién transcrita, se advierte que el reglamento adicionó como condición para la procedencia de la exención (i) la sujeción a lo previsto por la ley civil y (ii) que, si el dependiente era hijo legítimo, el beneficio tributario se distribuiría en los términos del ordinal 2º.

En primer lugar, la sujeción a lo previsto por la ley civil procuró evitar que los contribuyentes tuvieran derecho a recibir el beneficio tributario por la manutención de cualquier persona. Así pues, solo sería procedente la exención cuandoquiera que la ley civil le hubiera impuesto esa carga al contribuyente. Pero ¿cuál ley civil exactamente? La respuesta obvia es aquella que gobierna el régimen de alimentos, consagrada en los artículos 411 y s.s. del Estatuto Civil, salvedad hecha de las menciones que allí se hacen al cónyuge.

En ese sentido, solamente sería procedente la exención de $200 si, y solo si, la persona a cuyo cuidado atendía el contribuyente era: (i) su descendiente legítimo; (ii) su ascendiente legítimo; (iii) su hijo natural y la posteridad legítima de éste; (iv) su padre o madre naturales; (v) su hijo adoptivo; (vi) su padre o madre adoptantes; (vii) su hermano; o (v) quien le hubiera hecho una donación cuantiosa que no se hubiere revocado o rescindido.

Por su parte, la distribución de la exención por los descendientes legítimos y comunes entre los cónyuges casados que residieran juntos, pero que presentaran declaraciones de renta en forma separada, se explica en la medida en que (i) la ley les impone a ambos padres el deber de aportar para el sostenimiento de su prole y (ii) no sería admisible que, por un mismo sujeto, se presentara un doble beneficio.

Capítulo IV.
Régimen de la Ley 78 de 1935

La Ley 78 de 1935, fruto de la "Revolución en Marcha" del gobierno de Alfonso López Pumarejo, introdujo nuevas regulaciones relacionadas con el impuesto sobre la renta y, en lo fundamental, añadió los impuestos complementarios al exceso de utilidades y al patrimonio. La reforma tributaria de 1935 es muestra paladina del proyecto social pregonado por el presidente López durante su candidatura, y que tuvo por objeto imponer mayores gravámenes a las rentas de capital en línea con la tendencia de algunos Estados europeos anglosajones[96], como se pasa a estudiar.

En primer lugar, el artículo 4º de la norma amplió la progresividad del tributo en forma drástica, al incrementar la alícuota marginal superior del 8 % previsto en la Ley 81 de 1931 al 17 %, a saber:

Artículo 4º. El artículo 3º de la Ley de 1931, quedará así:

(...) 7º. Con las limitaciones ya previstas, el impuesto establecido por este artículo será tasado, exigido, recaudado y pagado anualmente sobre la renta líquida, como se define en esta ley, correspondiente al año civil inmediatamente anterior, inclusive el de 1935, y de acuerdo con la siguiente tarifa:

1 por 100 de la renta líquida, en cuanto ésta exceda de las exenciones establecidas por las leyes vigentes y no pase de $ 2,000.

1 ½ por 100 en cuanto exceda de $ 2,000 y no pase de $ 3,000.

2 por 100 en cuanto exceda de $ 3,000 y no pase de $ 4,000.

2 ½ por 100 en cuanto exceda de $ 4,000 y no pase de $ 5,000.

3 por 100 en cuanto exceda de $ 5,000 y no pase de $ 6,000.

3 ½ por 100 en cuanto exceda de $ 6,000 y no pase de $ 7,000.

---

[96] Al respecto, véanse a Manuel Alvarado, *Tratado de ciencia tributaria.* (Bogotá: Ed. Siglo XX, 1941); y a Óscar Alviar y Fernando Rojas, *Elementos de finanzas públicas de Colombia.* (Bogotá: Ed. Temis, 1989).

3 ¾ por 100 en cuanto exceda de $ 7,000 y no pase de $8,000.

4 por 100 en cuanto exceda de $ 8,000 y no pase de $ 9,000.

4 ¼ por 100 en cuanto exceda de $ 9,000 y no pase de $ 10,000.

4 ½ por 100 en cuanto exceda de $ 10,000 y no pase de $ 12,000.

4 ¾ por 100 en cuanto exceda de $ 12,000 y no pase de $ 13,000.

5 por 100 en cuanto exceda de $ 13,000 y no pase de $ 14,000.

5 ¼ por 100 en cuanto exceda de $ 14,000 y no pase de $ 15,000.

5 ½ por 100 en cuanto exceda de $ 15,000 y no pase de $ 16,000.

5 ¾ por 100 en cuanto exceda de $ 16,000 y no pase de $ 17,000.

6 por 100 en cuanto exceda de $ 17,000 y no pase de $ 18,000.

6 ¼ por 100 en cuanto exceda de $ 18,000 y no pase de $ 19,000.

6 ½ por 100 en cuanto exceda de $ 19,000 y no pase de $ 20,000.

6 ¾ por 100 en cuanto exceda de $ 20,000 y no pase de $ 21,000.

7 por 100 en cuanto exceda de $ 21,000 y no pase de $ 22,000.

7 ¼ por 100 en cuanto exceda de $ 22,000 y no pase de $ 24,000.

7 ½ por 100 en cuanto exceda de $ 24,000 y no pase de $ 26,000.

7 ¾ por 100 en cuanto exceda de $ 26,000 y no pase de $ 28,000.

8 por 100 en cuanto exceda de $ 28,000 y no pase de $ 30,000.

8 ¼ por 100 en cuanto exceda de $ 30,000 y no pase de $ 35,000.

8 ½ por 100 en cuanto exceda de $ 35,000 y no pase de $ 40,000.

9 por 100 en cuanto exceda de $ 40,000 y no pase de $ 50,000.

9 ½ por 100 en cuanto exceda de $ 50,000 y no pase de $ 60,000.

10 por 100 en cuanto exceda de $ 60,000 y no pase de $ 70,000.

10 ½ por 100 en cuanto exceda de $ 70,000 y no pase de $ 80,000.

11 por 100 en cuanto exceda de $ 80,000 y no pase de $ 90,000.

11 ½ por 100 en cuanto exceda de $ 90,000 y no pase de $ 100,000.

12 por 100 en cuanto exceda de $ 100,000 y no pase de $ 150,000.

12 ½ por 100 en cuanto exceda de $ 150,000 y no pase de $ 200,000.

13 por 100 en cuanto exceda de $ 200,000 y no pase de $ 300,000.

14 por 100 en cuanto exceda de $ 300,000 y no pase de $ 400,000.

15 por 100 en cuanto exceda de $ 400,000 y no pase de $ 500,000.

16 por 100 en cuanto exceda de $ 500,000 y no pase de $ 600,000.

17 por 100 en cuanto exceda de $ 600,000 (...)

De la disposición transcrita, fluye palmario el salto de progresividad tributaria. Para ejemplificar en la misma forma en que lo hicimos entre las leyes 81 de 1931 y 64 de 1927, un contribuyente que obtuviera una renta gravable de $ 251.000 estaría conminado a tributar sobre la tarifa del 13 % bajo esta ley, lo cual comporta un aumento significativo del sacrificio económico en que debía incurrir esa misma persona durante la vigencia de la Ley 81.

El segundo aspecto que buscó fortalecer la progresividad del tributo se colige de la creación del impuesto complementario al exceso de utilidades. Si bien es cierto que la Ley 78 mantuvo el sistema sintético para la depuración del impuesto sobre la renta básico, la creación del tributo complementario pretendió gravar los ingresos superavitarios producidos por el patrimonio de los contribuyentes. Así las cosas, las rentas surgidas por el capital quedaron sujetas a imposición en un mayor grado que aquellas provenientes del trabajo humano. En palabras del exministro de Estado, CARLOS SANZ DE SANTAMARÍA:

> Esta Ley no solamente tuvo en cuenta la diferenciación de las rentas por el factor patrimonio, sino que atendió también a los fenómenos naturales de protección aduanera y otros hechos económicos similares, para diferenciarlos a su vez, mediante el establecimiento del sobre impuesto, llamado adicional de la renta, que toma por base las utilidades sobre un nivel más que aceptable,

o sea sobre el 12 % del patrimonio que las produce, lo que está indicando que
este nuevo recargo sólo grava a las rentas perezosas y mixtas, con excepción
de las industriosas, no sujetas a él, y de las producidas por pequeños capitales, que para su debida redituación requieren una permanente dedicación de
las capacidades de su propietario, limitados tales capitales originalmente a
$ 25.000.00 pero acrecidos por el Decreto extraordinario 554 de 1942, que
permite la fijación de una renta exclusiva de trabajo exenta del sobre impuesto
en cuestión, por lo que su base de exclusión aumenta automáticamente[97].

Nótese, entonces, que, aunque el impuesto complementario tuvo por
objeto gravar los ingresos superavitarios (artículo 13 Ley 78 de 1935), su
diseño y estructura permitían detraer de la base imponible los salarios,
sueldos, pensiones oficiales, jornales, emolumentos y honorarios profesionales (artículo 14, *ibidem*). De esa forma, se buscó gravar los ingresos superavitarios atribuibles al capital que, como es obvio, se encontraba en manos
de los contribuyentes más solventes, de ahí que se diga que este tributo fue
otra manifestación que tendía a consolidar el principio de progresividad y,
ulteriormente, la efectiva redistribución de la riqueza. Por su parte, en lo
que toca con las exenciones, el artículo 8º de la Ley 78 reformó lo previsto
por el artículo 10º de la Ley 81 de 1931, así:

Artículo 8º. El artículo 10 de la Ley 81 de 1931, reformado por el 19 del Decreto número 92 de 1932, quedará así:

Establécense las siguientes exenciones en favor de las personas naturales exclusivamente:

1. Una exención inicial de seiscientos pesos ($ 600) por toda persona soltera,
viuda o separada legalmente de su cónyuge.

2. Los cónyuges que vivan unidos gozarán de una sola exención conjunta, de
novecientos pesos ($ 900). Si hicieren declaración por separado, la exención
total puede ser concedida a uno cualquiera de ellos, con exclusión del otro,
si así lo solicitaren de común acuerdo. Si no se pusieren de acuerdo sobre
este punto, o nada expresaren acerca de él, la exención se dividirá por mitad
entre los cónyuges.

3º Una exención de doscientos pesos ($ 200) por cada persona a quien el
contribuyente esté obligado, según la ley civil, a sostener y educar, si dicha
persona es menor de edad, o si siendo mayor de veintiún años estuviere imposibilitada para sostenerse por sí misma, por incapacidad física o mental. Si

---

[97]   Véase a CARLOS SANZ DE SANTAMARÍA, *Memoria de hacienda 1945*. (Bogotá: Ed.
Imprenta del Banco de la República, 1945), 48.

se tratare de hijos legítimos, la exención se concederá en los mismos términos del ordinal anterior, a uno de los cónyuges con exclusión del otro, o se dividirá entre ellos por partes iguales; y

4º. Las personas que no tengan un patrimonio mayor de dos mil pesos ($ 2.000), ni renta distinta de un sueldo o salario, cuando éste no exceda de mil doscientos pesos ($1.200) anuales, no pagarán impuesto sobre la renta.

Parágrafo. Para tener derecho a la exención en concedidas en el numeral 3º anterior, el contribuyente, debe probar, por medio de una atestación jurada de dos vecinos honorables, el grado de parentesco que, ligue al contribuyente con las personas sostenidas el número de éstas, y si tienen o no peculio propio.

A pie del certificado debe anotarse con toda claridad el nombre completo de los que lo firman y su dirección o domicilio. Las atestaciones que no tengan la referida anotación, carecerán de valor, y serán desestimadas.

El Juramento bajo el cual debe prestarse la atestación de que trata este parágrafo, se entenderá dado y surtirá todos sus efectos cuando se preste en la forma prevista en la última parte del artículo siguiente.

Algunos comentaristas de la preceptiva han afirmado que operó una disminución de las exenciones en relación con aquellas previstas en el régimen de tributación anterior[98]. Tal conclusión es parcialmente admisible, porque aunque es cierto que la redacción original del artículo 10º de la Ley 81 de 1931 estableció una exención individual de $1 200 pesos por contribuyente, salvo que se tratara de cónyuges que presentaran declaraciones individuales en cuyo caso ese monto se podría dividir entre ellos, ya se anotó que las subsecuentes reformas a la norma, introducidas por los decretos 19 de 1932 y 2432 de 1934, habían reducido las exenciones a la cuantía que adoptó, por vía legal, el artículo transcrito.

Lo que sí resulta destacable es que el ordinal 4º de la disposición exoneró, por primera vez, de la obligación de presentar la respectiva declaración a quienes no superaran unos topes en materia de ingresos y/o patrimonio.

---

[98] Así lo señala el profesor ÓLIVER MORA TOSCANO en su artículo de investigación intitulado *La reforma tributaria de 1935 y el fortalecimiento de la tributación directa en Colombia* (publicado en la Revista Apuntes del Cenes, Universidad Pedagógica y Tecnológica de Colombia. Bogotá, 2013), al afirmar: "La Ley 81 de 1931 concedía en su artículo 10 una serie de exenciones en cantidades monetarias específicas en favor de las personas naturales. Estas exenciones reducían el monto del impuesto a la renta a pagar en la cuantía especificada en la norma. En la reforma se reducen esas cantidades monetarias y por ende las exenciones (artículo 8º, numerales 1, 2 y 3)".

Así, los contribuyentes que tuvieran un patrimonio inferior a $2 000 y, además, su único ingreso estuviera constituido por salarios que no superaran los $1 200 anuales, no estarían obligados a presentar el denuncio rentístico.

Ahora bien, por su pertinencia, para la explicación de las demás exenciones personales establecidas en la norma, es preciso copiar los planteamientos de Alvarado y Raisbeck en la obra intitulada *Su impuesto sobre la renta, patrimonio y exceso de utilidades*:

> Como se ve, la ley equipara a un soltero, al viudo o al separado de su cónyuge, legalmente o de hecho. En otros términos, para que sea procedente la exención por el estado civil de casado se requiere no solamente que exista el vínculo matrimonial respectivo sino la convivencia de los cónyuges. A esta convivencia no se opone naturalmente una separación transitoria o accidental. Pero cuando la separación es de carácter permanente, como en el caso de un extranjero domiciliado, cuyo cónyuge vive en el exterior, no tendría derecho sino a la exención correspondiente al soltero. Una solución semejante sería pertinente cuando los cónyuges viven separados de hecho, aun cuando cualquiera de ellos pudiera estar obligado a suministrarle alimentos al otro, con la circunstancia de que el que los suministra tampoco tendría derecho a deducirlos como gastos por tratarse de una expensa personal, que como se ha visto en otra parte, no es deducible.

> Contempla la legislación colombiana la posibilidad de dividir la exención entre los cónyuges, cuando éstos lo soliciten de común acuerdo, y aun cuando la disposición correspondiente da fundamento para creer que esa división haya de hacerse por iguales partes, parece que no debe haber inconveniente en que se atienda a la voluntad de los cónyuges, cualquiera que sea la proporción en que soliciten esa distribución[99].

De esta conceptualización se reiteran las siguientes conclusiones: (i) la exención se estructura en función de la cohabitación y no del vínculo matrimonial; (ii) la separación de hecho transitoria no tenía la entidad de hacer que los cónyuges fueran considerados solteros para la aplicación del beneficio tributario; y (iii) pese a que la norma así no lo estableciera, nada se oponía a que los esposos dividieran, según su mejor criterio, la exención en la proporción que acordarán.

---

99   Cfr. Manuel Alvarado y James Raisbeck. *Su impuesto...*, 368.

SECCIÓN I. LEY 45 DE 1936: LA PRIMERA VARIACIÓN AL COMPENDIO NORMATIVO SOBRE FILIACIÓN

El 5 de marzo de 1936, como parte de la seguidilla de reformas propuestas al vetusto régimen del Derecho de Familia, se expidió la Ley 45, por medio de la cual se introdujeron trascendentales modificaciones en torno a la filiación natural. En ella, vale decir, el Parlamento superó parcialmente la odiosa discriminación de los hijos contenida en el sistema original del Código Civil.

Así, mediante la definición proporcionada en su artículo 1º y la derogatoria expresa del artículo 52 del Estatuto Civil, desde entonces la clasificación entre hijos "legítimos" e "ilegítimos" perdió toda vigencia para dar campo a la nueva división entre hijos "legítimos" y "naturales". Pese a que tal denominación parece inadmisible en nuestros tiempos, para la época en que se expidió la ley entrañaba un importante avance hacia el respeto de la dignidad humana y los derechos de que, a no dudarlo, son titulares todas las personas por su sola condición de tales.

Pero se dice que operó una superación parcial de la odiosa discriminación enquistada en el Estatuto Civil, no solo por la distinción en la clasificación de la nueva ley, sino por la consagración de nuevos derechos para los hijos "naturales". Recuérdese, a guisa de ejemplo, cómo el artículo 18 de la Ley 45 los ubicó en el primer orden hereditario, aunque solo les haya reconocido la mitad de la cuota a que tenía derecho un hijo "legítimo". También los artículos 19 y siguientes trataron sobre disposiciones sucesorales, de no menor importancia, que deben ser vistas hoy como un primer avance hacia la reivindicación de sus derechos. En igual sentido, se admitió la investigación judicial de la paternidad extramatrimonial, que antes se sujetaba únicamente a la sola voluntad del progenitor. Y a efectos de poner de relieve el aspecto que para este texto cobra especial importancia, se han de transcribir los artículos 13 a 15 de la ley, en los cuales se regularon aspectos relacionados con la patria potestad de los hijos "naturales", veamos:

> **Artículo 13**. La patria potestad es un conjunto de derechos que la ley reconoce a los padres sobre sus hijos no emancipados, para facilitar a aquéllos el cumplimiento de los deberes que su calidad impone.
>
> Ejerce estos derechos respecto de hijos legítimos, el padre, y a falta de este, por cualquiera causa legal, la madre, mientras guarde buenas costumbres y no pase a otras nupcias.
>
> Los hijos no emancipados son hijos de familia, y el padre o madre con relación a ellos, padre o madre de familia.

Artículo 14. Por regla general, corresponde a la madre la patria potestad sobre el hijo natural. Pero el Juez puede, con conocimiento de causa y a petición de parte, si lo considera más conveniente a los intereses del hijo, conferirla al padre, siempre que este no esté casado, o poner bajo guarda al hijo.

A falta de la madre, por matrimonio u otra causa legal, tendrá la patria potestad el padre natural no casado, sin perjuicio de que el Juez confiera la guarda del hijo a otra persona, a petición de parte en las mismas circunstancias previstas en el inciso anterior.

La guarda pone fin a la patria potestad en los casos de este artículo.

No tiene patria potestad ni puede ser nombrado guardador el padre o madre declarado tal en juicio contradictorio.

Artículo 15. Al ejercicio de la patria potestad sobre los hijos naturales, se aplican las reglas del Título 12, Libro 1°, del Código Civil a excepción de las contenidas en los artículos 252 y 260, y en cuanto las demás no pugnen con las disposiciones de la presente Ley.

En relación con los bienes, los derechos y deberes de quien ejerza la patria potestad sobre un hijo natural, son los mismos de los guardadores, salvo la obligación de dar caución.

Repárese en que, por medio de tan solo tres artículos, el Legislador pretendió extender los efectos de la potestad parental a los hijos "naturales". Por el grado de confusión que podría presentar la lectura de las normas, formularemos algunas precisiones que permitirán decantar su verdadero alcance, con el objeto de analizar, seguidamente, las implicaciones que su expedición tuvo en materia tributaria.

Pues bien, hemos dicho que, en su texto original, el Código Civil recogió la visión que se le acuñó a la patria potestad en los tiempos de CONSTANTINO, de donde se deducía que esta figura estaba instituida más en función del *pater familias* que de los hijos. Esa óptica trasnochada, incompatible con el Estado de Derecho que ya regía entre nosotros, vino a ser drásticamente variada por el artículo 13 de la Ley 45 de 1936, al paso que añadió la lapidaria oración al inciso primero, según la cual la patria potestad se confería a los progenitores únicamente "para facilitar a aquéllos el cumplimiento de los deberes que su calidad impone". Por esa vía, quedó disipado cualquier vestigio que permitiera concebir, aun sin ápice de fundamento, que las prerrogativas derivadas de la potestad parental aprovechaban a los padres.

Por su parte, el artículo 14 extendió la patria potestad también a los hijos "naturales". Como es normal, dado que este tipo de filiación suponía la inexistencia de un vínculo matrimonial entre los progenitores, la norma adjudicó ese cúmulo de prerrogativas en cabeza de la madre. Empero, el importante avance que se había alcanzado se vio menguado por la redacción del artículo 15, según el cual la potestad parental solo desplegaba sus efectos en lo que toca con los aspectos reglados por el título 12, libro 1°, del Código Civil, relativo a los "derechos y obligaciones entre los padres y los hijos".

Prima facie podría decirse que, sin perjuicio de su relevancia, en lugar de extender la patria potestad a los hijos "naturales", la preocupación del Legislador gravitó sobre la necesidad de cobijarlos con la "autoridad paterna". Esta última figura dice relación con los derechos y deberes personales que surgen por causa de la filiación y que, como lo tiene enseñado la doctrina, son de orden preponderantemente personal y no patrimonial[100].

En cambio, de acuerdo con lo que se expuso en líneas previas, la patria potestad despliega sus efectos sobre tres cúmulos de derechos, cuales son (i) la representación legal de los hijos de familia; (ii) el usufructo legal de su peculio adventicio ordinario; y (iii) la administración sobre ese mismo peculio. Es patente que se trata, en términos prevalentes, de derechos con contenido económico, luego parecería impropia la referencia del legislador a la "patria potestad" de los hijos naturales, si lo que quería hacer, como se extrae del inciso segundo del artículo 15, era designar a los progenitores como guardadores de los bienes de los menores de edad, lo que en nada variaba el régimen original del Código Civil.

Más aún, los anteriores argumentos se robustecen, en grado sumo, si se tiene en cuenta que el propio Legislador de 1887 denominó el título 14 del libro 1° del Código Civil, "de la patria potestad". Carecería de todo sentido, entonces, que se hubiera pretendido alcanzar con la figura de la potestad parental a los hijos "naturales", si ni siquiera se dispuso en la Ley 45 de 1936 que las normas del título que así se había bautizado en el Código Civil les serían aplicables.

Por tanto, los efectos prácticos de la expedición de la Ley 45 fueron nulos en materia tributaria; vale decir, los padres "legítimos" debían continuar imputándose las rentas provenientes de los bienes sobre los cuales recaía su usufructo legal, derivado de la patria potestad, y estaban obligados a presentar el denuncio rentístico de sus hijos por los bienes que

---

[100] Para un mayor desarrollo, el lector se puede remitir al tomo II de esta obra. En el mismo sentido, véanse a ARTURO VALENCIA ZEA, *Derecho civil...*, 382 a 391 y a JORGE PARRA BENÍTEZ, *Derecho de Familia*, 567 a 584.

administraran, mientras que los padres "naturales" solo debían presentar las declaraciones tributarias de sus hijos por los bienes que administraran, sin lugar a atribuirse renta alguna. Esa conclusión, aunque a primera vista pareciese discriminatoria de las familias "naturales", curiosamente resultaba más provechosa porque las rentas de los hijos, o al menos incardinadas a su congrua subsistencia, no se verían injustamente alcanzadas por las tarifas progresivas que les correspondieran a sus padres, como sí ocurriría en tratándose de los hijos "legítimos".

SECCIÓN II. LEY 63 DE 1936

Mediante la Ley 63 del 30 de marzo de 1936, el Gobierno nacional organizó los impuestos sobre la masa global hereditaria, asignaciones y donaciones, y aclaró el artículo 8° de la Ley 78 de 1935. Por motivos de orden, además de la elevada importancia de esta norma, separaremos el análisis de los dos primeros tributos y la aclaración de la Ley 78.

I. Dos tributos: El impuesto sobre la masa global hereditaria y el impuesto sobre las asignaciones y donaciones

El artículo primero de la ley, encauzado a reglar el gravamen sobre la masa sucesoral, se erige como el primer antecedente del actual artículo 47 del Código Tributario colombiano. Allí se estableció que el tributo se liquidaría sobre el activo líquido herencial, esto es, una vez hechas las acumulaciones y deducciones que la ley ordena, pero se aclaró, en el inciso segundo, que "[n]o est[aba] sujeto al impuesto lo que reco[giera] por gananciales el cónyuge sobreviviente".

Posteriormente, el artículo segundo incorporó la progresividad tarifaria en función del capital líquido, con la correlativa inclusión de un descuento tributario, similar al que dispuso la Ley 56 de 1918 en el impuesto sobre la renta, según el cual

> en las sucesiones en que [fueran] llamados a suceder hijos legítimos en número superior a cinco (5), la cuantía total del impuesto (…) se disminuir[í]a en un cinco por ciento (5 por 100) por cada hijo que exced[iera] del número de cinco (…), pero sin que la rebaja total del gravamen por esta causa pu[diera] pasar del veinticinco por ciento (25 por 100).

Es evidente que la norma tributaria desconoció por completo la reivindicación de los derechos de los hijos "naturales", lograda mediante la expedición de la Ley 45 de 1936, al sujetar el descuento exclusivamente a la existencia de hijos "legítimos". Empero, el beneficio tributario fue acertado porque reconoció que, entre más grande era el número de causahabientes, menor sería el importe a que tendrían derecho.

En todo caso, nótese que el gravamen a que aquí se alude recaía sobre el acervo hereditario, por lo que el sujeto pasivo era la sucesión ilíquida y no los llamados a recoger la herencia, pese a que el artículo décimo sí los ubicaba como deudores solidarios del tributo cuandoquiera que su importe no fuera adecuadamente tasado y oportunamente transferido al Fisco.

Ahora bien, en relación con el impuesto sobre asignaciones y donaciones, el artículo 11 de la ley previó dos hipótesis diferentes respecto de quiénes serían alcanzados por el impuesto, a saber: (i) en primer lugar, todos aquellos asignatarios por causa de muerte, a cualquier título; y (ii) en segundo lugar, los donatarios. Así, en este evento los sujetos pasivos del tributo sí eran los herederos o legatarios (artículos 24, *ibidem*), lo que permite concluir que se estaba en presencia de una doble tributación económica. Por su parte, el artículo 13 consagró la progresividad tarifaria en función de dos factores: la cuantía líquida que se recibiría y su receptor. Veamos:

Figura 1. Tabla asignaciones y donaciones.

Grupo	GRADO DE PARENTESCO CON EL CAUSANTE O DONANTE	TARIFA APLICABLE A LA FRACCIÓN DE LA ASIGNACIÓN COMPRENDIDA ENTRE							
		0 y $ 3,000.00	$ 3,000.01 y $ 10,000.00	$ 10,000.01 y $ 20,000.00	$ 20,000.01 y $ 40,000.00	$ 40,000.01 y $ 60,000.00	$ 60,000.01 y $ 80,000.00	$ 80,000.01 y $ 100,000.00	Más de $ 100,000.00
A	Descendientes legítimos, hijos naturales, descendientes legítimos de los hijos naturales y cónyuge que recoge porción conyugal, herencia, legado, donación u otra asignación.	1%	2%	3%	4%	5%	6%	7%	8%
B	Ascendientes legítimos, padres naturales, hermanos legítimos y hermanos naturales.	3%	4%	5%	6%	7%	8%	10%	12%
C	Colaterales consanguíneos legítimos de tercer grado y yernos o nueras.	6%	7%	9%	10%	12%	14%	16%	18%
D	Los demás consanguíneos y parientes afines, los parientes adoptivos y las personas naturales extrañas, determinadas por el testador.	10%	12%	14%	16%	18%	20%	22%	24%
E	Los encargos secretos, las personas jurídicas, las corporaciones y fundaciones, y en general las entidades, asignaciones y donaciones no comprendidas expresamente en los cuatro grupos anteriores.	12%	14%	16%	18%	20%	22%	24%	26%

Fuente: Ley 63 de 1936

Resulta curioso que el legislador sí haya tomado en consideración a los hijos y padres "naturales" en la tasación de este tributo, pero los haya desconocido, sin más, en la "rebaja" prevista para el impuesto sobre la masa global hereditaria. Aunado a lo anterior, el artículo 25 de la ley, que viene a ser el primer antecedente del actual artículo 307 del Código Tributario colombiano, dispuso una serie de exenciones en el impuesto de asignaciones y donaciones, con la expresa salvedad de que no eran aplicables al impuesto sobre la masa global hereditaria. Al respecto, interesa a este texto la prevista en el ordinal 4°:

> **Artículo 25.** (…) 4° Las asignaciones por causa de muerte sobre las siguientes cantidades: quinientos pesos ($500) si se trata del grupo A de la tarifa; trescientos pesos ($300), si se trata del grupo B; doscientos pesos ($200), si se trata del grupo C; y ciento cincuenta pesos ($150), si se trata del grupo D. Para la aplicación de la tarifa, es entendido que la cuota de exención de que aquí se trata se incluye dentro del valor de la primera categoría o cifra gravable de la asignación; (…)
>
> Las exenciones de que trata el ordinal 4° de este artículo, no se reconocerán sino en las liquidaciones definitivas practicadas sobre inventarios y avalúos judiciales.

Los artículos 26 a 88 de la ley se encargaron de reglar la metodología de los inventarios y avalúos de los bienes, así como la recaudación y pago del impuesto.

II. De la interpretación con autoridad del artículo 8° de la Ley 78 de 1935

Ya se expuso atrás que el artículo 8° de la Ley 78 de 1935 adoptó el importe de las exenciones personales que, mediante los Decretos Reglamentarios números 19 de 1932 y 2432 de 1934, el Gobierno nacional había fijado. Pues bien, el artículo 98 de la Ley 63 de 1936 pretendió "interpretar" la norma en comentario, en los siguientes términos:

> Artículo 98. Aclárase el artículo 8° de la Ley 78 de 1935, así:
>
> 'Artículo 8° El artículo 10 de la Ley 81 de 1931, reformado por el 19 del Decreto número 92 de 1932, quedará así:
>
> Establécense las siguientes exenciones en favor de las personas naturales exclusivamente:
>
> 1° Una exención inicial de seiscientos pesos ($600) para toda persona soltera, viuda o separada legalmente de su cónyuge:

2° Los cónyuges que vivan unidos gozarán de una sola exención conjunta, de mil doscientos pesos ($1,200). Si hicieren declaración por separado, la exención total puede ser concedida a uno cualquiera de ellos, con exclusión del otro, si así lo solicitaren de común acuerdo. Si no se pusieren de acuerdo sobre este punto, o nada expresaren acerca de él, la exención se dividirá por mitad entre los cónyuges;

3° Una exención de trescientos pesos ($300) por cada persona a quien el contribuyente esté obligado, según la ley civil, a sostener y educar, si dicha persona es menor de edad, o si siendo mayor de veintiún años, estuviere imposibilitada para sostenerse por sí misma, por incapacidad física o mental. Si se tratare de hijos legítimos, la exención se concederá en los mismos términos del ordinal anterior, a uno de los cónyuges con exclusión del otro, o se dividirá entre ellos por partes iguales; y

4° Las personas que no tengan un patrimonio mayor de dos, mil pesos ($2,000), ni renta distinta de un sueldo o salario, cuando éste no exceda de mil doscientos pesos ($1,200) anuales, no pagarán impuesto sobre la renta.

Parágrafo 1° Las personas cuya renta líquida exceda de seis mil pesos ($6,000) anuales, no tienen derecho a las exenciones que consagra este artículo.

Parágrafo 2° Para tener derecho a la exención concedida en el numeral 3° anterior, el contribuyente debe probar, por medio de una certificación de dos vecinos honorables, el grado de parentesco que ligue al contribuyente con las personas sostenidas, el número de éstas y si tienen o no peculio propio. Al pie del certificado debe anotarse con toda claridad el nombre completo de los que firman y su dirección o domicilio. Las atestaciones que no tengan la referida anotación, carecerán de valor y serán desestimadas. Si el Director General de Rentas o el empleado que haga sus veces duda de la veracidad de tal certificado, podrá, exigir que los hechos se prueben con dos declaraciones recibidas en forma legal, y en papel común, ante un funcionario judicial'.

Para efectos de comentar la norma transcrita, es necesario, primero, hacer una breve reflexión sobre las leyes interpretativas o aclaratorias[101]:

La existencia de este tipo de normas en nuestro ordenamiento jurídico no ha sido en absoluto extraña. En efecto, desde que soplaban los vientos de la emancipación y la independencia de la Nueva Granada se consagró, en el artículo 20 del Reglamento Provisorio para la Provincia de Pamplona, de 1815, que el Poder Legislativo tendría la facultad de fijar el sentido de

---

[101] Sobre este aspecto, el lector puede referirse MATEO VARGAS PINZÓN, "La naturaleza retroactiva de las leyes de interpretación y su admisibilidad en materia tributaria", *Revista del Instituto Colombiano de Derecho Tributario*, núm. 82, 2020, 129 y siguientes.

las leyes de la República, a saber: "Artículo 20. [Es función del Poder Legislativo] exponer el sentido de las leyes fundamentales de la República, siempre que ocurra duda, sin que tenga efecto retroactivo la interpretación o declaración, ni aun con respecto al caso que hubiere dado motivo a ellas".

Esa atribución hizo carrera entre nosotros y, a la postre, fue recogida por el ordinal 1º del artículo 76 de la Constitución Nacional de 1886, de acuerdo con el cual le estaba dado al Congreso de la República la "interpretar (…) las leyes preexistentes"[102]. Este tipo de interpretación se ha dado a conocer como "auténtica" entre nosotros. La razón obedece, como lo señalan CHAMPEAU y URIBE, a que es lógico "que el derecho a fijar el sentido de un texto oscuro pertenezca a quien lo redactó, al legislador: *ejes est interpretari legem cujus est condere*"[103]. La anterior justificación, de buena acogida en la doctrina, es susceptible de críticas en la medida en que solo sería válido afirmar que el Parlamento, en su condición de autor de la ley, es llamado a esclarecer su sentido, si se parte de la premisa de que las personas que participaron en la aprobación y discusión de la disposición son los mismos individuos que la interpretan. De otro modo, los sujetos que participarían en la adopción de la ley interpretativa serían, en realidad, ajenos al espíritu que informó la norma interpretada.

Pero que se cuestione la impropia denominación de "auténtica" no significa que también se inadmita, desde una óptica académica, la "interpretación con autoridad" del Legislador. Todo lo contrario, pues, como acertadamente lo puntualiza GARCÍA MÁYNEZ,

> [l]a calidad del intérprete no es indiferente, al menos desde el punto de vista práctico, porque no toda interpretación es obligatoria. Así, por ejemplo, si el legislador, mediante una ley, establece en qué forma ha de entenderse un precepto legal, la exégesis legislativa obliga a todo el mundo, precisamente porque su autor, a través de la norma secundaria interpretativa, así lo ha dispuesto. (…) Si (…) un abogado, o un particular cualquiera, interpreta una disposición legislativa, su interpretación (correcta o incorrecta) tiene un simple valor doctrinal y, por ende, a nadie obliga[104].

Es, pues, claro que, en tratándose del esclarecimiento hecho por el Legislador, su interpretación será obligatoria para la Administración, los tri-

---

[102] Esa facultad se mantuvo con la expedición de la Constitución Política de 1991, en el ordinal 1º del artículo 150.

[103] EDMOND CHAMPEAU y ANTONIO JOSÉ URIBE. *Tratado de derecho civil colombiano*, 86.

[104] EDUARDO GARCÍA MÁYNEZ. *Introducción al Estudio del Derecho*, decimoquinta edición. (México: Ed. Porrúa S. A.,1968), 329 y 330.

bunales y los ciudadanos (*erga omnes*)[105]. Y es que el fundamento que subyace a esa acepción no es otro que el de la entronización del Estado liberal, por virtud del cual el Poder Público se trifurcó, como en su momento lo preconizó Montesquieu en su *Espíritu de las leyes*, entre el Ejecutivo, el Legislativo y el Judicial. En efecto, decía aquel autor sobre la importancia de la relación entre el pueblo y el Parlamento:

> Cuando en la república, el poder soberano reside en el pueblo entero, es una democracia. (…) El pueblo, en la democracia, es en ciertos conceptos el monarca; en otros conceptos es el súbdito (…)

> El pueblo que goza del poder soberano debe hacer por sí mismo todo lo que él puede hacer; y lo que materialmente no pueda hacer por sí mismo y hacerlo bien, es menester que lo haga por delegación en sus ministros (…)

> El pueblo soberano, como los monarcas y aun más que los monarcas, necesita ser guiado por un senado o consejo. Pero si ha de tener confianza en esos consejeros o senadores, indispensable es que él los elija, bien designándolos directamente él mismo, como en Atenas, bien por medio de algún o de algunos magistrados que él nombra para que los elija, como se practicaba en Roma algunas veces (…)[106]

> Como en un Estado libre todo hombre debe estar gobernado por sí mismo, sería necesario que el pueblo en masa tuviera el poder legislativo; pero siendo esto imposible en los grandes Estados y teniendo muchos inconvenientes en los pequeños, es menester que el pueblo haga por sus representantes lo que no puede hacer por sí mismo.

> Se conocen mucho mejor las necesidades de la ciudad en que se vive que las de otras ciudades, y se juzga mejor la capacidad de los convecinos que las de los demás compatriotas. Importa pues que los individuos del cuerpo legislativo no se saquen en general del cuerpo de la nación; lo conveniente es que cada lugar tenga su representante, elegido por los habitantes del lugar[107].

---

[105] Y en la cuarta ola del constitucionalismo, como se vino a denominar la época de la posguerra, al lado del legislador se ha admitido que los Tribunales Constitucionales interpreten con autoridad las disposiciones legales, con efectos generales y obligatorios, por medio del control abstracto de esas normas frente al espíritu de las cartas políticas nacionales.

[106] Charles Louis de Secondat, Barón de la Brède y de Montesquieu, *Del espíritu de las leyes*, vol. I. (París: Ed. Garnier Frères, 1924), capítulo II del libro II, 12 y 13.

[107] Así los plasmó el Barón de Montesquieu en su obra, *Del espíritu de las leyes* (*op. cit.* capítulo VI del libro XI, 228), para lo cual tomó como base los planteamientos de John Locke en el capítulo XII de su *Tratado sobre el gobierno civil*.

Las consideraciones transcritas que, aunque antiguas permanecen enquistadas en la filosofía que cimienta nuestros Estados, disipan cualquier
duda en el sentido de que es al Parlamento, y no otra rama del Poder Público, a quien compete la *facultad de estatuir*[108], porque se erige como cuerpo
expresivo de la voluntad general; en él se alberga la más variada representación de la nación. Por eso, en su condición de órgano pluralista que concentra la voluntad general de la colectividad, esto es, como lo plantearía
Rousseau, como institución en la cual el pueblo *soberano* ha delegado la
supremacía de legislar[109], y no como sujetos individualmente considerados
que adoptan una decisión, el Parlamento es el llamado a interpretar la ley
en forma *general* y *abstracta*, con efectos *erga omnes*.

Así pues, es claro que las leyes interpretativas pueden ser definidas
como aquellas que "tiene[n] por objeto fijar el sentido de una ley anterior,
explicarla, interpretarla"[110]. Ahora bien, el Estatuto Civil colombiano previó, desde su promulgación, dos normas relativas a la interpretación de la
ley, cuáles son las consagradas en los artículos 25 y 14, respectivamente. Sus
textos, en lo pertinente, disponen lo siguiente:

> Artículo 25. Interpretación por el legislador. La interpretación que se hace con
> autoridad para fijar el sentido de ley oscura, de una manera general, sólo
> corresponde al legislador[111].

> Artículo 14. De las leyes que declaran el sentido de otras leyes. Las leyes que
> se limitan a declarar el sentido de otras leyes, se entenderán incorporadas en
> éstas; pero no afectarán en manera alguna los efectos de las sentencias ejecu-
> toriadas en el tiempo intermedio.

---

[108] Abstracción hecha, como es natural, de la facultad legislativa extraordinaria que se
defiere a la Rama Ejecutiva por el Parlamento (Art. 150.10 de la Constitución Política) y de aquella derivada de los estados de excepción (Art. 212, 213 y 215, *ibidem*).

[109] Jean Jacques Rousseau. *El contrato social o principios de derecho político.* (Madrid,
1992), 25 a 27. Para una sucinta y muy interesante reflexión sobre la *obra* de Rousseau, el lector puede acudir a Mauricio A. Plazas Vega. *Las ideas políticas de la
independencia y la emancipación en la Nueva Granada.* (Bogotá: Ed. Temis, 2019), 147
a 158. (En especial, sobre este aspecto, página 151).

[110] Henri, Leon y Jean Mazeaud. *Leçons de droit civil*, tomo I. (Buenos Aires: Ed. Ediciones Jurídicas Europa-América, 1959), 235.

[111] Téngase en cuenta que, mediante Sentencia C-820 de 2006, M. P. Marco Gerardo
Monroy Cabra, se declararon inexequibles las expresiones "autoridad" y "solo".
Así mismo, se declaró la exequibilidad condicionada del resto del artículo "en
el sentido de entender que la interpretación constitucional que de la ley oscura
hace la Corte Constitucional, tiene carácter obligatorio y general". Sin embargo,
el texto transcrito se encontraba vigente para la época que comentamos.

En reiteración de lo anterior, el artículo 58 del Código del Régimen Político y Municipal, de 1913, dispuso lo siguiente: "Artículo 58. Cuando una ley se limite a declarar el sentido de otra, se entenderá incorporada en ella para todos sus efectos; pero no alterará lo que se haya dispuesto en decisiones ejecutoriadas antes de que entre a regir".

De las normas transcritas se deducen una serie de requisitos para que se pueda concluir, con propiedad, que se está en presencia de una ley interpretativa: (i) en primer lugar, corresponde al legislador expedir la norma interpretativa; (ii) en segundo lugar, la ley interpretada debe ser obscura, lo cual significa que debe ofrecer más de un sentido plausible al intérprete[112]; y, (iii) en tercer lugar, la norma interpretativa debe referirse a la interpretada y señalar cuál de los sentidos que ofrece es aquel que habrá de prevalecer. Con el lleno de los antedichos presupuestos, la ley interpretativa se "incorporará" en el texto de la ley interpretada, sin afectar las providencias o decisiones ejecutoriadas en el interregno.

Por razones de oportunidad, este texto no procurará precisar los efectos en el tiempo de las leyes interpretativas. Debe, eso sí, dejarse sentado que alguna parte de la doctrina las califica como plenamente irretroactivas[113], otra como irretroactivas desde el momento de la promulgación de la ley interpretada[114], una tercera como retrospectivas[115] y, finalmente, otra parte

---

[112] No podríamos obviar, al comentar este requisito, que alguna parte de la doctrina ha sostenido que la ley, por su naturaleza general y abstracta se torna obscura cuando se trata de aplicar a situaciones particulares y concretas, con fundamento en lo cual critican la clasificación de las normas entre "claras" y "obscuras". Al respecto, el lector puede remitirse a MATEO VARGAS PINZÓN y SANTIAGO LIZARAZO POLANCO. "Arbitraje tributario en el ordenamiento jurídico colombiano". *Revista Instituto Colombiano de Derecho Tributario*, n.° 78, 2018, 242 y 243; JOSÉ JUAN FERREIRO LAPATZA, *Los mecanismos alternativos para la solución de controversias en el ordenamiento tributario español* (Roma, 2002); y CÉSAR GARCÍA NOVOA. *Mecanismos Alternativos para la Resolución de Controversias Tributarias. Su introducción en el Derecho Español*.

[113] Cfr. ARTURO VALENCIA ZEA y ÁLVARO ORTIZ MONSALVE. *Derecho civil*, tomo I, Parte general y personas. (Bogotá: Ed. Temis, 2016), 183.

[114] Véanse, al efecto, LUIS CLARO SOLAR. *Explicaciones de derecho civil chileno y comparado*, tomo I. (Santiago de Chile: Ed. Editorial Jurídica de Chile, 1898), 71. ARTURO ALESSANDRI RODRÍGUEZ y MANUEL SOMARRIVA UNDURRAGA. *Curso de derecho civil*, tomo I, parte general y las personas, segunda edición. (Santiago de Chile: Ed. Nascimento, 1945), 208 y 209.

[115] EVA STEINER, *French law: a comparative approach*. (Nueva York: Ed. Oxford University Press Inc, 2010), 81. Así mismo, en la época actual esa ha sido la línea jurisprudencial que, sobre el particular, ha sentado la Corte Constitucional colombiana en sus

de la doctrina, a la que adscribe el autor de este texto, considera que se trata de verdaderas leyes retroactivas[116].

Pero para los efectos que nos abocan, valgámonos de los alcances que la Sala de Negocios Generales de la Corte Suprema de Justicia les había fijado a estas leyes, en Sentencia del 16 de octubre de 1924[117]:

> Las leyes interpretativas de otras deben aplicarse desde su promulgación no sólo para decidir las controversias que ocurran o se ventilen sobre actos o contratos ejecutados o celebrados con posterioridad, sino también a las ocurridas antes, en vigencia de las leyes o disposiciones que la nueva ley interpreta, y aun cuando alguna de esas disposiciones de dudoso sentido, en vigencia de las cuales ocurrieron los actos materia de la controversia, estuviesen ya derogados cuando entró a regir la ley que los interpreta.

---

sentencias. Cfr. Sentencias C-270 de 1993, C-424 de 1994, C-346 de 1995, C-197 de 1998, C-369 de 2000, C-796 de 2000, C-877 de 2000, C-806 de 2001 y C-076 de 2007. Aisladamente, en Sentencia C-245 de 2002 (M. P. Manuel José Cepeda), el Tribunal reconoció la retroactividad de este tipo de normas, aunque esa posición no ha prevalecido en la doctrina constitucional. Dijo en aquella oportunidad la Corporación: "La Corte no desconoce que al declarar que los artículos acusados no constituyen interpretación auténtica de ningún otro texto le quita a tales disposiciones efectos jurídicos retroactivos como suele ocurrir con las normas interpretativas".

[116] PAUL ROUBIER, *Le droit transitoire. Conflits des lois dans le temps*, Segunda Edición. (París: Ed. Dalloz et Sirey, 1960), 257. MARTA VILLAR EZCURRA, *Las disposiciones aclaratorias en la práctica jurídica. Análisis crítico de su aplicación en el derecho público español y comunitario.* (Barcelona: Ed. Cedecs, 1996), 110. LUIS LEGAZ Y LACAMBRA, *Filosofía del derecho.* (Barcelona: Ed. Bosch, 1979), 546. ACHILLE DONATO GIANNINI, *Istituzioni di diritto tributario*, 7ª Edición. (Madrid: Editorial de Derecho Financiero, 1957), 30. GIAN ANTONIO MICHELI. *Corso di diritto tributario.* (Madrid: Ed. Editoriales de Derecho Reunidas, 1975), 109 a 111. GASPARE FALSITTA. *Corso istituzionale di diritto tributario*, 3ª Edición. (Milano: Ed. CEDAM, 2009), 44 a 46. CATALINA PLAZAS MOLINA. *El principio de irretroactividad en materia tributaria.* (Bogotá: Ed. Temis, 2017), 147 y ss. HUMBERTO SIERRA PORTO. *Salvamento de voto a la sentencia de la Corte Constitucional C-076 de 2007.* JOSÉ MARÍA MANRESA Y NAVARRO, *Comentarios al código civil español*, tomo I. (Madrid: Ed. Reus, 1921), 114. JOSÉ CASTÁN TOBEÑAS, *Derecho civil español común y foral*, tomo I. (Madrid: Ed. Reus, 1949), 220. FEDERICO DE CASTRO Y BRAVO. *Derecho civil de España*, 561. FEDERICO PUIG PEÑA, *Introducción al derecho civil español común y foral*, 2ª Edición. (Madrid: Ed. Bosch, 1940), 169. SABINO ÁLVAREZ GENDIN, *Tratado general de derecho administrativo*, tomo I. (Madrid: Ed. Bosch, 1958), 195. DEMÓFILO DE BUEN. *Introducción al estudio del derecho civil.* (México: Ed. Porrúa, 1977), 371. JOSÉ LUIS SANTAMARÍA CRISTÓBAL, *Comentarios al código civil*, tomo I. (Madrid: Ed. Revista de Derecho Privado, 1958), 195.

[117] Sentencia del 16 de octubre de 1924, G.J. XXXI, M. P. LUIS FELIPE ROSALES, 73.

Conclúyese, de los apartes transcritos, que las leyes interpretativas se funden en un solo cuerpo con la norma interpretada y, de consiguiente, abstracción hecha de lo cuidadosos que queramos ser al precisar sus efectos en el tiempo, cobran efectos materiales desde una época anterior a su expedición[118]. Sin embargo, antes de aventurarnos a admitir que el incremento de las exenciones fijadas en el artículo 98 de la Ley 63 de 1936, objeto de análisis, fue producto de una disposición interpretativa, debemos primero constatar que se cumplan los requisitos de que tratan los artículos 25 y 14 del Código Civil colombiano: En relación con el primer requisito, cual es que la expedición de la norma haya estado en manos del legislador, podemos afirmar que se encuentra acreditado.

En cambio, el requisito de obscuridad de la ley interpretada (artículo 8° de la Ley 78 de 1935) no aparece probado, así como tampoco se acredita que la norma interpretativa (artículo 98 de la Ley 63 de 1936) establezca uno de los sentidos plausibles que ofrece la ley interpretada. Para poder constatar, con absoluta claridad, que no se trata de una norma obscura, enseguida se elaborará un paralelo entre ambas disposiciones:

Tabla 1. Comparativo de los artículos 8° de la Ley 78 de 1935 y 98 de la Ley 63 de 1936

Comparativo Artículos 8° de la Ley 78 de 1935 y 98 de la Ley 63 de 1936	
Artículo 8° de la Ley 78 de 1935	Artículo 98 de la Ley 63 de 1936
Establécense las siguientes exenciones en favor de las personas naturales exclusivamente:	Establécense las siguientes exenciones en favor de las personas naturales exclusivamente:
1. Una exención inicial de seiscientos pesos ($ 600) <u>por</u> toda persona soltera, viuda o separada legalmente de su cónyuge.	1. Una exención inicial de seiscientos pesos ($ 600) <u>para</u> toda persona soltera, viuda o separada legalmente de su cónyuge:
2. Los cónyuges que vivan unidos gozarán de una sola exención conjunta, <u>de novecientos pesos ($900)</u>. Si hicieren declaración por separado, la exención total puede ser concedida a uno cualquiera de ellos, con exclusión del otro, si así lo solicitaren de común acuerdo. Si no se pusieren de acuerdo sobre este punto, o nada expresaren acerca de él, la exención se dividirá por mitad entre los cónyuges.	2. Los cónyuges que vivan unidos gozarán de una sola exención conjunta, <u>de mil doscientos pesos ($ 1,200)</u>. Si hicieren declaración por separado, la exención total puede ser concedida a uno cualquiera de ellos, con exclusión del otro, si así lo solicitaren de común acuerdo. Si no se pusieren de acuerdo sobre este punto, o nada expresaren acerca de él, la exención se dividirá por mitad entre los cónyuges;

---

[118] Algunos, como Roncagli, han pretendido separar los efectos de las leyes retroactivas en *de facto* y *de iure*, con lo cual sostienen que cuando se crea una ficción legal de "incorporación" a normas anteriores, como aquella que dimana de las reglas previstas para la interpretación con autoridad del legislador, no se puede hablar de retroactividad propiamente tal (o *de iure*), aunque *de facto* ocurra. Cfr. Giorgio Roncagli. *L'interpretazione autentica.* (Milan: Ed. A. Guiffrè, 1956), 74.

| Comparativo Artículos 8º de la Ley 78 de 1935 y 98 de la Ley 63 de 1936 ||
Artículo 8º de la Ley 78 de 1935	Artículo 98 de la Ley 63 de 1936
3. Una exención de <u>doscientos pesos ($ 200)</u> por cada persona a quien el contribuyente esté obligado, según la ley civil, a sostener y educar, si dicha persona es menor de edad, o si siendo mayor de veintiún años estuviere imposibilitada para sostenerse por sí misma, por incapacidad física o mental. Si se tratare de hijos legítimos, la exención se concederá en los mismos términos del ordinal anterior, a uno de los cónyuges con exclusión del otro, o se dividirá entre ellos por partes iguales; y	3. Una exención de <u>trescientos pesos ($ 300)</u> por cada persona a quien el contribuyente esté obligado, según la ley civil, a sostener y educar, si dicha persona es menor de edad, o si siendo mayor de veintiún años estuviere imposibilitada para sostenerse por sí misma, por incapacidad física o mental. Si se tratare de hijos legítimos, la exención se concederá en los mismos términos del ordinal anterior, a uno de los cónyuges con exclusión del otro, o se dividirá entre ellos por partes iguales; y
4. Las personas que no tengan un patrimonio mayor de dos mil pesos ($ 2.000), ni renta distinta de un sueldo o salario, cuando éste no exceda de mil doscientos pesos ($1.200) anuales, no pagarán impuesto sobre la renta.	4. Las personas que no tengan un patrimonio mayor de dos mil pesos ($ 2,000), ni renta distinta de un sueldo o salario, cuando éste no exceda de mil doscientos pesos ($ 1,200) anuales, no pagarán impuesto sobre la renta.
Parágrafo. Para tener derecho a la exención concedida en el numeral 3º anterior, el contribuyente, debe probar, por medio de una <u>atestación jurada</u> de dos vecinos honorables, el grado de parentesco que ligue al contribuyente con las personas sostenidas, el número de éstas y si tienen o no peculio propio.	<u>Parágrafo 1. Las personas cuya renta líquida exceda de seis mil pesos ($ 6,000) anuales, no tienen derecho a las exenciones que consagra este artículo.</u>
	Parágrafo 2. Para tener derecho a la exención concedida en el numeral 3° anterior, el contribuyente debe probar, por medio de <u>una certificación</u> de dos vecinos honorables, el grado de parentesco que ligue al contribuyente con las personas sostenidas, el número de éstas y si tienen o no peculio propio.
Al pie del certificado debe anotarse con toda claridad el nombre completo de los que lo firman y su dirección o domicilio. Las atestaciones que no tengan la referida anotación carecerán de valor, y serán desestimadas.	Al pie del certificado debe anotarse con toda claridad el nombre completo de los que firman y su dirección o domicilio. Las atestaciones que no tengan la referida anotación carecerán de valor y serán desestimadas.
<u>El Juramento bajo el cual debe prestarse la atestación de que trata este parágrafo, se entenderá dado y surtirá todos sus efectos cuando se preste en la forma prevista en la última parte del artículo siguiente.</u>	<u>Si el Director General de Rentas o el empleado que haga sus veces duda de la veracidad de tal certificado, podrá exigir que los hechos se prueben con dos declaraciones recibidas en forma legal, y en papel común, ante un funcionario judicial.</u>

Fuente: Elaboración propia

Fluye paladino que mediante la norma "aclaratoria" se introdujeron cambios que no tenían, ni por asomo, la intención de "aclarar" las disposiciones de la ley interpretada. Los cambios se concretaron en (i) el aumento del valor las exenciones, (ii) la eliminación de las exenciones para quienes tuvieran una renta líquida superior a $6.000 pesos anuales y (iii) la posibilidad de que el director general de rentas cuestionara las declaraciones juramentadas que debían acompañar los denuncios privados de los contribuyentes.

Evidentemente no se trató de aclaración alguna y, por tanto, mal podría pretenderse la "incorporación" de esa norma en la Ley 78 de 1935. Hubo, en realidad, una grosera trasgresión del orden jurídico para darle efectos retroactivos a la disposición "aclaratoria", porque su contenido era completamente innovador. Introdujo reglas de derecho importantes, como son la eliminación de las exenciones para quienes tuvieran una renta líquida superior a $6.000 y el incremento de su cuantía para los demás contribuyentes, sobre los cuales la preceptiva "aclarada" no ofrecía ninguna duda.

Visto lo anterior, y verificada su naturaleza de falsa ley aclaratoria, debemos ahora observar si el Legislador estaba facultado para conferirle efectos retroactivos a la norma en comentario. Y decimos que se trata de efectos retroactivos, habida cuenta de que pretendía desplegar su eficacia para el período fiscal de 1935, pese a que su expedición tuvo lugar el 30 de marzo de 1936. En otras palabras, el período fiscal que buscaba alcanzar con sus efectos había cerrado el 31 de diciembre de 1935, meses antes de su promulgación por el Parlamento.

El desarrollo jurisprudencial y normativo en materia fiscal para aquella época, como con pluma fluida lo enseña CATALINA PLAZAS MOLINA[119], admitía que las normas que versaran sobre impuestos de período, y cuya expedición ocurriera durante la vigencia en ellos comprendida, podrían tener aplicación inmediata. Empero, no es ese el caso que nos ocupa, toda vez que, si bien es cierto que se trataba de una norma relativa a un impuesto de período (como lo es el de renta), su expedición se produjo después de cerrada la vigencia fiscal. Y para complicar aún más el panorama, una parte de su contenido normativo era favorable para los contribuyentes (incremento del valor de las exenciones), pero otra eliminaba cualquier beneficio para quienes calcularan una renta líquida superior a $6.000.

No corresponde a esta obra hacer un análisis jurídico exhaustivo de la admisibilidad de la retroactividad de la falsa norma aclaratoria, porque ello escaparía al objeto de este texto. Sin embargo, a juicio del autor, ante la imposibilidad de fraccionar el contenido de la norma y por elemental res-

---

[119] Sobre el principio de irretroactividad en materia tributaria, consúltese la magnífica obra de CATALINA PLAZAS MOLINA, *El principio de irretroactividad en materia tributaria.* (Bogotá: Ed. Temis, 2017). En especial, sobre este punto, véanse las páginas 23 a 29.

peto al principio de *seguridad jurídica*, los efectos del artículo 98 de la Ley 63 de 1936 se debieron surtir únicamente desde la vigencia fiscal de 1936.

SECCIÓN III. DECRETO 818 DE 1936

El 16 de abril de 1936 se expidió el Decreto 818, reglamentario de la Ley 78 de 1935, por medio del cual se introdujeron las disposiciones que enseguida se describen: En su artículo 1° dispuso que las personas naturales o jurídicas que liquidaran una renta bruta de $600 o más, o que poseyeran un patrimonio superior a $10.000, se encontraban obligadas a presentar declaración del impuesto sobre la renta. Y precisó, al efecto, que los contribuyentes que quisieran acceder a la exención prevista en el ordinal 4° del artículo 98 de la Ley 63 de 1936, objeto de análisis en la sección que antecede, debían denunciar su patrimonio poseído a 31 de diciembre del año gravable correspondiente. Veamos:

> Artículo 1°. Toda persona natural o jurídica que obtenga en el año una renta bruta de $600 o más, o que en 31 de diciembre del año gravable haya poseído derechos apreciables en dinero que pasen de $10,000, o ambas cosas a la vez, está obligada a presentar, por sí o por medio de apoderado legalmente constituido, y durante los meses de enero y febrero de cada año, un informe que indique la renta bruta durante el año gravable anterior, las deducciones y exenciones permitidas por la ley, el conjunto de derechos o haberes apreciables en dinero, y cualquiera otra información necesaria para la determinación de la renta líquida y del patrimonio gravable, sin que le sirva de excusa el que pueda tener derecho a deducciones o exenciones que alcancen a igualar o sobrepasar la totalidad de la renta bruta, o deudas que igualen o sobrepasen el activo del contribuyente.
>
> El activo patrimonial o los derechos apreciables en dinero, menores de $10,000 y poseídos en la fecha indicada en el inciso anterior, deben denunciarse por los contribuyentes que quieran a acogerse a la exención establecida en el artículo 98, numeral 4°, de la Ley 63 de 1936.

En otras palabras, el inciso final de la norma transcrita tuvo como efecto que las personas naturales que hubieran devengado una renta superior a $600 e inferior a $1 200, proveniente de su salario, y cuyo patrimonio no excediera de $2 000, estarían obligadas a presentar su declaración tributaria, pero no tendrían que pagar importe alguno siempre que denunciaran la totalidad de su patrimonio. Por su parte, los artículos 88 a 90 se encargaron de regular las exenciones para las personas naturales, en los siguientes términos:

El artículo 88 recogió, prácticamente en copia *verbatim*, las exenciones establecidas en el artículo 98 de la Ley 63 de 1936, por lo que no resulta del caso efectuar una nueva transcripción. Únicamente añadió, en su inciso final, la presunción de que los estudiantes y las mujeres solteras mayores de veintiún años que dependieran del contribuyente y no tuvieran peculio propio estaban incapacitados físicamente para trabajar. Así, el contribuyente podría tomar la deducción por dependientes en estos casos.

El artículo 89 hizo expreso en la regulación tributaria las personas a quienes el contribuyente tenía la obligación de sostener y educar, de acuerdo con la ley civil. Recuérdese, como ya lo habíamos comentado al explicar el Decreto 2432 de 1934, que la normativa tributaria definió a los dependientes que darían derecho a la deducción como aquellos menores de 21 años a quienes la ley civil imponía la obligación de mantener y educar. Esa remisión legal, según se explicó, se debía entender hecha al régimen de alimentos, regulado en los artículos 411 y siguientes del Código Civil, salvo lo dispuesto en relación con los cónyuges.

Pues bien, el artículo 89 del Decreto 818 de 1936 simplemente reiteró, en una disposición de especialidad tributaria, lo que la ley civil preveía para aquella época en relación con la obligación de sostenimiento y educación, así:

Artículo 89. De acuerdo con la ley civil colombiana, tienen obligación de sostener y educar:

a) Los padres, a los hijos legítimos (artículo 253 Código Civil), a los legitimados (artículo 236 Código Civil), a los adoptivos (artículo 281 Código Civil), a los naturales reconocidos o declarados tales (Ley 153 de 1887, artículo 61 y Ley 45 de 1936, artículos 1 y 27), a los demás descendientes legítimos (artículo 411 Código Civil), y a la posteridad de los hijos naturales reconocidos o declarados tales (artículo 411 Código Civil, y Ley 45 de 1936, título 1);

b) Los hijos, a los ascendientes legítimos, a los naturales reconocidos o declarados tales y a los padres adoptantes (artículo 411 Código Civil y Ley 45 de 1936);

c) Los hermanos, a los hermanos legítimos (artículo 411 Código Civil); y

d) Los extraños a los que les hubieren hecho una donación cuantiosa, si ésta no hubiere sido rescindida o revocada (artículo 411 Código Civil)

Para tener derecho a las exenciones por personas a cargo, el contribuyente debe probar, por medio de una certificación de dos vecinos honorables, el grado de parentesco que ligue al contribuyente con las personas sostenidas, el número de éstas, su edad, si tienen o no peculio propio, la clase incapacidad de que padezcan y la circunstancia especial de que tales personas no reciben educación ni apoyo de otras obligadas también a ello por la ley civil.

> Al pie del certificado debe anotarse con toda claridad el nombre completo de los que lo firman y su dirección o domicilio. Las atestaciones que no tengan la referida anotación, carecerán de valor y serán desestimadas. Si el Director General de Rentas o el funcionario (sic) liquidador duda de la veracidad de tal certificado, podrá exigir que los hechos se prueben con dos declaraciones recibidas en forma legal, y en papel común, ante un funcionario judicial.

Repárese, sobre este aspecto, en que ya empezaba a hacer carrera, entre nosotros, la superación de las odiosas discriminaciones entre hijos, originalmente incorporadas en el ordenamiento jurídico patrio. Así pues, los contribuyentes se veían facultados para tomar exenciones no solo por sus dependientes "legítimos", sino también por aquellos "naturales". Sin embargo, y como resulta apenas lógico, la ley sujetó tal beneficio tributario a la prueba del reconocimiento (voluntario) o declaración (judicial) de la filiación natural, pues carecería de fundamento alguno pretender solicitar exenciones por quienes no han trabado su relación jurídica paterno-filial[120]. Por su pertinencia, a continuación se transcribirá un aparte de la Resolución número 472 del 31 de marzo de 1944, proferida por la Jefatura de Rentas e Impuestos Nacionales, en que se clarifica la cuestión:

> En cuanto a las exenciones por los hijos naturales a quienes tuvo que sostener el señor N.N., durante el año gravable, por no estar comprobado el reconocimiento en la forma establecida por la Ley 45 de 1936, no es posible concederlas.
>
> El artículo 98, numeral 3° de la Ley 63 de 1936, concede una exención de $300 por cada persona a quien el contribuyente esté obligado, según la ley civil, a sostener y educar, y con el sostenimiento y educación no es otra cosa que la prestación de alimentos de que habla el Código Civil en su Título 21, Libro I; luego existe derecho a la exención cuando exista la obligación alimentaria de acuerdo con las reglas generales. Respecto a los hijos naturales existe obligación, pero hay necesidad de acreditar el carácter de natural del hijo.

Esclarecido lo anterior, corresponde ahora analizar el último inciso del artículo 98, según el cual se exige, para la procedencia de la exención, una certificación de dos vecinos que señale, entre otras, si los dependientes tienen o no peculio propio. La naturaleza de este requisito es en extremo clara: en principio, la exención es solo procedente para quienes sean verdaderos

---

[120] Aunque si ello ocurriere, no cabría duda de que, al ser las declaraciones tributarias privadas una manifestación libre y espontánea del contribuyente, con efectos legales de una confesión, el hijo no reconocido quedaría facultado para iniciar un proceso de reclamación de paternidad (o filiación), con fundamento en esa prueba documental.

dependientes del contribuyente, porque su finalidad no es otra que la de conceder un alivio para que éste atienda las cargas que la ley le impone. En ese sentido, en los casos en los que los "dependientes" tuvieran un peculio propio con el cual pudieran atender su propio sostenimiento y educación, no se estaría en presencia de verdaderos "dependientes" y, consiguientemente, no parecería admisible la procedencia de la exención para el contribuyente.

En una célebre discusión, terciada por la Jefatura de Rentas e Impuestos Nacionales, el liquidador de impuestos rechazó la exención solicitada por un contribuyente, debido a que su hija tenía peculio propio. Al respecto, consideró la Jefatura en Resolución número 114 del 21 de febrero de 1947:

> Las peticiones del reclamo se concentran así: 1°. 'Que careciendo, como carece, de peculio propio, mi hija N.N., se modifique la liquidación del impuesto sobre la renta, en el sentido de acumular a las exenciones concedidas la correspondiente a la menor citada, por ser de Ley' (...)

> Respecto a la primera petición, el liquidador rechazó el derecho a la exención legal que el contribuyente solicitó y probó de conformidad con el artículo 88 del Decreto 818 de 1936, correspondiente a su hija N.N., de diez y medio años de edad. Se fundó para el efecto en la referencia que hace el mismo declarante a la existencia patrimonial en la Caja Colombiana de Ahorros a nombre de N.N., por $1.000.00, y en el informe rendido por el Banco Central Hipotecario, en que consta que la niña N.N. tenía suscrita una cédula de capitalización que resultó favorecida y su valor de $1.000.00 fue cubierto al señor X.Z., quien había depositado a nombre de la niña 27 cuotas por valor de $199.80, de donde concluyó el liquidador que la niña N.N. tenía peculio propio. Este Despacho no comparte esa tesis, porque, dadas las circunstancias, es más fácil presumir la intención de un hábito de ahorro que la Ley secunda, que la formal adquisición de un activo en cabeza de la menor. Pero aceptado este último, tampoco habría razón para negar el derecho a la exención, ya que el activo fue declarado en el patrimonio del contribuyente, y el usufructo de este activo que legalmente le corresponde (art. 291 del C.C.) se comprende en el monto denunciado por renta, pues no hay informe en contrario.

La nítida disertación de la Jefatura de Rentas e Impuestos Nacionales arroja dos conclusiones de capital importancia: (i) por una parte, los rendimientos financieros percibidos por la sola tenencia de un capital ahorrado no se pueden considerar, sin más, la posesión de un patrimonio que permita excluir la procedencia de la exención por dependientes; y, (ii) por otra, que los rendimientos financieros son un fruto, en este caso, de parte del peculio adventicio ordinario de la hija. Por consiguiente, en virtud del "usufructo [léase goce] legal" que la ley concede a los titulares de la patria potestad, esos rendimientos integran el patrimonio de los padres, quienes deben declararlos en debida forma, sin que ello enerve la posibilidad de solicitar la respectiva exención por dependientes.

Finalmente, el artículo 90 reiteró lo previsto en el ordinal 4° y el parágrafo 1° del artículo 98 de la Ley 63 de 1936, en el sentido de que (i) no tendrían que sufragar importe alguno los contribuyentes que devengaran una renta bruta de hasta $1.200, proveniente de salarios, y cuyo patrimonio no excediera de $2.000; y (ii) las exenciones previstas no serían aplicables para quienes obtuvieran una renta líquida de más de $6.000 anuales. En relación con este punto, se debe precisar que, en buena hora, el artículo 4° de la ley 48 de 1937 derogó la arbitraria e injusta prohibición de que los contribuyentes con una renta líquida superior a $6.000 pudieran tener derecho a exenciones tributarias. Y lo hizo, cabe agregar, en forma retroactiva, desde el período gravable de 1936.

SECCIÓN IV. DECRETOS 2374 DE 1936, 2551 DE 1943 Y LEY 68 DE 1946: EL GALIMATÍAS EN LA FORMA DE TRIBUTACIÓN DE LOS CÓNYUGES

En esta sección se abordarán, en conjunto, los Decretos Reglamentarios números 2374 de 1936 y 2551 de 1943, así como la Ley 68 de 1943. Con la venia del lector, alteraremos el orden cronológico que hasta ahora se ha desarrollado, con el objeto de comentar, en un solo título, el que bien se podría catalogar como clímax de la confusión en la forma de tributación de las sociedades conyugales.

I. Decreto 2374 de 1936

Según se ha expuesto, a raíz de la expedición de la Ley 28 de 1932 se introdujeron reformas sustanciales al odioso régimen del Derecho de Familia consagrado en el cuerpo original del Código Civil, dentro de las que se destacan para nuestro estudio la devolución de la capacidad plena a las mujeres casadas y administración dual de la sociedad conyugal. Sin embargo, esos relevantes cambios trajeron consigo una igualmente importante confusión sobre el contenido y alcance de la ley en materia civil y, por lo que a nosotros interesa, en materia tributaria.

En el ámbito fiscal, tanto la Ley 78 de 1935 como la Ley 68 de 1936 (artículo 98) se refirieron tangencialmente a la forma de tributación de los cónyuges, en su ordinal 2°, cuando indicaron que la exención conjunta de los cónyuges que vivieran unidos ascendería a $900 y $1 200, respectivamente, pero que si "hicieren declaración por separado" la exención podría ser concedida a alguno de ellos, con exclusión del otro, o a ambos. Esa sola referencia, sin embargo, en lugar de esclarecer las dudas sobre la tributación de las rentas familiares las profundizó, puesto que su escueta y tangencial referencia a la presentación declaraciones conjuntas o separadas por los cónyuges no permitía dilucidar si sencillamente se trataba de una facultad o si, por el contrario, según el caso concreto existía una obligación específica de optar por una u otra alternativa.

La ausencia de claridad de la ley civil, sumada a la somera referencia de la ley tributaria, recién comentada, obró como caldo de cultivo para que, el 24 de septiembre de 1936, el Gobierno nacional expidiera el Decreto 2374 y, en su artículo 4°, pretendiera aclarar la forma de tributación de los cónyuges. Veamos:

Artículo 4°. Las personas casadas podrán hacer sus declaraciones de renta y patrimonio, así:

1° Matrimonios anteriores a la Ley 28 de 1932:

a) Si la sociedad conyugal, como lo permite la ley, se ha liquidado y cada uno de los cónyuges tiene la libre disposición y administración de sus bienes propios y de los que adquiera con posterioridad al matrimonio, los cónyuges pueden a su arbitrio hacer su declaración de renta y patrimonio conjuntamente o por separado.

b) Si la sociedad conyugal no se ha liquidado, y la mujer no tiene bienes propios, la declaración de renta y patrimonio debe hacerse por el marido comprendiendo tanto las rentas y bienes comunes como los propios del marido.

Si la mujer, en el caso contemplado en este numeral, tuviere patrimonio propio, puede declararlo con independencia del marido, pero éste a su vez debe declarar tanto los bienes y rentas de la sociedad (los adquiridos por el marido o la mujer durante el matrimonio), como los suyos propios, sobre todos los cuales se liquidará un solo impuesto.

2° Matrimonios regidos por la Ley 28 de 1932:

Como de acuerdo con esta Ley tanto el marido como la mujer tienen la libre disposición y administración tanto de sus bienes propios adquiridos antes del matrimonio como de los que adquieran posteriormente, los cónyuges pueden, a su arbitrio, hacer su declaración de renta y patrimonio conjuntamente o por separado.

En todos los casos anteriores las exenciones personales concedidas por el artículo 98 de la Ley 63 de 1936 se concederán teniendo en cuenta lo dispuesto en el artículo 88 del Decreto 818 de 1936.

Fue así como se precisaron entonces las reglas sobre la imposición de las rentas habidas en las sociedades conyugales, que podríamos simplificar en los siguientes términos:

A) En los matrimonios celebrados antes del 1° de enero de 1933, en los cuales no se hubiere liquidado provisionalmente la sociedad conyugal, el marido era el encargado de presentar una única declaración del impuesto sobre la renta. En ella se debía incluir la totalidad de los ingresos atribuibles a la sociedad conyugal (los cuales se integran, como es obvio, por los salarios de la mujer y por los rendimientos producidos por los bienes que figuraran a nombre de ella, entre otros) y los suyos propios.

Y solamente a manera de excepción, cuando la cónyuge tuviera bienes propios (por ejemplo, por la reserva de algunos bienes en capitulaciones debidamente celebradas), esta "podría" declararlos con independencia del marido.

B) En los matrimonios celebrados antes del 1° de enero de 1933, en los cuales sí se hubiere liquidado provisionalmente la sociedad conyugal, así como en aquellos celebrados con posterioridad a esa fecha, los cónyuges podían elegir libremente si preferían presentar una única declaración conjunta o dos individuales.

En síntesis, solamente era obligatorio presentar una sola declaración tributaria cuando concurrieran las siguientes circunstancias: (i) que el matrimonio fuera anterior al 1° de enero de 1933; (ii) que la sociedad conyugal no se hubiere liquidado provisional o definitivamente; y (iii) que la mujer no tuviera bienes propios. En todos los demás casos, era potestativo de los cónyuges decidir la forma en la cual querían presentar sus denuncios rentísticos.

Nótese que, desafortunadamente, el decreto reglamentario acogió la tesis negacionista de la naturaleza imperativa de la administración dual ordenada en la Ley 28 de 1932 y, por tanto, las sociedades conyugales que no se hubieran liquidado provisionalmente seguirían amparadas por las reglas originales de administración del Código Civil, cuya consecuencia obvia era que el marido continuaría administrando los bienes sociales y obligatoriamente debía incluir todas las rentas en su denuncio privado. A pesar de que consideramos desafortunada la posición adoptada por el titular de la potestad reglamentaria por hondas razones que han quedado expuestas en las líneas que anteceden, lo cierto es que con esa disposición se dio un primer atisbo de claridad sobre la forma en la cual debían tributar los cónyuges en Colombia.

1. Jurisprudencia de la Corte Suprema de Justicia

Sin embargo, esa claridad quedó en jaque con la sentencia de la Sala de Casación Civil de la Corte Suprema de Justicia, expedida el 20 de octubre de 1937[121] , por medio de la cual se dejó sin piso la velada afirmación del reglamento cuando sugirió que la jefatura de las sociedades conyugales nacidas antes del 1º de enero de 1933 y no liquidadas provisionalmente seguía en cabeza del marido y, consiguientemente, que el patrimonio social y el del cónyuge varón se confundían en uno solo. Dijo la Corporación:

> Situación jurídica de las sociedades conyugales existentes en el momento en que entró a regir la nueva ley.
>
> Consecuencia trascendental de la distribución judicial o extrajudicial de los bienes de la sociedad conyugal pendiente el 1º de enero de 1933, es la de que cada uno de los cónyuges queda así plenamente habilitado para disponer de los bienes que le fueron adjudicados y para administrarla.
>
> Por haber perdido el marido, desde la fecha indicada, el carácter de jefe de la sociedad conyugal, y por lo tanto el de dueño exclusivo ante terceros de los bienes sociales, perdió también de manera lógica y necesaria sus antiguas facultades dispositivas y administrativas sobre el conjunto de bienes de la vieja sociedad conyugal, los cuales vinieron así a quedar, por el fenómeno de la aparición de otro jefe con iguales facultades a las del marido, bajo el gobierno simultáneo de los dos cónyuges. Significa esto, de consiguiente, que para disponer de tales bienes los dos cónyuges deben obrar conjuntamente, si es que la masa social está indivisa por no haber ocurrido ellos a verificar la distribución provisional de esa masa, conforme al derecho que les otorga el comentado artículo 7º [de la ley 28 de 1932].
>
> A la Corte esta doctrina se le presenta incuestionable y se impone ante el efecto inmediato que debe tener una ley encaminada a dar a la mujer capacidad plena, efecto que pugna abiertamente contra toda supervivencia del antiguo poder exclusivo del marido en relación con los bienes sobre los que la mujer tiene también su derecho indubitable de socia.
>
> Se impone así mismo por el espíritu general de la ley, de la cual no aparece, para los efectos de su aplicación, que se deban considerar dos categorías de mujeres casadas: sometidas unas, las casadas antes de la ley, a una situación de inferioridad con respecto a determinados bienes, sobre los cuales el marido mantuviera sus originarias prerrogativas; y otras, las casadas bajo la vigencia de la ley, gozando en su plenitud de todas las nuevas facultades. Para admitir semejante diferencia de condiciones habría sido necesario un texto

---

[121]   G.J. XLV, 630 y ss., M. P. Arturo Tapias Piloneta.

expreso que la consagrara. Pero ese texto excepcional no existe. Y en ausencia de él corresponde al intérprete darle a la ley un alcance lógico.

Se ha creído que la redacción del artículo 1° de la ley permite sostener que esa excepción está allí consagrada con la frase 'como de los demás que por cualquier causa hubiere adquirido'. Inmediatamente antes el artículo se había referido a los llamados bienes propios; e inmediatamente después de la frase se refirió a los bienes adquiridos por los cónyuges en el futuro. Luego el 'hubiere adquirido' de la frase, dicen los que apoyan su tesis en el artículo 1°, -entre los cuales encontrábase el magistrado Tapias Piloneta, autor de la ponencia en el presente fallo, quien por lo tanto rectifica ahora su primitiva opinión emitida en alguna providencia siendo magistrado del Tribunal Superior de Bogotá, Revista 'Justicia' N° 25,- se refiere al cónyuge que figure como adquirente de los bienes sociales, pero en el sentido estricto de que haya adquirido para sí.

El argumento apenas tiene fuerza aparente. Porque, en primer lugar, la frase hay que entenderla en el sentido que le da la ley, y en ese sentido, por lo que hace a las relaciones de los cónyuges entre sí, bajo el régimen del Código ni el marido ni la mujer, en los pocos casos en que ésta intervenía, eran verdaderos adquirentes de los bienes sociales con abstracción del concepto de sociedad. Quien realmente adquiría era la sociedad. Los cónyuges eran simples instrumentos de adquisición. De tal manera que cuando los bienes sociales figuraban en cabeza de uno de los cónyuges, de antemano se sabía de quién eran, sin que la materialidad del título desempeñara papel decisivo en la determinación del dominio de la cosa.

En segundo lugar, existe en el Código una categoría de bienes propios y de bienes sociales, cuyo carácter de tales depende de la manera peculiar como, durante la existencia de la sociedad, se presenta la causa de adquisición, bien con respecto al cónyuge, bien por la sociedad, y que el Código reglamenta en las disposiciones especiales de los artículos 1783, 1785, 1788, etc., disposiciones encaminadas a resolver situaciones que de otra manera serían confusas, del derecho de propiedad entre la sociedad y el cónyuge.

De consiguiente, cuando el artículo 1° de la ley le atribuye a cada cónyuge el derecho de disponer tanto de los bienes propios como 'de los demás que por cualquier causa hubiere adquirido o adquiera', refiriéndose en general, y para conjurar dudas, a todas las causas de adquisición de bienes propios y de bienes sociales, ocurridas durante el matrimonio (época anterior a la ley), o que en el futuro ocurran (época posterior a la ley).

Por último, el mismo artículo 7° de la ley sirve para aclarar el alcance general del artículo 1° en el sentido explicado. El legislador, porque dispuso su alcance general, sin excepcionar a las sociedades constituidas antes, aún permitió la distribución extrajudicial de los bienes sociales, a fin de ofrecerles a los cónyuges un medio fácil de acomodarse al nuevo estatuto. De otra manera, si la masa de bienes de viejas sociedades debiera continuar gerenciada por el marido solo, el artículo sería incongruente con el artículo 7°, pues carecería de objeto. La científica interpretación de un cuerpo de normas debe ser siempre armónica, de modo que un precepto guarde relación con los demás y todos se concatenen y expliquen entre sí. Interpretando con entera desvinculación las dos disposiciones citadas, se rompe la armonía doctrinaria de la Ley 28, en fuerza de que resultaría exótico y sin razón el que de un lado se consagrara el principio de que un determinado orden de cosas continuara rigiéndose por normas abrogadas, y de otro lado se sentara un principio contrapuesto, dándose normas reguladoras para liquidar aquel estado de cosas.

Todo el raciocinio precedente decide a la Corte a sostener como necesaria para la validez del acto jurídico, la intervención conjunta de marido y mujer en lo tocante a cualquiera disposición de bienes, cuando éstos pertenecen a las sociedades conyugales que la Ley 28 encontró ya formadas, y que bajo su vigencia no han sido liquidadas provisionalmente conforme al artículo 7°. Naturalmente esta doctrina sobre invalidez de actos jurídicos ejecutados por uno solo de los antiguos cónyuges sin la intervención personal del otro o sin su mandato, no se aplicaría en algunos casos, como serían, por ejemplo, los relativos a disposición de títulos al portador; los regulados por normas peculiares, como, en sus casos, algunos instrumentos negociables (art. 3° de la Ley 46 de 1923), y los en que se aplican determinadas doctrinas jurídicas que conduzcan excepcionalmente a la aludida validez.

La pluma fluida con que la Corte Suprema de Justicia disipa toda duda en relación con la naturaleza imperativa de la administración dual de las sociedades conyugales, incorporada al ordenamiento jurídico de la Ley 28 de 1932, quiebra cualquier fundamento que hubiera podido hallar el Decreto 2374 para soportar sus disposiciones. Como mencionamos, el hecho de que fuera obligatoria la presentación de un solo denuncio rentístico para los cónyuges que tuvieran una sociedad conyugal vigente a 1° de enero de 1933, cuya mujer no tuviera bienes propios y que no hubiesen acudido a la figura de liquidación provisional que admitía el artículo 7° de la Ley 28 de 1932, es la más nítida muestra de que el titular de la potestad reglamentaria sugería, a lo menos subrepticiamente, que en estos eventos pervivía el odioso régimen original del Código Civil como si no fuera imperativa la naturaleza de orden público del mandato de administración dual consagrado en esa ley.

De manera que no sería explicable, ante la claridad suministrada por la corporación, que se maniatara a los cónyuges que no hubieran liquidado provisionalmente su sociedad conyugal para que presentaran una sola declaración del impuesto sobre la renta. Y más grave aún, que se los pusiera en un plano de desigualdad en relación con los demás matrimonios, celebrados con posterioridad a la Ley 28 de 1932 o con anterioridad a ella, pero con la sociedad conyugal provisionalmente liquidada.

El jaque en que había caído la disposición reglamentaria se reforzó con motivo de la expedición de las sentencias del 29 de marzo de 1939[122] y del 18 de abril de 1939[123] en las que la Corte Suprema de Justicia ratificó los planteamientos de la Sentencia del 20 de octubre de 1937, precedentemente transcrita.

2. Jurisprudencia del Consejo de Estado

Sin embargo, no fue solamente la jurisprudencia de la Corte Suprema de Justicia la que comprometió el Decreto 2374 de 1936. También el Consejo de Estado tuvo ocasión de pronunciarse sobre el particular, mediante dos providencias en las cuales vaciló en aplicar el artículo 4° del decreto en comentario.

En Sentencia del 5 de septiembre de 1941, anales números 308 a 310, C. P. GONZALO GAITÁN, la Corporación resolvió sobre una demanda de nulidad contra dos resoluciones proferidas por la Jefatura de Rentas e Impuestos Nacionales. El caso concreto consistía en determinar, por una parte, si el patrimonio radicado en cabeza de uno de los cónyuges, adquirido onerosamente durante la vigencia del matrimonio, debía ser dividido por partes iguales entre ambos consortes y, por otra, si toda renta líquida obtenida por los cónyuges, sin reparo alguno en relación con su procedencia debía dividirse por partes iguales entre ellos.

Al decidir sobre el asunto, el Consejo de Estado rechazó la división de rentas o activos patrimoniales entre cónyuges por considerarla lesiva para el más pobre de los consortes y defendió, en su lugar, la imposición de cada esposo como si no existiera sociedad conyugal alguna. Dijo la Corporación:

> "En anterior ocasión ya el Consejo, con apoyo en los más autorizados intérpretes de la citada Ley 28 [de 1932], fijó sus puntos de vista en torno a tan delicada materia, y hoy se limita a reproducir lo que dijo en la sentencia de 21 de marzo postrero, por tratarse de un caso idéntico".

> Son éstos sus términos:

> 'Por unanimidad, la Corte Suprema de Justicia, en sentencia de 18 de abril de 1939, que el fallo transcribe, dijo:

> *La ley de que se trata, inspirándose en la igualdad de los sexos ante el derecho privado, cambió radicalmente el sistema del Código Civil, esto es, el de la comunidad de bienes e incapacidad de la mujer con exclusiva gerencia*

---

122   G.J. XLVII, 730.
123   G.J. XLVIII, 40.

del marido, por el actual de la Ley 28, calificado de formula afortunada por ilustres juristas. El régimen legal de comunidad de bienes bajo la jefatura del marido, cuyo patrimonio y el de la sociedad conyugal se confundían, y en que éste era el único de los cónyuges capaz de administrarlo, fue sustituido por uno combinado, que conserva teóricamente dicha sociedad para que produzca efectos al disolverse el matrimonio, pero de modo que durante éste cada uno de los esposos disfrute de plena libertad y capacidad jurídica y del goce completo de los bienes que adquiera. Este sistema, inspirado en algunas legislaciones muy recientes, tiene la indudable ventaja de combinar la libertad y capacidad plenas de la mujer con las realidades sociales y la justicia, ya que tiene en cuenta el hecho de la cooperación de ambos cónyuges en la formación del patrimonio familiar. Un régimen de separación pura y simple lesionaría sus derechos (los de la mujer), porque habiendo ella trabajado toda su vida se vería sin ningún patrimonio a la muerte del marido; en tanto que la concepción de la comunidad de adquisiciones, sin menoscabar la libertad de los cónyuges durante su vida, asegura en fin de cuentas a la mujer una parte de las economías a cuya formación ella contribuyó ampliamente.

La misma Corte Suprema de Justicia, en Sentencia de 20 de octubre de 1937, dice lo siguiente:

Y del mismo modo que anteriormente la sociedad conyugal permanecía latente hasta el momento de su liquidación, la sociedad de hoy emerge del estado de latencia en que yacía, a la más pura realidad, con el fallecimiento de alguno de los cónyuges, el decreto de divorcio o de nulidad del matrimonio, o el reconocimiento de alguna de las causales de separación de bienes, de aquellas que quedaron vigentes por no estar en oposición con la reforma.

Y semejante característica de latencia, aparentemente paradojal, pero en todo caso cierta, perdura a través de la reforma. Empero, con esta mayor extensión en fuerza de las gerencias organizadas por la Ley 28: que antes de la disolución de la sociedad, ni el marido tiene derecho sobre los bienes de la sociedad manejados por aquél, dándole a cada uno de los esposos la calidad de dueño que antes competía exclusivamente al marido, a cuyo fin hubo de crearse la doble administración de los bienes, cuyo carácter de sociales no viene a revelarse ante terceros sino al disolverse la'sociedad.

Pero disuelta la sociedad, surge ahora, bajo el imperio de la reforma, como antes también surgía bajo el imperio del Código Civil, la comunidad sobre los bienes sociales existentes en ese momento en poder de cualquiera de los cónyuges, comunidad que había que liquidar conforme las reglas del Código compatibles con el nuevo régimen.

Por ejemplo: un inmueble adquirido hoy por la mujer a título oneroso durante el matrimonio, constituye un bien social que ella puede enajenar y administrar libremente en fuerza de su plena capacidad, pero virtualmente susceptible, en su carácter de bien social, de constituir uno de los elementos integrantes de la masa partible, como activo de la sociedad conyugal, si a tiempo en que ésta se disuelve no ha sido enajenado.

Y sobre el mismo tema se lee en la tesis de grado del doctor Chavarriaga Meyer, posterior a los fallos del Tribunal, lo siguiente, que sintetiza con meridiana claridad el alcance de la reforma cuando expresa:

Como ya dijimos, el régimen de la Ley 28 establece una hábil combinación de separación de adquisiciones y de posterior sociedad conyugal; bajo este régimen cada cónyuge adquiere para sí, administra lo adquirido y dispone de ello libremente. De tal suerte que la sociedad conyugal, tanto bajo el régimen del Código Civil, como durante la vigencia de la nueva ley, permanece latente para surgir al momento de liquidarse, en los casos previstos por la ley.

Los conceptos transcritos conducen claramente a la conclusión de que el artículo 1781 del Código Civil, cuya aplicación invoca el actor, se halla hoy modificado por las disposiciones de la Ley 28 de 1932; e indican igualmente que no hay contradicción entre el fallo que se revisa y el de 6 de octubre de 1938, también del Tribunal Administrativo de Bogotá, que el actor juzga contradictorio con el que se revisa, contradicción que el último fallo desvanece, reproduciendo en parte el 1º, para concluir así:

Como se desprende de los pasajes transcritos, tomados del fallo citado por la demanda en este juicio, el régimen prescrito por la Ley 28 de 1932 establece que durante el matrimonio, o, mejor, durante la sociedad conyugal, cada uno de los socios, el marido y la mujer, adquieren para sí, administran lo adquirido y disponen de ello libre e independientemente; puede decirse que entonces los cónyuges están separados de bienes. Terminada la sociedad por cualquiera de los eventos legales, es decir, llegado el momento de liquidarla, se forma una comunidad para hacer la liquidación respectiva y dividir entre los mismos cónyuges las ganancias que hayan adquirido.

Antes de la liquidación de la sociedad no hay bienes sociales propiamente dichos; existen los bienes de cada uno de los cónyuges; por tanto, en esa situación, como lo dijo la sentencia de este Tribunal antes citada, dos son los contribuyentes: el marido y la mujer, cada uno por los bienes que por entonces la ley reputa que le pertenecen; esos bienes y sus productos son los gravados a cada uno de los cónyuges.

Sostener, como lo quiere la demanda, invocando la sentencia de este Tribunal, que la renta líquida total gravable se divida por dos y se atribuya a cada cónyuge la mitad, y sobre esta base se liquide el impuesto de la renta de cada cónyuge, es nada menos que interpretar la sentencia que se invoca en un sentido perfectamente contrario al que ella tiene, como se deja explicado; es violentar el querer de la Ley 28 de 1932, que establece el régimen de una separación de bienes, mientras no se liquide la sociedad conyugal, y luego de terminar ésta, el establecimiento de una comunidad de las adquisiciones para repartirlas entre los cónyuges.

Con el criterio del demandante, doctor Juan Uribe Holguín, se tendría que no se grava a cada cónyuge por lo que le pertenece; en efecto: si la mujer adquiere o tiene una renta como 100, y el marido como 200, sumadas estas cantidades, como lo quiere la demanda, $300, y dividida esta suma por dos, se tendría que a cada uno corresponde $150; la mujer que solo tenía 100, quedaría gravada por 150, es decir, 50 unidades más de las que legalmente le corresponden; esto es inaceptable dentro del régimen de separación de bienes, que establece la Ley 28 citada. En el fallo de 6 de octubre de 1938, proferido por este Tribunal al practicar la liquidación, se dividió por dos partes iguales, porque otra cosa no podía hacerse, de acuerdo con los elementos que obraban en el expediente respectivo.

La sentencia dictada por este Tribunal, y que se cita o invoca en la demanda, y el presente fallo, no han hecho otra cosa que ajustarse al régimen predicado por la Ley 28 de 1932, régimen, como varias veces se ha dicho, de separación y de comunidad.

De igual concepto participa el autor de la ley, doctor Luis Felipe Latorre, en nota dirigida al doctor Neira Mateus, publicada en el tomo 49 del órgano oficial del Tribunal Administrativo de Bogotá, del cual extractamos lo siguiente:

Y es de advertir que la sentencia de 12 de septiembre, en lugar de hallarse en pugna con la de 6 de octubre de 1938, es desarrollo lógico de ella.

La estimación separada de la renta de cada cónyuge, percibida después del 1º de enero de 1933, para liquidarle a cada uno también por separado el impuesto por su respectiva renta, es la aplicación verdaderamente jurídica del nuevo régimen patrimonial, que atribuye a cada cónyuge, como integrante de su patrimonio personal, todo lo que a cualquier título adquiera durante el matrimonio, y lo hace responsable exclusivo de las deudas que contraiga (como las fiscales), sin que pueda estimarse que existe sociedad o comunidad de intereses entre los cónyuges, y menos ante terceros (como el Fisco), sino en el evento de disolución de la sociedad conyugal. Sumar las rentas del marido a las de la mujer, para partir en dos mitades iguales ese total, a efecto de liquidarles un impuesto igual a cada uno, no solamente implicaría un flagrante desconocimiento del nuevo régimen de bienes en el matrimonio, sino que prácticamente conduciría a liquidaciones injustas y a veces inicuas. En efecto, supóngase el caso de una mujer empleada con $ 100.00 mensuales de sueldo, y su marido, un comerciante acaudalado, que ganara $ 1.000.00 por mes. Con la tesis justa del Tribunal, la mujer pagará un impuesto sobre $ 1.200.00 anuales, menos la deducción legal, y el marido sobre $ 12.000.00, menos la deducción del caso. Con la tesis contraria, cada cónyuge pagaría de su propio peculio, impuesto sobre $ 6.600.00, lo que sería ruinoso para la mujer.

En el mismo orden de ideas, en uno de los últimos párrafos de la parte motiva del fallo en referencia, el Tribunal hace extensiva su doctrina, muy oportuna y lógicamente, al impuesto sobre patrimonio, de manera que

debe ser cubierto por cada uno de los cónyuges sobre los bienes radicados en su cabeza a cualquier título, inclusive los que pudieran ser materia
de distribución como gananciales al disolverse la sociedad conyugal, porque mientras esto no ocurra, cada cónyuge, debe ser considerado como
dueño exclusivo de todo lo que adquiera. Sumar tales bienes antes de la
liquidación social, para partirlos por mitad imaginariamente, y liquidar el
impuesto de patrimonio sobre cada mitad, a cargo de cada cónyuge, sería
hacer a un lado la Ley 28 y arruinar al cónyuge más pobre.

Definidas, pues, las diversas situaciones que pueden presentarse dentro del
nuevo régimen patrimonial en el matrimonio, solo restan estudiar el desarrollo o aplicabilidad del régimen fiscal al régimen privado, lo que no puede
hacerse sino sentando como principio, que es de rigor una orientación de
conjunto que armonice uno y otro sistemas, como lo preconiza el mismo
doctor Latorre, cuando dice:

> Llama en primer término la atención el criterio comprensivo del Tribunal,
> dándose cuenta de que la estructura institucional de un país no es un
> conjunto de mecanismos independientes, dislocados unos de otros, sino
> un ingenio formado por muchas piezas y rodajes de funcionamiento com-
> plejo, pero armónico.

> Así, tenemos el Derecho Constitucional, el Civil, el Penal, el Administrati-
> vo, el Procedimental, etc., de índole, forma y aplicación diferentes, como
> los diversos tramos y dependencias de un edificio, pero con una armadura
> concebida y levantada dentro de la orientación de un plano obediente
> a las nociones de la armonía y la correlación, en su conjunto, y en sus
> distintas partes. Eso constituye en el derecho positivo lo que la doctrina
> jurídica llama «el espíritu general de la legislación»; concepto de alta
> valía, y que muchos funcionarios desconocen o menosprecian, incurrien-
> do a veces en la incongruencia de interpretar y aplicar una disposición
> del Código Judicial pensando sólo en el procedimiento como finalidad y
> echando en olvido la norma sustantiva, o al buscar y determinar los efec-
> tos de un contrato entre el Estado y un particular, atenerse exclusivamente
> al espíritu de los principios del Derecho Administrativo, con prescinden-
> cia absoluta de los del Civil, o a la inversa, sin tratar de lograr la adecuada
> y razonable armonización de todos.

> Las decisiones del Tribunal Contencioso Administrativo de Cundinamar-
> ca, como la que hoy comento, y la de 6 de octubre de 1938, sobre análo-
> ga materia, publicada en el número 12 de la revista Externado, dan loable
> ejemplo de sana jurisprudencia al poner en lógica y justa concordancia
> el sistema fiscal con el régimen civil, al punto que los dos tallos aludidos,
> que en último término venían a decidir sobre liquidación de determina-
> dos impuestos en el caso de personas casadas, no se limitan a estudiar las
> leyes relativas a esos gravámenes, sino que entran con plena jurisdicción
> al campo del Derecho Civil, en dilucidación de un asunto estrechamente
> relacionado con el otro. Y en ese empeño y con finalidad tan justificable,
> el Tribunal nos ofrece excelentes piezas jurídicas, como son, entre otras,

sus famosos estudios a fondo sobre el régimen patrimonial en el matrimonio, de gran utilidad para abogados, estudiantes de Derecho y funcionarios del Órgano Judicial.

Y en la tesis de grado a que más atrás alude esta sentencia, se hallan los siguientes párrafos relacionados con el alcance de la Ley 28 de 1932, en orden a los impuestos sobre la renta, patrimonio y exceso de utilidades:

Los impuestos, como créditos que son, constituyen una deuda a favor del Estado, la cual deben pagar los contribuyentes. En el caso de las sociedades conyugales anteriores a la Ley 28 de 1932, los efectos impositivos son distintos de los que produce el nuevo sistema. En el primer caso, los cónyuges debían pagar por mitad el valor de los impuestos; en el segundo, es decir, sobre los bienes adquiridos después de la vigencia de la ley, corresponde a cada cónyuge el pago de los impuestos correspondientes, mientras no se haya liquidado la sociedad.

De modo que antes de la liquidación de la sociedad conyugal, ésta la forman dos personas, cada cual, con sus bienes, y con amplias facultades de administración y disposición sobre esos bienes. Las ganancias líquidas de los consortes llegan a ser bienes sociales cuando llega el momento de la liquidación.

Ahora, en estas circunstancias, mal puede el impuesto sobre el patrimonio o el de exceso de utilidades gravar bienes de una sociedad conyugal cuando aún no se sabe cuáles sean los bienes sociales, y por tanto, se llega a la lógica y legal deducción de que lo gravado por la ley es el haber de cada cónyuge separadamente, porque antes de la liquidación de la sociedad conyugal las personas son los contribuyentes, esto es, los dos cónyuges.

En la sociedad conyugal anterior a la Ley 28 de 1932, había un solo administrador de todos los bienes sociales y un solo dueño de ellos, por tanto, un solo contribuyente para efectos de los impuestos, que era el marido. Bajo el nuevo régimen hay dos dueños, dos administradores; por consiguiente, dos contribuyentes sobre esos impuestos.

Aplicando la teoría al caso de autos, la conclusión es muy sencilla:

Comprobado que los bienes declarados por el actor y por su señora pertenecen a ambos por iguales partes, según lo afirma la Jefatura, es claro que debe gravarse a cada uno por lo que tiene o participe en la masa total.

En cuanto a la renta del doctor Uribe, procediendo, como procede, de trabajo, o teniendo en todo caso un origen y carácter personal, no puede cargarse en la mitad al otro cónyuge, ideando para el caso una sociedad y anticipando o suponiendo participación en ella, cuando este fenómeno solo se cumple a la hora de la liquidación de la sociedad conyugal, por cualquiera de los eventos que contempla la ley.

Es absolutamente claro que el Consejo de Estado, aunque no lo señale expresamente, mira con reparos el artículo 4° del Decreto 2374 de 1936. No otra podría ser la deducción lógica de sus afirmaciones, pues de manera consistente vuelve sobre el hecho de que, a su juicio, a raíz de la expedición de la Ley 28 de 1932 se modificó el artículo 1781 del Código Civil (tesis esta que no compartimos[124]) y recoge apartes de la célebre tesis de grado de José Luis Chavarriaga Meyer para indicar que, a la luz del estado del desarrollo jurídico actual (de esa época), la sociedad conyugal es una simple ficción que nace para liquidarse; esto es, que los cónyuges se reputan separados de bienes, hasta tanto acaece alguno de los supuestos legales que disuelven la sociedad conyugal, momento en el cual se forma la verdadera comunidad de gananciales.

Corolario obligado de los dos puntos en los que hace hincapié la Corporación es el reproche de la posibilidad de que los contribuyentes presenten declaraciones conjuntas, como lo autoriza el Decreto 2374 de 1936. En el mejor de los casos, se podría afirmar que el Consejo de Estado construyó una subregla interpretativa, según la cual la presentación conjunta de las declaraciones tributarias no supone, en manera alguna, la liquidación y depuración conjunta del tributo. De otro modo, no se explicarían los recurrentes ejemplos a que acude la Alta Corte, primero en su propio texto y luego con apoyo en la elogiosa epístola de Latorre Uriza, para demostrar la situación perjudicial que se causaría al cónyuge más pobre si se dividieran las rentas o los activos patrimoniales entre ambos consortes.

Abstracción hecha de las demás consideraciones del Consejo de Estado, sobre las cuales nos pronunciaremos en el tomo III de esta obra, lo cierto es que en la sentencia transcrita, que a su vez reitera otra anterior, la Corporación se aparta de los planteamientos del Decreto 2374, para proponer como alternativa más viable la imposición absolutamente separada de los cónyuges.

En oportunidad posterior, particularmente en Sentencia del 15 de octubre de 1941, anales números 308 a 310, C. P. Tulio enrique tascón, el Consejo de Estado conoció de un caso en el cual el contribuyente presentó su denuncio privado y, luego de vencido el término para declarar, solicitó que se tuviera por presentado conjuntamente con su cónyuge, por pertenecer todos los bienes y rentas a la sociedad conyugal. Al respecto, sostuvo la corporación:

---

[124]   Véase, al respecto, el tomo III de esta obra.

No hay duda que la declaración hecha en tiempo oportuno por el señor Robles Samper no fue conjunta, como tampoco que la señora Correa de Robles no hizo declaración ninguna sobre renta y patrimonio por el año gravable de 1938.

La manifestación, hecha inoportunamente por el señor Robles Samper, de que todos los bienes y rentas que él había declarado pertenecían a la sociedad conyugal, sin que el marido ni la mujer tuvieran bienes propios, pues habían sido adquiridos durante el matrimonio que habían contraído antes de la vigencia de la Ley 28 de 1932, sin haber aportado a el bienes de ninguna clase, hacen aplicable al caso de que se trata lo dispuesto en el aparte b) del artículo del Decreto número 2374 de 1936, artículo que es del tenor siguiente:

Las personas casadas podrán hacer sus declaraciones de renta y patrimonio así:

1°. Matrimonios anteriores a la Ley 28 de 1932: (…)

b) Si la sociedad conyugal no se ha liquidado, y la mujer no tiene bienes propios, la declaración de renta y patrimonio debe hacerse por el marido comprendiendo tanto las rentas y bienes comunes como los propios del marido.

Si la mujer, en el caso contemplado en este numeral, tuviere patrimonio propio, puede declararlo con independencia del marido, pero este a su vez debe declarar tanto los bienes y rentas de la sociedad (los adquiridos por el marido o la mujer durante el matrimonio), como los suyos propios, sobre todos los cuales se liquidará un solo impuesto. (…)

Conforme a esta disposición, está claro que en el caso contemplado sólo habría lugar a una declaración, a una liquidación y a un solo impuesto, en la hipótesis de no figurar sino un solo patrimonio y una sola renta pertenecientes a la sociedad conyugal.

Pero, como lo anota el señor Fiscal de la corporación, habiendo el señor Robles Samper declarado los bienes como propiedad suya, y las rentas como producidas por él, sin especificar cuáles provenían de la actividad del marido y cuáles de la mujer, no podían los liquidadores del impuesto hacer otra cosa que aceptar la declaración tal como fue presentada, pues de no hacerlo así se habría podido presentar el caso de que se gravara a la mujer con un impuesto sobre bienes y rentas que no le pertenecen y que ella en ninguna forma había denunciado.

Esto hace que sea inaplicable al presente caso la jurisprudencia sentada por el Consejo de Estado, entre otras sentencias que se invocan, en la de 5 de septiembre del año en curso, proferida en el juicio de nulidad de la Resolución número 1264 de 1939, por la cual la Jefatura de Rentas e Impuestos Nacionales liquidó el impuesto que les correspondía pagar a los cónyuges doctor Miguel S. Uribe Holguín y señora María Elena de Uribe Holguín, pues en dicho fallo lo que dijo el Consejo fue que estando comprobado que los bienes declarados por dichos cónyuges les pertenecían por iguales partes, debía gravarse a cada uno por lo que tenía en la masa total del patrimonio, pero que en cuanto a la renta del doctor Uribe, procediendo, como procedía, de su trabajo personal de abogado, no podía gravarse en la mitad al otro cónyuge, ideando para el caso una sociedad y anticipando o suponiendo participación en ella, cuando este fenómeno sólo se cumple a la hora de la liquidación de la sociedad conyugal, por cualquiera de los eventos que contempla la ley.

En el asunto de marras, el razonamiento de la Corporación es bastante confuso y da lugar a varias consideraciones, como se sigue a continuación:

Principia la Alta Corte por anunciar, de entrada, que no se trató de una declaración conjunta, sino de una individual. Más adelante, al hacer referencia a la manifestación extemporánea del contribuyente, acude al artículo 4º del Decreto 2374 y precisa que, comoquiera que se trata de una sociedad conyugal ilíquida, surgida con antelación al 1º de enero de 1933, donde no figuran bienes propios de los consortes, le corresponde al marido presentar una única declaración tributaria.

Posteriormente, señala el Consejo de Estado que, por haber declarado los bienes y las rentas como de su exclusiva propiedad, "sin especificar cuáles provenían de la actividad del marido y cuáles de la mujer", los liquidadores debían aceptar su denuncio en esos términos, so pena de gravar potencialmente a la cónyuge con un "impuesto sobre bienes y rentas que no le pertenecen". Por ello, concluye, no es posible aplicar la jurisprudencia del 5 de septiembre de 1941, objeto de comentario en este texto.

Desglosados así los planteamientos de la Corporación, corresponde preguntar qué habría pasado si el contribuyente hubiera anunciado oportunamente que se trataba de una declaración conjunta. ¿Habría sido irrelevante porque el artículo 4º del Decreto 2374 establece que, en casos de sociedades conyugales ilíquidas, anteriores al 1º de enero de 1933 y sin bienes propios de la mujer, el hombre debe presentar una única declaración, con una única liquidación y un único impuesto? O, en línea con la tesis de Chavarriaga Mayer, que acogió la Alta Corte en la sentencia del 5 de septiembre, ¿por ser una sociedad conyugal ilíquida y anterior al 1º de enero de 1933, se hubiera gravado a cada uno de los cónyuges por partes iguales?

Si la respuesta al primer interrogante fuera afirmativa, ¿no se contravendría la naturaleza de orden público de la administración dual ordenada por la Ley 28 de 1932, por la vía de admitir la jefatura del varón sobre la sociedad conyugal y confundir así los bienes y rentas propios suyos y los de la masa universal?

Y si la respuesta a al segundo interrogante fuera afirmativa, ¿no se arribaría a la conclusión, altamente reprochada por la jurisprudencia, de que la mujer terminaría siendo gravada con un tributo que no puede sufragar, habida cuenta de la ausencia de liquidación provisional o definitiva de la sociedad conyugal? Pero, a contrario sensu, si la respuesta al interrogante fuera negativa y se sostuviera que cada cónyuge se habría gravado solamente en función de los bienes y rentas que les fueran exclusivamente atribuibles, ¿por qué el Consejo de Estado tomó como fundamento jurídico para su decisión el artículo 4º del Decreto 2374 de 1936, en lugar de esgrimir la tesis que pregona que los cónyuges se reputan completos extraños para efectos tributarios? Las inquietudes que se formulan solamente dan cuenta de la inmensa confusión en que se sumía el ordenamiento tributario para definir la forma en la cual se debía gravar a los cónyuges.

3. Opinión doctrinal

James Raisbeck y Manuel Alvarado, en la obra intitulada *Su impuesto sobre la renta, patrimonio y exceso de utilidades*, sostuvieron que la facultad de los cónyuges en relación con la presentación de declaraciones tributarias separadas era, previo a la expedición de la Ley 28 de 1932, inarmónica con las normas del Código Civil, porque la sociedad conyugal nacía por el solo hecho del matrimonio. Sin embargo, añadían, fruto de la expedición de la Ley 28 de 1932, que en su criterio introducía un "sistema de separación bienes", se había superado tal impropiedad en el ordenamiento jurídico. Veamos:

> En cuanto a la facultad de hacer declaración por separado, es pertinente anotar que antes de la Ley 45 de 1936 [se referían, en realidad, a la Ley 28 de 1932] era inarmónica con la legislación del país puesto que el Código Civil vigente entonces contemplaba la existencia de la sociedad conyugal por el solo hecho del matrimonio, de tal suerte que lo natural hubiera sido haber subordinado esa facultad al sistema del código, limitándola solamente al caso de capitulaciones matrimoniales, o sea, de un convenio especial y anterior al matrimonio, sobre administración separada de los bienes propios de cada uno de los cónyuges. Hoy esta incongruencia ha desaparecido con el sistema de separación de bienes, de la Ley 45 de 1936 [SIC], en virtud de la cual el matrimonio no priva a los cónyuges de la libertad de administrar con independencia sus bienes propios. Con todo, como esta ley no tiene efecto retroactivo, hubo necesidad de dictar disposiciones especiales sobre la declaración de los cónyuges, según que hubieren contraído matrimonio antes o después de ella (…)

En síntesis, la facultad de hacer declaración conjunta o separada no es irres-
tricta en Colombia, sino que depende del sistema legal del régimen patrimonial vigente en la época de la celebración del matrimonio[125].

Fluye patente, de las consideraciones transcritas, que los autores encontraban correcto que el decreto reglamentario previera, en el literal b) del
ordinal 1º del artículo 4º, la obligación de que el marido presentara una
única declaración, con una única liquidación y un único impuesto, en los
casos en los que la sociedad conyugal se hubiere formado con anterioridad al 1º de enero de 1933 y no hubiere mediado liquidación provisional
alguna. Esta situación agravaba, sin duda alguna, la incertidumbre sobre la
tributación de las sociedades conyugales.

Empero, el respaldo de los tratadistas a la disposición es susceptible de
réplica, en la medida en que se apoyaba, a no dudarlo, en una equivocación que pudiéramos decir sustancial, porque desconocía la sustancia del
régimen patrimonial del matrimonio.

En primer lugar, no es correcto afirmar que la legislación civil únicamente consagraba una excepción al régimen general de la sociedad conyugal, cual era la de las capitulaciones matrimoniales. Se ha expuesto con
suficiencia que era posible impetrar las acciones de separación de bienes o
de divorcio *quoad thorum et cohabitationem,* con miras a disolver la sociedad
conyugal sin alterar el vínculo matrimonial. En tales casos, insistimos, era
plenamente congruente que la norma fiscal autorizara, o si se quiere obligara, a los cónyuges a tributar independientemente, puesto que de otro
modo se llegaría a la inadmisible conclusión de que las rentas y el patrimonio de la cónyuge no serían alcanzadas por impuesto alguno.

Por otra parte, no es cierto la Ley 28 de 1932 consagrara un "sistema
de separación de bienes", como ya lo había hecho notar la Corte Suprema
de Justicia en Sentencia del 20 de octubre de 1937[126], publicada con varios
meses de antelación a la expedición de la obra que ahora se comenta. La
sociedad conyugal, antes como después del 1º de enero de 1933, surge por
el hecho del matrimonio y su integración se encuentra reglada, en lo fundamental, por los artículos 1781 y siguientes del Estatuto Civil. Lo que sucede
es que la Ley 28 de 1932 vino a transformar, sí, el sistema de administración
de la sociedad conyugal. Y lo hizo para transitar de una administración úni-

---

[125]   Cfr. MANUEL ALVARADO Y JAMES RAISBECK. *Su impuesto…*, 368 y 369.
[126]   G.J. XLV, 630 y ss., M. P. ARTURO TAPIAS PILONETA.

ca hacia una dual, de manera que ambos consortes estuvieran situados en un plano de igualdad respecto de los bienes, tanto propios como sociales.

No obstante, las anteriores imprecisiones son menores, habida cuenta de que no tienen la entidad de desfigurar la línea argumentativa desplegada por los autores. En efecto, si se reemplazaran los planteamientos por otros con sus correcciones, el sentido del argumento no variaría.

Es la siguiente formulación la que, quizás, podría viciar la validez del argumento, puesto que su réplica es a todas luces más relevante y severa: la justificación aducida por los autores para la expedición del Decreto Reglamentario número 2374 de 1936 fue que la Ley 28 de 1932 no tenía efectos retroactivos. La posible réplica se ha plasmado insistentemente en este texto y se sintetiza en que: (i) la administración dual era un mandato de orden público; por ello, (ii) sus efectos debían ser retrospectivos, en el sentido de alcanzar las sociedades conyugales formadas con anterioridad, pero que continuaran vigentes al tiempo de expedición de la ley; y (iii) si se sostuviera cosa distinta, se afirmaría veladamente que el odioso régimen original del Código Civil no había sido derogado, en total oposición a lo querido por el legislador cuando reivindicó los derechos de las mujeres. Todo lo anterior, por supuesto, ya había sido enfatizado por la Corte Suprema de Justicia en la sentencia a que se alude en los párrafos que anteceden.

Luego, si la justificación para admitir la presentación de declaraciones tributarias separadas en unos casos y en otros no descansaba sobre la libre administración de los bienes por cada cónyuge, y la Corte Suprema de Justicia ya había reconocido la naturaleza de orden público de esa disposición (y con ella sus efectos retrospectivos en las sociedades conyugales vigentes al 1° de enero de 1933), la fuerza de la razón permitiría concluir que tal distinción carecería de todo sustento. En todo caso, la anterior discusión, se reitera, es muestra paladina de la falta de claridad que imperaba para entonces, en torno a la forma correcta de tributación en las rentas y bienes de las sociedades conyugales.

4. Opinión de la Jefatura de Rentas e Impuestos Nacionales

Resta únicamente añadir, en punto a la confusión en comentario, los planteamientos de Rafael A. Ricardo, otrora jefe de rentas e impuestos nacionales, y de Alberto Barriga, otrora secretario de la Jefatura de Rentas, en relación el artículo 4° del Decreto 2374 de 1936: "Aun cuando este artículo no ha sido declarado nulo, en la práctica no ha tenido aplicación, pues ha sido considerado ilegal por la doctrina uniforme del Consejo de Estado, los Tribunales Administrativos y la Jefatura de Rentas"[127].

A pesar de que no cabe duda de que se trató de una loable iniciativa del titular de la potestad reglamentaria, lo cierto es que el Decreto 2374 de 1936 creó un ambiente de inseguridad jurídica que ni la doctrina ni la jurisprudencia de las Altas Cortes pudo superar.

II. Decreto 2551 de 1943

Fruto de la confusión imperante, el 21 de diciembre de 1943 el Gobierno nacional profirió el Decreto número 2551, con efectos a partir del 1° de enero de 1944, por el cual pretendió reglamentar el ordinal 2° del artículo 98 de la Ley 63 de 1936. En su artículo 1°, el decreto autorizó expresamente a los cónyuges para que, a su arbitrio, decidieran presentar la declaración del impuesto sobre la renta en forma conjunta o individual, con sujeción a las demás normas allí previstas[128]. Veamos la regulación consagrada en el reglamento:

• Matrimonios anteriores al 1° de enero de 1933

En relación con los matrimonios, y más propiamente las sociedades conyugales, con nacimiento anterior al 1° de enero de 1933, el decreto reglamentario reguló, por separado, los casos en los cuales los cónyuges hubieran acudido a la liquidación provisional que permitía el artículo 7° de la Ley 28 de 1932 y aquellos en que ello no hubiere ocurrido.

A) Para el primer grupo, integrado por las sociedades conyugales que no se hubieran liquidado provisionalmente, los artículos 4°, 5° y 6° fijaron el siguiente régimen:

> Artículo 4°. Si se tratare de sociedades conyugales constituidas con anterioridad al 1° de enero de 1933, en las cuales no se hubiere efectuado la liquidación provisional permitida por el artículo 7° de la ley 28 de 1932, los cónyuges que opten por declarar separadamente incluirán en ella, exclusivamente, sus bienes y rentas propios.

> Artículo 5°. Para los efectos del artículo anterior se denunciarán como bienes propios de cada cónyuge los siguientes:

---

[127] RAFAEL A. RICARDO y R. ALBERTO BARRIGA. *Impuesto sobre la renta y complementarios. Legislación, jurisprudencia, casos, consultas resueltas, instrucciones y normas para la liquidación del impuesto.* (Bogotá: Ed. CAHUR, 1948), 61.

[128] **"Artículo 1°.** Para efectos de la declaración anual de renta, los cónyuges pueden hacerlo conjunta o separadamente, sujetándose a las siguientes disposiciones:"

1) Los que hubieren poseído al contraerse el matrimonio y que posean en 31 de diciembre del año gravable.

2) Los así considerados por la legislación vigente al tiempo de constituirse la sociedad, o sean:

a) Las adquisiciones hechas por cualquiera de los cónyuges a título de donación, herencia o legado;

b) El inmueble que hubiere sido debidamente subrogado a otro inmueble, propio de alguno de los cónyuges;

c) Las cosas compradas con valores propios de uno de los cónyuges, destinados a ello en las capitulaciones matrimoniales que hubieren sido celebradas, o en una donación por causa de matrimonio;

d) Todos los aumentos materiales que acrecen a cualquier especie de uno de los cónyuges, formando un mismo cuerpo con ella, por aluvión, edificación, plantación o cualquiera otra causa; y

e) Las especies muebles que se hubieren eximido de la comunidad en las capitulaciones matrimoniales.

3) La mitad de los bienes adquiridos desde la celebración del matrimonio hasta el 1° de enero de 1933, a título oneroso; y

4) Los adquiridos a cualquier título del 1° de enero en adelante.

Artículo 6°. Las rentas producidas por los bienes de que trata el artículo anterior se considerarán del cónyuge propietario, el cual debe incluirlas en su declaración, junto con las provenientes de su trabajo personal.

Sea lo primero reparar en que el artículo 5°, recién transcrito, incurrió en una falta de técnica reglamentaria, toda vez que, por una parte, el ordinal 1° reputa propios los bienes con los que cada cónyuge llegó al matrimonio, mientras que, por otra, el literal e) del ordinal 2° se refiere a las especies muebles que se hubieren reservado como propias en el pacto capitular. Es claro el error en que incurrió el Gobierno nacional, puesto que la sola referencia hecha por el ordinal 1° a los bienes incluía, naturalmente, las cosas corporales muebles e inmuebles, de manera que se hace inocua la mención del literal e) del ordinal 2°, dado que ya había sido reglado ese supuesto de hecho.

Probablemente, el yerro del titular de la potestad reglamentaria obedeció a que, de acuerdo con la normativa que disciplina la sociedad conyugal, los bienes y especies muebles de propiedad de cualquiera de los contrayentes, que no se reserven como propios en capitulaciones, entran a integrar el haber social relativo y generan cargo de recompensa a favor de quien los hubiere aportado por el valor que tuvieren al momento del aporte (cfr. ordinales 3° y 4° del artículo 1781 del Código Civil). No así ocurre con los bienes inmuebles adquiridos con anterioridad a la formación de la sociedad conyugal, los cuales, por regla general, no ingresan al haber social, salvo que medie disposición expresa en el pacto capitular, en cuyo caso también generan cargo de recompensa a favor de quien los hubiere aportado por el valor que tuvieren al momento del aporte (cfr. ordinal 6° del artículo 1781 del Código Civil). Empero, en este caso es claro que, para los efectos que nos abocan, unos y otros se entendían de propiedad del cónyuge que los poseyera con anterioridad a la celebración del matrimonio, sin importar su condición de gananciales o no.

En segundo lugar, corresponde destacar el indudable acierto del reglamento al consultar la jurisprudencia de la Corte Suprema de Justicia, según la cual la administración dual de la sociedad conyugal, ordenada por la ley 28 de 1932, era de orden público y, consiguientemente, resultaba del todo inadmisible respaldar la tesis de la jefatura de la sociedad conyugal en cabeza del cónyuge varón, con la correlativa atribución y confusión de todos los bienes y rentas a él, cuandoquiera que no se hubiera procedido con la liquidación provisional.

En esa misma línea, importa resaltar que el decreto recogió la postura de Chavarriaga Meyer, en relación con la distribución por mitades del patrimonio habido en la sociedad conyugal surgida con antelación al 1° de enero de 1933 y que no se hubiera liquidado provisionalmente. Sin embargo, sobre este aspecto cabe cuestionar si por esa vía no se respaldó la indeseable consecuencia, denunciada por la jurisprudencia del Consejo de Estado y por Latorre Uriza, de gravar a uno de los extremos de la relación con un impuesto sobre bienes y rentas que no le corresponden. En efecto, era poco probable que, en las sociedades conyugales que no se hubieran liquidado provisionalmente, los bienes radicados en cabeza de la mujer fueran equiparables a los radicados en cabeza del varón. Por consiguiente, ¿asumir que los cónyuges son completos extraños para efectos tributarios no conduciría a que la mujer, en ese caso, careciera de la solvencia requerida para atender sus obligaciones fiscales?

Por último, debido a que el decreto guardó silencio, a diferencia de lo ocurrido en los demás supuestos, en relación con la forma de tributación conjunta de las sociedades conyugales que nacieron antes del 1° de enero de 1933 y que a la fecha no se habían liquidado provisionalmente, ¿cómo se procedería en tal caso? ¿Habría que aplicar las disposiciones del artículo 4° del Decreto 2374 de 1936, ampliamente comentado en los párrafos que anteceden?

B) Para el segundo grupo, constituido por las sociedades que los cónyuges hubieran liquidado provisionalmente, el artículo 10° estableció:

> Artículo 10°. En los casos de sociedades conyugales constituidas con anterioridad al 1° de enero de 1933, que hubieren sido liquidadas conforme a lo dispuesto por el artículo 7° de la ley 28 de 1932, cada cónyuge declarará, en el caso de que presente declaración separada, los bienes que se le hubieren adjudicado en dicha liquidación, los que posea como de su propiedad exclusiva y los que posteriormente adquiera, así como también las rentas derivadas de unos y otros y las provenientes de su trabajo personal. Si la declaración fuere conjunta, deberá contener, agrupados, los bienes y rentas de ambos cónyuges (…)

- Matrimonios posteriores al 1° de enero de 1933

En tratándose de sociedades conyugales con nacimiento posterior al 1° de enero de 1933, el artículo 9° del reglamento dispuso lo siguiente:

> Artículo 9°. Si se tratare de sociedades conyugales constituidas con posterioridad al 1° de enero de 1933, cada cónyuge deberá declarar, si lo hace separadamente, los bienes que hubiere poseído al contraerse el matrimonio y que poseyere en 31 de diciembre del año gravable y los que hubiere adquirido durante el matrimonio y poseyere en la misma fecha indicada anteriormente, así como las rentas provenientes de los mismo y las derivadas de su actividad personal. Si la declaración se presentar conjuntamente, deberá contener, agrupados, los bienes y rentas de ambos cónyuges.

Siguiendo de lo anterior que, tanto en los casos en los cuales la sociedad conyugal se hubiera formado antes del 1° de enero de 1933 y se hubiera liquidado provisionalmente, como en aquellos en que su nacimiento hubiera sido posterior, la regulación facultaba a los cónyuges para optar por la alternativa de tributar conjuntamente o por separado. Viene desde luego forzoso preguntar: ¿Cuáles eran entonces los efectos de optar por una u otra vía? Cuando se optara por presentar una sola declaración, ¿significaría ello que la sociedad conyugal se convertiría en un sujeto pasivo de la obligación tributaria?

1. Opinión doctrinal

Manuel Antonio Alvarado, en su obra intitulada *Tratado de ciencia tributaria: Teoría y legislación comparada*, sostuvo, en relación con la tributación conjunta, que la sociedad conyugal no se hacía por ese hecho sujeto pasivo del impuesto sobre la renta, sino que tan solo se trataba de una consecuencia lógica derivada del régimen patrimonial del matrimonio. En efecto, decía el autor, con buena razón, que, pese a que cada consorte es sujeto pasivo del impuesto sobre la renta y el de patrimonio, la liquidación conjunta es procedente en cuanto hay una yuxtaposición de las personas de los dos cónyuges que sirven de sujeto gravable, toda vez que los bienes y rentas propios, antes que pertenecerles a ellos, pertenecen en verdad a la sociedad conyugal[129].

En esta ocasión, no así en obra anterior[130], ALVARADO reconoce expresamente que la conveniencia de autorizar la presentación conjunta de la declaración tributaria por ambos consortes, con una única liquidación, parte de la base de que la sociedad conyugal no se extinguió con la expedición de la Ley 28 de 1932, ni se encuentra en un estado de latencia. Y razón le asiste en sus planteamientos, si se tiene en cuenta que el artículo 1781 del Estatuto Civil señala que el haber social se integra, entre otros, por "los salarios y emolumentos de todo género de empleos y oficios devengados durante el matrimonio", así como por "todos los frutos, réditos, pensiones, intereses y lucros de cualquiera naturaleza que provengan, sea de los bienes sociales, sea de los bienes propios de cada uno de los cónyuges y que se devenguen durante el matrimonio".

Con ese contexto, y sin aludir al impuesto sobre el patrimonio, sería válido preguntar: Dado que por ministerio de la ley el salario de uno de los cónyuges corresponde a ambos por partes iguales, ¿por qué se debe liquidar el impuesto de renta sobre ese importe solo a uno de ellos? Ello no implica que quien se haga sujeto pasivo sea la sociedad conyugal, lo que ocurre es que las rentas y el patrimonio de los consortes, con independencia de quien figure como su propietario legal, pertenecen a los dos. Por manera que se busca que el Derecho Común trascienda, en opinión de ALVARADO, y se integre con el Derecho Tributario.

2. Opinión de la Jefatura de Rentas e Impuestos Nacionales

En opinión diametralmente contraria a la de ALVARADO, la Jefatura de Rentas e Impuestos Nacionales decididamente sostuvo la tesis de que la autorización para que los cónyuges presentaran una sola declaración tributa-

---

[129]   Cfr. MANUEL ANTONIO ALVARADO. *Tratado de ciencia tributaria: Teoría y legislación comparada.* (Bogotá: Ed. Librería Siglo XX, 1941), 296.
[130]   Cfr. MANUEL ALVARADO y JAMES RAISBECK. *Su impuesto...*, 368 y 369.

ria no significaba que la liquidación del impuesto se debiera hacer por mitades, puesto que ello vulneraría los principios de capacidad contributiva, de máxima individualización del gravamen y crearía un nuevo sujeto pasivo.

Así fijó su posición, *in extenso*, en Resolución número 1022 del 16 de septiembre de 1946:

> En la liquidación del impuesto sobre la renta que grava a los cónyuges reina y ha reinado la más completa anarquía, nacida de una equivocada interpretación del artículo 98 de la Ley 63 de 1936 y de la ausencia de una reglamentación acertada en este punto, sometida estrictamente a las normas fundamentales que gobiernan, de un lado, el régimen patrimonial de las sociedades conyugales, y del otro, el sujeto pasivo del tributo (...)

> El numeral 2° del artículo 98 de la Ley 63 de 1936, fuente del problema, dice:

>> 2° Los cónyuges que vivan unidos gozarán de una sola exención conjunta, de mil doscientos pesos ($ 1,200). Si hicieren declaración por separado, la exención total puede ser concedida a uno cualquiera de ellos, con exclusión del otro, si así lo solicitaren de común acuerdo. Si no se pusieren de acuerdo sobre este punto, o nada expresaren acerca de él, la exención se dividirá por mitad entre los cónyuges.

> De la opción que este numeral concede implícitamente a los cónyuges para declarar conjunta o separadamente, se ha querido decir que la liquidación del impuesto debe seguir la misma suerte, es decir, debe ser conjunta si la declaración se hizo en tal forma, o separada si los cónyuges declararon separadamente.

> Inspirado en esta interpretación, el Decreto 2551 de 1943 reglamentó la disposición que acaba de copiarse, dando a entender que las liquidaciones deben ser conjuntas o separadas, según la forma de declaración que hayan adoptado los cónyuges. Nótese, sin embargo, que en ninguno de sus artículos lo ordena expresamente y se limita a decir en el 9°:

> *Si la declaración se presentare conjuntamente, deberá contener, agrupados, los bienes y rentas de ambos cónyuges.* Claro está que solo para practicar una liquidación conjunta es necesaria la agrupación de bienes que este artículo ordena.

> Fuéra [SIC] del referido decreto que, como se vio, insinúa la tesis comentada, no hay ley ni reglamento que establezca el principio de que debe liquidarse globalmente a los cónyuges que declaren conjuntamente. Pero no es extraño que así sea, pues tal procedimiento se funda en una interpretación que lleva a conclusiones inaceptables desde el punto de vista del sello de justicia que debe imprimirse a toda imposición tributaria.

> Hay que partir de la base inmodificable de que un Estado bien organizado exige de sus asociados, por razones y para fines conocidos, el tributo que a

cada uno corresponde de acuerdo con su capacidad económica, es decir, con base en postulados de estricta justicia distributiva.

Bajo este orden de ideas, el impuesto que se liquide a los cónyuges debe ser el que consulte aquellos postulados. Si con la liquidación conjunta se obtiene el impuesto que la ley considera justo y equitativo, debe liquidarse invariablemente en esa forma; en cambio, si solo mediante liquidaciones separadas se determina el tributo que reúna las calidades anotadas, es lógico que debe liquidarse siempre separadamente. A esta conclusión se llega por necesidad si se considera que la cuantía del impuesto varía apreciablemente según sea el sistema de liquidación, y que de dos cantidades diferentes no pueden predicarse a la vez las calidades de justicia y equidad, tratándose de un mismo contribuyente, dentro de un mismo ejercicio.

Si se entiende que la opción concedida por la Ley 63 de 1936 llega hasta otorgarles a los cónyuges la facultad de escoger libremente el tributo que han de pagar, se obtiene la conclusión de que el impuesto puede apartarse de las normas fijas que la legislación ha trazado, según convenga a los contribuyentes, lo que sería absurdo.

No sería serio pensar que el legislador colombiano, por medio de la ley citada, les haya dicho a los cónyuges: Ustedes deben pagar por impuesto sobre la renta $200 o $150 y queda a su elección pagar una u otra suma. Si el impuesto realmente justo es el de $200 y no pagan, sino $150, el Fisco está haciendo una rebaja; y, por el contrario, si el impuesto justo es el de $150 y pagan $200 habrá una donación que el Estado no puede recibir, sino separadamente y mediante expresa manifestación de donar, por parte del contribuyente. Por otra parte, en la determinación del impuesto deben tenerse en cuenta elementos que pudieran llamarse sustantivos (patrimonio, renta, exceso de utilidades) y no detalles adjetivos, como sería la forma en que se haya presentado la declaración respectiva.

Las leyes deben interpretarse en el sentido que más armonice con los principios fundamentales que el legislador ha sentado sobre cada materia, y como la interpretación de que se viene hablando está en pugna con los fundamentos en que descansa el impuesto sobre la renta, hay que convenir en que es errada. En efecto: De acuerdo con la Ley 78 de 1935, sólo las personas naturales y jurídicas, incluyendo en éstas las sociedades comerciales, puede ser sujeto pasivo del impuesto sobre la renta; este principio, aceptado unánimemente, está consagrado en muchos de los artículos de la Ley citada, y como la sociedad conyugal no es persona natural ni jurídica, no puede ser sujeto del tributo en mención. De aquí se desprende que la declaración conjunta de los cónyuges no puede determinar una liquidación global, por cuanto se tomaría la sociedad conyugal como sujeto pasivo del impuesto.

Teniendo en cuenta estos principios y las normas que gobiernan al nuevo régimen patrimonial del matrimonio, el Tribunal Contencioso Administrativo de Bogotá ha sostenido la siguiente tesis, ampliamente confirmada por el Honorable Consejo de Estado:

> El impuesto sobre la renta, el de patrimonio y el de exceso de utilidades, al tratarse de matrimonios anteriores o posteriores a la vigencia de la Ley 28 de 1932, gravan el haber de cada cónyuge separadamente y no los haberes sumados de ambos cónyuges, es decir, no se grava el haber de la sociedad conyugal, porque ésta existe para los cónyuges, pero no para terceros (...)

No es posible pensar siquiera que el legislador del año 36 hubiera querido modificar tan hondamente los postulados de imposición, pues cambio de tánta [SIC] importancia no se hubiera efectuado por medio de un artículo incluido en Ley que trata de materia diferente y concebido en términos tan imprecisos que, todavía después de diez años, son objeto de opuestas interpretaciones. Si lo que se pretendió fue fomentar los matrimonios, (...) no se explica porqué, ya que el artículo trataba de las exenciones personales, no concedió a los cónyuges que vivieran unidos una mayor que la otorgada a los solteros y a los viudos, en vez de concederles la opción comentada, gracia dudosa e inoperante para la mayoría de los matrimonios colombianos, que no están en capacidad de discernir cuándo les es más conveniente una liquidación conjunta o una separada.

Las razones que se han expuesto demuestran que es errónea la interpretación que se comenta, pues en ningún caso es aceptable la liquidación global si se quiere guardar la armonía que debe reinar y reina en nuestra legislación tributaria. Pero hay un argumento, quizás más fuerte que los anteriores, para demostrar el error anotado:

Partiendo de la base cierta de que la legislación es y debe ser armónica, es imposible concebir un impuesto que, como el liquidado conjuntamente a los cónyuges, sea imposible de recaudar por las vías legales. Y que el impuesto liquidado en tal forma a los cónyuges carece de acción legal para hacerlo efectivo, se demuestra fácilmente.

La solidaridad en las obligaciones no se presume, ella debe estar determinada por la Ley de manera expresa o aparecer, también expresamente, del acto o contrato que origina la obligación; y como la solidaridad en el pago del impuesto liquidado globalmente a los cónyuges no está establecida por la Ley, ni puede deducirse de la simple declaración conjunta, cualquiera de los cónyuges podría negarse a pagar mientras no se determinara claramente la parte que le corresponde en el tributo, de acuerdo con su exclusiva y personal capacidad económica. Esta negativa, convertida en excepción perentoria, tendría éxito ante cualquier Tribunal del país, sin que a ella pudiera oponerse la tesis de que cada cónyuge está obligado al pago de la mitad del impuesto deducido globalmente, pues la única medida legal y justa del tributo es la capacidad contributiva individual de los sujetos gravables. Se está, pues, en presencia de un impuesto incobrable legalmente, lo que indica que no está ni puede estar autorizado por la Ley. (...)

Se ha visto cómo la liquidación conjunta peca contra principios legales y determina un impuesto incobrable, pero como no puede concebirse una disposición legal inocua, debe encontrarse una interpretación al artículo 98 de la Ley 63 de 1936 que, sin contrariar los principios generales, produzca algún efecto. Y la única interpretación que llena estas condiciones es la de que el citado precepto quiso facilitar la declaración de los cónyuges libertándolos de la obligación de presentar cada uno de ellos personalmente su declaración o constituir un apoderado especial para el efecto, condiciones exigidas por la Ley 78 de 1935 y su Decreto Reglamentario. Antes de la Ley 63 de 1936, cada cónyuge debía presentar su personalmente declaración o por medio de apoderado, después de la Ley, uno solo de ellos y en el mismo formulario puede presentar la de los dos, con lo que evidentemente se simplifica y hace más fácil el cumplimiento de la obligación legal. Ya la esposa o el marido enfermos o que no gusten de las oficinas públicas, no necesitarán constituir un apoderado especial que presente su declaración, porque su cónyuge podrá hacerlo por ambos, cosa antes imposible legalmente. Esta interpretación parece simplista, pero es la única lógica dentro del sistema tributario.

Estudiando detenidamente el artículo, por otro de sus aspectos, se deduce que su intención determinante fue la de cualquiera que fuera la forma de declaración y cualesquiera que fueran las rentas individuales de los cónyuges, pudieran ellos gozar de una exención total de $1 200. De acuerdo con este espíritu, por más que uno de los cónyuges carezca en absoluto de renta propia, podrá el otro gozar de la exención conjunta. Entendida así la disposición comentada, desparece la colisión de que atrás se habló. Resta solo agregar que el Decreto 2551 de 1943, en cuanto insinúa la liquidación conjunta, está en abierta oposición con la Ley 78 de 1935 y, por tanto, no puede ser aplicado (...) Resumiendo lo dicho hasta aquí, pueden concretarse las siguientes conclusiones:

1ª. Cualquiera que sea la forma como declaren los cónyuges, la liquidación debe ser separada para cada uno de ellos; y

2ª. Los cónyuges que declaren conjuntamente deben suministrar las informaciones necesarias para determinar sus respectivas rentas y patrimonios. Si no las suministran, la Administración de Hacienda Nacional o la Jefatura de Rentas, según la oportunidad, deben proceder como lo ordena el artículo 108 del Decreto 818 de 1936 (...)

Claro es que la liquidación previa de la sociedad conyugal que debe practicarse tiene que referirse exclusivamente a los bienes que son comunes a los cónyuges, por haber sido adquiridos durante el matrimonio y antes del 1º de enero de 1933, pues en relación con los adquiridos con posterioridad a esa fecha el liquidador debe respetar la situación legal que crean, ante el nuevo régimen patrimonial, las personales adquisiciones de los esposos, sin que le sea dado considerar las posibles compensaciones y recompensas debidas a cada uno de ellos, ya que el perfecto equilibrio patrimonial, por lo que hace a gananciales, no puede establecerse sino cuando se haya liquidados formalmente la sociedad conyugal, que hasta entonces es apenas latente. Por esa razón no es posible acceder a repartir por mitad los bienes sumados del señor X.X. y su esposa.

En suma:

El acervo patrimonial de cada uno de los reclamantes para efecto de las liquidaciones separadas quedará constituido así:

1°. Bienes propios aportados al matrimonio.

2°. La mitad de los bienes adquiridos a título oneroso dentro del matrimonio y antes del 1° de enero de 1933; y

3°. Los bienes adquiridos por cada una [SIC] de ellos a cualquier título, después de la fecha anotada.

Y la renta individual de los citados contribuyentes quedará constituida así:

1°. Utilidades producidas por los bienes aportados al matrimonio, si los hay;

2°. La mitad de las utilidades provenientes de bienes adquiridos a título oneroso después del matrimonio y antes del 1° de enero de 1933; y

3°. Todas las utilidades que provengan de bienes adquiridos por cada uno de ellos, después del 1° de enero de 1933, más los provechos obtenidos de su trabajo personal.

Esta postura, luego reiterada por la Jefatura de Rentas e Impuestos Nacionales en Resolución número 497 del 28 de junio de 1947, desdice la aplicabilidad de liquidación conjunta alguna y, por el contrario, sostiene que la única utilidad del artículo 98 de la Ley 63 de 1936 es la de facilitar el cumplimiento de las obligaciones tributarias formales.

El serio y juicioso análisis de la Entidad claramente choca con la posición doctrinal a que se aludió en el acápite precedente. A su juicio, resulta en extremo injusto que la facultad de presentar declaraciones conjuntas o separadas conduzca, en últimas, a la posibilidad de elegir el importe tributario a cargo, sin contar las dificultades de recaudación que propone. Es por esto por lo que, en suma, la Jefatura de Rentas interpreta el Decreto 2551 de 1943 en el sentido de que únicamente autoriza la eventual presentación conjunta de las declaraciones tributarias de los cónyuges, pero su liquidación debe siempre ser separada.

Eso sí, admite como base para el gravamen que se distribuyan por mitades los bienes adquiridos a título oneroso antes del 1° de enero de 1933, así como las rentas y utilidades provenientes de ellos. Vale en este caso preguntar, como lo hemos venido haciendo, si no es esa conclusión abiertamente vulneratoria de los principios que con ahínco ensalza la Jefatura de Rentas en la Resolución transcrita, incluso a pesar de que esté consagrada en el Decreto 2551 de 1943.

3. Jurisprudencia del Consejo de Estado

El Consejo de Estado, en sentencia del 22 de octubre de 1959, expediente 164, C. P. Alejandro Domínguez Molina, acogió la tesis esgrimida la por la Jefatura de Rentas e Impuestos Nacionales y precisó que el artículo 1° del Decreto 2551 de 1941 se debía entender como una autorización exclusivamente para que los cónyuges presentaran su denuncio tributario en forma conjunta, mas no para que se efectuara una sola liquidación. Al respecto, enfatizó en que, para efectos impositivos, los consortes se reputan verdaderos extraños entre sí, al tiempo como reiteró que la sociedad conyugal no era, ni podía ser, sujeto pasivo de las obligaciones con el Fisco. Dijo la Corporación:

> Para la Sala, la sentencia de primera instancia es fundada, por las siguientes consideraciones de carácter legal:

> Primera. Es principio de nuestra legislación tributaria que el impuesto sobre la renta es personal, o sea que a cada contribuyente se le grava sobre la renta líquida que perciba y sobre el patrimonio que le pertenezca. La sociedad conyugal no es sujeto del impuesto sobre la renta, porque no es persona natural o jurídica, ni es uno de esos entes de derecho como las comunidades de bienes, sucesiones, etc., que la ley sí considera expresamente como sujetos gravables.

> Son los dos cónyuges los contribuyentes, por los bienes de que son respectivamente titulares y los productos que de ellos hayan percibido. Porque de acuerdo con el régimen patrimonial prescrito por la Ley 28 de 1932 durante el matrimonio cada uno de los cónyuges tiene la libre administración y disposición tanto de los bienes que le pertenezcan al momento de contraerse el matrimonio o que hubiere aportado a él, como de los demás que por cualquier causa hubiere adquirido o adquiera y solo se considerará que los cónyuges han tenido sociedad conyugal liquidable a la disolución del matrimonio o en cualquier otro evento en que conforme al Código Civil deba liquidarse la sociedad conyugal (artículo 1°).

> Según esto, no es posible jurídicamente calificar de bien social o de ganancial de la sociedad conyugal, a un bien que adquiera uno de los cónyuges dentro

del matrimonio, mientras la sociedad conyugal no se haya disuelto legalmente. Entre tanto, el bien pertenece al cónyuge adquirente en forma exclusiva, sobre él tiene la libre administración y disposición y por él debe pagar los correspondientes impuestos sobre la renta y patrimonio.

Por consiguiente, jurídicamente es imposible que un bien de la sociedad conyugal que figura en cabeza del marido, pueda pasar a figurar en cabeza de la mujer para su administración, porque el bien pertenece al cónyuge que lo adquiere, cualquiera que sea el título de la adquisición, pues se repite que la sociedad conyugal no tiene bienes, antes de su disolución, sino que los tienen los respectivos cónyuges.

De lo antes dicho, debe concluirse que si se exceptúa el hecho de que los cónyuges pueden declarar conjunta o separadamente (artículo 1° Decreto número 2551 de 1943), son siempre dos contribuyentes a quienes se les liquidan separadamente sus impuestos por sus respectivas rentas y patrimonios, y que pese a que están unidos por el matrimonio, se les trata fiscalmente como a dos extraños, salvo en lo referente a las exenciones que se conceden por mitad, si no han solicitado que se les concedan a uno solo (artículo 8° *ibidem*).

Si, pues, la sociedad conyugal no es sujetó gravable con el impuesto de renta, sino los respectivos cónyuges separadamente; si, por consiguiente, no es la sociedad la que declara sino estos, es absurdo sostener que es indiferente que un bien esté en cabeza de cualquiera de los cónyuges, porque siempre estará en cabeza de la sociedad, para efectos de la liquidación del correspondiente impuesto, ya que de acuerdo con el régimen patrimonial que consagra la Ley 28 de 1932, solo en el momento de la liquidación de la sociedad conyugal es cuando puede surgir la existencia de tres patrimonios: el de la sociedad disuelta que debe ser materia de la liquidación, el del marido y el de la mujer, formados estos dos últimos con los bienes que de acuerdo con el Código Civil no entraron a componer el haber de la sociedad.

Como se ve, en criterio de la Alta Corte la sociedad conyugal es tan solo una ficción, es latente. Ello conduce a que los bienes que adquieren los esposos no puedan ser nunca calificados como gananciales antes de la efectiva disolución de la respectiva sociedad conyugal. A pesar de las réplicas que podrían formularse a esta interpretación y que infirman la teoría de la "latencia", principalmente la relativa a la facultad que tiene un cónyuge para intentar las acciones pauliana o de simulación contra el otro, antes de la disolución de la sociedad conyugal, con miras a evitar que se distraigan bienes o se mengue el patrimonio social, lo cierto es que con la providencia en comentario se empezó a confeccionar una interpretación uniforme sobre la tributación de las rentas familiares, al menos en lo tocante con los consortes.

Y es que en esta providencia la Corporación, como años atrás ya lo había hecho la Jefatura de Rentas e Impuestos Nacionales, se apartó de considerar la existencia de la sociedad conyugal para efectos impositivos, con fundamento en lo cual llegó a aseverar que los consortes debían ser tratados como verdaderos extraños ante el Fisco. Naturalmente, para robustecer su conclusión echó mano del argumento relacionado con la imposibilidad de que la sociedad conyugal pudiera ser sujeto pasivo del tributo, por lo que se tornaba improcedente su aparición en el ámbito fiscal.

III. Ley 68 de 1946

El 30 de diciembre de 1946, catorce años después de la expedición de la Ley 28 de 1932, cuando ya sus alcances habían sido decantados por la monolítica jurisprudencia de la Corte Suprema de Justicia, el Congreso de la República expidió la Ley 68. En ella se pretendió, por medio de un único artículo, aclarar la Ley 28 de 1932, en el sentido de precisar que su contenido no había liquidado las sociedades conyugales vigentes al 1° de enero de 1933 y que éstas continuarían sujetas al régimen original del Código Civil, a saber:

> Artículo 1° La Ley 28 de 1932 no disolvió las sociedades conyugales preexistentes y, por consiguiente, las que no se hayan liquidado o no se liquiden provisionalmente conforme a ella, se entiende que han seguido y seguirán bajo el régimen civil anterior en cuanto a los bienes adquiridos por ellas antes del 1° de enero de 1933. En estos términos queda interpretada la citada ley.

La inexplicable posición del Parlamento claramente entró en pugna con la jurisprudencia de la Corte Suprema de Justicia. Si bien en ambos casos se sostuvo que las sociedades conyugales preexistentes no se habían disuelto por la Ley 28 de 1932, el Órgano de Cierre de la jurisdicción Ordinaria había establecido que el régimen de administración dual era retrospectivo y, por tanto, alcanzaba a esas sociedades conyugales, mientras que la norma transcrita optó por dar efectos ultraactivos al trasnochado régimen original del Código Civil, donde solo existía un único administrador, el varón, que era además jefe de la sociedad conyugal.

Ante tal circunstancia, no le quedó más remedio a la Corte Suprema de Justicia que dar un viraje a su propia jurisprudencia, no sin antes expresar sus reparos ante el nuevo estado de cosas. Veamos, a guisa de ejemplo, la providencia de la Sala de Casación Civil, proferida el 29 de julio de 1947[131]:

---

[131] G.J. LXII, M. P. HERNÁN SALAMANCA, 640.

La ley 68 de 1946 interpretó la ley 28 de 1932 sobre régimen patrimonial en el matrimonio en sentido diametralmente contrario al que había venido sosteniendo y explicando la Sala de Casación Civil de la Corte, la cual deja constancia de su inconformidad doctrinaria con esta interpretación que produce el descarrilamiento de una jurisprudencia largamente explicada en numerosas sentencias como la más leal interpretación del pensamiento social y jurídico que inspiró la vasta reforma consignada en la ley 28, y como su más cabal aplicación. A partir de la sentencia del 20 de octubre de 1937, cuidadoso análisis jurídico del estatuto matrimonial y del alcance practico del nuevo régimen, sostuvo invariablemente que como consecuencia de la aplicación inmediata que correspondía a la nueva ley, el marido, privado ya de su omnímodo poder dispositivo y de su calidad de dueño ante terceros de los bienes sociales y al lado de su mujer, copartícipe en el dominio de esos bienes e investido de iguales facultades administrativas y dispositivas, ya no podía disponer por sí solo, a espaldas de su cónyuge, de bienes pertenecientes a su sociedad conyugal preexistente e ilíquida al comenzar el imperio de la ley 28 de 1932.

Para la Corte, como aparece en los pasajes que ella largamente transcribe de la sentencia de la Sala proferida el 13 de junio de 1941, la cuestión que se pretende aclarada en la ley 68 de 1946, no fue nunca la solución interpretativa de un punto legal oscuro, sino la consecuencia inevitable de la aplicación inmediata de la ley que no planteaba ninguna situación de duda respecto de la abolición, en sus fundamentos esenciales, del sistema patrimonial en el matrimonio que consagraba el C. C., inconciliable y de yuxtaposición imposible con el adoptado por la ley 28. Sistemáticamente se rechazó toda solución que implicara la supervivencia, o mejor la resurrección, de los textos del código que contenían los principios primordiales del antiguo régimen, y sin ningún equivoco se expresó la idea de que la recta aplicación de la ley 28 excluía, por contraria a su texto y a su espíritu, la doble clasificación de las mujeres casadas, en razón de la fecha de su matrimonio, para darles o negarles la protección que el nuevo estatuto consagró sin distinciones arbitradas, en favor de la mujer colombiana al reconocerle la capacidad civil en condiciones de igualdad jurídica con su marido. En rechazo de esta tesis de la coexistencia de dos regímenes legales patrimoniales para la mujer casada, incompatibles entre sí y el uno de injustificable inferioridad jurídica, se fundó precisamente en la ausencia de un texto legal expreso que la consagrara.

Este texto ha llegado a la legislación nacional al cabo de tres lustros en el artículo único de la ley 68 de 1946, cuya interpretación restrictiva recorta y desnaturaliza y hasta destruye los propósitos inspiradores y el alcance lógico de la ley 28 de 1932, que consagró una de las reformas de más vasto alcance dentro de la organización civil de la República. Quizás sea menos desacertado ver en la ley 68 de 1946 el repudio de una tesis jurídica, que una interpretación auténtica de la ley 28 de 1932[132].

---

[132] Esta posición fue ampliada y reiterada en las sentencias proferidas por la Sala de Casación Civil de la Corte Suprema de Justicia del: (i) 14 de julio de 1947, G.J.

Las interesantísimas disertaciones de la Corporación son muestra patente de lo cuestionable de la Ley 68. ¿Cómo se podría explicar que una misma mujer casada tuviera un doble régimen de capacidad, según se tratara de bienes y derechos adquiridos antes del 1° de enero de 1933 o después de esa fecha? Una afirmación legal de tal naturaleza atenta contra la tríada principialística que dimana de la lógica aristotélica, aún aceptada en nuestros días: (i) el principio de identidad; (ii) el principio de no contradicción; y (iii) el principio *tertii exclusi*. No es serio pensar, aunque así lo quiso la ley, que una mujer pudiera ser capaz e incapaz, a la vez, sobre su propio peculio. Ello condujo a que fuera legal afirmar el siguiente sinsentido: La mujer casada es incapaz relativa en relación con un lote adquirido onerosamente antes del 1° de enero de 1933, pero goza de plena capacidad sobre otro lote, contiguo al primero, adquirido onerosamente el 2 de enero de 1933. VALENCIA ZEA incluso llegó a reconocer bondades en la norma, en los siguientes términos:

> Sin embargo, la nueva ley [68 de 1946], en vez de perjuicios, vino a traer ventajas, porque las mujeres perjudicadas por ella se apresuraron a pedir la liquidación provisional que ordena el art. 7° [de la ley 28 de 1932]. En resumen: solo la propia desidia de una mujer casada puede explicar en la actualidad su incapacidad; pero, como dijimos antes, es hoy verdaderamente raro el caso de una mujer incapaz[133].

Nos apartamos de las consideraciones transcritas porque una cosa es que, por fuerza del imperio de la ley, se deba concluir el régimen de capacidad dual (de capacidad e incapacidad relativa) para las mujeres casadas con anterioridad al 1° de 1933 y otra, diametralmente opuesta, es respaldar doctrinariamente tan abrupta situación. ¿Cuán oprobioso podía ser para una mujer casada que, además de que la ley aclaratoria le hubiera arrebatado la capacidad civil de que había gozado desde el 1° de enero de 1933 por la interpretación judicial, ahora se la culpara por desidiosa de su incapacidad legal?

LXII, 614; (ii) 25 de agosto de 1947, G.J. LXII, 663; (iii) 26 de agosto de 1947, G.J. LXII, 676; (iv) 8 de octubre de 1947, G.J. XLIII, 52; (v) 16 de octubre de 1947, G.J. XLIII, 80; (vi) 27 de septiembre de 1948, G.J. LXIV, 759; (vii) 24 de noviembre de 1948, G.J. LXIV, 809; y (viii) 26 de julio de 1956, G.J. LXXXIII, 281.

[133] Sobre el régimen de las sociedades conyugales existentes el 1° de enero de 1933, cfr. JOSÉ J. GÓMEZ, *ob. cit.*, núms. 105 a 128 bis, 134 a 180; y sobre el alcance de la Ley 68 de 1946, los núms. 185 a 193, 242 a 253; RODRÍGUEZ FONNEGRA, *ob. Cit.*, tomo II, núms. 746 y ss.

En todo caso, sin detenernos en este importante debate que ocupó varias páginas de nuestra doctrina, interesa a este texto abordar los efectos tributarios de la expedición de la Ley 68 de 1946. La expedición de tan oprobiosa norma supuso, en materia fiscal, un factor adicional para cuestionar los principios de máxima individualización y separación entre ambos cónyuges: Si en lo relativo a los bienes sociales adquiridos con anterioridad al 1° de enero de 1933 pervivían las odiosas normas del Código Civil, según las cuales el marido era jefe de la sociedad conyugal, único administrador y se confundía su patrimonio propio con el de la masa universal de cara a terceros, ¿por qué se auspiciaba la presentación de declaraciones separadas, respecto de las cuales la mujer debía incluir la mitad del patrimonio adquirido por los cónyuges, previo al 1° de enero de 1933, así como sus correlativos frutos y réditos?

En esa forma, se hacía evidente que la mujer, carente de facultades de administración por causa de su incapacidad, era damnificada por las disposiciones tributarias. Le correspondía a ella entonces asumir un pasivo, el fiscal, construido a partir de hechos presuntos, que en nada consultaban su real capacidad económica. Ha debido el reglamento, en tales casos, prever que la totalidad del patrimonio social, confundido con el propio del marido para terceros (uno de los cuales es el Fisco), así como sus frutos y réditos, se tenían que incluir en el denuncio rentístico del cónyuge varón y hacer parte exclusivamente de su propia liquidación. De otro modo, se lesionaría, como ocurrió, a la mujer.

IV. Conclusiones

Dilucidado así el vaivén normativo, junto con las apreciaciones doctrinales y jurisprudenciales, es más que obvio que el ambiente de inseguridad jurídica en torno a la tributación de las rentas familiares puede ser calificado como un verdadero galimatías. La ausencia de claridad en el ordenamiento jurídico, sumado a las profundas discusiones sobre el régimen patrimonial de la sociedad conyugal, condujo, las más de las veces, a cuestionables posiciones sobre la liquidación de los impuestos. Es así como las loables iniciativas de connotados civilistas como LATORRE URIZA o CHAVARRIAGA MEYER no llegaron realmente a integrar armónicamente la disciplina fiscal con el Derecho Común, pues su afanoso deseo de ver cristalizada la libre administración de la mujer sobre bienes que se reputan sociales desembocó, por un lado, en que se apoyara la teoría de que la sociedad conyugal (desde el 1° de enero de 1933) era una simple ficción, que nacía tan solo al momento de su disolución, y, por otro, en onerosas cargas fiscales para las mujeres casadas en relación con los bienes sociales (y sus rentas) adquiridos con anterioridad al 1° de enero de 1933, sobre los cuales carecían de facultades de administración.

Podríamos, en síntesis, extraer las siguientes conclusiones sobre la forma de tributación de los cónyuges, dejando de lado las críticas que se pudieran formular, todas ellas oportunamente consignadas en los títulos que anteceden:

A) Durante el período comprendido entre la expedición de la Ley 78 de 1935 y el Decreto reglamentario 2374 de 1936, la legislación simplemente se había referido tangencialmente a la posibilidad de tributación conjunta o separada por los cónyuges. Podría entonces decirse que sería optativa la presentación separada de declaraciones tributarias en los siguientes casos: (i) cuando se hubieren suscrito capitulaciones matrimoniales; (ii) cuando se hubiere proferido sentencia de separación de bienes; (iii) cuando se hubiere proferido sentencia de divorcio *quoad thorum et cohabitationem*; (iv) cuando se hubiere llevado a cabo la liquidación provisional de la sociedad conyugal, autorizada por la Ley 28 de 1932; y (v) cuando la sociedad conyugal se hubiere formado con posterioridad al 1° de enero de 1933. En los demás casos, o, más precisamente, para las sociedades conyugales surgidas con anterioridad a la entrada en vigor de Ley 28 de 1932 y que no hubieren sido liquidadas provisionalmente, no parecería posible que los consortes, a su arbitrio, definieran si querían presentar una sola declaración tributaria, con una sola liquidación del impuesto. Esto último por virtud de la odiosa y cuestionable tesis negacionista de la capacidad jurídica de la mujer, que sería luego respaldada por el Congreso de la República.

B) Durante el período comprendido entre la expedición del Decreto 2373 de 1936 y el Decreto 2551 de 1943, el reglamento previó que era obligatorio para los cónyuges presentar declaración conjunta, cuandoquiera que su sociedad conyugal se hubiere formado antes del 1° de enero de 1933, no se hubiere liquidado provisionalmente y la mujer no tuviera bienes propios. En los demás casos, se autorizó que los esposos, de acuerdo con su preferencia, optaran por una u otra alternativa.

Sin embargo, y a pesar de que así no lo previera el Decreto 2374, el Consejo de Estado en su jurisprudencia fue reacio a admitir una única liquidación del impuesto cuando se hubiera presentado declaración conjunta. En su lugar optó, aunque no en todos los casos, por liquidar el impuesto en forma individual para cada cónyuge.

C) A partir de la expedición del Decreto 2551 de 1943, el reglamento autorizó que, en todos los casos y según la preferencia de los cónyuges, se presentaran declaraciones conjuntas o separadas. No obstante la disposición normativa, la jurisprudencia del Consejo de Estado y las providencias de la Jefatura de Rentas e Impuestos Nacionales matizaron la autorización, en el sentido de que la facultad de presentar declaraciones conjuntas no significaba una única liquidación del impuesto a cargo, sino que representaba una simplificación del trámite administrativo para los contribuyentes. Y en lo que a las sociedades conyugales surgidas con anterioridad al 1° de enero de 1933 y sin liquidación provisional atañe, para la liquidación del impuesto se repartirían por mitades (i) el patrimonio habido antes de esa fecha y (ii) las rentas, frutos y réditos que esos bienes y derechos produjeran en lo sucesivo.

SECCIÓN V. LEY 35 DE 1944

El 21 de diciembre de 1944 fue aprobada por el Congreso de la República la Ley 35 de ese año, publicada en el Diario Oficial número 25733 del 4 de enero de 1945, "[p]or la cual se provee a la liquidación del Presupuesto de Rentas y Apropiaciones de 1945, se autorizan unas operaciones financieras y se dictan otras disposiciones fiscales". El cuerpo normativo en comentario incrementó las tarifas de los impuestos sobre la renta, el patrimonio y el exceso de utilidades, en sus artículos 22 a 25. Sin embargo, comoquiera que este análisis gira en torno al impuesto sobre la renta, únicamente nos detendremos en lo previsto por el artículo 22, a saber:

Artículo 22. Sustitúyese la Tarifa del Impuesto sobre la Renta establecida por el numeral 7 del artículo 4 de la Ley 78 de 1935, por la siguiente:

Tabla 2. Tarifa del impuesto sobre la renta de las personas naturales.

1 % de la Renta líquida, en cuanto ésta exceda de las exenciones establecidas por las leyes vigentes, y no pase de dos mil pesos		$ 2.000.00
1 1/2 % en cuanto exceda de	$2.000.00 y no pase de	3.000.00
2 % en cuanto exceda de	3.000.00 y no. pase de	4.000.00
2 1/2 % en cuanto exceda de	4.000.00, y no pase de	5.000.00
3 % en cuanto exceda de	5.000.00 y no pase de	6.000.00
3 1/2 % en cuanto exceda de	6.000.00 y no pase de	7.000.00
3 3/4 % en cuanto exceda de	7.000.00 y no pase de	$8.000.00
4 % en cuanto exceda de	8.000.00 y no pase de	9.000.00
4 1/4 % en cuanto exceda de	9.000.00 y no pase de	10.000.00
4 1/2 % en cuanto exceda de	10.000.00 y no pase de	12.000.00
4 3/4 % en cuanto exceda de	12.000.00 y no pase de	13.000.00

5% en cuanto exceda de	13.000.00 y no pase de	14.000.00
5 1/4% en cuanto exceda de	14.000.00 y no pase de	15.000.00
5 ½% en cuanto exceda de	15.000.00 y no pase de	16.000.00
5 3/4% en cuanto exceda de	16.000.00 y no pase de	17.000.00
6% en cuanto exceda de	17.000.00 y no pase de	18.000.00
6 1/4% en cuanto exceda de	18.000.00 y no pase de	19.000.00
6 1/2% en cuanto exceda de	19.000.00 y no pase de	20.000.00
6 3/4% en cuanto exceda de	20.000.00 y no pase de	21.000.00
7% en cuanto exceda de	21.000.00 y no pase de	22.000.00
7 1/4% en cuanto exceda de	22.000.00 y no pase de	24.000.00
7 1/2% en cuanto exceda de	24.000.00 y no pase de	26.000, 00
7 3/4% en cuanto exceda de	26.000.00 y no pase de	28.000.00
8% en cuanto exceda de	28.000.00 y no pase de	30.000.00
8 1/2% en cuanto exceda de	30.000.00 y no pase de	35.000.00
9% en cuanto exceda de	35.000.00 y no pase de	40.000.00
9 ½% en cuanto exceda de	40.000.00 y no pase de	50.000.00
10% en cuanto exceda de	50.000.00 y no pase de	60.000.00
10 ½% en cuanto exceda de	60.000.00 y no pase de	70.000.00
11% en cuanto exceda de	70.000.00 y no pase de	80.000.00
11 ½% en cuanto exceda de	80.000.00 y no pase de	90.000.00
12% en cuanto exceda de	90.000.00 y no pase de	100.000.00
12 1/2% en cuanto exceda de	100.000.00 y no pase de	150.000.00
13% en cuanto exceda de	150.000.00 y no pase de	200.000.00
13 1/2% en cuanto exceda de	200.000.00 y no pase de	300.000.00
14 ½% en cuanto exceda de	300.000.00 y no pase de	400.000.00
15 ½% en cuanto exceda de	400.000.00 y no pase de	500.000.00
16 1/2% en cuanto exceda de	500.000.00 y no pase de	600.000.00
17 ½% en cuanto exceda de	600.000.00 y no pase de	800.000.00
18% en cuanto exceda de	800.000.00 y no pase de	1.000.000.00
18 ½% en cuanto exceda de	1.000.000.00 y no pase de	1.500.000.00
19% en cuanto exceda de	1.500.000.00 y no pase de	2.000.000.00
20% en cuanto exceda de	2.000.000.00 y no pase de	3.000.000.00
21% en cuanto exceda de	3.000.000.00 y no pase de	5.000.000.00
22% en cuanto exceda de	5.000.000.00	

Fuente: Ley 35 de 1944

De la tabla transcrita, en comparación con las tarifas previstas originalmente en la ley 78 de 1935, es posible extraer las siguientes conclusiones: (i)
Se incluyeron más escalafones de renta a partir del nivel marginal superior establecido por la Ley 78 de 1934, cual era el de $600.000; (ii) Los intervalos de

rentas líquidas gravadas permanecieron incólumes en la nueva ley; (iii) Las tarifas se mantuvieron idénticas para quienes tuvieran rentas líquidas de hasta $30.000; (iv) Para quienes tuvieran una renta líquida superior a $30.000, pero inferior a $35.000, la alícuota se incrementaría en 0.25 %: de 8¼ % a 8½ %; (v) A partir de ese escalafón, los siguientes presentaron un incremento tarifario del ½ %; (vi) La alícuota marginal superior del tributo incrementó de 17 % a 22 %; y (vii) Los intervalos de renta líquida comprendidos en la norma, para efectos de la progresividad, ascendieron de $600.000 a $5.000.000.

Por su parte, el artículo 23, *ibidem,* dispuso la correlativa elevación de las exenciones a que tenían derecho los contribuyentes, fijadas en el artículo 98 de la Ley 63 de 1936, así: (i) Para quienes estuvieren solteros o separados legalmente de su cónyuge, la exención se fijó en $1.000; es decir, tuvo un incremento de $400; (ii) Para los cónyuges que vivieren unidos, la nueva exención ascendía a $2.000, mientras que antiguamente era tan solo de $1.200; y (iii) La exención por cada persona a quien el contribuyente estuviere en la obligación de sostener y educar se elevó a $500 (previo a la expedición de la norma ascendía a $300). Pero a más de la modificación en la cuantía, las observaciones sobre la procedencia de cada exención que se han formulado *supra* siguen siendo aplicables.

SECCIÓN VI. DECRETO LEGISLATIVO 1961 DE 1948: LA CRISIS ECONÓMICA POR "EL BOGOTAZO" Y EL SOBREIMPUESTO A LA SOLTERÍA

En 1946, fruto de la división interna del Partido Liberal colombiano, se presentaron tres candidatos diferentes a los comicios presidenciales: GABRIEL TURBAY (Liberal, candidato oficial), JORGE ELIECER GAITÁN (Liberal, candidato disidente) y MARIANO OSPINA PÉREZ (Conservador, candidato oficial). Como resultado de la mencionada división, el candidato conservador se impuso en las elecciones del 5 de mayo, con lo cual se quebró la que los historiadores denominan "La República Liberal", iniciada en 1930. Sin embargo, a raíz del asesinato del excandidato liberal JORGE ELIECER GAITÁN dos años más tarde, el 9 de abril de 1948, el país se sumió en una profunda crisis social, como lapidariamente lo sentencia HERBERT BRAUN: "(…) [L]os trágicos sucesos que siguieron a su asesinato [el de GAITÁN] están grabados en piedra: la convivencia estaba condenada, la Violencia, inevitable"[134].

---

[134]   Cfr. HERBERT BRAUN. *Mataron a Gaitán.* (Bogotá: Ed. Aguilar, 2008), 398.

Como es obvio, sin contar las importantes destrucciones patrimoniales que dejó el amotinamiento de la multitud enardecida ese 9 de abril en el país[135], la convulsión social desencadenó en una crisis económica, con motivo de la cual se hizo imperioso que el Gobierno nacional encontrara alternativas para solventar las erogaciones en que debía incurrir. Es con base en el anterior contexto que, en primer lugar, se declaró el *estado de sitio* (hoy *estado de excepción*) por parte del presidente Ospina Pérez y, seguidamente, se expidió el Decreto Legislativo número 1961 de 1948.

En el aludido decreto legislativo se crearon tres tributos, como son (i) el impuesto a las grandes rentas; (ii) el sobreimpuesto al ausentismo; y (iii) el sobreimpuesto a la soltería. Aunque solamente interesa a este escrito el tercero de los gravámenes enlistados, simplemente corresponde explicar que el impuesto a las grandes rentas estaba previsto para aquellos contribuyentes cuya renta líquida del ejercicio fuese superior a los \$24.000 y la alícuota era progresiva. Por su parte, en relación con el sobreimpuesto al ausentismo, el decreto estableció que los nacionales que se ausentaran del país por más de seis meses, salvo que se encontraran en ejercicio de cargos diplomáticos, consulares, en misión o por estudios en instituciones educativas del exterior, se hacían contribuyentes del impuesto sobre la renta ordinario, sus complementarios, los recargos y debían liquidar, además, respecto de todos ellos, un "sobreimpuesto" con tarifa proporcional del 15 %.

Ahora bien, en cuanto a nuestro estudio atañe, el artículo 6° del Decreto Legislativo 1961 de 1948 consagró el denominado "sobreimpuesto a la soltería", así:

> Artículo 6°. Igual sobreimpuesto del 15 %, por concepto de soltería y sobre las mismas bases establecidas en el artículo anterior, deberán pagar en adelante los varones colombianos solteros mayores de 35 años, residentes o no en el país.
>
> Los 35 años a que alude esta disposición, deberán referirse al último día de cada año gravable.
>
> Parágrafo. Quedan exentos de este sobreimpuesto los varones que permanecen en estado de soltería, por razones atañederas a su estado religioso.

---

[135] Sobre este aspecto, el lector puede consultar, entre muchos otros, a: (i) Herbert Braun. *Mataron a Gaitán*, 305 a 339; (ii) Felipe González. *El 9 de abril de 1948 a nivel del pavimento.* (Bogotá: Ed. El Tiempo, 1968), 20; (iii) Arturo Abella. *Así fue el nueve de abril.* (Bogotá: Ed. Ediciones Internacional de Publicaciones, 1973), 72 y ss.; (iv) Jacques April Gniset. *El impacto del nueve de abril sobre el centro de Bogotá.* (Bogotá: Ed. Centro Cultural Jorge Eliecer Gaitán, 1983), 35 a 37; y (v) María Victoria Uribe Alarcón. *Antropología de la inhumanidad: un ensayo interpretativo sobre el terror en Colombia.* (Bogotá: Ed. Universidad de los Andes, 2018), 37 y ss.

Sea lo primero indicar que, al aludir a "las mismas bases del artículo anterior", la norma se refiere a las del "sobreimpuesto al ausentismo". De manera que, en este caso, la base gravable del aludido sobreimpuesto a la soltería se constituía por: (i) el impuesto sobre la renta ordinario; (ii) sus complementarios de exceso de utilidades y patrimonio; y (iii) los recargos adicionales que habían sido establecidos por la Ley 35 de 1944 (incremento tarifario, ya comentado, y un recargo del 50 % de los impuestos sobre la renta, patrimonio y exceso de utilidades, cuando se presentara una inexactitud, artículo 26), la Ley 45 de 1942 (del 35 % de los impuestos sobre la renta, patrimonio y exceso de utilidades, a título de "elevación de tarifa", para cumplir con los empréstitos de que trata la ley[136], artículo 18) y el Decreto número 1361 de 1942 (del 20 % del impuesto sobre el exceso de utilidades, artículo 13).

Por otra parte, es oportuno señalar que la disposición en comentario fue reglamentada por el Decreto 2641 de 1948, en cuyos artículos 13 a 15 se dispuso lo siguiente:

> Artículo 13. Para la efectividad del sobre-impuesto del 15 % establecido por el Decreto legislativo 1961 de 1948 a los varones colombianos solteros, mayores de 35 años, residentes o no en el país, los presuntos contribuyentes deberán expresar su edad y estado civil en 31 de diciembre del año gravable, en los respectivos formularios de declaración de renta y patrimonio. Si así no lo hicieren, se estimará que son solteros y mayores de 35 años en el último año gravable.

> Artículo 14. Transitorio. Para los efectos del impuesto a los solteros que deben liquidarse en el año gravable de 1948 sobre el impuesto de renta, complementarios y recargos correspondientes a 1947. Los Administradores de Hacienda Nacional deberán solicitar por escrito de los presuntos contribuyentes, un informe adicional sobre su estado civil y su edad en 31 de diciembre de este último año, con la advertencia de que si mencionado informe no se presentare dentro de un término que prudencialmente se fije en cada caso particular habida consideración de la distancia, se presumirá que son solteros y mayores de 35 años en el último día del año gravable

> Las personas exentas del impuesto sobre ausentismo y soltería, conforme a lo dispuesto en el inciso 2° del artículo 5° y en el parágrafo del artículo 6°. del Decreto legislativo 1961 de 1948, y los varones colombianos viudos, deberán en todo caso informar, con ocasión de la declaración de renta y patrimonio, las circunstancias especiales o hechos que los colocan dentro de la exención

---

[136] En relación con este punto, no se tiene en cuenta el recargo previsto por el artículo 10° de la ley, según el cual se incrementaban en un 50 % los impuestos sobre la renta, el patrimonio y el exceso de utilidades, debido a que la disposición únicamente aplicaba para los períodos gravables de 1942 y 1943. Adicionalmente, téngase en cuenta que la Ley 45 de 1942 fue reglamentada por el decreto 111 de 1943.

correspondiente. A falta de esta información se les considerará como contribuyentes al respectivo sobre-impuesto.

Artículo 15. Los Administradores de Hacienda Nacional quedan facultades para modificar las liquidaciones de los sobre-impuestos de que tratan los dos artículos anteriores, en caso de prueba suficiente en contra de las presunciones establecidas en ellos, presentada por los contribuyentes a más tardar dentro de los 5 días siguientes a la fecha en que se entiende cumplida la notificación de la respectiva liquidación del impuesto, de acuerdo con el artículo 112 del Decreto 818 de 1936.

Esta prueba puede consistir:

a) Respecto del impuesto de ausentismo: en la exhibición del respectivo pasaporte en que conste la fecha de entrada al país, o en un certificado de las autoridades aduaneras de la República o del Ministerio de Relaciones Exteriores, sobre esa misma fecha, de los cuales se deduzca que el presunto contribuyente estuvo ausente o fuera del país seis meses o menos del año gravable; y

b) Respecto del impuesto a los solteros: en las pruebas de estado civil correspondientes, en la exhibición de la respectiva cédula de ciudadanía o tarjeta de identidad o en cualquiera otra prueba o documento fehaciente de los cuales se deduzca que el presunto contribuyente no era soltero mayor de 35 años en el último año gravable.

Parágrafo. La falsedad en cuanto a la verdadera fecha de la salida del país o entrada a él, o en cuanto al verdadero estado civil o edad del presunto contribuyente en 31 de diciembre del año gravable, lo hará acreedor a una sanción de 100 % del respectivo sobre-impuesto, sin perjuicio de las sanciones penales que puedan corresponderles por delitos en que incurra por tales falsedades.

Pues bien, documentada su reglamentación, es preciso formular algunos comentarios en torno a este "sobreimpuesto":

Aunque un tributo semejante podría parecer exótico en la época actual, los impuestos a la soltería no han sido en absoluto extraños a los ordenamientos jurídicos. Por el contrario, la historia data de una variopinta gama de ejemplos, como son los avizorados en (i) el Imperio Romano[137],

---

[137] No pocas fueron las disposiciones romanas que tuvieron injerencia en los matrimonios. Basta recordar, a título precario y meramente enunciativo, las leyes *Papia Poppæa* y *Lulia de Maritandis Ordinibus*, dictadas en la época del emperador AUGUSTO, comúnmente estudiadas conjuntamente por la doctrina bajo el nombre de *Lex Iulia et Papia* (Por ejemplo, RICCARDO ASTOLFI. *La lex Iulia et papia*. (Milán: Ed. CEDAM, 1970)). CICERÓN, en la sección 7ª del capítulo 3º de su brillante obra *De*

legibus, llegó a afirmar que era función de los censores impedir que hubiera célibes en el territorio (*"Censoris populi* (…) *cælibes esse prohibento"*). Mediante la expedición de las diferentes disposiciones se pretendía estimular la celebración de matrimonios en la Roma imperial, bien con la imposición de penas o castigos a los célibes, ora con la concesión de beneficios o premios. Así lo recuerda VALERIO MÁXIMO en la sección 1ª del capítulo 9° del libro II de su obra *Factorum et dictorum memorabilium* (Londres: Ed. Impreso para Benjamin Caryle y John Fish, 1684), 91 y 92., en los siguientes términos: "1. CAMILLUS y POSTHUMIUS, siendo censores, ordenaron que aquellos que permanecieran célibes en su madurez ingresaran una suma de dinero al tesoro, como forma de penalidad; y que se harían acreedores de una sanción mayor cuandoquiera que se atrevieran a presentar objeción alguna. Se les grava justamente por inobservar la Ley de la Naturaleza de engendrar, en especial porque ellos ya habían recibido el beneficio de la naturaleza de nacer. Adicionalmente, se les grava porque sus padres, al criarlos, los hicieron titulares de la deuda de continuar con su descendencia. A lo anterior, añadían que la fortuna les había dado suficiente tiempo para llevar a cabo su labor e incluso así ellos continuaban negándose la posibilidad de ser llamados Padre y Esposo. Adelante, decían, paguen entonces lo que será de utilidad para la Posteridad numerosa de los otros." (La anterior es una traducción libre. En su versión original: "1. CAMILLUS and POSTHUMIUS, *being censors, commanded them that lived unmarried till they were old, to bring a sum of money into the Treasury by the way of Penalty; deeming them worthy of further punishment, if they should complain of so just a Constitution. Justly taxing them for not observing the Law of Nature in begetting, seeing they had received Nature's benefit of being born. Seeing also that their Parents, by bringing them up, had obliged them to a debt of continuing their Off-spring. To this they added, that Fortune had given them a long time to exercise this Duty, and yet they to deprive themselves of the name of both of a Father and a Husband. Go therefore, said they, and pay that which may be useful to the numerous Posterity of others"*). En similar sentido lo observa PLUTARCO, en la sección 2ª del capítulo 2° de La Vida de Camillus, volumen II de su obra *Vidas paralelas* (*Plutarch's Lives.* (Londres: Ed. Loeb Classical Library, 1914), 99): "Por este motivo [se refiere al desempeño de CAMILLUS en la batalla contra los *Aequians* y los *Volscians*], entre otros honores recibidos, se lo designó censor, un cargo de gran dignidad para aquella época. Hay en el registro un noble logro de su tiempo como censor, aquel de traer a los hombres célibes, en parte por medio de la persuasión y en parte mediante amenazas con multas, a contraer nupcias con mujeres viudas, y éstas eran muchas a causa de las guerras; así como fue necesariamente un logro, aquel de hacer que los huérfanos, quienes hasta entonces jamás habían contribuido a la solvencia del Estado, fueran alcanzados por gravámenes" (La anterior es una traducción libre. En su versión original: "For this exploit, among other honours bestowed upon him, he was appointed censor, in those days an office of great dignity. There is on record a noble achievement of his censorship, that of bringing the unmarried men, partly by persuasion and partly by threatening them with fines, to join in wedlock with the women who were living in widowhood, and these were many because of the wars; likewise a necessary achievement, that of making the orphans, who before this had contributed nothing to the support of the state, subject to taxation".). Los anteriores pasajes dan plena muestra de la forma en que CAMILLUS Y POSTHUMIUS, censores romanos, tomaron inmediata injerencia en la vida privada de los individuos, con el propósito de intervenir para fomentar los matrimonios y nacimientos. Mas lo realmente interesante, al menos desde la óptica impositiva, fue la creación del gravamen conocido como "*Æs uxorium*", claramente explicado por Sir PATRICK MACCHOMBAICH COLQUHOUN (*A summary of the Roman civil law,* vol. I. (Londres: Ed. William Benning and Company, 1849), 485): "Los solteros son, por otros autores, acusados sin duda ni ambages por llevar vidas lascivas e irregulares. Existieron, incluso durante la República [Romana], premios por fecundidad y penas por el celibato, como lo recuerda el propio AU-GUSTO en su oración a los solteros. Los censores fueron encargados con la delicada faena de interferir en la vida doméstica y se les ordenó, prácticamente en palabras dictatoriales, *dare operam ne cœlibes essent in urbe.* Las multas que gravaban a los célibes se denominaban *Æs uxorum. Uxorium pependisse dicitur, qui quod uxorem non habuerit, æs populo dedit.* En el año 350 A.U.C., los censores FURIUS CAMILLUS y POSTHUMUS ALBINUS RIGILLENSIS fueron sumamente severos sobre este aspecto; y en el año 622 A.U.C., Q. CÆCILIUS, METELLUS, MACEDONICUS, obligaron a todos a casarse con el objeto de que nacieran niños y elevaron una oración para este fin. Algunas de sus partes fueron repetidas por AUGUSTO en el Senado". (La anterior es una traducción libre. En su versión original: "Bachelors are, by other authors, doubtlessly libelously accused of leading lascivious and irregular lives. There existed even under the republic rewards for fecundity, and penalties on celibacy, which AUGUST recounts in his oration to bachelors. The censors were charged with this delicate branch of domestic interference, and were ordered almost in the dictatorial words, *dare operam ne cœlibes essent in urbe,* the fines levied on such were comprehended under the term, *æs uxorium. Uxorium pependisse dicitur, qui quod uxorem non habuerit, æs populo dedit.* In 350 A.U.C., the censors, M. FURIUS CAMILLUS, and M. POSTHUMUS ALBINUS RIGILLENSIS, were very severe on this point; and A.U.C. 622, Q. CÆCILIUS, METELLUS, MACEDONICUS, obligated all to marry for the sake of getting children, and held an oration to this end, parts of which AUGUST repeated in the Senate"). También así lo señala ABEL HENDRY JO-NES GREENIDGE, en su célebre obra *Infamia* (Londres: Ed. Oxford University Press, 1894): "El celibato era reprochado por los censores, así como lo era por el Estado; en sus discursos se urgía a los ciudadanos a contraer matrimonio y una de las primeras preguntas que se formulaban en los censos era la siguiente: 'De acuerdo con su mejor saber, ¿está usted casado?' Quien llegara soltero a la madurez recibiría reproches del censor, pero se ha dudado que ello alguna vez hubiera llegado a afectar su *nota* en el censo. Pero aquí entraban en juego las funciones financieras de los censores y se tiene registro de que ellos pretendían contrarrestar las ventajas de la soltería mediante la imposición de gravámenes adicionales". (La anterior es una traducción libre. En su versión original: "Celibacy was discountenanced by the censors as it was by the State; in their speeches they urged the citizens to marry, and one of the first questions put at the census was, 'According to the best of your knowledge have you a wife?' The bachelor of mature age always suffered the reproaches of the censor, but it has been doubted whether it was ever made a ground for the *nota.* But here the censor's financial functions came into play, and there is a record of censors attempting to counteract the advantages of celibacy by the imposition of additional taxation").

(ii) el Imperio Otomano[138], (iii) Inglaterra[139], (iv) Estados Unidos[140] e

---

[138] Según relata ENVER ÇAKAR ("Les Turkmènes d'Alep à lépoque ottomane (1516-1700)", en *Aleppo and Its Hinterland in the Ottoman Period*, Stefan Winter y Mafalda Ade (ed.) (Leiden: Ed. Brill, 2019), 15), en los Códigos Administrativos otomanos (*Kânûnnâme*) de 1536 y 1537, así como en aquellos de 1550 y 1551, se hizo una reestructuración impositiva con base en el censo de 1526 y 1527. En consecuencia, los tributos *adet-i boncuk* y *sanü'l-mera*, recaudados desde la época mameluca, fueron sustituidos por aquellos que ya se habían estandarizado, a saber: (i) el *resm-i çift*, que gravaba a los hombres casados, propietarios de un *çift* de tierra, ovejas y búfalos, a quienes denominaban *hane*, y cuya suma ascendía a 1 *akçe* por cada par de ovejas y 6 *akçe* por cada búfalo ordeñable; (ii) el *resm-i bennak*, que gravaba a los hombres casados que no eran propietarios de terreno (o lo eran de menos de un *çift* de tierra) ni de ovejas (o de menos de 24) ni búfalos, a quienes denominaban *bennak*, y cuyo importe ascendía, usualmente, a 12 *akçe*; y (iii) el *resm-i mücerred* o *resm-i caba*, que gravaba a los hombres solteros sin propiedades, a quienes denominaban *mücerred*, y cuya cuantía ascendía, por lo general, a 6 *akçe*. Sobre el particular, aclara OKLAY ÖZEL (*The collapse of rural order in ottoman Anatolia*, volumen 61 de la serie "The Ottoman Empire and its heritage", Suraiya Faroqhi, Halil İnalcik y Bogaç Ergene (ed.) (Leiden: Ed. Brill, 2016), 114 y 115) que el grupo de los *mücerred* se subdividía, a su vez, entre quienes podían atender su propia subsistencia, a pesar de no tener bienes de su propiedad (*mücerred olub kisb ü kâra kâdir olanlar*), y quienes no estaban en condiciones de hacerlo (*kendü öz kârlarunda olmayub atasi yanuda çalisan*). El tributo (*resm-i mücerred* o *resm-i caba*) se cobraba únicamente al primer grupo de individuos, en tanto que al segundo los recolectores de impuestos tan solo los inscribían en los registros como "varones adultos", susceptibles de ser tratados como contribuyentes en la siguiente recolección.

[139] Durante 1695, mientras Inglaterra y Francia disputaban la Guerra de los Nueve Años (1688-1697), el Parlamento británico aprobó el "Marriage Duty Act", según el cual se gravaba el registro de (i) nacimientos, (ii) matrimonios y (iii) entierros (por eso recibía también el nombre de "Registration Tax"). De igual forma, la norma gravó a los varones solteros mayores de 25 años y a las viudas que no hubieran dado a luz. Como se ve, en este caso la medida era eminentemente recaudatoria. Aunque mal podría aducirse que tenía por objeto lograr que los hombres mayores de 25 años contrajeran nupcias, si por el registro de su matrimonio resultarían también gravados, es lo cierto que solo soportarían el tributo una única vez (al momento del registro), en tanto que mantener su estado de soltería conduciría a que tuvieran que soportarlo año a año. En cualquier evento, como lo reseñan KEVIN SCHURER y TOM ARKELL (*Surveying the people: the interpretation and use of document sources for the study of population in the later seventeenth century*. (Londres: Ed. Leopard Head's Press, 1992), 166), debido a los altos costos de los censores y el bajo recaudo obtenido, esta medida fue definitivamente abolida por el Parlamento en 1706.

[140] En el estado de Montana, Estados Unidos de América, se incorporó, en la Sección 1ª del Capítulo 261 de los Códigos Revisados de Montana de 1921, un impuesto per cápita ("*Poll Tax*") para los solteros mayores de veintiún años y menores de sesenta.

(v) Italia[141].

Sin embargo, tan solo un año más tarde la Corte Suprema del Estado de Montana declaró la nulidad del estatuto en el caso *The State v. Growdy, 62 Mont. 119, 203 Pac. 1115.* Resulta curioso que el motivo que condujo a la expulsión de la norma no estuvo relacionado con su inconstitucionalidad por ser discriminatoria, sino que tuvo como base un mandato de la Constitución que prohibía a las legislaturas gravar con tributos las personas y la propiedad. Dijo en su providencia la Corporación: "No vemos como correcta la decisión [se refiere al tributo a la soltería] en la medida en que asume que tal impuesto es una regulación policiva. No hay ninguna referencia a lo largo de la ley o de sus títulos que indique la intención de parte de la Legislatura de hacer uso del Poder de Policía estatal, al fijar la exacción sobre los habitantes del condado para proteger la salud pública, la moralidad pública o la seguridad pública, y no encontramos fundamento alguno que permita concebir la Ley como un ejercicio del poder policivo. El Poder de Policía deriva su propia existencia de la regla que señala que la seguridad de las personas es la ley suprema, lo cual justifica la creación legislativa que verse sobre temáticas relacionadas con el bienestar público, la salubridad pública o la moralidad pública. Creemos que el objeto de la Sección 4ª del Artículo XII de nuestra Constitución fue el de relegar a los varios condados la materia impositiva para sus propios propósitos, y por tanto la Legislatura carece de autoridad alguna para imponer tributos sobre los habitantes de un condado para los propósitos propios de ese condado". (La anterior es una traducción libre. En su version original: "The decision is not viewed by us as correct in so far as it holds such tax warranted as a police regulation. There is nothing whatsoever in the title of the Act or in the body thereof to indicate an intention on the part of the legislature to exercise the police power of the state in the fixing of this exaction from county inhabitants for the protection of the public health, the public morals, or public safety, and upon no basis of reasoning are we able to perceive how the Act may be properly classified as an exercise of the police power. The police power derives its very existence from the rule that the safety of the people is the supreme law justifying legislation upon matters pertaining to the public welfare, the public health, or the public morals. We are of the opinion that the object of section 4 of article XII of our Constitution was to relegate to the several counties the whole subject of taxation for county purposes, and that thereby the legislature is denied authority to impose any tax on the inhabitants of a county for county purposes").

[141] El 13 de febrero de 1927 se instituyó en Italia, durante el Gobierno de MUSSOLINI, el impuesto a la soltería (*"L'imposta sul celibato"*). El tributo, considerablemente oneroso (como lo explica VICTORIA DE GRAZIA en su obra *How fascism ruled women: Italy 1922*-1925, (Los Ángeles: Ed. University of California Press, 1992), 75 y 76, para 1936 los solteros debían sufragar un importe equivalente al doble del impuesto sobre la renta normal), alcanzaba a los varones mayores cuya edad oscilaba entre los 25 y los 65 años, y la distribución de su tarifa con base en la edad hacía que los menores sufragaran los importes más altos. Ahora bien, para tener una idea de los fines que orientaron el nacimiento del tributo, sería necio desatender a su fuente primaria: El *Duce*. Veamos algunos apartes de su popular *"Discorso Dell'*

Ahora bien, desde una perspectiva constitucional, hoy en día sería po-

---

Ascensione", pronunciado ante la Cámara de Diputados el 26 de mayo de 1927: "De ahí el impuesto a la soltería, que puede que en un futuro sea seguido por el impuesto a los matrimonios infértiles. Este impuesto va a dejar de 40 a 50 millones [de libras de recaudo]; pero ¿creyeron realmente que yo había adoptado este impuesto solamente para ese propósito? Yo aproveché este impuesto para dar una fustada demográfica a la Nación. Puede que algunos se sorprendan; algunos podrán decir: 'pero ¿cómo?, ¿no somos muchos?' No, no somos muchos. Los no inteligentes dirán 'somos demasiados'. Los inteligentes responderán: 'somos pocos'. (…) Hablemos claro: ¿Qué son 40 millones de italianos frente a 90 millones de alemanes y 200 millones de eslavos? Volteémonos al occidente: ¿Qué son 40 millones de italianos frente a 40 millones de franceses, más los 90 millones de habitantes de sus colonias, o frente a 46 millones de ingleses más 450 millones de habitantes de sus colonias? Señores: Italia, para contar algo, debe tener, para la segunda mitad de este siglo, una población no inferior a 60 millones de habitantes. (…) Todas las Naciones y todos los imperios han sentido la mordida de la decadencia, cuando han visto disminuir el número de sus nacimientos. ¿Qué fue la pax romana de Augusto? La pax romana de Augusto fue una fachada brillante, dentro de la cual ya se fermentaban los signos de la decadencia. Y durante todo el último siglo de la segunda República, de Julio César, que envió a sus legionarios con tres hijos a la tierra fértil del Sur de Italia, las leyes de Augusto, los *ordines maritandi*, hacen evidente la angustia" (Traducción libre). No cabe duda de que el impuesto a la soltería tuvo una doble finalidad, expresamente manifestada por MUSSOLINI, de generar recaudos y promover la natalidad. Lo anterior solamente se refuerza con los planteamientos de ALBERTO CUCCO, político y médico fascista, recogidos por PIETRO FISCHIETTI en su obra *La difesa della razza* (Italia: Ed. Youcanprint, 2019). Al comentar el tributo *Æs uxorium* en la Roma imperial, CUCCO decía: "Cuando las leyes y las costumbres comenzaron a aflojarse, y por causa de la influencia oriental, las prácticas anticonceptivas tuvieron amplia difusión, el edificio imperial comenzó a ceder y comenzó la fatal desintegración: la baja natalidad y la decadencia se dieron pavorosamente la mano" (La anterior es una traducción libre. En su versión original: "Quando le leggi ed i costumi cominciarono ad allentarsi, e per influsso orientale, le pratiche anticoncezionali sempre più si diffusero, l'edificio imperiale cominciò a cedere e cominciò la fatale disintegrazione: denatalità e decandeza si dettero paurosamente la mano"). Lo propio decía CARLO SCORZA, el *Ras* de Lucca, retomado por VICTORIA DE GRAZIA (*How fascism ruled women: Italy 1922-1925*, 76): "La sociedad hoy desprecia a los desertores, proxenetas, homosexuales, ladrones. Aquellos que pueden, pero no llevan a cabo sus deberes para con la Nación, deben ser puestos en la misma categoría. Debemos despreciarlos. Debemos hacer que los solteros y quienes rehúsen la cama nupcial se avergüencen de su potencial de tener hijos. Es necesario que los hagamos inclinar sus frentes en el polvo". (La anterior es una traducción libre. En su versión original: "Society today despises deserters, pimps, homosexuals, thieves. Those who can but do not perform their duty to the nation must be put in the same category. We must despise them. We must make bachelor's and those who desert the nuptial

sible cuestionar la conformidad de un impuesto a la soltería, como el que se comenta, a los postulados supralegales de libertad, igualdad y equidad. Ciertamente, se presenta una clara discriminación basada en el sexo de los contribuyentes cuando se establece que solo los hombres pueden incurrir el hecho generador y, consiguientemente, hacerse a la titularidad de la sujeción pasiva del impuesto. Por su parte, la trasgresión a la libertad brota del peso tributario que se descarga sobre quienes quieren desarrollar su proyecto de vida alejados del matrimonio, sin tener vocación religiosa alguna.

Sin embargo, resulta extremadamente injusto, las más de las veces, emprender una guerra de feroces críticas y desestimaciones contra las épocas pasadas, a partir de visiones y estados del desarrollo en las épocas presentes. Y en este caso así ocurre, porque para el momento de expedición del impuesto a la soltería que nos aboca la Carta Política de 1886 no consagraba mandatos expresos de igualdad o equidad, pese a que se hubieren desarrollado por la Corte Suprema de Justicia en algún grado, y el estado del desarrollo social y jurisprudencial no permitían albergar los hondos cuestionamientos que aquí formulamos. Por tanto, no nos detendremos en analizar a profundidad los posibles vicios de constitucionalidad denunciados, como sí lo haremos en sección posterior al estudiar las posibles alternativas para la tributación familiar en nuestros tiempos, sino que continuaremos la exposición histórica que en esta parte nos convoca.

En lo que hace a la finalidad del tributo, una primera mirada podría sugerir que el impuesto a la soltería tenía por objeto fomentar la celebración de nuevos matrimonios, en especial si se tiene en cuenta que su inserción al ordenamiento jurídico provino de un Gobierno de estirpe conservadora, como lo era el del presidente OSPINA PÉREZ. Tal conclusión se acompa-

---

bed ashamed of their potential power to have children. It is necessary to make them bow their foreheads in the dust"). Sin embargo, a pesar de la insistencia del fascismo por procurar una explosión demográfica en Italia, de acuerdo con los datos suministrados por la *Associazione per lo sviluppo dell'industria nel Mezzogiorno* (SVIMEZ) en su informe *Un secolo di statistiche italiane nord e sud, 1861-1961* (Roma, 1961, 79), la natalidad disminuyó, por cada 1000 habitantes, así: (i) entre 1921 y 1925, fue de 29.9; (ii) entre 1926 y 1930, época en la cual entró en vigor el impuesto a la soltería, fue de 27.1; (iii) entre 1931 y 1935, fue de 24; (iv) entre 1936 y 1940, fue de 23.4; y (v) entre 1941 y 1945, fue de 19.9. En todo caso, el Gobierno del General PIETRO BADOGLIO abolió el impuesto a la soltería, el 27 de julio de 1943. Para un mayor desarrollo de la temática aquí tratada, además de las obras citadas, el lector se puede referir a MARCO PIRANO y STEFANO FORITO. *La formazione dello Sato fascista. Scritti e discorsi di Alfredo Rocco, 1925-1934*, vol. III. (Roma: Ed. Lulu.com, 2014). En particular, sobre este aspecto página 1017 a 1117.

saría muy bien con el argumento de Manuel Antonio Alvarado, fuertemente criticado por la Jefatura de Rentas e Impuestos Nacionales, según el cual el régimen de tributación conjunta para los matrimonios, previsto en la Ley 63 de 1936 y su Decreto Reglamentario (2551 de 1943), perseguía el mismo objetivo[142]. En efecto, parecería haber un perfecto engranaje entre la posibilidad de favorecer a los matrimonios con la facultad de elegir la forma de liquidación del impuesto sobre la renta y castigar a los solteros con la creación de un sobreimpuesto como el aquí comentado.

A lo anterior se podría replicar, con relativa facilidad, (i) que la elaboración de ambas disposiciones tuvo lugar en gobiernos diferentes (el primero de los cuales era de estirpe Liberal), (ii) que la argumentación propuesta por la Jefatura de Impuestos y Rentas Nacionales para desechar la posibilidad de que la intención del Legislador al incluir la posibilidad de tributación conjunta para los cónyuges haya sido la de incentivar los matrimonios entraña una importante fuerza lógica y, (iii) principalmente, que el contexto jurídico (Decreto Legislativo 1946 de 1948), económico y social (meses después de la ocurrencia de El Bogotazo) en el cual se crea el sobreimpuesto a la soltería sugiere lo opuesto.

Sobre este último aspecto en particular: téngase en mente que se había declarado el *estado de sitio* en Colombia por la turbación del orden público y que, como consecuencia del asesinato de Gaitán, hubo una importante desestabilización económica; aúnese que en el decreto legislativo que creó el sobreimpuesto a la soltería tuvieron también su génesis el impuesto especial a las grandes rentas y el sobreimpuesto al ausentismo; y se arribará sin dificultad a que la finalidad perseguida por el Gobierno nacional obedeció, principalmente, a una necesidad recaudatoria.

Conviene aclarar, en este punto, que el autor participa de la tesis mayoritaria de la doctrina que sostiene, por oposición a lo defendido por Griziotti[143] en su momento, que no hay una absoluta puridad en la finalidad

---

[142] Sobre el particular, véase a Manuel Antonio Alvarado. *Tratado...*, 296. Para avizorar la crítica hecha por la Jefatura de Rentas e Impuestos Nacionales, el lector puede acudir a la Resolución 1022 del 16 de septiembre de 1946, transcrita en líneas precedentes.

[143] Véase, al respecto, a benvenuto griziotti. *Primi elementi di scienza delle finanze.* (Milán: Ed. Guiffrè, 1962), 42 a 48; *Studi di scienza delle finanze e diritto finanziario.* (Milán: Ed. Guiffrè, 1956), 171 a 175; "I principi delle entrate extrafiscali", en *Rivista di Diritto Finanziario et Scienza delle Finanze*, parte I, Luigi Einaudi (Dir), (Milán: Ed. Giuffè, 1951), 122 y ss.

de los tributos[144]. En tal sentido, no solo es admisible, sino que también se presenta como lógico que algunos impuestos, tasas o contribuciones especiales persigan, a la vez, objetivos fiscales y extrafiscales, en cuyo caso su clasificación estará determinada, de acuerdo con la valoración de cada gravamen en particular, por la finalidad principal (no exclusiva) que pretendan.

Sobre la base de todo lo expuesto, consideramos que el impuesto a la soltería, creado mediante el Decreto 1961 de 1948, se podría clasificar como un tributo con fines *principalmente* fiscales, sin que ello sea óbice para que, *secundariamente,* también buscara incentivar la celebración de matrimonios. Resta entonces, para concluir esta sección, mostrar los recaudos obtenidos por este tributo, de acuerdo con las tablas suministradas por el exministro de Estado, Hernán Jaramillo Ocampo, en las *Memorias de Hacienda 1949*[145]:

---

[144]   Sobre este aspecto, el lector se puede remitir a: Franco Fichera. *Imposizione ed extrafiscalità nel sistema costituzionale.* (Nápoles: Ed. Edizioni scientifiche Italiane, 1978); Lucy Cruz de Quiñones. "Tratamientos tributarios diferenciales: una ardua cuestión teórica", en *Memorias de las XXVII Jornadas Colombianas de Derecho Tributario.* (Bogotá: Ed. Instituto Colombiano de Derecho Tributario, 2003), 451 a 453; Matías Cortés. *Ordenamiento tributario español.* (Madrid: Ed. Civitas, 1985), 158 a 162; Luis Miguel Gómez Sjöberg, *Intervenciones de la norma financiera en la economía* en *Del Derecho de la Hacienda Pública al Derecho Tributario: Estudios en honor a Andrea Amatucci,* Mauricio A. Plazas Vega (coord.). (Bogotá: Ed. Temis y Jóvenes Editores, 2011); Francisco Álvarez Arroyo. *Reflexiones sobre la intervención de la norma financiera en la economía y la sociedad: fines fiscales y extrafiscales de los tributos* en *Del Derecho de la Hacienda Pública al Derecho Tributario: Estudios en honor a Andrea Amatucci;* Jorge Bravo Cucci. *Intervenciones de la norma tributaria en la economía. Los fines extrafiscales de los tributos;* Juan Pablo Godoy Fajardo. *Los fines extrafiscales de los tributos;* Andrea Amatucci. *Medidas fiscales para el desarrollo económico.* http:// www.uckmar.net/ILADT/tema1/italia/Amatuccinew.htm# ftn17; Perfecto Yebra Martul-Ortega. "Los fines extrafiscales del impuesto", en *Tratado de Derecho Tributario,* Andrea Amatucci (coord.) (Bogotá: Ed. Temis, 2001); Mauricio A. Plazas Vega. *Derecho de la hacienda pública y derecho tributario,* tomo II, tercera edición. (Bogotá: Ed. Temis, 2017); y Carlos María Giuliani Fonrouge. *Derecho Financiero,* vol. I, 5ª Edición. (Buenos Aires: Ed. De Palma, 1993).

[145]   Cfr. Hernán Jaramillo Ocampo. *Memorias de hacienda 1949.* (Bogotá: Ed. Imprenta del Banco de la República, 1949), 61.

Figura 2. Recaudos obtenidos por el sobreimpuesto a la soltería.

III — DATOS ESTADISTICOS

LIQUIDACIONES DEL IMPUESTO SOBRE LA RENTA Y COMPLEMENTARIOS
EN LOS TRES ULTIMOS AÑOS

B A S E S	1 9 4 6	1 9 4 7	1 9 4 8
Renta ....$	36.703.805.00	51.000.889.00	61.349.580.33
Patrimonio	13.397.508.00	19.105.430.00	25.589.975.56
Exceso de utilidades.............	4.585.888.00	8.382.022.00	7.811.280.93
Recargo del 35%.................	18.254.052.00	26.094.478.00	31.258.890.21
Recargo 20% exceso.............	1.020.634.00	1.721.715.00	1.559.660.94
Sanciones	215.413.00	253.110.00	270.241.32
Totales..............$	74.177.295.00	106.557.647.00	127.839.626.29

Impuesto grandes rentas.........$	....	....	6.648.728.26
Soltería	....	....	333.262.81
Ausentismo	....	....	34.863.72
Total................$	....	....	7.016.854.79

Fuente: Hernán Jaramillo Ocampo. *Memorias de hacienda 1949.*
(Bogotá: Ed. Imprenta del Banco de la República, 1949), 61

SECCIÓN VII. LEY 35 DE 1948 Y DECRETO 856 DE 1951

Hacia finales de 1948, concretamente el 5 de noviembre de ese año, se expidió la Ley 45 de 1948 con el propósito de modificar el régimen de exenciones en el impuesto sobre la renta para las personas naturales de menores ingresos. Fue así como el artículo 1° dispuso que quienes obtuvieran una renta líquida en el ejercicio de hasta $12.000 tendrían el derecho de solicitar las exenciones que se siguen a continuación:

1ª Una exención inicial de dos mil pesos ($2.000) para toda persona soltera, viuda o separada legalmente de su cónyuge;

2ª Los cónyuges que vivan unidos gozarán de una sola exención conjunta de cuatro mil pesos ($4.000). Si hicieren declaración por separado, la exención total puede ser concedida a uno cualquiera de ellos, con exclusión del otro, si así lo solicitaren de común acuerdo. Si no se pusieren de acuerdo sobre este punto, o nada expresaren acerca de él, la exención se dividirá por mitad entre los cónyuges.

3ª Una exención de mil pesos ($1.000) por cada persona a quien el contribu-
yente esté obligado, según la ley civil, a sostener y educar, si dicha persona es
menor de edad, o si siendo mayor de veintiún años estuviere imposibilitada
para sostenerse a sí misma, por incapacidad física o mental.

Si se tratare de hijos legítimos, la exención se concederá en los mismos términos del ordinal anterior, a uno de los cónyuges con exclusión del otro, se
dividirá entre ellos por partes iguales, y

4ª Las personas que no tengan un patrimonio mayor de tres mil pesos ($3.000),
ni renta distinta de un sueldo o salario, cuando éste no exceda de dos mil pesos ($2.000) anuales, no pagarán impuesto sobre la renta.

Dos años más tarde, el 17 de abril de 1951, se profirió el Decreto 856,
reglamentario del artículo 1º de la Ley 35 de 1948. En lo fundamental, el
artículo 2º reiteró lo que ya había expuesto el parágrafo 2º de la norma reglamentada, en el sentido de que los contribuyentes que obtuvieran rentas
líquidas anuales superiores a $12.000 no perdían el derecho de solicitar las
exenciones a que hubiere lugar, sino que su cuantía sería la fijada originalmente en el artículo 23 de la Ley 35 de 1944, tal como fue modificado por
el artículo 98 de la Ley 63 de 1936.

SECCIÓN VIII. DECRETO LEGISLATIVO 270 DE 1953

Durante el Gobierno del presidente OSPINA PÉREZ (1946-1950) se convocó, con el auspicio del Banco Mundial, al experto LAUCHLIN BERNARD
CURRIE para que analizara la situación económica por la que transitaba el
país y formulara las recomendaciones pertinentes para promover un alza
en el crecimiento y el desarrollo nacional. Luego de varias visitas, la denominada Misión Currie concluyó el 27 de julio de 1950 con la entrega del
documento intitulado *Bases de un programa de fomento para Colombia*[146].

Desafortunadamente, LAUREANO GÓMEZ, sucesor del presidente OSPI-
NA PÉREZ, no llegó a implementar las recomendaciones de CURRIE puesto
que, en 1951, sufrió una isquemia cerebral que lo forzó a trasladarse a
territorio español para recibir atención médica. Acaso la proyección de las
conclusiones de CURRIE se avizora, específicamente, en lo que toca con los
cambios a la organización administrativa del Estado, en la propuesta de

---

[146]   LAUCHLIN BERNARD CURRIE. *Bases de un programa de fomento para Colombia.* (Bogotá:
        Ed. Banco de la República de Colombia, 1951).

reforma constitucional que se empezaría a tramitar el 15 de junio de 1953, fecha en la cual se esperaba la reincorporación del presidente GÓMEZ a su cargo[147]. Sin embargo, la discusión sobre el proyecto del nuevo texto fundamental jamás ocurrió, porque dos días antes de que principiara, el 13 de junio de 1953, se oyó en Colombia el *ruido de los sables* y el Gobierno de LAUREANO GÓMEZ fue sustituido por el del General GUSTAVO ROJAS PINILLA.

Si bien ROBERTO URDANETA ARBELÁEZ, designado presidencial de LAUREANO GÓMEZ durante su ausencia, profirió el Decreto Legislativo 270 de 1953, las modificaciones al régimen tributario fueron relativamente menores. Para cuanto interesa a nuestro análisis, el artículo 30 del Decreto modificó las tarifas del impuesto sobre la renta, con las siguientes particularidades: (i) se incrementó la tarifa marginal superior del tributo, del 22 % al 32 %; (ii) los escalafones de renta líquida permanecieron iguales a los fijados en la Ley 35 de 1944; (iii) los niveles medios de ingresos sufrieron un fuerte impacto, puesto que el aumento de las alícuotas, en más de cinco puntos porcentuales, principió a partir de rentas líquidas anuales superiores a \$12.000[148]. Pero la anterior medida se morigeró con la suspensión de los recargos del 35 % del impuesto sobre la renta (ordenado por la Ley 45 de 1942) y del 20 % del impuesto sobre las utilidades (ordenado por el Decreto 1361 de 1942). Por lo demás, la norma nada dispuso sobre las exenciones o las temáticas atañederas a las rentas familiares.

SECCIÓN IX. DECRETOS LEGISLATIVOS 2317 Y 2615 DE 1953

El Gobierno Militar fue el encargado de tomar en consideración las conclusiones del Informe CURRIE, así como las de la Comisión de Expertos Financieros, creada en 1948, integrada por ABDÓN ESPINOSA VALDERRAMA, MANUEL ANTONIO ALVARADO Y LEOPOLDO LASCARRO, y asesorada por JORGE SOTO DEL CORRAL y JESÚS MARÍA MARULANDA[149].

---

[147] Sobre este aspecto, véase a MIGUEL MALAGÓN PINZÓN Y DIEGO NICOLÁS PARDO MOTTA, "Laureano Gómez, la Misión Currie y el proyecto de reforma constitucional de 1952", *Revista Criterio Jurídico*, volumen 9, número 2, 2009.

[148] Sin embargo, es de observar que en el escalafón que aglutina las rentas líquidas del ejercicio entre \$11.000 y \$12.000, que bajo la Ley 35 de 1944 se gravaba con la tarifa de 4½ %, el incremento de la alícuota fue de 4¼ %.

[149] Así lo expresó el entonces ministro de hacienda, CARLOS VILLAVECES, en el discurso pronunciado el 10 de septiembre de 1953 en la Universidad Nacional y recopilado bajo el título *Reforma tributaria* en la Revista del Banco de la República.

En ese contexto se expidieron los Decretos Legislativos 2317 y 2615 de 1953, contentivos de sensibles reformas al régimen de tributación. Al decir del entonces ministro de hacienda, CARLOS VILLAVECES, la modificación se ideó "no tanto para proporcionar al Fisco mayores recursos, sino para buscar una mayor equidad en la tributación, y una más justa distribución de la riqueza"[150]. Amparado bajo esa consigna, el Gobierno Militar introdujo cambios fundamentales en materia del impuesto sobre la renta a cargo de las sociedades. A guisa de ejemplo, es posible recordar que el artículo 15 del Decreto Legislativo 2317 creó un rango tarifario independiente para las compañías, distinto del de las personas naturales y las sucesiones ilíquidas, con una alícuota marginal superior de 31 % o que se estatuyó la doble tributación de las utilidades corporativas, mediante la imposición gravámenes sobre los dividendos distribuidos a los accionistas[151].

Pero en punto al objeto de nuestro análisis, las principales modificaciones en el impuesto sobre la renta para las personas naturales se sintetizan en los siguientes términos:

---

[150] Cfr. CARLOS VILLAVECES. *Memorias de hacienda 1954.* (Bogotá: Ed. Imprenta del Banco de la República, 1954), 81.

[151] Sobre este aspecto, el lector puede acudir a ÓSCAR RODRÍGUEZ, "Nuevas perspectivas en historiografía fiscal", *Cuadernos de Economía,* volumen 15, número 24, 1996; FRANCISCO GONZÁLEZ y VALENTINA CALDERÓN, "Las reformas tributarias durante el siglo XX (I)", *Boletines de Divulgación Económica,* 2002, 15 y 16; ROBERTO JUNGUITO Y HERNÁN RICÓN, "La política fiscal en el siglo XX", en *Colombia en Economía colombiana del siglo XX,* (Bogotá: Ed. Fondo de Cultura Económica del Banco de la República, 2007), 54; y HÉCTOR JULIO BECERRA BECERRA. "Recuento histórico de las reformas tributarias en Colombia", en *Memorias de las XXXI Jornadas Colombianas de Derecho Tributario.* (Bogotá: Ed. Instituto Colombiano de Derecho Tributario, 2007). Como lo observa ALFREDO LEWIN ("Historia de las reformas tributarias en Colombia", en *Fundamentos de la Tributación,* Eleonora Lozano Rodríguez (coord.) (Bogotá: Ed. Universidad de los Andes y Temis, 2008), 11 y 12), el argumento central que condujo al Gobierno a adoptar esa medida, expuesto principalmente por FRANCISCO DE PAULA PÉREZ y HERNÁN JARAMILLO OCAMPO, consistió, primero, en la disgregación jurídica de las personas perceptoras de la renta (por una parte la persona física, el accionista, y por la otra la jurídica, la compañía) y, a partir de esa distinción, en que las ganancias que arribaban al accionista, "por estar exenta[s] del tributo, est[aban] creando una clase privilegiada de contribuyentes". A manera de réplica, BRAVO ARTEAGA (*El impuesto de renta...,* 44) sentencia lapidariamente lo siguiente: "Es preciso tener presente que, en ese entonces, las sociedades anónimas estaban gravadas con una tarifa progresiva, por lo cual no resultaba cierto afirmar que los dividendos estaban exentos, ya que estaban gravados en su fuente, que es la utilidad de las sociedades".

I. Incremento de obligados a presentar denuncio rentístico

El artículo 1º modificó la obligación de presentar declaración tributaria para quienes hubieran obtenido, en el año gravable, una renta bruta de $1 000, como mínimo, o poseyeran un patrimonio de $5 000 o más. Ello comporta un apreciable incremento en el número de declarantes[152], a saber: bajo la vigencia del decreto 818 de 1936 (artículo 1º), se exoneraban de presentar denuncio rentístico quienes obtuvieran una renta bruta anual menor a $600 y su patrimonio bruto ascendiera, como máximo, a $9 999; en cambio, al cobijo de la nueva regulación, expedida diecisiete años más tarde, se eximían de la obligación tributaria formal quienes reflejaran una renta bruta menor a $1 000 y poseyeran un patrimonio de hasta $4 999.

Nótese, entonces, que, desde la perspectiva de los ingresos, el tope para que una persona no estuviera conminada a la presentación de la declaración tributaria del impuesto sobre la renta se incrementó en $400. Pero si se tiene en cuenta la fluctuación de la inflación en los 17 años que transcurrieron desde la expedición del Decreto Reglamentario 818 de 1936 y el Decreto Legislativo 2317 de 1953, es fácil concluir que, en realidad, el supuesto aumento del tope no fue verdaderamente significativo.

Y desde la óptica del patrimonio, fue ostensible la disminución, en $5 000, del monto que se requería poseer para quedar obligado a presentar denuncio rentístico. Obviamente, ese hecho solamente se hace más grave si se toma en consideración la fluctuación de la inflación entre 1936 y 1953, fecha esta última en la que el valor real de los $10.000 consagrados en el Decreto 818 debía ser superior.

Sin embargo, es preciso anotar, por una parte, que cuando aludimos a la inflación lo hacemos para representar la verdadera situación del poder adquisitivo de la moneda, mas no porque los topes se ajustaran anualmente; y, de otra parte, que la obligación tributaria formal no se confunde, ni se puede confundir, con la obligación tributaria sustancial: mientras la primera dice relación con el deber, entre otros, de presentar denuncios privados, la segunda se concreta específicamente en el pago del tributo.

---

[152] En términos numéricos, Roberto Junguito y Hernán Ricón ("La política fiscal en el siglo XX en Colombia", en *Economía Colombiana del Siglo XX*. (Bogotá: Ed. Fondo de Cultura Económica del Banco de la República, 2007), 54) recuerdan que "[e]l número de personas naturales contribuyentes del impuesto a la renta pasó de 79 mil en 1950 a más de 400 mil en 1960, año para el cuál los declarantes de renta alcanzaron más un millón".

II. Exenciones

Según se ha visto, los importes autorizados por la ley como exentos del impuesto sobre la renta, para 1953, eran de dos clases, como se aprecia en este cuadro:

Tabla 3. Tipos de exenciones, según la renta individual.

	Exención para personas naturales con renta líquida de $12.000 o menos	Exención para personas naturales con renta líquida de $12.001 en adelante
Personas solteras, viudas o separadas legalmente de su cónyuge.	$2 000	$600
Los cónyuges que vivieran unidos.	$4 000	$1 200
Por cada persona a quien el contribuyente esté obligado, según la ley civil, a sostener y educar, si dicha persona es menor de edad, o si siendo mayor de veintiún años estuviere imposibilitada para sostenerse a sí misma, por incapacidad física o mental.	$1 000	$300
Exonerados de pagar impuesto (obligación tributaria sustancial)	Las personas que no tuvieran un patrimonio mayor de $3 000, ni renta distinta de un sueldo o salario, cuando éste no excediera de $2 000 anuales.	Las personas que no tuvieran un patrimonio mayor de $2 000, ni renta distinta de un sueldo o salario, cuando éste no excediera de $1 200 anuales.

Fuente: Elaboración propia.

Sobre este particular, corresponde acotar que la Comisión de Expertos Financieros recomendó al Gobierno nacional la unificación del monto susceptible de ser tomado como exento por los contribuyentes. Así lo recuerda el entonces ministro VILLAVECES:

> La Comisión nombrada por el Gobierno consideró que podrían unificarse las exenciones personales elevándolas a mil quinientos pesos, tres mil y mil, respectivamente. El Gobierno no solamente aceptó esta sugestión sino que fue más adelante y ha decretado una exención de dos mil quinientos pesos por persona; cinco mil para los cónyuges que vivan unidos y mil por cada persona a cargo[153].

---

[153]   Cfr. CARLOS VILLAVECES. *Memorias de hacienda 1954*. (Bogotá: Ed. Imprenta del Banco de la República, 1954), 61.

En efecto, esa decisión del Ejecutivo quedó vertida en el artículo 19 del Decreto Legislativo 2317 de 1953. Correlativamente, se eliminó la exoneración de pagar el impuesto para quienes no superaran unos topes de patrimonio y salario, siempre que sus rentas percibidas durante el año gravable fueran únicamente atribuibles a ese concepto. Tal medida se explica a partir del incremento de las demás exenciones, por virtud de las cuales perdía fundamento alguno mantener una exoneración semejante. Si bien el número de declarantes aumentaría, como se expuso en el título que antecede, un importante número de personas no estaría obligado a sufragar importe alguno por concepto de impuesto sobre la renta.

III. Tarifa del impuesto-Vertiginoso incremento en la progresividad

Dada la intención de procurar una mayor equidad en la tributación, la Reforma de 1953 introdujo las modificaciones que a continuación se analizan:

a) Varió los escalafones de ingresos para determinar la tarifa aplicable al tributo. Pese a que, como ocurría en vigencia de la normativa anterior, mantuvo como extremos $0 y $5.000.000, en el intermedio agregó nuevos escalafones para ingresos medios: (i) entre rentas líquidas de $12.000 y $18.000, que antes se agrupaban por tramos de $2 000, se eliminó un escalafón y los tramos empezaron a ser de $3 000; (ii) entre rentas líquidas de $30.000 a $40.000, que se dividía en dos tramos de $5 000, se crearon nuevos escalafones mediante la agrupación por tramos de $2 000; (iii) las rentas líquidas entre $600.000 y $800.000, que antiguamente se agrupaban en un solo tramo, con la reforma quedaron separadas con corte en los $700.000; y (iv) se unificaron los escalafones de $2.000.000 a $3.000.000 y de $3.000.000 a $5.000.000, de manera que, a raíz de la reforma, las rentas líquidas entre $2.000.000 y $5.000.000, quedaron gravadas a la misma tarifa.

b) Se incrementó ostensiblemente la tarifa para los niveles de ingresos medios y altos: (i) la tarifa marginal superior pasó de ser de 32 %, de acuerdo con lo establecido en el Decreto Legislativo 270 de 1953 (y que anteriormente era de 22 %), a 58 %; (ii) se disminuyó la tarifa, de 1 % a ½ %, para las rentas líquidas entre $1 y $2 000; (iii) el fuerte incremento tarifario lo recibieron los niveles de ingresos medios y altos, con saltos de hasta 26 puntos porcentuales.

c) El artículo 13 suspendió la vigencia del impuesto especial sobre las grandes rentas, creado mediante el Decreto 1961 de 1948. Con ese contexto, el ministro VILLAVECES justificó el exorbitante incremento tarifario del impuesto sobre la renta, con el argumento de que, en realidad, lo que se había hecho era fusionar el impuesto especial sobre las grandes rentas y el impuesto ordinario sobre la renta. Veamos:

> [S]e reduce la progresión de la tarifa en los primeros grados, con el resultado de que toda persona que tenga entradas hasta de veinticuatro mil pesos al año pagará un impuesto inferior al que hoy le corresponde. Así, por ejemplo, un empleado soltero, con renta de diez mil pesos anuales, pagará $155.00 en lugar de $210.00 que hoy tributa; si la renta fuere de diez y ocho mil pesos, el impuesto será de $895.00 en lugar de $1.012.50, y si fuere de veinticuatro mil, el impuesto correspondiente será de $1.725.00 en lugar de $1.737.50. Naturalmente las exenciones juegan principalmente para los padres de familia. Por ejemplo, tomando la familia media colombiana con cuatro hijos, si tiene una renta bruta de $10.000.00, pagará $5.00 anuales en lugar de $20.00 que hoy paga; si la renta fuere de $18.000 en el mismo caso, pagará $240 en lugar de $695 que hoy paga; si la renta fuere de $24.000, pagará $830 en lugar de $1 360; si la renta fuere de $30.000, pagará $1.650 en lugar de $2.132.50, y, finalmente, si la renta fuere de $36.000, pagará $2 790 en lugar de $2.972.50. De manera que la reforma tributaria adoptada reduce los impuestos para la clase obrera y para la clase media en proporción notable. Pese al sacrificio fiscal que ello significa. En esta forma, de ciento cuarenta y cinco mil contribuyentes, se les reducirá el impuesto aproximadamente a ciento treinta y cinco mil que devengan rentas inferiores a cuarenta mil pesos anuales, y se aumentará en el resto principalmente por la inclusión de los dividendos dentro de la renta gravable. La reforma, a juicio del Gobierno, representa un avance fundamental para lograr, por una parte, la universalidad del impuesto, y, por la otra, que la progresión de la tarifa incida principalmente sobre las grandes rentas y no sobre los pequeños contribuyentes. El aumento de las exenciones es tan amplio, que, como antes dije, una familia con cuatro hijos no tendrá que pagar sino el impuesto mínimo de $1.00 cuando su renta fuere inferior a $9 000 anuales. Y hay que considerar que la mayor parte del pueblo colombiano tiene rentas inferiores a la mencionada cantidad. Se establece en esta forma la justicia social a través del impuesto sobre la renta, haciéndolo recaer de manera principal sobre los que tienen mayor capacidad de enriquecimiento. Y, en cambio, las clases menos capacitadas se descargan en parte de los tributos, pero no totalmente, porque aquello tampoco sería equitativo.

Casi inmediatamente después, el Ejecutivo expidió el Decreto Legislativo 2615 de 1953, mediante el cual corrigió el artículo relativo a la tarifa del impuesto sobre la renta, así:

a) En cuanto toca con los escalafones de ingresos para determinar la tarifa aplicable, retomó el esquema anterior al Decreto Legislativo 2317 de 1953 con algunos cambios: (i) entre rentas líquidas de $12.000 y $20.000, que primero se agrupaban por tramos de $2 000 y luego de $3 000, se crearon nuevos escalafones, tendientes a mejorar la progresividad, con tramos de $1 000; y (ii) entre las rentas líquidas de $600.000 a $1.000.000, que primero se dividían en dos tramos (de $600.000 a $800.000 y de $800.000 a $1.000.000) y luego en tres (de $600.000 a $700.000, de $700.000 a $800.000 y de $800.000 a $1.000.000), se crearon nuevos escalafones con tramos de $100.000.

b) En lo que hace a la tarifa del impuesto, a pesar de que se mantuvo el importante incremento, se morigeró en la siguiente forma: (i) la tarifa marginal superior pasó de ser de 58 % a 48 %; (ii) se preservó la disminución de la alícuota, de 1 % a ½ %, para las rentas líquidas entre $1 y $2 000; (iii) se retomaron las tarifas previstas en el Decreto 270 de 1953 para las rentas líquidas anuales de $2 000 a $12.000, por lo cual el verdadero incremento principió a partir de ese nivel de ingresos y se intensificó a partir de rentas líquidas de $24.000, en congruencia con la fusión del impuesto especial sobre las grandes rentas y el impuesto básico sobre la renta.

IV. Conclusiones

En suma, de lo expuesto se colige que la Reforma Tributaria de 1953, principalmente constituida por los Decretos Legislativos 2317 y 2615, incrementó el número de declarantes, pero correlativamente aumentó las exenciones. Por consiguiente, es lógico que algún número de individuos fuera responsable de cumplir con obligaciones tributarias formales, pero no sustanciales.

Respecto del incremento de las tarifas, cuya incidencia se avizora verdaderamente en rentas líquidas superiores a $12.000, se puede decir que esencialmente afectó a los niveles de ingresos medios y altos. Aunado a lo anterior, la creación de nuevos escalafones para la determinación de la alícuota aplicable coadyuvó a un diseño más progresivo del impuesto sobre la renta. Ello sin comentar el incremento de las exenciones, con lo cual se benefició la clase de menores ingresos. Con fundamento en las anteriores medidas, el recaudo del impuesto sobre la renta pasó a representar, en 1955, más del 50 % del recaudo tributario total[154]; y, en la misma línea, pasó de representar el 3 % al 4.5 % del producto interno bruto (PIB)[155].

---

[154] Cfr. Francisco González y Valentina Calderón, "Las reformas tributarias durante el siglo XX (I)", en *Boletines de Divulgación Económica*, (Bogotá: Ed. Departamento Nacional de Planeación y Giro Editores, 2002), 15.

[155] Cfr. Alfredo Lewin, "Historia de las reformas tributarias en Colombia", en *Fundamentos de la Tributación*, Eleonora Lozano Rodríguez (coord.) (Bogotá: Ed. Uni-

Las medidas adoptadas por el Ejecutivo en la reforma tributaria de 1953 ponen de presente la proyección de la progresividad en el impuesto, reclamada en el contexto latinoamericano por la Comisión Económica para América Latina y el Caribe (CEPAL) en general, y por su secretario general Raúl Prebisch en particular, con miras a la redistribución del ingreso[156].

---

versidad de los Andes y Temis, 2008), 10. En el mismo sentido, Guillermo Perry Rubio y Mauricio Cárdenas Santamaría. *Diez años de reformas tributarias en Colombia.* (Bogotá: Ed. Universidad Nacional de Colombia, 1986).

[156] Decía Prebisch en su célebre obra "El desarrollo económico de la América Latina y algunos de sus principales problemas", en *Revista de Desarrollo Económico*, vol. 26, número 103, 1986, 493 y 494. (Téngase en cuenta, como lo aclara la primera nota a pie de página de la Revista, que el texto original es de 1940, pero su primera publicación —1950— se hizo en inglés y la versión en español tan solo se había difundido en forma mimeografiada): "Las grandes disparidades en la distribución de los ingresos pueden ser y han sido históricamente un factor favorable a la acumulación del capital y al progreso técnico. Sin desconocer lo que ello ha significado también en estos países [se refiere a América Latina], hay notorios y frecuentes ejemplos de cómo esas disparidades distributivas estimulan formas de consumo propias de países de alta productividad. Malógranse así, con frecuencia, importantes posibilidades de ahorro y de eficaz empleo de las reservas monetarias en importaciones productivas (...) La clase media y los grupos de ingresos fijos han sido, por lo general, los que han pagado una parte muy grande de la transferencia de ingresos reales a los empresarios y demás favorecidos [refiriéndose a la inflación] (...) Toda esta redistribución del ingreso, provocada por la inflación, genera en los grupos favorecidos la ilusión de que aumenta la riqueza de la colectividad, en su conjunto, aun cuando el ingreso real haya dejado de crecer apreciablemente, una vez traspuesto el período inicial de expansión moderada (...) En fin de cuentas, si el ahorro forzado, que pueda acumularse con la inflación, sale de capas numerosas de la colectividad, sin que les fuera dado recoger sus frutos por pasar ellos definitivamente a los grupos favorecidos, habría que preguntarse seriamente si no habrá posibilidad de encontrar otras formas de ahorro (espontáneas o de determinación colectiva)". Aunque sin mención expresa, es evidente que la expresa solicitud de intervención estatal en la economía, particularmente guiada por la reorientación del sistema de importaciones y la readecuación del manejo del comercio exterior, aunado a la sugestiva aseveración sobre la inconveniencia de mantener fuertes disparidades de ingresos, permite entrever el apoyo de Prebisch a la tributación directa, especialmente por medio del impuesto sobre la renta, y progresiva. Más adelante, en la Conferencia sobre Política Fiscal, organizada por el programa conjunto de tributación de la OEA, el BID y la CEPAL (Documento E/CN.12/638 del 15 de enero de 1963, proferido por el Consejo Económico y Social de las Naciones Unidas, *informe provisional de la conferencia sobre política fiscal organizada por el programa conjunto de tributacion oea/bid/cepal*), celebrada en 1962, se formuló la siguiente recomendación, a manera de conclusión: "[E]l establecimiento de un amplio sistema unitario de impuesto

Ciertamente, es indudable el mérito de fragmentar los tramos de ingresos en el mayor grado posible, pues así se evita que dos contribuyentes con capacidades contributivas disímiles se vean obligados a aplicar una misma alícuota para determinar su importe tributario a cargo. Pero también es menester cuestionar hasta qué punto la pretendida progresividad deja de serlo y se convierte en confiscatoriedad. No es posible ignorar el popular aforismo, difundido en materia tributaria, según el cual *uno es el contribuyente y una sola es su capacidad contributiva*. Así, se vuelve ineludible reconocer que la carga de múltiples tributos, aun cuando sus alícuotas sean aparentemente cómodas desde una perspectiva aislada, puede terminar por expropiar a los contribuyentes de sus recursos, por la vía de forzarlos a contribuir en proporciones que no se acompasan con el principio de justicia.

En todo caso, a pesar de los notables cambios que aquí se comentan, lo cierto es que: (i) no se corrigió o aclaró el galimatías en la tributación de las rentas familiares, particularmente atribuibles a la sociedad conyugal, por lo que el desorden hasta entonces imperante en su concepción continuó inalterado; y (ii) tampoco se incorporó una norma que enmendara la penosa situación en que quedaban las rentas provenientes del peculio adventicio ordinario de los hijos de familia, las cuales continuaban siendo atribuibles a los titulares de la patria potestad, con lo cual quedaban gravadas a tarifas muy superiores a las que les corresponderían si se denunciaran directamente por parte de los propietarios de los bienes.

---

personal progresivo a la renta, que incluya el gravamen de las ganancias de capital tanto de bienes muebles como de bienes inmuebles, complementado con un impuesto sobre el patrimonio neto, cuando ello sea posible". Todo lo anterior reitera la política fiscal de la CEPAL, que por mucho desborda nuestro análisis, y cuya profundización el lector puede encontrar en MAURICIO A. PLAZAS VEGA, *Derecho de la hacienda pública y derecho tributario*, tomo I, segunda edición, (Bogotá: Ed. Temis, 2006), 165 a 178; el reporte de la CEPAL sobre Colombia, en 1952, E/CN.12/217; y en JUAN CARLOS VILLAMIZAR. *Pensamiento económico en Colombia: la construcción de un saber.* (Bogotá: Ed. Universidad del Rosario, 2013), 166 y siguientes.

Capítulo V.
Régimen de la Ley 81 de 1960

La particular relevancia de este compendio normativo obliga a que su análisis se surta en forma diferente a la cual se han estudiado las reformas precedentes. Por consiguiente, en este acápite se incluirá una primera sección, introductoria, en la cual se esbozarán algunos hechos que obraron como antecedentes para la gestación de la Ley; seguidamente, se analizarán sus aspectos normativos más relevantes, de cara al objeto de este texto; y, finalmente, se continuará con la estructura de analizar las regulaciones, legales y reglamentarias, que fueron confeccionando la Ley hasta la expedición de la nueva reforma tributaria. Veamos:

SECCIÓN I. APUNTACIONES PRELIMINARES

En las décadas de 1940 y 1950 Colombia estuvo fuertemente golpeada por diversos sucesos, nacionales e internacionales, que afectaron su estabilidad económica y política. Claros ejemplos de ello son la Segunda Guerra Mundial, "El Bogotazo", el apartamiento del presidente LAUREANO GÓMEZ como consecuencia de una enfermedad cerebrovascular, el ascenso de la Dictadura del Militar GUSTAVO ROJAS PINILLA y la culminación de la bonanza cafetera.

Es preciso detenernos, en forma breve, en el discurrir del régimen de ROJAS PINILLA. Abstracción hecha de los muchos detalles que pasaremos por alto, la situación social por la cual transitaba el país era altamente caótica, particularmente por la unión de dos hechos históricos de suma importancia: la época de "La Violencia", cuyo inicio se marcó con el asesinato de JORGE ELIECER GAITÁN, y el descontento generalizado por el golpe de Estado perpetrado contra el presidente GÓMEZ CASTRO. Fue en ese contexto que, el 14 de julio de 1956, LAUREANO GÓMEZ CASTRO y ALBERTO LLERAS CAMARGO, líderes naturales de los partidos Conservador y Liberal, respectivamente, suscribieron el ACUERDO DE BENIDORM, por el cual declararon,

[c]on viva y recíproca satisfacción, (...) que se ha[bía] llegado a un pleno acuerdo sobre la necesidad inaplazable de recomendar a los dos partidos históricos una acción conjunta destinada a conseguir el rápido regreso a las formas institucionales de la vida política y la reconquista de la libertad y las

garantías que han sido el mayor orgullo patrimonial de las generaciones colombianas hasta la presente[157].

Luego de la réplica al ACUERDO DE BENIDORM, concretada en la expedición de una misiva de respaldo[158] supuestamente *cívico* y *militar*, al Gobierno
de ROJAS PINILLA por el general GABRIEL PARÍS, entonces ministro de guerra, y de la contrarréplica formulada por varios miembros de la Dirección
Nacional Liberal y el Directorio Nacional Conservador en lo que se denominó el "PACTO DE BOGOTÁ"[159], se suscribió, nuevamente entre LLERAS
CAMARGO y GÓMEZ CASTRO, el "PACTO DE SITGES", el 20 de julio de 1957.
Pero en el interregno comprendido entre la firma del PACTO DE BOGOTÁ
y el de SITGES, la Asamblea Nacional Constituyente y Legislativa, presidida
por LUCIO PABÓN NÚÑEZ después de que el expresidente OSPINA PÉREZ
dimitiera en 1956, profirió el Acto Legislativo 1 de 1957, mediante el cual
decretó que ese cuerpo colegiado finalizaría sus funciones el 10 de abril
siguiente y convocó a nuevas elecciones para su integración (Cfr. artículo
1°). Sería función de la nueva Asamblea "estudiar preferencialmente la reforma constitucional" y su composición estaría fijada por los lineamientos
que, al efecto, dictara el presidente ROJAS PINILLA (Cfr. artículo 2°).

Una vez posesionada la nueva Asamblea Nacional Constituyente y Legislativa, en su primera sesión, del 30 de abril de 1957, se propuso la reelección de *Jefe Supremo* para el cuatrienio que principiaba el 7 de agosto de
1958[160]. Ante ese hecho, una multiplicidad de sectores nacionales, entre
los que cabe destacar a los estudiantes, la industria, la Iglesia y los sindica-
tos, convocaron a un cese de actividades colectivo que recibió el nombre
de *Jornadas de Mayo*[161]. Todo lo anterior llevó a que ROJAS PINILLA presen-

---

[157]   El texto completo de la Declaración se encuentra disponible en el texto de GA-
        BRIEL SILVA LUJÁN, intitulado "El origen del Frente Nacional y la Junta Militar",
        en *Nueva Historia de Colombia. Historia política 1946-1958*, volumen II. Bogotá: Ed.
        Planeta, 1989), 192 y 193.

[158]   Sobre el particular, véase a HERNÁN JARAMILLO OCAMPO. *Momentos estelares de la
        política colombiana.* (Bogotá: Ed. Tercer Mundo, 1990), 119 y ss.

[159]   El texto completo del PACTO DE BOGOTÁ se encuentra disponible en MAURICIO A.
        PLAZAS VEGA. *El frente nacional.* (Bogotá: Ed. Temis, 2011), 247 a 258.

[160]   Véase a SILVIA GALVIS y ALBERTO DONADIO. *El jefe supremo. Rojas Pinilla en la violen-
        cia y en el poder.* (Medellín: Ed. Hombre Nuevo, 2002), 523.

[161]   Para un análisis más profundo sobre las Jornadas de Mayo, el lector puede acudir
        a MIGUEL ÁNGEL BELTRÁN VILLEGAS. "La dictadura de Rojas Pinilla (1953-1957)
        y la construcción del "enemigo interno" en Colombia: el caso de los estudiantes
        y campesinos", *Revista Universitaria de Historia Militar*, volumen 8, número 17. (Es-

tara su renuncia a la Presidencia de la República de Colombia y, para evitar traumatismos, dispusiera que una Junta Militar asumiera sus funciones y "presidi[era] las elecciones en las cuales el pueblo colombiano el[egiría] el mandatario que habr[ía] de regir los destinos de Colombia en el período constitucional 1958-1962"[162].

Así se explica que los signatarios del PACTO DE SITGES hayan rehusado la convocatoria a una Asamblea Nacional Constituyente y, en su lugar, prefirieran avalar una figura plebiscitaria para restituir el orden democrático que había sido turbado, a saber:

> Pero esas enmiendas previas y el retorno a las normas constitucionales [se refieren a las propuestas formuladas en el texto], que fueron alteradas abusivamente por la dictadura, requieren la aprobación del pueblo. Una nueva asamblea constituyente sería vista por éste con la más grande alarma y se temerían nuevas invasiones sobre los derechos de los ciudadanos de parte de cualquier cuerpo de emergencia como los anteriores. Por eso pensamos que el procedimiento más rápido y eficaz, y también el más democrático, para salir del caos y dar firme piso al orden constitucional y pasa aniquilar los repliegues y escondirijos donde se refugian los ergotistas y sofistas de la dictadura, es que tales enmiendas se lleven a la aprobación o rechazo de la opinión pública por medio de un plebiscito muy sencillo y concreto, que, otorgue al sistema paritario en las corporaciones públicas y, en general, al entendimiento de los partidos, un apoyo indiscutible por la apelación a la fuente más pura del poder público. (…) Realizado ese plebiscito, en el más breve tiempo, y aprobadas las enmiendas por el pueblo en forma directa, entrarían a regir inmediatamente. Se convocarán las elecciones para el Parlamento sobre las nuevas bases y para constituir también los cuerpos colegiados constitucionales y elegir al presidente de Colombia[163].

Ante el tenso clima político por el que transitaba nuestro país, la Junta Militar, presidida por el Mayor General GABRIEL PARÍS, constituyó una Comisión de Ajuste Institucional como cuerpo asesor para el retorno a la institucionalidad. Con el decidido consejo de la Comisión de Ajuste Institucional, el 4 de octubre de 1957 se expidió el Decreto Legislativo número 247, por el cual se convocó a un plebiscito, que se celebró el 1° de diciembre siguiente, para que el pueblo aprobara el proyecto de texto consti-

---

paña: Ed. Centro de Estudios de la Guerra., 2019), 45 a 47; y a ÁLVARO TIRADO MEJÍA. "Rojas Pinilla: del golpe de opinión al exilio", en *Nueva Historia de Colombia*, Tomo II. (Bogotá: Ed. Planeta, 1989), 120 y ss.

[162] Véase a MAURICIO A. PLAZAS VEGA. *El frente nacional*. (Bogotá: Ed. Temis, 2011), 132 y 133.

[163] La totalidad del texto del PACTO DE SITGES se encuentra disponible en JORGE SERPA ERAZO. *Rojas Pinilla. Una historia del siglo XX*. (Bogotá: Ed. Planeta, 1999), 515 a 518.

tucional, del cual se debe destacar: primero, el otorgamiento del voto a la mujer; segundo, la repartición paritaria de las corporaciones públicas entre los partidos Liberal y Conservador; y tercero, la repartición de los ministerios en proporción a la participación de los partidos tradicionales en las cámaras legislativas.

El *Plebiscito de 1957*[164], como es popularmente conocido, fue respaldado por 4.169.294 colombianos, en tanto que 206.654 lo votaron negativamente[165]. A partir de ese histórico resultado del 1° de diciembre de 1957, tuvo su inicio en Colombia el *Frente Nacional*[166], que perduró hasta las elecciones presidenciales de 1970. Y su primer presidente fue ALBERTO LLERAS CAMARGO (1958-1962), bajo cuya égida se gestaría y aprobaría la Ley 81 de 1960[167].

---

[164]   Se ha cuestionado en la doctrina si, verdaderamente, la figura jurídica a la cual se acudió en 1957 fue la de un referendo. Al respecto, con particular agudeza sostienen VIDAL PERDOMO y PLAZAS VEGA, y nosotros adherimos, que los actos plebiscitarios entrañan un respaldo o negativa a una decisión política del Estado [como ocurrió en Colombia con el sometimiento a votación popular de los Acuerdos de Paz suscritos entre el presidente Santos y las FARC], en tanto que los referendos comportan la aprobación o rechazo de una reforma del ordenamiento jurídico. Cfr. JAIME VIDAL PERDOMO. *Derecho constitucional general.* (Bogotá: Ed. Universidad Externado de Colombia, 1985), 51 a 53; y MAURICIO A. PLAZAS VEGA. *El frente nacional...*, 147 a 150.

[165]   Cfr. JUAN ESTEBAN CONSTAÍN. *Así fue el primer plebiscito votado en el país*, 2016. https://www.eltiempo.com/archivo/documento/CMS-16716227.

[166]   A todo este proceso histórico MAURICIO A. PLAZAS VEGA (*El frente nacional...*) le dedica una importante obra, cuya lectura se recomienda a quienes quieran profundizar en esta temática.

[167]   No se debe olvidar, sin embargo, que el arribo de LLERAS CAMARGO a la primera magistratura del país, al menos en ese momento, obedeció a la fundamental división del Partido Conservador Colombiano, al que por derecho histórico le correspondía el primer turno en la presidencia de la república, habida consideración de que durante el período de uno de sus militantes se produjo la disrupción del orden constitucional y democrático a manos del General ROJAS PINILLA. No se requiere mayor esfuerzo para identificar que los dos grandes líderes del conservatismo, para entonces, eran LAUREANO GÓMEZ CASTRO y MARIANO OSPINA PÉREZ: el primero, líder natural, depuesto por ROJAS PINILLA; y el segundo, líder formal, cuando menos desde el punto de vista jurídico, del Partido. La particular animosidad entre ambos líderes halló su origen en que OSPINA PÉREZ, como presidente de la Asamblea Nacional Constituyente, suscribió, en 1953, el Acto Legislativo 1 de ese año, por el cual se legitimó la dictadura de ROJAS PINILLA de cara a la "vacancia del cargo" de GÓMEZ CASTRO, a raíz de su retorno a España el 13 de junio de 1953. En todo caso, en ejercicio del derecho histórico que le asistía al conservatismo para postular al primer presidente del *Frente Nacional*, surgió el nombre de GUILLERMO LEÓN VALENCIA, hijo del MAESTRO VALENCIA (el poeta, cuya división con el

Coetáneamente, es preciso aludir a la temática tributaria. Ya se ha constatado, en el capítulo que antecede, la inusitada dispersión normativa que, en materia fiscal, hubo en Colombia desde la expedición de la Ley 78 de 1935. Por ese motivo, mediante el Decreto 868 de 1951, el presidente LAUREANO GÓMEZ ordenó la edición y publicación de la *Compilación del impuesto sobre la renta, complementarios y adicionales.*

Como lo recuerda BRAVO ARTEAGA, la ordenación, concordación y anotación de esa *compilación* estuvo a cargo de HÉCTOR JULIO BECERRA BECERRA, quien más tarde se convertiría en uno de los fundadores del Instituto Colombiano de Derecho Tributario, y la capital importancia de esa *compilación* para la década del cincuenta se concretó en ser "prácticamente la única compilación sobre la materia [tributaria] en esa época"[168]. Sin embargo, y según se anotó previamente, la proliferación normativa continuó durante

---

General COVO terminó en el quiebre de la Hegemonía Conservadora en 1930 y dio inicio a la República Liberal), pero el expresidente LAUREANO GÓMEZ se rehusó a aceptar esa candidatura, con fundamento en algunos espaldarazos que VALENCIA había dado al "Usurpador" (expresión con la que GÓMEZ se refería a ROJAS PINILLA). Así se constata en el discurso pronunciado por GÓMEZ en la Convención Conservadora de Cali, llevada a cabo el 6 de octubre de 1957, como lo recuerda HERNÁN JARAMILLO OCAMPO (*Momentos estelares...*, 157). Para evitar traspiés en la implementación de la unión bipartidista, se hubo de celebrar el PACTO DE SAN CARLOS, el 20 de noviembre de 1957, mediante el cual se acordó esperar a que el nuevo Congreso decidiera si avalaba, o no, la candidatura de VALENCIA. Luego del apabullante triunfo del *Plebiscito,* y de los formidables resultados electorales del *Laureanismo,* GÓMEZ CASTRO reiteró su oposición a la candidatura de GUILLERMO LEÓN VALENCIA y, en su lugar, propuso el nombre de su cosignatario de los PACTOS DE BENIDORM y SITGES: ALBERTO LLERAS CAMARGO. La estirpe liberal de LLERAS no fue óbice para que GÓMEZ le diera su respaldo y, a la postre, GUILLERMO LEÓN VALENCIA terminó también por apoyar la candidatura de LLERAS CAMARGO, como se vino a saber cuándo VALENCIA estampó su firma en el voto que dio a favor de LLERAS CAMARGO durante la reunión en la que el Partido Conservador habría de elegir a quién avalar. http://www.4-72.com.co/sites/default/files/archivos_filatelia/G.%20L.%20Valencia%20-%20Boletin.pdf. A pesar de que LLERAS CAMARGO siempre sostuvo que quien debía ser llamado a fungir como candidato bipartidista para el primer período del Frente Nacional era un Conservador, al final se decantó por aceptar la candidatura ante la imposibilidad manifiesta que se presentaba para alcanzar una unión en ese partido político (Véanse sus declaraciones en MAURICIO A. PLAZAS VEGA. *El frente...*, 110 y 111).

[168] JUAN RAFAEL BRAVO ARTEAGA. *Derecho tributario: escritos y reflexiones.* (Bogotá: Ed. Universidad del Rosario, 2008), 250 y 251. Debemos agregar que esa *Compilación del impuesto sobre la renta, complementarios y adicionales* obró como referente fundamental para la elaboración de este escrito.

la década de 1950, por lo que es previsible que el texto hubiera perdido plena vigencia durante esos años.

Al tiempo como se surtía el proceso político de reinstitucionalización del orden democrático, el discurrir del orden jurídico, particularmente en lo que toca con el ámbito tributario, no se descuidó. El 10 de diciembre de 1957, luego del amplio apoyo popular que recibió el *Plebiscito*, la Junta Militar expidió el Decreto 341, contentivo de reformas relacionadas con los impuestos nacionales. En lo fundamental, sus variaciones se pueden sintetizar así:

a) Se modificó la sanción por inexactitud y otras sanciones relacionadas con la obligación de llevar libros de contabilidad y fiscales, según lo previsto por el Decreto 270 de 1951;

b) En el artículo 14, se estableció una amnistía, consistente en pagar el promedio entre el impuesto a cargo liquidado por el contribuyente y aquél liquidado por la Administración, para cada uno de los períodos gravables de 1954 y 1955, como consecuencia de la dramática caída de los precios internacionales del café[169];

c) Se fijaron los honorarios de los avaluadores para bienes incorporales y los relictos;

d) Se crearon algunas deducciones y se amplió el término para demandar ante la Jurisdicción las revisiones tributarias de la Jefatura de Rentas e Impuestos Nacionales; y

e) En el artículo 22, se facultó al Gobierno Nacional para crear una Comisión de Expertos Tributarios, con el fin de que se efectuaran los estudios y análisis necesarios para poner en consideración del Congreso de la República, cuyo inicio de sesiones comenzaría el 20 de julio de 1958, un Estatuto Tributario.

En desarrollo de lo previsto en el artículo 22 del Decreto 341 de 1957, la Junta Militar profirió el Decreto 878 de 1958 y, en su artículo 1º, estableció que la Comisión de Expertos estaría integrada por AURELIO CAMACHO RUEDA, JORGE SÁENZ OLARTE, RAMÓN MUÑOZ TOLEDO, CARLOS CASAS MORALES, el jefe de Rentas e Impuestos Nacionales y el Asesor Jurídico del Ministerio de Hacienda. Más adelante, mediante el Decreto 2359 de 1959, el presidente LLERAS CAMARGO dispuso que también formaría parte de la Comisión el director de la Subdivisión Técnico-Jurídica de la Jefatura de Rentas e Impuestos Nacionales.

---

[169] ROBERTO JUNGUITO y HERNÁN RICÓN. *La política fiscal...*, 56.

Sin duda alguna, el acucioso trabajo de la Comisión de Expertos, que fue también puesto en consideración de la Universidad de Harvard y de las Naciones Unidas[170], no solo procuró superar las deficiencias en el disperso régimen normativo fiscal, sino que actualizó y creó nuevas disposiciones, con base en el contexto internacional (especialmente los lineamientos de la CEPAL y lo que se discutía por aquella época en la *International Fiscal Association*). En efecto, en la exposición de motivos del texto final del proyecto que se convertiría en la Ley 81 de 1960, presentado ante el Congreso de la República en 1959, se lee:

> El Gobierno no estima que el proyecto que someto a la consideración del Congreso Nacional, y que permite derogar 165 artículos dispersos en 12 Leyes, 7 Decretos extraordinarios y 20 legislativos que regulan hoy la parte sustantiva del impuesto sobre la renta y sus adicionales, constituya el primer paso fundamental en la tarea de reorganizar y perfeccionar nuestro deficiente régimen tributario. Las normas que quedan vigentes y que constituyen la parte adjetiva y procedimental, también podrán derogarse totalmente tan pronto como se elabore el estatuto complementario sobre dichas materias, en uso de la facultad que se solicita en el artículo 109 del proyecto.

Es ese el contexto en que se gestó y aprobó, el 22 de diciembre de 1960, la Ley 81, que enseguida pasamos a estudiar.

SECCIÓN II. CONTENIDO DE LA LEY 81 DE 1960 Y DEL DECRETO REGLAMENTARIO 437 DE 1961

La Ley 81 se expidió el 22 de diciembre de 1960 y fue publicada en el Diario Oficial número 30.412 del 24 de diciembre siguiente. Dos meses más tarde, el Gobierno Nacional profirió el Decreto número 437 del 22 de febrero de 1961, reglamentario de la disposición en análisis. Por la elevada importancia que esta norma tiene para la efectiva comprensión del ordenamiento jurídico vigente en Colombia, el estudio de su contenido se acompañará con el de su decreto reglamentario.

Sea lo primero advertir que la Ley 81 de 1960 preservó el sistema sintético, unitario o alemán de liquidación del impuesto sobre la renta. En

---

[170]   Cfr. JUAN RAFAEL BRAVO ARTEAGA. *Derecho tributario: escritos y reflexiones...*, 250; ALFREDO LEWIN FIGUEROA. *Historia de las reformas...*, 13; AURELIO CAMACHO RUEDA. *Ponencia para primer debate sobre las modificaciones introducidas por el Honorable Senado de la República, al proyecto de ley "Reorgánica del Impuesto sobre la Renta"*, incluida como anexo en las Memorias de Hacienda de 1959.

tal sentido, los contribuyentes continuaron obligados a depurar todas las rentas, independientemente de su origen, conforme a una misma metodología. Ahora bien, en punto a nuestro objeto de estudio, los elementos más significativos que introdujo la Ley 81 se relacionan, en particular, con: (i) las reglas de imposición para los matrimonios; (ii) las exenciones en general; (iii) las exenciones personales; (iv) las tarifas; y (v) los hijos. Veamos:

I. Matrimonios

1. Antecedentes legislativos de la Ley 81 de 1960 sobre los matrimonios[171]

A. Texto inicialmente presentado por el Gobierno Nacional al Congreso de la República

El 22 julio de 1959, después de que la Comisión Redactora hubiera propuesto su reforma tributaria y ésta hubiera sido consultada con expertos internacionales de la Universidad de Harvard, el Gobierno nacional radicó —ante el Congreso de la República— su proyecto de ley reorgánica del impuesto sobre la renta. En relación con los matrimonios, el artículo 13 dispuso lo siguiente:

> Artículo 13. Los sujetos gravables en los matrimonios son el marido y la mujer, individual e independientemente considerados, en cuanto a sus correspondientes bienes y rentas; sin embargo, para los fines de esta ley, los cónyuges que vivan unidos podrán dividir por mitad sus bienes y rentas gananciales, y declararlos separadamente.

> Parágrafo. En el caso de que los cónyuges efectúen la división de bienes y rentas, autorizada en este artículo, serán solidariamente responsables del pago de los impuestos liquidados a cada uno de ellos[172].

Nótese cómo, con mucho acierto, el proyecto de ley radicado por el Gobierno nacional, con apoyo en la Comisión Redactora a que aludimos en la sección I, señaló que los cónyuges debían contar con la posibilidad de

---

[171] Para desarrollar este título echaremos mano, en forma constante, de los tomos I y II de *La reforma tributaria de 1960. Historia y análisis de la ley 81 de 1960 "Reorgánica del impuesto sobre la renta*, publicado por la Escuela Superior de Administración Pública (ESAP).

[172] Cfr. ESCUELA SUPERIOR DE ADMINISTRACIÓN PÚBLICA. *Historia y análisis de la ley 81 de 1960 "Reorgánica del impuesto sobre la renta*, tomo I. (Bogotá: Ed. Imprenta Nacional, 1961), 3.

distribuir la totalidad de sus bienes y rentas *gananciales* para efectos tributarios. Ya se comentarán, en el punto 2 de esta sección, las dificultades que presentaba la redacción normativa.

También en el texto del proyecto inicialmente radicado en el Congreso de la República se encontraba, en los artículos 77 y 78 del capítulo II del título IV del proyecto, el recargo de soltería:

> Artículo 77. Los varones colombianos mayores de 35 años pagan por concepto de soltería un recargo del 15% sobre el impuesto de renta y su complementario de patrimonio.
>
> Para la efectividad de este recargo, los contribuyentes deben expresar su edad y estado civil al final del respectivo año gravable, en los formularios de la declaración de renta y patrimonio. Si así no lo hicieren, se estimará que están sometidos al recargo de soltería.
>
> Artículo 78. Están exentos de este recargo los varones que permanezcan en estado de soltería por razones atañederas a su estado religioso, o por incapacidad física o mental, y los viudos.
>
> Parágrafo: Las personas exentas del recargo de soltería, conforme a lo dispuesto en este artículo, deben en todo caso informar, con ocasión de su declaración de renta y patrimonio, las circunstancias especiales o hechos que los coloquen dentro de la exención correspondiente. A falta de esta información, se les considera sujetos al recargo[173].

Sobre este particular, únicamente se debe anotar que, por un lado, se observa la reproducción del sobreimpuesto a la soltería consagrado en el Decreto 1961 de 1948, con algunas variaciones. Por otro lado, el recargo solamente se previó para el impuesto sobre la renta y su complementario de patrimonio, puesto que el complementario sobre el exceso de utilidades se había suprimido del proyecto de ley (aunque luego sería incluido en la norma finalmente aprobada por el Congreso).

B. *Exposición de motivos del Gobierno Nacional*

El ministro de hacienda de la época, HERNANDO AGUDELO VILLA, presentó la exposición de motivos sobre cada uno de los artículos del proyecto de ley. En relación con la tributación de los matrimonios, se argumentó que el texto propuesto se justificaba por dos razones esenciales: (i) los ga-

---

[173]   *Ibidem*, 31.

nanciales pertenecen por mitad a cada consorte, una vez se liquide la sociedad conyugal; y (ii) en beneficio de la familia, resulta procedente autorizar tratamientos fiscales favorables a la sociedad conyugal. Veamos:

> Artículo 13. La legislación fiscal se orientaba por la ley civil, siguiéndola fielmente, en cuanto al régimen patrimonial en el matrimonio, que es de práctica separación entre los cónyuges hasta el momento en que, por causales expresamente establecidas en la ley, llegue el momento de la liquidación de la sociedad conyugal 'latente'; por tanto, los cónyuges eran contribuyentes separados, en cuanto a sus propios bienes y rentas.
>
> Este artículo reforma totalmente lo vigente: permite a los cónyuges dividir por dos los bienes que al liquidarse la sociedad conyugal puedan considerarse gananciales, incluyéndolos en sus declaraciones separadas. Esto por dos razones: porque en realidad los gananciales habrán de ser repartidos por mitad entre los cónyuges en el futuro; y porque mientras tanto existe una sociedad latente que puede favorecerse fiscalmente en beneficio de la familia. Por lo demás, en el Congreso se adelanta el estudio de un proyecto que facilita las separaciones de bienes gananciales.
>
> La responsabilidad solidaria que consagra el parágrafo resulta obvia[174].

En cuanto al recargo de soltería, se explica que el cambio en su naturaleza jurídica, de sobreimpuesto (Decreto 1651 de 1948) a recargo, resulta más lógico. Además, argumenta el Gobierno que la modificación según la cual se exime del recargo a los contribuyentes que no contraen matrimonio por incapacidad física o mental se explica por sí misma. Dice la exposición de motivos:

> Artículo 77. Reproduce el artículo 6º del Decreto extraordinario 1651 de 1948 que estableció el impuesto de soltería, al cual le da el carácter de recargo de impuesto de renta que resulta más lógico.
>
> Artículo 78. Corresponde al parágrafo del artículo 6º del Decreto extraordinario 1961 de 1948, con la modificación de que exime del recargo a los contribuyentes que por incapacidad física o mental no pudieren contraer matrimonio. Esta modificación se explica por sí misma.
>
> El parágrafo contiene en parte la norma del artículo 13 del Decreto 2641 de 1948, pero adicionándolo con la obligación de suministrar informes sobre las circunstancias especiales que le den al contribuyente el derecho de gozar de la exención del recargo[175].

---

[174]   *Ibidem*, 80.
[175]   *Ibidem*, 100.

C. Comentarios del ministro de hacienda, Hernando Agudelo Villa, a las observaciones de la ciudadanía

Luego de que se publicara el proyecto a la ciudadanía, se recibieron observaciones de la ANDI y la Asociación Bancaria en torno a la tributación de los cónyuges, así:

> División de bienes y rentas entre cónyuges (artículo 13).
>
> La ANDI considera que debe permitirse también la división entre cónyuges de bienes propios, suprimiendo la palabra 'gananciales' en el artículo 13[176].
>
> La Asociación Bancaria estima que debe mencionarse entre las ventajas del proyecto la posibilidad de que los cónyuges puedan dividir sus bienes y rentas[177].

Al respecto, el ministro AGUDELO VILLA sostuvo que la autorización para que los cónyuges dividieran sus bienes y rentas propios no contaba con justificación legal o técnica, por lo cual abrió la posibilidad de que se restringiera tal facultad a las rentas de trabajo exclusivamente, a saber:

> La división entre cónyuges de bienes propios no se justifica legal ni técnicamente, pero evitaría controversias y dificultades de orden práctico en las liquidaciones. Para evitar estos inconvenientes, también podría pensarse en que la división se limite a las rentas de trabajo, lo que estaría de acuerdo con la idea insistentemente expresada por algunas personas de que debe acentuarse más la diferenciación impositiva de las rentas, según el origen de éstas[178].

Resta advertir que, por lo tocante con el recargo de soltería, nada se dijo por la ciudadanía y, consiguientemente, no hubo comentarios del ministro.

D. Ponencia para Primer Debate en la Comisión Tercera de la Cámara de Representantes, presentada por Gustavo Balcázar Monzón

En su ponencia para primer debate en la Comisión Tercera, el Congresista BALCÁZAR MONZÓN criticó el texto del artículo 13, propuesto por el Gobierno nacional, por adolecer de falencias teóricas y complicaciones prácticas, en los siguientes términos:

> División de bienes y rentas gananciales entre los cónyuges.

---

[176] Memorándum, enero 30 de 1959, número 4.

[177] *Ibidem*, 117. 'El Espectador', febrero 7 de 1959.

[178] *Ibidem*, 117.

El artículo 13 del proyecto dice (...)

Este artículo ofrece varias dificultades teóricas y prácticas:

En primer término, crea para los contribuyentes un problema que la inmensa mayoría no puede resolver acertadamente. Los más, no saben qué son los bienes y rentas 'gananciales'. Esto los puede inducir a sumar los bienes propios en la masa divisible, con lo cual se viola la disposición.

En segundo lugar, la violación de la norma, de buena o de mala fe, por aplicación excesiva de la facultad que concede, resulta muy difícil de establecer. Los liquidadores tampoco saben qué son 'gananciales', y aun en el supuesto de que lo supieran, se verían obligados a interminables investigaciones, que retardarían el proceso de la liquidación, con grave perjuicio fiscal.

Como tercera consecuencia de este artículo, hay que anotar una que es muy importante y grave: por él se elude la progresividad y se causa grave impacto al Tesoro Público, imposible de calcular con pequeño margen de error. Al desvirtuar la progresión, crea situaciones de privilegio injustificables. Además, coloca fuera del campo de los contribuyentes a muchos declarantes, que siquiera en mínima parte debieran ayudar a soportar las cargas del Estado.

Por último, agrava una desigualdad, que a mi modo de ver, no se justifica, por implicar intromisión indebida en la vida privada de los contribuyentes: la creada por el impuesto de soltería.

La solución insinuada por algunos de que se extienda la facultad del artículo para que sea posible dividir todos los bienes y rentas, eliminaría las dos primeras dificultades que he anotado, pero agravaría la tercera.

Dos fórmulas sustitutivas creo que podría estudiar la Cámara. Una de ellas sería la de crear una tarifa especial para quienes se acojan al régimen previsto en el artículo. La otra, reducir el privilegio que implica la situación autorizada, exclusivamente a las rentas de trabajo[179].

Posteriormente, en el pliego de modificaciones de la ponencia, se reitera la sugerencia de crear unas tarifas especiales para los matrimonios o, inexplicablemente, como adelante estudiaremos, de limitar la facultad a las rentas exclusivas de trabajo: "Artículo 13. En sustitución de este artículo, una fórmula alternativa: a) O se crea una tarifa especial, aplicable a

---

[179] Cfr. escuela superior de administración pública. *Historia y análisis de la ley 81 de 1960 "Reorgánica del impuesto sobre la renta,* tomo II. (Bogotá: Ed. Imprenta Nacional, 1961), 43 y 44.

quienes se acojan a la facultad de dividir todos sus bienes y rentas; b) O se contrae la facultad a las rentas de trabajo"[180].

Ahora bien, en relación con el recargo de soltería, la ponencia para primer debate señala que aprobar un gravamen semejante, en forma adicional al régimen especial de tributación de los matrimonios, "resultaría excesivo"[181].

E. Ponencia para Segundo Debate en Cámara de Representantes (Plenaria), presentada por Gustavo Balcázar Monzón e Informe de la Secretaría de la Comisión Tercera

El proyecto fue aprobado en primer debate el 24 de noviembre de 1959. Según se aclara en el Informe de la Secretaría de la Sección Tercera, luego de las modificaciones propuestas por el representante Balcázar Monzón, el Gobierno nacional, por intermedio de la Comisión Redactora, ajustó el texto proyecto de ley. Las variaciones en el artículo 13 se explican así:

> El artículo 13 sufrió la adición, consistente en que los cónyuges que vivan unidos y que según el contenido del proyecto fusionado, les permite dividir por mitad las rentas excesivas [SIC] de trabajo, bien sea que hubieran sido obtenidas por ambos o por uno de ellos 'hasta la cantidad de $72.000'. También mereció la adición de un nuevo parágrafo, al cual le correspondió el segundo lugar del mencionado artículo y que fue aprobado así: 'Los cónyuges que efectúen la división de las rentas de trabajo autorizadas en este artículo, serán solidariamente responsables del pago de los impuestos liquidados a cada uno de ellos'[182].

Es de observar que el Informe de la Secretaría Tercera incurrió en un yerro importante, habida cuenta de que el parágrafo que se anuncia como novedosamente adicionado ya se encontraba en el texto original del proyecto de ley. Probablemente se refería, en realidad, al que sería aprobado como primer parágrafo del artículo 13 de la ley, cuyo texto es el siguiente: "En el caso de que los cónyuges efectúen la división de las rentas de trabajo autorizada en este artículo, tales rentas se acumularán a las de otras procedencias, para los efectos de la liquidación personal que deba practicársele a cada uno de ellos".

A su turno, en el Informe se incorpora una aclaración, relativa a "que el capítulo II del proyecto fusionado (recargos de soltería) y que comprende

---

[180]   *Ibidem*, 49.
[181]   *Ibidem*, 40.
[182]   *Ibidem*, 61.

los artículos 77 y 78, fue suprimido en su totalidad"[183]. De manera que, en buena hora, se eliminó por el Parlamento el odioso gravamen sobre los célibes, al cual nos referimos en detalle *supra*.

F. Ponencia para primer debate en la Comisión Tercera del Senado de la República, presentada por Alfonso Lara Hernández

ALFONSO LARA HERNÁNDEZ, en su ponencia, del 11 de diciembre de 1959, recuerda que el texto aprobado por la Cámara de Representantes que llegaba al Senado de la República permitía dividir por mitad las rentas exclusivas del trabajo, obtenidas por los dos cónyuges o por uno de ellos, hasta la cantidad de $72.000[184]. Y en el cuadro de modificaciones se observa la propuesta de modificar el artículo 13, en aras de disminuir, "de $72.000 a $60.000[, el] límite rentas de trabajo divisibles entre cónyuges, y agreg[ar el] parágrafo 3° para aclarar el régimen [de] sucesiones"[185].

G. Ponencia para segundo debate en el Senado de la República (Plenaria), presentada por Alfonso Lara Hernández

En su ponencia para la plenaria del Senado, LARA HERNÁNDEZ se limita a explicar que la Comisión Tercera de esa Corporación aprobó la reducción propuesta relativa a la disminución del monto máximo a dividir[186] y propone mantenerlo igual.

H. Ponencia para segunda vuelta en la Cámara de Representantes, presentada por Aurelio Camacho Rueda

AURELIO CAMACHO RUEDA, Representante a la Cámara y miembro de la Comisión de Expertos Tributarios que diseñó la disposición, explicó lo siguiente:

---

[183] *Ibidem*, 68.

[184] *Ibidem*, 80

[185] *Ibidem*, 99.

[186] Dice la Ponencia: "Con relación a este último, la Comisión bajó la base adoptada por la Cámara de $72.000 a $60.000 para efecto de la división de las rentas exclusivas de trabajo entre cónyuges". (ESCUELA SUPERIOR DE ADMINISTRACIÓN PÚBLICA. *Historia...*, 109).

a) Sociedades conyugales. La Cámara, como una concesión más para las rentas de trabajo, permitió que los cónyuges dividieran las rentas que uno o ambos obtuvieran de ese origen por partes iguales entre sí y hasta la cantidad de $ 72.000.00. El Senado rebajó esta suma a la de $ 60.000.00, que está más de acuerdo con la realidad colombiana, en donde las altas rentas de este origen solamente las devengan unos pocos afortunados profesionales y directores de empresa, que tienen, en consecuencia, una alta capacidad de pago y que, por tanto, no requieren exención.

Además, introdujo el parágrafo 3° del artículo 13, que se limita a recoger la doctrina que sobre el particular allí tratado han sentado las entidades administrativas y contencioso-administrativas para hacerla más segura y general.

Desde que el proyecto gubernamental fue sometido a la libérrima discusión pública, la Asociación Nacional de Industriales (ANDI) solicitó que todas las rentas, tanto las de capital como las de trabajo y mixtas, devengadas durante la vigencia fiscal por cualquiera de los cónyuges, o por ambos, fueran divididas, a voluntad de los mismos, por partes iguales, y para los meros efectos tributarios. Solicitud ésta que no mereció la acogida del Gobierno, como tampoco la del Congreso, en sus dos Cámaras, por razones que comparto en su integridad, y que son, principalmente:

a) El impuesto sobre la renta es directo y personal; en consecuencia, debe recaer, exclusivamente, sobre los titulares de los objetos gravados. Gravar a una persona por rentas, patrimonios y excesos de utilidades que no le pertenecen, constituiría un contrasentido;

b) El régimen fiscal debe estar de acuerdo con el civil. Y según éste, a partir del 1° de enero de 1933, las rentas y patrimonios devengados y adquiridos por los cónyuges, son de la exclusiva propiedad del beneficiario. Luego el impuesto debe recaer sobre este beneficiario, únicamente, que a su vez puede disponer de unas y de otras a su arbitrio, por ser él quien adquiere la capacidad económica, causa eficiente de toda tributación;

c) Es cierto que al tiempo de la disolución de la sociedad conyugal, formada por el hecho mismo del matrimonio pero latente durante su vigencia, ella adquiere los bienes con categoría de sociales para el solo efecto de su liquidación, o sea, para su adjudicación al cónyuge sobreviviente, como gananciales, y a los causahabientes del difunto, como asignación o donación. Pero también lo es que no todos los bienes son sociales, por lo que de dividirse por dos durante la vida del matrimonio, se exencionaría sin razón, al rebajarse la tarifa, a un contribuyente. Además, la apreciación de bien propio o social no puede hacerse rectamente durante la vigencia del matrimonio; y, caso de que así no fuere, como sí lo es, no son los funcionarios administrativos, liquidadores del impuesto, hábiles para tomar decisiones sobre tan complicada materia.

d) Por último, si el sistema de liquidación del impuesto a los cónyuges es injusto, siguiendo, como sigue, la ordenación civil, sería injusta, a su vez, esta ordenación. En consecuencia, la reforma debe llevarse es a la legislación civil, y no a la fiscal, derivación de ella. Háganse liquidaciones definitivas y sucesivas, durante el matrimonio, de los bienes con categoría de sociales, con adjudicaciones irrevocables a favor de cada cónyuge, con todas sus consecuencias, como lo pedía el Senador Mosquera Chaux en proyecto que no mereció la aprobación del Congreso, y el problema quedará resuelto. No se ve la razón para que, continuando un solo cónyuge como beneficiario exclusivo de los bienes sociales, durante el matrimonio, para los únicos efectos fiscales, pero sin efectos civiles algunos, deje de serlo[187].

Nótese que CAMACHO RUEDA, a pesar de haber participado en la redacción del texto original del proyecto, manifestó ver con buenos ojos las variaciones que tuvieron lugar durante el tránsito legislativo.

2. Textos definitivos de la ley y reglamentarios

El artículo 13 de la Ley 81 de 1960, que obra como primer antecedente histórico del artículo 8º del Estatuto Tributario actualmente vigente en Colombia, señaló que cada uno de los cónyuges sería, individualmente considerado, sujeto gravable por sus bienes y rentas. Y añadió que la liquidación de la sociedad conyugal, por muerte o cualquiera otra causa, solo tendría efectos en el impuesto sobre la renta a partir del registro de la correspondiente sentencia aprobatoria de la partición. Empero, la norma habilitó a los casados que cohabitaran para dividir sus rentas exclusivas de trabajo hasta una cantidad global de $60.000, en cuyo caso serían solidariamente responsables por el pago de la totalidad del tributo liquidado por cada uno. Dice la ley:

> Artículo 13. Los sujetos gravables en los matrimonios son el marido y la mujer, individual o independientemente considerados, en cuanto a sus correspondientes bienes y rentas. Sin embargo, para los fines de esta ley, los cónyuges que vivan unidos podrán dividir por mitad las rentas exclusivas de trabajo, obtenidas por los dos cónyuges o por uno de ellos, hasta la cantidad total de $ 60.000.00.

> Parágrafo 1º. En el caso de que los cónyuges efectúen la división de las rentas de trabajo autorizada en este artículo, tales rentas se acumularán a las de otras procedencias, para los efectos de la liquidación personal que deba practicársele a cada uno de ellos.

> Parágrafo 2º. Los cónyuges que efectúen la división de las rentas de trabajo autorizada en este artículo, serán solidariamente responsables del pago de los impuestos liquidados a cada uno de ellos.

---

[187] *Ibidem*, 133 y 134.

Parágrafo 3°. La liquidación de la sociedad conyugal por muerte de uno de los cónyuges o por cualquier otra causa legal, solo producirá efectos para los fines del impuesto de renta y complementarios, a partir de la fecha del registro de la sentencia aprobatoria de la partición. En consecuencia, durante el proceso de liquidación de la sociedad conyugal, el sujeto del impuesto seguirá siendo cada uno de los cónyuges, o la sucesión del fallecido, según el caso, de acuerdo con el régimen establecido en este artículo.

Más adelante, el Decreto 437 de 1961, en sus artículos 13 a 15, reglamentó el artículo 13 de la Ley 81, antes transcrito, y precisó que la sociedad conyugal no era sujeto pasivo del impuesto sobre la renta. Adicionalmente, dispuso que la división de rentas de trabajo que autorizaba la ley únicamente se podría llevar a cabo en el año gravable en que la sociedad conyugal se hubiera disuelto por razón del fallecimiento de uno de los cónyuges. Y, finalmente, agregó que las rentas exclusivas de trabajo que fueran cedidas por un cónyuge a otro no eran susceptibles de capitalización para este último, sino tan solo para el primero.

3. Nuestros comentarios

Detengámonos, pues, en los textos normativos y en los interesantísimos antecedentes legislativos, con el objeto de delinear el alcance y fundamentación de la regulación sobre el matrimonio que introdujo Ley 81 de 1960:

En primer lugar, la legislación hizo expreso lo que, de tiempo atrás, tanto quienes promovían la liquidación conjunta como quienes pretendían la liquidación separada del impuesto sobre la renta habían sostenido: la sociedad conyugal, en Colombia, no es sujeto pasivo del tributo; lo son cada uno de los cónyuges, individualmente considerados. Tal aseveración se presenta como afortunada, puesto que simplemente positivizó lo que pacíficamente se había sostenido por toda la doctrina y la jurisprudencia.

En segundo lugar, se precian los textos de los congresistas Balcázar Monzón, Lara Hernández y Camacho Rueda de que el proyecto que a la postre se convertiría en la Ley 81 sigue de cerca y se acompasa con la ley civil, pero esa afirmación no resulta del todo exacta. La estructura del artículo 13 incurrió en una importante falta de técnica legislativa cuando autorizó la distribución de rentas exclusivas de trabajo entre "cónyuges que viv[ieran] unidos". Síguese de lo anterior que el Legislador hizo gravitar la posibilidad de dividir los ingresos sobre dos pilares esenciales: (i) la calidad de *cónyuge*, que dice exclusiva relación con la existencia de un *matrimonio*; y (ii) la *cohabitación*, que constituye uno de los efectos personales surgidos en razón de la celebración del *matrimonio*[188]. Mas lo realmente querido por el Parlamento era conferir esa posibilidad a las parejas que, además de estar casadas y de cohabitar, tuvieran una sociedad conyugal vigente. Por eso el artículo inicialmente propuesto aludía a *gananciales*, que no habría si no mediara sociedad conyugal alguna vigente, pero esa expresión se eliminó en el tránsito legislativo para simplificar la norma (sobre esto volveremos más adelante).

El yerro fundamental parte de la premisa de desconocer que, de acuerdo con lo previsto por el artículo 180 del Código Civil, la sociedad conyugal nace por el hecho del matrimonio, pero su duración puede ser más corta que la del matrimonio. *Supra* se abordaron las distintas causas que el Derecho Común había previsto para la disolución de la sociedad conyugal en el artículo 1820, *ibidem*, para entonces vigentes, como eran: (i) la disolución del matrimonio; (ii) el divorcio *quoad thorum et cohabitationem* (imperfecto); (iii) la separación de bienes; y, parcialmente, (iv) las capitulaciones matrimoniales. También dijimos que, en aquella época, el matrimonio se disolvía (i) por muerte real o presunta de alguno de los cónyuges; y (ii) por mediar decreto judicial de nulidad.

En tal sentido, parece evidente que la sujeción a los requisitos de ser *cónyuge* y *cohabitar*, a que aludía la ley, subsumían las causales de (i) disolución del matrimonio y (ii) divorcio *quoad thorum et cohabitationem*. En efecto, acaecida la primera causal cesa el vínculo matrimonial y, consiguientemente, se pierde la calidad de *cónyuge*. Por su parte, cuando opera la segunda causal los cónyuges quedan emancipados de la vida en común y, por tanto, se les autoriza para fijar residencias separadas o, lo que es lo mismo, cesar la *cohabitación*.

---

[188] Así lo manda el artículo 113 del Código Civil, vigente antes como ahora, cuyo texto indica que "[e]l matrimonio es un contrato solemne por el cual un hombre y una mujer se unen con el fin de vivir juntos (…)". Y lo confirma el artículo 178, *ibidem*, que para entonces disponía: "El marido tiene derecho para obligar a su mujer a vivir con él y seguirle a dondequiera que traslade su residencia. Cesa este derecho cuando su ejecución acarrea peligro inminente a la vida de la mujer. La mujer, por su parte, tiene derecho a que el marido la reciba en su casa". Obviamente, este último artículo encontraba sustento en la odiosa potestad marital que el hombre detentaba sobre la mujer y que no había sido corregida en el ordenamiento civil. A raíz de las modificaciones incorporadas por el Decreto 2820 de 1974, es más atinada la redacción del artículo 178, según el cual, "[s]alvo causa justificada, los cónyuges tienen la obligación de vivir juntos y cada uno de ellos tiene derecho a ser recibido en la casa del otro". Sobre el deber de cohabitación, véanse a Federico Puig Peña. *Tratado de derecho civil español*, tomo II, volumen I. (Barcelona: Ed. Imprenta Calarsó, 1947), 220; y a Alex Weill y François Terré. *Droit civil. Les personnes. La famille. Les incapacités*, Cuarta Edición. (París: Ed. Dalloz, 1978), núm. 315.

Pero ¿qué ocurría con los matrimonios en los que mediara separación de bienes y en aquellos en que se hubieran suscrito capitulaciones matrimoniales?

Se podría pensar que, comoquiera que el parágrafo 3º del artículo 13 de la Ley 81 de 1960 y el artículo 15 del Decreto 437 de 1961 aludían al *proceso de liquidación de la sociedad conyugal,* era claro que la posibilidad de distribuir las rentas exclusivas de trabajo cesaba cuando ya no mediara sociedad conyugal en un matrimonio aún existente. Y aunque esa tesis tendría algo de sentido para los casos en que se impetrara la *separación de bienes* por vía judicial, resultaría del todo inadmisible para los casos en que se hubieran suscrito *capitulaciones matrimoniales* o cuando la *separación de bienes* operara *ope legis,* por haberse celebrado el matrimonio en el exterior. Nótese que las normas se refieren al "proceso" de liquidación y al "registro de los actos judiciales", hechos que no se predican de las *capitulaciones* ni de la *separación de bienes* ordenada por la ley. Entonces, en tales casos, y aun contra lo querido por el Parlamento, parecería posible que los *cónyuges* que *vivieran unidos* y hubieran *capitulado* sus rentas de trabajo hicieran uso de la facultad de distribución que autorizaba la norma fiscal, así como aquellos que hubieran contraído nupcias en el exterior. Ello da cuenta de que, en realidad, no se consultó en forma debida el Derecho Común.

En tercer lugar, en la ponencia del representante Camacho Rueda se lee que la ANDI "solicitó que todas las rentas, tanto las de capital como las de trabajo y mixtas, devengadas durante la vigencia fiscal por cualquiera de los cónyuges, o por ambos, fueran divididas, a voluntad de los mismos, por partes iguales". Para despachar desfavorablemente esta solicitud, el Congreso argumentó la naturaleza personal y directa del impuesto sobre la renta, temática a la que nos referiremos en el siguiente punto, y sostuvo, además, la necesidad de armonizar el régimen civil y el fiscal. En relación con este último argumento, se reitera que desafortunadamente ello no ocurrió. A pesar de que, como se resalta en las ponencias de Balcázar Monzón y Camacho Rueda, es cierto que no todos los bienes son *sociales,* los ordinales 1º y 2º del artículo 1781 del Código Civil —artículo este en que se regula el haber social— desde siempre han establecido que pertenecen a la sociedad conyugal —y son por tanto sociales— "los salarios y emolumentos de todo género de empleos y oficios devengados durante el matrimonio", así como "todos los frutos, réditos, pensiones, intereses y lucros de cualquiera naturaleza que provengan, sea de los bienes sociales, sea de los bienes propios de cada uno de los cónyuges y que se devenguen durante el matrimonio".

De manera que, como acertadamente lo planteó la ANDI en su momento, en materia civil es del todo irrelevante si las rentas provienen del capital, del trabajo o son mixtas, porque, cualquiera que sea su origen, todas ellas están llamadas a integrar el haber social absoluto. Esa premisa solamente se podría variar mediante la suscripción de un pacto capitular, en cuyo caso el Parlamento habría podido excluir de la facultad de distribución de rentas a esos matrimonios (e, incluso, solo en lo que correspondiera a ingresos que se hubieren reservado como propios). Pero lo que sí resulta a todas luces claro es que no se consultó el régimen civil en forma adecuada y que haber admitido la distribución de cualquier renta no supondría la obligación de especializar a los liquidadores de rentas en temáticas de familia, porque todas ellas, sin excepción, se reputan sociales.

Por ese mismo cauce se decanta el argumento sostenido en el literal d) de la Ponencia radicada por CAMACHO RUEDA, antes transcrito, según el cual se requeriría el establecimiento legal de continuas liquidaciones anuales y definitivas de la sociedad conyugal para que fuera posible autorizar la distribución de la totalidad de las rentas percibidas por los cónyuges, así como lo señalado por BALCÁZAR MONZÓN cuando afirmó que la denominación de *gananciales* complejizaba el sistema a tal punto que hacía prácticamente inaplicable la norma.

En cuarto lugar, y a fin de entrelazar los argumentos del punto precedente con los que ahora se exponen, tampoco parecen admisibles los planteamientos de que, a raíz de la expedición de la Ley 28 de 1932, cada cónyuge pasó a detentar la libre administración y disposición de los bienes y rentas, incluso aunque pudieran ser catalogados como sociales, por lo cual, al ser exclusivos beneficiarios (causa eficiente de la tributación), debían ser individualmente gravados. Así se admitiera la tesis de que la sociedad conyugal permanece en un estado de "latencia" hasta su liquidación (tesis que no compartimos)[189], no es posible confundir la titularidad jurídica de los recursos con la aparente libertad de disposición y administración de los mismos.

Si bien es cierto que el artículo 1° de la Ley 28 de 1932 confirió a los cónyuges la libre administración y disposición de las rentas y bienes, no lo es menos que los ordinales 1° y 2° del artículo 1781 del Código Civil asignan la titularidad de esos recursos a la sociedad conyugal. Esa última condición no se atenúa, ni en todo ni en parte, por el hecho de que los cónyuges detenten la libre administración y disposición del peculio radicado en cabeza suya, o por la supuesta latencia de la sociedad conyugal. Así las cosas, la "exclusiva propiedad" del cónyuge sobre los bienes y rentas no

---

[189] Véase, sobre este aspecto, el tomo III de esta obra.

pasa de ser una apariencia, porque su fraudulenta disposición abre paso a que se incoe la acción de separación de bienes por el cónyuge perjudicado, al propio tiempo como lo faculta para impetrar las acciones de simulación a que hubiere lugar; y si no se dispusiera de ellos en forma fraudulenta, sino que tan solo se emplearan para atender erogaciones que no guarden relación con la sociedad conyugal, se habrá de causar la correspondiente recompensa a favor de ésta.

Y si ello es así, como en efecto lo es, no se sostiene la afirmación de que solo el cónyuge es quien adquiere la capacidad económica, causa eficiente de toda tributación, toda vez que cualesquiera rentas vienen a aprovechar, en realidad y en últimas, a los dos consortes por igual. Cosa distinta es que alguno de los dos pueda, con alguna libertad, administrarlas y disponer de ellas. Bien entendida la figura, y guardadas las debidas proporciones, sería tanto como querer gravar al mandatario, sin importar la amplitud contractual de sus facultades, sobre la totalidad de los ingresos que perciba, en abierto desconocimiento de que sean en parte suyos y en parte del mandante.

En esos términos, resultaría igualmente aplicable el argumento propuesto por el Representante Camacho Rueda, pero para sustentar la afirmación contraria: "Gravar a una persona por rentas, patrimonios y excesos de utilidades que no le pertenecen, constituiría un contrasentido".

En quinto lugar, la eliminación de la expresión *gananciales* y la contracción de la facultad divisoria a las *rentas exclusivas de trabajo* comportó una indudable equivocación. El error de base consistió en el planteamiento esbozado por el ministro Agudelo, según el cual "la facultad de dividir bienes *propios* no se justifica legal ni técnicamente, pero evitaría controversias y dificultades de orden práctico en las liquidaciones". Es claro que la referencia a los *bienes* englobaba, en su afirmación, los conceptos de *bienes* y *rentas*.

No nos referiremos en este momento a los *bienes*, sino a las *rentas*. Ya se expresó aquí que no suponía mayor dificultad calificar las *rentas gananciales*, porque todas lo son, de conformidad con la ley civil, mientras se perciban en vigencia de la sociedad conyugal; de manera que sí había una justificación técnica y legal que respaldaba la redacción del artículo propuesto, y la correlativa negativa para su modificación. Además, se reitera, no es posible confundir la *titularidad jurídica* de esas rentas con la facultad de *administración* y *disposición* que ostentan los cónyuges.

Las anteriores confusiones explican los motivos por los cuales el Gobierno nacional, en lugar de insistir en su proposición, o de separar los conceptos de *bienes* gananciales y *rentas* gananciales, abrió la puerta para que pudiera "pensarse en que la división se limite a las rentas de trabajo, lo que estaría de acuerdo con la idea insistentemente expresada por algunas personas de que debe acentuarse más la diferenciación impositiva de las rentas, según el origen de éstas". Efectivamente, si el punto de partida era que la disposición solamente entrañaba un beneficio que con gran amabilidad el Estado quería conferir a los matrimonios, sin sustento jurídico o técnico alguno, se hacía obvio que era susceptible de ser rediseñado para cumplir con otros propósitos, como el de gravar con distinta intensidad las rentas según su fuente, sin transitar hacia a un sistema cedular. Pero ello no pasa de ser una desafortunada equivocación sobre la que volveremos en el punto siguiente. En su lugar, el Gobierno Nacional ha debido establecer la facultad de división de la totalidad de las rentas gananciales (dada su fácil calificación) y excluir la posibilidad de distribuir los bienes, dada su mayor complejidad para ser calificados como *gananciales* o *propios*. O habría podido también señalar que estarían sujetos a la facultad de división entre los cónyuges: (i) todos los bienes —muebles e inmuebles— adquiridos durante la vigencia de la sociedad conyugal a título oneroso; (ii) los muebles adquiridos antes de la vigencia de la sociedad conyugal a cualquier título; y (iii) los muebles adquiridos durante la vigencia de la sociedad conyugal a título gratuito. Ello sería consistente con la estructura del Código Civil, salvo excepciones muy específicas y de rara ocurrencia (*v. gr.* la adquisición jurídica de un bien inmueble por compraventa —título oneroso— durante la vigencia de la sociedad conyugal, pero cuyo precio total fue sufragado por el cónyuge antes de celebrar el matrimonio).

En sexto lugar, establecido que los ordinales 1° y 2° del artículo 1781 del Estatuto Civil incluyen dentro del haber social todos los salarios, emolumentos, honorarios, comisiones, réditos, frutos, rendimientos, intereses, pensiones o lucros que reciban los cónyuges, estos últimos provenientes de los activos *sociales* o de los *propios*, no se explica la limitación en la cuantía global a dividir en $60.000, bajo el complicado argumento de que "las altas rentas [más de $60.000] de este origen [del trabajo] solamente las devengan unos pocos afortunados profesionales y directores de empresa, que tienen, en consecuencia, una alta capacidad de pago y que, por tanto, no requieren exención"[190].

---

[190] Ponencia para segunda vuelta del proyecto de ley, presentada por AURELIO CAMACHO RUEDA, en la cual se elogiaba la decisión del Senado de la República, a instancias de la proposición del senador LARA HERNÁNDEZ, de reducir la cuantía divisible de $72.000 a $60.000.

El problema de esa afirmación encuentra su origen en la concepción del tratamiento tributario especial de distribución de rentas entre los cónyuges, denominada por CAMACHO RUEDA "exención". Fluye de la simple lectura del planteamiento que no se le da el tratamiento de una verdadera *minoración estructural*; se trató siempre, desde la exposición de motivos, como si fuera un "privilegio" o simple "beneficio", aunque no lo era. Más allá de que no era consistente con el régimen civil autorizar la distribución exclusiva de las rentas de trabajo, la facultad concedida por la ley a los cónyuges no se debió limitar a un monto determinado. Las *minoraciones estructurales*, a diferencia de los *incentivos*, precisamente se concretan en reconocer disminuciones o alternaciones en la base gravable con el propósito de observar criterios de justicia en la tributación, independientemente del sujeto que se pueda ver beneficiado. En este caso, es indudable que los cónyuges aparecen como receptores y, *prima facie*, únicos y exclusivos propietarios de rentas sociales, pero no lo son[191].

En séptimo lugar, en las ponencias de BALCÁZAR MONZÓN se formulan duras críticas a la proposición de dividir las rentas entre los cónyuges, principalmente incardinadas a enrostrar la vulneración del principio de progresividad. Para morigerar tal afrenta, se sugirió la creación de una tarifa especial para los cónyuges que optaran por dividir sus rentas o la limitación del "privilegio" a la división de las *rentas exclusivas de trabajo*.

Es evidente que ambas alternativas son producto de considerar la norma como una prerrogativa o concesión proveniente de la gracia estatal y, en ese sentido, es razonable que se esgrimiera como argumento central la vulneración del principio de progresividad. En efecto, en línea con ese razonamiento estaríamos ante un cónyuge que podría erosionar, sin más, la base gravable del impuesto sobre la renta, a despecho de su capacidad contributiva real, por la vía de ceder la mitad de sus rentas al otro cónyuge. Resulta entonces comprensible que se propusiera establecer una tarifa especial, con la cual se pudiera corregir parcialmente la erosión de esa base imponible, o limitar la cesión a las rentas de trabajo.

---

[191] Sobre la importante y necesaria diferenciación entre *minoraciones estructurales* e *incentivos*, el lector puede acudir a la ponencia de MAURICIO PIÑEROS PERDOMO (*Incentivos tributarios* en Memorias de las XXII Jornadas de Derecho Tributario. Tomo I. Ed. Instituto Colombiano de Derecho Tributario. Bogotá, 1998) y a la tesis doctoral de MARÍA SILVIA VELARDE ARAMAYO (*Minoraciones y beneficios tributarios*. Tesis para optar por el título de Doctora en Derecho de la Universidad de Salamanca. Ed. Universidad de Salamanca. Salamanca, 1996).

Empero, la vulneración del principio de progresividad que se denuncia es tan solo aparente, puesto que, según se vio, las rentas son en su totalidad de la sociedad conyugal y, por tanto, han de aprovechar a ambos cónyuges por mitades. De manera que la capacidad contributiva real, causa eficiente de la tributación, no se deduce de la totalidad de los ingresos percibidos por uno de los esposos, en la medida en que su verdadero titular es la sociedad conyugal. Sobre esa premisa, se repite, no cabe duda de que el tratamiento tributario de favor no obedecía a un simple *beneficio* o *incentivo*, sino a una *minoración estructural* y, consiguientemente, se echa de ver afrenta alguna al principio de progresividad, habida cuenta de que a cada uno de los cónyuges se le asignaría, por línea de principio, la tarifa correspondiente a su real capacidad para tributar.

En octavo lugar, ni la ley ni el reglamento definieron lo que se debía entender como *rentas exclusivas de trabajo*. Así, en línea con lo señalado por Isaac López Freyle en la obra intitulada *Principios de derecho tributario*[192], sería dable tomar la definición proporcionada en los artículos 85 de la Ley 81 de 1960 y 229 del Decreto 437 de 1961 para efectos del impuesto sobre el exceso de utilidades, según los cuales se consideran *rentas exclusivas de trabajo*: (i) Las obtenidas por personas naturales por concepto de salarios, prestaciones sociales, honorarios, viáticos, gastos de representación, emolumentos eclesiásticos y, en general, las compensaciones por servicios personales; (ii) Las participaciones de socios o accionistas meramente industriales; y (iii) Las comisiones cuando sean producidas exclusivamente por la actividad personal del contribuyente.

En noveno lugar, como indudable acierto, al establecer la solidaridad de los cónyuges en el pago del impuesto cuando se hubieran distribuido las rentas de trabajo de uno o ambos (cfr. parágrafo 2º del artículo 13 de la Ley 80), el Congreso atajó la complicación práctica que la Jefatura de Rentas e Impuestos Nacionales había denunciado en su Resolución número 1022 de septiembre de 1946, transcrita *supra*. Así, se dejó de lado el temor que generaba la imposibilidad de perseguir al deudor tributario cuando de liquidaciones conjuntas se tratara.

En décimo lugar, es de advertir una fuerte incongruencia entre la normativa civil y la fiscal: mientras en materia civil la defunción hace cesar la personalidad jurídica, y *ope legis* se produce la delación (artículo 1013 del Código Civil), en el régimen fiscal el artículo 9º de la Ley 81 equiparó, para todos los efectos

---

[192]   Cfr. Isaac López Freyle. *Principios de la tributación*, segunda edición. (Bogotá: Ed. Lerner, 1962), 172.

legales, a las sucesiones ilíquidas con las personas físicas. Ese tratamiento no era novedoso en el ordenamiento jurídico, puesto que se había previsto en disposiciones normativas anteriores, pero su incidencia en la tributación de las rentas atribuibles a los cónyuges sí se hizo visible en ese momento.

Hemos dicho que la división por mitades de las rentas exclusivas de trabajo estaba prevista para los *cónyuges* que *vivieran unidos*. De acuerdo con la ley civil, la calidad de *cónyuge* se pierde con el fallecimiento de uno de los consortes, toda vez que ese hecho disuelve *ipso iure* el vínculo matrimonial. Así mismo, la desaparición física del individuo torna imposible el cumplimiento del requisito de *cohabitar*. En tal sentido, parecería claro que la facultad para distribuir las rentas debía cesar con el deceso del cónyuge. Empero, dado que la normativa fiscal, antes como ahora, consideraba al *de cujus* como vivo para los efectos tributarios (cuando su sucesión permaneciera ilíquida), ¿sería posible pensar que se debía conferir la facultad al cónyuge supérstite para dividir las rentas exclusivas de trabajo con la sucesión ilíquida?

El artículo 13 del Decreto 437 de 1961 expresamente disponía que, "[m]uerto uno de los cónyuges, también podrá efectuarse la división entre el cónyuge sobreviviente y la sucesión del fallecido, pero únicamente respecto del año gravable en que haya ocurrido la muerte". Una recta comprensión de la norma permite concluir que solo se autorizaba la división de las rentas en el período gravable en que ocurriera el deceso, habida cuenta de que nunca más podría la sucesión ilíquida generar *rentas exclusivas de trabajo* (conforme a la definición contenida en los artículos 85 de la Ley 81 de 1960 y 229 del Decreto 437 de 1961). Pero si en materia fiscal se asimilaba la sucesión ilíquida a una persona física, sería posible discutir que la ficción de subsistencia se ha debido extender para que el cónyuge supérstite tuviera la posibilidad de dividir sus rentas exclusivas de trabajo con la sucesión ilíquida.

En décimo primer lugar, se debe observar que el artículo 15 del Decreto 437 de 1961 precisaba que, durante el proceso de liquidación de la sociedad conyugal, los bienes sociales no eran susceptibles de distribución entre los cónyuges para efectos impositivos, hasta tanto se registraran los actos judiciales de partición y adjudicación. Por lo tanto, en materia del impuesto complementario sobre el patrimonio, el cónyuge supérstite y la sucesión ilíquida del *de cujus*, si la disolución de la sociedad conyugal ocurría por causa de muerte, o los dos cónyuges, si hubieran acudido a cualquier otro medio habilitado en el artículo 1820 del Código Civil para disolver la sociedad conyugal, debían declarar los bienes radicados en su cabeza; y lo propio ocurriría en lo atañedero al impuesto sobre la renta y el complementario de exceso de utilidades, con los lucros originados por esos bienes.

En último lugar, es de anotar que las consideraciones que aquí se formulan únicamente están referidas a la división de las *rentas* y no de los *bienes gananciales*. Ello, primero, porque es ese el objeto de este texto, y segundo, debido a que la normativa civil que disciplina el régimen de los *bienes* en el matrimonio es más compleja, pero sobre ella volveremos posteriormente.

II. Exenciones en general

El artículo 47 de la Ley 81 de 1960, reglamentado por los artículos 161 y siguientes del Decreto 437 de 1961, disciplinaron el régimen de las exenciones en el impuesto sobre la renta. Sin perjuicio de los demás ingresos previstos en las normas, interesa a este texto comentar el contenido en el ordinal 11 del artículo 47 de la ley, relativo a "[l]as herencias, legados, donaciones, loterías, premios de rifas o apuestas, mientras estén gravados con impuestos especiales" (La regulación reglamentaria es idéntica a la de la ley–cfr. artículo 167 del Decreto 437 de 1961).

Recuérdese, como se explicó en la subsección I de la sección II del capítulo IV de este tomo, que la Ley 63 de 1936 reguló los impuestos especiales: (i) sobre la masa global hereditaria y (ii) sobre las asignaciones y donaciones. En el primer caso, el sujeto pasivo era la sucesión ilíquida del *de cujus,* en tanto que en el segundo lo eran los herederos o legatarios. Claramente, si se habla del impuesto sobre la renta nos debemos referir a un ingreso susceptible de incrementar el patrimonio del receptor, de allí que se consideraran exentas las rentas provenientes de herencias y legados, a cuyos asignatarios se los gravaba con el impuesto especial sobre las asignaciones y donaciones.

Pero, debido a la redacción de la norma, cabría preguntar si los ingresos provenientes de herencias o legados que, por virtud de la ley, se consideraron 100 % exentos del impuesto sobre las asignaciones y donaciones y, por tanto, no generaron importe a cargo, ¿para efectos del tributo sobre la renta se deberían considerar como "no gravados" con impuestos especiales?

III. Exenciones personales

Sobre las exenciones personales, dice LÓPEZ FREYLE:

> El impuesto personal mira más al elemento subjetivo de la persona que soporta el gravamen porque analiza sus condiciones intrínsecas antes que a los elementos objetivos que revelan las fuentes económicas de que disfruta el sujeto pasivo del impuesto.

De ahí que todas las legislaciones sustraigan de la renta gravable una parte de ella que le es indispensable al hombre no sólo para subsistir él, sino también su familia, que viene a constituir lo que se conoce como el mínimo vital de existencia y que en la jerga impositiva colombiana se denomina exenciones personales y por personas a cargo.

Las exenciones son pues rentas que deberían soportar el tributo, pero que la ley permite expresamente que se desgraven en beneficio del contribuyente para que pueda atender no sólo a sus necesidades personales sino a las personas que por ministerio de la ley civil está obligada [sic] a sostener[193].

Con esa necesaria contextualización, corresponde ahora indicar que el artículo 48 de la Ley 81 de 1960 fijó las siguientes exenciones personales para los contribuyentes personas naturales:

Artículo 48. Las exenciones personales y por personas a cargo son las siguientes:

1) Dos mil quinientos pesos ($ 2.500.00) para todo contribuyente que sea persona natural.

Los cónyuges que vivan unidos y deban presentar declaración de renta y patrimonio, podrán pedir, por escrito, que sus exenciones personales se concedan conjuntamente a ellos. Cuando uno de los cónyuges no esté obligado a presentar declaración, su exención personal se acumulará a la del que declare.

2) Un mil pesos ($ 1.000.00) por cada persona a quien el contribuyente, estando legalmente obligado, sostenga o eduque, si dicha persona es menor de edad; o si siendo mayor de veintiún (21) años estuviere imposibilitada para sostenerse a si misma, por incapacidad física o mental; o es estudiante o mujer soltera. Si se trata de hijos legítimos, las exenciones se concederán a uno de los cónyuges con exclusión del otro, o se dividirán entre ellos, en la forma que lo soliciten.

Cuando uno de los cónyuges no esté obligado a presentar declaración de renta, se le podrá conceder, al que declare, exenciones por los parientes de aquel dentro del primer grado civil de consanguinidad.

Parágrafo 1°. Para tener derecho a la exención concedida en el numeral anterior, el contribuyente debe probar, por medio de una certificación de dos vecinos honorables, el grado de parentesco que ligue al contribuyente o a su cónyuge, según el caso, con las personas sostenidas, el número de estas, y si tiene o no renta suficiente para su sostenimiento. Al píe del certificado debe anotarse con toda claridad el nombre completo de los que firman, su dirección y documento de identidad. Las atestaciones que no tengan las refe-

---

[193]   Cfr. Isaac López Freyle. *Principios de derecho...*, 405 y 406.

ridas anotaciones carecen de valor y serán desestimadas. Si los funcionarios liquidadores dudan de la veracidad de tal certificado, podrán exigir que los hechos se prueben con dos declaraciones recibidas en forma legal y en papel común ante un funcionario judicial.

Parágrafo 2º. Las sucesiones ilíquidas gozarán solamente de las exenciones por personas a cargo a que hubiere tenido derecho el causante.

Parágrafo 3º. En caso de declaraciones por períodos inferiores a un año, las exenciones personales y por personas a cargo se computarán a razón de una doceava parte por cada mes o fracción de mes que comprenda la declaración.

El texto de los artículos 174 a 176 del Decreto 437 de 1961 es copia *verbatim* de lo dispuesto en el artículo 48 de la ley, por lo que no se estima necesaria su transcripción. Ahora bien, sobre este aspecto se debe anotar que hubo múltiples variaciones al sistema de exenciones personales que venía rigiendo en Colombia, consagrado en los Decretos Legislativos 2317 y 2615 de 1953, a saber:

En primer lugar, se eliminó de un solo tajo la distinción que antes existía entre *personas solteras, viudas o separadas legalmente de su cónyuge* y *los cónyuges que vivieran unidos*. A decir verdad, fue un sabio acierto del Legislador, toda vez que la distinción había principiado con la expedición del Decreto 802 de 1926 (artículo 30), pero la exención de los cónyuges que cohabitaran no era el resultado de la operación aritmética de multiplicar por dos las exenciones de los solteros, viudos o separados legalmente de su cónyuge, sino que se les asignaba un valor inferior[194]. Sin embargo, a raíz de la expedición de la Ley 63 de 1936 (artículo 98), la exención de los casados que cohabitaran pasó a ser exactamente el doble de la que tenían los solteros, viudos o separados. Por consiguiente, carecía de toda justificación mantener una diferenciación entre ambas categorías de contribuyentes.

En segundo lugar, la ley mantuvo incólumes los montos susceptibles de restar como exención personal, en relación con aquellos fijados en los Decretos Legislativos 2317 y 2615 de 1953.

Y, en tercer lugar, se introdujo una importante regla de derecho: cuando un cónyuge no estuviere obligado a presentar declaración, el otro podría solicitar las exenciones por los parientes dentro del primer grado de

---

[194]   Por ejemplo, en el comentado Decreto 802 de 1926, la exención era de $400 para las personas solteras, viudas o separadas legalmente de su cónyuge; y de $600 para los cónyuges que vivieran unidos.

consanguinidad del no declarante[195]. Esta disposición da cuenta de cómo en nuestro ordenamiento ya se venían reconociendo y garantizando derechos de las familias ensambladas, muchísimo antes de que fueran reconocidas como tales por la Corte Constitucional de Colombia (que nacería hasta 1991). En efecto, el más claro ejemplo de la regla de derecho que aquí se comenta es el siguiente: supóngase que una mujer, debidamente casada, hubiera procreado. Imagínese, además, que, al cabo de unos años, su cónyuge hubiera fallecido y, con el paso del tiempo, ella contrajera segundas nupcias. En ese caso, la mujer se encontraría en la obligación civil de educar y sostener a su hijo (entreténgase que fuera menor de edad), pero su nuevo cónyuge, que no adoptó legalmente al infante, no lo estaría[196]. Si la mujer no tuviera que presentar denuncio rentístico, perfectamente podría el marido tomar la deducción de $1 000.

Ahora bien, sin perjuicio de las exenciones personales comunes, los artículos 49 y 50 de la Ley 81 de 1960, reglamentados por los artículos 178 a 180 del Decreto 437 de 1961, fijaron unas *exenciones personales especiales*, concedidas en función de la renta líquida de los contribuyentes. La situación se podría diagramar en los siguientes términos:

Tabla 4. Tipos de deducciones, según la renta individual y el número de dependientes.

	Contribuyentes con renta líquida de $36.000 o menos	Contribuyentes con renta líquida superior a $36.000	
		Si sostienen o educan 5 hijos o más	Si no sostienen o educan 5 hijos o más
Pagos efectuados en el país a médicos y odontólogos, por servicios prestados al contribuyente, a su cónyuge, o a las personas en relación con las cuales tenga derecho a pedir exenciones.	La totalidad del pago.	50 % del pago.	No aplica.

---

[195] En el primer grado de consanguinidad se encuentran los hijos y los padres. Para el cónyuge declarante, los hijos no comunes y los padres de su consorte tendrán parentesco en el primer grado de afinidad.

[196] Incontrovertible afirmación que resulta de la lectura del artículo 411 del Código Civil, relativo a las personas a quienes se les debe alimentos.

Pagos efectuados a hospitales y clínicas que funcionen en el país, por servicios prestados al contribuyente y a las personas enumeradas en el numeral anterior.	La totalidad del pago, sin que exceda de $500 por cada caso o persona.	50% del pago, sin que exceda de $250 por cada caso o persona.	No aplica.
Pagos efectuados a escuelas, colegios o universidades que funcionen en el país, por concepto de educación primaria, secundaria, universitaria, técnica o comercial.	La totalidad del pago, sin que exceda de $500 por el contribuyente y por cada una de las personas legalmente a su cargo que reciban educación.	50% del pago, sin que exceda de $250 por el contribuyente y por cada una de las personas legalmente a su cargo que reciban educación.	No aplica.
Pagos efectuados en el país a profesionales distintos a médicos y odontólogos, por servicios personales prestados al contribuyente o a las personas a su cargo.	20% del pago.	10% del pago.	20% del pago.
Pagos efectuados por concepto de arrendamiento de la casa o apartamento habitado por el contribuyente.	La totalidad del pago, sin que exceda de $3.600 en el año.	El 50% del pago, sin que exceda de $1.800 en el año.	No aplica.

Fuente: Elaboración Propia.

A más de la clara injusticia que se cometía por la norma contra los contribuyentes que obtuvieran rentas líquidas anuales superiores a $36.000, y que no cuidaran de más de cinco personas, esta norma constituye el primer claro antecedente de las deducciones hoy vigentes en nuestro Estatuto Tributario.

Hemos de asumir, como sucede en el caso de la exención personal general por hijos dependientes comunes, que los cónyuges se encontraban facultados para solicitar que las exenciones personas especiales se le concedieran a uno de ellos con exclusión del otro, o para dividirlas por mitades, cuando se tratara de erogaciones en favor de dependientes comunes y "legítimos". Así mismo, entendemos que operaba la cesión de las exenciones personales especiales que le correspondieran a un cónyuge no declarante y que hubiera asumido el consorte declarante.

IV. Tarifas

En relación con las tarifas, el artículo 60 de la Ley 81, reglamentado por el artículo 198 del Decreto 437, incorporó un novedoso sistema. Hasta ese momento, la tarifa simplemente estaba concebida como una alícuota que se debía aplicar directamente sobre renta líquida gravable (base), con el propósito de obtener el importe a cargo del contribuyente. Por medio de la Ley 81 de 1960, la aplicación de la alícuota se hizo en forma fraccionada y acumulativa por cada tramo de gravado, según se explica en la siguiente tabla:

"Artículo 60. La tarifa del impuesto sobre la renta para las personas naturales y sucesiones ilíquidas es la siguiente:

Tabla 5. Tarifa del impuesto sobre la renta de las personas naturales.

Tasas %	Fracciones gravadas $	Renta líquida gravable $	Gravamen de las fracciones $	Gravamen total acumulado $
1/2 sobre los iniciales	2.000.00	2.000.00	10.00	10.00
1 1/4 % sobre los siguientes	1.000.00 hasta	3.000.00	10.00	20.00
1 1½ % sobre los siguientes	1.000.00 hasta	4.000.00	15.00	35.00
2 % sobre los siguientes	1.000.00 hasta	5.000.00	20.00	55.00
2 ½ % sobre los siguientes	1.000.00 hasta	6.000.00	25.00	80.00
3 % sobre los siguientes	1.000.00 hasta	7.000.00	30.00	110.00
3 ½ % sobre los siguientes	1.000.00 hasta	8.000.00	35.00	145.00
4 % sobre los siguientes	1.000.00 hasta	9.000.00	40.00	185.00
4 ½ % sobre los siguientes	1.000.00 hasta	10.000.00	45.00	230.00
5 % sobre los siguientes	1.000.00 hasta	11.000.00	50.00	280.00
6 % sobre los siguientes	1.000.00 hasta	12.000.00	60.00	340.00
7 % sobre los siguientes	2.000.00 hasta	14.000.00	140.00	480.00
8 % sobre los siguientes	2.000.00 hasta	16.000.00	160.00	640.00
9 % sobre los siguientes	2.000.00 hasta	18.000.00	180.00	820.00
10 % sobre los siguientes	2.000.00 hasta	20.000.00	200.00	1.020.00
11 % sobre los siguientes	2.000.00 hasta	22.000.00	220.00	1.240.00
12 % sobre los siguientes	2.000.00 hasta	24.000.00	240.00	1.480.00
13 % sobre los siguientes	2.000.00 hasta	26.000.00	260.00	1.740.00
14 % sobre los siguientes	2.000.00 hasta	28.000.00	280.00	2.020.00
15 % sobre los siguientes	2.000.00 hasta	30.000.00	300.00	2.320.00
16 % sobre los siguientes	2.000.00 hasta	32.000.00	320.00	2.640.00
17 % sobre los siguientes	2.000.00 hasta	34.000.00	340.00	2.980.00
18 % sobre los siguientes	2.000.00 hasta	36.000.00	360.00	3.340.00
19 % sobre los siguientes	2.000.00 hasta	38.000.00	380.00	3.720.00
20 % sobre los siguientes	2.000.00 hasta	40.000.00	400.00	4.120.00
21 % sobre los siguientes	2.000.00 hasta	42.000.00	420.00	4.540.00
22 % sobre los siguientes	2.000.00 hasta	44.000.00	440.00	4.980.00
23 % sobre los siguientes	2.000.00 hasta	46.000.00	460.00	5.440.00
24 % sobre los siguientes	2.000.00 hasta	48.000.00	480.00	5.920.00

Tasas %	Fracciones gravadas $	Renta líquida gravable $	Gravamen de las fracciones $	Gravamen total acumulado $
25% sobre los siguientes	2.000.00 hasta	50.000.00	500.00	6.420.00
26% sobre los siguientes	2.000.00 hasta	52.000.00	520.00	6.940.00
27% sobre los siguientes	2.000.00 hasta	54.000.00	540.00	7.480.00
28% sobre los siguientes	2.000.00 hasta	56.000.00	560.00	8.040.00
29% sobre los siguientes	2.000.00 hasta	58.000.00	580.00	8.620.00
30% sobre los siguientes	2.000.00 hasta	60.000.00	600.00	9.220.00
31% sobre los siguientes	10.000.00 hasta	70.000.00	3.100.00	12.320.00
32% sobre los siguientes	10.000.00 hasta	80.000.00	3.200.00	15.520.00
33% sobre los siguientes	10.000.00 hasta	90.000.00	3.300.00	18.820.00
34% sobre los siguientes	10.000.00 hasta	100.000.00	3.400.00	22.220.00
35% sobre los siguientes	50.000.00 hasta	150.000.00	17.500.00	39.720.00
36% sobre los siguientes	50.000.00 hasta	200.000.00	18.000.00	57.000.00
37% sobre los siguientes	50.000.00 hasta	250.000.00	18.500.00	76.220.00
38% sobre los siguientes	50.000.00 hasta	300.000.00	19.000.00	95.220.00
39% sobre los siguientes	100.000.00 hasta	400.000.00	39.000.00	134.220.00
40% sobre los siguientes	100.000.00 hasta	500.000.00	40.000.00	174.220.00
41% sobre los siguientes	100.000.00 hasta	600.000.00	41.000.00	215.220.00
42% sobre los siguientes	100.000.00 hasta	700.000.00	42.000.00	257.220.00
43% sobre los siguientes	100.000.00 hasta	800.000.00	43.000.00	300.220.00
44% sobre los siguientes	100.000.00 hasta	900.000.00	44.000.00	344.220.00
45% sobre los siguientes	100.000.00 hasta	1.000.000.00	45.000.00	389.220.00
46% sobre los siguientes	200.000.00 hasta	1.200.000.00	92.000.00	481.220.00
47% sobre los siguientes	200.000.00 hasta	1.400.000.00	94.000.00	575.220.00
48% sobre los siguientes	200.000.00 hasta	1.600.000.00	96.000.00	671.220.00
49% sobre los siguientes	200.000.00 hasta	1.800.000.00	98.000.00	769.220.00
50% sobre los siguientes	200.000.00 hasta	2.000.000.00	100.000.00	869.220.00
51% más de	2.000.000.00			

Fuente: Ley 81 de 1960.

En cuanto toca con los escalafones de ingresos para determinar la tarifa aplicable, la ley varió ostensiblemente lo previsto en el Decreto 2615 de 1953, por medio del aumento de escalafones en los ingresos bajos, medios y altos. Adicionalmente, varió los extremos entre los cuales se fragmentaban los tramos: mientras bajo el Decreto 2615 eran $0 y $5.000.000, en vigencia de la Ley 81 pasaron a ser $0 y $2.000.000, lo que implica que toda renta líquida superior a $2.000.000, que antes estaba gravada con una tarifa inferior a la máxima, pasó a estar gravada con la alícuota marginal superior.

Por otra parte, la alícuota marginal superior pasó de ser 48 % a 51 %, con el agravante de que gravaba rentas líquidas más bajas que las previstas en el régimen anterior. Además, se observa que la progresión, como ocurría en vigencia del Decreto 2615 de 1953, es baja para las rentas líquidas inferiores a $36.000, se agudiza desde ese nivel de ingresos hasta los $70.000 y finalmente aumenta en forma más intensa hasta llegar a los $2.000.000. Parte del problema que se avizora con la implementación de este régimen tarifario es que, según se aprecia en los antecedentes de la Ley 81, se estructuró con base en la eliminación del impuesto complementario al exceso de utilidades, pero ello no ocurrió[197].

V. Hijos

Aunque la Ley 81 de 1960 nada dispuso en relación con los hijos de familia, el Decreto 437 de 1961 sí lo hizo, en su artículo 49, al reglamentar, en el capítulo IV, la "Renta Bruta". Previo a analizar el contenido normativo del Decreto sobre la materia, es necesario indicar, como antesala, que la Ley 81 tuvo por objeto servir de compendio sustantivo del régimen fiscal. Por ese motivo, el régimen adjetivo o procedimental se reguló mediante el Decreto 1651 de 1961, en desarrollo de lo ordenado por el artículo 134 de la Ley 81, cuyo texto se analizará en el capítulo siguiente. Sobre esas bases, se tiene que el artículo 49 del Decreto 437 de 1961 dispuso lo siguiente:

> Artículo 49. Las rentas originadas en el usufructo legal de los padres de familia se gravarán en cabeza de quien ejerza la patria potestad.
>
> La renuncia del usufructo legal, para los efectos fiscales, sólo será válida cuando se haga por escritura pública, y no producirá efectos sino a partir de la fecha o del año gravable en que se otorgue el instrumento respectivo, según lo expresado en éste por el renunciante.

La disposición transcrita, salvo una pequeña adenda que se analizará en su momento, obra como antecedente histórico del artículo 24 del Decreto 187 de 1975, hoy compilado en el artículo 1.2.1.1.8. del Decreto Único Reglamentario en materia tributaria (Decreto 1625 de 2016).

Es esta la clara positivización de cuanto hemos expuesto a lo largo del análisis histórico aquí desarrollado. En efecto, pese a que la normativa tributaria se hubiera referido con algunos traspiés a que el criterio de atri-

---

[197] Al respecto, véase la aguda crítica de ISAAC LÓPEZ FREYLE, *Principios de derecho...*, 435 y 436.

bución de rentas de los hijos en cabeza de los padres descansaba sobre la facultad de administración, y nada se estableciera en torno al "usufructo legal", esta última figura claramente tenía incidencia en la materia fiscal. Y el silencio de las disposiciones de orden legal o reglamentario, en lugar de contribuir a la organización de los variados regímenes de tributación que se han estudiado, crearon una apreciable confusión entre los contribuyentes.

Parte de la discusión que aquí se comenta fue recogida en la Resolución número 1524 del 4 de diciembre de 1946, proferida por la Jefatura de Rentas e Impuestos Nacionales, insumo que obró, sin duda, como antecedente para la expedición de la norma. Por su pertinencia, a continuación se transcribe, *in extenso,* la resolución:

> Manifiesta el contribuyente: Que en la liquidación practicada al señor N.N. se cometió el error de acumular al patrimonio y renta declarados las rentas y patrimonios de sus menores hijos, con lo cual se violaron disposiciones legales.
>
> Sobre este punto la Jefatura resolvió: 'El padre de familia goza por expresa disposición de la Ley, del usufructo de los bienes de sus hijos menores. Este derecho es uno de los atributos de la patria potestad, con algunas excepciones, y tiene por fin ayudar al padre en la ponderosa carga, impuesta por las leyes natural y civil, de la crianza y educación de los hijos. Bajo este aspecto, puede decirse que el usufructo legal mira exclusivamente al interés del padre, ya que sólo tiende a ayudarlo en el cumplimiento de un deber.
>
> Sin embargo, el orden público también está interesado en que el producto de los bienes del hijo menor se emplee en su educación y crianza; por esta razón la Ley escogió como usufructuario la persona que por un imperativo de la Ley natural habría de llenar a cabalidad tales fines, y prohibió el embargo de tal derecho por los acreedores del padre, así como su cesión en favor de terceros.
>
> En el usufructo legal hay, pues, dos intereses en juego, y de esta suerte, no puede afirmarse estrictamente que el padre pueda renunciar a tal derecho en consideración a que éste solo mira a su interés individual. No obstante, es preciso estudiar si la renuncia del usufructo legal afecta o no el interés de orden público que contempla la Ley al concederlo: ¿Qué repercusión tiene para los intereses del hijo de familia la renuncia del usufructo efectuada por el padre? Como el padre es administrador legal aún de los bienes del hijo menor sobre los cuales no tenga el usufructo, la renuncia de tal derecho sólo representa el tránsito de un régimen en el cual el padre no rinde cuentas y tiene la facultad de libre disposición, a otro en el que ha de responder hasta la culpa leve por la propiedad y los frutos, según lo dispuesto por el artículo 298 del C.C. (...)
>
> Siendo esto así, la renuncia del usufructo legal, lejos de perjudicar los intereses del menor, le ofrece una mayor garantía, máxime si se considera que tal renuncia en nada altera los lazos naturales que impulsan al padre a procurar el bien de los hijos.

Si como se ha visto, el interés del orden público no sufre lesión con la renuncia del usufructo legal, desaparece toda dificultad para que el padre pueda efectuarla legalmente y, por tanto, lo que hizo el señor N.N. debe producir todas sus consecuencias civiles y fiscales.

Por otra parte, la renuncia del usufructo, ya sea legal o común, no encarna un título traslaticio de dominio, pues ella sólo apresura la consolidación de la propiedad, que de otra manera demoraría hasta el vencimiento del plazo fijado por la ley, el acto o el contrato; y como la consolidación es un fenómeno jurídico que opera *ipso-facto* a la terminación del usufructo, y no requiere solemnidad alguna, síguese que la renuncia tampoco la requiere para su validez. Otra cosa es que, para preconstituir una prueba, se haga constar por alguno de los medios que la ley autoriza. Y esta prueba, en el caso que se estudia, aparece de un documento privado fechado el 22 de noviembre, en el cual el señor N.N. consigna expresamente su renuncia al usufructo de los bienes de sus hijos menores A, B, C y D, acto que más tarde se ratificó por medio de la escritura número... de la Notaría...

Aceptada la legalidad de la renuncia en mención, así como la suficiencia de la prueba aducida, es necesario reconocer en el campo fiscal las consecuencias que de tales hechos se derivan, vale decir, la liquidación en cabeza de los menores de las rentas y patrimonios cuya ubicación legal cambió por virtud de tal renuncia. Las liquidaciones efectuadas por el reclamo deben, pues, modificarse de acuerdo con lo dicho.

Fluye palmario que el razonamiento de la administración se acompasa con cuanto explicamos en el punto D) 1) II) de la sección ɪ del capítulo ɪ de este Tomo, en la medida en que reconoce que jurídicamente, y ante la desafortunada homonimia de la figura, era deber del padre "legítimo" reflejar las rentas generadas por el patrimonio del hijo de familia. También se observa cómo la resolución transcrita, antecedente del artículo 49 del Decreto 437 de 1961, objeto del actual comentario, reconoció la admisibilidad de que los padres renunciaran a tal derecho.

En esas condiciones, la reglamentación sustantiva, en materia de renta, para el caso de los padres e hijos se puede sintetizar, para entonces, así:

a) Los padres "legítimos" debían reflejar la totalidad de las rentas provenientes de los bienes de los hijos respecto de los cuales detentaran el "usufructo legal". Es ciertamente incontestable que la atribución de tales rentas al padre derivaba en una brusca trasgresión del principio de progresividad, pues de haberse gravado en cabeza de su real propietario, el hijo, la alícuota aplicable sería, normalmente, significativamente inferior. Tanto más si se tiene en cuenta que, desde las perspectivas legal y económica, su destinación está predeterminada: atender las necesidades de los hijos, no lucrar a los padres en posición propia.

b) La renuncia de los padres "legítimos" al "usufructo legal" de los bienes de sus hijos se condicionó, para efectos tributarios, a la solemnidad de que se otorgara escritura pública. En tales casos, las rentas producidas por los bienes sobre los cuales se detentaba el "usufructo legal" se dejarían de atribuir a los padres desde la fecha de protocolización de la renuncia o a partir del período gravable siguiente a que ello ocurriera, según lo expresado en la escritura pública.

c) Los padres "naturales", de acuerdo con lo puntualizado en la sección I del capítulo V de este tomo, no ostentaban "usufructo legal" alguno sobre los bienes de sus hijos y, por tanto, las rentas provenientes de todos los bienes se declaraban en cabeza de su propietario. A pesar de que la Ley 45 de 1936 hubiera revestido a los padres "naturales" nominalmente de una supuesta "patria potestad", lo cierto es que el artículo 15 de ese compendio normativo fue muy preciso al limitar sus facultades a lo previsto en el título 12, libro 1°, del Código Civil, relativo a los "Derechos y obligaciones entre los padres y los hijos". Mientras que la verdadera patria potestad, contentiva, entre otras, del derecho de "usufructo legal", se disciplina en el título 14 del libro 1° de ese Estatuto.

Así las cosas, dado que el inciso segundo del artículo 15 de la Ley 45 de 1936 señaló que, "en relación con los bienes, los derechos y deberes de quien ejerza la patria potestad sobre un hijo natural, son los mismos de los guardadores, salvo la obligación de dar caución", a los padres "naturales" solo les asistía la administración de la totalidad del patrimonio de sus hijos, no el "usufructo legal" (cfr. artículo 481 del Código Civil, en su versión original). Ello significa que la discriminación de la ley civil contra los padres "naturales", por su condición de tales, para efectos tributarios se traducía en un beneficio en relación con los padres "legítimos" porque las rentas de sus hijos no llegarían a estar gravadas con las tarifas del impuesto sobre la renta que les correspondieran a sus progenitores.

SECCIÓN III. DECRETO-LEY 1651 DE 1961

El artículo 134 de la Ley 81 de 1960 revistió al Presidente de la República de facultades extraordinarias, con el objeto de que dictara normas procedimentales tendientes a la correcta aplicación y desarrollo de esa ley. En consecuencia, el 10 de agosto de 1961 se profirió el Decreto número 1651, que reguló todos los aspectos adjetivos y procedimentales del impuesto sobre la renta.

En cuanto a este estudio interesa, el artículo 1° dispuso que las personas naturales que obtuvieran ingresos anuales superiores a $2 500 o que poseyeran, en el país, en el último día del período fiscal, un patrimonio superior a $5 000, estaban obligadas a presentar declaración de renta y patrimonio. Así se morigeró, en alguna forma, la medida adoptada por los Decretos Legislativos 2317 y 2615 de 1953, proferidos por el Gobierno de ROJAS PINILLA, según los cuales se obligaba a presentar denuncio rentístico a quienes obtuvieran en año gravable una renta bruta de $1 000, como mínimo, o poseyeran un patrimonio de $5 000 o más.

En efecto, desde el punto de vista de los ingresos la cuantía aumentó uno punto cinco veces en comparación con aquella prevista en 1953. Por su parte, a pesar de que el monto del patrimonio poseído permaneció incólume, y sin tener en cuenta la fluctuación de la inflación en el período comprendido entre 1953 y 1961, el Decreto 1651 limitó los bienes y derechos susceptibles de ser considerados para efectos de la obligación de presentar declaración a aquellos poseídos en el país.

Por su parte, en buena hora el artículo 2° facultó a los funcionarios administrativos para que, a instancias de la solicitud de las autoridades judiciales pertinentes, revelaran la información sobre las exenciones solicitadas por personas a cargo, consignada en el denuncio rentístico de los contribuyentes que se encontraran demandados en procesos de filiación o investigación de la paternidad. Fue este un notable acierto de la legislación toda vez que, al ser la declaración privada un acto libre y espontáneo, era perfectamente posible que con base en ella se probara el reconocimiento de la condición de progenitor y, consiguientemente, se trabara la relación paternofilial a que hubiere lugar. Y no podría oponerse a ello la reserva de la información personal de los contribuyentes, porque ese derecho a la intimidad habrá de ceder cuando de por medio se encuentre la determinación del verdadero padre de un menor de edad.

Resulta además particularmente relevante esta disposición, si se tiene en cuenta que el artículo 48 de la ley 81 de 1960 únicamente autorizaba la solicitud de exenciones personales por hijos cuando el contribuyente tuviera la obligación civil de mantenerlos; pero esa obligación, para los padres "naturales", no podía surgir, como es obvio, hasta que se configurara la relación paternofilial. Por consiguiente, también al ámbito fiscal le interesaban las resultas de los procesos de investigación de la paternidad, si es que el contribuyente había solicitado exenciones a que no tenía derecho por no haber reconocido formal y voluntariamente su condición de progenitor, ni haber sido declarada judicialmente.

Por lo que sigue, el artículo 8° del Decreto 1651 reguló los casos en que los cónyuges podían presentar su denuncio rentístico conjuntamente, así:

> Artículo 8°. Los cónyuges que perciban ingresos o que posean bienes deberán presentar su declaración de renta y patrimonio por separado, relacionando sus respectivos ingresos y bienes. Podrán declarar conjuntamente tan solo cuando uno de ellos no tenga ingresos o bienes propios y se acojan al beneficio establecido en el artículo 13 de la Ley 81 de 1960 para dividir las rentas exclusivas de trabajo.

Nótese que la disposición transcrita solucionó, en lo que a las reglas procedimentales concierne, la gran discusión sobre la forma en que debían presentar las declaraciones tributarias los cónyuges. En ese sentido, para declarar conjuntamente se requería el cumplimiento de dos requisitos, a saber: (i) que uno de los cónyuges no tuviera bienes o ingresos propios; y (ii) que se hiciera uso de la facultad de dividir las rentas exclusivas de trabajo entre ambos consortes, según lo preveía el artículo 13 de la Ley 81 de 1960. Pero incluso si concurrían ambos requisitos, la presentación de la declaración conjunta era una simple posibilidad, por lo que nada obstaba para que diligenciaran sus denuncios en forma individual. En cambio, para todos los demás casos, los cónyuges sí se encontraban obligados a presentar declaraciones individuales.

Ahora bien, el artículo 104 del decreto 1651 de 1961 estableció que serían solidariamente responsables en el pago del importe tributario, las siguientes personas:

> 1° Los socios respecto de las obligaciones de las sociedades de hecho.
>
> 2° Los herederos que hayan tenido la administración de los bienes, respecto de las sumas liquidadas directamente a la sucesión ilíquida.
>
> 3° Los comuneros que hayan tomado parte en la administración de los bienes comunes, en relación con las deudas a cargo de la respectiva comunidad.
>
> 4°. Los retenedores con los contribuyentes respectivos, pero únicamente en cuanto al impuesto que estando legalmente obligados, omitieren retener.
>
> 5°. Los cónyuges entre sí, en cuanto a las sumas que se les liquiden por los años gravables en que efectúen la división de rentas exclusivas de trabajo que autoriza el artículo 13 de la Ley 81 de 1960, y
>
> 6° Los agentes o representantes de contribuyentes residentes en el Exterior, respecto de los impuestos de sus representados, cuando no se haya hecho la retención del impuesto en la fuente por no existir la obligación para quien hizo el pago.

En primer lugar, se debe reparar en que la norma transcrita reiteró lo dispuesto por el artículo 13 de la Ley 81 de 1960, en cuanto a que los cónyuges serían solidariamente responsables por las sumas liquidadas por los años gravables en que dividieran sus rentas exclusivas de trabajo. Mas lo realmente curioso es que el artículo 104, al señalar los casos en los que operaría la solidaridad, no mencionó a los padres que presentaran declaraciones por sus hijos. Ello implica, por la naturaleza taxativa del listado transcrito, que los menores de edad habrían de responder personal y exclusivamente por las deudas o mayores importes liquidados por la Administración Tributaria. Esa conclusión se reitera con la lectura de los artículos 139, 140 y 142 del Decreto 1651 de 1961, a saber:

> Artículo 139. Los contribuyentes del impuesto sobre la renta, complementarios y recargos, pueden actuar o gestionar ante la División de Impuestos Nacionales y sus dependencias, en su propio nombre, si son legalmente capaces, por medio de sus respectivos representantes si son incapaces, o mediante apoderados legalmente constituidos.

> Artículo 140. Deben cumplir las obligaciones tributarias de sus representados las siguientes personas:

> 1°. Los padres por sus hijos menores, en los casos en que el impuesto deba liquidarse directamente a los menores.

> 2°. Los tutores y curadores por los incapaces a quienes representen (…)

> Artículo 142. La presentación de las declaraciones de renta y patrimonio, sus correcciones y adiciones podrán hacerse por representantes, mandatarios o apoderados, o por personas autorizadas por el contribuyente, aun cuando no sean abogados inscritos (…)

De las anteriores normas se colige que la ley fiscal imponía a los progenitores, en su condición de representantes legales, la obligación de presentar las declaraciones tributarias de sus hijos menores de edad, pero en armonía con lo previsto en el artículo 104, *ibidem*, no serían aquéllos responsables solidarios del pago de las obligaciones tributarias de éstos.

SECCIÓN IV. LEY 21 DE 1963

Defendida como fue la Reforma Tributaria de 1960 por Jorge Mejía Palacio, ministro de hacienda del presidente Lleras Camargo, bajo la consigna de que era "uno de los estatutos tributarios a juicio de los peritos extranjeros, más completo de cuantos se hayan implantado en la América Latina, y apenas comparable al de los Estados Unidos" y que "[s]u sentido social al propiciar la redistribución de la riqueza, unido al aliento, al trabajo y al estímulo, a la inversión productiva, forma[ba]n un equilibrio difícil de alcanzar en sociedades que por siglos han mirado como confiscatoria cualquier tributación al erario del común"[198], verdaderamente contó con agudas críticas desde la óptica hacendística. Para confirmarlo, basta ver los planteamientos de Carlos Sanz de Santamaría en la *Memoria de Hacienda* de 1964:

> La Ley 81 significó indudablemente un alivio para los contribuyentes de todas clases y consagró interesantes sistemas de exención para promover ciertas actividades productivas de especial importancia, pero afectó seriamente los ingresos de la Nación, como resultado de varias de sus disposiciones, entre las cuales pueden recordarse las siguientes: autorización para dividir entre los cónyuges las rentas de trabajo hasta por$ 60.000; reducción de las tasas de impuesto para rentas menores de $ 44.000, y exención a los primeros $ 5.000 de renta líquida, providencia esta última que eliminó cerca de 160.000 contribuyentes[199].

Otro tanto agregan Óscar Alviar y Fernando Rojas en su obra intitulada *Elementos de finanzas públicas de Colombia*:

> La importancia de esa reforma [se refieren a la ley 81 de 1960] no estriba en el aumento de los recaudos por concepto de impuesto sobre la renta ni en la consiguiente atenuación del déficit fiscal y de las presiones inflacionarias que de él se derivan. Por el contrario, la relación entre el producto del impuesto y la producción de la economía nacional descendió en los años inmediatamente siguientes, para solo recuperarse a partir de 1966-67, gracias a las reformas que entonces se le hicieron al tributo a efectos de ampliar su base y de controlas la evasión (ley 63 de 1967, decr. 1366 de 1967). En general, los dos primeros gobiernos del Frente Nacional vivieron una época de penuria fiscal, atenuada apenas por préstamos de organismos internacionales (…)

> El lugar distinguido de la reforma del primer gobierno del Frente Nacional se debe a sus virtudes conceptuales y legislativas, al hecho de que hubiera sido esta la última gran reforma aprobada por el Congreso, a la orientación intervencionista que imprimió a la estructura del impuesto sobre la renta y al hecho de que fue ella expresión del pensamiento fiscal y económico predominante en aquella época[200].

---

[198] Cfr. Jorge Mejía Palacio. *Memoria de Hacienda 1962*. (Bogotá: Ed. Imprenta Nacional, 1962), 229.

[199] Cfr. Carlos Sanz de Santamaría. *Memoria de Hacienda 1964*. (Bogotá: Ed. Imprenta Nacional, 1964), 52.

[200] Cfr. Óscar Alviar y Fernando Rojas, *Elementos…*

Según se verá en la siguiente sección, las más feroces críticas a la ley llovieron no por su profunda juridicidad, que siempre fue ensalzada, sino por la disminución en los recaudos tributarios. Indudablemente, la problemática desde el punto de vista hacendístico se magnificó por la caída de los precios internacionales del café[201], producto de cuya exportación dependía en gran parte la economía colombiana. La dramática situación de las finanzas, ilustrada con las citas antes transcritas, provocó que el Gobierno del presidente GUILLERMO LEÓN VALENCIA, segundo mandatario del Frente Nacional, por conducto de su ministro de hacienda, CARLOS SANZ DE SANTAMARÍA, presentara ante el Parlamento el proyecto que a la postre sería sancionado como Ley 21 de 1963.

En el cuerpo normativo, el artículo 1° revistió de facultades extraordinarias al presidente, entre otras, para que (i) dictara normas en materia tributaria, sin eliminar los beneficios de que gozaban los contribuyentes, y (ii) estableciera un impuesto nacional sobre las ventas de productos terminados, salvo en lo tocante con artículos alimenticios de consumo popular, textos escolares, drogas y bienes exportados[202]. Además, en el artículo 5° se ordenó la creación de una Junta Monetaria.

En lo que respecta a nuestro análisis, el artículo 6° creó, bajo la denominación de "impuesto extraordinario" por el término de dos años, una sobretasa del 20 % del impuesto sobre la renta, sus complementarios y sus recargos. Por su parte, el artículo 7° aumentó en un 30 % las tarifas de los impuestos sobre masa global hereditaria, asignaciones y donaciones.

---

[201] ROBERTO JUNGUITO y HERNÁN RINCÓN, *La política fiscal…*, 57.

[202] Según lo recuerda ALFREDO LEWIN FIGUEROA, fue este el primer antecedente histórico del impuesto sobre las ventas en el país, que culminó con la expedición del decreto 3288 de 1963 (*Historia de las reformas…*, 15 y 16). Para un juicioso análisis sobre la evolución histórica del impuesto sobre el valor agregado (IVA) en Colombia, el lector puede acudir la parte tercera del libro primero de la magnífica obra de MAURICIO A. PLAZAS VEGA intitulada *El impuesto sobre el valor agregado* (Bogotá: Ed. Temis, 2015), 119 a 246.

SECCIÓN V. LA MISIÓN TAYLOR, EL INFORME DEL BANCO INTERNACIONAL DE RECONSTRUCCIÓN Y FOMENTO, EL DECRETO 1366 DE 1967 Y LA LEY 63 DE 1967

I. Misión Taylor, de 1965, e Informe del Banco Internacional de Reconstrucción y Fomento, de 1967

Debido a la complicada situación económica nacional durante el primer lustro de la década de los sesenta, se hubo de conformar una misión, encargada al profesor Milton C. Taylor, con el propósito de que efectuara un análisis sobre la eficiencia de los principales tributos en Colombia. Luego de analizados más de treinta impuestos[203], en 1965, la Misión entregó su Informe intitulado *Fiscal survey of Colombia. Fiscal problems and proposals for reform*[204], en el cual se puntualiza la difícil situación hacendística del país:

> Hasta años recientes, el total de los ingresos del gobierno nacional ha tendido a crecer un poco más rápido que el aumento del producto bruto interno. De 1950 a 1959, el total de los ingresos se incrementó del 6.3 % de dicho producto al 8 %. No obstante, como resultado de la reforma tributaria de 1960, que debilitó el rendimiento del impuesto a la renta, y el relativo descenso de los impuestos indirectos, los ingresos totales cayeron al 6.3 % del producto bruto interno en 1962, exactamente la proporción que existía en 1950.

Y posteriormente, al aludir específicamente a la disminución de ingresos tributarios por cuenta de la expedición de la Ley 81 de 1960, manifestó lo siguiente: "Este fue el precio que pagó Colombia por las reformas al impuesto sobre la renta en 1960, cuando se dio alivio substancial a los grupos de medianos ingresos y las corporaciones fueron exentas del impuesto neto sobre el patrimonio"[205].

En realidad, la crítica del Informe de la Misión Taylor no se dirige al notable avance de autorizar la división de las rentas entre los cónyuges, sino a los beneficios tributarios sobre las pequeñas industrias en general, y en el sector agropecuario en particular, al tiempo como propuso crear un impuesto presuntivo en predios agrícolas sobre el 10 % de su valor[206]. Y más

---

[203]   Cfr. Francisco González y Valentina Calderón. *Las reformas...*, 16.

[204]   Milton C. Taylor y Raymond L. Richman, con colaboración de Carlos Casas Morales. *Fiscal survey for Colombia. Fiscal problems and proposals for reform. Joint tax program of the Organization of American States and the Interamerican Development Bank.* (Maryland: Ed. The Johns Hopkins Press, 1965).

[205]   *Ibidem*, 5.

[206]   Cfr. Roberto Junguito y Hernán Rincón. *La política fiscal...*, 59.

allá, según se mencionó en la sección precedente, la Misión reconoció que las falencias del sistema se originaron, en gran medida por la cantidad de beneficios y la falta de creación de controles a la evasión fiscal, para lo cual recomendó la incorporación del mecanismo de retención en la fuente:

> Sin lugar a dudas la reforma administrativa más importante que puede hacerse en Colombia, en relación con los impuestos sobre la renta y complementarios, es la retención del impuesto sobre la renta correspondiente a sueldos, salarios, dividendos e intereses. Esta opinión está respaldada por dos observaciones de orden práctico. La primera es de equidad, porque muy poco se logra con una buena ley del impuesto sobre la renta si miles de personas pueden evadirla impunemente. La segunda, también muy importante, es el aumento considerable de ingresos fiscales que se obtendría con la retención (...)

> Para las rentas no sujetas a retención, debe introducirse el sistema de pagos corrientes. Debe exigirse a los contribuyentes que presenten estimaciones anticipadas de sus obligaciones fiscales para el año imponible y paguen los impuestos en cuotas trimestrales. Los pagos corrientes son importantes desde el punto de vista fiscal, porque en esa forma el gobierno percibe los ingresos cuando éstos se ganan; pero si se introduce la retención sobre sueldos y salarios, es también importante, por razones de equidad, porque así se trata a todos los contribuyentes en forma neutral y sobre las mismas bases[207].

Al propio tiempo, el Banco Internacional para la Reconstrucción y el Desarrollo publicó, el 23 de mayo de 1967, su Informe intitulado *Current economic position and prospects of Colombia*[208], en el cual hizo notar su preocupación por la reducción de los recaudos tributarios. Esa circunstancia la atribuyó a la falta de cuidado en el diseño de la Reforma Tributaria de 1960, la complejidad del sistema tarifario del impuesto sobre la renta y sus múltiples deducciones. Por ese motivo, recomendó una mejor estructura antievasión y la creación del mecanismo de retención en la fuente, a saber:

> Las reformas de 1962 [SIC] introdujeron muchos refinamientos deseables en el sistema tributario, pero no tuvieron en cuenta su impacto en el recaudo del gobierno. El resultado fue una declinación del 20% de los recaudos en un momento en el que se había iniciado un programa sustancial de desarrollo.

---

[207] Milton C. Taylor y Raymond L. Richman, con colaboración de Carlos Casas Morales. *Fiscal survey for Colombia. Fiscal problems and proposals for reform. Joint tax program of the Organization of American States and the Interamerican Development Bank.* (Maryland: Ed. The Johns Hopkins Press, 1965), 96 y 97.

[208] Cfr. international bank for reconstruction and development. *Current economic position and prospects of Colombia WH-172*, volumenes I y II. (Washington: Ed. Banco Mundial, 1967).

Parte de esta declinación fue cubierta con préstamos solicitados al banco central que terminaron en presiones inflacionarias[209] (...)

43. El impuesto sobre la renta. Al expandir su sistema de retenciones el Gobierno debería enfocarse más en el crédito tributario que en trabajar con un porcentaje del ingreso mensual, esto es, el incremento en la mordida del sistema de retención se debería sentir en el crédito tributario estimado. Si se falla en este propósito se cae en una distribución inequitativa de las cargas. Además, se deben crear nuevas disposiciones que sujeten a los nuevos contribuyentes a una retención en la fuente del 100%. Por ejemplo, quienes no presentaron denuncio rentístico o no reflejaron impuesto a cargo en el año anterior deberían pagar todos los impuestos sobre el crédito tributario estimado del año en curso.

44. Además del sistema de retenciones se debe concentrar un importante esfuerzo para mejorar el sistema del impuesto sobre la renta por medio de la simplificación de su estructura. Los intentos pasados de reformar la administración y mejorar la implementación de las normas se han visto frustrados por la inmensa complejidad del sistema tributario. Antes de que se espere un mayor cumplimiento de los contribuyentes, es necesario que los impuestos sean mucho más fáciles de pagar. Para el efecto, la Misión sugiere cuatro pilares esenciales: (1) la simplificación de la estructura tarifaria; (2) la eliminación de muchas de las deducciones; (3) la eliminación de todos los recargos e impuestos adicionales sobre la renta (tales como los impuestos siderúrgicos y de vivienda); y (4) la incorporación del impuesto sobre el patrimonio al impuesto sobre la propiedad. El objetivo de estas reformas (que se deberán introducir gradualmente) sería proporcionar un impuesto sobre la renta personal con diez rangos tarifarios y un sistema de exenciones drásticamente simplificado. Uno de los sistemas de exenciones (como se aplica en México) sería conferir una exención básica del 10% o 20% (después de un mínimo básico) sobre la renta bruta hasta un tope determinado. Esto evitaría muchas de las complejidades presentes en el sistema de deducciones. Una alternativa sería sustituir un crédito fiscal para las mesadas a dependientes únicamente y combinarlo con un porcentaje plano para todas las demás deducciones. La dificultad para administrar el impuesto sobre el patrimonio podría convertirse en parte de un impuesto sobre la propiedad más efectivo (...)

46. Sin perjuicio de los cambios introducidos, se debe tener gran cuidado en la forma estimada en la que se afectarán los recaudos del Gobierno. La

---

[209] *Ibidem*, volumen II, 2. La anterior es una traducción libre. El texto original es el siguiente: "The 1962 [SIC] tax reforms introduced many desirable refinements into the tax system, but they failed to take into account the impact upon government revenues. The result was a 20 percent decline in revenues at a time when a substantial development program was initiated. Part of this decline in government revenues was offset by central bank borrowing which further increased the inflationary pressures (...)"

reforma de 1961 [SIC], que no prestó suficiente atención a este hecho, resultó en una disminución del 20% de los ingresos del gobierno central. Para este propósito, es imperativo que se desarrollen mejores estadísticas del impuesto sobre la renta (...)[210]

Repárese en que la crítica generalizada sobre la disminución del recaudo gravita, en lo fundamental, sobre la complejidad del sistema de tributación y el ínfimo control a la evasión. Ello ha de obrar como referente para los primeros estatutos antievasión que enseguida se comentan.

---

[210] *Ibidem,* vol. II, 16 y 17. La anterior es una traducción libre. El texto original es el siguiente: "43. The Income Tax. In expanding its system of retentions the Government should focus more on tax liability rather than working with a percentage of monthly income, that is, the increasing bite of the retention system should be felt on estimated tax liabilities. The failure to do this results in an inequitable distribution of the burden. In addition, pro- visions should be made to place all new taxpayers immediately on a 100 percent retentions system. Those, for example, who did not submit a tax return last year (or paid no taxes) should be required to pay all taxes currently on their estimated liability for the year in progress. 44. Aside from the retention system a major concentration of effort should be made to improve the system of income taxes through a simplification of their structure. Past attempts at administrative reform and enforcement have been frustrated by the overwhelming complexity of the tax system. Before greater taxpayer compliance can be expected the taxes must be made easier to pay. Towards this end the mission suggests four main areas of emphasis: (1) the simplification of the rate structure; (2) the elimination of many of the deductions; (3) the elimination of all surcharges and additional taxes on income (such as the steel and housing tax); and (4) the incorporation of the net wealth tax into the property tax. The aim of these reforms (to be introduced gradually) would be to provide a personal income tax with about ten marginal brackets and a drastically simplified system of exemptions. One such system of exemptions (such as is used in Mexico) would be to provide a basic 10 or 20 percent exemption (after a basic minimum) on gross income up to a specified amount. This would avoid much of the present complexities of the system of deductions. An alternative would be to substitute a tax credit for dependence allowances only and to combine it with a flat percentage for all other deductions. The difficult to administer net wealth tax could become part of a more effective system of property taxation. 46. Regardless of the changes introduced great care should be taken to estimate the affect on Government revenue. The tax reform of 1961, which did not pay enough attention to this fact, resulted in a 20 percent reduction of the central government's revenues. Towards this end it is imperative that better income tax statistics be developed. At present very few useful statistics come out of the income tax office and before any meaningful analysis of proposed changes can be made, these statistics must be forthcoming".

II. El Decreto 1366 de 1967 y la Ley 63 de 1967

El 19 de julio de 1967 se publicó, en el Diario Oficial número 32,273, la Ley 28 de ese año, sugestivamente intitulada *Contra la evasión y el fraude al impuesto sobre la renta, complementarios, especiales y sucesorales y se dictan otras disposiciones*. El cuerpo normativo confirió facultades extraordinarias al presidente CARLOS LLERAS RESTREPO, hasta el 20 de julio, para proferir regulaciones relativas a la lucha contra la evasión y el fraude fiscal en el ordenamiento tributario.

Como consecuencia de ello, en ejercicio de sus atribuciones, el presidente LLERAS RESTREPO expidió, el 20 de julio, el decreto 1366 de 1967. Las principales modificaciones normativas y las reacciones de la ciudadanía las sintetizan muy bien JUNGUITO y RINCÓN, a saber:

> Las normas contra la evasión se crearon mediante el Decreto 1366/67(...) Las normas incluyeron aspectos como la repatriación de capitales, el control a las utilidades en enajenación de activos, la no deducibilidad de ingresos vitalicios, la deducción de intereses solo cuándo había causalidad, un límite a deducciones en prestación servicios profesionales y la deducción de costos de servicios contra el número de identificación tributaria.
>
> La reacción a la expedición del decreto fue negativa, al punto que el gobierno tuvo que convenir con el Congreso un conjunto de enmiendas, que lo terminaron por debilitar (...)[211]

Importa destacar, además de la síntesis transcrita, que el artículo 26 del Decreto 1366 modificó las tarifas del impuesto sobre la renta para las personas naturales y las sucesiones ilíquidas que habían sido aprobadas en 1960 con la Ley 81. En lugar de adoptar las recomendaciones del Banco Internacional para la Reconstrucción y el Desarrollo, relacionadas con la simplificación del régimen tarifario, la disposición incrementó la presión tributaria, por la vía de aumentar las alícuotas aplicables para todos los niveles de ingresos. Así, (i) las tarifas marginales superior e inferior incrementaron de 51 % y ½ % a 52 % y 0.75 %, respectivamente, (ii) se redujeron los escalafones de rentas líquidas gravables, de 56 a 54 niveles, y (iii) la máxima alícuota, de 52 %, se empezó a aplicar a rentas líquidas de $1.800.001 en adelante, mientras que antes solo se gravaba con la tarifa marginal superior las rentas líquidas que excedieran de $2.000.000.

---

[211] Cfr. ROBERTO JUNGUITO y HERNÁN RINCÓN. *La política fiscal...*, 60.

En el marco del descontento generalizado con el decreto, como acertadamente lo recuerdan JUNGUITO y RINCÓN en el aparte transcrito, el Gobierno nacional se vio en la necesidad de convenir con el Congreso de la República algunas enmiendas, aprobadas mediante la Ley 63 del 26 de diciembre de 1967. Las modificaciones del compendio normativo se concretaron en las siguientes:

> [H]izo deducibles los aportes a pensiones y todos los gastos reparaciones locativas, la limitación a la causalidad de intereses se amplió al conjunto de actividades utilizadas para generar el ingreso, se eliminó el límite a pago intereses de vivienda, se modificaron las normas exigidas a profesionales, a la iglesia y la contabilidad para agricultores, se introdujo, a iniciativa del Congreso, dos amnistías: una en la mora en pago de impuestos y otra sobre pasivos no incluidos en declaraciones, y finalmente, se establecieron nuevas rentas exentas sobre ingresos percibidos en el extranjero y para la reforestación[212].

Ahora bien, en punto al aspecto tarifario, el artículo 16 señaló que las variaciones incorporadas por el Decreto 1366 regirían únicamente durante la vigencia del impuesto especial de fomento eléctrico e Instituto Colombiano de Seguros Sociales y que, luego de su expiración, procedería la reducción a lo originalmente previsto en la Ley 81 de 1960. Justamente esta adición fue de capital importancia, toda vez que la constitucionalidad de la reglamentación de las alícuotas del Decreto 1366 fue objeto de demanda ciudadana, bajo el argumento de que el Gobierno nacional había desbordado las facultades extraordinarias conferidas en la Ley 28 de 1967. Para despachar las peticiones del demandante, la Sala Plena de la Corte Suprema de Justicia, previo análisis de la Sala Constitucional, sostuvo lo siguiente en sentencia del 22 de enero de 1970, M. P. LUIS SARMIENTO BUITRAGO:

> e) El artículo 26 del Decreto 1366 que señala 'la tarifa dé impuestos sobre la renta para las personas naturales o sucesiones ilíquidas' ha sido ratificado por el artículo 16 de la Ley 63 de 1967, que dice: 'la tarifa unificada de los impuestos para personas naturales y sucesiones ilíquidas de que trata el artículo 26 del Decreto 1366 de 1967, regirá durante la vigencia del impuesto especial de Fomento Eléctrico e Instituto Colombiano de Seguros Sociales (ICSS) expirada la cual se reducirá en la misma proporción en que se hizo el ajuste al incorporar este impuesto en la mencionada tarifa'.

> Este impuesto especial creado por el artículo 101 de la Ley 81 de 1960 'regirá hasta el año gravable de 1969, inclusive' (artículo 108); y el Decreto 2814 de 1965 cambió la destinación del impuesto siderúrgico del país por el de Instituto Colombiano de Seguros Sociales (ICSS).

---

212 *Ibidem.*

La ratificación que el artículo 16 de la Ley 63 de 1967 hace de la tarifa señalada en el artículo 26 del Decreto 1366 y la unificación de esta tarifa para personas naturales y sucesiones ilíquidas, deja sin base la acusación formulada por el actor contra el artículo 26, citado. Hay, por consiguiente, una sustracción de materia.

SECCIÓN VI. LEY 75 DE 1968: LA SEGUNDA VARIACIÓN AL COMPENDIO NORMATIVO SOBRE FILIACIÓN

El 30 de diciembre de 1968 fue sancionada la Ley 75, por la cual se dictaron medidas relacionadas con la filiación y se creó el Instituto Colombiano de Bienestar Familiar (ICBF). En líneas generales, el compendio normativo introdujo la segunda gran reforma al régimen de filiación —el primero fue estatuido por la Ley 45 de 1936— y, por lo que hace al contenido normativo sustancial, sus disposiciones permanecen vigentes, aunque con algunas variaciones, en la actualidad.

En lo tocante con la temática que nos atañe, los artículos 19, 20 y 21 reformaron el régimen de patria potestad de los hijos "naturales" previsto en los artículos 13, 14 y 15 de la Ley 45 de 1936. Por su pertinencia, a continuación se transcriben los artículos:

Artículo 19. El artículo 13 de la ley 45 de 1936 quedará así: Artículo 13. La patria potestad es el conjunto de derechos que la ley reconoce a los padres sobre sus hijos no emancipados, para facilitar a aquellos el cumplimiento de los deberes que su calidad les impone.

Ejerce estos derechos respecto de hijos legítimos el padre y, a falta de éste, por cualquier causa legal, la madre. Si quien ejerce la patria potestad pasare a otras nupcias, el juez podrá, con conocimiento de causa y a petición de parte, si lo considera más conveniente, poner bajo guarda al hijo.

Los hijos no emancipados son hijos de familia, y el padre o madre con relación a ellos, padre o madre de familia.

Artículo 20. El artículo 14 de Ley 45 de 1936 quedará así: Artículo 14. Por regla general, corresponde a la madre la patria potestad sobre el hijo natural. Pero el Juez puede, con conocimiento de causa y a petición de parte, si lo considera más conveniente a los intereses del hijo, conferirla al padre o poner bajo guarda al hijo.

A falta de la madre tendrá la patria potestad el padre natural, sin prejuicio de que el Juez ponga bajo guarda al hijo en las mismas circunstancias previstas en el inciso anterior.

El matrimonio de quien ejerce la patria potestad sobre el hijo natural es compatible con ésta pero el Juez en tal caso, puede proceder en la forma prevista en el inciso segundo del artículo precedente.

No tiene la patria potestad ni puede ser nombrado guardador el padre o madre declarado tal en juicio contradictorio.

La guarda pone fin a la patria potestad en los casos de este artículo.

Artículo 21. El artículo 15 ley 45 de 1936 quedará así: Artículo 15. Al ejercicio de la patria potestad sobre los hijos naturales se aplicarán las reglas de los títulos 12 y 14 del libro 1° del Código Civil en cuanto no pugnen con las disposiciones de la presente Ley.

Sea lo primero destacar que el artículo 19, transcrito, eliminó la odiosa sujeción que se había hecho en la Ley 45 de 1936, relativa a la pérdida de la patria potestad de quien pasare a segundas nupcias. A partir de la expedición de la Ley 75 de 1968, que sería posteriormente modificada, se facultó al juez para que solo por excepción, y a petición de parte, sometiera al hijo del matrimonio anterior al régimen de guardas (hoy derogado).

A su turno, el artículo 20 preservó en esencia lo reglado en el artículo 14 de la Ley 45 de 1936. Tan solo introdujo, con acierto, una variación que se sintetiza en el hecho de que la madre "natural" no perdía, por el solo hecho del matrimonio posterior, la patria potestad de su hijo. Para el efecto era necesario que el juez, luego de un ejercicio valorativo, llegara a la convicción de que las nuevas circunstancias podían ser adversas a los intereses del menor de edad y solo entonces procedería su reasignación bajo la tutela de un tercero.

Finalmente, el artículo 21 de la Ley 75 de 1968 corrigió el yerro conceptual, discriminatorio por demás, en que había caído la Ley 45 de 1936 al señalar que los hijos "naturales" quedaban sometidos a la *patria potestad*, cuando en realidad los sometió a la *autoridad paterna*. En efecto, mediante la nueva regulación se dispuso que el régimen de potestad parental, disciplinado por el título 14 del libro 1° del Estatuto Civil, sería verdaderamente aplicable a los hijos "naturales", a diferencia de lo que hasta entonces ocurría. Empero, la loable equiparación en el tratamiento conferido por la legislación civil a todos los hijos, en su condición de tales, aparejó un efecto tributario adverso.

Como se ha puntualizado, la discriminación de los hijos "naturales" en materia civil resultaba beneficiosa en el Derecho Fiscal, toda vez que los padres "naturales" no ostentaban el "usufructo legal" sobre una parte de los bienes de su prole, como sí ocurría en tratándose de la filiación "legítima". Ello conducía a que *todas* las rentas provenientes los bienes de sus hijos "naturales" se gravaran con la alícuota que verdaderamente les correspondía, en tanto que las rentas de los bienes del *peculio adventicio ordinario* de los hijos "legítimos" se gravaban en cabeza de los padres, con las tarifas aplicables a estos últimos, sin importar que la disposición civil fuera enfática en que tales ingresos estaban llamados a aprovechar exclusivamente a los hijos. Pues bien, al quedar los hijos "naturales" sometidos al régimen de la potestad parental, sus progenitores se hicieron titulares del "usufructo legal" sobre los activos que conformaran el peculio adventicio ordinario de los hijos, con las mismas implicaciones tributarias negativas que aquí se denuncian y que se mantienen hasta la época actual.

Así mismo, son de destacar los artículos 29 y 30 de la Ley 75 de 1968, por tratar de temáticas tributarias:

El artículo 29 señaló que la tasa del impuesto sobre sucesiones y donaciones sería la misma para hijos "naturales", "legítimos" y "adoptivos". Recuérdese, sobre el particular, que la Ley 63 de 1936 estableció los impuestos (i) sobre la masa global hereditaria y (ii) sobre las sucesiones y donaciones. En relación con este último, el artículo 13 de la Ley 63 clasificó a los hijos "naturales" y "legítimos" en un mismo grupo, con una misma tarifa aplicable, pero aglutinó a los "parientes adoptivos" en otro grupo, con una tarifa más elevada. De manera que el gran avance introducido por la Ley 75 se concretó en reconocer, sin distinción entre el tipo de filiación, la misma alícuota a todos los hijos[213]. Hubiera sido valeroso, sin embargo,

---

[213] La razón de ser de las disposiciones anteriores a la ley 75 de 1968 halla su origen en la naturaleza y concepción de la adopción en Colombia como en el mundo entero (cuando menos en su inmensa mayoría). El derecho romano proscribía, en épocas de JUSTINIANO, bajo la consigna *adoptio natura imitatur*, que los mayores de sesenta pudieran adoptar, a menos que su estado de salud llevara a considerar que ya no tendrían hijos, y tampoco se autorizaba esta figura para quienes tuvieran descendencia legítima (véase a PIETRO BONFANTE. *Istituzioni di diritto romano*, Tercera Edición. (Madrid: Ed. Reus, 1965), núm. 48). ¿Y cómo no? Si lo que verdaderamente perseguía la adopción no era cosa distinta que garantizar que el adoptante tuviera un sucesor. Otro tanto se puede decir de Francia, por ejemplo, en donde no se trataba de proteger a los menores de edad, sino de "darle consuelo" al adoptante (GERMÁN GAMBÓN ALIX, *La adopción*. (Barcelona: Ed. Bosch, 1960), 40 y ss.). Nótese que la institución de la adopción no estaba pensada, como hoy, en función de los derechos del adoptivo; por el contrario, se miraba como una prerrogativa o facultad ideada para el adoptante. En consecuencia, poco interesaba diseñar normas sucesorales que cobijaran, en verdad, a quienes a la sa-

zón sobrevivían al adoptante. Obviamente, Colombia no escapa a esta afirmación, pues en la ley 45 de 1936 hubo una marcada intención de mejorar la posición de los hijos "naturales", sin tener siquiera en consideración a los adoptivos. Tanto más si se tiene en cuenta que, en nuestro país, la adopción vigente para el momento de expedición de las leyes 45 de 1936 era la *simple*, cuya regulación en el texto original del Código Civil solo vinculaba al adoptante y adoptivo y cesaba por la muerte de cualquiera de ellos o en caso de que el adoptante tuviera descendencia legítima (cfr. texto original del artículo 287 del Código Civil). Luego de la reforma introducida por la Ley 140 de 1960, en vigencia de la cual se expidió la Ley 75 de 1958, la adopción *simple* fue concebida como una figura en que "solo [se] establec[ía] parentesco entre el adoptante y el adoptado. El adoptivo continua[ba] formando parte de su familia de sangre, conservando en ella sus derechos y obligaciones" (redacción del artículo 286 del Código Civil, tal como fue modificado por la ley 140 de 1960). Y con mayor razón se explica el tratamiento diferenciado en materia fiscal si se consulta la situación sucesoral de los adoptivos en el régimen original del Código Civil, en vigor al momento de la expedición de la ley 45 de 1936: "El hijo adoptivo puede heredar al padre por testamento, en caso de que no haya ascendientes legítimos, y si los hubiere sólo tendrá derecho a una décima parte de los bienes; pero el adoptante en ningún caso podrá ser heredero del adoptado" (Art. 282 C.C.). Con esta odiosa filosofía, la legislación tributaria vertida en el artículo 13 de la ley 63 de 1936 sobre el gravamen a las sucesiones que recibiera el hijo adoptivo no podía disponer cosa distinta, pero con las modificaciones introducidas por la Ley 140 de 1960 a los artículos 280, 281 y 282 del Estatuto Civil, distinto era el panorama: (i) la adopción simple no se extinguía por tener el adoptante descendencia legítima; (ii) el adoptivo pasó a ser tratado como un hijo "natural" en la sucesión de su adoptante, si la herencia se repartía en los primeros tres órdenes sucesorales, por lo que podría recoger la mitad de la cuota que le fuera asignada al hijo "legítimo", concurrir con los hijos "naturales", los ascendientes y el cónyuge (si lo hubiera) o recibir directamente como hijo "natural". Sobre todo cuando no hubiere hijos "naturales", y la herencia se repartiere en el cuarto orden sucesoral, el hijo adoptivo recibiría la mitad de los bienes relictos y los hermanos del *de cujus* la otra mitad; (iii) también se trató al hijo adoptivo como *legitimario*, aunque sin derecho de ser representado en la sucesión del adoptante por su descendencia; y (iv) se admitió que el adoptante tuviera derechos en la sucesión del adoptivo, con cargo a la asignación que de su libre disposición éste hiciera en favor de aquél mediante testamento. Ante las nuevas circunstancias, ya no tenía cabida que la legislación fiscal tratara discriminatoriamente a los hijos adoptivos cuando recogieran asignaciones herenciales de sus adoptantes. Sobra advertir que, en Colombia, la ley 5ª de 1975 incorporó, al lado de la adopción *simple*, la adopción *plena*, según la cual "el adoptivo cesa de pertenecer a su familia de sangre, bajo la reserva del impedimento matrimonial del ordinal 9° del artículo 140" (Art. 278. del C.C., modificado por la Ley 5° de 1975). Este tipo de adopción, que extingue todo vínculo entre el adoptivo y su familia biológica, al paso que crea relaciones *plenas* entre los consanguíneos del adoptante y el hijo adoptivo, se convertiría, a la luz del Código del Menor (decreto 2737 de 1989), en la única forma admisible de adopción en Colombia y ello se

que se corrigiera la odiosa discriminación enquistada en el impuesto sobre la masa global hereditaria, comentada *supra*, y que avaló el artículo 21 del Decreto 1020 de 1936[214], reglamentario de la Ley 63.

Por su parte, el artículo 30 de la Ley 75 les concedió la vocación hereditaria a los hijos "naturales" que hubieran sido concebidos con anterioridad a la expedición de la Ley 45 de 1936[215].

---

reiteraría después en el Código de la Infancia y la Adolescencia (ley 1098 de 2006) actualmente vigente. Y es también imperioso recordar que, actualmente, la concepción trasnochada de la adopción como una figura instituida en favor o para consuelo del adoptante mutó para ser vista como una *medida de restablecimiento de derechos, bajo la suprema vigilancia del Estado.*

[214] Decía el artículo en comentario: "Artículo 21. La equiparación de hijos naturales a los legítimos, establecida en el artículo 27 de la Ley 45 de 1936, no se tendrá en cuenta para el impuesto sobre la masa global hereditaria, sino únicamente para el impuesto sobre asignaciones deferidas y donaciones otorgadas del 1º de mayo de 1936 en adelante. La misma equiparación y desde la misma fecha, se tendrá en cuenta respecto a la descendencia legítima de los hijos naturales".

[215] Muy interesante resulta apuntar que esta disposición fue acusada por inconstitucional ante la Corte Suprema de Justicia. En sentencia del 14 de junio de 1969, con ponencia del Magistrado EUSTORGIO SARRIA, la Corporación respaldó la conformidad del artículo 30 de la ley 75 de 1968 a la Constitución Nacional, en la medida en que no vulneraba el principio de irretroactividad de la ley. Luego de hacer un recuento sobre las disposiciones de la ley 153 de 1887, la Sala Plena consideró lo siguiente: "Undécima. En consecuencia, la ley nueva no tiene, en forma alguna, carácter retroactivo cuando pretende aplicarse de inmediato a una situación en desarrollo. Y por lo mismo, puede afectar elementos que aún no se hubieren reunido, o crear condiciones nuevas, o modificar las existentes. Al respecto ha dicho la Corte: 1. Estos mismos principios científicos fueron los que inspiraron la Ley 153 de 1887 en sus artículos 25 y 28: El estado civil constituido conforme a una ley es un derecho adquirido que no puede ser vulnerado por leyes posteriores; lo mudable y que sí puede variar la ley posterior, son los derechos y obligaciones anexos a ese estado; cuando los primeros no se han realizado ni se han cumplido los segundos. (Cas. 28 de junio 1941, LI, 612). 2. Los derechos y obligaciones anexos al estado civil pueden ser mejorados o disminuidos por la ley nueva, sin que sea dable alegar su inalterabilidad. Si bien es cierto que el estado civil constituye una situación jurídica adquirida, en cambio tales derechos y obligaciones representan derechos adquiridos únicamente cuando se han traducido en actos válidamente consumados bajo el imperio de la ley vigente. Frente al futuro, tienen el carácter de simples expectativas (Sent. 15 abril, 1953, LXXIV 647). Décima segunda. Y tampoco, se aclara, tiene el carácter de derechos adquiridos cuando solo pretenden hacer partícipes de un beneficio económico y social, a quienes tenían definido su estado civil con anterioridad a la nueva ley. (…) Décima cuarta. Como conclusión de lo expuesto, se tiene: a) Conforme a la Constitución, artículo

SECCIÓN VII. LEY 27 DE 1969

El 29 de diciembre de 1969 se expidió la Ley 27, por la cual se introdujeron reformas, en cuanto aquí interesa, a los regímenes de exenciones personales generales y exenciones personales especiales. Enseguida nos detendremos a analizar cada una de las modificaciones que se incorporaron en
estas materias, a fin de continuar con el desarrollo cronológico de este texto.

I. Exenciones personales generales o comunes

Sabido es que el artículo 48 de la Ley 81 de 1960 varió el régimen de exenciones personales generales o comunes, temática que fue objeto de análisis
supra. Sin embargo, en palabras del exministro de hacienda, ABDÓN ESPINO
SA VALDERRAMA, hubo un "ruidoso e incesante clamor en pro del aumento
de las exenciones personales y por personas a cargo", que "fue recogido en
la ley 27 del 22 de diciembre de 1969, duplicándolas para todos los contribuyentes con renta liquida hasta de $ 40 mil y reduciendo el 50 % del valor
de dichas exenciones a razón del 20 % de la renta liquida que excediera el
límite indicado"[216]. Veamos, entonces, el texto del artículo 1º de la Ley 27:

> Artículo 1º. El artículo 48 de la Ley 81 de 1960 quedará así:
>
> A partir de laño gravable de 1969, las exenciones personales y por personas
> a cargo son las siguientes:
>
> 1. Cinco mil pesos ($ 5.000.00) por el contribuyente que sea persona natural.
>
> 2. Cinco mil pesos ($ 5.000.00) por su cónyuge.

---

50 especialmente, corresponde al legislador la regulación, por medio de ley, del
estado civil de las personas y los consiguientes deberes y derechos, sin más límite
o reserva para la ley nueva que el respeto de las situaciones jurídicas subjetivas válidamente creadas al amparo de la ley anterior. b) Los preceptos acusados no violan
el artículo 26 de la Constitución, o sea la garantía de debido juzgamiento que tal
norma encierra, en ningún sentido. c) Los preceptos acusados no desconocen derecho adquirido alguno; tienen efecto retrospectivo, y en consecuencia no violan
el artículo 30 de la Constitución. d) Los preceptos acusados se limitan, el uno, a
establecer un medio probatorio, y el otro, a consagrar un derecho sucesoral. e)
Finalmente, no violan ningún otro texto constitucional".

[216] Cfr. ABDÓN ESPINOSA VALDERRAMA. *Memoria de Hacienda 1966-1970.* (Bogotá: Ed.
Talleres Gráficos del Banco de la República de Colombia, 1970), 202.

3. Dos mil (\$ 2.000.00) por cada persona a quien el contribuyente, estando legalmente obligado, sostenga o eduque si dicha persona es menor de edad o si, siendo mayor de veintiún (21) años, estuviere imposibilitada para sostenerse por incapacidad económica, física o mental, o es estudiante o mujer soltera.

Las exenciones personales de los cónyuges y las de los hijos legítimos y adoptivos se concederán a uno de los cónyuges con exclusión del otro o se dividirán entre ellos, en la forma que lo soliciten.

Cuando uno de los cónyuges no esté obligado a presentar declaración de renta y patrimonio se le podrá conceder, al que declare, exenciones por los parientes de aquel dentro del primer grado civil de consanguinidad.

Las sucesiones ilícitas gozarán de las exenciones por personas a cargo a que hubiere tenido derecho el causante.

Parágrafo 1°. Cuando se presenten declaraciones de renta y patrimonio por períodos inferiores a un año, el valor de las exenciones personales y por personas a cargo se dividirá por trescientos sesenta y cinco días y el cuociente se multiplicará por el número de días que comprenda la declaración.

Parágrafo 2°. El cincuenta por ciento (50%) de la suma de las exenciones personales y por personas a cargo será reducida en una cantidad igual al veinte por ciento (20%) de la renta líquida que exceda de cuarenta mil pesos (\$ 40.000.00).

Parágrafo 3°. Las oficinas de impuestos nacionales podrán exigir pruebas de la existencia y parentesco de las personas declaradas a cargo por el contribuyente y en caso de inexactitud aplicarán las sanciones respectivas.

En efecto, se duplicó la cuantía para los contribuyentes personas naturales, de \$2 500 a \$5 000. Lo propio ocurrió con la exención prevista para los contribuyentes cuyo cónyuge dependiera económicamente de ellos. Así mismo, la exención de \$1 000 con que contaban las personas naturales para depurar su impuesto sobre la renta por individuos a cargo (normalmente hijos) se incrementó a la suma de \$2 000.

Por otro lado, aunque se mantuvieron las precisiones fijadas por la Ley 81 de 1960, se limitó el monto de las exenciones para los contribuyentes con rentas líquidas superiores a \$40.000. En forma muy ingeniosa, la Ley 27 dispuso que el 50% de la suma de las exenciones personales generales o comunes se vería disminuido en el 20% de la renta líquida de los contribuyentes que excediera de \$40.000. Y se dice que es una idea ingeniosa, puesto que mediante este cuerpo normativo se duplicaron las exenciones, de manera que limitar al 50% la eventual reducción del monto susceptible de detraer del cálculo de la renta líquida significaría que los contribuyentes, en el peor de los casos, quedarían cobijados por la misma exención a que tenían derecho antes de la expedición de la nueva ley.

En términos prácticos, piénsese en una persona viuda, sin hijos, con una renta líquida de \$52.500. En principio, la suma de sus exenciones ascendería a \$5 000. Empero, el 50 % (\$2 500) se vería reducido en el 20 % de la cantidad de renta líquida que excediera de \$40.000. El exceso, en consecuencia, sería de \$12.500 (\$52.500-\$40.000); y el 20 % sería \$2 500. De manera que la exención del contribuyente, cuyo importe ascendía en principio \$5 000, quedaría reducida a \$2 500, que es una suma idéntica a la que tenía derecho antes de la expedición de la Ley 27 de 1969.

Obviamente, si el resultado del 20 % del exceso de renta líquida fuera superior al 50 % de la suma de sus exenciones, ese 50 % obraría como tope máximo a disminuir. Así, si en el mismo ejemplo el contribuyente tuviera una renta líquida de \$60.000, a pesar de que el 20 % del exceso de \$40.000, o sea \$20.000 (\$60.000-\$40.000), fuera de \$4 000, el límite máximo con el cual se podrían disminuir las exenciones sería el 50 % de su sumatoria (\$2 500). Luego simplemente se vería disminuido en su totalidad ese 50 %, pero no se podría imputar al resto de la exención, por lo que el contribuyente tendría derecho a los mismos \$2 500 de exención.

II. Exenciones personales especiales

La Ley 27 también modificó las exenciones personales especiales, consagradas en el artículo 49 de la Ley 81 de 1960. Decía el artículo 2° de La ley 27:

Artículo 2°. El artículo 49 de la Ley 81 de 1960 quedará así:

A partir del año gravable de 1969, las exenciones personales especiales, en razón de los pagos efectuados en el año o período gravable por personas naturales o sucesiones ilíquidas, son las siguientes:

1. La totalidad de los pagos efectuados a médicos, odontólogos, Laboratorios Clínicos, hospitales o clínicas por servicios prestados en el país al contribuyente, a su cónyuge, o a las personas en relación con las cuales tenga derecho a pedir exención por personas a cargo.

2. Los pagos efectuados a escuelas, colegios o universidades que funcionen en el país por concepto de educación primaria, secundaria, universitaria, técnica o comercial, hasta la cantidad de setecientos pesos (\$ 700.00) por el contribuyente, por su cónyuge o por cada una de las personas que reciben educación y en relación con las cuales tenga derecho a pedir exención por personas a cargo.

3. El treinta por ciento (30%) de los pagos efectuados en el país a profesionales distintos de los enumerados en el ordinal 1o. de este artículo por servicios personales prestados al contribuyente, a su cónyuge o a las personas en relación con las cuales tenga derecho a pedir exención por persona a cargo.

4. Los pagos efectuados por concepto de arrendamiento de la casa o apartamento habitado por el contribuyente, hasta la cantidad de cinco mil pesos ($ 5.000.00) en el año.

Parágrafo. El monto total de las exenciones personales especiales señaladas en este artículo será reducido en una cantidad igual al veinte por ciento (20%) de la renta líquida que exceda de cuarenta mil pesos ($ 40.000.00).

El exministro Espinosa sintetizó las modificaciones, así:

> Las exenciones personales especiales por pagos efectuados a médicos, odontólogos, laboratorios, hospitales o clínicas por servicios prestados al contribuyente, a su cónyuge o a las personas a su cargo, se extienden a la totalidad de los respectivos desembolsos, pero se disminuyen en una cantidad igual al 20% del excedente de la renta liquida de cuarenta mil pesos. A reducción análoga se somete la exención reconocida para el 30% de los pagos hechos en el país a otros profesionales[217].

Repárese en que, a pesar de que el artículo 2º de la Ley 27 de 1969 solo dijo haber modificado el artículo 49 de la Ley 81 de 1960, por fuerza de la razón debe entenderse que también operó la derogatoria de lo previsto en el artículo 50, *ibidem*. Es así, toda vez que las exenciones personales especiales dejaron de estar reservadas para los contribuyentes "cuya renta líquida no exced[iera] de $36.000", como disponía la Ley 81, y pasaron a ser de aplicación global, con la necesaria advertencia de que su cuantía se reduciría en un 20% del monto que excediere rentas líquidas de $40.000. Resulta inobjetable que el artículo 50 de la Ley 81 riñe con lo previsto en la nueva regulación y, consiguientemente, quedó indefectiblemente derogado.

De cualquier manera, se debe precisar que, a diferencia de lo explicado en el título anterior, en este caso la exención sí se podía ver reducida a $0. Ello guarda plena armonía con la regulación de la Ley 81, que excluía a los contribuyentes con menos de cinco hijos y rentas líquidas superiores a $36.000 de la mayoría de las exenciones personales especiales.

En términos prácticos, piénsese en un contribuyente, con una renta líquida de $45.000, que hubiera efectuado pagos a médicos por $1 000. Ese

---

[217]   *Ibidem.*

monto sería 100 % exento, en principio, de acuerdo con lo previsto en el artículo 2° de la Ley 27 de 1969. Pero se vería reducido en el 20 % del monto que excediera de $40.000 (o sea $5 000); esto es, en $1 000. Por tanto, ese contribuyente no tendría derecho a solicitar la exención personal especial por ese concepto.

Obviamente, y en línea con lo ya anotado en los párrafos que anteceden, cuando el 20 % del exceso fuera superior a la exención, no habría lugar a incrementar la base gravable en forma alguna, sino que simplemente se perdería el derecho a la exención. Tal sería el caso, preservando el ejemplo anterior, en que el contribuyente hubiera obtenido una renta líquida de $50.000. Debido a que sus gastos médicos ascendieron a $1 000, esa debería ser la exención, pero el 20 % del exceso de $40.000 (o sea $10.000) sería de $2 000. Sencillamente la exención quedaría reducida a $0, mas no habría lugar a incrementar artificiosamente la base gravable del contribuyente en comentario.

SECCIÓN VIII. LEY 6 DE 1973

En el Gobierno del cuarto y último presidente del Frente Nacional, Misael Pastrana Borrero, se expidieron las Leyes 4°, 5° y 6° de 1973. A pesar de su relevancia en el sector agropecuario, solo nos detendremos en la Ley 6°, que amplió las exenciones personales generales o comunes y las especiales, a que nos referimos en la sección anterior.

Pues bien, los artículos 8° y 9° de la Ley 6° de 1973 introdujeron las siguientes modificaciones a los regímenes de exenciones personales: Por una parte, el artículo 8° dispuso que la reducción de las exenciones personales generales o comunes se calcularía con base en el 20 % de la renta líquida que superara $60.000; es decir, se incrementó la base mínima en $20.000, respecto de lo previsto por la Ley 27 de 1969. Por la otra, el artículo 9° amplió la cobertura de las exenciones personales especiales a todos los niveles de ingresos y calculó su reducción en forma distinta a la señalada por la Ley 27, de modo que siempre hubiera un mínimo de exención aplicable:

a) Cuando la renta líquida [fuera] superior a $ 50.000.00 y no exced[iera] de $ 60.000.00[, se reduciría] en el 10 %. b) Cuando la renta líquida [fuera] superior a $ 60.000.00 y no exced[iera] de $ 70.000.00 en el 20 %. c) Cuando la renta líquida [fuera] superior a $ 70.000.00 y no exced[iera] de $ 80.000.00[, se reduciría] en el 30 %. d) Cuando la renta líquida [fuera] superior a $ 80.000.00 y no exced[iera] de $ 90.000.00[, se reduciría] en el 40 %. e) Cuando la renta líquida [fuera] superior a $ 90.000.00 y no exced[iera] de $ 150.000.00[, se reduciría] en el 70 %. f) Cuando la renta líquida [fuera] superior a $ 100.000.00

y no exced[iera] de $ 100.000.00[, se reduciría] en el 50 %. g) Cuando la renta
líquida [fuera] superior a $ 150.000.00[, se reduciría] en el 80 %.

La justificación de las modificaciones que se analizan es nítidamente
explicada por Rodrigo Llorente Martínez en el tomo II de la Memoria
de Hacienda 1971-1973 en los siguientes términos:

"Con motivo del mensaje presupuestal enviado al Congreso de la República
para la presentación formal del proyecto de rentas y de gastos a ejecutar en la
vigencia fiscal de 1973, se ratificó al país la disposición que tenía el Gobierno
de coadyuvar a la consecución de condiciones más justas para los contribuyentes del impuesto a la renta y de incentivar las inversiones en sociedades
anónimas. Se apuntaba en dicho mensaje que las crecientes necesidades de un
Estado moderno en un país en desarrollo como el nuestro, que llegan al Ejecutivo todos los días de cada región y desde cada grupo de interés, requieren
una acción vigorosa tendiente a fortalecer la capacidad de inversión pública.
Pero que los cambios en el sistema tributario deben consultar, por lo menos,
dos objetivos básicos: ampliar la base tributaria para lograr una más justa distribución de la carga fiscal, e introducir algunas modificaciones en el régimen
impositivo para estimular el desarrollo del país en forma más sólida (…). Era,
por así decirlo, el resumen de toda una filosofía en el campo tributario, dado
que si bien las exigencias del crecimiento económico obligan a las autoridades
a tomar medidas que buscan distraer del consumo, gran proporción de recursos, especialmente del sector privado, a fin de invertirlos en la infraestructura económica y social necesaria para el desarrollo, también es evidente que,
aunque los gravámenes tienen por razón principal la urgencia del Gobierno
de allegar fondos para cumplir sus funciones de Estado, en el momento de
recaudar ingresos fiscales debe estar presente el principio de la más severa
equidad. Y debe estar presente, porque con facilidad puede caerse en el extremo de pensar que si solo han de obtenerse más ingresos fiscales, el objetivo de
atribuirle tanta importancia a la cuestión de la equidad en la distribución de la
carga tributaria entre los distintos grupos de contribuyentes parecería inocuo.

Para plasmar tales ideas, y consciente de que la capacidad fiscal del país está
en función del nivel absoluto del ingreso por persona y que en realidad la
carga tributaria afectaba en forma inequitativa a los contribuyentes cuya renta
proviene del trabajo, el Gobierno prosiguió en el empeño de lograr una rápida
definición del Congreso en lo relativo al aumento de las exenciones personales. Luego del trámite reglamentario, el máximo cuerpo legislativo del país
convirtió en ley de la república la iniciativa que introducía cambios fundamentales a las disposiciones aplicables al régimen del impuesto sobre la renta.

Muchas han sido las discusiones y múltiples los argumentos utilizados en
contra de los estímulos tributarios; se dice, por ejemplo, que son causa principal de la evasión y factor de desarrollo para aquellas actividades que no
gozan de privilegios especiales. Presumiblemente, mucho hay de cierto en
estas apreciaciones, máxime cuando se ha comprobado el mal tan grave que
causa a la economía el fenómeno de la evasión; sin embargo, pienso que no
siempre se dan los requisitos indispensables para realizar transformaciones

profundas en la estructura tributaria nacional, pues es suficientemente conocido que todo lo que toca con la creación, supresión o modificación de impuestos exige mínimas condiciones para su operatividad, lo cual solo se logra después de evaluar las condiciones políticas, económicas y sociales de la coyuntura en la cual se vive.

Teóricamente puede resultar manifiesta la conveniencia de limitar tal o cual privilegio; también puede aparecer oportuno, desde ciertos puntos de vista, reformar de manera más drástica los distintos estatutos normativos que regulan las relaciones del Estado con los contribuyentes; con todo, en más de una oportunidad se ha demostrado que es preferible la acción cautelosa al impulso reformista. Cabalmente, dentro de la idea de conseguir un sano equilibrio entre los distintos elementos que concurren a la formación de un esquema de política impositiva, la Ley 6º dispuso que las exenciones personales y por personas a cargo empezaran a reducirse a partir de la suma de $60.000.00; asimismo, incluyó como exenciones personales especiales la totalidad de los pagos que los contribuyentes hagan a laboratorios clínicos, hospitales o clínicas, escuelas, colegios, universidades, médicos, odontólogos, abogados y a otros profesionales por servicios prestados al sujeto del impuesto, su cónyuge o a las personas dependientes de él. Además entró a aceptar como exención personal especial, la totalidad de los pagos efectuados por concepto de arrendamiento de la casa o apartamento habitado por el contribuyente.

Mediante estas disposiciones, se logró, de una parte, establecer factores de alivio a estratos de contribuyentes de bajo nivel de ingreso y, de otra, la ampliación de la base tributaria, hasta ese momento concentrada en un núcleo muy reducido. Al aceptar como exención personal especial cierto tipo de pagos que los contribuyentes hacen por la prestación de servicios esenciales, se obliga al pago de impuestos a ciertas actividades, que por las condiciones especiales vigentes, prácticamente quedaban por fuera del control de las administraciones de impuestos. (…)

El sacrificio fiscal que el nuevo orden legal establece, el cual puede calcularse en alrededor de $ 200 millones para el año gravable de 1973, (…) tiene plena justificación por cuanto que los beneficios derivados de la favorable coyuntura económica que vive el país deben hacerse llegar a los grupos de personas de más bajos ingresos y ello solo es factible al través del mecanismo de la política tributaria. Aún más, apartándose de la discusión sobre si los estímulos tributarios son convenientes a los fines del proceso fiscal, debe advertirse que dada la estructura impositiva vigente, matizada por regímenes de para determinados sectores, no era justificable mantener una rigidez absoluta en los niveles de renta tomados corno base para calcular la reducción de las exenciones personales. El razonamiento a este respecto es bastante simple: el sólo efecto de la inflación coloca en escalas impositivas más altas a los contribuyentes, sin que éstos mejoren su salario real"[218].

---

[218]   Cfr. Rodrigo Llorente Martínez. *Memoria de Hacienda 1971-1973*, 27 a 29.

Capítulo VI.
Régimen del Decreto 1970
de 1974-Reforma Tributaria
en la administración López Michelsen

Es sabido por todos que, en la Hacienda Pública de la posguerra en América Latina, influida principalmente por las tesis del estructuralismo Cepalino, los Estados adoptaron políticas intervencionistas que se pueden sintetizar en el popular paradigma del *desarrollo hacia adentro* y, en su seno, el modelo de sustitución de importaciones[219]. Parte esencial del modelo de

---

[219] Véanse, sobre este particular, las conclusiones del decimonoveno período de sesiones de la CEPAL, sostenido en Montevideo, vertidas en el documento intitulado *América Latina: la política industrial en el marco de la nueva estrategia internacional para el desarrollo*. E/CEPAL/G.1161. 26 de febrero de 1981. Allí se hace una reflexión sintética sobre el desarrollo hacia adentro que se reclama de los países miembros. Esenciales para la comprensión de este modelo resultan hoy los planteamientos de OSVALDO SUNKEL en sus obras ("Del desarrollo hacia adentro al desarrollo desde dentro" *Revista Mexicana de Sociología*, volumen 53. (México: Ed. Universidad Autónoma de México, 1991), 3 a 42) y *El desarrollo desde dentro: un enfoque neoestructuralista para América Latina* (Ed. Fondo de Cultura Económica de México. México D.F., 1991). A pesar de que los textos del economista y administrador chileno tienen por propósito pavimentar el tránsito del estructuralismo al *neo*estructuralismo, lo cierto es que, en ambos casos de manera casi idéntica, dedica su primer capítulo a explicar la importancia del modelo de desarrollo hacia adentro, fundamentalmente constituido por el sistema de sustitución de importaciones. En efecto, la constante del *deterioro permanente en los términos de intercambio* genera, como lo explican los estructuralistas cepalinos, que las diferencias entre los países del "centro" y la "periferia" se ahonden continuamente. Y ello sucede, principalmente, porque la tesis ricardiana de las *ventajas comparativas* no reporta verdaderos beneficios equivalentes para cada tipo de producción y por el marcado desequilibrio en la balanza comercial de los países "periféricos". Para un desarrollo más preciso el lector puede acudir a la tesis de grado de JUAN FRANCISCO NOYOLA VÁSQUEZ. *Desequilibrio fundamental y fomento económico en México*. (México D.F: Ed. Escuela Nacional de Economía, 1949); y a RENÉ VILLARREAL. *La contrarrevolución monetarista: teoría, política económica e ideología del neoliberalismo*. (Bogotá: Ed. Ediciones Océano, 1983). Así mismo, para un análisis desde la perspectiva colombiana, puede acudir a MAURICIO A. PLAZAS VEGA. *Derecho de la Hacienda Pública y Derecho Tributario*, tomo I, tercera edición. (Bogotá: Ed. Temis, 2016), 46 a 60; a JOSÉ ANTONIO OCAMPO. *Raúl*

sustitución de importaciones era justamente potenciar la industrialización y fomentar la estabilización de la balanza comercial por la vía de aumentar las exportaciones, pero lo que en realidad se evidenció, para la década de los setenta, fue la concentración de la industria en el mercado interno, puesto que ningún sector exportaba más del 6 % de lo que producía[220].

Y era ese un efecto de esperar, puesto que, como lo afirma VILLARREAL, "el proteccionismo, que se diera al principio a las industrias nacientes, se prolongó innecesariamente, permitiendo que las empresas obtuvieran sus ganancias con toda tranquilidad protegidas en un invernadero"[221]. De manera concomitante al cómodo crecimiento de las industrias, que en 1968 participaban en el PIB en cerca del 20 %[222], el Estado acrecentaba dramáticamente su deuda externa[223] propiciando el caldo de cultivo para la aparición de fenómenos inflacionarios. Así se explica la motivación de LLORENTE MARTÍNEZ, transcrita en la sección anterior, para incrementar las exenciones a que tenían derecho los contribuyentes.

Prebisch y la agenda del desarrollo en los albores del siglo XXI, documento presentado en el Seminario "La Teoría del Desarrollo en los Albores del Siglo XXI" de la CEPAL, que tuvo lugar en Santiago de Chile el 28 y 29 de agosto de 2001; a José ANTONIO OCAMPO. *Historia Económica de Colombia.* (Bogotá: Ed. Fondo de Cultura Económica y Fedesarrollo, 2015); a LUIS E. VALLEJO ZAMUDIO, "El modelo de crecimiento hacia adentro: una interpretación del caso colombiano" *Revista Apuntes del CENES*, vol. 24, 2003, 77 a 100; y a JORGE LOTERO CONTRERAS, "El pensamiento cepalino: estructuralsmo y regulación del desarrollo" *Revista Lecturas de Economía*, número 27. (Bogotá: Ed. Universidad de Antioquia, 1988), 139 a 170.

[220]   Cfr. LUIS E. VALLEJO ZAMUDIO, *El modelo de crecimiento...*, 90.

[221]   Cfr. RENÉ VILLARREAL, *La contrarrevolución...*, 176.

[222]   Cfr. ALBERTO CORCHUELO y GABRIEL MISAS, "Internacionalización del capital y ampliación del mercado interno. El sector industrial colombiano" *Revista Uno en Dos*, número 8, 1977.

[223]   Así lo reconoce SUNKEL (*Del desarrollo hacia...*, 3) como preludio para proponer un nuevo enfoque de desarrollo: "Estrechamente ligada a esta ansiedad está la que genera la crisis económica y social que afecta en mayor o menor medida a casi toda la región. Una de sus manifestaciones más visibles y dramáticas es el problema de la deuda externa y las políticas de ajuste que han asolado a nuestros países (…)". Y también lo puntualiza PLAZAS VEGA (*Derecho de la...*, 53): "El nuevo paradigma periférico de la dependencia ocasionada por el deterioro en los términos de intercambio fue mitigado realmente pero a costa de otra dependencia, no menos deleznable y lesiva de la autodeterminación de los pueblos: la deuda externa".

A todo lo anterior es de agregar que la balanza comercial nunca llegó a estar verdaderamente balanceada y, por su parte, la deuda siguió creciendo dramáticamente. En términos de HOMERO CUEVAS,

> mientras las importaciones anuales promediaban US$600 millones en la segunda mitad de los años sesenta, los reintegros por exportaciones promediaban únicamente US$460 millones. En consecuencia, la deuda pública externa, medida en dólares se multiplicó por 4.5 veces entre los años 1957 y 1969[224].

Ante el complejo panorama económico descrito, y con cuestionable sustento jurídico —el derrumbe del puente de Quebrada Blanca—, el Gobierno de LÓPEZ MICHELSEN expidió el decreto 1970 de 1974, por el cual declaró turbado el orden económico nacional. Basta analizar la motivación del acto del Ejecutivo para evidenciarlo:

> Que para proteger los ingresos y salarios y velar por el empleo de los recursos humanos y naturales en el territorio nacional, de acuerdo con el artículo 32 de la Constitución y otras disposiciones afines, se impone intentar la lucha contra la inflación y el alza constante en el costo de la vida;

> Que la desvalorización de la moneda y consecuencialmente de los salarios reales tiene su origen principalmente en las comisiones destinadas a saldar un déficit fiscal de características excepcionales;

> Que, como consecuencia de este déficit, ha llegado el momento en que el Estado de ha visto precisado a aplazar el aumento de sueldos y salarios a servidores, lo cual constituye una grave e inminente amenaza para el orden económico y social del país;

> Que el mantenimiento indefinido de precios artificiales, subsidios para algunos artículos de primera necesidad ha determinado su fuga hacia los países vecinos, por la brecha entre los precios del mercado doméstico y los del mercado internacional;

> Que la caída de los precios de algunos de nuestros productos principales de exportación en las lonjas internacionales puede afectar gravemente el ritmo de nuestro comercio exterior; (...)

> Que es necesario dictar medidas inmediatas destinadas a conjurar la crisis e impedir la extensión de sus efectos.

---

[224]   Cfr. HOMERO CUEVAS. "La estructura industrial colombiana", en *Controversias de Economía Colombiana*. (Bogotá: Ed. Universidad Externado de Colombia, 1976), 111.

Algún sector de la doctrina ha llegado a aseverar que las políticas económicas del Gobierno LÓPEZ fueron de corte eminentemente neoliberal[225], al haber "acogido calurosamente" las tesis del economista RONALD MCKINNON[226]. A nuestro juicio, ese planteamiento no resulta del todo exacto, pues si bien durante su Gobierno se flexibilizaron las restricciones a las importaciones, se relajó el régimen de licencias previas, se adoptó una nueva política cambiaria, se instituyó el tributo con destinación específica para la educación y se fortaleció el impuesto al gasto, en materia de tributación directa, como se verá, la alícuota marginal superior del impuesto sobre la renta para las personas naturales ascendió del 52 al 56 % y la presión fiscal siguió siendo supremamente elevada para los contribuyentes.

En cualquier caso, la política económica general del presidente LÓPEZ estuvo orientada, en primer lugar, por el Grupo de Economistas nacionales conformado por RODRIGO BOTERO, quien luego sería su ministro de hacienda, MIGUEL URRUTIA, quien se convertiría en director de Planeación Nacional, JORGE RAMÍREZ OCAMPO, quien habría de dirigir el ministerio de desarrollo económico, FRANCISCO ORTEGA, asesor de la Junta Monetaria, ROBERTO JUNGUITO y GUILLERMO PERRY, quien fungiría como director de impuestos nacionales[227]. Y su política fiscal, en particular, estuvo fundada en las recomendaciones de las Misiones Taylor y Musgrave, así como en el texto que el profesor de la Universidad de Harvard, RICHARD BIRD, uno de los miembros de la Misión Musgrave, publicaría meses después de finalizada la Misión[228].

Debido a que las recomendaciones de la Misión Taylor ya fueron objeto de análisis, y que las sugerencias de BIRD se basan en su participación en la Misión Musgrave, antes de revisar el contenido de la reforma tributaria del presidente LÓPEZ MICHELSEN solo nos detendremos en el estudio de la Misión Musgrave.

---

[225] Cfr. LUIS E. VALLEJO ZAMUDIO, *El modelo de crecimiento...*, 93; y LUIS BERNARDO FLÓREZ, "El modelo neoliberal en Colombia 1974-1948" en *Modelos de Desarrollo Económico. Colombia 1960-1982.* (Bogotá: Ed. La Oveja Negra, 1982), 83 y 84.

[226] Economista y profesor emérito de la Universidad de Stanford, quien en su obra *Money and capital in economic development* (Primera Edición. Washington: Ed. Brookings Institution Press, 1973) lanzó feroces críticas al endeudamiento externo de los Estados en vía de desarrollo para sostener el modelo de sustitución de importaciones, por ser caldo de cultivo para la inflación.

[227] Cfr. GUILLERMO PERRY RUBIO, *Decidí contarlo. Conversaciones sobre cincuenta años de economía y política en Colombia.* (Bogotá: Ed. Debate, 2019), 72 y 73.

[228] Cfr. RICHARD BIRD, *Taxation and development, lessons from the Colombian experience.* (Cambridge: Ed. Harvard University Press, 1970).

SECCIÓN I. EL INFORME MUSGRAVE DE 1971

A pesar de que la economía colombiana presentó una apreciable recuperación a partir del segundo lustro de la década de 1960, el tercer Gobierno del Frente Nacional, presidido por CARLOS LLERAS RESTREPO, estimó necesario convocar a una nueva Misión Internacional que formulara recomendaciones adicionales sobre los mecanismos y métodos más adecuados para robustecer las finanzas públicas. Fue entonces como, luego de varias entrevistas con prestigiosas personalidades en materia de Hacienda Pública, se designó a RICHARD MUSGRAVE, catedrático de la Universidad de Harvard, para adelantar la dispendiosa faena.

La Misión Musgrave estuvo conformada por una variopinta gama de expertos a nivel mundial, como OLIVER OLDMAN, de los Estados Unidos; ALAN PEACOCK, de la Gran Bretaña; PAUL SENF, de Alemania; RICHARD BIRD, de la Universidad de Harvard; MALCOM GILLIS, de la Universidad de Duke; PETER GRIFFITH, de la Universidad de Harvard; SALLY HAY, de Simons College de Boston; CHARLES MCLURE JR., de la Universidad de Rice; DICK NETZER, de la Universidad de Nueva York; JOHN SANGER, de la Universidad de Harvard; RICHARD SLITOR, de la Universidad de Massachussets; MELVIN WHITE, de Brooklyn College; ANDREW C. QUALE JR., Becario de la Fundación Ford; y FEDERICO HERSCHEL, de Argentina, quien sería el director del grupo de trabajo. Y en cuanto al capital humano colombiano, participaron de la Comisión ABEL CRUZ SANTOS, CARLOS ECHEVERRI HERRERA, HUMBERTO MESA GONZÁLEZ y EDUARDO WIESNER DURÁN, como miembros principales, y, como asesores, ALEJANDRO DOMÍNGUEZ MOLINA y FELIPE SALAZAR SANTOS[229].

Luego de su conformación legal, mediante la expedición del Decreto 472 de 1969, hubo un incansable trabajo que culminó con la entrega final del Informe intitulado *Fiscal Reform for Colombia: Final Report and Staff Papers of the Colombian Commission on Tax Reform*. El documento, de gran grosor, pasa minuciosa revista sobre las posibles alternativas para mejorar la distribución de los ingresos en el país.

Por una parte, en la prelación de gastos públicos se recomendó, como punto de partida y sin ambages, la creación de un programa educativo público serio, con miras a reducir las desigualdades. Razón le asistía a los planteamientos de la Misión, que aún hoy parecen replicables, guardadas las debidas proporciones. Dice sobre este aspecto el Informe:

---

[229] Esta referencia resulta importante, toda vez que años más tarde BIRD y WIESNER tendrían a su cargo una nueva misión.

> La comisión considera que un programa de educación primaria, fortaleci-
> do, es probablemente la contribución más importante que el sector público
> puede hacer al desarrollo social y económico del país. Recomendamos, por
> tanto, que la educación primaria pública en Colombia sea ampliada y finan-
> ciada en la siguiente forma: Niveles mínimos. El gobierno nacional debe de-
> terminar los niveles mínimos en la educación primaria que deben prevalecer
> en todas las regiones del país. Por supuesto, es difícil determinar lo que debe
> ser un nivel mínimo, ya que esto depende de varios factores. En todo caso,
> para propósitos de ilustración, la Comisión ha considerado razonable hacer
> un cálculo que supone: (I) La educación primaria debe cubrir un período de
> cinco años, de los 7 a los 11 años de edad para todos los niños; (II) Se debe
> garantizar a los maestros un salario mínimo igual a la actual 'segunda catego-
> ría', lo que implica un costo de $20.200 anuales por maestro, incluyendo las
> prestaciones sociales, y (III) Debe haber un maestro por cada 40 niños en las
> áreas urbanas y uno por cada 25 en las rurales[230].

En punto al impuesto sobre la renta de las personas naturales, el Informe precisó que la base de tributación no era lo suficientemente amplia, a
la vez que se incluían múltiples exenciones que carecían de toda justificación, como era el caso de los pagos laborales. Además, como lo recuerda
SERGIO CLAVIJO, se destacó como gran virtud el hecho de que el impuesto
sobre la renta en Colombia estuviera 60 % por encima de los países vecinos,
en tanto que en materia de impuestos indirectos estuviéramos 50 % por debajo del promedio[231]. Claramente, la visión vertida en el Informe Musgrave
tuvo por propósito exaltar que fuera un impuesto directo el predominan-
te en la tributación nacional, habida cuenta de que ello coadyuvaba a la
"progresividad" del sistema. Sin embargo, hoy es sabido que los impuestos
indirectos, como el que grava el valor agregado, pueden ser progresivos,
dependiendo de su diseño.

Y otro tema que no escapó al análisis de la Misión fue, por supuesto, el
de la evasión fiscal, acompañado del indudable elogio a la introducción
del mecanismo de retención en la fuente a la legislación tributaria, a saber:

> La actual transición hacia un sistema de retención constituye un adelanto muy
> importante dentro del sistema del impuesto sobre la renta. Este sistema tiende
> a reducir la evasión de impuestos, contribuye a mejorar el recaudo y aumenta

---

[230]   Cfr. RICHARD MUSGRAVE, *Fiscal reform for Colombia: Final Report and Staff Papers of
the Colombian Commission on Tax Reform, Richard A. Musgrave, President.* (Cambridge:
Ed. The Law School of Harvard University, 1971), 199.

[231]   Cfr. SERGIO CLAVIJO, "Impuestos, gasto público y 'fiscalizadores creíbles': breve
historia de las comisiones de finanzas públicas en Colombia", *Revista Desarrollo y
Sociedad,* número 40, 1988, 14. En igual sentido, véase a RICHARD MUSGRAVE. *Fiscal
reform for Colombia...,* 111.

considerablemente la flexibilidad de la estructura de tales recaudos frente a cambios en el ingreso. De este modo se fortalece la efectividad automática del impuesto sobre la renta como instrumento anti-inflacionario, y asegura al gobierno su participación en el producto creciente de la economía[232].

Conforme al sistema actual, el 90 % del pago de impuestos de las empresas tiene un atraso de un año con respecto a la percepción de utilidades. La Comisión recomienda que se elimine ese atraso y se efectúe la transición hacia un sistema de pago moderno, con una base corriente, adoptando así, para las personas jurídicas, la reforma actualmente en proceso con respecto al impuesto sobre la renta de las personas naturales. Esto aumentará el recaudo fiscal durante un importante periodo de transición ya que al adecuarlo a las condiciones económicas del momento, se aumentará la flexibilidad automática de la estructura tributaria, y, en particular, la convertirá en un instrumento más efectivo en el control de la inflación[233].

No se debe olvidar que, al momento de expedición del Informe, la retención en la fuente estaba en sus primeros albores, recientemente incorporada al ordenamiento jurídico mediante la Ley 38 de 1969, luego de haber sido declarada nula su implementación en dos oportunidades por el Consejo de Estado.

SECCIÓN II. DECRETO LEGISLATIVO 2053 DE 1974

Este decreto legislativo, al lado de los que se exponen en las siguientes secciones, en palabras de PERRY constituyó una reforma estructural al régimen del impuesto sobre la renta en Colombia[234]. Para avizorar el impacto de esta regulación específicamente en las rentas familiares, limitaremos nuestro

---

[232] RICHARD MUSGRAVE. *Fiscal reform for Colombia...*, 94.
[233] *Ibidem*, 125.
[234] Cfr. GUILLERMO PERRY RUBIO. *Decidí contarlo...*, 75: "Mi propuesta [se refiere a la reforma tributaria de 1974] fue lo que hoy en día se llama una reforma tributaria estructural. Solo hay dos maneras de reducir el déficit fiscal: o se disminuye el gasto o se aumentan los recaudos de impuestos. Como el tamaño del sector público era muy pequeño, era a mi parecer insuficiente para las necesidades de inversión en educación, en salud y en infraestructura. Había entonces solo una opción: aumentar el recaudo por lo menos en cerca de dos puntos del PIB. Propuse lograrlo mediante una reforma estructural, porque el sistema tributario tenía una pésima 'estructura': estaba lleno de exenciones y deducciones y multiplicidad de regímenes y de tasas. De modo que si nos limitábamos a elevar las tasas de los impuestos existentes, habría que subirlas mucho para que el recaudo fuera suficiente, lo que reduciría el crecimiento económico y haría aún más difícil controlar la evasión tributaria".

análisis a los siguientes aspectos: (i) los matrimonios; (ii) los descuentos personales generales o comunes y especiales; (iii) las tarifas del impuesto sobre la renta; y (iv) el impuesto complementario de ganancias ocasionales. Veamos:

I. Matrimonios

El artículo 9° del Decreto 2053 cambió la redacción del artículo 13 de la Ley 81 de 1960, con algunas modificaciones. Veamos, pues, los textos de ambas normas, con el objeto de efectuar una breve aproximación a su contenido:

Tabla 6. Comparativo Artículos 13 de la Ley 81 de 1960 y 9° del Decreto 2053 de 1974

Comparativo Artículos 13 de la Ley 81 de 1960 y 9° del Decreto 2053 de 1974	
Artículo 13 de la Ley 81 de 1960	**Artículo 9 del Decreto 2053 de 1974**
Artículo 13. Los sujetos gravables en los matrimonios son el marido y la mujer, individual o independientemente considerados, en cuanto a sus correspondientes bienes y rentas. Sin embargo, para los fines de esta ley, los cónyuges que vivan unidos podrán dividir por mitad las rentas exclusivas de trabajo, obtenidas por los dos cónyuges o por uno de ellos, hasta la cantidad total de $ 60.000.00.	Artículo 9°. Los cónyuges, individualmente considerados, son sujetos gravables en cuanto a sus correspondientes bienes y rentas. Sin embargo, para los fines del presente Decreto, pueden dividir por mitad las rentas exclusivas de trabajo obtenidas por los dos o por uno de ellos, hasta por la cantidad total de sesenta mil pesos ($ 60.000.00).
Parágrafo 1°. En el caso de que los cónyuges efectúen la división de las rentas de trabajo autorizada en este artículo, tales rentas se acumularán a las de otras procedencias, para los efectos de la liquidación personal que deba practicársele a cada uno de ellos.	En tal evento se siguen estas reglas:

1. Las rentas divididas se acumulan a las de otras precedencias, para los solos efectos de la liquidación personal que deba practicársele a cada uno de ellos. |
| Parágrafo 2°. Los cónyuges que efectúen la división de las rentas de trabajo autorizada en este artículo, serán solidariamente responsables del pago de los impuestos liquidados a cada uno de ellos. | 2. Los cónyuges que efectúen la división de rentas autorizada sea este artículo son solidariamente responsables del pago de los impuestos liquidados a cada uno de ellos. |
| Parágrafo 3°. La liquidación de la sociedad conyugal por muerte de uno de los cónyuges o por cualquier otra causa legal, solo producirá efectos para los fines del impuesto de renta y complementarios, a partir de la fecha del registro de la sentencia aprobatoria de la partición. En consecuencia, durante el proceso de liquidación de la sociedad conyugal, el sujeto del impuesto seguirá siendo cada uno de los cónyuges, o la sucesión del fallecido, según el caso, de acuerdo con el régimen establecido en este artículo. | Parágrafo. Durante el proceso de liquidación de la sociedad conyugal, el sujeto del impuesto sigue siendo cada uno de los cónyuges o la sucesión ilíquida, según el caso. |

Fuente: Elaboración propia.

Nótese, en primer lugar, que el Decreto 2053 desató la procedencia de la división de rentas a la condición de cohabitación, como sí lo exigía la Ley 81 de 1960. Así las cosas, bastaba ostentar la condición de *cónyuge*, derivada de la celebración de un matrimonio, para que fuera admisible proceder con la distribución de las rentas exclusivas de trabajo.

En línea con lo comentado *supra* en relación con el artículo 13 de la Ley 81 de 1960, era claro que la intención del Legislador se centraba en autorizar la división de rentas para quienes tuvieran una sociedad conyugal vigente; mas la ausencia de claridad en la redacción normativa no permitía colegir que así fuera. Si bien el parágrafo 3° del artículo 13 de la Ley 81 de 1960 parecía indicarlo así cuando establecía que "la liquidación de la sociedad conyugal por muerte de uno de los cónyuges o por cualquier otra causa legal, solo producir[ía] efectos para los fines del impuesto sobre la renta y complementarios, a partir de la fecha del registro de la sentencia", la nueva redacción del parágrafo del artículo 9° del Decreto Legislativo 2053 de 1974 era sumamente ambigua y amplia. En efecto, la única manera en que se podría deducir que para la procedencia de la división de rentas se requería ser (i) *cónyuge* y (ii) *tener sociedad conyugal vigente*, sería la alusión al "proceso de liquidación de la sociedad conyugal" que se expresaba en el parágrafo.

Sin embargo, lo cierto es que se agudizaba, en mayor grado, la discusión que se ha comentado en líneas previas. La condición de cónyuge se perdía —antes como ahora— con la disolución del matrimonio, ora por causa de muerte o por decreto judicial de nulidad. Sin embargo, el artículo 1820 del Código Civil preveía otras causales de disolución de la sociedad conyugal, como eran (i) la sentencia de divorcio *quoad thorum et cohabitationem*, (ii) la separación de bienes, decretada por sentencia judicial u operante por ministerio de la ley, y, parcialmente, (iii) la celebración de capitulaciones matrimoniales.

Al cobijo del artículo 13 de la ley 81 de 1960 se disponía que la ausencia de cohabitación, únicamente autorizada por la ley cuando se decretara el divorcio *quoad thorum et cohabitationem*, impedía la distribución de rentas entre los cónyuges. La eliminación de ese requisito nos lleva a cuestionar si, en tales casos, habría lugar ahora a que se ejerciera el beneficio de división.

Quizás se podría argumentar, en un esfuerzo hermenéutico, que, en atención al principio del efecto útil de la ley, cuando el parágrafo del artículo 9° precisaba que "durante el proceso de liquidación de la sociedad conyugal" el sujeto del impuesto seguía siendo cada cónyuge, quería indicar que la procedencia de la división de rentas exclusivas de trabajo era solo procedente en los casos en que hubiera una sociedad conyugal vigente. Sin embargo, se repite, ¿qué pasaría en los casos en que se hubieran celebrado capitulaciones matrimoniales sobre las rentas de trabajo de cada cónyuge? En tal evento, habría una sociedad conyugal parcialmente vigente sobre todo lo no capitulado, pero carecería por completo de sentido la aplicación de la norma tributaria porque se estarían dividiendo rentas propias de cada cónyuge. A pesar de ello, la preceptiva no era en absoluto clara.

Aunado a lo anterior, debido a que la supresión del antitécnico impuesto complementario sobre el exceso de utilidades, desaparecieron también las fuentes legales que permitían precisar la definición de las que se consideraban "rentas exclusivas de trabajo". Por consiguiente, se hizo necesaria la incorporación de una norma, en el artículo 10° del decreto legislativo, que estableciera el alcance de esta expresión:

> Artículo 10. Se consideran rentas exclusivas de trabajo:
>
> 1. Las obtenidas por personas naturales por concepto de salarios, comisiones, prestaciones sociales, viáticos, gastos de representación, honorarios, emolumentos eclesiásticos y, en general, las compensaciones por servicios personales, y
>
> 2. Las participaciones de socios o accionistas meramente industriales.

Prima facie se podría pensar que el nuevo alcance de las "rentas exclusivas de trabajo" era más limitado que aquel consagrado para el impuesto complementario sobre el exceso de utilidades, puesto que este último también contemplaba las "[l]as comisiones cuando [fueran] producidas exclusivamente por la actividad personal del contribuyente", más ello no es así. Si se mira con detenimiento, las comisiones producidas por la actividad personal del contribuyente no son nada distinto a una "compensación por servicios personales", luego la inteligencia del nuevo artículo estriba en dejar de agregar, innecesariamente, géneros y especies separadamente en una misma definición. Está bien que se indique, a modo meramente enunciativo, cuáles pueden ser rentas de trabajo y que, en el mismo ordinal, se engloben todos los ejemplos en un género, pero resulta antitécnico incluir, en otro ordinal, un nuevo ejemplo que bien podría ser considerado una especie del género ya mencionado en la ley.

II. Descuentos personales generales o comunes y especiales

Hasta antes de la expedición del Decreto 2053 de 1974, la normativa tributaria confería el tratamiento de exención al mínimo vital previsto para los contribuyentes personas naturales. Empero, con motivo del surgimiento del decreto legislativo se comenzaron a tratar como descuentos, susceptibles de resta directa contra el impuesto liquidado. Veamos lo previsto por los artículos 85, 86 y 88 del Decreto 2053:

Artículo 85. Descuento personal y por personas a cargo:

1. Mil pesos ($ 1.000) por el contribuyente.

2. Mil pesos ($ 1000) por su cónyuge, pero solo cuando éste no esté obligado a presentar declaración de renta y patrimonio.

3. Quinientos pesos ($ 500) por cada persona a quien el contribuyente, estando legalmente obligado, sostenga o eduque, si dicha persona es menor de edad o sí, siendo mayor, estuviere imposibilitada para sostenerse por sí misma, por incapacidad física o mental, o si es estudiante o mujer soltera.

4. Quinientos pesos ($500) por cada persona a quien el cónyuge, estando legalmente obligado, sostenga o eduque, si dicha persona es menor de edad o sí, siendo mayor, estuviere imposibilitada para sostenerse por sí misma, por incapacidad física o mental, o si es estudiante o mujer soltera.

Este descuento rige solamente cuando el cónyuge no esté obligado a presentar declaración de renta y patrimonio.

Parágrafo 1° Cuando ambos cónyuges estén obligados a presentar declaración de renta y patrimonio por tener ingresos propios, cada uno pide sus propios descuentos y los de las personas legalmente a s cargo. Las personas señaladas en los ordinales tercero y cuarto no dan lugar a descuento para más de un contribuyente en un año o período gravable determinado.

Parágrafo 2° Las sucesiones ilíquidas gozan del descuento por personas a cargo a que hubiere tenido derecho el causante si viviere.

Parágrafo 3° Cuando las declaraciones de renta y patrimonio correspondan a períodos inferiores a un año, el descuento personal y por personas a cargo se computa a razón de una doceava parte por cada mes o fracción de mes que comprenda la declaración.

Artículo 86. Descuento personal especial. El cinco por ciento (5%) de los gastos de arrendamiento de la casa o departamento habitado por el contribuyente más el diez por ciento (10%) de los gastos de educación y salud, o la suma fija de mil pesos ($1 000), a su elección.

Ambos cónyuges podrán hacer uso de esta opción y cada uno tendrá derecho a descontar dichos mil pesos ($1 000) sea que tuvieren o no rentas propias.

Parágrafo. Se entiende por gastos de salud, los pagos que se hagan a médicos, odontólogos, laboratorios clínicos, hospitales y clínicas por servicios prestados al contribuyente o a las personas legalmente a su cargo.

Se entiende por gastos de educación, los pagos que se hagan a escuelas o colegios, exclusivamente por concepto de enseñanza primaria o secundaria (…)

Artículo 88. Descuento para rentas de asalariados. El diez por ciento (10%) del mínimo legal de la retención por salarios, que durante el año o período gravable respectivo se haya hecho al contribuyente, de acuerdo con la certificación que expida el patrono en conformidad con la Ley 38 de 1969.

Las modificaciones fueron explicadas por RODRIGO BOTERO, ministro de hacienda del presidente LÓPEZ MICHELSEN, en los siguientes términos:

Descuentos tributarios. En segundo lugar, se sustituyeron las exenciones personales por persona a cargo y las exenciones especiales, por el sistema más simple de descuentos tributarios, los cuales se deducen del impuesto directamente. Esto permite un beneficio tributario idéntico sin que influya el nivel de renta gravable de la persona, favoreciendo así a los contribuyentes de ingresos bajos en mayor proporción que en el sistema anterior[235].

Su razonamiento, además de claro, es contundente. Los descuentos tributarios cuentan con la ventaja de ser sencillos en su aplicación, lo que simplifica la estructura tributaria. Ello, porque no tienen que incluirse en el cálculo de la renta líquida como elemento de depuración de la base gravable, sino que tan solo se restan del impuesto que ya se haya liquidado. Así, pese a que en términos nominales la nueva cuantía del descuento para cada contribuyente ($1 000) fuera inferior a la prevista en el régimen anterior ($5 000), su beneficio sería mucho mayor en los casos de contribuyentes con tarifas impositivas bajas.

Para demostrarlo prácticamente, supóngase que un contribuyente, bajo el régimen anterior, hubiera obtenido una renta total de $35.000 y no contara con ningún elemento distinto para depurar su base que la exención personal general de $5 000. Comoquiera que su renta líquida sería de $30.000, su tarifa nominal, de acuerdo con la Ley 81 de 1960, habría sido de 15% y su impuesto a cargo de $2 320.

En cambio, con el mismo régimen tarifario, si en lugar de aplicar la exención se tomara un descuento por $1 000, su renta líquida gravable sería de $35.000, su tarifa nominal de 18% y el impuesto a cargo $3 160. Pero al restar el des-

---

[235]   Cfr. RODRIGO BOTERO MONTOYA, *Memoria de Hacienda 1974-1976*, tomo I. (Bogotá: Ed. Talleres Gráficos del Banco de la República de Colombia, 1976), 22.

cuento tributario de $1 000, el impuesto real a cargo del contribuyente sería de $2 160; esto es, $160 menos de lo que habría tributado con el régimen anterior.

Ahora bien, en materia de los descuentos personales especiales (antes exenciones personales especiales), se eliminó el odioso régimen de reducciones para los contribuyentes con rentas líquidas más altas. Importa señalar que, seguidamente, el artículo 86 del Decreto Legislativo 2053 de 1974 fue modificado por el artículo 21 del Decreto Legislativo 2348 de ese mismo año, en el que se estableció que la suma susceptible de ser tomada como descuento tributario sería del 20 % de los primeros $10.000 correspondientes al precio del arrendamiento pagado por la habitación del contribuyente, adicionando en un 5 % sobre el exceso de tal valor, más el 10 % de los gastos de educación y salud. Y, en todo caso, en lugar de lo anterior, el contribuyente podía optar por tomar como descuento la suma de $1.000. Además, se consagró la posibilidad, para los asalariados, de solicitar un descuento del 10 % del monto que hubiera sido retenido en la fuente, como estímulo para que se aplicara este método antievasión.

III. Tarifas

El artículo 82 del decreto 2053 reorganizó el listado tarifario incorporado en la Ley 81 de 1960, así:

"Artículo 82. La tarifa única sobre la renta gravable de las personas naturales colombianas; de las sucesiones de causantes colombianas; de las personas naturales o extranjeras residentes en el país; de las sucesiones de causantes extranjeros residentes en el país, y sobre la renta gravable correspondiente a bienes destinados a fines especiales, en virtud de donaciones o asignaciones modelos, es la que determina la siguiente tabla:

Tabla 7. Tarifa del impuesto a la renta

Renta líquida gravable	Impuesto
0 a $20.000	10 % de la renta líquida gravable
20.001 a 23.000	$ 2.000 más 11 % del exceso sobre $ 20.000
23.001 a 26.000	$ 2.330 más 12 % del exceso sobre $ 23.000
26.001 a 29.000	$ 2.690 más 13 % del exceso sobre $ 26.000
29.001 a 32.000	$ 3.080 más 14 % del exceso sobre $ 29.000
32.001 a 35.000	$ 3.500 más 15 % del exceso sobre $ 32.000
35.001 a 38.000	$ 3.950 más 16 % del exceso sobre $ 35.000
38.001 a 42.000	$ 4.430 más 17 % del exceso sobre $ 38.000
42.001 a 46.000	$ 5.110 más 18 % del exceso sobre $ 42.000

Renta líquida gravable	Impuesto
46.001 a 50.000	$ 5.830 más 19% del exceso sobre $ 46.000
50.001 a 54.000	$ 6.590 más 20% del exceso sobre $ 50.000
54.001 a 58.000	$ 7.390 más 21% del exceso sobre $ 54.000
58.001 a 62.000	$ 8.230 más 22% del exceso sobre $ 66.000
62.001 a 66.000	$ 9.110 más 23% del exceso sobre $ 62.000
66.001 a 70.000	$ 10.030 más 24% del exceso sobre $ 60,000
70.001 a 75.000	$ 10.990 más 25% del exceso sobre $ 70.000
75.001 a 80.000	$ 12.240 más 23% del exceso sobre $ 75.000
80.001 a 85.000	$ 13.540 más 27% del exceso sobre $ 80.000
85.001 a 90.000	$ 14.890 más 28% del exceso sobre $ 85.000
90.001 a 95.000	$ 16.290 más 29% del exceso sobre $ 90.000
95.001 a 100.000	$ 17.740 más 30% del exceso sobre $ 98.000
100.001 a 105.000	$ 19.240 más 31% del exceso sobre $ 100.000
105.001 a 110.000	$ 20.790 más 32% del exceso sobre $ 105.000
110.001 a 115.000	$ 22.390 más 33% del exceso sobre $ 110.000
115.001 a 120.000	$ 24.040 más 34% del exceso sobre $ 115.000
120.001 a 125.000	$ 25.740 más 38% del exceso sobre $ 120.000
125.001 a 130.000	$ 27.490 más 36% del exceso sobre $ 126.000
130.001 a 135.000	$ 29.290 más 37% del exceso sobre $ 130.000
135.001 a 140.000	$ 31.140 más 38% del exceso sobre $ 136.000
140.001 a 145.000	$ 33.040 más 39% del exceso sobre $ 140.000
145.001 a 150.000	$ 34.990 más 40% del exceso sobre $ 146.000
150.001 a 165.000	$ 36.990 más 41% del exceso sobre $ 160.000
165.001 a 180.000	$ 43.140 más 42% del exceso sobre $ 165.000
180.001 a 195.000	$ 49.440 más 43% del exceso sobre $ 180.000
195.001 a 210.000	$ 55.890 más 44% del exceso sobre $ 195.000
210.001 a 225.000	$ 62.490 más 45% del exceso sobre $ 210.000
225.001 a 240.000	$ 69.240 más 46% del exceso sobre $ 225.000
240.001 a 300.000	$ 76.140 más 47% del exceso sobre $ 240.000
300.001 a 360.000	$ 104.340 más 48% del exceso sobre $ 300.000
360.001 a 420.000	$ 133.140 más 49% del exceso sobre $ 360.000
420.001 a 480.000	$ 162.540 más 50% del exceso sobre $ 420.000
480.001 a 540.000	$ 192.540 más 51% del exceso sobre $ 480.000
540.001 a 600.000	$ 223.140 más 52% del exceso sobre $ 540.000
600.001 a 660.000	$ 254.340 más 53% del exceso sobre $ 600.000
660.001 a 720.000	$ 286.140 más 54% del exceso sobre $ 660.000
720.001 a 780.000	$ 318.540 más 55% del exceso sobre $ 720.000
Más de 780.000	$ 351.540 56% del exceso sobre $ 780.000"

Fuente: Decreto 2053 de 1974.

Evidentemente, la nueva estructura tarifaria mostraba una rápida progresividad, muy alta por demás, que se agotaba al llegar a un ingreso gravable medio (de $780.000). A partir de la Reforma Tributaria de 1974 se abandonó el sistema de *alícuota progresiva por escalafones o grados* en puridad, con el que *el tanto por ciento* se aplicaba a cada escalafón de ingresos y se iba adicionando sucesivamente, y se optó por un sistema mixto entre la *alícuota progresiva por escalafones* y la *alícuota progresiva continua*. En efecto, aunque la nueva norma no disponía que la tarifa se aplicara sobre la totalidad de la base gravable, el cálculo del tributo consistía (y aún hoy se mantiene en forma similar) en una suma fija adicionada a la aplicación de la tarifa sobre el exceso del monto mínimo con el que principiaba el escalafón[236].

La apreciable incidencia tarifaria del impuesto sobre la renta, principal tributo en materia de recaudación fiscal en Colombia para entonces, descarta, como lo sostuvimos, que bajo la égida del presidente LÓPEZ MICHELSEN se hubiera auspiciado o implantado en todo su esplendor un modelo neoliberal, pues es sabido que al amparo de esta filosofía económica la excesiva imposición directa puede desestimular el ahorro y la inversión productiva. Ahora bien, el ministro BOTERO justificó la reorganización tarifaria, en los siguientes términos:

> Con la reforma tributaria de 1974 se disminuyeron las tarifas correspondientes a los niveles de ingreso medios y bajos (aquellos hasta de aproximadamente $15.000 mensuales) (…), y se aumentaron para las rentas y los patrimonios más altos. La tarifa marginal máxima en el impuesto de renta se elevó de 52 % [SIC] a 56 % (…). Asimismo, se eximieron del impuesto las rentas menores a $ 20.000 (…) para el año gravable de 1974 (…)[237]

Razón le asistía al ministro porque a pesar de que en la tabla tarifaria figurara que las rentas líquidas de $20.000 tendrían un impuesto a cargo de $2 000, esa suma desaparecía con la aplicación de los descuentos tributarios personales general y especial mínimos a que tenía derecho todo contribuyente que fuera persona natural. También se debe destacar que, con miras a evitar la distorsión económica de los montos fijados por cuenta de la inflación, mediante la Ley 49 de 1975 el aumento de las cifras en el decreto 2053 "en un ocho por ciento (8 %) anual y acumulativamente, a partir del año gravable de 1975".

---

[236] Al respecto, consúltese a MAURICIO A. PLAZAS VEGA. *Derecho de la Hacienda Pública…*, tomo II, tercera edición, 860.

[237] RODRIGO BOTERO MONTOYA. *Memoria de…*, tomo I, 20.

IV. El nuevo impuesto complementario sobre las ganancias ocasionales

Fruto de la eliminación del impuesto complementario sobre el exceso de utilidades y de la reforma al régimen impositivo sucesoral, se abrió paso entre nosotros el impuesto complementario de ganancias ocasionales que perduraría hasta la actualidad. Su regulación estuvo comprendida en los artículos 102 y siguientes del Decreto 2053 de 1974. Para nuestro estudio interesa la ganancia ocasional contemplada en el ordinal 4º del artículo 102 en comentario, cual era la constituida, entre otros, por *herencias, legados y donaciones*. Decía además la disposición:

> Cuando se hereden o reciban en legado o donación especies distintas de dinero, el valor de la donación, herencia o legado es el que tengan los bienes en la declaración de renta y patrimonio del causante, en el último día del año o período gravable inmediatamente anterior, después de descontar los impuestos sucesorales que se hubieren causado.

> Cuando los bienes se hubieren adquirido por el causante durante el mismo año o período gravable, su valor no puede ser inferior al fiscal de adquisición, ni el que aparezca en la última declaración de renta y patrimonio de quien hubiere adquirido dicho causante.

> No constituyen ganancia ocasional ni renta gravable los recibidos por herencia, legado o donación, correspondientes a sucesiones abiertas o a donaciones efectuadas con anterioridad al primero de enero de mil novecientos setenta cinco (...)

> No constituye ganancia ocasional lo que se recibiere por concepto de gananciales, pero sí lo percibido como porción conyugal.

> En el caso de sucesiones y donaciones cuyos impuestos no se hubieren liquidado a tiempo de entrar en vigencia del presente Decreto, los interesados podrán acogerse el régimen fiscal anterior o al que aquí se establece.

Como se verá con mayor detalle en la siguiente sección, cuando se analice la reforma al régimen impositivo sucesoral, el impuesto sobre las ganancias ocasionales no tuvo por objeto recoger el impuesto especial a la masa global hereditaria que gravaba el patrimonio del *de cujus*, sino que se incardinaba a gravar el ingreso percibido por el asignatario respectivo. Expresado, en otros términos, el hecho imponible del tributo en nada distaba, antes como ahora, del de renta, pues se concretaba en el enriquecimiento de la persona (natural o jurídica); sin embargo, por la naturaleza extraordinaria del ingreso se le confirió tratamiento particular y específico.

Es de anotar, por una parte, que el tributo sobre las ganancias ocasionales solo cobijó a las sucesiones abiertas (esto es, el momento de la defunción del causante[238]) o las donaciones perfeccionadas a partir del 1° de enero de 1975 y, por otra, que la disposición recogió cuidadosamente lo previsto en la Ley 63 de 1936 sobre que estaría gravado lo percibido por porción conyugal, pero no lo recibido a título de gananciales; norma que subsiste en el artículo 47 de nuestro Estatuto Tributario. La razón de ser claramente obedece a que la porción conyugal es la asignación que la ley hace en favor del cónyuge (hoy también compañero permanente) supérstite que carece de lo necesario para su congrua subsistencia (artículo 1230 del Código Civil), en tanto que los gananciales no constituyen enriquecimiento alguno para su perceptor, en la medida en que estuvieron gravados al momento de su realización por los cónyuges (hoy también compañeros permanentes) y pertenecen a ambos por igual, a pesar de que se hubieran radicado en cabeza de solo uno de ellos.

El impuesto a cargo se determinaba, conforme a las reglas del artículo 104 del Decreto 2053, de la siguiente manera:

> 1. A la renta gravable establecida conforme al Título III del presente Decreto, se agrega teóricamente el veinte por ciento (20%) de la ganancia ocasional neta, determinada según los artículos precedentes.

> 2. Se establece cuál es la tasa más alta aplicable a ese resultado, según la tarifa fijada en este Decreto para las personas naturales.

> 3. Dicha tasa, disminuida en diez puntos de porcentaje, se aplica a la ganancia ocasional neta. El resultado es el impuesto complementario de ganancias ocasionales.

Vale decir que el artículo 15 del decreto, perteneciente al título III, indicaba que la renta gravable se obtenía de la siguiente operación: (i) sumar todos los ingresos ordinarios y extraordinarios realizados en el período gravable, susceptibles de incrementar el patrimonio del perceptor y que no hayan sido excluidos por disposición legal; (ii) restar las devoluciones, rebajas y descuentos; y (iii) restar, del resultado, los costos imputables a esos ingresos y las deducciones autorizadas por la ley. Esa fórmula hoy se encuentra vigente en el artículo 26 del Estatuto Tributario colombiano.

---

[238] Así lo manda, en lo pertinente, el artículo 1012 del Código Civil: "La sucesión en los bienes de una persona se abre al momento de su muerte (…)"

Por otro lado, importa recordar, como lo explica PARRA ESCOBAR, que, para la liquidación del impuesto sobre las ganancias ocasionales en tratándose de herencias o donaciones, se debía tomar como base el 80 % del valor efectivamente recibido, menos los impuestos sucesorales asumidos y las pérdidas ocasionales a que hubiera lugar. De la ganancia ocasional *neta* así computada, se calculaba el 20 % para la aplicación de la fórmula antes transcrita[239]. Y la razón obedece a que el artículo 77 del Decreto 2247 de 1974 expresamente señaló que el 20 % del total percibido a título de donación, herencia o legado no se gravaría como renta ni como ganancia ocasional.

Finalmente, en el artículo 105 del decreto se consagró un descuento tributario para los cónyuges y los legitimarios de hasta $15.000, sin que en ningún caso excediera el 20 % del valor fiscal de la herencia declarada como ganancia ocasional, ni del monto del impuesto.

SECCIÓN III. DECRETO LEGISLATIVO 2143 DE 1974

Según se advirtió precedentemente, en la Reforma Tributaria de 1974 se eliminaron los antiguos impuestos, consagrados en la Ley 63 de 1936, sobre la masa global hereditaria, las asignaciones y las donaciones. En su lugar, por un lado, se creó el impuesto complementario sobre las ganancias ocasionales, dirigido a gravar el ingreso percibido por los asignatarios de una sucesión, tal como se explicó en la sección anterior, y, por el otro, se instituyó un impuesto sobre las asignaciones por causa de muerte, tendiente a gravar la cuota correspondiente a cada heredero o legatario.

De acuerdo con lo previsto en los artículos 2º y 3º del Decreto 2143, la base gravable del impuesto sucesoral se integraba por el valor de los bienes adjudicados en la partición a cada asignatario y la alícuota aplicable era del 20 % por regla general; únicamente, a modo de excepción, la tarifa podía

---

[239] En efecto, decía ARMANDO PARRA ESCOBAR en su obra *El nuevo régimen de impuestos. Análisis y normas legales del impuesto sobre la renta y complementarios.* (Bogotá: Ed. Desarrollo S.A, 1975), 177: "La suma que debe tenerse en cuenta para afectar con el impuesto de ganancias ocasionales en el caso de herencias y legados es solamente el 80 % del valor efectivamente recibido, descontados los impuestos sucesorales o de donaciones de conformidad con el artículo 77 del decreto 2247 de 1974 (...) Dicho artículo no se refiere de modo claro a las donaciones, pero posteriormente agrega que debe descontarse el valor de los impuestos sucesorales o donaciones, con lo cual da a entender, que las donaciones también siguen el régimen consistente en que solo se grava el 80 %".

ser del 10 %, siempre que la adjudicataria o donataria fuere la "hermana" del *de cujus* o donante.

Además, el artículo 4°, *ibidem*, disponía que no se causaría el impuesto sucesoral cuando el beneficiario fuera el cónyuge, "los legitimarios del causante" o las personas que dependieren económicamente del trabajador. Con buen acuerdo, la norma, que fue constitucionalmente respaldada, como la totalidad del decreto, por la Corte Suprema de Justicia en Sentencia del 19 de noviembre de 1974, M.P. EUSTORGIO SARRIA[240], exoneró del tributo a los "legitimarios" que, según lo disponían los artículos 281 y 1240 del Código Civil para entonces vigentes, eran (i) los hijos "legítimos", "naturales" y "adoptivos" y (ii) los padres "legítimos" y "naturales".

Nótese que en el caso de herencias o legados que recogieran los legitimarios, o de porciones conyugales, esos valores solo serían alcanzados por el impuesto complementario sobre las ganancias ocasionales (sin perjuicio del descuento tributario previsto en la norma), pero no por el impuesto sucesoral. Y, obviamente, en tratándose de gananciales recibidos por el cónyuge supérstite no habría ningún gravamen aplicable.

Es de resaltar, por último, que el artículo 19 del decreto en comentario indicó que en las sucesiones abiertas con anterioridad su expedición, en que no se hubiere notificado la liquidación de impuestos sucesorales, los interesados quedarían facultados para acogerse al régimen anterior o al nuevo, según su preferencia.

SECCIÓN IV. DECRETO LEGISLATIVO 2247 DE 1974 Y DECRETO-LEY 2821 DE 1974

También en desarrollo del estado de sitio, declarado por el Gobierno nacional mediante Decreto 1970 de 1974, se expidió el Decreto Legislativo 2247 de ese mismo año, relativo al régimen procedimental en materia tributaria. Sin embargo, al estudiar la constitucionalidad del cuerpo normativo, los magistrados de la Corte Suprema de Justicia se encontraron con dos posiciones diametralmente opuestas: una primera, según la cual el decreto

---

[240] Es de advertir que los magistrados AURELIO CAMACHO RUEDA, JOSÉ ENRIQUE ARBOLEDA VALENCIA, MARIO ALARIO D' FILIPPO, JUAN BENAVIDES PATRÓN, ALEJANDRO CÓRDOBA MEDINA, ERNESTO ESCALLÓN VARGAS, ALVARO LUNA GÓMEZ, HUMBERTO MURCIA BALLÉN, LUIS SARMIENTO BUITRAGO y GERMÁN GIRALDO ZULUAGA presentaron salvamentos de voto.

legislativo debía ser declarado inexequible por no guardar conexidad con los motivos que fundamentaron la declaratoria de la emergencia económica; y una segunda, que defendía la exequibilidad de algunas de sus normas, toda vez que sí se enderezaban a solucionar el déficit fiscal que había dado origen al estado de sitio. Ante la irreconciliable división en que se encontraba la Sala Plena, se hubo de designar como conjuez a CARLOS PELÁEZ TRUJILLO y, luego de una nueva votación, la Corporación decidió declarar la inexequibilidad de todas las normas relacionadas con el procedimiento tributario, al propio tiempo como mantuvo las demás. Esa decisión quedó vertida en la Sentencia del 19 de noviembre de 1974, con ponencia de los magistrados GUILLERMO GONZÁLEZ CHARRY y AURELIO CAMACHO RUEDA.

En ese contexto, el Gobierno nacional le solicitó al Congreso de la República la expedición de una nueva ley que le confiriera facultades extraordinarias para proferir normas procedimentales en materia tributaria. Empero, la autorización solo se dio en forma parcial y restrictiva, a diferencia de lo pretendido por el Ejecutivo. Así lo recuerda el ministro BOTERO:

> [E]l Gobierno solicitó del Congreso, con mensaje de urgencia, facultades extraordinarias para llenar el vacío creado por la determinación de la Corte. El Congreso expidió el 10 de diciembre la Ley 23 de 1974, mediante la cual accedió parcialmente a la solicitud del Ejecutivo. Con base en ella se expidió el Decreto-Ley 2821 de 1974. Sin embargo, al no haber autorizado el Congreso las principales modificaciones sugeridas por el gobierno, especialmente en lo referente al régimen de los recursos tributarios, se mantuvieran algunas normas que permiten y fomentan actitudes inconvenientes por parte de los contribuyentes y los funcionarios públicos, lo que perjudica la aplicación efectiva y equitativa del sistema impositivo[241].

Por la limitación al campo de acción del Gobierno nacional, según la autorización otorgada por el Parlamento mediante la Ley 23 de 1974, varias disposiciones del régimen procedimental consagrado en el Decreto 1651 permanecieron vigentes.

De cualquier manera, el más notable cambio introducido por el Decreto 2821, en concordancia con nuestro objeto de estudio, fue el previsto en el artículo 1°, en el cual se dispuso que tendrían que presentar denuncio rentístico quienes tuvieran ingresos brutos anuales superiores a $20.000 o poseyeran un patrimonio bruto, a 31 de diciembre, superior a $80.000.

---

[241] RODRIGO BOTERO MONTOYA, *Memoria de Hacienda 1974-1976,* tomo I. (Bogotá: Ed. Talleres Gráficos del Banco de la República de Colombia, 1976), 18.

SECCIÓN V. DECRETO REGLAMENTARIO 187 DE 1975

El 8 de febrero de 1975 se publicó, en la Gaceta Oficial número 34.259, el Decreto 187, reglamentario de los impuestos sobre la renta y complementarios. En el cuerpo normativo se introdujeron las siguientes precisiones sobre las materias relacionadas con la tributación de las rentas familiares:

En primer lugar, el artículo 15 dispuso que, en los casos en los que los cónyuges procedieran a dividir las rentas exclusivas de trabajo, conforme a la autorización prevista en el artículo 9° del Decreto 2053 de 1974 (que, como ya se dijo, recogió el texto del artículo 13 de la Ley 81 de 1960), la validez del ejercicio de esa potestad quedaría condicionada a que ambos consortes firmaran las declaraciones individuales o la conjunta, según fuera el caso. Obviamente, el espíritu de la norma no fue otro que el de garantizar la autenticidad en el consentimiento de cada cónyuge, que se hacía responsable solidario por el pago del tributo liquidado al otro esposo.

En segundo lugar, el artículo 24 del decreto 187 efectuó una pequeña adición a lo ya previsto por el artículo 49 del Decreto 437 de 1961, en el sentido de señalar que la misma regla sobre atribución de las rentas originadas en el "usufructo legal" de los padres de familia se aplicarían respecto de las ganancias ocasionales, a saber:

> Artículo 24. Las rentas originadas en el usufructo legal de los padres de familia se gravarán en cabeza de quien ejerza la patria potestad. Igual tratamiento se aplicará respecto de las ganancias ocasionales de los hijos menores, cuando no haya renuncia del usufructo legal.
>
> La renuncia del usufructo legal, para los efectos fiscales, solo será válida cuando se haga por escritura púbica y no producirá efectos sino a partir del año gravable en que se otorgue el instrumento respectivo, según lo expresado en este por el renunciante.

Nuevamente, en atención al principio de progresividad resulta altamente cuestionable esta disposición, toda vez que, como hemos expuesto en forma reiterativa, el "usufructo legal" se concede a los padres no en su propio beneficio, sino para que atiendan las necesidades de su hijo no emancipado. Así reconoció la propia Sección Cuarta del Consejo de Estado, en Sentencia del 15 de septiembre de 1972, expediente 2072, C. P. HERNANDO GÓMEZ MEJÍA:

> Tal usufructo [se refiere al legal] tiene características especiales porque en él no se verifica propiamente una desmembración de la propiedad en el sentido estricto en que se observa en otras hipótesis bien distintas en verdad; ciertamente el goce que la Ley concede al padre de familia no es propiamente para su lucro personal sino para que atienda a la crianza, educación y estableci-

miento del hijo, por lo cual bien puede pensarse que la propiedad íntegra permanece en cabeza de aquél, aunque por su condición de incapaz no tiene el ejercicio pleno del derecho.

Ante tan prístino razonamiento, que en todas sus partes consulta la verdadera naturaleza del usufructo legal al cobijo del Derecho Común, resulta incomprensible que se atribuyan las rentas derivadas de esos bienes a los padres, porque con ello se asigna una tarifa que, las más de las veces, será muy superior a la que se gravarían si se tomara como referente a quien debería ser el verdadero contribuyente: el hijo. En efecto, recuérdese que la alícuota del impuesto complementario sobre las ganancias ocasionales se calculaba para entonces con base en la renta líquida del contribuyente (cfr. Decreto 2053 de 1974). Por tanto, cuando se percibieran ingresos derivados de liquidaciones de sociedades, correcciones monetarias del UPAC, enajenación de activos fijos poseídos por más de dos años, herencias, legados o donaciones, entre otros, sobre bienes de los hijos respecto de los cuales los padres ostentaran el usufructo legal, la tarifa aplicable para liquidar el impuesto complementario sobre ganancias ocasionales se debía determinar con base en la renta gravable del padre, en claro desmedro de los recursos propios del hijo, útiles para su congrua subsistencia.

En cualquier caso, a pesar de la desafortunada incongruencia lógica entre la realidad del usufructo legal y su forma de tributación, la disposición en análisis se encuentra vigente en la actualidad en el artículo 1.2.1.1.8. del Decreto Único Reglamentario en materia tributaria (Decreto 1625 de 2016).

En tercer lugar, el artículo 107 del Decreto 187 estableció que cuando las sucesiones se acogieran al nuevo régimen tributario, previsto en el Decreto 2143 de 1974, las asignaciones quedarían sujetas al impuesto complementario de ganancias ocasionales, a saber:

> Artículo 107. Cuando de conformidad con el artículo 19 del Decreto 2143 de 1974 una sucesión por causa de muerte se acoja al nuevo régimen, las asignaciones hechas a los herederos o legatarios quedan sujetas al impuesto complementario de ganancias ocasionales, el cual se causa en el ejercicio dentro del cual quede ejecutoriada la sentencia aprobatoria de la partición, sin perjuicio de lo dispuesto en el artículo 109 del presente Decreto.

Resulta evidente la contradicción de lo dispuesto por el reglamento en relación con lo establecido por la propia ley. Según se vio, el ordinal 4º del artículo 102 del Decreto 2053 de 1974 era bastante claro al sujetar, sin bemol de naturaleza alguna, a todas las sucesiones abiertas desde el 1º de enero de 1975 al impuesto complementario sobre las ganancias ocasionales, considerando todo lo percibido en razón de sucesiones abiertas con anterioridad a esa fecha como ingreso no constitutivo de renta ni de ganancia ocasional[242]. En cambio, el artículo 19 del Decreto 2143 de 1974 sí facultaba a los asignatarios de sucesiones abiertas con anterioridad a la expedición de ese cuerpo normativo, pero cuya liquidación de impuestos sucesorales no se había notificado, para que determinaran si se querían acoger al régimen anterior (Ley 63 de 1936) o al nuevo.

Con el anterior razonamiento, BERNARDO CARREÑO, RICARDO ANAYA y VÍCTOR DOMÍNGUEZ demandaron la nulidad del artículo 107, en comentario, ante el Consejo de Estado. Y, como no podía ser distinto, esa Corporación accedió a las pretensiones de los actores en sentencia de la Sección Cuarta, proferida 23 de julio de 1976, C. P. GUSTAVO SALAZAR.

Así las cosas, cuando los copartícipes de una sucesión abierta con anterioridad a la expedición del Decreto 2143 de 1974, pero sin que se hubiera notificado la liquidación de los respectivos impuestos sucesorales, optaran por el nuevo régimen tributario, se exonerarían de pagar los dos impuestos consagrados en la Ley 63 de 1936 y de aquel sobre las ganancias ocasionales, y tan solo serían alcanzados por el gravamen creado en el citado Decreto 2143. Ello implica que, cuando los legitimarios y el cónyuge recogieran asignaciones en una sucesión, a título de herencia, legado o porción conyugal, en el caso específico en comentario, no tendrían que sufragar importe tributario alguno (cfr. artículo 4º del Decreto 2143 de 1974).

En cuarto lugar, el artículo 108 del Decreto 187 consagró una regla, de acuerdo con la cual la cesión a cualquier título del derecho de herencia o legado no modificaba la base de liquidación del impuesto de ganancia ocasional del heredero o legatario original. Y, en quinto lugar, el artículo 111 del Decreto 187 reglamentó la época en la cual se entendía adquirido un inmueble adjudicado a título de gananciales, en los siguientes términos:

---

[242] Bueno es puntualizar que el inciso tercero del artículo 44 del Decreto Legislativo 2821 de 1974 introdujo una modificación al artículo 102 del decreto 2053, así: "Para las sucesiones abiertas entre el 1º de octubre de 1974 y el 1º de enero de 1975 se aplicará el régimen fiscal establecido por el Decreto 2143 de 1974 y, en lo concerniente a ganancias ocasionales, la establecida por el inciso 1º del numeral 4 del artículo 102 del Decreto 2053 de 1974". Empero, omitimos hacer referencia a esa circunstancia puesto que la Corte Suprema de Justicia, en sentencia del 2 de septiembre de 1976, M. P. JOSÉ GABRIEL DE LA VEGA, declaró inexequible ese fragmento por pretender aplicar retroactivamente el impuesto complementario sobre las ganancias ocasionales.

Artículo 111. Se tendrá como fecha de adquisición de un inmueble para el cónyuge a quien se le adjudique como gananciales en virtud de la disolución de la sociedad conyugal por cualquier causa, la del título debidamente registrado mediante el cual fue adquirido por cualquiera de los cónyuges.

Cuando un inmueble se adquiera mediante asignación por causa de muerte, se tendrá como fecha de adquisición la de ejecutoria de la sentencia que apruebe la partición respectiva.

Pese a que la disposición podría parecer irrelevante para nuestro estudio, en realidad cobra particular importancia porque es justificativa de los motivos por los cuales lo recibido como gananciales no estaba sujeto a imposición, como sí lo estaba (y aún hoy lo está) lo recogido a título de porción conyugal.

Repárese en que, con absoluta nitidez, el inciso primero indica que los inmuebles adjudicados a uno de los cónyuges como gananciales se reputarán haberle pertenecido desde la fecha en se registró la primera adquisición por cualquiera de los cónyuges. Evidentemente, el propósito de la norma se encamina a dar aplicación a las disposiciones sustantivas sobre ajustes del costo fiscal que permiten calcular la utilidad o enriquecimiento en caso de enajenación, pero ello es así por la naturaleza misma de la sociedad conyugal; esto es, comoquiera que los bienes sociales pertenecen a ambos cónyuges por igual, sin perjuicio de quien figure nominalmente como su titular, no habría motivo para sostener que el adjudicatario de un inmueble a título de gananciales se hace propietario desde la fecha en que recibe la hijuela respectiva. Y de contera se deduce que esa adjudicación de gananciales no entraña enriquecimiento alguno para el beneficiario, debido a que los ingresos tributaron como tales en la oportunidad debida y para el momento de la liquidación se encuentran ya capitalizados en el haber social (sin consideración, se repite, al titular nominal del activo).

Distinto es, por oposición, el caso de la porción conyugal, donde quien recoge una asignación no lo hace como si fuera una "devolución" de lo propio, sino que lo hace como beneficiario legal para garantizar su congrua subsistencia y evitar su pobreza (cfr. artículo 1230 del Estatuto Civil). En tal caso, sí se trata de un ingreso extraordinario en todo rigor, perfectamente equiparable a lo que reciben los asignatarios como herencia o legado, lo cual explica que para ese propósito sí se tenga como fecha de adquisición la de la sentencia o escritura pública que adjudica el bien al cónyuge supérstite.

SECCIÓN VI. DECRETO 2820 DE 1974:
EL ESTATUTO DE LA IGUALDAD

Es posible afirmar, sin asomo de duda, que Colombia estaba en mora de actualizar las normas de su Derecho Común, con miras a superar de una vez por todas el discriminatorio régimen que se consagró en la redacción original del Código Civil. Fue en ese contexto que el Gobierno del presidente LÓPEZ MICHELSEN convocó a una Comisión de Juristas, integrada por HERNANDO DEVIS ECHANDÍA, ÁLVARO PÉREZ VIVES, CIRO ANGARITA BARÓN, JOSEFINA AMÉZQUITA DE ALMEIDA y ARTURO VALENCIA ZEA, que culminó con la elaboración de un proyecto de Estatuto de Familia, contentivo de disposiciones relacionadas con el matrimonio, el divorcio, la filiación (matrimonial, extramatrimonial y adoptiva), la sociedad conyugal, la separación de bienes, la tutela y curatela y la creación de una jurisdicción de familia[243].

Para facilitar su discusión y aprobación por el Parlamento, el presidente LÓPEZ sugirió desagregar el Estatuto en proyectos separados, como efectivamente ocurrió[244]. Seguidamente, el Gobierno solicitó al Congreso que lo revistiera de facultades extraordinarias para otorgar igualdad de derechos a las mujeres y a los varones, hecho que se admitió con la Ley 24 de 1974. Y luego de unos ajustes, se profirió el Decreto 2820 de 1974, considerado por muchos el Estatuto de la Igualdad entre sexos, cuya vigencia principió el 4 de febrero de 1975, con la publicación en el Diario Oficial número 34.249.

La incontestable relevancia de ese cuerpo normativo en cuanto toca con nuestro estudio demanda el análisis de varios de sus artículos de manera pormenorizada. En efecto, los grandes avances que se derivaron de su expedición impactan, directa o indirectamente, en la tributación de las rentas familiares. Por motivos de orden aglutinaremos las disposiciones en cinco títulos, como se sigue.

---

[243] Cfr. *Proyecto de ley por el cual se promulga el Estatuto de Familia.* Ed. Instituto Colombiano de Bienestar Familiar, 1974; y folleto *Derecho de familia dentro del Mandato Claro.* Ed. Ministerio de Justicia, 1974, 19 y siguientes.

[244] Cfr. JOSEFINA AMÉZQUITA DE ALMEIDA. *La mujer, sus obligaciones y sus derechos.* (Bogotá: Ed. A.A., 1977), 42.

I. Armonización de las normas del Código Civil con las reformas introducidas por las leyes civiles

Según se ha visto, la aplicación de la sustantiva reforma al régimen de la sociedad conyugal que prohijó la Ley 28 de 1932 fue en ocasiones complicada, toda vez que no medió una mención expresa a cada una de las disposiciones que se debían entender derogadas o modificadas por la expedición de ese Estatuto. Tan solo se limitó el Parlamento a señalar, en forma genérica, que todas las normas contrarias quedarían derogadas. Ello condujo a que, desde entonces y hasta la expedición del Decreto 2820 de 1974, la jurisprudencia y la doctrina hubieran quedado encargadas de confeccionar la redacción de varios artículos del Código Civil, con el propósito de engranar las disposiciones de esa codificación con las previstas en la Ley 28 de 1932.

Así pues, el Decreto 2820 de 1974 incorporó variaciones en la redacción de los siguientes artículos del Código Civil:

a) Mediante el artículo 1° del decreto se modificó el artículo 62 del Código Civil, relativo a los representantes de los incapaces:

Tabla 8. Cambios incorporados por el Decreto 2820 de 1974 al Código Civil – Representación de los Incapaces.

Cambios incorporados por el Decreto 2820 de 1974 al Código Civil – Representación de los Incapaces	
Redacción original del Código Civil	Nueva redacción
Artículo 62. Son representantes legales de una persona, el padre o marido bajo cuya potestad vive, su tutor o curador, y lo son de las personas jurídicas los designados en el artículo 639.	Artículo 1°. El artículo 62 del Código Civil quedará así: Las personas incapaces de celebrar negocios serán representadas: 1. Por sus padres, quienes ejercerán conjuntamente la patria potestad sobre sus hijos menores de 21 años. Si falta uno de los padres la representación legal será ejercida por el otro. 2. Por el tutor o curador que ejerciere la guarda sobre menores de 21 años no sometidos a patria potestad y sobre los dementes, disipadores y sordomudos que no pudieren darse a entender por escrito.

Fuente: Elaboración propia.

Pese a que, como se analizará en la siguiente Sección, la redacción del artículo 1° del decreto 2820 fue modificada por el Decreto 775 de 1975, de la nueva norma fluye palmaria la proyección de la Ley 28 de 1932, en cuanto a que el "marido" ya no debía ser incluido en la disposición, por haber recobrado la mujer su plena capacidad de ejercicio. Así mismo, la proyección de las Leyes 45 de 1936 y 75 de 1968 se avizora en la sola referencia a los "padres", en lugar de sujetarla exclusivamente al varón, como anteriormente ocurría.

b) El artículo 60 del decreto modificó el inciso 3° del artículo 1504 del Código Civil, que disponía que las mujeres se hacían incapaces por el hecho del matrimonio, en clara armonía con lo previsto en la Ley 28 de 1932:

Tabla 9. Cambios incorporados por el Decreto 2820 de 1974
al Código Civil – Capacidad de las Mujeres.

Cambios incorporados por el Decreto 2820 de 1974 al Código Civil – Capacidad de las Mujeres	
Redacción original del Código Civil	Nueva redacción
Artículo 1504. Son absolutamente incapaces los dementes, los impúberes y sordomudos, que no pueden darse a entender por escrito.	Artículo 1504. Son absolutamente incapaces los dementes, los impúberes y sordomudos, que no pueden darse a entender por escrito.
Sus actos no producen ni aún obligaciones naturales, y no admiten caución.	Sus actos no producen ni aún obligaciones naturales, y no admiten caución.
Son también incapaces los menores adultos, que no han obtenido habilitación de edad; los disipadores que se hallan bajo interdicción de administrar lo suyo; las mujeres casadas, y las personas jurídicas. Pero la incapacidad de estas cuatro clases de personas no es absoluta, y sus actos pueden tener valor en ciertas circunstancias y bajo ciertos respectos determinados por las leyes.	Son también incapaces los menores adultos que no han obtenido habilitación de edad y los disipadores que se hallen bajo la interdicción. Pero la incapacidad de estas personas no es absoluta y sus actos pueden tener valor en ciertas circunstancias y bajo ciertos respectos determinados por las leyes.
Además de estas incapacidades hay otras particulares que consisten en la prohibición que la ley ha impuesto a ciertas personas para ejecutar ciertos actos.	Además de estas incapacidades hay otras particulares que consisten en la prohibición que la ley ha impuesto a ciertas personas para ejecutar ciertos actos.

Fuente: Elaboración propia.

c) El artículo 13 del Decreto 2820, modificatorio del artículo 180 del Código Civil, también refleja claramente lo que ya había dispuesto la Ley 28 de 1932, en relación con la libre administración y la formación de la sociedad conyugal por ambos consortes:

Tabla 10. Cambios incorporados por el Decreto 2820 de 1974
al Código Civil – Administración de la Sociedad Conyugal.

Cambios incorporados por el Decreto 2820 de 1974 al Código Civil – Administración de la Sociedad Conyugal	
Redacción original del Código Civil	Nueva redacción
Artículo 180. Por el hecho del matrimonio se contrae sociedad de bienes entre los cónyuges y toma el marido la administración de los de la mujer, según las reglas que se expondrán en el título 22, libro 4º., De las capitulaciones matrimoniales y de la sociedad conyugal. Los que se hayan casado fuera de un territorio y pasaren a domiciliarse en él, se mirarán como separados de bienes, siempre que en conformidad a las leyes bajo cuyo imperio se casaron, no haya habido entre ellos sociedad de bienes.	Artículo 180. Por el hecho del matrimonio se contrae sociedad de bienes entre los cónyuges, según las reglas del título 22, libro IV, del Código Civil. Los que se hayan casado en país extranjero y se domiciliaren en Colombia, se presumirán separados de bienes, a menos que de conformidad a las leyes bajo cuyo imperio se casaren se hallen sometidos a un régimen patrimonial diferente.

Fuente: Elaboración propia.

Así mismo, se debe destacar, de la nueva disposición, que ajustó el inciso segundo al modelo de Estado unitario que nos rigió desde la expedición de la Constitución de 1886, puesto que la redacción original estaba basada en el modelo federal al amparo del cual se expidió este Estatuto que, a la postre, sería adoptado como el Código Civil de la Unión. Por tanto, fácilmente se deduce que la referencia al *territorio* estaba estructurada, en los Estados Unidos de Colombia, en función de cada Estado de la federación; mas la interpretación que ya había hecho carrera entre nosotros tenía entendido que, luego de la adopción del Estado unitario, esa expresión se relacionaba con los matrimonios celebrados fuera del *territorio nacional*.

II. De la potestad marital

Se llamaba potestad marital al conjunto de derechos que el marido ejercía sobre la mujer. En el derecho comparado, el artículo 213 del Código de Napoleón, de donde abrevaría el Código de ANDRÉS BELLO que en buena parte se replicaría en nuestro país, establecía que el marido debía protección a su mujer, en tanto que la mujer debía obediencia a su marido (*Le mari doit protection à sa femme, la femme obéissance à son mari*)[245].

---

[245] Según lo relata VALENCIA ZEA (*Derecho civil*, Tomo V, 142), mientras se discutía el Código Civil francés, NAPOLEÓN afirmó "La nature a fait de nos femmes nos escla-

Aunque en Colombia, con la Ley 28 de 1932, se removieron en buena medida los poderes atribuidos al marido sobre el peculio de la mujer por el hecho del matrimonio, no sucedió lo propio con las facultades personales sobre la cónyuge. Así, se mantenía la obligación de obediencia por parte de ésta y la potestad de fijar la residencia por parte de aquél, todo lo cual se corrigió finalmente mediante los artículos 9 a 12 del Decreto 2820 de 1974:

Tabla 11. Cambios incorporados por el Decreto 2820 de 1974 al Código Civil – Potestad Marital.

Cambios incorporados por el Decreto 2820 de 1974 al Código Civil – Potestad Marital	
Redacción original del Código Civil	**Nueva redacción**
Artículo 176. Los cónyuges están obligados a guardarse fe, a socorrerse y ayudarse mutuamente en todas las circunstancias de la vida. El marido debe protección a la mujer, y la mujer obediencia al marido.	Artículo 176. Los cónyuges están obligados a guardarse fe, a socorrerse y ayudarse mutuamente en todas las circunstancias de la vida.
Artículo 177. La potestad patrimonial es el conjunto de derechos que las leyes conceden al marido sobre la persona y bienes de la mujer.	Artículo 177. El marido y la mujer tienen conjuntamente la dirección del hogar. Dicha dirección estará a cargo de uno de los cónyuges cuando el otro no la pueda ejercer o falte. En caso de desacuerdo se recurrirá al juez o al funcionario que la ley designe.
Artículo 178. El marido tiene derecho para obligar a su mujer a vivir con él y seguirle a dondequiera que traslade su residencia. Cesa este derecho cuando su ejecución acarrea peligro inminente a la vida de la mujer. La mujer, por su parte, tiene derecho a que el marido la reciba en su casa.	Artículo 178. Salvo causa justificada los cónyuges tienen la obligación de vivir juntos y cada uno de ellos tiene derecho a ser recibido en la casa del otro.

---

ves" (La naturaleza ha hecho de nuestras mujeres nuestras esclavas). Lo propio sostiene JOSEFINA AMÉZQUITA (*La mujer,* 12): "Al discutirse en Francia, cuál sistema habría de adoptarse para el Código Civil que se iba a promulgar, se sostuvieron al principio algunas tesis favorables a la mujer. Desafortunadamente, el primer Cónsul, que era quien inspiraba las discusiones del Consejo de Estado, tenía un criterio fijo: hacer del marido un soberano. Decía: 'Un marido debe ejercer poder absoluto sobre las acciones de su mujer. La mujer queda subordinada al marido; el marido debe proteger a la mujer y la mujer obedecer al marido'. Este pensamiento dominó a los demás legisladores y así quedó consagrado en el artículo 213 del Código de Napoleón".

Cambios incorporados por el Decreto 2820 de 1974 al Código Civil – Potestad Marital	
Artículo 179. <u>El marido debe suministrar a la mujer lo necesario según sus facultades</u>, y la mujer tendrá igual obligación respecto del marido, si éste careciere de bienes.	Artículo 179. El marido y la mujer fijarán la residencia del hogar. En caso de ausencia, incapacidad o privación de la libertad de uno de ellos, la fijará el otro. Si hubiere desacuerdo corresponderá al juez fijar la residencia teniendo en cuenta el interés de la familia. Los cónyuges deberán subvenir a las ordinarias necesidades domésticas, en proporción a sus facultades.

Fuente: Elaboración propia.

III. De la potestad parental y el "usufructo legal"

En materia de potestad parental las Leyes 45 de 1936 y 75 de 1968 habían ya introducido reformas sustantivas al texto original del Código Civil. En efecto, se había extendido este cúmulo de facultades a todas las filiaciones (matrimonial, extramatrimonial y adoptiva), al propio tiempo como se había precisado que únicamente esos derechos (administración, "usufructo legal" y representación legal) se conferían a los padres "para facilitar el cumplimiento de los deberes que su calidad les impone". Así se había depuesto la anacrónica idea, recogida del derecho romano, de que la patria potestad estaba ideada en beneficio o provecho exclusivo de los progenitores.

Sin embargo, la prerrogativa se seguía limitando al padre, en primer lugar, y solo por excepción se permitía que la madre adquiriese la potestad parental sobre sus hijos.

a) Ello vino a cambiar con los artículos 8, 24, 26, 27, 28, 29, 30, 34, 35 y 40 del Decreto 2820, mediante los cuales se equipararon en derechos de ambos cónyuges y se les atribuyó igual responsabilidad sobre su descendencia, con los correlativos derechos de patria potestad.

Para constatarlo, basta comparar la redacción del artículo 24 del Decreto 2820 con la prevista en el inciso segundo del artículo 288 del Código Civil, cuyo texto vigente correspondía al introducido por la Ley 75 de 1968:

Tabla 12. Cambios incorporados por el Decreto 2820 de 1974 al Código Civil – Patria Potestad.

Cambios incorporados por el Decreto 2820 de 1974 al Código Civil – Patria Potestad	
Redacción del Código Civil, tal como había sido modificada por el artículo 19 de la Ley 75 de 1968	**Nueva redacción**
Artículo 288. La patria potestad es el conjunto de derechos que la ley reconoce a los padres sobre sus hijos no emancipados, para facilitar a aquellos el cumplimiento de los deberes que su calidad les impone. Ejerce estos derechos respecto de hijos legítimos el padre y, a falta de éste, por cualquier causa legal, la madre. Si quien ejerce la patria potestad pasare a otras nupcias, el juez podrá, con conocimiento de causa y a petición de parte, si lo considera más conveniente, poner bajo guarda al hijo. Los hijos no emancipados son hijos de familia, y el padre o madre con relación a ellos, padre o madre de familia.	Artículo 288. La patria potestad es el conjunto de derechos que la ley reconoce a los padres sobre sus hijos no emancipados, para facilitar a aquellos el cumplimiento de los deberes que su calidad les impone. Corresponde a los padres conjuntamente, el ejercicio de la patria potestad sobre sus hijos legítimos. A falta de uno de ellos la ejercerá el otro. Los hijos no emancipados son hijos de familia, y el padre o madre con relación a ellos, padre o madre de familia.

Fuente: Elaboración propia.

Repárese en que la disposición en comentario fue desafortunada, por cuanto parecería indicar que los padres ejercerían conjuntamente la potestad parental solo cuandoquiera que se tratara de hijos "legítimos", pero ello no es así. *Prima facie* se podría pensar que, debido a que el Decreto 2820 (artículo 70) derogó expresamente los artículos 13 de la Ley 45 de 1936 y 19 de la Ley 75 de 1968, que solo regulaban la potestad parental en tratándose de hijos "legítimos", permanecieron vigentes las regulaciones de esos compendios normativos en relación con los hijos extramatrimoniales. Según estas últimas, "[p]or regla general, correspond[ía] a la madre la patria potestad sobre el hijo 'natural'"; luego, por expresa disposición legal, no habría ejercicio conjunto de la potestad parental en tratándose de hijos extramatrimoniales.

Pero una correcta interpretación de la inteligencia del Decreto 2820, en armonía con la nueva filosofía de igualdad, conduce a una conclusión diferente: tiene todo sentido que no se haya derogado expresamente el contenido de los artículos 14 de la Ley 45 y 20 de la Ley 75, puesto que el ordenamiento civil presumía, antes como ahora, que el hijo de mujer casada tiene por padre al cónyuge de la madre; mas no era posible sostener presunción semejante cuando la madre no hubiere contraído nupcias, si tampoco se había conformado al menos una relación concubinaria[246]. En tal sentido, la paternidad extramatrimonial se configuraba, como aún ocurre hoy, por el reconocimiento voluntario del padre o por su declaración judicial en juicio contradictorio.

En el segundo caso (declaración judicial), el cuarto inciso del artículo 20 de la Ley 75 de 1968 era suficientemente claro al disponer que el padre judicialmente declarado como tal quedaría privado de la potestad parental, de manera que solo la madre habría de ostentar esas facultades[247]. Por el contrario, en el primer caso (reconocimiento voluntario) no había impedimento alguno, ni entonces ni hoy, para que ambos progenitores ejercieran conjuntamente la patria potestad. Es más, una lectura cuidadosa del artículo 62 del Código Civil, en los términos en que fue subrogado por el artículo 1º del Decreto 2820 de 1974, permite colegir, sin ambages, que *todos* los hijos, sin distinción alguna por el tipo de filiación, son representados por sus padres, "quienes ejercerán conjuntamente la patria potestad". Y ello se confirma con la lectura del artículo 288 del Estatuto Civil, que en sus incisos primero y tercero diáfanamente engloba a ambos padres y no discrimina a los hijos por su filiación.

En definitiva, entonces, conclúyese de este artículo que los padres conjuntamente ejercerán la patria potestad (salvo privación o suspensión) respecto de sus hijos matrimoniales y adoptivos no emancipados, al propio tiempo como lo harán los progenitores de hijos extramatrimoniales de familia cuando se hubiere hecho el reconocimiento voluntario.

---

[246] Los artículos 328 y 329 del Código Civil, hoy derogados, disponían que los hijos de la concubina de un hombre serían tenidos como hijos de él, pero para que se entendiera haber concubinato ambos individuos debían estar solteros o viudos y cohabitar públicamente como si estuvieran casados. En la actualidad, esa presunción se ha hecho extensiva para los casos en que la madre haya constituido una unión marital de hecho (cfr. Ley 54 de 1990).

[247] Posteriormente, como se verá, esa proscripción se reiteró en el artículo 62 del Código Civil, fruto de las modificaciones incorporadas por el Decreto 772 de 1975 y, más tarde, la Corte Constitucional, en Sentencia C-145 de 2010, M. P. Gabriel Eduardo Mendoza Martelo, condicionó su exequibilidad a "que, en los procesos de investigación de la paternidad o maternidad y de impugnación de la paternidad o maternidad, le corresponde al juez del proceso, en cada caso concreto, determinar a la luz del principio de interés superior del menor y de las circunstancias específicas en que se encuentren los padres, si resulta benéfico o no para el hijo que se prive de la patria potestad y del ejercicio de la guarda, al padre o madre que es declarado tal en juicio contradictorio".

b) Sabido es que la patria potestad engloba varios derechos, uno de los cuales es el "usufructo legal" sobre los bienes que conforman el peculio adventicio ordinario del hijo de familia. Ese goce legal, en materia tributaria, reviste singular relevancia porque fuerza al titular de la potestad parental a incluir en su denuncio rentístico los ingresos provenientes de los bienes que integran el peculio adventicio ordinario del hijo de familia y, por esa vía, condena tales ingresos a ser gravados con las tarifas atribuibles a los padres (normalmente mucho más altas que las que les corresponderían a los hijos).

Dado que antiguamente el padre era prevalente en el ejercicio de la patria potestad de los hijos matrimoniales y la madre lo era en relación con los hijos extramatrimoniales, el otro progenitor quedaba excluido del ejercicio del "usufructo legal". Ello derivaba en que solo uno de los padres se debiera atribuir la totalidad de las rentas provenientes de los bienes que conforman el peculio adventicio ordinario de su hijo (y, en cuanto hace al impuesto complementario sobre el patrimonio, declarar la titularidad de tales activos como propios). Empero, el Estatuto de la Igualdad corrigió esa circunstancia, como se pasa a demostrar:

Tabla 13. Cambios incorporados por el Decreto 2820 de 1974 al Código Civil – Atributos de la Patria Potestad.

Cambios incorporados por el Decreto 2820 de 1974 al Código Civil – Atributos de la Patria Potestad	
Redacción del Código Civil, en algunos casos con modificaciones de leyes posteriores.	Nueva redacción
Artículo 291. El padre goza del usufructo de todos los bienes del hijo de familia, exceptuando los siguientes: 1°) Los bienes adquiridos por el hijo en el ejercicio de todo empleo, de toda profesión liberal, de toda industria, de todo oficio mecánico; 2°) Los bienes adquiridos por el hijo a título de donación, herencia o legado, cuando el donante o testador ha dispuesto expresamente que tenga el usufructo de estos bienes el hijo, y no el padre; 3°) Las herencias o legados que hayan pasado al hijo por incapacidad o indignidad del padre, o por haber sido éste desheredado. Los bienes comprendidos bajo el número 1°. forman el peculio profesional o industrial del hijo; aquellos en que el hijo tiene la propiedad y el padre el derecho de usufructo, forman el peculio adventicio ordinario; los comprendidos bajo los números 2 y 3, el peculio adventicio extraordinario.	Artículo 291. El padre y la madre gozan por iguales partes del usufructo de todos los bienes del hijo de familia, exceptuados: 1o) El de los bienes adquiridos por el hijo como fruto de su trabajo o industria, los cuales forman su peculio profesional o industrial. 2o) El de los bienes adquiridos por el hijo a título de donación, herencia o legado, cuando el donante o testador haya dispuesto expresamente que el usufructo de tales bienes corresponda al hijo y no a los padres; si sólo uno de los padres fuere excluido, corresponderá el usufructo al otro. 3o) El de las herencias y legados que hayan pasado al hijo por indignidad o desheredamiento de uno de sus padres, caso en el cual corresponderá exclusivamente al otro.

Se llama usufructo legal del padre de familia el que le concede la ley.	Los bienes sobre los cuales los titulares de la patria potestad tienen el usufructo legal, forman el peculio adventicio ordinario del hijo; aquéllos sobre los cuales ninguno de los padres tiene el usufructo, forman el peculio adventicio extraordinario.
Artículo 292. El padre no goza de usufructo legal sino hasta la emancipación del hijo.	Artículo 292. Los padres gozan del usufructo legal hasta la emancipación del hijo.
Artículo 293. El padre de familia no es obligado, en razón de su usufructo legal, a la fianza o caución que generalmente deben dar los usufructuarios para la conservación y restitución de la cosa fructuaria.	Artículo 293. Los padres no son obligados a prestar caución en razón de su usufructo legal.
Artículo 295. El padre administra los bienes del hijo, en que la ley le concede el usufructo. No tiene esta administración en las cosas donadas, heredadas o legadas bajo la condición de que no las administre el padre. Ni en las herencias o legados que hayan pasado al hijo por incapacidad o indignidad del padre, o por haber sido éste desheredado.	Artículo 295. Los padres administran los bienes del hijo sobre los cuales la ley les concede el usufructo. Carecen conjunta o separadamente de esta administración respecto de los bienes donados, heredados o legados bajo esta condición.
Artículo 296. La condición de no administrar el padre, impuesta por el donante o testador, no se entiende que la priva del usufructo, ni la que le priva del usufructo se entiende que le quita la administración, a menos de expresarse lo uno y lo otro por el donante o testador.	Artículo 297. La condición de no administrar el padre o la madre o ambos, impuesta por el donante o testador, no les priva del usufructo, ni la que los priva del usufructo les quita la administración, a menos de expresarse lo uno y lo otro por el donante o testador.
Artículo 307. En las acciones civiles contra el hijo de familia deberá el actor dirigirse al padre, para que autorice o represente al hijo en la litis. Si el padre no pudiere o no quisiere prestar su autorización o representación, podrá el juez suplirla, y dará al hijo un curador para la litis.	Artículo 307. Los derechos de administración de los bienes, el usufructo legal y la representación extrajudicial del hijo de familia serán ejercidos conjuntamente por el padre y la madre. Lo anterior no obsta para que uno de los padres delegue por escrito al otro, total o parcialmente, dicha administración o representación. Si uno de los padres falta, corresponderán los mencionados derechos al otro. En los casos en que no hubiere acuerdo de los titulares de la patria potestad sobre el ejercicio de los derechos de que trata el inciso primero de este artículo o en el caso de que uno de ellos no estuviere de acuerdo en la forma como el otro lleve la representación judicial del hijo, se acudirá al juez o funcionario que la ley designe para que dirima la controversia de acuerdo con las normas procesales pertinentes.

Fuente: Elaboración propia.

En el contexto del impuesto sobre la renta, los artículos 49 del Decreto 437 de 1961 y 24 del Decreto 187 de 1975 habían sido muy cautelosos en no pugnar con la normativa civil y sencillamente disponían que "[l]as rentas originadas en el usufructo legal de los padres de familia se gravar[ía]n en cabeza de quien ejer[ciera] la patria potestad". Pero en términos reales y prácticos, según se ha explicado, hasta la expedición del Decreto 2820 de 1974 esas rentas se gravaban, generalmente, en cabeza del padre por sus hijos matrimoniales y en cabeza de la madre por sus hijos extramatrimoniales. A partir del 4 de febrero de 1975, fecha en que entró en vigor el Estatuto de la Igualdad, las rentas derivadas del usufructo legal se principiaron a gravar en cabeza de ambos progenitores, según fuera el caso, por mitades.

IV. De la separación de bienes

Hemos visto que el artículo 1820 del Código Civil, en su redacción original como en la actual, contempla que la *separación de bienes* es una de las causas por las cuales se disuelve la sociedad conyugal que nace generalmente por el hecho del matrimonio. A su turno, el artículo 197, *ibidem,* define esta figura como aquella "que se efectúa sin divorcio, en virtud de decreto judicial o por disposición de la ley". La *separación de bienes* por disposición de ley puede ocurrir, conforme al inciso segundo del artículo 180, *ibidem,* por la celebración del matrimonio en el extranjero. En contraste con lo anterior, la *separación de bienes* por decreto judicial tiene lugar cuando se incoa la correspondiente acción ante la jurisdicción y así se establece por el fallador en su providencia.

Comoquiera que en el sistema original del Código Civil al marido se le confería la administración de los bienes de sociales y los de su mujer, toda vez que ésta se hacía incapaz relativa por el hecho del matrimonio, la institución jurídica de la *separación de bienes* se ideó con el propósito de proteger exclusivamente a la cónyuge. Por ese motivo, las causales para solicitar la *separación de bienes judicial* se reducían, de conformidad con lo previsto en el artículo 200 del Estatuto Civil, a circunstancias de naturaleza eminentemente económica, como eran la insolvencia o administración fraudulenta del marido, así como la quiebra por especulación aventurada o administración deficiente.

Más adelante, el artículo 2º de la Ley 8ª de 1922 añadió al cúmulo de causales para solicitar la *separación de bienes* aquellas "que autorizan el divorcio [imperfecto o *quoad thorum et cohabitationem*] por hechos imputables al marido de acuerdo con el artículo 154 del Código Civil, y la disipación y el juego habitual de que trata el artículo 534 del mismo Código". En tal virtud, el ordenamiento jurídico incluyó las razones de índole personal señaladas para el divorcio *quoad thorum et cohabitationem* (amancebamiento, embriaguez, abandono de los deberes, ultrajes, trato cruel y maltratamiento de palabra u obra) como causas justificativas de la separación de bienes judicial, además de adicionar la disipación y juego habitual del marido.

Posteriormente, fruto de la promulgación de la Ley 28 de 1932, la mujer recobró la plena capacidad de ejercicio que perdía por el hecho de contraer matrimonio y se instituyó la administración dual en la sociedad conyugal. Así, ya no había motivos que sustentaran que la separación de bienes continuara incardinada exclusivamente a "proteger a la mujer" y, por sustracción de materia, carecía de fundamento que no se le permitiera al cónyuge varón intentar esa acción ante la jurisdicción. En tal sentido, la Corte Suprema de Justicia interpretó, en su consolidada jurisprudencia[248], que "[l]a acción de simple separación de bienes que bajo el régimen legal anterior estaba reservada a la mujer (artículo 796 C. J.), no desapareció con la ley 28 de 1932; por el contrario, no solo conserv[ó] su vigencia sino que se hizo extensiva al marido"[249].

Luego, mediante la expedición de los Decretos 1400 y 2019 de 1970, por los cuales se adoptó el Código de Procedimiento Civil, expresamente se derogó el artículo 200 del Código Civil, que consagraba las causales de insolvencia o administración fraudulenta del marido y la quiebra por especulación aventurada o administración deficiente. Ante esa inexplicable derogatoria, es posible sintetizar la situación de la acción de separación de bienes, en palabras de CARLOS GALLÓN GIRALDO, así:

> No se ha descartado aún la posibilidad de que la derogación del artículo 200 hubiese obedecido a un error y no a la voluntad del legislador delegado, ya que al parecer no hay razón que la justifique. Es probable que el artículo condenado a la derogatoria fuera el 201, referente a las medidas que podía adoptar el juez para proteger los intereses de la mujer, durante el proceso de separación de bienes, en virtud de que el artículo 691 del Código de Pro-

---

248 Véanse, a manera de ejemplo, las sentencias de la Corte Suprema de Justicia del: (i) 17 de marzo de 1955, G.J. LXXIX, M. P. JULIO PARDO DÁVILA, 757 y siguientes; (ii) 17 de marzo de 1959, G.J. XC, M. P. IGNACIO ESCALLÓN, 81 y siguientes; (iii) 28 de noviembre de 1969, G.J. CXXXII, M. P. GUSTAVO FAJARDO PINZÓN, 181 y siguientes; (iv) 13 de enero de 1971, G.J. CXXXVIII, M. P. JOSÉ MARÍA ESGUERRA SAMPER, 19 y siguientes; y (v) 27 de abril de 1971, G.J. CXXXVIII, M. P. JOSÉ MARÍA ESGUERRA SAMPER, 299 y siguientes.

249 Sentencia proferida por la Corte Suprema de Justicia el 27 de abril de 1971, G.J. CXXXVIII, M. P. JOSÉ MARÍA ESGUERRA SAMPER, 302.

cedimiento reguló minuciosamente las 'Medidas Cautelares en procesos de nulidad y divorcio de matrimonio civil, <u>de separación de bienes</u> y de liquidación de sociedades conyugales' (subrayo), por lo cual podía parecer inútil el artículo 201, algo desueto e impreciso.

Pero cualquiera que hubiera sido la intención del legislador, el artículo 200 fue derogado; y, en consecuencia, solo quedaron como causales de separación de bienes las introducidas por el artículo 2° de la ley 8 de 1922, que se remitía a las circunstancias previstas en los artículos 154, sobre divorcio [imperfecto], y 534 del Código Civil, sobre disipación y juego habitual[250].

Con todo, era ese el panorama de la acción de separación de bienes al momento de la expedición del Decreto 2820, que reformó esa institución jurídica en los siguientes aspectos:

a) El artículo 14 del decreto modificó el artículo 198 del Código Civil, en el sentido de extender, a ambos cónyuges, la prohibición de renunciar en capitulaciones matrimoniales a la posibilidad de pedir la separación de bienes. Ese fue el resultado de una lógica adaptación del derecho legislado al nuevo contexto social que imperaba en Colombia, pues a partir de la consolidación de la administración dual de la sociedad conyugal la separación de bienes dejó de ser una figura que pretendía proteger exclusivamente a la mujer.

b) El artículo 16 actualizó la redacción del artículo 203 del Código Civil, en la medida en que estatuyó que, "[e]jecutoriada la sentencia que decreta la separación de bienes, ninguno de los cónyuges tendrá desde entonces parte alguna en los gananciales que resulten de la administración del otro". En su texto original, el Código Civil preveía que, cuando acaeciera este supuesto, se le debían entregar sus gananciales a la mujer, precisamente porque el marido era quien administraba y tenía la totalidad del activo de la sociedad conyugal, hecho que había perdido vigencia desde la promulgación de la Ley 28 de 1932.

c) El artículo 257 del Código Civil precisaba, en su versión inicial, que los gastos relacionados con la crianza, educación y establecimiento de los hijos correspondían a la sociedad conyugal y que si los cónyuges estuvieren separados de bienes tales gastos los asumiría el marido, con la concurrente ayuda de la mujer en la proporción fijada al

---

[250] Carlos Gallón Giraldo. *Separación de bienes y disolución de la sociedad conyugal por mutuo consentimiento de los cónyuges*. Bogotá, 1981, 2. https://www.slideshare.net/sergiodani28/02separacion-de-bienes-y-disolucion-de-la-sociedad-conyugal-1.

efecto por el juez en su providencia. Sin embargo, el artículo 19 del Decreto 2820 modificó el inciso segundo del artículo 257, en comentario, con el objeto de indicar que, en caso de mediar separación de bienes entre los cónyuges, cada uno debía solventar las erogaciones relacionadas con la crianza, educación y establecimiento de los hijos *en proporción a sus capacidades.*

d) Como se recordará, con la expedición del Código de Procedimiento Civil se derogaron las causales consagradas en el artículo 200 del Código Civil para incoar la acción de separación de bienes, de modo que solo continuaron vigentes aquellas previstas en el artículo 2º de la Ley 8 de 1922. Empero, el artículo 70 del Estatuto de la Igualdad incurrió en un grave error, cual fue el de derogar expresamente los artículos 2, 3 y 5 de la Ley 8 de 1922. En consecuencia, desaparecieron por completo de nuestro ordenamiento jurídico las causales para solicitar la separación de bienes judicial.

Los motivos que dieron origen a esa anómala situación los explica AMÉZQUITA DE ALMEIDA, miembro de la Comisión de Juristas que redactó el Decreto 2820, así:

> Al redactarse el proyecto de Decreto, para cambiarlo por el proyecto de Ley que había sido presentado al Congreso, se 'deslizaron' algunos errores de mecanografía y se derogaron equivocadamente algunos artículos, que inmediatamente fueron corregidos por el Decreto número 772 de 1975[251].

V. De la sociedad conyugal

El Estatuto de la Igualdad introdujo grandes cambios en relación con el régimen que disciplina la sociedad conyugal, en los siguientes términos.

1. Renuncia de gananciales

A causa de la primitiva visión sobre la cual descansaba el régimen de la sociedad conyugal instituido en nuestro Código Civil, en cuya virtud el marido tomaba la exclusiva administración de los bienes, fue necesario idear una figura jurídica que compensara la difícil situación en que se podía ver la mujer (y sus herederos, según fuera el caso) cuandoquiera que el

---

[251]   Cfr. JOSEFINA AMÉZQUITA DE ALMEIDA. *La mujer...*, 43.

marido tuviera una ruinosa administración (por impericia o fraude). Fue entonces como apareció entre nosotros la renuncia de gananciales[252].

De acuerdo con la perspectiva recién comentada, era perfectamente explicable que el Estatuto Civil, anticipando eventuales perjuicios que se pudieran derivar de la impropia e incorrecta administración del marido, solo habilitara a la mujer para renunciar a los gananciales que resultaran de la disolución de la sociedad conyugal[253]. En efecto, como desarrollo del inveterado aforismo jurídico *nemo auditur propriam turpitudinem allegans*, carecía de todo sentido autorizar al cónyuge varón para que pudiese repudiar los gananciales (activos y pasivos) que le correspondieran en la disolución y liquidación de la sociedad conyugal que él había administrado.

Esa idea de protección a la cónyuge fue cristalizada en la jurisprudencia de la Corte Suprema de Justicia, como se sigue de la Sentencia proferida el 9 de abril de 1951[254]:

> El artículo 1837 del Código Civil confiere a la mujer mayor, o a sus herederos mayores en su caso, el derecho de renunciar los gananciales, después de la disolución de la sociedad conyugal (C.C. artículo 1820).
>
> Como consecuencia de dicha renuncia se confunden e identifican los patrimonios de la sociedad y del marido, según el artículo 1839 del mismo Código, y de esta suerte, la mujer o sus herederos se libertan sin más; de modo absoluto y definitivo, de toda responsabilidad en las deudas sociales, sin quedar obligados a presentar para su defensa en cada caso la prueba que exige el inciso del artículo 1833 *ibidem* (...)
>
> Esta renuncia de gananciales, además, tiene el carácter de específica, y sólo puede acogerse a ella, de consiguiente, la mujer o sus herederos a la disolución de la sociedad conyugal, con la, finalidad particular indicada, de libertarse sin más, de manera absoluta y definitiva, de toda responsabilidad en el pasivo social (...)

---

[252] Para un mayor desarrollo sobre esta figura, el lector puede acudir al tomo III de esta obra.

[253] Decía el artículo 1775 del Código Civil, en su versión original: "La mujer, no obstante la sociedad conyugal, podrá renunciar su derecho a los gananciales que resulten de la administración del marido, con tal que haga esta renuncia antes del matrimonio o después de la disolución de la sociedad. Lo dicho se entiende sin perjuicio de los efectos legales de la separación de bienes y del divorcio". Y más adelante, el artículo 1837, *ibidem*, señalaba: "Disuelta la sociedad, la mujer mayor o sus herederos mayores tendrán la facultad de renunciar los gananciales a que tuvieren derecho. No se permite esta renuncia a la mujer menor, ni a sus herederos menores sino con aprobación judicial".

[254] G.J. LXIX, M. P. ARTURO SILVA REBOLLEDO, 500

También así lo explica FERNANDO VÉLEZ en el volumen VII de su obra *Estudio sobre el derecho civil colombiano*: "la renuncia [de gananciales] tiene el carácter de un beneficio que sólo lo otorga la ley a la mujer y a sus herederos para que se libren de responder de aquellas deudas [las de la sociedad conyugal]"[255].

Sin embargo, a contar desde el 1° de enero de 1933, fecha de entrada en vigor de la Ley 28 de 1932, la mujer tuvo plenos derechos de administración sobre el peculio social. Ello condujo a que alguna parte de la doctrina sostuviera, con argumentos en buena parte cuestionables, que la renuncia de gananciales había desaparecido del ordenamiento jurídico nacional. A su juicio, si la *ratio legis* de esta figura había desaparecido, por adquirir la mujer la potestad de administrar los bienes sociales radicados en cabeza suya, era apenas lógico que también decayera su facultad para repudiar los gananciales. En últimas, sus planteamientos se orientaban a impedir que la cónyuge se pudiese beneficiar de su propia culpa (por impericia o mala fe) en el resultado definitivo de la sociedad conyugal.

Decimos que ese argumento es susceptible de críticas, toda vez que perfectamente podía ocurrir que la cónyuge tuviere un desempeño impecable en la administración del peculio social, pero que el marido no hiciere lo propio. No sería entonces descabellado que ella pretendiera abandonar sus gananciales, con miras a que el marido asumiera la totalidad de obligaciones resultantes de su ruinosa gestión como coadministrador de la sociedad conyugal.

Mas cuando la intención de alguno de los cónyuges fuere exonerarse del pago de las deudas por sí contraídas como consecuencia de su deficiente manejo de los negocios sociales, es claro que se contrariaría el principio general del derecho al que nos hemos referido (*nemo auditur propriam turpitudinem allegans*). De consiguiente, la forma de superar tan grave situación sería mediante la autorización al otro cónyuge para que también pudiere renunciar a sus gananciales, lo que daría como resultado que las deudas y bienes sociales se consolidaran en cabeza de quien se encontraren radicados, sin perjuicio de la liquidación de recompensas si a ello hubiere lugar.

Y lo propio habría que anotar cuando los perjudicados fuesen los terceros acreedores (por ejemplo, si las deudas fueran estrictamente personales y, para evadir su satisfacción, el cónyuge renunciara a los gananciales que le correspondieran). Pero en tales casos sería siempre posible intentar otro tipo de acciones judiciales (como la pauliana).

---

[255] Cfr. FERNANDO VÉLEZ. *Estudio sobre el derecho civil colombiano*, tomo VII. (París: Edición. Ed. Imprenta París-América, 1926), 142.

De cualquier manera, la Corte Suprema de Justicia reconoció que no había desaparecido la renuncia de gananciales de nuestro ordenamiento jurídico, en la Sentencia del 9 de abril de 1951[256], antes comentada. Y cualquier vestigio de duda sobre su vigencia se disipó con la expedición del Estatuto de la Igualdad, toda vez que se reformaron los artículos 1775 y 1837 del Código Civil no para derogar la renuncia de gananciales, sino para extender su aplicación marido. Veamos el comparativo entre las normas anteriores y los artículos 62 y 64 del Decreto 2820 de 1974:

Tabla 14. Cambios incorporados por el Decreto 2820 de 1974 al Código Civil – Renuncia de Gananciales.

Cambios incorporados por el Decreto 2820 de 1974 al Código Civil – Renuncia de Gananciales	
Redacción original del Código Civil	**Nueva redacción**
Artículo 1775. La mujer, no obstante la sociedad conyugal, podrá renunciar su derecho a los gananciales que resulten de la administración del marido, con tal que haga esta renuncia antes del matrimonio o después de la disolución de la sociedad. Lo dicho se entiende sin perjuicio de los efectos legales de la separación de bienes y del divorcio.	Artículo 1775. Cualquiera de los cónyuges siempre que sea capaz, podrá renunciar a los gananciales que resulten a la disolución de la sociedad conyugal, sin perjuicio de terceros.
Artículo 1837. Disuelta la sociedad, la mujer mayor o sus herederos mayores tendrán la facultad de renunciar los gananciales a que tuvieren derecho. No se permite esta renuncia a la mujer menor, ni a sus herederos menores sino con aprobación judicial.	Artículo 1837. Los cónyuges incapaces y sus herederos en el mismo caso, solo podrán renunciar a los gananciales con autorización judicial. Lo dicho en los artículos 1833, 1840 y 1841 se aplicará tanto al marido como a la mujer.
Artículo 1833. La mujer no es responsable de las deudas de la sociedad, sino hasta concurrencia de su mitad de gananciales. Mas, para gozar de este beneficio, deberá probar el exceso de la contribución que se le exige, sobre su mitad de gananciales, sea por el inventario y tasación, sea por otros documentos auténticos.	Artículo 1837. (...) Lo dicho en los artículos 1833, 1840 y 1841 se aplicará tanto al marido como a la mujer.
Artículo 1840. La mujer que renuncia conserva sus derechos y obligaciones a las recompensas e indemnizaciones arriba expresadas.	Artículo 1837. (...) Lo dicho en los artículos 1833, 1840 y 1841 se aplicará tanto al marido como a la mujer.
Artículo 1841. Si sólo una parte de los herederos de la mujer renuncia, las porciones de los que renuncian acrecen a la porción del marido.	Artículo 1837. (...) Lo dicho en los artículos 1833, 1840 y 1841 se aplicará tanto al marido como a la mujer.

Fuente: Elaboración propia.

---

[256] G.J. LXIX, M. P. Arturo Silva Rebolledo, 500 y siguientes.

Son de exaltar, entonces, los grandes avances que el Estatuto de la Igualdad incorporó en esta materia: (i) en primer lugar, se constató que la renuncia de gananciales jamás desapareció del ordenamiento jurídico; (ii) en segundo lugar, la facultad de renunciar a gananciales le fue conferida a ambos cónyuges por igual, con lo cual se zanjó la preocupación de que la cónyuge sacara provecho de su propia culpa en la ruinosa administración del peculio social; y (iii) en tercer lugar, expresamente se limitó la posibilidad de renunciar a gananciales cuando con ella se perjudicaran los derechos de terceros.

2. Pasivo social

En cuanto hace al pasivo social, los artículos 62 y 63 del Estatuto de la Igualdad simplemente reacondicionaron dos normas del Código Civil que estaban estructuradas en función de la incapacidad relativa de la mujer y administración exclusiva del marido, a saber:

Tabla 15. Cambios incorporados por el Decreto 2820 de 1974 al Código Civil – Pasivo Social.

Artículo 1796. La sociedad [conyugal] es obligada al pago: (...)	Artículo 1796. La sociedad [conyugal] es obligada al pago: (...)
2. De las deudas y obligaciones contraídas durante el matrimonio por el marido, o la mujer con autorización del marido, o de la justicia en subsidio, y que no fueren personales de aquel o esta, como lo serían las que se contrajesen para el establecimiento de los hijos de un matrimonio anterior. La sociedad, por consiguiente, es obligada con la misma limitación, al gasto de toda fianza, hipoteca o prenda contraída por el marido.	2. De las deudas y obligaciones contraídas durante su existencia por el marido o la mujer, y que no fueren de aquel o ésta, como lo serían las que se contrajeren para el establecimiento de los hijos de un matrimonio anterior. La sociedad, por consiguiente, es obligada con la misma limitación, al gasto de toda fianza, hipoteca o prenda constituida por cualquiera de los cónyuges.
Artículo 1800. Las expensas ordinarias y extraordinarias de educación de un descendiente común, y las que se hicieren para establecer o casarle, se imputarán a los gananciales, siempre que no constare de un modo auténtico que el marido, o la mujer con autorización del marido o de la justicia en subsidio, o ambos de consumo, han querido que se sacasen estas expensas de sus bienes propios. Aun cuando inmediatamente se saquen ellas de los bienes propios de cualquiera de los cónyuges, se entenderá que se hacen a cargo de la sociedad, a menos de declaración contraria.	Artículo 1800. Las expensas ordinarias y extraordinarias de alimentos; establecimiento, matrimonio y gastos médicos de un descendiente común, se imputarán a los gananciales, a menos que se probare que el marido o la mujer han querido que se paguen de sus bienes propios. Lo anterior se aplica al caso en que el descendiente común no tuviere bienes propios; pues teniéndolos se imputarán las expensas extraordinarias a sus bienes en cuanto le hubieren sido efectivamente útiles; a menos que probare que el marido o la mujer, o ambos de consumo quisieron pagarlas de sus bienes propios.

En el caso de haberse hecho estas expensas por el marido, sin contradicción o reclamación de la mujer, y no constando de un modo auténtico que el marido quiso hacerlas de los suyos, el marido o sus herederos podrán pedir que se les reembolse de los bienes propios de la mujer, por mitad, la parte de dichas expensas que no cupiere en los gananciales; y quedará a la prudencia del juez o prefecto acceder a esta demanda en todo o parte, tomando en consideración las fuerzas y obligaciones de los patrimonios, y la discrepancia y moderación con que en dichas expensas hubiere procedido el marido.	
Todo lo cual se aplica al caso en que el descendiente no tuviere bienes propios; pues teniéndolos, se imputarán las expensas extraordinarias a sus bienes, en cuanto cupieren, y en cuanto le hubieren sido efectivamente útiles; a menos que conste de un modo auténtico que el marido, o la mujer debidamente autorizada, o ambos de consumo, quisieron hacerlas de lo suyo.	

Fuente: Elaboración propia.

SECCIÓN VII. DECRETO 772 DE 1975

Como lo anunciara JOSEFINA AMÉZQUITA DE ALMEIDA en el texto transcrito en la Sección anterior, los yerros involuntarios en que incurrió el Gobierno nacional al expedir el Decreto 2820 de 1974 fueron prontamente corregidos mediante el Decreto 772 de 1975. En verdad, este último entró en vigor solo dos meses después de que lo hiciera el Estatuto de la Igualdad, fruto de su publicación en el Diario Oficial número 34.324 del 27 de mayo de 1975. El decreto 772 vino a culminar la encomiable labor principiada por el Gobierno nacional y, en lo tocante con nuestro objeto de estudio, introdujo las siguientes rectificaciones:

En primer lugar, la situación de los hijos extramatrimoniales se esclareció por completo. Según se explicó en la Sección que antecede, el Estatuto de la Igualdad tan solo había derogado los artículos de las Leyes 45 de 1936 y 75 de 1968 relacionados con la potestad parental de los hijos "legítimos", lo que abría paso a que se dudara si tratándose de hijos extramatrimoniales esa prerrogativa seguía reservada, por regla general y, en primer término, a la madre. A pesar de que por vía de interpretación era factible arribar a la conclusión de que ello no era así, en buena hora el Decreto 772 terminó de confirmarlo, toda vez que derogó en su artículo 13 el artículo 20 de la Ley 75 de 1968 y abrogó en su artículo 1º el artículo 60 Código Civil (que había sido modificado por el artículo 1º del decreto Estatuto de la Igualdad), a saber:

Tabla 16. Cambios incorporados por el Decreto 772 de 1975 al Decreto 2820 de 1974.

Cambios incorporados por el Decreto 772 de 1975 al Decreto 2820 de 1974	
Redacción del Código Civil, según la modificación del artículo 1º del decreto 2820 de 1974	**Nueva redacción**
Artículo 62. Las personas incapaces de celebrar negocios serán representadas:	Artículo 62. Las personas incapaces de celebrar negocios serán representadas:
1. Por sus padres, quienes ejercerán conjuntamente la patria potestad sobre sus hijos menores de 21 años.	1. Por sus padres, quienes ejercerán conjuntamente la patria potestad sobre sus hijos menores de 21 años.
Si falta uno de los padres la representación legal será ejercida por el otro.	Si falta uno de los padres la representación legal será ejercida por el otro.
2. Por el tutor o curador que ejerciere la guarda sobre menores de 21 años no sometidos a patria potestad y sobre los dementes, disipadores y sordomudos que no pudieren darse a entender por escrito.	Cuando se trate de hijos extramatrimoniales, no tiene la patria potestad, ni puede ser nombrado guardador, el padre o la madre declarado tal en juicio contradictorio. Igualmente, podrá el juez, con conocimiento de causa y a petición de parte, conferir la patria potestad exclusivamente a uno de los padres, o poner bajo guarda al hijo, si lo considera más conveniente a los intereses de éste. La guarda pondrá fin a la patria potestad en los casos que el artículo 315 contempla como causales de emancipación judicial: en los demás casos la suspenderá.
	2. Por el tutor o curador que ejerciere la guarda sobre menores de 21 años no sometidos a patria potestad y sobre los dementes, disipadores y sordomudos que no pudieren darse a entender por escrito.

Fuente: Elaboración propia.

No se requiere mayor esfuerzo para concluir que se impuso una verdadera visión de igualdad, en la medida en que el artículo 62 del Código Civil, en su nueva redacción, disciplinaba la patria potestad a que estaban sujetos tanto los hijos "legítimos" como los extramatrimoniales. De esa manera, se hacía imposible defender cualquier tesis que tuviera por objeto negar que ambos padres (salvo que uno fuera declarado como tal en juicio contradictorio) ejercerían conjuntamente la patria potestad de sus hijos extramatrimoniales.

En efecto: (i) el hecho de que el artículo 288 del Código Civil, tal como fue modificado por el Decreto 2820, estableciera que la patria potestad se ejercía conjuntamente por los padres respecto de sus hijos "legítimos", no prevalecía sobre la redacción del artículo 60, *ibidem*, instituida por un decreto con fuerza de ley (772 de 1975) posterior, en la que no se distinguió por tipo de filiación cuando se indicó que la potestad parental se ejercería conjuntamente respecto de los hijos menores de edad; y (ii) el artículo 21 de la Ley 75 de 1968, que no fue derogado, era muy claro al señalar que el régimen de potestad parental previsto en el Código Civil para los hijos "legítimos" sería aplicable, en todas sus partes, a los hijos extramatrimoniales.

Obviamente, el artículo 1º del Decreto 772 de 1975 fue extremadamente claro al señalar que los padres declarados como tales en juicios contradictorios quedarían privados de ejercer la patria potestad sobre sus hijos extramatrimoniales, pero lo significativo fue que esa se volvió la excepción a la regla general.

En segundo lugar, el artículo 2º del Decreto 772 revivió la acción de separación de bienes, al reincorporar las causales para solicitar su declaratoria judicial. Veamos:

Artículo 2. El artículo 198 del Código Civil quedará así: Ninguno de los cónyuges podrá renunciar en las capitulaciones matrimoniales la facultad de pedir separación de bienes.

Son causales de separación de bienes, respecto a cualquiera de los cónyuges:

1a. Las que autorizan el divorcio o la simple separación de cuerpos;

2a. La disipación y el juego habitual.

3a. La administración fraudulenta o notoriamente descuidada de su patrimonio, en forma que menoscabe gravemente los intereses del otro en la sociedad conyugal.

También es causal de separación de bienes, el mutuo consenso de los cónyuges.

En los anteriores términos se sustituye el artículo 14 del Decreto 2820 de 1974".

Repárese en que el artículo transcrito no trajo nuevamente a la vida las causales para solicitar la separación de bienes mediante reviviscencia del artículo 200 del Código Civil, que había sido derogado por el Código de Procedimiento Civil, ni la del artículo 2º de la ley 8 de 1922, cuya derogatoria dispuso el artículo 70 del decreto 2820 de 1974, sino por adición del artículo 198, *ibídem*, relativo a la irrenunciabilidad de la facultad de pedir la separación de bienes. La razón para que así sucediera obedece a que el Gobierno Nacional se fundó en las facultades conferidas por la ley 24 de 1974 para proferir el decreto 772 de 1975. Esa autorización fue la misma que sirvió de base para la expedición del decreto 2820 de 1974 (Estatuto de la Igualdad) y única-mente estaba prevista "para que con el fin de otorgar igualdad de derechos y obligaciones a las mujeres y a los varones [el Presidente] haga las reformas pertinentes a los artículos 62, 116, 119, 154, 169, 170, 171, 172, 176, 177, 178, 179, 180, 198, 199, 203, 226, 250, 257, 261, 262, 263, 264, 288, 289, 291, 292, 293, 295, 296, 297, 298, 299, 300, 301, 302, 304, 305, 306, 307, 308, 310, 313, 314, 315, 340, 341, 434, 448, 449, 457, 537, 546, 550, 573, 582, 1026, 1027, 1068, 1504, 1775, 1796, 1800, 1837, 1838, 1840, 1841, 2347, 2368, 2505, 2530, del Código Civil Colombiano y derogue las normas que sean incompatibles con la nueva legislación.

De consiguiente, no era posible subsanar el yerro en que había incurri-do el presidente de la República con la modificación de los artículos de "vigencias y derogatorias" del Código de Procedimiento Civil (para revivir el artículo 200 del Código Civil) o del Decreto 2820 de 1974 (para revivir el artículo 2° de la Ley 8 de 1922), porque ello habría desbordado las faculta-des extraordinarias concedidas por el Parlamento. Más aún, si en gracia de discusión se entretuviese la posibilidad de modificar el artículo 70 Decreto 2820 de 1974, tan solo se hubiere logrado revivir algunas causales para la solicitud de separación de bienes judicial, pero no todas. Por tal motivo, el Gobierno tuvo que "adicionar" el artículo 198 del Código Civil, para lo cual sí se encontraba facultado[257].

---

[257] En todo caso, tampoco era muy claro el sustento jurídico que facultara al Ejecuti-vo para incorporar las causales de separación de bienes al artículo 198 del Código Civil, porque desbordaba la autorización conferida por el Congreso. Fueron justa-mente esos los motivos para que LEOPOLDO UPRIMNY demandara la declaratoria de inconstitucionalidad del artículo 2° del Decreto 772 de 1975. Aunque la Corte Suprema de Justicia, en sentencia del 23 de octubre de 1975, M. P. GUILLERMO GONZÁLEZ CHARRY, desechó la súplica del actor y declaró la exequibilidad de la norma acusada. Es de agregar, sin embargo, que el magistrado GERMÁN GIRALDO ZULUAGA salvó su voto, con un razonamiento al que adherimos: "Según la ley de facultades, el Gobierno podía, de un lado, modificar las precisas disposiciones señaladas por ella, exclusivamente 'con el fin de otorgar igualdad de derechos y obligaciones a las mujeres y a los varones', y, de otra parte, podía derogar las disposiciones que fueran incompatibles con esa igualdad ahincadamente perse-guida. Precisado, pues, el ámbito de las atribuciones extraordinarias, demarcado muy bien por la ley de facultades, es necesario hacer el siguiente planteamiento: ¿Atenta, sí o no, contra el establecimiento de la igualdad jurídica entre los sexos el consagrar causas de simple separación de bienes o el conservar las preexistentes a la expedición del Decreto 2820? Si las causales de separación erigidas en el artícu-

Mas lo realmente importante de la disposición no fue su cuestionable asidero legal, sino la incorporación de una nueva causal para incoar la acción de separación de bienes del todo inexistente para entonces: El mutuo consenso de los cónyuges. Por su claridad, a continuación se transcriben los planteamientos de GALLÓN GIRALDO sobre el particular:

> El mutuo consentimiento como causal de separación de bienes fue recibido con regocijo. Realmente, la acción de separación de bienes se venía ejerciendo, en gran cantidad de casos, de común acuerdo entre los esposos, quienes, para redistribuir los bienes habidos en la sociedad conyugal, en unas ocasiones; para evitar situaciones comprometedoras de uno de ellos frente a terceros, por créditos contraídos por el otro algunas veces; y muchas para disolver y liquidar la sociedad conyugal originada en un matrimonio desavenido, simulaban un juicio que entablaba uno de los cónyuges, en el cual se obtenía la sentencia previo el allanamiento del otro cónyuge y se procedía de inmediato a la correspondiente liquidación.
>
> Con el mutuo consentimiento se dio vía libre para que los cónyuges disolvieran su sociedad conyugal y la liquidaran, sin necesidad de fingir causales y de admitir la existencia de hechos supuestos[258].

Abstracción hecha de la importancia de la inclusión de la causal de mutuo acuerdo en términos de conveniencia y de los cuestionamientos jurídicos sobre el posible desbordamiento de las facultades extraordinarias por el Gobierno nacional, en el ámbito tributario esta inclusión no revistió mayores implicaciones. Aunque se trató de un notable ajuste del derecho a la realidad social del país, lo cierto es que, como lo apunta GALLÓN GIRALDO en el aparte transcrito, los cónyuges que por mutuo acuerdo habían decidido impetrar la acción judicial adecuaban su petitorio a alguna de las causales establecidas en el ordenamiento patrio. Pero al no disponer nada nuevo sobre el procedimiento, era claro que no se había sustraído del fuero de conocimiento de la jurisdicción la solicitud de separación de bienes, por lo que es dable replicar los argumentos esbozados cuando comentamos la Ley 81 de 1960:

---

lo 2º de la Ley 8ª de 1922, no atentaban contra el principio de la igualdad de los cónyuges en el matrimonio, como en verdad ocurría, el Gobierno, sin desbordar el campo de sus facultades, no podía derogar ese artículo 2º. Y sí, por el contrario, esas causas de separación generaban menoscabo del principio de la igualdad de derechos, entonces el Gobierno, después de derogado el dicho artículo 2º, no podía restablecer las causales apuntadas y mucho menos consagrar otras nuevas, como la del mutuo consenso. Por el lado que se mire, la actividad del legislador extraordinario en el punto, resulta, de todas maneras, inconstitucional. Su obrar está fuera del campo de la competencia delegada por el Congreso".

258   Cfr. CARLOS GALLÓN GIRALDO, *Separación de bienes…*, 3.

La normativa que disciplinaba para entonces la distribución de las rentas exclusivas de trabajo entre los esposos confería esa potestad a los (i) *cónyuges* que (ii) *vivieran unidos,* pero ninguna de esas dos condiciones se alteraba por el hecho de que mediara separación de bienes entre ellos. Acaso se podría proponer como argumento que el parágrafo del artículo 9º del Decreto Legislativo 2053 de 1974 sobre el *proceso de liquidación de la sociedad conyugal,* lo que daría a entender que era intención del Legislador autorizar a los *cónyuges* que *vivieran unidos* y, además, tuvieran una sociedad conyugal vigente, no disuelta mediante un "proceso" [judicial].

Pese a que es sabido que esa era la real voluntad de la ley, ciertamente parece ser una interpretación que requiere algún esfuerzo, pero conduciría a la conclusión de que no sería factible que los cónyuges separados de bienes dividieran sus rentas exclusivas de trabajo, puesto que la *separación de bienes* seguía siendo una acción judicial.

SECCIÓN VIII. LEY 1ª DE 1976: EL NACIMIENTO DEL DIVORCIO VINCULAR (O DIVORCIO PERFECTO)

I. *Delimitación de la cuestión*

Para la década de 1970, el contexto social colombiano era ya muy distinto al que precedió a la expedición del Código Civil. Ello condujo a que, en su campaña presidencial, ALFONSO LÓPEZ MICHELSEN sostuviera con ahínco la necesidad de incorporar cambios trascendentales al régimen matrimonial, particularmente incardinados a instituir, entre otros, el divorcio vincular en el ordenamiento jurídico patrio.

Sobre esas bases, el presidente LÓPEZ con posterioridad a su elección conformó la Comisión de Juristas a que se aludió en la sección VI de este capítulo y presentó al Congreso de la República, en la legislatura de 1974, tres proyectos de ley relacionados con (i) la "Igualdad de derechos y obligaciones para los varones y las mujeres", (ii) la creación de la "Jurisdicción de Familia" y (iii) la implantación del "Divorcio y Separación de Cuerpos". El primero, según se vio, fue retirado por el Gobierno nacional y, en su lugar, se le solicitó al Parlamento la expedición de una ley que revistiera al Ejecutivo de facultades extraordinarias, fruto de la cual surgieron los Decretos 2820 de 1974 y 772 de 1975. Los otros dos proyectos de ley siguieron su tránsito legislativo. En esta sección nos abocaremos al tercer proyecto, sobre divorcio y separación de cuerpos, que culminó con la promulgación de la Ley 1 de 1976.

Para comprender los títulos que enseguida se desarrollan, es menester volver sobre la definición del divorcio, acuñada por LUIS CLARO SOLAR: "[e]n su sentido más lato la palabra divorcio significa toda separación legítima del marido y de la mujer"[259]. Y no podría ser distinto, porque la expresión halla su raíz etimológica en el verbo latín *divertere*, que significa dar un giro en dirección opuesta; esto es, aplicado a los cónyuges, emprender cada uno su propio rumbo. Por la amplitud que ofrece el término divorcio se encontrará que, a lo largo de la historia, tal expresión ha subsumido diversas figuras jurídicas, que pueden abrir paso a algunas confusiones.

En Colombia, por ejemplo, el título VII del libro primero del Código Civil se intitulaba "Del divorcio, sus causas y efectos". Sin embargo, la institución jurídica que allí se regulaba no tenía la entidad de disolver el vínculo matrimonial (como hoy la conocemos), sino que tan solo emancipaba a los cónyuges de la vida en común, los autorizaba para fijar residencias separadas, sin perjuicio de que las demás obligaciones (como la de fidelidad) permanecieran incólumes; de ahí que se le conozca como *divorcio imperfecto,* aunque propiamente se denomine *divorcio quoad thorum et cohabitationem*[260].

Por su parte, como a continuación se verá, el divorcio vincular, aquel que permite extinguir el vínculo matrimonial y, consiguientemente, la inmensa mayoría de los derechos y obligaciones que de él se derivan, tuvo un breve asomo en nuestra legislación hacia 1853, pero pronto desapareció y tan solo se implantó definitivamente en el ordenamiento civil colombiano con la promulgación de la Ley 1ª de 1976. Este tipo de divorcio, también conocido como *divorcio perfecto,* difiere sustantivamente del explicado en párrafo precedente.

Debido a que ambas figuras no llegaron a coexistir en el derecho positivo legislado colombiano por más de tres años (entre 1853 y 1856), la diferenciación terminológica para delimitar los alcances y contenido de cada una de ellas quedó reservada, las más de las veces, a la doctrina y al derecho comparado. Pero con motivo de la incorporación definitiva del divorcio vincular en Colombia, en buena hora el Parlamento, inspirado sin duda en las brillantes mentes que integraron la Comisión de Juristas conformada por el presidente LÓPEZ MICHELSEN, decidió evitar confusiones y bautizar el *divorcio quoad thorum et cohabitationem* (o imperfecto) como *separación de*

---

[259] Véase a LUIS CLARO SOLAR, *Explicaciones de derecho civil chileno y comparado,* volumen I, De las personas. (Santiago de Chile: Ed. Jurídica Chile, 1978), 34.

[260] El lector se puede remitir, sobre este aspecto, al punto 1) de la subsección I de la sección I del capítulo I de esta parte.

cuerpos, en tanto que el *divorcio vincular* (o perfecto) preservó su nombre, aunque se suele aludir a él como *divorcio* a secas.

La distinción entre ambas instituciones jurídicas entraña capital importancia, a causa de los alcances que una y otra presentan. Y se hace hincapié en este aspecto, en la medida en que, pese a que la Ley 1ª de 1976 fue muy afortunada en atribuir diferentes denominaciones a cada tipo de divorcio, el ordenamiento jurídico, como es apenas normal en los regímenes codificados, preserva algunas imprecisiones que pueden desencadenar en insalvables errores. Solo para proponer un ejemplo de lo anterior, contémplese el artículo 1231 del Código Civil, que dispone lo siguiente: "artículo 1231. Tendrá derecho a la porción conyugal aun el <u>cónyuge divorciado</u>, a menos que por culpa suya haya dado ocasión al divorcio" (subrayado propio).

La preceptiva en análisis hace parte del cúmulo de artículos que disciplinan la porción conyugal en las sucesiones por causa de muerte. Una rápida lectura del texto transcrito, en el contexto actual, podría conducir a la conclusión de que quienes hayan obtenido el divorcio vincular (o perfecto), sin su culpa, se encontrarían facultados para acudir al trámite de sucesión de su antiguo cónyuge en aras de solicitar la adjudicación de la respectiva porción conyugal (si a ello hubiere lugar). Mas no es así.

Si se parte de la premisa de que el divorcio vincular extingue o disuelve el vínculo matrimonial, como en efecto ocurre, impropio sería pensar que es posible hacer alusión a un "cónyuge divorciado". Evidentemente, la condición de cónyuge se adquiere por el hecho del matrimonio. Luego si ya no hay matrimonio alguno, por haberse obtenido el divorcio vincular, mal se podría aducir la existencia de un cónyuge; habrá, a lo sumo, dos *ex*cónyuges.

Entonces, ¿cuál es el sentido de la disposición en comentario? Pues bien, el artículo 1231 del Código Civil es de aquellas normas que han permanecido incólumes desde la adopción de ese Estatuto en Colombia, en 1887. Para entonces, el divorcio vincular no se había incorporado definitivamente en la legislación, sino que así se conocía al divorcio *quoad thorum et cohabitationem* (en el contexto actual, con algunas variaciones, separación de cuerpos). Y como esa figura no extingue el vínculo matrimonial, es perfectamente lógico que se aluda a "cónyuges divorciados". Por consiguiente, quienes se encuentran facultados para acudir a una sucesión y pedir la porción conyugal respectiva serán, en Colombia, los cónyuges separados de cuerpos, siempre que tal declaratoria no se haya hecho por culpa suya. En cambio, quienes hayan obtenido el divorcio vincular, y, por tanto, ya no ostenten la calidad de cónyuges, no se encontrarán facultados para solicitar porción conyugal alguna en la sucesión de sus *exesposos*[261]. Dilucidado lo anterior, es preciso ahora continuar con el desarrollo de este cuerpo normativo.

II. Del divorcio vincular (o divorcio perfecto)

Según se advirtió, el divorcio vincular tuvo una breve aparición en Colombia hacia 1853, con la Ley del 20 de junio, pero el 8 de abril de 1856 fue del todo desestimado[262]. No fue sino hasta 1974 que principió su debate en el seno del Parlamento y en 1976, con la promulgación de la Ley 1ª, se adoptó definitivamente en el ordenamiento jurídico.

Comoquiera que hasta la expedición de la Ley 1ª de 1976 solo se autorizaba la disolución del matrimonio por la muerte de alguno de los cónyuges o la nulidad decretada judicialmente, el artículo 1º de la ley reformó el artículo 152 del Código Civil para incorporar el divorcio vincular como una de las causas de disolución del matrimonio. Al propio tiempo, el artículo 3º de la ley derogó el artículo 153 del Estatuto Civil, que precisaba que "[e]l divorcio no dis[olvía] el matrimonio, pero suspend[ía] la vida común de los casados". Obviamente, este efecto se acompasaba con la naturaleza propia del divorcio *quoad thorum et cohabitationem*, que ahora se pasaría a llamar separación de cuerpos, con algunas variaciones, por lo que se imponía su eliminación.

En cuanto hace a las causales para incoar la acción de divorcio vincular, el artículo 4º de la ley sustituyó las otrora existentes para el divorcio *quoad thorum et cohabitationem*, consagradas en el artículo 154 del Estatuto Civil, por las siguientes:

> 1º. Las relaciones sexuales extramatrimoniales de uno de los cónyuges, salvo que el demandante las haya consentido, facilitado o perdonado. Se presumen

---

[261] Esta conclusión se ratifica por lo dispuesto en el parágrafo del artículo 162 del Código Civil, tal como fue modificado por el artículo 12 de la Ley 1ª de 1976 ("Ninguno de los divorciados tendrá derecho a invocar la calidad de cónyuge sobreviviente para heredar abintestato en la sucesión del otro, ni a reclamar porción conyugal"). Simplemente se omite su referencia en el texto principal para demostrar la elevada importancia de distinguir claramente ambas figuras.

[262] Un muy profundo análisis sobre los motivos y causas que condujeron a la eliminación del régimen de divorcio vincular en nuestro país se encuentra en el texto de Rocío Serrano Gómez, intitulado "Matrimonio y divorcio durante el radicalismo liberal (1849-1885)", en *Anuario de historia regional y de las fronteras*, volumen 6, número 1. Ed. Universidad Industrial de Santander. Santander, 2001). También tratan este aspecto Valencia Zea (*Derecho...*, tomo V, 171 y 172) y Suárez Franco (*Derecho...*, 191 a 193).

las relaciones sexuales extramatrimoniales por la celebración de un nuevo matrimonio, por uno de los cónyuges, cualquiera que sea su forma y eficacia.

2º. El grave e injustificado incumplimiento por parte de alguno de los cónyuges, de sus deberes de marido o de padre y de esposa o de madre.

3º. Los ultrajes, el trato cruel y los maltratamientos de obra, si con ello peligra la salud, la integridad corporal o la vida de uno de los cónyuges, o de sus descendientes, o se hacen imposibles la paz y el sosiego domésticos.

4º. La embriaguez habitual de uno de los cónyuges.

5º. El uso habitual y compulsivo de sustancias alucinógenas o estupefacientes, salvo prescripción médica.

6º. Toda enfermedad o anormalidad grave e incurable, física o síquica de uno de los cónyuges, que ponga en peligro la salud moral o física del otro cónyuge e imposibilite la comunidad matrimonial.

7º. Toda conducta de uno de los cónyuges tendiente a corromper o pervertir al otro, o a un descendiente, o a personas que estén a su cuidado y convivan bajo el mismo techo.

8º. La separación de cuerpos decretada judicialmente que perdure más de dos años, y

9º. La condena privativa de la libertad personal, superior a cuatro años, por delito común, de uno de los cónyuges, que el juez que conozca del divorcio califique como atroz o infamante.

No nos detendremos en la explicación sustancial de cada una de las causas justificativas del divorcio vincular, pues ello comportaría una innecesaria desviación del objeto de estudio. Simplemente se debe advertir que, de la lectura de la disposición transcrita, se deduce la existencia de dos cúmulos de causales, a saber: (i) las objetivas; y (ii) las subjetivas[263].

---

[263]   Es de resaltar que en las causales previstas por la ley 1ª de 1976 no se encontraba el "mutuo consentimiento" de los cónyuges. VALENCIA ZEA (*Derecho...*, tomo V, 172), miembro de la Comisión de Juristas que redactó el proyecto que a la postre se convertiría en la Ley 1ª, sostiene, al respecto, lo siguiente: "La nueva ley representa un término medio entre las distintas concepciones de divorcio. No se contempla como causal la *repudiación* de la mujer por parte del marido, ni la declaración unilateral de uno de los cónyuges o el mutuo consentimiento de ambos. Empero, la causal 8 del art. 154 (nueva red. De la ley 1º de 1976) estatuye como causal

Llámense subjetivas aquellas que califican el actuar de uno de los cónyuges como dañoso respecto del otro; esto es, de las cuales se puede concebir que uno de los esposos es culpable de la solicitud de divorcio, en tanto que el otro se reputa inocente. Ese es el caso los ordinales 1 a 5 y 7 de la disposición transcrita. Claramente se reputa dañoso que un cónyuge sostenga relaciones sexuales extramatrimoniales, incumpla grave e injustificadamente sus deberes como tal o como padre, ultraje, trate cruelmente o maltrate de obra a su cónyuge a sus descendientes, se embriague o utilice sustancias alucinógenas o psicoactivas habitualmente o adelante conductas tendientes a corromper a su cónyuge o a su descendencia.

Por su parte, las causales objetivas son aquellas cuya configuración da lugar a solicitar el divorcio vincular, pero sin que se declare culpable al cónyuge por no resultar propiamente dañosa la conducta en relación con el otro. Así se colige de la separación de cuerpos decretada judicialmente que haya perdurado más de dos años, las condenas privativas de la libertad por delitos atroces que perduren más de cuatro años o las enfermedades o anormalidades graves e incurables, físicas o psíquicas, de alguno de los cónyuges. En efecto, la sola separación de cuerpos, que más adelante se estudiará, no implica *per se* una actuación dañosa de uno de los cónyuges respecto del otro. Tampoco sucede así con las condenas por delitos atroces, puesto que, si bien el adjetivo que empleó la ley para su calificación es de gran calado, en esta causal la conducta penalmente reprochada se ejerció contra terceros y no contra la persona del cónyuge que solicita el divorcio; de lo contrario, sería más probable que se configurara otra causal. Y no es ese el escenario de una enfermedad o anormalidad grave e incurable, física o psíquica, de alguno de los cónyuges, debido a que, aunque ese hecho condujo a que se imposibilitara el ordinario discurrir de la vida matrimonial, no es precisamente atribuible la responsabilidad a quien padece la enfermedad o anormalidad.

Esta diferenciación es de suma importancia, por los siguientes motivos:

---

de divorcio la separación de cuerpos decretada judicialmente que haya durado más de dos años; y el art. 165 (nueva red.) contempla como causal de separación de cuerpos el mutuo consentimiento manifestado ante juez competente". Es evidente que lo pretendido era arribar a un equilibrio entre quienes reclamaban la institución del divorcio vincular en el ordenamiento colombiano y quienes se oponían por completo a la disolución del vínculo matrimonial por causa distinta a la muerte de alguno de los consortes o la declaratoria judicial de nulidad.

En primer lugar, el artículo 6° de la ley subrogó el artículo 156 del Código Civil y dispuso que "el divorcio sólo podrá ser demandado por el cónyuge que no haya dado lugar a los hechos que lo motivan". De manera que, sin ambages, se puede afirmar que el culpable, si lo hay (por ejemplo, quien sostuvo una relación sexual extramatrimonial), así no desee permanecer unido en matrimonio, se encuentra imposibilitado para demandar el divorcio. En cambio, cuando se trate de causales objetivas, cualquiera de los dos se encuentra facultado para interponer la demanda respectiva.

En segundo lugar, en virtud de lo previsto por el artículo 12 de la ley, modificatorio del artículo 156 del Código Civil, "el cónyuge inocente podrá revocar las donaciones que por causa de matrimonio hubiere dado al cónyuge culpable". Resulta evidente que ello solo puede ocurrir en tratándose de la configuración de causales subjetivas, porque, se reitera, en las objetivas no habría lugar a declaratorias de cónyuges culpables o inocentes.

Y, en tercer lugar, el artículo 23 de la ley sustituyó el ordinal 4° del artículo 411 del Código Civil, según el cual se deben alimentos, "[a] cargo del cónyuge culpable, al cónyuge divorciado o separado de cuerpos sin su culpa". Aunque incurrió el legislador en un error de técnica legislativa al aludir a los "cónyuges divorciados", según se expuso en el título que antecede, lo verdaderamente importante es que, nuevamente, en este escenario se requiere la configuración de una causal subjetiva.

Finalmente, el artículo 10° de la ley modificó el artículo 160 del Código Civil y precisó que,

> [e]jecutoriada la sentencia en que se decrete el divorcio, quedan disueltos el vínculo matrimonial y la sociedad conyugal, pero subsisten los derechos y deberes de los divorciados respecto de los hijos comunes y, según el caso, los derechos y deberes alimentarios de los cónyuges entre sí, de acuerdo con las reglas establecidas en el Título XXI del Libro I del Código Civil.

Parecería obvio que, si la sociedad conyugal nace por el hecho del matrimonio, como efecto patrimonial de él, al operar la disolución del matrimonio aquélla debería correr la misma suerte. Empero, el legislador quiso ser suficientemente claro en este aspecto y reiteró que esa sería una de las consecuencias de la obtención del divorcio vincular, pero con la correlativa salvedad de que la cesación de las relaciones de pareja no implicaba de suyo la extinción de los derechos y deberes que cada uno de los cónyuges tenía respecto de sus hijos comunes.

Sobra aclarar, por supuesto, que la figura del divorcio vincular quedó instituida, en forma restrictiva, para los matrimonios civiles que tuvieren validez en Colombia; esto es, los matrimonios celebrados al amparo de la normativa católica preservaban su característica de indisolubilidad y, consiguientemente, respecto de ellos no era susceptible el decreto de divorcio vincular.

No trataremos aquí el extenso recuento sobre las leyes que disciplinaron el régimen matrimonial en la historia colombiana[264]. Baste decir que, en la época de la Regeneración, cuando dejaron de soplar los vientos federalistas que habían tenido apogeo desde 1853 y se adoptó el modelo de República Unitaria, Colombia celebró su primer Concordato con la Santa Sede. En ese Convenio, incorporado a nuestra legislación mediante la Ley 35 de 1888, se acordó lo siguiente: (i) en el artículo 17 se estableció que los matrimonios entre católicos, celebrados bajo los lineamientos del Concilio de Trento por el rito católico, producirían plenos efectos civiles; y (ii) en el artículo 19 se reservó al resorte de la autoridad eclesiástica el conocimiento de todas las causas que afectaran el vínculo matrimonial y la cohabitación de los cónyuges. Por consiguiente, el matrimonio regulado en el Código Civil colombiano quedó relegado exclusivamente para quienes no fueran católicos, que representaban un número minoritario de ciudadanos. Lo anterior se reforzó mediante la expedición de la Ley Concha (24 de 1924), según la cual el matrimonio disciplinado por el Estatuto Civil sería también aplicable a quienes apostataran.

Más adelante, el 12 de julio de 1973 se suscribió, entre Colombia y la Santa Sede, un segundo Concordato, que sería incorporado a la legislación doméstica mediante la Ley 20 de 1974. En su texto se dispuso que los matrimonios celebrados de conformidad con las normas de Derecho Canónico surtirían plenos efectos civiles (artículo VII), que las causas relativas "a la nulidad o a la disolución del vínculo de los matrimonios canónicos, incluidas las que se refieren a la dispensa del matrimonio rato y no consumado, [serían] de competencia exclusiva de los Tribunales Eclesiásticos y Congregaciones de la Sede Apostólica" (artículo VIII), añadió que

> [l]as decisiones y sentencias de éstas [las autoridades eclesiásticas], cuando sean firmes y ejecutivas, conforme al derecho canónico, serán transmitidas al Tribunal Superior del Distrito Judicial territorialmente competente, el cual decretará su ejecución en cuanto a efectos civiles y ordenará su inscripción en el registro civil.

---

[264] Sobre el particular, véanse a CARLOS GALLÓN GIRALDO. *Divorcio...*, 43 a 70; y a ROBERTO SUÁREZ FRANCO. *Derecho...*, 64 a 78.

Expresamente se derogó la ley Concha (artículo 2º). Así pues, como efectos del nuevo Concordato, y de su ley aprobatoria, se coligen los siguientes: (i) se eliminó el requisito de apostatar de su religión para que los católicos pudieran contraer nupcias por el rito civil; y (ii) las decisiones sobre nulidad o disolución del vínculo matrimonial canónico siguió reservada a las autoridades eclesiásticas, pero para que surtieran efecto alguno los tribunales superiores del distrito judicial tenían que decretar su ejecución. En suma, gracias a la celebración del Concordato de 1973 fue posible que en Colombia se promulgara la Ley 1ª de 1976, pero obviamente el divorcio vincular quedaba estrictamente restringido para quienes hubieran celebrado matrimonios civiles.

III. Del divorcio quoad thorum et cohabitationem (o imperfecto) a la separación de cuerpos

Hemos precisado que nuestro ordenamiento jurídico únicamente conoció, salvo un pequeño lapso, el divorcio *quoad thorum et cohabitationem*. Su regulación original, como la mayoría de las normas relativas a los aspectos familiares, resultaba fundamentalmente odiosa y discriminatoria, pues ubicaba a la mujer en un abierto plano de desigualdad. Para confirmarlo, basta citar la primera redacción del artículo 154 del Código Civil, que consagraba las causales para impetrar la acción de divorcio *quoad thorum et cohabitationem*:

Artículo 154. Son causas de divorcio:

1ª) El adulterio de la mujer;

2ª) El amancebamiento del marido;

3ª) La embriaguez habitual de uno de los cónyuges;

4ª) El absoluto abandono en la mujer de los deberes de esposa y de madre, y el absoluto abandono del marido en el cumplimiento de los deberes de esposo y de padre;

5ª) Los ultrajes, el trato cruel y los maltratamientos de obra, si con ellos peligra la vida de los cónyuges, o se hacen imposibles la paz y el sosiego domésticos.

Nótese cómo la norma subrepticiamente autorizaba al marido para sostener relaciones adulterinas sin que se pudiera considerar la configuración del amancebamiento, con lo cual la mujer quedaba impedida para impetrar la acción correspondiente, en tanto que la sola infidelidad de la mujer sí abría paso para que el marido intentara el divorcio *quoad thorum et cohabitationem*[265]. Y otro tanto se aprecia en la redacción original del artículo 163, *ibidem*, que sentenciaba a la mujer que hubiera dado lugar al divorcio por la causal de adulterio a perder la totalidad de los gananciales que resultaran de la liquidación de la sociedad conyugal, mientras que se echa de ver disposición semejante en relación con el marido[266].

Una regulación como la descrita era del todo incompatible con los vientos reformatorios que soplaban en Colombia, en virtud de los cuales se había logrado la expedición normas como el Estatuto de la Igualdad. Por tal motivo, no cabía duda de la necesidad de replantear y actualizar la normativa que disciplinaba esta figura jurídica en nuestro país.

Sin embargo, más allá de la actualización legislativa que sufrió el divorcio *quoad thorum et cohabitationem*, parecería exagerado afirmar su desaparición del ordenamiento jurídico desde la expedición de la Ley 1 de 1976, solo porque nominalmente no figura en parte alguna de ese compendio normativo. En efecto, un cuidadoso análisis de la disposición parece indicar que lo que realmente ocurrió fue que el divorcio *quoad thorum et cohabitationem* fue rebautizado como separación de cuerpos en el derecho positivo legislado, con algunas variaciones.

Alguna parte de la doctrina ha sostenido que la equiparación o igualación del divorcio *quoad thorum et cohabitationem* y la separación de cuerpos no es exacta[267] y, a decir verdad, no lo es. Mas resulta irrefutable que, al menos en una importante proporción de sus rasgos principales, ambas figuran guardan estrecha identidad. Es por ello por lo que la mayor parte de la doctrina[268] —e

---

[265] Es de advertir, en todo caso, que el artículo 4º del Estatuto de la Igualdad modificó las primeras dos causales para referirse, en forma global, a las relaciones sexuales extramatrimoniales de cualquiera de los cónyuges.

[266] Decía el artículo en su versión original: "Artículo 163. Si la mujer hubiere dado causa al divorcio por adulterio, perderá todo derecho a los gananciales, y el marido tendrá la administración y el usufructo de los bienes de ella, excepto aquellos que la mujer administre como cosa separada de bienes y los que adquiera a cualquier título después del divorcio".

[267] Cfr. Jorge Parra Benítez. *Derecho…*, 310 y 311.

[268] Suárez Franco (*Derecho…*, 188 y 189) señala que el sistema de la indisolubilidad del matrimonio con simple separación de cuerpos "fue el (…) acogido por nuestro Código Civil". Carmen Diana Deere y Magdalena León ("El liberalismo y los derechos de propiedad de las mujeres casadas en el siglo XIX en América Latina", en *¿Ruptura e inequidad?: Propiedad y género en la América Latina del siglo XIX*. (Bogotá: Ed. Siglo del Hombre, 2005), 37) denominan "divorcio eclesiástico", a lo largo de

inclusive la propia Corte Suprema de Justicia[269]— ha sostenido que, en el Derecho Común colombiano, hubo tan solo una variación en el nombre del divorcio *quoad thorum et cohabitationem* por el de separación de cuerpos. Para facilitar la comprensión de ambas posturas, veamos, pues, las modificaciones introducidas por la Ley 1 de 1976 al ordenamiento nacional.

1. Reorganización de la estructura del Código Civil

Como es apenas natural, debido a la coexistencia del divorcio vincular y la separación de cuerpos en el nuevo estado normativo, el artículo 2 de la ley cambió el nombre del título VII del libro primero del Código Civil al siguiente: "Del divorcio y la separación de cuerpos, sus causas y efectos". A su turno, el artículo 15, *ibidem,* incorporó un parágrafo que precediera al artículo 165 del Estatuto Civil, intitulado "De la separación de cuerpos".

---

su texto, a la separación de cuerpos. JOSEFINA AMÉZQUITA DE ALMEIDA (*Lecciones de derecho de familia.* (Bogotá: Ed. Temis, 1980), 296 y *La mujer…*, 17) indica que, "antes de expedirse la Ley 1ª de 1976, el contrato de Matrimonio no terminaba ni se disolvía sino con la muerte de uno de los cónyuges. Es de advertir que en el Código Civil se contemplaba la figura del Divorcio para el Matrimonio Civil. Sin embargo, no se hacía alusión, en ese Estatuto, al divorcio Perfecto o Vincular, sino al Imperfecto o Simple Separación de Cuerpos". PAOLA MARGARITA RUIZ MANOTAS, "El divorcio en Colombia y su relación con el posicionamiento social de la mujer" (tesis de magister, universidad del norte, 2017), 118) explica que, "[a] pesar de los cambios que venían dándose en la legislación, el matrimonio para esta época [antes de la promulgación de la ley 1 de 1976] permanecía indisoluble y la palabra divorcio (…) solo hacía referencia a la separación de cuerpos". MAURICIO BOCANUMENT-ARBELÁEZ ("Estructuras de familia en Colombia: tensiones entre el reconocimiento y la exclusión". (Tesis para optar por el título de Doctor, Universidad de Medellín, 2017) es consistente en intercambiar las expresiones "divorcio" y "separación de cuerpos", cuando alude a las figuras jurídicas existentes con anterioridad a la promulgación de la ley 1 de 1976. Y, finalmente, VALENCIA ZEA (*Derecho…*, tomo V, 172) indica con total claridad: "Dicha ley [se refiere a la ley 1 de 1976] da nombres claros al divorcio y a la separación de cuerpos. El primero, es el que antiguamente era necesario caracterizar con la expresión de *divorcio vincular;* la *separación de cuerpos* se denominará en el futuro con ese nombre y remplaza la palabra *divorcio* [se refiere al *quoad thorum et cohabitationem*], que antes empleaba el Código Civil".

[269] En Sentencia del 14 de febrero de 1977, G.J. CLV, parte 1, 50, la Sala de Casación Civil de la Corte Suprema de Justicia sostuvo lo siguiente: "El llamado divorcio en el Código Civil, antes de la reforma efectuada por la Ley 1ª de 1976, equivalía a la separación de cuerpos que no tenía la virtud de disolver el vínculo matrimonial".

2. Causales

También el artículo 15 de la ley modificó el artículo 165 del Código Civil, en el cual consagró como causales para solicitar la separación de cuerpos: (i) las contempladas en el artículo 154 del Código Civil; y (ii) el mutuo consentimiento de los cónyuges, expresado ante juez competente.

Según se explicó, el artículo 154 aglutinó, por disposición del artículo 4° de la Ley 1ª de 1976, las causales para impetrar el divorcio vincular. Ello significa que, con motivo de lo previsto por la ley en comentario, hubo una identidad plena entre las causales para solicitar el divorcio vincular y la separación de cuerpos, lo que *prima facie* conduciría a pensar que no había motivos para preservar ambas figuras en el ordenamiento jurídico, si los hechos que autorizaban su solicitud eran iguales. Empero, la diferencia entre ambas estribó en el mandato del artículo 5° de la Ley 1 de 1976, modificatorio del artículo 155 del Estatuto Civil, según el cual el juez solo podía decretar el divorcio vincular "cuando los hechos constitutivos de la causal probada [hubieran] producido un desquiciamiento profundo de la comunidad matrimonial de tal gravedad que no [fuera] posible esperar el restablecimiento de la unidad de vida de los casados"[270].

Sobre esas bases, era función privativa del juez de conocimiento determinar los casos en lo que se hacía procedente la extinción del vínculo conyugal, o no, incluso a despecho del querer de los consortes. Y si por cualquiera causa la autoridad judicial encontraba que era "moralmente no justificado" el petitorio, "en atención al interés de los hijos menores, a la antigüedad del matrimonio y a la edad de los cónyuges", podía proceder con el rechazo. Expresado, en otros términos, el divorcio vincular quedó reservado para casos excepcionales, y obviamente respecto de matrimonios civiles —pues los católicos se guiaban por las normas del derecho canónico—, como *ultima ratio*, en tanto que los demás eventos se podían solventar por la vía transitoria de la separación de cuerpos.

En ese sentido, cobra plena lógica que también se adicionara el mutuo acuerdo de los cónyuges como causal para solicitar la separación de cuer-

---

[270] Para VALENCIA ZEA (*Derecho* ..., 206), miembro de la Comisión de Juristas que preparó el proyecto que se convertiría en ley 1ª de 1976, fue desafortunado que el Congreso aprobara causales idénticas para el divorcio y la separación de cuerpos. "Sin duda —decía—, las causales de separación de cuerpos y de divorcio han debido ser diferentes en el sentido de hacer más estrictas y limitativas las del divorcio y más amplias y fáciles las de separación".

pos. Evidentemente, su filosofía era la de conferir a los cónyuges un alivio temporal que pudiera cimentar la reconciliación de sus desavenencias o decidir definitivamente, luego de transcurridos dos años, que era necesario disolver el vínculo matrimonial.

Vista la figura como un remedio, dice al respecto STELLA BURBANO: "Desde este punto de vista reviste trascendental importancia este negocio jurídico [SIC], porque puede constituir una terapia a los conflictos conyugales, ya que con toda propiedad se puede predicar aquí el aforismo: 'después de la tempestad viene la calma'"[271].

Por oposición, analizada la separación de cuerpos como la antesala para el decreto del divorcio, se puede decir que el mutuo consentimiento coadyuvaba a parejas cuya vida marital ya había culminado, pero que no tenían otra alternativa que permanecer unidos por la imposibilidad de quebrar su vínculo conyugal. Tanto más si se repara en las amplias facultades discrecionales que el artículo 155 del Código Civil, en su nueva redacción, confería a los jueces respecto de la declaratoria del divorcio vincular. Entonces, bastaba con la solicitud de que se decretara la separación de cuerpos por mutuo acuerdo y esperar el transcurso de dos años para incoar la correspondiente acción de divorcio. Decía, al respecto, VALENCIA ZEA:

> La separación judicial de cuerpos es de gran importancia para el derecho colombiano, por varios motivos (...) En segundo término, los casados civilmente bien pueden recurrir a la separación de cuerpos como etapa preparatoria del divorcio, ya que conforme a la causal 8ª del art. 154, puede pedirse el divorcio cuando la separación de cuerpos decretada judicialmente ha durado más de dos años[272].

Y en cuanto hace a la comparación de las figuras del divorcio *quoad thorum et cohabitationem* y de separación de cuerpos, son completamente diferentes las causales enquistadas en la versión original del artículo 154 del Estatuto Civil (para el divorcio *quoad thorum et cohabitationem*) y las contenidas en el artículo 165, *ibidem*, luego de la modificación por la Ley 1 de 1976 (para la separación de cuerpos). Obviamente, esa afirmación halla su explicación en la modernización y actualización de las normas que disciplinan la figura, pero de ello no se deriva que la separación de cuerpos carezca de identidad con el divorcio *quoad thorum et cohabitationem*.

---

[271] STELLA BURBANO DE GARCÍA. *Matrimonio, divorcio y separación de cuerpos*. (Bogotá: Ed. Librería Wilches, 1978), 71.
[272] ARTURO VALENCIA ZEA, *Derecho...*, 206.

3. Tipologías

El artículo 16 de la Ley 1 de 1976 subrogó el artículo 166 del Código Civil y estatuyó que la separación de cuerpos por mutuo acuerdo podía ser "temporal" o "indefinida". En el primer caso, la duración del decreto judicial de separación de cuerpos sería de máximo un año, cumplido después del cual los cónyuges se reputarían reconciliados, salvo que éstos solicitaran al juez que se variara la medida a definitiva o que se prorrogara la vigencia de la separación. El segundo caso sería la regla general, cuandoquiera que los cónyuges no expresaran intención distinta. Esta norma continúa vigente en el ordenamiento jurídico colombiano.

Este es uno de los aspectos que en mayor grado podría incidir para diferenciar la separación de cuerpos y el divorcio *quoad thorum et cohabitationem*, a saber:

En la regulación original del Código Civil se echa de menos distinción alguna entre los tipos de divorcio *quoad thorum et cohabitationem*. Acaso aisladamente el ordinal 3° del artículo 1820 podría sugerir su existencia, cuando advertía que la sociedad conyugal se disolvía por sentencia de divorcio *perpetuo*. Pero lo cierto es que la ausencia absoluta de texto legal que permitiera identificar diferencias entre el divorcio *perpetuo* y el *temporal* hacía imposible la aplicación de una figura diferente. Por ello, con mucha agudeza sentenció lapidariamente JOSÉ J. GÓMEZ R. que, en la versión original de nuestro Código Civil, "el adjetivo [*perpetuo*, del artículo 1820, ordinal. 3°,] sobra y únicamente se debe a algunos antecedentes de la legislación civil colombiana y no a sus normas"[273]. A decir verdad, y por mucho que se esfuerce la hermenéutica en arribar a conclusión distinta, el Estatuto Civil colombiano solamente consagró un tipo de divorcio *quoad thorum et cohabitationem*.

Siendo ello así, entonces es menester preguntar ¿por qué se incluyó el adjetivo *perpetuo* en el artículo 1820 del Código Civil? La respuesta necesariamente halla su origen en el derecho canónico:

Como lo explican MARCEL PLANIOL, GEORGES RIPERT y JEAN BOULANGER[274], hubo varios padres de la Iglesia, entre los cuales cabe destacar a TERTULIANO, que autorizaron el divorcio vincular en los matrimonios ca-

---

[273] JOSÉ J. GÓMEZ. R, *Régimen de bienes en el matrimonio*, tercera edición. (Bogotá: Ed. Temis, 1961), 184.

[274] MARCEL PLANIOL, GEORGES RIPERT y JEAN BOULANGER, *Traité...*, núm. 1018.

tólicos por causa del adulterio[275], con sustento en los pasajes bíblicos del *Deuteronomio* (24:1-4)[276] y el Evangelio según SAN MATEO (5:31-32)[277]. No fue sino hasta el Concilio de Trento (1545 a 1563), específicamente en su Vigésima Cuarta Sesión, cuando la Iglesia Católica aprobó algunos *cánones sobre el sacramento del matrimonio* y se unificó su doctrina en torno a la *indisolubilidad* del vínculo. Dice el séptimo canon aprobado:

> Si alguien dice que la Iglesia erra, cuando ha enseñado y enseña, de acuerdo con la doctrina apostólica y evangélica, que el vínculo matrimonial no puede ser disuelto por causa del adulterio de un cónyuge, y que ningún cónyuge, ni siquiera aquel que es inocente y no ha dado causa para el adulterio, puede contraer otro matrimonio mientras su consorte viva, y que comete adulterio el hombre que repudie a su mujer adúltera y se case con otra, y también comete adulterio la mujer que repudie a su marido adúltero y se case con otro, dejadlo ser anatema[278].

---

[275] En una interpretación más amplia, FÉLIX TORRES AMAT (Obispo de Astorga, Individuo de la Real Academia Española, de la Sociedad de Geografía de París, de la Real Academia Española de la Historia y de la Real Sociedad de Antiguedades de Copenhague) sostiene, en sus anotaciones a la *Sagrada Biblia*, que del pasaje del *Deuteronomio*, último de los libros escritos por MOISÉS, "infieren algunos expositores que MOISÉS toleró el divorcio únicamente por razón de adulterio, u otras causas de que pudiere provenir daño a los hijos o infamia al marido; como por ejemplo si la mujer se cubría de lepra, o padecía otro mal pegadizo, si se dejaba tomar del vino, etc." (*Sagrada Biblia*. Traducida de la vulgata latina al español, aclarado el sentido de algunos lugares con la luz que dan los textos originales hebreo y griego e ilustrada con varias notas sacadas de los Santos Padres y Expositores Sagrados por Félix Torres Amat. Ed. Sopena Argentina S.A.C.I. e I. Charlotte, 1959, 211, pie de página 205).

[276] Se lee en la *Sagrada Biblia* (Traducida de la vulgata latina al español, aclarado el sentido de algunos lugares con la luz que dan los textos originales hebreo y griego e ilustrada con varias notas sacadas de los Santos Padres y Expositores Sagrados por FÉLIX TORRES AMAT, 211): "1. Si un hombre toma una mujer, y después de haber cohabitado con ella, viniere a ser mal vista de él por algún vicio notable, hará una escritura de repudio, y la pondrá en mano de la mujer, y la despedirá de su casa. 2. Si después de haber salido toma otro marido, 3. y éste también concibiere aversión a ella, y la diere escritura de repudio, y la despidiere de su casa, o bien si él viene a morir; 4. no podrá el primer marido volverla a tomar por mujer; pues quedó amancillada y hecha abominable delante del Señor; no sufras que con un tal pecado sea contaminada la tierra, cuya posesión te ha de dar el Señor Dios tuyo".

[277] Se lee en la *Sagrada Biblia* (1113): "31. Hase dicho: Cualquiera que despidiere a su mujer, déle libelo de repudio; 32. pero yo os digo, que cualquiera que despidiere a su mujer, si no es por causa de adulterio, la expone a ser adúltera; y el que se casare con la repudiada, es asimismo adúltero".

[278] La anterior es una traducción libre. Su versión original en latín reza: "*si quis dixerit, ecclesiam errare, cum docuit et docet, iuxta evangelicam et apostolicam doctrinam, propter*

La característica de la *indisolubilidad*, que en últimas se explica por la naturaleza *sacramental* de la institución matrimonial reafirmada también en el Concilio de Trento[279], fue recogida por el canon 1013 del primer *Codex Iu-*

---

adulterium alterius coniugum matrimonii vinculum non posse dissolvi, et utrumque, vel etiam innocentem, qui causam adulterio non dedit, non posse, altero coniuge vivente, aliud matrimonium contrahere, moecharique eum, qui dimissa adultera aliam duxerit, et eam, quae dimisso adultero alii nupserit, anathema sit". En inglés, resulta muy apropiada la traducción que CHRISTIAN BRUGGER propone en su obra *The indissolubility of marriage and the Council of Trent* (Washington: Ed. The Catholic University of America Press, 2017),120: "*If anyone says the church errs, when she has taught and teaches, in accordance with the evangelical and apostolic doctrine, that the bond of marriage cannot be dissolved on account of the adultery of a spouse, and that neither spouse, even one who is innocent and gave no cause for the adultery, can contract another marriage while the other spouse is living, and that he commits adultery who dismisses an adulterous wife and marries another, and she commits adultery who dismisses an adulterous husband and marries another, let him be anathema*". Para la totalidad de cánones sobre el matrimonio aprobados en el Concilio, el lector puede acudir a REGINALDUS THOMAS FOSTER y DANIEL PATRICK MCCARTHY. *The mere bones of Latin according to the thought and system of Reginald.* (Washington: Ed. The Catholic University of America Press, 2015), 716 y ss.

[279] Así lo confirma, con claridad meridiana, la exhortación apostólica *Familiaris Consortium*, proclamada por el Papa SAN JUAN PABLO II el 22 de noviembre de 1981: "13. La comunión entre Dios y los hombres halla su cumplimiento definitivo en Cristo Jesús, el Esposo que ama y se da como Salvador de la humanidad, uniéndola así como su cuerpo. Él revela la verdad original del matrimonio, la verdad del «principio» y, liberando al hombre de la dureza del corazón, lo hace capaz de realizarla plenamente. Esta revelación alcanza su plenitud definitiva en el don de amor que el Verbo de Dios hace a la humanidad asumiendo la naturaleza humana, y en el sacrificio que Jesucristo hace de sí mismo en la cruz por su Esposa, la Iglesia. En este sacrificio se desvela enteramente el designio que Dios ha impreso en la humanidad del hombre y de la mujer desde su creación; el matrimonio de los bautizados se convierte así en el símbolo real de la nueva y eterna Alianza, sancionada con la sangre de Cristo. El Espíritu que infunde el Señor renueva el corazón y hace al hombre y a la mujer capaces de amarse como Cristo nos amó. (...) En una página justamente famosa, Tertuliano ha expresado acertadamente la grandeza y belleza de esta vida conyugal en Cristo: «¿Cómo lograré exponer la felicidad de ese matrimonio que la Iglesia favorece, que la ofrenda eucarística refuerza, que la bendición sella, que los ángeles anuncian y que el Padre ratifica?... ¡Qué yugo el de los dos fieles unidos en una sola esperanza, en un solo propósito, en una sola observancia, en una sola servidumbre! Ambos son hermanos y los dos sirven juntos; no hay división ni en la carne ni en el espíritu. Al contrario, son verdaderamente dos en una sola carne y donde la carne es única, único es el espíritu». La Iglesia, acogiendo y meditando fielmente la Palabra de Dios, ha enseñado solemnemente y enseña que el matrimonio de los bautizados es uno de los siete sacramentos de la Nueva Alianza. En efecto, mediante el bautismo, el

ris Canonici (Código de Derecho Canónico), en 1917, gestado bajo la égida del PAPA SAN PÍO X y promulgado durante el papado de BENEDICTO XV, al disponer que "[l]as propiedades esenciales del matrimonio son la unidad y la indisolubilidad, que obtienen una solidez especial en el matrimonio cristiano por razón del sacramento"[280]. A su turno, el canon 1118 señalaba que "[e]l matrimonio rato y consumado no puede ser disuelto por ningún poder humano, ni por ninguna causa fuera de la muerte"[281]. Posteriormente, ambas disposiciones se calcaron en los cánones 1056 y 1141 del segundo *Codex Iuris Canonici* (Código de Derecho Canónico), de 1983, promulgado por el PAPA SAN JUAN PABLO II.

Comoquiera que se llama *rato* al matrimonio <u>válido</u> entre bautizados que aún no ha sido consumado, y *rato y consumado* a aquel en el cual ya tuvo lugar el débito conyugal (canon 1015 del *Codex Iuris Canonici* de 1917 y canon 1061 del *Codex Iuris Canonici* de 1983), que se presume por la cohabitación, sencillo es concluir que el vínculo matrimonial solo se puede extinguir por la muerte o por la declaratoria de nulidad (*invalidez*). No nos detendremos aquí en el *privilegio paulino*, reglado en los cánones 1120 del *Codex Iuris Canonici* de 1917 y 1143 y siguientes del *Codex Iuris Canonici*

---

hombre y la mujer son insertados definitivamente en la Nueva y Eterna Alianza, en la Alianza esponsal de Cristo con la Iglesia. Y debido a esta inserción indestructible, la comunidad íntima de vida y de amor conyugal, fundada por el Creador, es elevada y asumida en la caridad esponsal de Cristo, sostenida y enriquecida por su fuerza redentora. En virtud de la sacramentalidad de su matrimonio, los esposos quedan vinculados uno a otro de la manera más profundamente indisoluble. Su recíproca pertenencia es representación real, mediante el signo sacramental, de la misma relación de Cristo con la Iglesia. Los esposos son por tanto el recuerdo permanente, para la Iglesia, de lo que acaeció en la cruz; son el uno para el otro y para los hijos, testigos de la salvación, de la que el sacramento les hace partícipes. (…) El contenido de la participación en la vida de Cristo es también específico: el amor conyugal comporta una totalidad en la que entran todos los elementos de la persona —reclamo del cuerpo y del instinto, fuerza del sentimiento y de la afectividad, aspiración del espíritu y de la voluntad—; mira a una unidad profundamente personal que, más allá de la unión en una sola carne, conduce a no hacer más que un solo corazón y una sola alma; exige la indisolubilidad y fidelidad de la donación recíproca definitiva y se abre a la fecundidad".

[280] La anterior es una traducción libre. En su versión original, el segundo apartado del canon 1013 señala: "*Essentiales matrimonii proprietates sunt unitas ac indissolubilitas, quae in matrimonio christiano peculiarem obtinent firmitatem ratione sacramenti*".

[281] La anterior es una traducción libre. En su versión original, el canon 1118 precisa: "*Matrimonium validum ratum et consummatum nulla humana potestate nullaque causa, praeterquam morte, dissolvi potest*".

de 1983, ni tampoco a la posible disolución del matrimonio *rato* que no se haya consumado (cánones 1119 del *Codex Iuris Canonici* de 1917 y 1142 del *Codex Iuris Canonici* de 1983), porque implicaría una extremada desviación del propósito de este breve recuento.

Ante el panorama anteriormente descrito, en línea con lo planteado por NICOLÁS ÁLVAREZ DE LAS ASTURIAS al comentar la indisolubilidad del matrimonio concebida en el DECRETUM GRATIANI (de mediados del Siglo XII), "[l]as posibles soluciones [para remediar los vínculos conyugales lacerados] deberán moverse, pues, en el terreno de la separación, pero nunca en el de la disolución del vínculo"[282]. Y en efecto así ocurrió, pues los cánones 1128 del *Codex Iuris Canonici* de 1917 y 1151 del *Codex Iuris Canonici* de 1983 se encuentran precedidos del título "*De separatione tori, mensae et habitationis*", que en español traduce: "De la separación de lecho, mesa y habitación". Expresado, en otros términos: la emancipación de la vida en común con permanencia del vínculo matrimonial.

A su turno, esa separación puede ser *perpetua* o *temporal,* según la falta que la origine. En caso del acontecimiento de una relación adulterina, el cónyuge inocente quedará facultado para solicitar que la autoridad eclesiástica decrete la separación *perpetua,* salvo que consienta o contribuya a la comisión de la conducta reprochable (cfr. cánones 1129 del *Codex Iuris Canonici* de 1917 y 1152 del *Codex Iuris Canonici* de 1983). Es lógico que se haya fijado esta causa como suficiente para la separación *perpetua,* puesto que una parte de la doctrina eclesiástica incluso llegó a sostener que, de acuerdo con la *Biblia,* era en esos casos procedente el divorcio vincular. En cambio, cuandoquiera que se acredite otro hecho distinto, de gran gravedad, que ponga a la contraparte o a su descendencia en peligro corporal o espiritual, también se podrá solicitar la separación, pero una vez cese la causa que le dio origen se deberá restituir la vida conyugal (cfr. cánones 1131 del *Codex Iuris Canonici* de 1917 y 1153 del *Codex Iuris Canonici* de 1983); esto es, en tales casos el divorcio será solo *temporal.*

Ahora bien, estudiada la regulación canónica, es preciso recordar que la propuesta de Estatuto Civil formulada por ANDRÉS BELLO abrevó en múltiples ordenamientos, pero específicamente en lo tocante al régimen ma-

---

[282] NICOLÁS ÁLVAREZ DE LAS ASTURIAS, "El Concilio de Trento y la indisolubilidad del matrimonio: reflexiones hermenéuticas acerca del alcance de su doctrina", *Revista Española de Teología,* volumen 75, 2015, 15-41.

trimonial su fuente primaria de inspiración fue la legislación castellana[283].

---

[283] Así lo puntualiza HERNÁN CORRAL TALCIANI: "Si echamos una rápida mirada a la regulación de la familia en el Código Civil de Bello, podemos advertir que en esta materia, como en otras, el codificador hizo una síntesis entre la legislación castellana vigente y la concepción del matrimonio institucional y burgués establecido por el Código napoleónico. No siguió al Código francés, sino al Derecho vigente al mantener la remisión a las normas canónicas en todo lo referido a los requisitos, celebración, nulidad y disolución del matrimonio. Tampoco lo siguió al rechazar el divorcio vincular y establecer el matrimonio como un contrato que se celebra por toda la vida de los cónyuges. El Código francés no fue el modelo seguido en materia de regímenes de bienes. El Código Civil chileno, al establecer como régimen único y legal el de la sociedad conyugal, simplificó y clarificó las normas que ya se aplicaban en Chile del derecho castellano". ("La familia en los 150 años del Código Civil Chileno", *Revista Chilena de Derecho*, volumen 32, número 3, 2005, 429 a 438). Si bien la postura de TALCIANI es preponderantemente correcta, importa anotar que la legislación francesa conoció el divorcio vincular desde la promulgación de la Ley del 20 de septiembre de 1872 (Cfr. JACQUELINE RUBELLIN DEVICHI. *Droit de la famille*. Obra colectiva dirigida por JACQUELINE RUBELLIN DEVICHI. (París: Ed. Dalloz, 1996), 99) y así se mantuvo en el título V del *Code* napoleónico de 1804, pero la Ley del 8 de mayo de 1816 suprimió la figura del divorcio vincular del *Code* y esa situación se mantendría hasta la expedición de la Ley del 27 de julio de 1884. En cuanto a la separación de cuerpos, según lo relatan los hermanos MAZEAUD, "quebrada por la institución del divorcio, la separación de cuerpos fue suprimida [por la ley del 20 de septiembre de 1872], a fin de obligar a los católicos al divorcio". (HENRI, LEON y JEAN MAZEAUD. *Leçons...*, 56). El régimen de separación de cuerpos no se reincorporaría sino hasta la expedición del *Code* de 1804, en sus modalidades de perpetuo —cuando mediara adulterio— o temporal —en los demás casos— (En mayor detalle, KARL SALOMO ZACHARIÆ. *Le droit civil français*, tomo I, quinta edición. (París: Ed. Auguste Durand Libraire, 1854), 276). Posteriormente, la Ley del 6 de febrero de 1893 modificó todo el régimen relativo a la separación de cuerpos (véase, al respecto, a LOUIS THIÉNOT. *Rapport sur la loi du 6 février 1893 relative au régime de la séparation de corps*. (París: Ed. Cotillon, 1893). En ese sentido, sería importante observar que el proyecto de Código Civil se puso en conocimiento del Congreso chileno por ANDRÉS BELLO en 1853. Ello significa, sin perjuicio de los años de estudio, revisión y preparación que tomó su ordenación, que para la época de su elaboración ya había desaparecido de la legislación francesa la institución del divorcio vincular, por lo que no se podría decir que la negativa a incorporar esa figura jurídica en el proyecto que, luego de discusiones y enmiendas, fue promulgado como Código Civil chileno, en 1855, constituye clara muestra de que BELLO era partidario de preservar el ordenamiento de Castilla y no del francés. Empero, que no sea esa una muestra contundente de que el redactor del Estatuto Civil prefirió las instituciones castellanas sobre las francesas en materia del régimen matrimonial, no quiere decir que la afirmación sea falsa. Todo lo contrario, porque un detenido análisis de otro tipo de figuras sí da cuenta de que lo pretendido por BELLO no

Esta última, como es obvio, seguía de cerca el ordenamiento católico en cuanto al régimen matrimonial, según lo ordenado por la Real Cédula del 12 de julio de 1564, proferida por FELIPE II, 'el prudente'.

En el Proyecto de Código Civil que ANDRÉS BELLO formuló y presentó al Congreso de Chile en 1853 no se incluyó un régimen completo relativo al divorcio (*quoad thorum et cohabitationem*)[284], ni tampoco se consagró uno en el Código Civil promulgado el 14 de diciembre de 1885. Las regulaciones sobre el divorcio se limitaron a las siguientes: (i) la incorporación de una sección dentro del título VI del libro I, contentiva de las excepciones al régimen de obligaciones y derechos entre cónyuges cuando mediara sentencia de divorcio perpetuo; (ii) la incorporación de una sección dentro del título VII del libro I, reglamentaria de los hijos concebidos dentro del matrimonio en el cual mediara un divorcio perpetuo o temporal de los padres; y (iii) el mandato de que el divorcio perpetuo disolvería la sociedad conyugal.

El artículo 168 del Código Civil chileno aprobado, correspondiente al artículo 190 del Proyecto, era claro en precisar que el juicio de divorcio pertenecía a la *autoridad eclesiástica,* en tanto que los efectos civiles relacionados con el régimen patrimonial, la libertad personal y la crianza y educación de la prole se disciplinarían por las leyes civiles. En tal sentido, se hacía innecesario que la normativa civil chilena abarcara, como lo hizo la colombiana en los artículos 153 y siguientes del Estatuto, las causales para incoar el petitorio de divorcio *quoad thorum et cohabitationem.*

En Chile se estableció, tanto en el Proyecto como en el Código finalmente aprobado, que el divorcio *perpetuo* produciría, una vez homologado por la autoridad judicial nacional, una serie de excepciones al régimen de obligaciones y derechos entre cónyuges, como eran el derecho de la mujer para obtener su mitad de gananciales[285], la pérdida del derecho de gananciales para la mujer que diere causa al divorcio por adulterio[286] y el derecho de la mujer de administrar independientemente sus bienes[287], entre otras. En cuanto a los hijos, se dispuso que el concebido durante el divorcio de

---

fue nada distinto a recopilar y actualizar las normas de Castilla y de Indias que ya tenían aplicación en Chile, como se estudiará en algún grado en esta obra.

[284] Cfr. ANDRÉS BELLO. *Obras completas de don Andrés Bello,* volumen XIII. (Santiago de Chile: Ed. Pedro G. Ramírez, 1890).

[285] Cfr. Inciso segundo del artículo 170 del Código Civil promulgado y artículo 192 del Proyecto.

[286] Cfr. Artículo 171 del Código Civil promulgado y artículo 193 del Proyecto.

[287] Cfr. Artículo 175 del Código Civil promulgado y artículo 195 del Proyecto.

sus progenitores no tendría derecho a que el varón lo reconociera como hijo suyo, salvo que se probara que el padre lo había reconocido con actos positivos o que medió reconciliación privada entre los cónyuges[288], entre otras. Y, finalmente, en relación con la disolución de la sociedad conyugal, el ordinal 3º del artículo 1764 del Código finalmente promulgado, correspondiente al artículo 1931 del Proyecto, estableció lo siguiente: "Artículo. 1764. La sociedad conyugal se disuelve: (…) 3.° Por la sentencia de divorcio perpetuo o de separación total de bienes: [SIC] si la separación es parcial, continuará la sociedad sobre los bienes no comprendidos en ella"[289].

De lo anterior se deduce que en el Código Civil chileno, incluso desde la proposición inicial de ANDRÉS BELLO, se estableció que el decreto del divorcio *quoad thorum et cohabitationem* era del resorte de las autoridades eclesiásticas, pero sí se distinguió entre los efectos civiles, y particularmente patrimoniales, del divorcio *temporal* y el *perpetuo*. De hecho, las excepciones al régimen general de derechos y obligaciones entre cónyuges se contrajeron exclusivamente al divorcio *perpetuo* y lo propio sucedió con la disolución de la sociedad conyugal, que quedó reservada también a esa modalidad. Consiguientemente, si las autoridades eclesiásticas decretaban el divorcio temporal de los cónyuges, mal se podría pensar que la sociedad conyugal quedaría disuelta, porque no fue ese el querer del Legislador[290].

Sobre esas bases, cuando el Estado de Cundinamarca (durante la época federal) adoptó el Código Civil chileno, a instancias de la proposición formulada por el diputado MIGUEL CHIARI a la Asamblea Legislativa, en 1859,

---

[288] Cfr. Artículo 190 del Código Civil promulgado y artículo 215 del Proyecto. Es de advertir, sobre este aspecto, que en la redacción del proyecto simplemente se alude al "divorcio" de los cónyuges, en tanto que la disposición finalmente aprobada por el Congreso sí es específica en referirse al "divorcio temporal o perpetuo". Esta diferencia, sin embargo, carece de incidencias prácticas, puesto que sabido es que no le es dable al intérprete distinguir donde el legislador no lo ha hecho. De manera que, incluso en su versión originalmente propuesta, habría habido lugar a entender que la regla era comúnmente aplicable a divorcios perpetuos o temporales.

[289] Idéntico era el texto del artículo 1931 del Proyecto.

[290] Importa destacar que, el 10 de enero de 1884, en Chile se promulgó la ley de matrimonio civil y en ella se regularon, específicamente en el artículo 20, las figuras del divorcio *perpetuo* y *temporal*. En Chile, vale decir, el divorcio vincular se instituyó hasta la expedición de la Ley 19947 en 2004. Muy ilustrativo sobre este aspecto resulta el artículo de HERNÁN CORRAL TALCIANI, ("Indisolubilidad matrimonial y divorcio ante el derecho civil", *Revista Chilena de Derecho*, número 1, volumen 19, 1992, 35 a 52), en el cual se defiende a ultranza la necesidad de preservar el régimen de indisolubilidad matrimonial para entonces imperante en ese país.

por error se omitió la exclusión del adjetivo "perpetuo" del tipo de divorcio que disolvía la sociedad conyugal, según se establecería en el artículo 1820 del Código Civil[291]. En efecto, muy cuidadosa fue la Asamblea en depurar cualquier referencia a la tipología de divorcio *quoad thorum et cohabitationem* e, incluso, añadió una regulación completa de esa figura en el título VII del libro primero del Estatuto Civil —a diferencia de lo acontecido en Chile—, sin referencia a las modalidades *perpetua* o *temporal.* Ese yerro se mantuvo en 1873, cuando el gobierno de la Unión instituyó, mediante la Ley 84 de ese mismo año, el Código Civil del Estado de Cundinamarca para los Estados Unidos de Colombia, y en 1887 cuando la Ley 57 decretó que ese sería el Estatuto Civil de la República de Colombia.

A manera de síntesis de cuanto se ha expuesto en este literal, se observa que:

1) En la versión original del Código Civil colombiano no se distinguió entre el divorcio *quoad thorum et cohabitationem perpetuo* y el *temporal.* Por tanto, en todos los casos el decreto judicial de divorcio del matrimonio civil se entendía *perpetuo.*

2) Por error, el Estado de Cundinamarca omitió, al aprobar el Código Civil que regía en Chile, eliminar el adjetivo *perpetuo* del ordinal 3° del artículo 1820 del Código Civil. Pero ello no significa, por ningún motivo, que en Colombia coexistieron ambas modalidades de divorcio *quoad thorum et cohabitationem.*

3) La separación de cuerpos regulada en el artículo 16 de la Ley 1 de 1976, modificatorio del artículo 166 del Código Civil, sí contempló que dos modalidades distintas: (i) la *temporal,* cuya duración sería de máximo un año, prorrogable por períodos iguales a petición de las partes; y (ii) la *indefinida,* en la que, como su nombre lo indica, no se fijaba término de duración alguno.

4) En contraste con el divorcio *quoad thorum et cohabitationem* canónico, donde el adulterio es la única causal que activa la modalidad *perpetua* de esa figura, cualquiera de las causales previstas en la nueva redacción del artículo 154 del Código Civil colombiano daba lugar al decreto de la separación de cuerpos *indefinida*—y en la actualidad así persis-

---

[291]   La doctrina mayoritaria considera que el Estado de Cundinamarca fue el primero en incorporar el Código Civil chileno a la legislación colombiana. En opinión de SUÁREZ FRANCO, esa postura es equivocada porque el Estado Soberano de Santander, en 1858, ya lo había hecho (Cfr. ROBERTO SUÁREZ FRANCO, *Derecho...*, 66 y 68).

te—. Únicamente es posible solicitar la separación de cuerpos *temporal* cuando la causal alegada sea el mutuo acuerdo de los cónyuges.

4. Efectos sobre la sociedad conyugal

Otra arista que diferencia la separación de cuerpos del divorcio *quoad thorum et cohabitationem* en el ordenamiento jurídico colombiano es la relativa a los efectos de una y otra figuras en la sociedad conyugal. El artículo 16 de la Ley 1ª de 1976, reformatorio del artículo 166 del Código Civil colombiano, señaló lo siguiente: "(…) Los cónyuges al expresar su mutuo consentimiento en la separación indicarán el estado en que queda la sociedad conyugal y si la separación es indefinida o temporal y en este caso la duración de la misma, que no puede exceder de un año (…)".

Una primera lectura parecería indicar que la norma concedió la facultad a los cónyuges que decidieran incoar la acción de separación de cuerpos por la causal de mutuo consentimiento para definir si quieren que la sociedad conyugal se disuelva y quede en estado de liquidación o no. Empero, el artículo 25 de la ley, al subrogar el artículo 1820 del Código Civil, expresamente indicó que la sociedad conyugal se disolvería "2) Por la separación judicial de cuerpos, salvo que fundándose en el mutuo consentimiento de los cónyuges y siendo temporal, ellos manifiesten su voluntad de mantenerla"[292].

De lo anterior se colige, sin ambages, que en la separación de cuerpos que disciplinó la Ley 1ª de 1976 la sociedad conyugal se disolvería por regla general y quedaría en estado de liquidación. La única excepción que admite la normativa exige la concurrencia de los siguientes requisitos: (i) que la causal impetrada sea el mutuo consentimiento de los cónyuges; (ii) que la separación de cuerpos sea *temporal*; y (iii) que los cónyuges expresamente soliciten a la autoridad judicial que no se decrete la disolución de la sociedad conyugal, sino que se mantenga su vigencia.

Por su parte, en el régimen de divorcio *quoad thorum et cohabitationem*, la sociedad conyugal se disolvía mediante la sentencia que lo decretaba. Así lo disponía expresamente el ordinal 3º del artículo 1820 del Código Civil

---

[292] Idénticos efectos dispone el artículo 17 de la ley 1ª de 1976, modificatorio del artículo 167 del Código Civil, cuando indica que "La separación de cuerpos disuelve la sociedad conyugal, salvo que, fundándose en el mutuo consentimiento de los cónyuges y siendo temporal, ellos manifiesten su deseo de mantenerla vigente".

en su versión original. No nos detendremos en el hecho de que esa norma incluya el adjetivo *perpetuo*, porque ello fue objeto de suficiente análisis en el literal que antecede. Sí interesan, por oposición, los efectos que producía en la sociedad conyugal la eventual reconciliación de los esposos. Decía, a la letra, el texto original del artículo 167 del Código Civil colombiano:

> Artículo 167. Si los divorciados se reconciliaren, se restituirán las cosas, por lo tocante a la sociedad conyugal y a la administración de bienes, al estado que tenían antes del divorcio, como si éste no hubiere existido.
>
> Esta restitución se decretará por el juez, a petición de ambos cónyuges y producirá los mismos efectos que el restablecimiento de la administración del marido, en el caso del artículo 210 de este Código.

Esta previsión, que hunde sus raíces en el artículo 178 del Código Civil chileno, es de capital importancia, pues admitía la reconstitución de la sociedad conyugal. No hace falta tratar aquí las diversas complicaciones que podrían surgir de la aplicación de esta norma, porque fluyen palmarias. Solo para ejemplificar, supóngase un caso en que los cónyuges hubieren permanecido divorciados (léase, emancipados de la vida en común sin extinguir su matrimonio) durante más de una década y, a fin de transitar su vejez en compañía, decidieren reconciliarse. Pretender ignorar lo que cada cual construyó durante el lapso de separación, con miras a incluirlo como parte del haber social, podría resultar sumamente gravoso para alguna de las partes.

Sin embargo, se debe observar que la norma imponía la necesidad de que mediara decreto judicial para que se recompusiera la sociedad conyugal disuelta. Por consiguiente, no sería descabellado pensar que, cuando el restablecimiento de la vida doméstica pudiera significar afectaciones graves para uno de los cónyuges, estos podrían simplemente optar por una reconciliación de hecho, sin acudir al juez respectivo.

En cualquier caso, son evidentes las diferencias entre el impacto que ambas figuras suponen en la sociedad conyugal: mientras que la separación de cuerpos generalmente disuelve la sociedad conyugal en forma irreversible, incluso acaecida la reconciliación, el divorcio *quoad thorum et cohabitationem* disolvía la sociedad conyugal, pero permitía su recomposición, con efectos retroactivos, en caso de que los cónyuges se reconciliaran.

5. Efectos personales

Luego de precisados los aspectos en los que se diferencian ambas figuras, corresponde ahora estudiar el elemento que las identifica: su efecto inmediato. Según lo concebía el artículo 153 del Código Civil en su versión original, derogado por el artículo 3º de la Ley 1 de 1976, "[e]l *divorcio* [quoad thorum et cohabitationem] no disuelve el matrimonio, pero suspende la vida común de los casados". A su turno, el inciso primero del artículo 167 del Estatuto Civil, subrogado por el artículo 17 de la ley 1ª de 1976, dispuso que "[l]a *separación de cuerpos* no disuelve el matrimonio, pero suspende la vida en común de los casados". La regulación es, *mutatis mutandis*, idéntica.

El núcleo esencial de ambas figuras gravita exactamente sobre el mismo presupuesto: quedan los cónyuges emancipados de la vida en común, se los dispensa de cohabitar, compartir su lecho y comida, pero subsiste entre ellos el vínculo matrimonial. En los dos casos se avizora un claro relajamiento de las obligaciones personales que se imponen a los cónyuges[293], como son los relativos al débito conyugal —y, de contera, la procreación— o la cohabitación.

Pero esa atenuación de sus derechos y deberes personales recíprocos no es absoluta. Subsisten, por supuesto, las obligaciones de socorro y ayuda mutua, en cuanto es deber del cónyuge culpable atender las necesidades alimentarias del cónyuge inocente que no pueda subsistir por sí mismo. Y, cómo no, subsiste también el deber de fidelidad.

Desde muy temprano así lo advirtió la Corte Suprema de Justicia, cuando por virtud del Concordato celebrado entre Colombia y la Santa Sede en 1973 se hubo de constituir como juez de segunda instancia para conocer de la separación de cuerpos de parejas casadas por el rito católico[294]:

---

[293] HENRI, LEON y JEAN MAZEAUD, *Leçons...*, 522.

[294] Dice el artículo IX del Concordato, incorporado al ordenamiento colombiano por la Ley 20 de 1974: "Las Altas Partes Contratantes convienen en que las causas de separación de cuerpos de los matrimonios canónicos sean tramitadas por los Jueces del Estado, en primera instancia ante el Tribunal Superior respectivo y en segunda instancia ante la Corte Suprema de Justicia. A solicitud de uno de los cónyuges la causa respectiva se suspenderá en primera instancia y por una sola vez, durante treinta días, para dar lugar a la acción conciliadora y pastoral de la Iglesia, salvo la competencia del Tribunal para adoptar las medidas precautelativas que estime convenientes. Vencido el plazo el respectivo Tribunal reanudará el trámite correspondiente". Por su parte, las separaciones de cuerpos solicitadas por parejas que hubieren contraído nupcias por el rito civil se tramitaban en primera instancia por los jueces de familia y en segunda instancia por los Tribunales Superiores del Distrito Judicial.

> Ahora bien, como por virtud de este decreto [de separación de cuerpos] se suspende, desde entonces, la vida en común de los casados (artículo 167 del C. Civil), de su ejecutoria en adelante ya no estarán los consortes obligados a cohabitar, pues durante el estado de separación se suspende el derecho recíproco a la disposición de sus cuerpos, potestad que emana no solo del hecho de estar casados, sino de la obligación de vivir juntos. Por ende, suspendido este deber, se suspende el derecho mencionado. Y como el vínculo matrimonial, empero, subsiste incólume, no obstante el decreto de separación de cuerpos, es claro que otras obligaciones que surgen de la relación jurídica nupcial ninguna mengua padecen.

> Los cónyuges en el estado de separación de cuerpos siguen siendo tales y, por tanto, se deben fidelidad, socorro y ayuda mutua; los separados, pues, no obstante la sentencia que ordena la suspensión de su vida en común, siguen siendo marido y mujer; el vínculo que los ata sigue sin soltarse, porque el efecto de la separación de cuerpos en ningún caso es romper el lazo matrimonial, la sociedad de personas que se crea por las nupcias continúa su existir. No así la sociedad de bienes que se forma entre los cónyuges por el hecho del matrimonio, (Art. 13 del Decreto 2820 de 1974), pues la sentencia que declara la separación de cuerpos produce ipso jure la disolución de la sociedad conyugal, por lo cual, en consecuencia, debe procederse a su liquidación (artículo 167 del C. Civil)[295].

Obviamente, las características expresadas en la sentencia transcrita son igualmente predicables del divorcio *quoad thorum et cohabitationem*, que en su más pura esencia tiene el mismo efecto directo sobre los deberes y derechos personales entre los cónyuges. Así pues, se ha dicho, como arriba se apuntó, que la separación de cuerpos no es más que el divorcio *quoad thorum et cohabitationem* con algunas variaciones.

6. Recapitulación

A manera de conclusión, se tiene como acertado el planteamiento según el cual el divorcio *quoad thorum et cohabitationem* era una tipología de separación de cuerpos, incluso así denominada en la versión castellana el *Codex Iuris Canonici*, lo que explica que alguna parte de la doctrina nacional, publicada con anterioridad a la promulgación de la Ley 1ª de 1976, hubiera empleado indistintamente ambas expresiones[296]. Aunque resulta

---

[295] Sentencia de la Sala de Casación Civil de la Corte Suprema de Justicia, proferida el 8 de julio de 1977, G.J. CLV, parte 1, M. P. GERMÁN BOTERO ZULUAGA, 164.

[296] FERNANDO VÉLEZ (*Estudio...*, 133) planteó, desde antes de la expedición de la Ley 1ª de 1976, que lo que existía en Colombia era una simple separación de cuerpos.

inexacto afirmar, sin más, que la *separación de cuerpos* incorporada en el ordenamiento jurídico colombiano desde 1976 fuera el mismo *divorcio quoad
thorum et cohabitationem* que había conocido la legislación patria. Para constatarlo, a continuación se diagrama una tabla comparativa entre las características de ambas figuras:

Tabla 17. **Comparativo entre el** *divorcio quoad thorum et cohabitationem*
y la separación de cuerpos.

Criterio de comparación	Divorcio quoad thorum et cohabitationem	Separación de cuerpos (Ley 1 de 1976)
Efectos personales	Emancipación de la vida en común sin disolver el vínculo matrimonial, con la correlativa subsistencia de los deberes personales como socorro y ayuda mutua y fidelidad.	Emancipación de la vida en común sin disolver el vínculo matrimonial, con la correlativa subsistencia de los deberes personales como socorro y ayuda mutua y fidelidad.
Tipologías	Perpetuo[297].	Indefinida (o perpetua) y temporal.
Efectos patrimoniales	Disolución de la sociedad conyugal, con la correlativa reconstitución —con efectos retroactivos— en caso de reconciliación entre los cónyuges.	Indefinida: Disolución de la sociedad conyugal sin posibilidad de recomposición por la posterior reconciliación de los cónyuges.
		Temporal: Por regla general disuelve la sociedad conyugal sin posibilidad de recomposición por la posterior reconciliación de los cónyuges.
		Excepcionalmente, cuando medie mutuo consentimiento y se haga expreso por los cónyuges, es posible mantener la sociedad conyugal vigente.

CARLOS GALLÓN GIRALDO (*Divorcio, familia y matrimonio*. (Bogotá: Ed. Gráficas
Venus, 1974), 43 a 70), al explicar el *divorcio* regulado en la versión original del
Código Civil y los distintos proyectos que sin éxito se discutieron en el seno del
Parlamento para incorporar el *divorcio vincular* en Colombia, claramente identi-
fica la noción de la separación de cuerpos con esa figura jurídica. CHAMPEAU y
URIBE (*Tratado...*, 215) también llegaron a sostener, aunque sin llegar a conocer
la Ley 1ª de 1976, que lo realmente disciplinado por el Código Civil cuando aludía
al *divorcio* era una *separación de cuerpos*.

[297]   Según se anotó precedentemente, Chile sí conoció la distinción entre el divorcio
perpetuo y *temporal*, tanto en la versión original del Código Civil original como en la
ley del matrimonio civil de 1884. También fue ese el caso de Ecuador. Monseñor
JUAN IGNACIO LARREA HOLGUÍN (*Derecho...*, 192 y "Reformas sobre el matrimonio
en la ley 43", *Revista Jurídica*, 1990, 11 a 18) explica que, a partir de la promulgación de la ley de matrimonio civil en 1901, con efectos desde 1902, el ordenamiento jurídico ecuatoriano conoció tanto el divorcio vincular como el divorcio
imperfecto (en las modalidades de perpetuo o temporal).

Criterio de comparación	Divorcio quoad thorum et cohabitationem	Separación de cuerpos (Ley 1 de 1976)
¿Régimen causalista?	Sí. Se debía invocar una causal para que prosperara.	Sí. Se debe invocar una causal para que prospere.
Trámite	Judicial.	Judicial.

Fuente: Elaboración propia.

IV. De la separación de bienes

El cuestionable asidero jurídico de la reincorporación parcial de las causales de la acción de separación de bienes mediante la expedición del Decreto 772 de 1975 dio lugar a que LEOPOLDO UPRIMNY demandara su constitucionalidad ante la Corte Suprema de Justicia. Las probabilidades de éxito de la causa judicial condujeron a que el Gobierno del presidente LÓPEZ MICHELSEN, asesorado por la Comisión de Juristas a que se aludió precedentemente, incluyera en el articulado del proyecto que a la postre se convertiría en la Ley 1ª de 1976 las causales para impetrar la acción de separación de bienes. Sin embargo, éstas se limitaban a motivos de índole patrimonial (*v. gr.* cesación de pagos, quiebra y juego habitual, entre otras)[298].

En la Ponencia para Primer Debate del proyecto de ley, el senador GREGORIO BECERRA incluyó un extenso pliego modificatorio que desnaturalizaba el texto inicialmente radicado por el Gobierno nacional. En consecuencia, para evitar que la iniciativa fuera archivada por no contar con los votos necesarios en el Parlamento, ambos extremos convinieron en la presentación de un pliego conjunto de modificaciones. En punto a las causales de separación de bienes, el Gobierno accedió a la pretensión del senador BECERRA y se incluyeron aquellas consagradas para la separación de cuerpos, todas las cuales versaban sobre aspectos de índole personal. Fue así como el nuevo artículo 21 del pliego conjunto de modificaciones consagró la redacción que finalmente se aprobaría en la Ley 1 de 1976, con las siguientes causales:

> Artículo 21. El artículo 200 del Código Civil quedará así: Artículo 200. Cualquiera de los cónyuges podrá demandar la separación de bienes en los siguientes casos:
>
> 1°. Por las mismas causas que autorizan la separación de cuerpos, y

---

[298] Cfr. Artículo 21 del proyecto de ley número 58 de 1975.

2º. Por haber incurrido el otro cónyuge en cesación de pagos, quiebra, oferta de cesión de bienes, insolvencia o concurso de acreedores, disipación o juego habitual, administración fraudulenta o notoriamente descuidada de su patrimonio en forma que menoscabe gravemente los intereses del demandante en la sociedad conyugal.

A manera de anécdota, es pertinente transcribir el relato de Carlos Gallón Giraldo sobre la posibilidad de invocar el mutuo acuerdo para la solicitud de la separación de bienes:

> 15) Tanto la comisión como el ponente [senador BECERRA] pensaban que en esta forma el mutuo acuerdo dejaba de ser causal de separación de bienes, la cual, repetimos, debía ser decretada por el juez, pues habían convenido facultar a los cónyuges para disolver ante notario su sociedad conyugal. De esta manera, el artículo 2º del decreto 772 de 1975 quedó sin contenido alguno por cuanto esta norma que modificaba el artículo 198 del Código Civil fue reformada por la ley 1ª de 1976 con un texto que no tenía nada que ver con la legislación inmediatamente anterior (...)
>
> 16) Sin embargo, a pesar de la intención del Gobierno, del ponente y del congreso mismo, el mutuo acuerdo quedó consagrado implícitamente, también como causal de separación de bienes, en el artículo 21 de la Ley, que subrogó el 200 del Código Civil, porque en esta norma se estableció la posibilidad de demandar la separación de bienes "por las mismas causas que autorizan la separación de cuerpos" y como la separación de cuerpos procede, según lo dispuesto en el artículo 165 del Código Civil, modificado por el artículo 15 de la Ley 1ª de 1976, en los casos contemplados para el divorcio en el artículo 154 del mismo código y "por mutuo consentimiento de los cónyuges, manifestado ante el juez competente", la posibilidad de demandar la separación de bienes de común acuerdo, por vía judicial, quedó vigente[299].

En síntesis, el artículo 21 de la Ley 1ª de 1976 reincorporó las causales para solicitar la separación de bienes en el artículo 200 del Código Civil. Pero para hacerlo, como es natural, debía derogar aquellas que se habían incluido en el artículo 198 de ese Código, por el artículo 2º del Decreto 772 de 1975. Para el efecto, el artículo 19 de la Ley 1ª de 1976 reformó el artículo 198 del Código Civil y tan solo dejó vigente su primer inciso, relativo a la imposibilidad de que los cónyuges pactaran la renuncia al derecho de pedir la separación de bienes en capitulaciones matrimoniales.

---

[299]   CARLOS GALLÓN GIRALDO. *Separación de bienes...*, 5 y 6.

V. De la disolución de la sociedad conyugal

En los antecedentes de la Ley 1ª de 1976 se observa la clara intención del Gobierno nacional, asesorado por la Comisión de Juristas, de aliviar la congestión judicial imperante para la época —y aún vigente—. En efecto, si se mira con detenimiento el contenido del proyecto de Ley número 58 de 1975, es fácil apreciar que el texto radicado sustrajo el "mutuo acuerdo" como causal para la procedencia de la acción judicial de separación de bienes (artículo 21), pero lo incorporó como causal autónoma para la disolución de la sociedad conyugal, siempre que se hiciera mediante escritura pública otorgada ante notario (artículo 22).

Luego de los debates reglamentarios en el seno del Parlamento, el artículo 25 de la Ley 1ª de 1976 modificó el artículo 1820 del Código Civil y dispuso las siguientes causales para la disolución de la sociedad conyugal:

Artículo 25. El artículo 1820 del Código Civil quedará así: Artículo 1820. La sociedad conyugal se disuelve:

1°. Por la disolución del matrimonio.

2°. Por la separación judicial de cuerpos, salvo que fundándose en el mutuo consentimiento de los cónyuges y siendo temporal, ellos manifiesten su voluntad de mantenerla.

3°. Por la sentencia de separación de bienes.

4°. Por la declaración de nulidad del matrimonio, salvo en el caso de que la nulidad haya sido declarada con fundamento en lo dispuesto por el numeral 12 del artículo 140 de este Código. En este evento, no se forma sociedad conyugal, y

5°. Por mutuo acuerdo de los cónyuges capaces, elevado a escritura pública, en cuyo cuerpo se incorporará el inventario de bienes y deudas sociales y su liquidación.

No obstante, los cónyuges responderán solidariamente ante los acreedores con título anterior al registro de la escritura de disolución y liquidación de la sociedad conyugal.

Para ser oponible a terceros, la escritura en mención deberá registrarse conforme a la ley.

Lo dispuesto en este numeral es aplicable a la liquidación de la sociedad conyugal disuelta por divorcio o separación de cuerpos judicialmente decretados.

Varios fueron los cambios normativos que introdujo la disposición transcrita. En primer lugar, el ordinal 1º, que mantuvo incólume la redacción del Código Civil, señala que la disolución de la sociedad conyugal opera por la disolución del matrimonio. Es, pues, una consecuencia lógica que se sigue de la naturaleza misma de la sociedad conyugal. Al ser esta el efecto patrimonial por excelencia del matrimonio, su disolución es derivación necesaria de la disolución del vínculo conyugal. Según se ha dicho, en nuestro ordenamiento jurídico el matrimonio se disuelve por muerte real o presunta de alguno de los cónyuges, así como por causa de divorcio. En ambos casos, consiguientemente, se habrá de disolver la sociedad conyugal.

El ordinal 2º dispuso, con acertado criterio, que la separación de cuerpos disolvería, por regla general, la sociedad conyugal. Solo por excepción, cuandoquiera que la separación de cuerpos se fundare en el mutuo acuerdo, fuere temporal y los cónyuges expresamente señalaran su intención de mantener vigente la sociedad conyugal, así se admitiría.

El ordinal 3º indicó que la sentencia judicial de separación de bienes disolvería la sociedad conyugal. ¿Y cómo no? Si esa es la única intención de esta figura jurídica, que no disuelve el matrimonio, sino que finiquita la relación patrimonial —sociedad conyugal— habida en él.

El ordinal 4º previó, como ya lo había hecho la versión original del Código Civil, que la nulidad del matrimonio acarreaba como consecuencia la disolución de la sociedad conyugal. Evidentemente, bien se podría haber entendido que la nulidad quedaba inmersa en el ordinal 1º del artículo 1820 del Código Civil, toda vez que la nulidad comporta una de las causas de disolución del vínculo matrimonial.

Sin embargo, como importante novedad se agregó una oración que precisó que, excepcionalmente, cuandoquiera que la nulidad se decretara por el ordinal 12 del artículo 140 del Estatuto Civil, no se disolvería la sociedad conyugal, sino que se reputaría inexistente. El referido ordinal 12 alude a los casos en los que, "respecto del hombre o de la mujer, o de ambos, estuviere subsistente el vínculo de un matrimonio anterior". De manera que lo pretendido por el Legislador no fue nada distinto que evitar que se traslaparan o yuxtapusieran dos universalidades jurídicas distintas. Obviamente, con ello se buscó evitar discusiones actuales o potenciales sobre la titularidad de los bienes que integraban una u otra sociedad conyugal.

Si la anterior fue la filosofía que subyació a la expedición de la nueva norma, bien habría que advertir que, en una recta comprensión de la ley, no es el acto jurídico mismo de un matrimonio anterior el que enerva el nacimiento de la sociedad conyugal del nuevo matrimonio —anulable—, sino la existencia de una sociedad conyugal previa y vigente. En otras palabras, si en el vínculo matrimonial anterior se hubiere disuelto la sociedad conyugal, en el nuevo matrimonio, susceptible de ser declarado nulo, sí nacerá la sociedad conyugal. No otro podría ser el entendimiento de la disposición. Y siendo ello así, con el decreto judicial de nulidad del nuevo matrimonio, obviamente la sociedad conyugal quedará disuelta por virtud de lo previsto en el artículo 1820 del Código Civil.

Finalmente, el ordinal 5º estableció que los cónyuges de común acuerdo podrían poner fin a su sociedad conyugal, mediante escritura pública otorgada en debida forma. Empero, y como es apenas natural, para evitar posibles fraudes a terceros, se dispuso que los cónyuges serían solidariamente responsables de cara a los acreedores con títulos anteriores al registro de la escritura pública de disolución y liquidación de la sociedad conyugal.

La disposición parece injusta, en razón de que no habría motivos para ordenar la solidaridad legal de los cónyuges por obligaciones contraídas con posterioridad a la disolución de la sociedad conyugal, pero con anterioridad al registro de la escritura pública respectiva. En buena parte, se podría decir que esta disposición tiende a perjudicar, las más de las veces, al cónyuge "inocente", que no hubiere participado en la ruinosa administración de su consorte, porque, en todos los casos, quedará sujeto a ser perseguido por los acreedores.

Adicionalmente, y sin motivo aparente alguno, se dispuso que la liquidación de la sociedad conyugal se podría obtener de mutuo acuerdo, mediante escritura pública, en los casos en los que su disolución se decrete por sentencia de divorcio o de separación de cuerpos, pero no en un juicio de nulidad. Bastante atinada fue la nueva disposición al facilitar los cauces de la liquidación, en el entendido que se trata de un proceso conexo pero autónomo a aquel en el cual se obtiene la disolución de la sociedad conyugal. Pero, sin asomo de duda, ese beneficio se ha debido extender también a los casos en los que se decrete la disolución del vínculo matrimonial por causa de nulidad.

Por otro lado, importa advertir desde ahora, sin perjuicio de que se abordará en la tomo III de esta obra con mayor detalle, que, a juicio del autor, desde la expedición de la Ley 1ª de 1976 se hizo posible enervar el nacimiento de la sociedad conyugal por medio de las capitulaciones matrimoniales. En efecto, no sería serio pensar que un pacto semejante careciera de eficacia, pero que los cónyuges podrían excluir todos sus bienes habidos antes del matrimonio de esa sociedad y que, el mismo día de la celebración del matrimonio, pudieran acudir a la notaría para obtener la respectiva escritura pública de disolución y liquidación de la sociedad conyugal surgida.

SECCIÓN IX. LEYES 52 Y 54 DE 1977

A raíz de la reforma expedida por el presidente LÓPEZ MICHELSEN en 1974, la recaudación tributaria incrementó ostensiblemente en los años de 1975 y 1976. Para confirmarlo, basta citar el escenario macroeconómico que relatan JUNGUITO y RINCÓN:

> El crecimiento de los recaudos entre 1975 y 1976 indica que ascendieron de 7.4% del PIB en 1974 al 8.2% en 1978 (gráfico X.1). Del lado del gasto, la prioridad anunciada por el gobierno fue el apoyo a los grupos de menores ingresos. No se hicieron modificaciones al Estatuto Orgánico del Presupuesto, pero si se procedió a reducir algunos subsidios y apoyos estatales, notablemente a los combustibles y a las importaciones de trigo. En resumen, el balance fiscal entre 1974 y 1978 mejoró al pasar de un déficit de 1.2% del PIB a un superávit de 0.3% (gráficos X.2 y X.3)[300].

Sin embargo, a causa del acelerado crecimiento de la inflación, que principió en 1976, fue necesario que el Gobierno nacional propusiera ante el Parlamento una iniciativa que corrigiera la constante desactualización en los valores que la ley expresaba en términos absolutos, fruto de lo cual nació la Ley 54 de 1977. Mediante el artículo 1º de la Ley 19 de 1976, se había decretado que las cifras expresadas en signos monetarios se actualizarían en un 8% cada año. Obviamente, la volatilidad inflacionaria por mucho superaba ese valor porcentual. En consecuencia, el artículo 1º de la Ley 54 de 1977 dispuso que la actualización anual sería del 60% del índice de precios al consumidor para empleados que hubiere certificado el Departamento Administrativo Nacional de Estadística (DANE).

En la comentada ley también se incluyeron beneficios o estímulos tributarios para las compañías y se redujo el monto de la ganancia ocasional que se debería liquidar por concepto de enajenación de acciones, entre otras medidas que no atañen al objeto de este texto.

Por su parte, debido a la declaratoria de inexequibilidad de las normas procedimentales en materia tributaria del Decreto Legislativo 2347 y la insuficiente amplitud conferida por el Congreso al presidente en la Ley 23 de 1974, en virtud de la cual se profirió del Decreto 2821, objeto de comentario en la sección IV de este capítulo, el Gobierno nacional promovió una nueva iniciativa que culminaría con la expedición de la Ley 52 de 1977. El cuerpo normativo no se limitó al régimen procedimental, sino que desarrolló disposiciones adicionales, como las relacionadas con el nacimiento

---

[300] ROBERTO JUNGUITO y HERNÁN RINCÓN. *La política fiscal...*, 73 y 74.

de la obligación tributaria, que perdurarían en su vigencia hasta la actualidad. Veamos su contenido, en lo que a nuestro estudio atañe:

El artículo 1º de la Ley 52 de 1977 precisó, en forma clara, que "[l]a obligación tributaria sustancial se origina al realizarse el presupuesto o los presupuestos previstos en la ley como generadores del impuesto y ella tiene por objeto el pago del tributo". Esa disposición fue recogida por el Estatuto Tributario colombiano, hoy vigente, también en el artículo 1º. El artículo 3º de la Ley 52 de 1977 estableció la responsabilidad solidaria en el pago de los tributos, así:

> Artículo 3º. Responden con el contribuyente por el pago del tributo: a) Los herederos y los legatarios, por las obligaciones del causante y de la sucesión ilíquida, a prorrata de sus respectivas cuotas hereditarias o legados y sin perjuicio del beneficio de inventario;
>
> b) Los socios de sociedades disueltas, hasta concurrencia del valor recibido en la liquidación social;
>
> c) La sociedad absorbente respecto de las obligaciones tributarias incluidas en el aporte de la absorbida;
>
> d) Las sociedades subordinadas, solidariamente entre sí y con su matriz domiciliada en el exterior que no tenga sucursal en el país, por las obligaciones de ésta;
>
> e) Los titulares del respectivo patrimonio asociados o copartícipes, solidariamente entre sí, por las obligaciones de los entes colectivos sin personalidad jurídica;
>
> f) El cónyuge cedente, solidariamente con el cesionario, por el impuesto que corresponda a la suma cedida en cabeza de éste. Dicho impuesto se establecerá previo descuento del que grave las rentas propias del cesionario.

La disposición transcrita es el más claro antecedente del artículo 793 que finalmente quedó consagrado en Estatuto Tributario colombiano, salvo lo dispuesto en el literal f) puesto que, como se verá más adelante, el "beneficio" de división de las rentas entre los cónyuges fue derogado por la Ley 75 de 1986. Si bien el artículo 104 del Decreto 1651 de 1961 ya había regulado unos supuestos de solidaridad, la redacción normativa entre los artículos 3º de la Ley 52 de 1977 y 793 del Estatuto Tributario es mucho más cercana.

Importa destacar que, contrario a lo previsto por el artículo 104 del Decreto 1651 de 1961, en esta oportunidad el Legislador no limitó la solidaridad de los herederos o legatarios a quienes hubieran "tenido la administración de los bienes" relictos, ni a las "sumas liquidadas directamente a la sucesión ilíquida". Por el contrario, la extendió a todos los herederos o legatarios, sin importar si hubieran tenido administración alguna sobre el peculio del *de cujus,* y lo hizo respecto de la totalidad de las obligaciones *del causante* y la sucesión ilíquida. De manera que la acción de cobro de los importes tributarios que los contribuyentes adeudaran a su sazón a la Administración se podría dirigir indistintamente contra los herederos o legatarios, a prorrata de su asignación y sin perjuicio del beneficio de inventario, a diferencia de lo que sucedía en el régimen anterior.

Además, el literal f) del artículo 3º de la Ley 52 de 1977 contrajo la solidaridad de los cónyuges al impuesto que correspondiere al cesionario por las sumas que hubiera recibido del cedente. Esto es, la solidaridad se dejó de predicar de la totalidad del importe tributario que debiera asumir cada uno de los cónyuges y, en su lugar, se limitó al impuesto atribuible a las sumas objeto de división entre los esposos.

De otro lado, los artículos 74 y 76 de la Ley 52 de 1977 establecieron las reglas de capacidad y representación para el cumplimiento de las obligaciones tributarias formales, así:

> Artículo 74. Los contribuyentes pueden actuar ante la administración tributaria personalmente o por medio de sus representantes o apoderados.
>
> Los contribuyentes menores adultos pueden comparecer directamente y cumplir por sí los deberes formales y materiales tributarios. (...)
>
> Artículo 76. Deben cumplir los deberes formales de sus representados, sin perjuicio de lo dispuesto en otras normas:
>
> a) Los padres por sus hijos menores, en los casos en que el impuesto deba liquidarse directamente a los menores;
>
> b) Los tutores y curadores por los incapaces a quienes representan (...)

Ambas disposiciones se entrelazan o, si se quiere, recogen, en algún grado, las normas sobre capacidad y representación que se habían consagrado en los artículos 139 y 140 del decreto 1651 de 1961. Empero, el segundo inciso del artículo 74 adicionó una importante regulación: los menores adultos serán considerados como capaces para actuar, en su propio nombre y representación, ante la Administración Tributaria, mediante el cumplimiento de los deberes tributarios formales y sustanciales que les correspondan.

De conformidad con lo establecido por el inciso final del artículo 1502 del Código Civil, la capacidad legal, o de ejercicio, es aquella según la cual las personas pueden obligarse a sí mismas, sin el ministerio o autorización de otras. A su turno, el artículo 1053, *ibidem*, señala que todas las personas son plenamente capaces, por regla general, salvo que las normas dispongan cosa distinta. Y finalmente, el artículo 1504, *ibidem*, precisa que los impúberes son absolutamente incapaces, en tanto que los menores adultos solo lo son relativamente, pues "sus actos pueden tener valor en ciertas circunstancias y bajo ciertos respectos determinados por las leyes".

Sobre esas bases, conviene citar el artículo 34 del Código Civil, para efectos de avizorar quiénes son considerados menores adultos y, consiguientemente, quedaron facultados, a partir de la promulgación de la Ley 52 de 1977, para cumplir directamente las obligaciones tributarias formales y sustanciales. Dice su texto:

> Artículo 34. Llámase infante o niño, todo el que no ha cumplido siete años; impúber, el varón que no ha cumplido catorce años y la mujer que no ha cumplido doce; adulto, el que ha dejado de ser impúber; mayor de edad, o simplemente mayor, el que ha cumplido veintiún años, y menor de edad, o simplemente menor, el que no ha llegado a cumplirlos.
>
> Las expresiones mayor de edad o mayor, empleadas en las leyes comprenden a los menores que han obtenido habilitación de edad, en todas las cosas y casos en que las leyes no hayan exceptuado expresamente a estos.

De acuerdo con la disposición transcrita: (i) infantes o niños son quienes no han cumplido 7 años de edad; (ii) impúberes son los varones que no han cumplido los 14 años de edad y las mujeres que no han cumplido los 12 años de edad; (iii) adultos, o menores adultos, son los varones que ya cumplieron los 14 años de edad y las mujeres que ya cumplieron los 12 años de edad, sin que se encuentren habilitados o sean mayores; y (iv) mayores son quienes han cumplido los 21 años de edad.

Sobre este último aspecto, es de anotar que la Ley 27 de 1977, promulgada el 26 de octubre de ese año, estableció que la mayoría de edad se fijaría a los 18 años. Por consiguiente, se debe entender que los *menores adultos* a que se refiere la Ley 52 de 1977 —y que están facultados para cumplir las obligaciones tributarias formales y sustanciales directamente, sin intervención de sus representantes— son (i) los hombres que hubieran cumplido los 14 años de edad, pero no los 18 y (ii) las mujeres que hubieran cumplido los 12 años de edad, pero no los 18.

En todo caso, el artículo 74 de la Ley 52 de 1977 simplemente entraña una autorización. En consecuencia, también podrían los padres, en condición de representantes legales por conducto de los derechos de patria potestad, cumplir con las obligaciones que les correspondieran a los hijos. Y en el evento de que hubiera mediado la privación de la potestad parental de ambos progenitores, asumirían la condición de representantes los tutores o curadores designados por el juez. Mas tratándose de hombres menores de 14 y mujeres menores de 12 años, el cumplimiento de las obligaciones tributarias formales y sustanciales correspondería siempre a sus representantes legales.

Repárese, al efecto, en que la redacción artículo 74 de la Ley 52 de 1977 fue recogida por el artículo 555 del Estatuto Tributario colombiano, vigente en la actualidad, al paso que el artículo 76 de la Ley 52 de 1977 fue retomado por el artículo 572 del Estatuto Tributario. Empero, el alcance de la expresión *menores adultos,* según se verá en los capítulos posteriores y especialmente en el tomo II de esta obra, sí ha sufrido variaciones en la normativa civil.

Ahora bien, en la Sección III del capítulo V de este tomo sostuvimos que la ley no había consagrado ninguna clase de responsabilidad para los progenitores que incumplieran con las obligaciones correspondientes a sus hijos menores de edad. Sobre este aspecto, el artículo 77 de la Ley 52 de 1977 precisó lo siguiente: "Artículo 77. Los obligados al cumplimiento de deberes formales de terceros responden subsidiariamente cuando omitan cumplir tales deberes, por las consecuencias que se deriven de su omisión".

Así las cosas, debido a que los padres son obligados al cumplimiento de los deberes formales de "sus hijos menores [de edad], en los casos en que el impuesto debe liquidarse directamente a los menores [de edad]", y siempre y cuando no hayan sido privados del ejercicio de la patria potestad —como es lógico—, de la inobservancia de sus obligaciones se desprenderá una responsabilidad *subsidiaria,* limitada a *las consecuencias que se deriven de su omisión.*

Sin embargo, se debe hacer hincapié en que el escenario de responsabilidad dependerá de la edad del hijo de que se trate, porque los *menores adultos* se reputan plenamente capaces para efectos de satisfacer sus obligaciones tributarias formales y sustanciales directamente. De consiguiente, el hecho de que los progenitores ostenten la representación legal de sus hijos menores adultos no emancipados, como derivación necesaria de la patria potestad, no significa que el cumplimiento de las obligaciones tributarias formales y sustanciales recaiga en primer término sobre ellos. Es algo similar a lo que sucede con una persona mayor de edad que constituye apoderado general mediante escritura pública. Su apoderado, en condición de representante, podrá cumplir con las obligaciones tributarias formales y sustanciales que deba atender su poderdante, pero la responsabilidad ante el Fisco recaerá exclusivamente sobre el individuo mayor de edad. Así, aunque los padres de los menores adultos *puedan* o *estén facultados* para cumplir las obligaciones tributarias formales y sustanciales de sus hijos, si no lo hacen la responsabilidad exclusiva recaerá sobre éstos, jamás sobre aquéllos.

Distinta es, en cambio, la responsabilidad derivada del incumplimiento de las obligaciones tributarias formales y sustanciales de los niños o impúberes (hombres que no hayan cumplido 14 años y mujeres que no hayan cumplido 12 años, para aquella época). En tales casos, de acuerdo con lo previsto por el artículo 1504 del Código Civil y la regulación fiscal, los padres que ostenten la patria potestad deberán atender todas las obligaciones, a causa de la incapacidad absoluta de los niños e impúberes. Por tanto, sí habrá responsabilidad *subsidiaria* de los padres por el incumplimiento de esas obligaciones.

Adicionalmente, la responsabilidad *subsidiaria* que la ley ordena es especial y se contrae a las *consecuencias derivadas de su omisión*. Quiere ello decir que los progenitores no serán responsables subsidiarios, en ningún caso, del pago del importe tributario adeudado —es decir, del impuesto liquidado que se deba transferir al Estado—, sino de las sanciones que se colijan de no haber cumplido las obligaciones a tiempo. Expresado en otros términos, si un padre olvida presentar la declaración del impuesto sobre la renta de su hijo menor de edad —y más específicamente niño o impúber—, quien debía sufragar un valor total de $100 a título de impuesto, la responsabilidad subsidiaria del progenitor se limitará a (i) la sanción por presentación extemporánea de la declaración y (ii) los intereses de mora por el retardo en la satisfacción de la obligación dineraria, pero jamás lo podrá perseguir la Administración Tributaria, ni aun subsidiariamente, para que satisfaga el pago de los $100 adeudados por el hijo.

Finalmente, importa agregar que el artículo 77 de la Ley 52 de 1977 fue recogido, por partida doble, en los artículos 573 y 798 del Estatuto Tributario actualmente vigente en Colombia. Además, se debe precisar, solo para evitar incurrir en equívocos, que las normas hoy han variado sustancialmente y menor adulto, o adolescente, es el hombre o mujer que ya cumplió 12 años, pero no ha cumplido 18 años de edad (sobre este tema, consúltese el tomo II).

SECCIÓN X. DECRETO REGLAMENTARIO 825 DE 1978

El 3 de mayo de 1978, a escasos meses de la promulgación de la Ley 52 de 1977, el Gobierno del presidente LÓPEZ MICHELSEN expidió el Decreto Reglamentario número 825. Para nuestro análisis, importa comentar las siguientes normas:

En primer lugar, el artículo 3º reglamentó el artículo 76 de la Ley 52 de 1977 y precisó en qué casos el cumplimiento de los deberes formales se debían atender por personas distintas al contribuyente:

> Artículo 3. Los contribuyentes o responsables directos deberán cumplir los deberes formales señalados en la ley o en el reglamento, salvo en los siguientes casos, en los cuales la obligación es del representante:
>
> a) En el del impúber, cuándo el impuesto deba liquidárseles directamente.
>
> b) En el de los demás incapaces.
>
> c) En el de las sucesiones.
>
> d) En el de las donaciones o asignaciones modales.
>
> e) En el de las sociedades en liquidación.
>
> f) En el de las personas declaradas en quiebra o concurso de acreedores.

Nótese que el literal a) de la norma transcrita fue cuidadoso al advertir que el representante de los impúberes era a quien le correspondía el cumplimiento de las obligaciones formales. Ello significa, por una parte, que el reglamento vino a reiterar la posición que se esbozó en la sección que antecede, toda vez que el cumplimiento de las obligaciones formales de los menores adultos les compete exclusivamente a ellos y, consiguientemente, no habrá responsabilidad subsidiaria de los padres, en razón de su incumplimiento.

Recuérdese, en todo caso, que el artículo 34 del Código Civil —para entonces vigente— es claro al expresar que los *impúberes* son los varones que no han cumplido los 14 años y las mujeres que no han cumplido los 12 años de edad. Doctrinariamente se ha entendido que los infantes o niños son quienes no han cumplido 7 años de edad y que los impúberes son los varones que ya cumplieron los 7, pero no han cumplido los 14 años de edad y las mujeres que ya cumplieron los 7, pero no han cumplido los 12 años de edad. Lo anterior, con el objeto de evitar confusiones terminológicas. Pero en materia fiscal, el hecho que el literal a) del artículo 3º, antes transcrito, haya omitido hacer referencia a *infantes* e *impúberes* no es óbice para que se concluya, sin lugar a duda, que los padres de personas que no hubieran cumplido los 7 años de edad estarían compelidos a atender sus obligaciones tributarias formales. Esta norma, bueno es indicarlo, permanece vigente en el ordenamiento tributario nacional y fue compilada en el artículo 1.6.1.1.1. del Decreto 1625 de 2016 (Único Reglamentario en materia Tributaria).

En segundo lugar, el artículo 4° del Decreto 825 "reglamentó" el artículo 74 de la Ley 52 de 1977, curiosamente mediante la reproducción del texto de su segundo inciso[301]. Tan solo se omitió la referencia a la posibilidad de que los menores adultos podrían cumplir los deberes "materiales" tributarios por sí mismos. Esta disposición se encuentra recogida, en el ordenamiento vigente, en el artículo 1.6.1.1.2. del Decreto 1625 de 2016.

En tercer lugar, el artículo 8° del Decreto 825 "reglamentó" el artículo 77 de la Ley 52 de 1977, también por medio de la reproducción literal del texto reglamentado[302]. Esta norma se encuentra actualmente vigente en el artículo 1.6.1.1.6. del Decreto 1625 de 2016. En cuarto lugar, el artículo 9° del Decreto 825 reglamentó el artículo 3° de la Ley 52 de 1977 y, en algún grado, el artículo 9° del Decreto Legislativo 2053 de 1974, en relación con la solidaridad entre cónyuges, así:

> Artículo 9. Para efectos de determinar el impuesto correspondiente a la renta cedida por el cual responde solidariamente el cónyuge cedente, se procederá así:
>
> Se tomará la diferencia entre el impuesto total del cesionario y el impuesto sin tener en cuenta la cesión. Esta diferencia constituye el impuesto atribuido a la renta cedida.

Si bien el artículo 9° del Decreto Legislativo de 1974 indicaba que los cónyuges serían solidariamente responsables por el pago de la totalidad del importe tributario liquidado a cada uno de ellos, el literal f) del artículo 3° de la Ley 52 de 1977 limitó la solidaridad al "impuesto que correspon[diera] a la suma cedida en cabeza de éste. Dicho impuesto se establecerá previo descuento del que grave las rentas propias del cesionario". Así, el reglamento especificó que el valor sobre el cual deberían responder solidariamente los cónyuges sería el resultado de tomar la diferencia entre el impuesto total del cesionario y el impuesto sin tener en cuenta la cesión.

En quinto lugar, como consecuencia natural de la solidaridad a que quedaban sometidos los cónyuges que se cedieran rentas exclusivas de trabajo entre sí, el artículo 16 del Decreto Reglamentario 825 estableció que

---

[301] Dice la norma: "Artículo 4. Los contribuyentes menores adultos pueden cumplir por sí los deberes formales tributarios".

[302] Dice la norma: "Artículo 8. Los obligados al cumplimiento de deberes formales de terceros responden subsidiariamente cuando omitan cumplirlas, por las consecuencias que se deriven de su omisión".

"[l]as personas casadas deb[ían] informar en su declaración tributaria el nombre, apellidos y número de identificación tributaria del cónyuge".

En sexto lugar, el artículo 53 del Decreto 825 reglamentó el artículo 74 de la Ley 52 de 1977, en el sentido de indicar quiénes se encontraban facultados o se reputaban capaces para actuar ante la Administración Tributaria, así:

> Artículo 53. Los contribuyentes pueden actuar ante la Administración Tributaria, personalmente o por medio de sus representantes o apoderados.
>
> Los infantes, impúberes y demás incapaces actuarán por medio de sus representantes.
>
> Los contribuyentes menores adultos pueden comparecer directamente o por medio de sus representantes.

Esta norma corrobora cuanto se expuso líneas atrás, en la medida en que aclara que los *infantes* e *impúberes* deben comparecer o actuar por medio de sus representantes y que, por oposición, los *menores adultos* sí se reputan capaces para obrar en nombre propio ante la Administración. Su texto sigue vigente en el ordenamiento tributario colombiano en el artículo 1.6.1.14.2. del Decreto 1625 de 2016.

SECCIÓN XI. LEY 20 DE 1979

Durante la presidencia de Julio César Turbay Ayala se promulgó la Ley 20 de 1970, denominada por alguna parte de la doctrina como "contrarreforma tributaria"[303]. En realidad, el cuerpo normativo introdujo una serie de alivios fiscales y, por lo que a nuestro estudio concierne, se consagraron modificaciones relativas (i) al reajuste de los valores expresados en moneda nacional, (ii) al aumento de los descuentos personales especiales y (iii) al régimen de las ganancias ocasionales. Veamos.

---

[303] Cfr. Guillermo Perry Rubio y Mauricio Cárdenas Santamaría. *Diez años...*; Alfredo Lewin Figueroa. *Historia...*, 20; y Francisco González y Valentina Calderón. *Las reformas...*, 30.

I. Reajuste de los valores expresados en moneda nacional

El fenómeno inflacionario en Colombia, como ya se dijo, había conducido al desajuste en los términos reales de los beneficios fiscales consagrados en las leyes tributarias. Fue por eso que la Ley 54 de 1977 señaló que las cifras expresadas en signos monetarios se debían actualizar, anualmente, en un 60 % del índice de precios al consumidor para empleados certificado por el Departamento Administrativo Nacional de Estadística. Infortunadamente, esa medida no alcanzó a morigerar el negativo impacto inflacionario para los contribuyentes, por lo cual el artículo 1° de la Ley 20 de 1970 aumentó la actualización al 100 % del IPC, en los siguientes términos:

Artículo 1°. Los valores absolutos expresados en moneda nacional en las normas relativas al impuesto sobre la renta y complementarios, se reajustarán anual y acumulativamente en el ciento por ciento (100 %) del incremento porcentual del índice de precios al consumidor para empleados que corresponde elaborar al Departamento Nacional de Estadística en el período comprendido entre el 1° de septiembre del respectivo año gravable y la misma fecha del año anterior.

Antes del 1° de octubre del respectivo año gravable, el Gobierno determinará por decreto los valores absolutos reajustados de acuerdo con lo previsto en este artículo y los artículos 2° y 3° de la Ley 19 de 1976.

Parágrafo. Los contribuyentes podrán reajustar anualmente el costo de los bienes muebles e inmuebles que tengan el carácter de activos inmovilizados, en el porcentaje señalado en este artículo.

Cuando el contribuyente no hubiere hecho uso de este derecho, en un año dado, no lo podrá acumular para años posteriores.

II. Descuento personal especial

Como se comentó en la sección II de este capítulo, el artículo 86 del Decreto Legislativo 2053 de 1974 había establecido unos descuentos personales especiales para los contribuyentes del impuesto sobre la renta, parcialmente modificados (aumentados) por el artículo 21 del Decreto Legislativo 2348 de ese mismo año. Mediante el artículo 2° de la Ley 20 de 1979 se dispuso el incremento de tales descuentos, según se advierte en la siguiente tabla comparativa:

Tabla 18. Comparativo descuentos personales especiales en el Decreto 2053
de 1974 y la Ley 20 de 1979.

Descuentos personales especiales–Decreto 2053 de 1974	Descuentos personales especiales–Ley 20 de 1979
Artículo 86. Descuento personal especial.	Artículo 2°. Las personas naturales nacionales y las extranjeras residentes en el país, tienen derecho a descontar del monto del impuesto básico de renta, las siguientes cantidades por concepto de descuento personal especial:
El veinte por ciento (20%) de los <u>primeros diez mil pesos ($10.000) correspondientes al precio del arrendamiento pagado por habitación del contribuyente</u>, adicionado en un cinco por ciento (5%) sobre el exceso de dicha suma; más el diez por ciento (10%) de los gastos de educación y salud. <u>En lugar de todo lo anterior, podrá desconcentrarse la suma de mil pesos ($1.000).</u>	a) <u>El 20% de los primeros cincuenta mil pesos ($ 50.000) correspondientes al precio de arrendamiento pagado por habitación del contribuyente, adicionado en un 5% sobre el excedente de dicha suma.</u>
Ambos cónyuges podrán hacer uso de esta opción y cada uno tendrá derecho a descontar dichos mil pesos ($ 1.000) sea que tuvieren o no rentas propias.	b) El 10% de los gastos de educación y salud. <u>En lugar de todo lo anterior, podrá descontarse la suma de mil quinientos ($ 1.500).</u>
Parágrafo. Se entiende por gastos de salud, los pagos que se hagan a médicos, odontólogos, laboratorios clínicos, hospitales y clínicas por servicios prestados al contribuyente o a las personas legalmente a su cargo.	Ambos cónyuges podrán hacer uso de esta opción y cada uno tendrá derecho a descontar $ 1.500 sea que tuviere o no rentas propias.
Se entiende por gastos de educación, los pagos que se hagan a escuelas o colegios, exclusivamente por concepto de enseñanza primaria o secundaria.	Parágrafo. Se entiende por gastos de salud, los pagos que se hagan a médicos, odontólogos, laboratorios clínicos, hospitales y clínicas por servicios prestados al contribuyente o a las personas legalmente a su cargo.
	Se entiende por gastos de educación, los pagos por concepto de educación básica, media vocacional o educación superior que se hagan a establecimientos autorizados por el Gobierno.

Fuente: Elaboración propia.

En primer lugar, la Ley 20 de 1979 modificó el importe susceptible de ser descontado del impuesto, por concepto de arrendamiento. Mientras el Decreto 2053, con sus modificaciones, permitía que se descontara el 20% de los primeros $10.000, más el 5% del excedente, la Ley 20 de 1979 aumentó esa suma al 20% de los primeros $50.000, más el 5% del excedente.

En segundo lugar, se aumentó, en $500, el monto alternativo susceptible de descuento, que pasó de $1.000 en el Decreto 2053 a $1.500 en la Ley 20 de 1979.

En tercer lugar, a pesar de que la suma descontable por concepto de gastos de educación y salud permaneció incólume en el 10%, el inciso segundo del parágrafo amplió la definición de "gastos de educación" e incluyó aquellos relacionados con la educación superior de sus dependientes.

En los anteriores términos, quedó tácitamente derogado el artículo 86 del Decreto 2053 de 1974.

III. Ganancias ocasionales

En relación con este tributo complementario del impuesto sobre la renta, importa destacar el ordinal 4° del artículo 6° de la Ley 20 de 1979, relativo al gravamen de las donaciones, herencias, legados y porciones conyugales, a saber:

> Artículo 6°. Se consideran ganancias ocasionales, para toda clase de contribuyentes: (…) 4°. Las provenientes de herencias, legados y donaciones. Su cuantía se determina por el valor en dinero efectivamente recibido, una vez descontados los impuestos sucesorales. Cuando se hereden o reciban en legado especies distintas de dinero, el valor de la herencia o legado, es el que tengan los bienes en la declaración de renta y patrimonio del causante en el último día del año o período gravable inmediatamente anterior al de su muerte, después de descontar los impuestos sucesorales que se hubieren causado (…)
>
> No constituye ganancia ocasional lo que se recibiere por concepto de gananciales, pero si lo percibido como porción conyugal.
>
> Estarán exentos los primeros $500.000 de las asignaciones por causa de muerte que reciban los legitimarios. También estarán exentos los primeros $500.000 que reciba el cónyuge por concepto de porción conyugal o asignaciones por causa de muerte.
>
> Cuando se trate de herencias o legados que reciban personas diferentes de los legitimarios y el cónyuge, o de donaciones, la ganancia ocasional se liquidará sobre el 80% del valor efectivamente recibido, una vez descontados los impuestos sucesorales o de donaciones. El 20% restante no se gravará ni como renta ni como ganancia ocasional.

Prima facie se podría pensar que la disposición transcrita aumentó los beneficios fiscales relacionados con las asignaciones a título de herencia, legado o porción conyugal, pero ello no es así. Como se advirtió precedentemente, en el régimen anterior los contribuyentes tenían los siguientes beneficios: (i) el 20% de lo percibido a título de donación, herencia, legado o porción conyugal, por cualquier persona, no se gravaba como renta ni como ganancia ocasional (cfr. art. 77 del Decreto 2247 de 1974); y (ii) los cónyuges y legitimarios tenían derecho a descontar del impuesto hasta $15.000, sin que esa suma excediera del 20% del valor fiscal de la herencia —o legado— declarada como ganancia ocasional (cfr. art. 105 del Decreto 2053 de 1974).

La Ley 20 de 1979, en su artículo 36, expresamente derogó ambos beneficios. En su lugar, dispuso lo siguiente: (i) los legitimarios y el cónyuge tendrían derecho de tratar como *exención* —no como descuento tributario— los primeros $500.000 recogidos como asignación por causa de muerte o porción conyugal; y (ii) la base gravable de las herencias y legados recogidos por personas distintas a los legitimarios y el cónyuge sería del 80 % del valor efectivamente recibido. Ahora bien, en cuanto a la forma de liquidación del tributo, el literal a) del artículo 7° de la Ley 20 de 1979 dispuso lo siguiente:

> Artículo 7°. Las ganancias ocasionales gravadas estarán sometidas a las siguientes tarifas, las cuales se aplicarán sobre el monto de la ganancia ocasional neta así: a) Las obtenidas por personas naturales y sucesiones ilíquidas pagarán la mitad de la tarifa correspondiente a su renta gravable. En el caso de que la tarifa así obtenida resulte inferior al 10 %, se liquidará el impuesto de ganancia ocasional aplicando una tarifa del 10 % (…)

Sea lo primero advertir al respecto que, en la misma forma en que lo hacía el régimen instituido por el Decreto Legislativo 2053 de 1974, la disposición específicamente señaló que la base gravable para el cálculo del tributo sería la ganancia ocasional *neta*. Así, la base gravable para los legitimarios y el cónyuge del causante estaba constituida por el monto total recogido como herencia, legado o porción conyugal, menos las pérdidas ocasionales del ejercicio (cfr. parágrafo 3° del artículo 6° de la Ley 20 de 1979), la *exención* de $500.000 y los impuestos sucesorales; y para los demás asignatarios, la base gravable se integraba por el 80 % del monto total recogido a título de herencia o legado, menos las pérdidas ocasionales y los impuestos sucesorales a que hubiera lugar.

A su turno, para la determinación de la tarifa aplicable ya no era necesario acudir al complicado régimen consagrado en el Decreto 2053 de 1974. Tan solo se debía dividir por dos la tarifa que le correspondería, en el impuesto básico sobre la renta del contribuyente, a la *renta gravable* del contribuyente. Pero si el resultado de la división arrojaba una tarifa inferior al 10 %, esta última habría de ser la alícuota del tributo.

Finalmente, es de advertir que la totalidad del régimen de ganancias ocasionales disciplinado en los artículos 102 a 105 del Decreto Legislativo 2053 de 1974, y lo previsto en el artículo 77 del Decreto Legislativo 2247 de 1974, fue derogado expresamente por el artículo 36 de la Ley 20 de 1979.

SECCIÓN XII. DECRETO REGLAMENTARIO 2259 DE 1979

El 26 de octubre de 1979 se expidió el Decreto 2259, por el cual se reglamentó la Ley 20 de ese mismo año. A este texto interesan, en particular, las disposiciones atañederas al capítulo de ganancias ocasionales, a saber:

El artículo 24 del Decreto 2259 de 1979 estableció, en artículo independiente, lo dicho en el inciso 4° del ordinal 4° del artículo 6° de la Ley 20 de 1979, en el sentido de que "[n]o constituye ganancia ocasional lo que se recibiere por concepto de ganancias, pero sí lo percibido como porción conyugal". Y más adelante, el artículo 25 del decreto 2259 señaló que "[c]uando la asignación por herencia, legado, porción conyugal o donación [fuera] en dinero su cuantía ser[ía] la del valor efectivamente recibido", en tanto que el artículo 26, *ibidem*, precisó la forma en la cual se debía liquidar el tributo complementario de ganancias ocasionales, cuando las asignaciones no fueran en dinero.

Por otro lado, el literal d) del artículo 31, *ibídem*, dispuso que, para determinar la utilidad en la enajenación de bienes poseídos por más de dos años —en materia del impuesto complementario sobre las ganancias ocasionales—, la fecha de adquisición del inmueble para el cónyuge a quien se le adjudique como gananciales —con motivo de la disolución y liquidación de la sociedad conyugal—, sería la del título debidamente registrado mediante el cual se adquirió por cualquiera de los cónyuges. En relación con esta norma, que es muy similar a la prevista en el artículo 111 del Decreto 187 de 1975, son aplicables los comentarios que expresamos en la sección V de este capítulo.

Finalmente, el artículo 32, *ibidem*, simplemente aclaró una obviedad: para efectos de determinar la tarifa del impuesto complementario sobre las ganancias ocasionales, se debía tomar como referente la tarifa aplicable al impuesto básico sobre la renta gravable del contribuyente, "antes de deducir los descuentos tributarios".

SECCIÓN XIII. LEY 29 DE 1982: LA TERCERA VARIACIÓN AL COMPENDIO NORMATIVO SOBRE FILIACIÓN Y LA GRAN REFORMA AL RÉGIMEN SUCESORAL

El 24 de febrero de 1982, durante el gobierno del presidente JULIO CÉSAR TURBAY AYALA, se promulgó la Ley 29. El compendio normativo fue constitutivo de un hito, por decir lo menos, en cuanto se erigió como tercera gran variación al régimen de filiación y la gran reforma al régimen que gobernaba las sucesiones entre nosotros. Veremos, en las Subsecciones que siguen, las importantes modificaciones introducidas por la Ley 29 de 1982 en cuanto toca con: (i) la igualdad real y material de los hijos; y (ii) los órdenes hereditarios en nuestra legislación.

I. Apuntaciones preliminares: generalidades de la ley

A pesar de sus escasos 11 artículos, la Ley 29 de la 1982 tuvo hondas implicaciones en nuestro sistema jurídico. ¿Y cómo no? si, en una visión de la más encomiable naturaleza, dio al traste con las odiosas discriminaciones que subsistían en Colombia respecto de las familias en función del tipo de filiación.

Muy frecuente es encontrar opiniones que aseveran que la igualdad de los hijos ante la ley es tributaria de la Carta Política de 1991, pero queda claro que quien afirme cosa semejante no ha volcado su mirada a la Ley 29, desde cuyo artículo 1° se modificó el artículo 250 del Código Civil, a fin de agregar un inciso del siguiente tenor: "Los hijos son legítimos, extramatrimoniales y adoptivos y tendrán iguales derechos y obligaciones".

Tan lapidaria oración corrobora cuanto aquí se ha indicado: fue por virtud del Legislador de 1982, nueve años antes de la adopción de la Carta Política de 1991, que se depuso la discriminación rampante que subsistía entre nosotros, con base en la cual se socavaban los derechos de los hijos en razón del tipo de filiación que tuvieren. Es que, como se verá, hasta entonces se les rechazaba el reconocimiento pleno (y muchas veces siquiera parcial) de sus derechos sucesorales, lo que constituía una clara afrenta a los principios orientadores de todo Estado de Derecho legítimo.

En desarrollo de tal impronta, el artículo 7° de la Ley 29 modificó el artículo 1050 del Código Civil, en el sentido de indicar, lisa y llanamente, que la sucesión de los hijos extramatrimoniales se regiría por las mismas reglas que las previstas para los hijos matrimoniales. De ello se deducen dos importantes conclusiones: (i) por un lado, se ratificó la importancia de evitar regímenes diferenciales que pudieran terminar por lesionar los derechos de las personas y las familias; y, (ii) por el otro, se simplificó el sistema en grado capital.

Otra virtud importante de la Ley 29 de 1982 fue haber reformado, mediante su artículo 3°, el artículo 1043 del Estatuto Civil, pues a partir de entonces se extendió el derecho de representación hereditaria a todos los descendientes de los hermanos o los descendientes del *de cujus*. Antiguamente, como es sencillo descifrarlo, tal derecho estaba celosamente reservado para los descendientes "legítimos".

Y aunque la indiscutible relevancia de las disposiciones solo tuvo efectos respecto de sucesiones abiertas sustancialmente desde el 9 de marzo de 1983, es decir, de causantes fallecidos desde esa fecha (cfr. artículo 1012 del Código Civil), sus efectos son del todo encomiables. Por eso se puede decir, tranquilamente y sin temor a caer en equívocos, que esta constituyó, quizás, la reforma más importante del siglo pasado al régimen de filiación.

II. *Órdenes hereditarios en el régimen precedente*

Para avizorar, con buen grado de claridad, la trascendencia de las modificaciones incorporadas al régimen sucesoral, es oportuno hacer primero un barrido por el régimen que las antecedió. Solo así el lector podrá constatar la profundidad de los cambios.

1. Primer orden hereditario

El artículo 18 de la Ley 45 de 1936 disponía que

> [l]os hijos legítimos excluyen a todos los otros herederos excepto a los hijos naturales cuando el finado haya dejado hijos legítimos y naturales. Cada uno de los hijos naturales lleva como cuota hereditaria, en concurrencia con los hijos legítimos, la mitad de la correspondiente a uno de estos, y sin perjuicio de la porción conyugal.

A su turno, el artículo 284 del Código Civil, según el texto asignado por la Ley 5ª de 1975, preveía que "[e]l adoptivo en la adopción plena, hereda al adoptante como hijo legítimo; en la adopción simple, como hijo natural".

Así pues, se tiene que los hijos matrimoniales (o "legítimos") y los adoptivos plenos eran considerados como herederos *tipo* del primer orden, en tanto que los hijos extramatrimoniales (o "naturales") y los adoptivos simples eran considerados como herederos *concurrentes* del primer orden. Recuérdese, al efecto, que de antaño se tiene entendido que son herederos *tipo*, o principales, aquellos titulares del orden hereditario que, de existir, obligan a que la sucesión se reparta en ese orden particular, en tanto que son herederos *concurrentes*, o accesorios, aquellos que, sin ser titulares del orden hereditario, participan de la repartición de la sucesión en un orden determinado, por mandato expreso de la ley[304].

---

[304]   Sobre esta temática, Véanse, a manera de ejemplo, a: (i) PEDRO LAFONT PIANETTA. *Derech...*, tomo I, 496; (ii) GUILLERMO CARDONA HERNÁNDEZ, *Tratado de sucesiones.*

En consecuencia, si la sucesión se rige por las normas anteriores a la entrada en vigor de la Ley 29 de 1982, por haber fallecido el causante antes del 9 de marzo de este año, se habrá de repartir la herencia en el primer orden cuando concurra por lo menos un hijo matrimonial o adoptivo pleno. Sin embargo, en caso de que solo concurran hijos extramatrimoniales o adoptivos simples, la herencia no se podrá repartir en el primer orden, sino que se deberá continuar al segundo (que será objeto de análisis a continuación). Es esa la consecuencia que se deriva de la naturaleza de los herederos *tipo* y *concurrentes*.

Así mismo, de acuerdo con las disposiciones precedentemente transcritas, si en esa misma sucesión concurren un hijo matrimonial o un hijo adoptivo pleno y un hijo extramatrimonial o un hijo adoptivo simple, los segundos habrán de recibir la mitad de la cuota que les corresponda a los primeros. Para ejemplificar, téngase presente el siguiente supuesto:

Pedro fallece, deja una herencia de $75 y le sobreviven María, hija matrimonial, y Rodolfo, hijo adoptivo simple. Comoquiera que a la hija matrimonial le corresponde recibir el doble que al hijo adoptivo simple, el caudal relicto se debe dividir en 3 partes: dos de ellas las recibirá María y una Rodolfo.

Así pues, María recogerá $50 a título de herencia, en tanto que Rodolfo habrá de reclamar tan solo $25.

2. Segundo orden hereditario

Los artículos 19 y 22 de la Ley 45 de 1936, modificatorios, en su orden, de los artículos 1046 y 1050 del Código Civil, junto con el artículo 1º de la Ley 5ª de 1975, modificatorio de los artículos 284 y 285 del Código Civil, regulaban la repartición de la herencia en el segundo orden. Pese a que resulta obvio, bueno es advertir que solo era posible (y todavía sigue siéndolo) acudir al segundo orden cuando el primero estuviera vacante; esto es, cuando no existieran hijos matrimoniales o hijos adoptivos plenos que

(Pereira: Ed. Abogados Librería, 1992), 132, 133, 137 y 138; (iii) ABELARDO ROMERO CIFUENTES, *Curso de sucesiones*. (Bogotá: Ed. Librería del Profesional, 1983), 77 a 79; (iv) EUSTORGIO MARIANO AGUADO MONTAÑO, *Derecho de sucesiones*. (Bogotá: Ed. Leyes, 2002), 111, 112 y 116; y la (v) Sentencia de la Corte Suprema de Justicia del 29 de noviembre de 2004, expediente 7880, M. P. JAIME ARRUBLA PAUCAR.

pudieran suceder personalmente[305] o que pudieran ser representados en la herencia por su descendencia "legítima" o plena[306].

La forma de distribución del acervo hereditario era algo más compleja. El primer punto para considerar era si el *de cujus* tenía la condición de hijo matrimonial, extramatrimonial, adoptivo pleno o adoptivo simple y las consecuencias eran las siguientes:

A. *Hijos matrimoniales*

Si el *de cujus* era hijo matrimonial, tenían vocación hereditaria: (i) los ascendientes matrimoniales (o "legítimos") de grado más próximo, como herederos *tipo*; y (ii) los hijos adoptivos simples, los hijos extramatrimoniales y el cónyuge supérstite, como herederos *concurrentes*.

Habiendo unos y otros, la herencia se tenía que distribuir en cuatro partes: una cuarta parte para el cónyuge supérstite y tres cuartas partes se repartían, por cabezas, entre los ascendientes matrimoniales, los hijos extramatrimoniales y los hijos adoptivos simples. Veamos:

Juliana, hija matrimonial, fallece, deja una herencia de \$100 y le sobreviven Pablo, su cónyuge; Lina, su madre; José, su hijo extramatrimonial; y Marcela, su hija adoptiva simple. En este caso, le herencia se debe dividir en cuatro partes iguales (\$100÷4=\$25). Una cuarta parte (\$25) se le entrega a Pablo, en su condición de cónyuge supérstite, y el remanente (\$75) se debería distribuir, por cabezas (3 personas), entre Lina (\$75÷3=\$25), José (\$75÷3=\$25) y Marcela (\$75÷3 =\$25).

Sin embargo, pese a ser esa la interpretación literal del artículo 19 de la Ley 45 de 1936, esta disposición entra en pugna con lo previsto por el canon 24 del mismo compendio normativo, que gobernaba la cuarta de mejoras y precisaba que de ella "puede hacer el donante o testador la distribución que quiera entre sus descendientes legítimos, sus hijos naturales y los descendientes legítimos de éstos, y podrá asignar a uno o más de ellos

---

[305] Así lo preveía el artículo 1045 del Código Civil, en su versión anterior a la incorporada por la Ley 29 de 1982. En la actualidad, como se verá, son herederos *tipo* del primer orden los descendientes de grado más próximo, sin importar su filiación.

[306] Así lo preveían los artículos 1040 y siguientes del Código Civil, en su versión anterior a la incorporada por la Ley 29 de 1982. En la actualidad, como se verá, pueden ser representados *todos* los hijos y lo serán por su descendencia, sin importar el tipo de filiación.

toda la dicha cuarta, con exclusión de los otros". Habría que agregar, desde luego, que la Ley 5ª de 1975 fue clara al indicar, en el inciso segundo del artículo 284 del Código Civil, que los hijos adoptivos (simples y plenos) eran también legitimarios y podían ser beneficiarios de la cuarta de mejoras.

Repárese en que, de acuerdo con lo visto, una cuarta parte del acervo hereditario está reservado a las mejoras —que son consideradas asignación forzosa—. Y, en línea con lo preceptuado por los artículos 1249 del Código Civil y 24 de la Ley 45 de 1936, no habiendo sido distribuidas las mejoras, acrecen a las legítimas rigorosas de quienes ostentan la doble condición de legitimarios y mejorarios.

De consiguiente, en el caso propuesto la correcta distribución de la herencia sería la siguiente: (i) una mitad ($100÷2=$50), constitutiva de la legítima, se tendría que distribuir entre Lina ($50÷3=16,67), José ($50÷3=16,67) y Marcela ($50÷3=16,67), pues los tres eran considerados como legitimarios a la luz del artículo 1240 del Código Civil; (ii) una cuarta parte ($100÷4=$25), que recogería Pablo en los términos del artículo 19 de la Ley 45 de 1936; y (iii) una cuarta parte ($100÷4=$25), equivalente a las mejoras, que solo podrían recoger José ($25÷2=$12,5) y Marcela ($25÷2=$12,5), pues ellos son los únicos en quienes concurre la doble condición de legitimarios y mejorarios. En efecto, Lina, pese a ser legitimaria no puede ser mejoraria en los términos del artículo 24 de la Ley 45 de 1936.

Sobre tales bases, la distribución final sería la siguiente: Pablo recibiría $25; Lina $16,67; José $29,17; y Marcela $29,17.

Ahora bien, a falta de cónyuge, la herencia se debía repartir, por cabezas, entre los ascendientes matrimoniales de grado más próximo, los hijos extramatrimoniales y los hijos adoptivos simples. Este es el caso:

Martín, hijo matrimonial, fallece, deja una herencia de $100 y le sobreviven Nicolás, su padre, Laura, su madre, Jaime, su hijo extramatrimonial, y Ricardo, su hijo adoptivo simple.

Si nos atenemos al tenor literal de la norma, es decir, al mandato de dividir por cabezas, por ser cuatro intervinientes en la sucesión, a cada uno le corresponderían $25 ($100÷4). Sin embargo, es claro, como ya se dijo, que las mejoras entrañan una asignación forzosa, cuya cuantía asciende a la cuarta parte del acervo partible y que solo podía ser recogida por los legitimarios previstos en la ley. Así las cosas, del total de la herencia ($100) se debía restar una cuarta parte ($100÷4=$25). Esa cuarta parte estaba estrictamente reservada para Jaime ($25÷2=$12,5) y Ricardo ($100÷2=$12,5), en su condición de legitimarios y mejorarios. El remanente ($75) podría ser dividido entre los intervinientes en la sucesión (4). De esa forma, Nicolás recogería $18,75, Laura $18,75, Jaime $31,25 y Ricardo $31,25.

Si no hubiere hijos extramatrimoniales ni adoptivos, le herencia se te-nía que dividir en dos. Una mitad la recibiría el cónyuge supérstite y la otra mitad la recogerían los ascendientes legítimos de grado más próximo. A continuación se propone un ejemplo:

Camilo, hijo matrimonial, fallece, deja una herencia de $100 y le so-breviven Patricia, su madre; Lorenzo, su padre; y Nancy, su cónyuge. La primera mitad ($100÷2=$50) le corresponde a Nancy, en su condición de cónyuge supérstite. La segunda ($100÷2=$50), por su parte, debe ser reco-gida por Patricia y Lorenzo. En consecuencia, esta segunda mitad se tendrá que dividir, a su turno, entre dos, con lo cual Patricia y Lorenzo recibirán, cada uno, $25 ($50÷2).

Aquí la disposición no pugna con lo previsto por el artículo 24 de la Ley 45 de 1936, toda vez que, al no haber descendientes, tampoco hay cuarta de mejoras que reservar.

No habiendo cónyuge, hijos extramatrimoniales ni hijos adoptivos sim-ples, la herencia se entregaba, entera, a los ascendientes matrimoniales de grado más próximo, a saber:

Paula, hija matrimonial, fallece, deja una herencia de $100 y le sobreviven Carlos, su padre, y Esther, su madre. Comoquiera que la herencia les pertene-ce a ellos, en su totalidad, Carlos habría de recoger $50 y Esther los otros $50.

Finalmente, el ascendiente legítimo de grado más próximo excluiría a los demás ascendientes, así:

Ernesto, hijo matrimonial, fallece, deja una herencia de $100 y le sobre-viven Julia, su madre; Alicia, su abuela; y Gabriel, su abuelo. En este caso, prima la proximidad en el parentesco por consanguinidad que el número de individuos que sobreviven. De tal suerte que es irrelevante que sean dos abuelos (o tres o los cuatro) y solo un progenitor, este último podrá recla-mar para sí la herencia.

B. Hijos adoptivos plenos

Si el *de cujus* era hijo adoptivo pleno, tenían vocación hereditaria (i) los ascendientes adoptivos plenos de grado más próximo, como herederos *tipo*; y (ii) los hijos adoptivos simples, los hijos extramatrimoniales y el cón-yuge supérstite, como herederos *concurrentes*.

Este mandato se encontraba en el texto entonces vigente del artículo 1046 del Código Civil, en concordancia con los artículos 285, 278, 279, 280 y 284, *ibidem*[307].

La forma de distribuir la herencia será idéntica a la estudiada en el título anterior.

C. Hijos extramatrimoniales

Si el *de cujus* era un hijo extramatrimonial, tenían vocación hereditaria: (i) los padres extramatrimoniales, como herederos *tipo*; y (ii) los hijos adoptivos simples, los hijos extramatrimoniales y el cónyuge supérstite, como herederos *concurrentes*.

Nótese que aquí no se aludía a los ascendientes "de grado más próximo", sino única y exclusivamente a los "padres". Tan odiosa disposición hallaba su origen el artículo 1050 del Código Civil, tal como había sido reformado por el artículo 22 de la Ley 45 de 1936, a cuyas voces "[l]a sucesión del hijo natural [léase extramatrimonial] se regula por las mismas reglas que la del causante legítimo [léase matrimonial], ocupando los padres naturales el lugar que de acuerdo con tales reglas corresponde a los ascendientes legítimos".

La forma de distribuir la herencia era idéntica a la estudiada en la letra A).

D. Hijos adoptivos simples

Si el *de cujus* era un hijo adoptivo simple, tenían vocación hereditaria: (i) los padres adoptivos simples y los padres consanguíneos, como herederos *tipo*; y (ii) los hijos adoptivos simples, los hijos extramatrimoniales y el cónyuge supérstite, como herederos *concurrentes*.

La razón para que fueran herederos *tipo* tanto los padres adoptivos simples como los padres consanguíneos era sencilla: al decir del artículo 277 del Código Civil, según el texto asignado por la Ley 5ª de 1975, "[p]or la adopción simple el adoptivo continúa formando parte de su familia de sangre, conservando en ella sus derechos y obligaciones". Sin embargo, como lo precisaba el inciso segundo del artículo 279 del Código Civil, en

---

[307]   Sobre el particular, véase a Pedro Lafont Pianetta, *Derecho...*, tomo I, 509 y 510.

la redacción conferida por la Ley 5ª de 1975, "[l]a adopción simple solo establece parentesco entre el adoptante, el adoptivo y los hijos de éste".

Así pues, el adoptivo simple solo establecía una filiación jurídica con sus padres adoptantes (no con la familia de éstos), al propio tiempo como mantenía todos los vínculos con su familia de sangre. De manera que, conforme a lo previsto por el hoy derogado artículo 285 del Código Civil, los padres adoptantes simples y los consanguíneos recibían la vocación hereditaria.

La distribución, en estos casos, seguía las reglas anotadas en la letra A), con la única salvedad de que la familia consanguínea obtenía su vocación hereditaria de acuerdo con el tipo de filiación del *de cujus*. Siendo un hijo extramatrimonial, solo los padres extramatrimoniales eran llamados en el segundo orden hereditario; siendo un hijo matrimonial, la vocación para recibir en este orden se predicaba de los ascendientes matrimoniales de grado más próximo.

3. Tercer orden hereditario

El artículo 1047 del Código Civil, según el texto asignado por el artículo 20 de la Ley 45 de 1935, en concordancia con el artículo 284 del Código Civil, según el texto asignado por la Ley 5ª de 1975, indicaba que este orden estaba integrado así: (i) los hijos extramatrimoniales y los hijos adoptivos simples, como herederos *tipo*; y (ii) el cónyuge supérstite, como heredero *concurrente*.

En caso de que concurrieran cónyuge supérstite e hijos extramatrimoniales y/o hijos adoptivos simples, el artículo señalaba que la herencia se debía dividir en dos: una mitad la recogería el cónyuge supérstite, en tanto que la otra se dividiría en tantos hijos extramatrimoniales y/o adoptivos cuantos hubiera dejado el causante. Veamos un ejemplo:

Arturo fallece, deja una herencia de $100 y le sobreviven Camila, su cónyuge; Raúl, su hijo extramatrimonial; Iván, su hijo adoptivo simple; y Sara, su hija extramatrimonial. En este caso, la mitad de la herencia ($100÷2=$50) le corresponde a Camila. La otra mitad ($50), se debe dividir entre sus tres hijos, es decir, Raúl ($50÷3=$16,67), Iván ($50÷3=$16,67) y Sara ($50÷3=$16,67).

Nuevamente, una distribución semejante, derivada de la interpretación literal de la norma, pugnaría con la cuarta de mejoras, en los términos discutidos en el número 2) *supra*. Al respecto, bueno es advertir que la Sala de Casación Civil y Agraria de la Corte Suprema de Justicia se pronunció en Sentencia proferida el 20 de septiembre de 1978[308] y prohijó la misma conclusión a que se arribó en el análisis efectuado en el número 2) *supra*.

Así las cosas, debido a que los herederos tipo en este orden hereditario eran considerados legitimarios por el artículo 1240 del Código Civil, en los términos del artículo 1242, *ibidem*, el acervo sucesoral se debía dividir en cuatro partes: (i) dos cuartas partes, es decir, la mitad, para la legítima; (ii) una cuarta parte para las mejoras; y (iii) una cuarta parte de libre disposición. De tal división, al cónyuge, en su condición de heredero *concurrente*, solo le cabía la cuarta libre, y no la mitad, en tanto que los hijos extramatrimoniales y/o los adoptivos simples tenían derecho de recibir su legítima rigorosa y lo que les cupiere en la cuarta de mejoras.

Con ese contexto, la distribución adecuada en el caso propuesto sería la siguiente: (i) Camila recogería \$25 (\$100÷4), equivalente a la libre disposición de Arturo; (ii) Raúl recogería \$25, que resulta de agregar su legítima rigorosa (\$50÷3=\$16,67) y lo que le correspondía en la cuarta de mejoras (\$25÷3=\$8,34); (iii) Iván recogería \$25, con el mismo procedimiento aplicado para Raúl; y (iv) Sara recogería \$25, en los mismos términos que Raúl.

4. Cuarto orden hereditario

En estricto rigor, el artículo 1048 del Código Civil, de acuerdo con el texto asignado por el artículo 21 de la Ley 45 de 1936, preveía como herederos *tipo* del *de cujus* al cónyuge supérstite y los hermanos matrimoniales. No había en este orden herederos *concurrentes*.

En cuanto a la distribución, la disposición en análisis precisaba que la mitad de la herencia se repartía al cónyuge supérstite, en tanto que la otra mitad pertenecía a los hermanos. Sin embargo, efectuaba una aclaración adicional: cuando los hermanos matrimoniales fueren *carnales* (o de doble conjunción), esto es, hijos del mismo padre y la misma madre, recibirían el doble de la cuota que le correspondiese a los hermanos matrimoniales de simple conjunción, es decir, simplemente maternos o paternos. Ilustremos el punto:

Jairo, hijo matrimonial, fallece, deja una herencia de \$100 y le sobreviven Ligia, su cónyuge; Martha, su hermana matrimonial paterna; Rodolfo, su hermano matrimonial *carnal*; y Clara, su hermana extramatrimonial materna.

---

[308] G.J. CLVIII, parte I, M. P. José María Esguerra Samper.

En primer lugar, se debe observar que Clara carece de vocación hereditaria en la sucesión de Jairo, pues ella es hermana extramatrimonial y la disposición se refiere a los hermanos matrimoniales. Seguidamente, conviene destacar que Martha, pese a ser hermana matrimonial, solo está atada a Jairo por el lado paterno; es decir, fue fruto del matrimonio anterior o posterior del padre de Jairo con tercera persona (que no es su madre). En cambio, Rodolfo, además de ser hermano matrimonial de Jairo, ostenta la condición de hermano *carnal*; esto es, es hijo del mismo padre y la misma madre.

Con ese contexto, la herencia de Jairo se divide en dos mitades: (i) la primera ($100÷2=$50), le corresponde a Ligia; y (ii) la segunda ($100÷2=$50) le corresponde a Martha y a Rodolfo, pero en distintas proporciones. Comoquiera que Rodolfo es hermano matrimonial *carnal* de Jairo y Martha solo es hermana matrimonial *de simple conjunción*, ésta recibe la mitad que aquél. Por tanto, esa segunda mitad se debe dividir en tres cuotas ($50÷3=$16,67), de las cuales Rodolfo recibirá dos ($16,67x2=$33,34) y Martha una ($16,67).

Desde luego, es de precisar lo siguiente:

1) Un hermano matrimonial siempre tiene vocación hereditaria en la sucesión de su hermano extramatrimonial.

2) Un hermano extramatrimonial siempre tiene vocación hereditaria en la sucesión de su hermano extramatrimonial.

3) Un hermano extramatrimonial, según se dijo, no tiene vocación hereditaria en la sucesión de su hermano matrimonial.

4) Los hermanos adoptivos plenos tienen las mismas condiciones y características que los hermanos matrimoniales.

5) No habiendo hermanos matrimoniales *carnales*, los hermanos de simple conjunción reciben la porción íntegra, pues son herederos *tipo*.

5. Quinto orden hereditario

Indicaba el texto original del artículo 1049 del Código Civil:

> A falta de descendientes, ascendientes y hermanos legítimos, de cónyuge sobreviviente y de hijos naturales sucederán al difunto los otros colaterales legítimos, según las reglas siguientes:
>
> 1a.) El colateral o los colaterales de grado más próximo excluirán siempre a los otros.

2a.) Los derechos de sucesión de los colaterales no se extienden más allá del octavo grado.

3a.) Los colaterales de simple conjunción, esto es, los que sólo son parientes del difunto por parte de padre o por parte de madre, gozan de los mismos derechos que los colaterales de doble conjunción, esto es, los que a la vez son parientes del difunto por parte de padre y por parte de madre.

6. Sexto orden hereditario

El artículo 1051 del Código Civil, en su versión original, indicaba que el llamado a heredar era el Fisco. Seguidamente, la Ley 153 de 1887 dispuso que, vacantes los demás órdenes, la vocación hereditaria la tendría el municipio de la vecindad del finado. Finalmente, la Ley 75 de 1968 dispuso, en su artículo 66, que la vocación hereditaria en estos casos la tendría el Instituto Colombiano de Bienestar Familiar.

III. Órdenes hereditarios en la Ley 29 de 1982

No hace falta volver sobre la consabida importancia de la Ley 29 de 1982, materia de análisis en la subsección I de esta sección. Lo que sí importa hacer notar, a partir de este momento, es que los órdenes hereditarios consagrados en la Ley 29 de 1982 han imperado en nuestro sistema jurídico durante varias décadas, con pequeñas modificaciones de forma que les han sido introducidos.

1. Primer orden hereditario

El artículo 1045 del Código Civil, tal como fue reformado por el artículo 4° de la Ley 29, dispuso que "[l]os hijos legítimos, adoptivos y extramatrimoniales excluyen a todos los otros herederos y recibirán entre ellos iguales cuotas, sin perjuicio de la porción conyugal"[309]. Con ello se dio vida a lo

---

[309] Importa advertir que la conformidad de este artículo con la carta política fue demandada, por desconocer los derechos sucesorales de los hijos de crianza. La Corte Constitucional, en Sentencia C-085 de 2019, M. P. CRISTINA PARDO SCHLESINGER, se declaró inhibida para conocer del asunto, habida cuenta de que, en su opinión, se había configurado una omisión legislativa absoluta en la materia, lo cual impedía cualquier pronunciamiento. Sin embargo, en su *ratio decidendi*

previsto por el artículo 1° de la Ley 29 de 1982, en cuanto a que los hijos, sin distinción por razón de su filiación, recibirían el mismo tratamiento.

Así las cosas, es claro que, habiendo tenido descendencia el *de cujus*, ésta excluirá a todos los demás individuos que puedan llegar a tener vocación hereditaria y fijarán el orden en que se debe repartir el caudal relicto. De este aspecto nos ocupamos, en detalle, en el tomo IV, así como también se abordará lo relativo a la porción conyugal.

2. Segundo orden hereditario

En cuanto al segundo orden hereditario, el artículo 5° de la Ley 29 de 1982 reformó el artículo 1046 del Código Civil y dispuso que éste se integraría por (i) los ascendientes de grado más próximo, así como sus padres adoptantes, en condición de herederos *tipo*, y (ii) el cónyuge o compañero permanente supérstite, en condición de heredero *concurrente*.

Fue este el único orden hereditario que, en la nueva normativa, preservó la distinción entre herederos *tipo* y *concurrentes*. Además, es de hacer notar que se eliminó cualquier referencia a los ascendientes "legítimos" o "matrimoniales", con lo cual se simplificó el sistema en grado sumo, a la vez que se propendió por transitar hacia la igualdad material.

En tales condiciones, la vacancia del primer orden da lugar a que se indague por el interesado si al *de cujus* lo sobrevivió cualquier ascendien-

---

indicó que, en efecto, los hijos de crianza no tenían vocación hereditaria en este orden (ni en ninguno otro). Más adelante, la Sala de Casación Civil de la Corte Suprema de Justicia profirió la sentencia STC5594 de 2020, M. P. Aroldo Wilson Quiroz Monsalvo (objeto de análisis en el tomo II de esta obra), por la cual reconoció que la filiación de crianza podía ser declarada mediante proceso de posesión notoria del estado civil. Con fundamento en esa última providencia, el Tribunal Superior de Manizales, en Sentencia 002 del 10 de marzo de 2022, radicado interno 010, M. P. Ramón Alfredo Correa Ospina, declaró la paternidad de crianza de un sujeto y, al cobijo del propio artículo 1045 del Código Civil, en su versión anterior a la modificación incorporada por el artículo 1° de la Ley 1934 de 2018, que era el que regía la sucesión sustancial, reconoció los derechos sucesorales de la hija de crianza. Finalmente, en aplicación de esta misma disposición, la Sala de Casación Civil de la Corte Suprema de Justicia desatendió los planteamientos de la Corte Constitucional y en sentencia SC1171 de 2022, M. P. Aroldo Wilson Quiroz Monsalvo (objeto de análisis en el tomo II de esta obra), interpretó que esa redacción del artículo 1045 del Código Civil sí permitía que los hijos de crianza tuvieran vocación hereditaria.

te (matrimonial, extramatrimonial o adoptivo), con lo cual se entrará a repartir la herencia en el segundo orden. También se debe precisar que la Ley 29 de 1982 no vino a derogar la institución jurídica de la adopción *simple*, por medio de la cual el adoptivo permanecía en su familia de sangre y trababa un vínculo jurídico únicamente con los padres adoptantes. La figura tan solo desapareció con la promulgación del Código del Menor.

Así las cosas, el artículo 1046 del Código Civil, en la nueva redacción que aquí se comenta, precisó que, en tratándose de hijos adoptivos *simples*, la vocación hereditaria recaía en sus ascendientes consanguíneos más próximos y en los padres adoptantes *simples*. De ello se deduce que, por ser el llamamiento hecho por la ley de naturaleza individual, en una sucesión en la que los padres consanguíneos del adoptivo *simple* hubieren fallecido, pero no los adoptantes *simples*, ellos serán los llamados a recoger la herencia y excluirán a los abuelos consanguíneos, si los hubiere. Veamos el siguiente ejemplo:

Juan fallece, deja una herencia de $100 y le sobreviven Laura, su madre adoptante simple; David, su abuelo consanguíneo; y Clemencia, su abuela consanguínea. En este caso, la única heredera será Laura, pues se echa de ver otro ascendiente (consanguíneo o adoptivo) en "el grado más próximo", que es el primer grado de parentesco.

3. Tercer orden hereditario

El artículo 1047 del Código Civil, tal como fue modificado por el artículo 6º de la ley 29 de 1982, es sumamente parecido al que imperaba antes de la entrada en vigor de este último compendio normativo. Sin embargo, se diferencia sustancialmente en que determinó como herederos *tipo* del tercer orden a (i) los hermanos, sin cualificar su filiación matrimonial o extramatrimonial, y (ii) el cónyuge o compañero permanente supérstite (esta última categoría —compañero permanente— fue incluida por la jurisprudencia).

La falta de cualificación de la filiación de los hermanos supuso un cambio drástico, en la medida en que se dejó de lado la discusión en torno a si tenía cabida la discriminación de las familias. Empero, el nuevo texto mantuvo la odiosa discriminación entre los hermanos carnales y los de simple conjunción, en una anacrónica visión del asunto que amerita ser prontamente superada.

Según el artículo 54 del Código Civil, "[l]os hermanos pueden serlo por parte de padre y de madre, y se llaman entonces hermanos carnales; o sólo por parte de padre, y se llaman entonces hermanos paternos; o solo por parte de madre, y se llaman entonces hermanos maternos o uterinos"[310]. No se requiere mayor esfuerzo para deducir que el motivo por el cual se preservó la distinción obedece a que, las más de las veces, los hermanos carnales crecen en el mismo núcleo familiar, al paso que los de simple conjunción no. Pero esa razón es hoy desueta; la familia ensamblada y la mutación en la conformación de la sociedad conducen por una senda distinta y mucho más avanzada a la que tuvo en mente el legislador de 1982.

4. Cuarto orden hereditario

En los términos del artículo 1051 del Código Civil, de acuerdo con la modificación incorporada por el artículo 8º de la Ley 29 de 1982, "[a] falta de descendientes, ascendientes, hijos adoptivos, padres adoptantes, hermanos y cónyuges [o compañeros permanentes], suceden al difunto los hijos de sus hermanos".

Se requiere, entonces, que los primeros tres órdenes estén vacantes. Para ello es indispensable no haya hermanos ni cónyuge o compañero permanente que puedan heredar personalmente o por representación hereditaria (esto último en el caso exclusivo de los hermanos). Y sucede que aquí comienza una compleja línea que se debe advertir, la cual se estudia en detalle en el tomo IV de esta obra: por mandato de la ley, los descendientes de los hermanos del *de cujus* premuertos, desheredados, declarados indignos o que hayan repudiado la herencia, pueden representarlos en la sucesión en cuestión. Esta figura, que se conoce como representación hereditaria, da lugar a que los representantes del hermano en cualquiera de las anteriores condiciones hereden por estirpes, con lo cual las cuotas que les corresponde recoger variarán. Veamos un caso:

Luis fallece, deja una herencia de $100 y le sobrevive Paola, su hermana carnal. Mario, su otro hermano carnal, falleció antes que Luis y le sobrevivieron sus hijos Camila y Pedro. Paola, que es madre de José, repudia la herencia.

En este supuesto, por mandato de los artículos 1041 y siguientes del Código Civil, se activa la representación hereditaria, lo que supone que Camila y Pedro podrán decidir si quieren representar a Mario en la sucesión

---

[310]   La expresión "o uterinos" fue declarada inexequible por la Corte Constitucional, mediante Sentencia C-154 de 2022, M. P. Alejandro Linares Cantillo.

de Luis y José tendrá el mismo derecho respecto de Paola. En caso de que todos accedan, debido a que la herencia se reparte por estirpes, solo habrá lugar a dividirla en dos partes: (i) la primera la recogerá José, en condición de representante de Paola; y (ii) la segunda la recogerán, conjuntamente, Camila y Pedro, en condición de representantes de Mario. Así, José recogerá $50, en tanto que Camila y Pedro recibirán, cada uno, $25.

Si todos rehusaran la representación hereditaria, y supuesto el caso de que ninguno tuviera descendencia, se entendería vacante el tercer orden y sería factible acudir al cuarto: los sobrinos. En este caso, José, Camila y Pedro heredarán personalmente, por lo cual cada uno tendrá derecho de recoger $33,34.

5. Quinto orden hereditario

De la misma manera que lo había regulado la Ley 75 de 1968, el artículo 1047 del Código Civil, según el texto asignado por el artículo 8º de la Ley 29 de 1982, dispone que el último orden hereditario estará integrado por el Instituto Colombiano de Bienestar Familiar.

Capítulo VII.
Régimen de la Ley 9ª de 1983

La política tributaria del presidente BELISARIO BETANCUR CUARTAS (1982-1986) fue, por decir lo menos, accidentada. Como se verá en este capítulo, en los meses siguientes a su instalación el Gobierno nacional pretendió dictar una reforma tributaria sin la deliberación ordinaria del Congreso de la República, en forma semejante a lo ocurrido en la administración del presidente LÓPEZ MICHELSEN, al cobijo de la declaratoria de un estado de excepción. Empero, la Corte Suprema de Justicia dio un vuelco a su propia jurisprudencia y declaró inexequibles las reformas relativas al régimen tributario sustantivo, lo que obligó a la gestación y ambientación del proyecto que se convertiría en la Ley 9 de 1983.

SECCIÓN I. CONTEXTO ECONÓMICO

Durante el primer bienio de la administración del presidente TURBAY AYALA (1978-1980), Colombia experimentó la bonanza cafetera y un formidable crecimiento económico. Puntualmente, para 1978 la tasa de expansión fue del 8.9%. Fue entonces cuando el Gobierno Nacional propuso, motivado por la necesidad de crear una política anticíclica, el Plan de Integración Nacional (PIN), que gravitaba sobre (i) el fomento de la descentralización económica y la impulsión de la autonomía en las regiones, (ii) el desarrollo minero-energético, (iii) el desarrollo del transporte y los medios de comunicación y (iv) la institucionalización de una nueva política social[311].

---

[311] JAIME GARCÍA PARRA, ministro de hacienda del presidente TURBAY, lo definió en los siguientes términos: "Se trata de un gigantesco esfuerzo de integración para aprovechar las ventajas comparativas de cada región y del país frente al exterior, para articular los polos de desarrollo con una eficiente red de comunicaciones, para continuar el rápido avance de los proyectos energéticos y para financiar los programas de alto contenido social en materia de nutrición, salud y educación. Todo ello dentro de una política de descentralización económica y un esfuerzo deliberado para que el crecimiento se traduzca en bienestar social; objetivo este último que, en las palabras del presidente 'es el que prioritariamente nos interesa y nos atrae'". (Cfr. JAIME GARCÍA PARRA. *Memoria de Hacienda 1978-1980*, tomo II. (Bogotá: Ed. Imprenta Nacional, 1980), 40).

Sin embargo, el segundo bienio de la administración Turbay Ayala (1980-1982) estuvo marcado por la fuerte recesión que el mundo entero experimentó y que, como es natural, no dejó a salvo a Colombia. A partir de 1980 se vivió, en el escenario doméstico, un déficit fiscal explicable por el estancamiento de los recaudos tributarios[312] y el aumento en el gasto público[313] —según los lineamientos del Plan de Integración Nacional— para cuya financiación se acudió esencialmente al endeudamiento público[314].

El Gobierno nacional era consciente de la imposibilidad de reactivar la economía sin la inyección de gasto social[315], pero también lo era de la nece-

---

[312] Sobre este aspecto, véanse los cuadros elaborados por Eduardo Wiesner Durán en su *Memoria de Hacienda 1981* (Bogotá: Ed. Imprenta Nacional, 1984), 99 y 100).

[313] Roberto Junguito y Hernán Rincón, *La política fiscal...*, 78.

[314] Mediante la Ley 25 de 1980 se amplió dramáticamente el cupo de endeudamiento externo e interno del Gobierno nacional y, correlativamente, por la Ley 7 de 1981 se estableció el régimen de contratación de empréstitos internos para las entidades territoriales y sus organismos descentralizados.

[315] Así se sigue del discurso pronunciado por el ministro de hacienda, Eduardo Wiesner, el 1º de julio de 1981 en la reunión local en Bogotá del Grupo de Consulta para Colombia: "Gracias a la previsión de la política económica, que diseñó oportunamente al Plan de Integración Nacional y a un amplio programa de inversiones públicas, el país no enfrenta el proceso de ajuste sin instrumentos reactivadores de la economía. (...) En desarrollo del plan, durante el presente año, los giros hasta mayo tenían un monto de $ 24.180 millones y excedían en un 65.7 % los correspondientes a 1980. Y debe recordarse que en el año pasado tales giros fueron superiores en un 61 % a los de 1979. Es decir, el peso del papel anticíclico lo ha venido sosteniendo con gran éxito el Plan de Integración Nacional desde 1980. (...) no se debe esperar una reactivación de la economía nacional originada en el sector externo. Por lo tanto, el énfasis de la política económica deberá seguir recayendo en los programas anticíclicos y en la ejecución del Plan de Integración Nacional". Otro tanto se aprecia en la Memoria de Hacienda de 1981: "El manejo fiscal en su componente de gasto público jugó un extraordinario papel dentro de la política de estabilización, sin perjuicio de un esfuerzo sostenido del Gobierno para mejorar la estructura fiscal con propósitos de largo plazo. (...) El gasto total del Gobierno Nacional, por otra parte, elevó apreciablemente su participación en el PIB, de 8.5 % en 1978 a 10.7 % en 1981, y ejerció una clara influencia anticíclica (...) En el Plan de Integración se previó oportunamente que el cambio en la situación del mercado cafetero mundial debilitaría la demanda efectiva y haría necesario que el gasto público entrara a jugar un papel compensatorio. ¿Qué mejor forma de hacer esto que ejecutando un programa de inversiones públicas cuidadosamente seleccionadas y diseñadas para que hicieran, al mismo tiempo, una contribución decisiva al desarrollo del país en el largo plazo? Inversiones como las efectuadas en el sector eléctrico, en el sector petrolero, en carreteras y

sidad de procurar un equilibro fiscal. Así las cosas, EDUARDO WIESNER, entonces ministro de hacienda, convocó al experto estadounidense RICHARD BIRD y se hubo de conformar una nueva Misión para Colombia —denominada BIRD WIESNER—, cuya estrategia fundamental quedó claramente definida en el prólogo del Informe Final presentado: "No hay recursos públicos suficientes para financiar gastos cuya expansión no es controlada, ni su ejecución supervisada. En ese contexto, la pregunta adecuada es cómo aparecen esas ineficiencias y, desde luego, cómo pueden ser corregidas"[316].

Luego de un sesudo análisis, el Informe atajó las siguientes áreas temáticas relacionadas con las finanzas intergubernamentales y el gasto del Gobierno central:

(i)   Las transferencias de la Nación a las entidades territoriales: En esencia, la Misión BIRD WIESNER advirtió la inflexibilidad presupuestal derivada de las transferencias por el situado fiscal y la cesión de ventas, originarias de grandes ineficiencias, y propuso una nueva forma de cálculo del situado fiscal, basado en el índice de necesidad real de cada entidad territorial.

(ii) Las rentas atadas —o con destinación específica—: Otras ineficiencias se encontraron en la cantidad de transferencias que contaban con una destinación específica preestablecida en la ley. Según el Informe, el porcentaje de rentas atadas ascendía aproximadamente al 50 % del total de las sumas que entregaba la Nación a las entidades territoriales. De consiguiente, se propuso su limitación a aquellos ingresos que guardaban una estricta relación con los gastos a los cuales se sujetaban.

(iii) La creciente dependencia de los presupuestos territoriales a las transferencias: La Misión constató que, en términos relativos y absolutos, el presupuesto de las entidades del orden subnacional dependía cada vez en mayor grado de las transferencias efectuadas por el Gobierno Central, al tiempo como los ingresos por ellas recaudados (*v. gr.* impuestos a los licores, cerveza o tabaco) disminuía su relevancia. Por tanto, se propuso la cesión del impuesto a los vehículos y la asignación de la construcción y mantenimiento de sus carreteras.

---

comunicaciones, y en proyectos tan importantes como el del níquel de Cerromatoso y el carbón de El Cerrejón". (EDUARDO WIESNER DURÁN. *Memoria...*, 27 a 29).

[316] Es esa la lapidaria oración consignada en el prólogo escrito por EDUARDO WIESNER en el Informe de RICHARD BIRD, *Intergovernmental Finance in Colombia*. (Cambridge: Ed. Harvard Law School, 1981).

(iv) Impuesto de industria y comercio: El disperso régimen del tributo, cuya ley autorizadora databa de 1917[317], necesitaba un importante replanteamiento. De las medidas recomendadas surgió la base del proyecto que a la postre se convertiría en la Ley 14 de 1983.

(v) El presupuesto: Una de las más importantes ineficiencias que advirtió la Misión fue la relativa con el presupuesto nacional, debido a que la normativa que lo disciplinaba se centraba en el sistema de *competencia* y no en el de *caja*. Así, se contabilizaban recursos que podían perfectamente no haber ingresado al erario, pero que ya eran exigibles por el Estado, con lo cual se distorsionaba la realidad económica al momento de su eventual ejecución[318]. Además, se propuso limitar las apropiaciones adicionales que, con bastante frecuencia —y hoy todavía— se hacían.

En síntesis, para racionalizar el gasto en que incurría el Gobierno central y mejorar las transferencias intergubernamentales, la Misión Bird Wiesner recomendó una "menor participación de la Nación en la financiación de los gastos básicos de las otras entidades territoriales y, desde luego, un mayor esfuerzo fiscal de éstas en la financiación de sus funciones"[319].

En el plano internacional la situación económica no era nada alentadora. Al decir de Wiesner Durán, como consecuencia del incremento en los precios del petróleo efectuados por la opep y las políticas deflacionarias adoptadas por los países desarrollados se produjo una recesión que condujo a graves aumentos del desempleo y a una creciente inflación, así como a la correlativa disminución del crecimiento del Producto Interno Bruto[320]. Otro tanto se puede decir de la *destorcida cafetera*, por cuya causa las exportaciones

---

[317] Sobre la regulación del tributo con anterioridad a la expedición de la Ley 14 de 1983, consúltese a Alfredo Lewin Figueroa. "El impuesto de industria y comercio. Origen, desarrollo legal, régimen actual y proyectos de ley", *Revista del Instituto Colombiano de Derecho Tributario*, número 24, 1981, 19-1 a 19-22.

[318] Hoy en Colombia, a la luz del Estatuto Orgánico del Presupuesto —Decreto 111 de 1996—, los ingresos se contabilizan por el sistema de *caja*, en tanto que los gastos siguen el sistema de *competencia*. Para una sencilla y completa explicación, el lector puede acudir a Mauricio A. Plazas Vega, *Derecho de la hacienda pública y derecho tributario*, tomo I, tercera edición. (Bogotá: Ed. Temis, 2016), 410 a 415.

[319] Richard Bird. *Intergovernmental...*, 63 y 64.

[320] Muy ilustrativas resultan las cifras consignadas en la Memoria de Hacienda de 1981 (Eduardo Wiesner Durán, *Memoria...*, 15 a 20).

colombianas de café disminuyeron, entre 1978 y 1982, en un 21.3 %[321]. Naturalmente, los términos de intercambio nacionales disminuyeron en un 25 %.

SECCIÓN II. DECRETO LEGISLATIVO 3742 DE 1982: DECLARATORIA DEL ESTADO DE EMERGENCIA

El 7 de agosto de 1982 tomó posesión de su cargo el presidente Belisario Betancur Cuartas. En ese mismo mes, el saliente presidente de México, José Luis López Portillo, y su ministro de hacienda, Jesús Silva Herzog, anunciaron ante el Fondo Monetario Internacional y el Gobierno de los Estados Unidos que su país no podía satisfacer las obligaciones dinerarias y que entrarían en suspensión de pagos[322]. Ello condujo a que se cerraran los mercados de crédito externo para Colombia[323].

En Colombia, la nueva administración recibió un déficit fiscal que ascendía al 7 % del Producto Interno Bruto[324] y, según se vio, la financiación para solventarlo había provenido esencialmente del endeudamiento externo. De acuerdo con el primer ministro de hacienda del Gobierno Betancur,

---

[321] *Ibidem*, 21.

[322] Para un detallado recuento sobre la suspensión de pagos mexicana y la ulterior renegociación entre el nuevo presidente, Miguel de la Madrid, el Fondo Monetario Internacional y los Estados Unidos, véase a James Boughton. *Silent revolution: The International Monetary Fund, 1979-1989.* (Washington: Ed. International Monetary Fund, 2001). (Sobre este aspecto, en específico, consúltese el capítulo 7, *The Mexican crisis: no mountain too high?*, 281 a 318).

[323] Édgar Gutiérrez Castro. *La pasión de gobernar: La administración Betancur 10 años después.* (Bogotá: Ed. Tercer Mundo, 1997).

[324] Así lo señalan Salomón Kalmanovitz (*Economía y nación una breve historia de Colombia*, Cuarta Edición. (Bogotá: Ed. Tercer Mundo, 1997), 528) y Carlos Esteban Posada ("Recuperación indecisa y perspectiva ortodoxa", *Economía Colombiana*, Números 163 y 164, 1984, 10).

ÉDGAR GUTIÉRREZ, esas razones[325] llevaron a que se declarara el estado de excepción y se adoptaran las medidas que enseguida se estudiarán[326].

Fue así como 23 de diciembre de 1982 se expidió el Decreto Legislativo 3742. La fundamentación jurídica vertida en el decreto fue la siguiente:

1° Que la economía colombiana ha entrado en un proceso de desequilibrio que ha afectado de manera severa la producción y el empleo y ha creado un clima acentuado de incertidumbre en las actividades empresarial, comercial y laboral del país;

2° Que la crisis de inversión en Colombia tiene como causas principales el deterioro progresivo y acelerado de los ingresos públicos, el incremento del gasto público, así como el debilitamiento del ahorro privado como consecuencia de la grave alteración del sector financiero;

3° Que este marco de estancamiento y receso económico ha estado acompañado por un notorio desgaste monetario, aumentos continuados y crecientes de los precios y erosión de los presupuestos familiares;

4° Que el país ha tenido que enfrentar simultáneamente el desempleo de la fuerza de trabajo y la inflación;

5° Que la situación fiscal por la que atraviesa el país se ha menoscabado paulatinamente por un debilitamiento generalizado de los ingresos de la Nación, de los departamentos, de los municipios y de las entidades descentralizadas,

---

[325] JOSÉ ANTONIO OCAMPO y GUILLERMO PERRY RUBIO ("La reforma fiscal, 1982-1983", en *Coyuntura Económica: Investigación Económica y Social*. (Bogotá: Ed. Fedesarrollo, 1983), 215 a 264) plantearon serias objeciones a las medidas económicas adoptadas por el Gobierno nacional, puesto que el diagnóstico del problema y los objetivos no eran "los más apropiados". A su juicio, "el tamaño actual del déficit fiscal no impone una limitación seria a la ampliación del crédito al sector privado, por cuanto el elevado déficit en cuenta corriente de la balanza de pagos (6.4% del PIB en 1982, según los estimativos de fedesarrollo) permite un amplio margen de creación de crédito primario sin presionar excesivamente los medios de pago. (...) El foco de atención de la política de reactivación debe ser así el incremento en la demanda agregada nacional. Aunque existen otras herramientas importantes de acción del Estado en esta dirección, una política fiscal expansionista ofrece las mayores potencialidades de reactivación directa de la demanda. Entre las diferentes alternativas fiscales, los gastos de inversión intensivos directa o indirectamente en bienes nacionales son el instrumento más flexible y eficaz a disposición del gobierno, si se compara tanto con los instrumentos tributarios como con los gastos de funcionamiento".

[326] ÉDGAR GUTIÉRREZ CASTRO. *La pasión de gobernar: La administración Betancur 10 años después*. (Bogotá: Ed. Tercer Mundo, 1997).

frente a un gasto oficial en permanente expansión como resultado del fenómeno inflacionario;

6º Que el debilitamiento de los ingresos y el incremento de los gastos públicos han conducido a una caída pronunciada del ahorro nacional que, a su turno, ha afectado el nivel de inversión y de actividad económica en general. La recesión resultante ha intensificado el daño producido por una evasión fiscal y tributaria de proporciones gigantescas;

7º Que es necesario y urgente introducir ajustes en normas fiscales y presupuestales, con el propósito de afianzar el ahorro público como fuente insustituible de capitalización social;

8º Que el fenómeno de evasión y elusión tributaria ha adquirido enorme fuerza y generalidad como consecuencia de las altas tasas existentes, el abuso en la utilización de una serie de exenciones de impuestos, la inconveniencia de otras, la debilidad del régimen procedimental y de los sistemas de determinación del tributo, así como de la ausencia de un régimen legal adecuado de infracciones y sanciones;

9º Que, con la incorporación, al presupuesto, de ingresos con efectos altamente inflacionarios se ha contribuido a agravar la emergencia fiscal y presupuestal, se ha dificultado el manejo de la política monetaria, de los programas de saneamiento económico y de reactivación de los sectores productivos;

10. Que la destinación específica dispuesta por la ley para un significativo volumen de ingresos públicos impide que el presupuesto general de la Nación tenga la movilidad necesaria para ser un instrumento eficaz de desarrollo económico mediante la aplicación de los recursos a objetivos actualmente prioritarios;

11. Que la cobertura, programación, ejecución y control del presupuesto general de la Nación no permiten la adecuada asignación y utilización de los recursos ni una operación oportuna y ágil para cumplir con las obligaciones y programas de inversión del Estado;

12. Que la crisis fiscal que configura la actual situación de emergencia, no es sólo de alcance normativo sino de organización, dada la falta de autonomía y capacidad técnica y operativa de la administración tributaria, aduanera, de presupuesto y de crédito público por carecer de elementos que permitan un adecuado control y una eficiente supervisión en el recaudo y administración de los impuestos nacionales, en la contratación del crédito público y en el consiguiente gasto público;

13. Que el aumento alarmante de prácticas contrarias a la moral y la ley, por parte de funcionarios es encargados de la determinación, recaudo, control y administración de los impuestos, es otro de los factores que inciden notoria-

mente en el auge de la evasión y la elusión tributaria afectando, con mayor gravedad, la situación de crisis fiscal del país;

14. Que la situación descrita en los considerandos anteriores debe corregirse a la mayor brevedad y, además de los ajustes de tipo normativo necesarios en el campo fiscal y presupuestal, exige la revisión del régimen procedimental y la modificación apropiada de los mecanismos, instrumentos y órganos que requiere una moderna y ágil administración, principalmente en los aspectos a los cuales se refiere este decreto.

La Corte Suprema de Justicia, con ponencia del magistrado Luis Carlos Sáchica Aponte, en el marco del expediente número 1014, dictó Sentencia el 15 de febrero de 1983, por la cual declaró exequible la emergencia económica.

Durante la emergencia en comentario se expidieron sendos decretos legislativos pero, por motivos de oportunidad, solo nos referiremos a dos de ellos, que tienen particular relevancia para nuestro objeto de estudio.

SECCIÓN III. DECRETO LEGISLATIVO 3743 DE 1982

El 23 de diciembre de 1982 se expidió el Decreto Legislativo 3743, por el cual se pretendían modificar las tarifas del impuesto sobre la renta. A continuación, se analizarán (i) el contenido normativo del decreto y (ii) la sentencia en la que la Corte Suprema de Justicia declaró su inexequibilidad.

I. Contenido normativo

El artículo 1° del decreto legislativo reestructuró las tarifas del impuesto sobre la renta para las personas naturales y las sucesiones ilíquidas, mediante la creación de 1 055 tarifas marginales. A diferencia de que sucedía bajo el régimen de la Ley 81 de 1960, el impuesto a cargo no era acumulativo (resultante de sumar el importe correspondiente a cada uno de los intervalos que precedían a la determinación del tributo), sino que se establecía un valor fijo en función de la renta líquida gravable. Para establecer el importe a cargo, el Legislador de excepción aplicó la alícuota prevista para cada intervalo al promedio de la renta comprendida en ese el intervalo, en lugar de permitir que los contribuyentes la aplicaran, individualmente, a su propia renta líquida, lo que claramente podía vulnerar la equidad horizontal. Por eso se diseñaron tal cantidad de intervalos y las diferencias entre las rentas comprendidas en cada uno eran del menor grado posible.

A efectos de comprender mejor cuanto se ha expuesto, uno de los intervalos comprendía todas las rentas líquidas gravables entre $36.001 y $38.000. La tarifa prevista era del 5% y el impuesto a cargo se calculaba así: se promediaban los extremos del intervalo —($36.001+$38.000)/2— y al resultado —$37.000,5— se le aplicaba la tarifa —5%—, con lo cual se obtenía la suma a trasladar al Estado —$1.850—, que ya estaba fijada en las tablas del artículo en comentario. Evidentemente, quienes obtuvieran una renta líquida de $36.001 terminarían asumiendo una alícuota efectiva superior al 5%, en tanto que quienes determinaran una renta líquida de $38.000 asumirían una inferior, lo que es a todas luces injusto. De ahí la importancia de fijar intervalos de $2.000, puesto que de otro modo habría una abrupta transgresión del principio de equidad horizontal.

La disposición en comentario también redujo la tarifa marginal superior del impuesto, que en vigencia del Decreto Legislativo 2054 de 1974 era del 56%, al 49%. Así mismo, en razón de la pluralidad de intervalos que se crearon, la tarifa ascendía moderada y progresivamente, en lugar de tener saltos abruptos.

Por su parte, el artículo 4º recogió lo establecido en la ley 20 de 1979, al establecer que

> [l]os valores absolutos expresados en moneda nacional en las normas relativas a los impuestos sobre la renta y complementarios y sobre las ventas, se reajustarán anual y acumulativamente en el ciento por ciento (100%) del incremento porcentual del índice de precios al consumidor para empleados que corresponde elaborar al Departamento Nacional de Estadística en el período comprendido entre el 1º de julio del respectivo año gravable y la misma fecha del año anterior.

El artículo 5º precisó que solo estarían conminados a presentar denuncio rentístico quienes hubieran percibido ingresos brutos superiores a $150.000 en 1982, o hubieran poseído, a 31 de diciembre de ese año, un patrimonio bruto avaluado, como mínimo, en $450.000. Sin embargo, el artículo 6º atribuía al Gobierno nacional la facultad de establecer, "para los diferentes ejercicios fiscales, los niveles mínimos de ingresos brutos y patrimonio bruto a partir de los cuales los contribuyentes se encuentren obligados a presentar declaración de renta y complementarios".

II. Proceso 1015: sentencia de inexequibilidad proferida por la Corte Suprema de Justicia

El 23 de febrero de 1983 con ponencia de los magistrados MANUEL GAONA CRUZ, CARLOS MEDELLÍN y RICARDO MEDINA MOYANO, la Sala Plena de la Corte Suprema de Justicia declaró la inexequibilidad del Decreto Legislativo 3743 de 1982. Su decisión se basó en los siguientes argumentos:

a) Luego de hacer un análisis dogmático sobre la significación y alcance de los estados de emergencia, así como de las razones histórico-normativas que subyacían a la facultad del Ejecutivo para arrogarse funciones legislativas en forma excepcional, la Corporación se ocupó de estudiar el principio de reserva de ley. Al respecto, señaló que el punto de referencia histórico y doctrinario del Estado democrático en occidente era

> el del origen deliberativo y parlamentario del tributo o del impuesto, desde cuando el Rey Juan Sin Tierra aceptó otorgar la 'Carta Magna' de 1215, en la que se consagró que los representantes de la comunidad tributarían al erario parte de sus rentas siempre y cuando el monarca o gobernante parlamentara con ellos, quienes 'en representación del común', deliberarían y expresarían válidamente su consentimiento para establecerlo (la ley). Tal fue el origen institucional de la Cámara Parlamentaria del Común ante el Rey, o 'Cámara de los Comunes', y del principio institucional indeclinable de toda normatividad constitucional dentro de un Estado de Derecho, según el cual cualquier impuesto debe tener su origen en la ley como expresión del consentimiento representativo o de la voluntad soberana (artículo 4°+C.C.C.) de la Nación entera (artículo 105 C. N.)

b) Acto seguido, recordó que, en Colombia, se habían diseñado excepciones taxativas al principio de reserva de ley en la creación de tributos y en materia presupuestaria, una de las cuales era la relacionada con los estados de emergencia, cuya lógica respondía —y aún hoy— a situaciones excepcionales. Sin embargo, explicó que tal facultad era, por su naturaleza excepcional, incapaz de sustituir el régimen general y ordinario de tributación. En efecto, decía la Corte, "la competencia gubernamental excepcional del artículo 122 en materia de tributación y fiscal, jamás podrá ser mayor, ni más amplia, ni de carácter general, ni de naturaleza ordinaria, sino por lo menos igual a la que el propio Constituyente le permite al Congreso en casos de necesidad o extraordinarios".

c) Adujo además que la jurisprudencia que había avalado la íntegra modificación del régimen tributario en 1974, con carácter permanente, había de ser modificada, "ya que, por vía de emergencia, que es de carácter excepcional y restringido, no pueden hacerse válidamente reformas tributarias de naturaleza general, ordinaria y permanente". De consiguiente, a juicio de la Corporación era posible introducir medidas como devaluar o revaluar la moneda, aumentar salarios, incrementar industrias y empleo, establecer empréstitos forzosos, disponer moratorias en los pagos, expedir normas de intervención en los mercados y en las actividades económicas y financieras, reprimir actos de operaciones que atenten contra la seguridad, la confianza pública o la ética en los ámbitos financieros, fiscal o económico; acelerar el recaudo de tributos preestablecidos, contrarrestar la evasión tributaria, fomentar y estimular la producción o restringirla en determinadas áreas cuando resulte antieconómica.

d) Por último, la Corporación culminó con una lapidaria afirmación, con base en la cual reiteró la imposibilidad de evitar el trámite parlamentario y abierta deliberación en los casos relacionados con la imposición de tributos, a saber:

La Corte se percata del origen democrático y representativo del Presidente de la República, pero el magisterio de legitimidad electoral del Jefe del Estado y del gobierno, que no se transmite a sus colaboradores, no le hace mella al principio del artículo 43 en materia tributaria, sobre el origen legal y 'parlamentario' del impuesto por vía general y ordinaria, porque el Congreso es no sólo democrático y representativo, al igual que la investidura del Jefe del ejecutivo, sino también y ante todo, el organismo deliberativo y pluralista al cual concurre la representación de la totalidad de la Nación (artículo 105) y no únicamente una mayoría electoral (artículo 114). Además, la investidura presidencial es monolítica y no plural y deliberativa como la del Congreso.

El cambio jurisprudencial de la Corte Suprema de Justicia no fue pacífico. Los magistrados Luis Carlos Sáchica, Jerónimo Argáez Castello, Ismael Coral Guerrero, Manuel Enrique Daza A., Alberto Ospina Botero, Fernando Uribe Restrepo, Héctor Gómez Uribe, Fabio Calderón Botero, José María Esguerra Samper y Germán Giraldo Zuluaga presentaron un salvamento de voto, cuya ponencia fue elaborada por Luis Carlos Sáchica Aponte, que en lo fundamental calificó la providencia de "exegética, anacrónica y carente de dinamismo interpretativo". En idéntico sentido, los magistrados Fabio Calderón Botero y José Eduardo Gnecco Correa suscribieron otro salvamento de voto.

SECCIÓN IV. DECRETO LEGISLATIVO 237 DE 1983

El 4 de febrero de 1983 el Gobierno nacional expidió el Decreto Legislativo 237, por el cual suprimió definitivamente el impuesto sucesoral. Veamos el contenido normativo y la opinión de la Corte Suprema de Justicia sobre el particular.

I. Contenido normativo

El artículo 1° del decreto ordenó la supresión total del impuesto suce-soral consagrado en el Decreto Legislativo 2143 de 1974, objeto de comen-tario en la sección III del capítulo IV de este tomo, con efectos sobre (i) las sucesiones abiertas desde su entrada en vigor y (ii) aquellas ya abiertas, pero en las cuales no se hubiere notificado la liquidación del tributo.

La eliminación de un tributo por parte del Gobierno en tiempos de cri-sis parece paradójica, pero la motivación se lee claramente en la misiva que ALBA LUCÍA OROZCO DE TRIANA, para entonces directora de Impuestos Nacionales, envió a la Corte Suprema de Justicia en el marco de la revisión de constitucionalidad:

> [E]l recaudo del impuesto sucesoral no ha tenido en los últimos años ningún incremento significativo, en tanto que el valor recaudado por concepto de los impuestos de renta y complementarios y ventas, impuestos que como bien se sabe son también administrados por la Dirección General de Impuestos, sí lo ha tenido.

> Además, la administración del impuesto sucesoral se hace a través de Seccio-nales creadas en cada una de las 29 Administraciones de Impuestos Naciona-les, Secciones [SIC] que en este momento cuentan con más de 185 funciona-rios del nivel profesional y asistencia, funcionarios que lógicamente pueden prestar su colaboración de manera más efectiva en las Secciones [SIC] que administran los impuestos sobre la renta y complementarios y a las venta, que como se observa, presentan un incremento significativo en el recaudo.

> Otra razón que se tuvo en cuenta para la eliminación del impuesto sucesoral es que de hecho el artículo 4° del Decreto 2134 de 1974, había eliminado el impuesto sucesoral para los legitimarios, quienes son los beneficiarios de casi la totalidad de los bienes en los procesos de sucesión[327].

Ante la derogatoria del impuesto sucesoral, el único gravamen que que-dó vigente para las adjudicaciones hereditarias desde entonces fue el de ganancias ocasionales. Así se mantiene en la actualidad.

---

[327]   Carta enviada por ALBA LUCÍA OROZCO DE TRIANA, directora general de Impues-tos Nacionales, al presidente de la Corte Suprema de Justicia, ALFONSO REYES ECHANDÍA, el 6 de abril de 1983, en el marco del estudio de constitucionalidad del Decreto Legislativo 237 de 1983. (Disponible para su consulta en *Revista del Instituto Colombiano de Derecho Tributario*, número 27, año 19, 1983, 255 y 256).

II. *Proceso 1041: sentencia de exequibilidad proferida por la Corte Suprema de Justicia*

El 7 de abril de 1983 la Corte Suprema de justicia declaró, con ponencia del magistrado LUIS CARLOS SÁCHICA APONTE, que el Decreto Legislativo 237 se encontraba ajustado a la Constitución. Para tal efecto, desplegó la siguiente argumentación:

a) Recordó que la emergencia económica fue declarada, por el Gobierno nacional, en razón de la grave crisis fiscal producida por la insuficiencia de ingresos públicos. Así, sostuvo que el artículo 122 de la Constitución Nacional facultaba al Ejecutivo para modificar el régimen tributario vigente y que ese era justamente el objetivo del decreto legislativo en análisis.

b) Señaló que la supresión de un impuesto es una semejante a su creación o modificación y que, en este caso, los motivos para su eliminación del ordenamiento jurídico estaban sustentados en que los rendimientos de ese tributo eran exiguos en relación con el costo de percepción, por lo que se hacía necesario adoptar una "medida de saneamiento del régimen fiscal que corresponde bien a los propósitos de corregir las fallas que contribuyen a acrecentar el déficit".

c) Explicó que el artículo 43 de la Constitución solo reservaba la facultad de "imponer contribuciones" en tiempos de paz al Congreso de la República. Por tanto, la eliminación o supresión de tributos no era, en forma alguna, una indebida intromisión del Ejecutivo en la órbita de competencia legislativa.

Esta decisión de la Corporación tampoco fue en absoluto pacífica.

a) El magistrado JUAN SÁENZ HERNÁNDEZ presentó un salvamento de voto —que, en realidad, es más una aclaración de voto—, al que adhirió el magistrado JORGE SALCEDO SEGURA, por medio del cual manifestó que compartía la decisión a que se había arribado pero discrepaba de la motivación vertida en la providencia, debido a que no era necesario afirmar que el artículo 122 de la Constitución revestía al Presidente de un Poder Tributario "universal" en la medida en que el decreto en análisis nada tenía que ver con el establecimiento de nuevos gravámenes ni la variación de tarifas. Sencillamente, su conformidad con el artículo 122 fluía del hecho de que el decreto legislativo declaratorio del estado de emergencia económica había manifestado la necesidad de abolir tributos.

Además, precisó que el artículo 43 de la Constitución era una norma exceptiva y, por tanto, de interpretación restrictiva, que reservaba al Congreso, las Asambleas Departamentales o los Concejos Municipales el establecimiento tributos durante una emergencia económica —que se consideraba "tiempo de paz", por no ser "tiempo de guerra"—, pero no vedaba al presidente para adoptar medidas relativas a los tributos que fueran distintas a la creación o aumento de éstos.

b) Los magistrados Humberto Murcia Ballén, Alfonso Reyes Echandía y Ricardo Medina Moyano presentaron otro salvamento de voto. En él expresaron su inconformidad con la decisión mayoritaria, habida cuenta de que la Corte precisó, en la sentencia por la que declaró la inexequibilidad del Decreto Legislativo 3743 de 1982, que el presidente no adquiría funciones de legislador ordinario durante los estados de emergencia y que únicamente le estaba dado proferir decretos que adoptaran medidas temporales para superar la crisis respectiva. Por tanto, al ser *definitiva* la supresión del impuesto sucesoral, ordenada en el decreto cuya constitucionalidad se analizaba, pugnaba con la jurisprudencia de la Corporación.

c) Los magistrados Carlos Medellín, Dante Fiorillo Porras, Gustavo Gómez Velásquez y Álvaro Luna González también salvaron su voto. Al documento adhirió, en escrito separado en el que transcribió algunos apartes, el magistrado José María Esguerra Samper. En su criterio, el artículo 43 de la Constitución impedía que el Ejecutivo estableciera contribuciones en tiempos de paz, así como también lo vedaba de modificar, rebajar o suprimir las ya existentes. También consideraron que no había respaldo sólido y contable para afirmar que los costos de recaudación del impuesto sucesoral fueran superiores a los ingresos generados, por lo que parecía inexplicable que en tiempos de crisis económica se pretendiera eliminar una fuente de ingresos.

d) Los magistrados Manuel Gaona Cruz, Enrique Aldana Rozo y Pedro Elías Serrano Abadía presentaron un salvamento que, como el propuesto por el magistrado Juan Sáenz Hernández, era más una aclaración de voto. En efecto, compartían la decisión mayoritaria pero no su motivación. A juicio de los magistrados, la jurisprudencia de la Corte Suprema de Justicia, al declarar la inexequibilidad del Decreto Legislativo 3743 de 1982, había sentado una posición clara: En tiempos excepcionales, el Gobierno nacional podía crear impuestos extraordinarios con fundamento en el artículo 122 de la Constitución. Siendo ello así, no habría fundamento para aducir que el Gobierno nacional no podría, en tiempos excepcionales, suprimir impuestos.

Además, explicaron que la eliminación del impuesto sucesoral no comprometía la estructura ordinaria, general y permanente de los impuestos sobre la renta y complementarios —como el de ganancias ocasionales— que gravaban a los herederos o legatarios por su ingreso. De manera que era perfectamente admisible su supresión.

SECCIÓN V. LEY 9ª DE 1983

Lucy Cruz de Quiñones explica muy bien las interpretaciones que adoptó la jurisprudencia en torno a las facultades del presidente para la creación de tributos al cobijo del artículo 122 de la Constitución Colombiana —previo a la expedición de la Carta Política de 1991—, y que dieron lugar a lo que ella denomina una *incertidumbre*:

> [E]l antiguo artículo 122 de la anterior constitución (...) dio origen a dos interpretaciones contrapuestas: la que asumió la Corte Suprema de Justicia en el gobierno de Alfonso López Michelsen, que le permitió adoptar la espina dorsal de nuestro sistema tributario mediante decretos legislativos amparado en la caída del Puente de Quebrada Blanca, y la que se situó en las antípodas, durante el gobierno de Belisario Betancourt [SIC], quien quiso repetir la dosis reformista en 1982; pero en ese entonces, los vientos constitucionales le fueron adversos y se puso en evidencia que el estado de emergencia no era excusa para evitar el debate democrático sobre los tributos[328].

Después de la declaratoria de inconstitucionalidad de la mayoría de los decretos legislativos expedidos durante el estado de emergencia, el Gobierno nacional se vio obligado a presentar nuevamente el contenido esencial de sus decretos como proyecto de ley ante el Parlamento. Así se gestó y aprobó la Ley 9ª de 1983. Tan solo nos detendremos en tres de sus artículos, que regularon materias que interesan a este estudio:

El artículo 1° de la ley hizo una adaptación del artículo 1° del Decreto Legislativo 3743, antes comentado, en la medida en que también modificó las tarifas del impuesto sobre la renta para las personas naturales y las sucesiones ilíquidas. Aunque la estructura general del régimen tarifario fue muy similar al consagrado en el Decreto Legislativo 3743 de 1982, hubo algunas variaciones, a saber:

---

[328] LUCY CRUZ DE QUIÑONES. "La emergencia en materia tributaria. Análisis de las medidas adoptadas y algunas propuestas", *Revista de la Academia Colombiana de Jurisprudencia*, volumen 1, número 371, 2020, 350 y 351. A juicio de CRUZ DE QUIÑONES, el artículo 215 de la carta política colombiana, expedida en 1991, vino a solucionar definitivamente la incertidumbre que había creado el artículo 122 de la Constitución de 1886.

En el decreto legislativo la tarifa marginal superior, del 49 %, era aplicable a las rentas líquidas gravables de $6.140.001 en adelante. Por su parte, la Ley 9 de 1983 dispuso que la tarifa marginal superior, también del 49 %, sería aplicable a las rentas líquidas gravables iguales o superiores a $6.550.001.

Aunado a lo anterior, en el decreto legislativo la tarifa marginal superior, de 49 %, se aplicaba sobre la totalidad de la renta líquida gravable del contribuyente. Por oposición, la Ley 9 de 1983 preservó, en algún grado, y solo para el último intervalo, el sistema que regía en Colombia desde la Ley 81 de 1960. En ese sentido, el impuesto a cargo de las personas que obtuvieran una renta líquida gravable igual o superior a $6.550.001 era el resultado de sumar un monto básico de $2.893.478 y el 49 % sobre el exceso de $6.550.001. El decreto legislativo gravaba con la tarifa del 5 % las rentas líquidas de hasta $72.000, mientras que la ley 9 asignó esa alícuota a las rentas líquidas de hasta $102.000.

A pesar de que los intervalos permanecieron iguales en ambas disposiciones normativas —de a $2.000 hasta una renta líquida de $1.100.000 y, en adelante, de a $10.000—, la cantidad de intervalos aumentó en la Ley 9 de 1983. Ello, como es obvio, obedeció a que la renta líquida mínima gravada con la tarifa marginal superior dejó de ser $6.140.001 y pasó a ser $6.550.001.

Finalmente, en cuanto toca con las alícuotas, pese a que los extremos se mantuvieron idénticos en ambos cuerpos normativos —0 % y 49 %—, en la Ley 9 de 1983 se redujeron las tarifas aplicables a cada intervalo. De hecho, al penúltimo intervalo —de $6.540.001 a $6.550.000— le era aplicable la tarifa del 44.2 %.

Ahora bien, el artículo 4º de la Ley 9 de 1983 reiteró lo previsto en el artículo 2º del Decreto 3743 de 1982, en el sentido de que los valores expresados en moneda se ajustarían en el 100 % del IPC registrado por el DANE.

Por otro lado, el artículo 5º defirió al Gobierno la facultad de dictar el procedimiento de ajuste de las tarifas del impuesto. Además, su parágrafo le autorizó para agregar nuevos intervalos en los niveles superiores de renta líquida gravable. En ese contexto, se expidieron los Decretos Reglamentarios 1843 de 1984 y 2032 de 1985. Pese a que en ninguno se incluyeron nuevos intervalos, sí se modificaron las alícuotas aplicables a cada intervalo —respetando la tarifa marginal superior del 49 %—.

Y el artículo 6º de la ley señaló que se encontraban obligados a presentar declaración del impuesto sobre la renta quienes hubieran obtenido ingresos brutos superiores a $200.000 en 1983, o su patrimonio bruto estuviera avaluado en más de $540.000. Afortunadamente, el Parlamento no aprobó lo previsto en el artículo 6° del Decreto Legislativo 3743 de 1982, que disponía que el Gobierno podía establecer, para los diferentes ejercicios fiscales, los niveles mínimos de ingresos brutos y patrimonio bruto a partir de los cuales los contribuyentes se encontrarían obligados a presentar declaración de renta y complementarios. Por consiguiente, esos valores simplemente quedaron sujetos al ajuste del 100 % del IPC registrado pro el DANE.

Capítulo VIII.
Régimen de la Ley 75 de 1986

Resulta absolutamente imprescindible para este texto analizar el régimen de la Ley 75 de 1986. Ello es así, porque ese cuerpo normativo estructuró, en buena parte, la espina dorsal del Estatuto Tributario nacional y, por cuanto atañe al tratamiento de las rentas familiares, varias de sus disposiciones permanecen hoy vigentes en nuestro ordenamiento jurídico. Sobre esas bases, dedicaremos algunas páginas a analizar este régimen, con miras a desentrañar el auténtico sentido de sus disposiciones. Y ello será esencial para el ulterior desarrollo los comentarios que formularemos en el tomo III de este escrito. Veamos.

SECCIÓN I. EL ASENTAMIENTO DEL NEOLIBERALISMO EN EL SISTEMA TRIBUTARIO COLOMBIANO

El neoliberalismo, como corriente del pensamiento que es, abraza aspectos económico-políticos y filosóficos. Sus postulados, fundamentalmente estructurados bajo la égida de la escuela de Austria, y más adelante de la escuela de Chicago, se desarrollaron poco a poco en el mundo durante la primera mitad del siglo xx. Pero con la fundación de la SOCIEDAD MONT PÈLERIN, en abril de 1947, verdaderamente se potenció y expandió su impronta.

La citada Sociedad surgió de la convocatoria que hiciera FRIEDRICH AUGUST VON HAYEK, graduado de la Universidad de Viena y posterior premio Nobel de economía, a un grupo de intelectuales, humanistas, filósofos, economistas y abogados, con miras a la defensa de la libertad individual y a detener los totalitarismos. Como lo recuerda RONALD MAX HARTWELL[329], el propio HAYEK sostuvo que no pretendía elaborar un manifiesto público[330]. Y lo hizo, seguramente porque era consciente de que, a pesar de sus rasgos identitarios, múltiples facciones, con distintos grados de intensidad, eran susceptibles de clasificar en el neoliberalismo. Ello explica que la primera

---

[329] Véase a RONALD MAX HARTWELL. *A history of the Mont Pelerin Society.* (Indianapolis: Ed. Liberty Fund, 1995), 32 y ss.

[330] Se lee en el libro de HARTWELL que las palabras exactas de HAYEK fueron las siguientes: "I personally do not intend that any public manifesto should be issued".

versión de los objetivos de la Sociedad Mont Pèlerin, cuyo diseño estuvo a cargo del ordoliberal alemán Walter Eucken, profesor de la Universidad de Freiburg; de los neoliberales estadounidenses Henry Hazlitt, periodista; y Harry D. Gideonse, rector de Brooklyn College; del liberal danés Carl Iversen, profesor de la Universidad de Copenhague; del neoliberal inglés John Jewkes, profesor de la Universidad de Oxford; y, por supuesto, de quien convocara a la reunión fundacional, Friedrich August Von Hayek, no hubiera contado con el respaldo suficiente para ser adoptada definitivamente y, en su lugar, le correspondiera al economista inglés Lionel Robbins estructurar, en forma más amplia y etérea, los postulados que, hasta hoy, gobernarían la gestión de la Sociedad.

De la lectura de los objetivos finalmente aprobados por los miembros de la Sociedad Mont Pèlerin se aprecia la sugestiva premisa de que "los valores centrales de la civilización se encuentran en peligro". Brota entonces la pregunta obvia: ¿cuáles valores? Más adelante, en el mismo escrito se enumeran con cuidado la dignidad humana, la libertad —tanto de pensamiento como de expresión—, la propiedad privada y la libre competencia. A juicio de la Sociedad, el desdichado ascenso —para 1947— del "poder arbitrario" condujo indefectiblemente al desvanecimiento del "individuo". Por eso, explican, se hizo necesario fundar un grupo interdisciplinar para estudiar las siguientes materias: (i) la redefinición de los límites y las funciones del Estado, en aras de distinguir los regímenes totalitarios del orden liberal; (ii) el restablecimiento del imperio de la ley, para efectos de garantizar que jamás vuelvan las personas, alimentadas por un "poder depredador", a socavar la libertad y los derechos privados de otras; (iii) la fijación de estándares mínimos en que debe operar el mercado; (iv) el replanteamiento de la enseñanza de la historia como alternativa para contrarrestar los credos que restringen la libertad; y (v) el análisis de la creación de un orden internacional que conduzca a salvaguardar la paz y la libertad, al propio tiempo como permita entablar relaciones económicas armónicas[331].

La impronta neoliberal es, pues, desde el punto de vista que se quiera ver, la reivindicación del individuo, su valor en la sociedad y la libertad. A partir de ella, y como es habitual en cualquier corriente de pensamiento, han surgido una multiplicidad de facciones que la desarrollan.

---

[331] Véanse los objetivos de la Sociedad en su página web https://www.montpelerin. org/statement-of-aims/.

I. El neoliberalismo en el ámbito filosófico

En el ámbito filosófico, no escapan a este texto los planteamientos de KARL RAIMUND POPPER, quien fuera uno de los asistentes a la reunión fundacional de la Sociedad MONT PÈLERIN. En su texto *La sociedad abierta y sus enemigos*, POPPER enarbola fuertes críticas al totalitarismo de PLATÓN e incluso llega a señalar, irónicamente, que en su modelo de sociedad no habría sido posible que SÓCRATES se defendiera: "En el Estado de PLATÓN, SÓCRATES jamás hubiera tenido la oportunidad de defenderse públicamente; lejos de ello, hubiera sido transferido al Consejo Nocturno secreto para el 'tratamiento' y, finalmente, para el castigo de su alma conturbada"[332].

Sin embargo, no participa POPPER de la facción más radical del neoliberalismo libertario: el anarcocapitalismo, que repudia la existencia del Estado. Para el filósofo, el Estado es un mal necesario porque "la libertad, si es ilimitada, se anula a sí misma"[333]. En efecto, ello "significa[ría] que un individuo vigoroso es libre de asaltar a otro débil y de privarlo de su libertad"[334]. Por tanto, se hace imperativo que "el Estado limite la libertad hasta cierto punto, de modo que la libertad de todos esté protegida por la ley"[335]. Como él la denomina, es esa la *paradoja de la libertad.*

No obstante lo anterior, el hecho de que no se reclame la desaparición del Estado tampoco conduce a la conclusión de que POPPER respalde su más robusta extensión. Al formular el interrogante de lo que se exige al Estado, esta es la respuesta que proporciona el filósofo liberal:

> [L]o que exijo del Estado es protección, no sólo para mí sino también para los demás. Exijo la protección de mi propia libertad y la de los demás. No quiero vivir a merced de quien tenga los puños más fuertes o las armas más poderosas. En otras palabras, quiero ser protegido de la agresión de los demás hombres. Quiero que se reconozca la diferencia entre la agresión y la defensa y que esa última descanse en un poder organizado del Estado. (…). Yo me siento perfectamente dispuesto a aceptar que mi propia libertad sea algo restringida por el Estado, siempre que eso suponga la protección de la libertad que me resta, puesto que no ignoro que son necesarias algunas limitaciones a la libertad; por ejemplo, debo renunciar a mi 'libertad' de atacar, si deseo que el Estado me ampare contra cualquier ataque. Pero exijo que no se pierda de vista el principal objetivo del Estado, es decir, la protección de aquella liber-

---

[332] Cfr. KARL RAIMUND POPPER. *La sociedad abierta y sus enemigos.* (Barcelona: Ed. Paidós, 1992), capítulo 10, título VI.

[333] *Ibidem,* capítulo 17, título III.

[334] *Ibidem,* capítulo 17, título III.

[335] *Ibidem,* capítulo 17, título III.

tad que no perjudica a los demás ciudadanos. Por lo tanto, exijo que el Estado
limite la libertad de los ciudadanos de la forma más equitativa posible y no
más allá de lo necesario para alcanzar una limitación pareja de la libertad[336].

Así las cosas, en la medida en que lo que principalmente se reclama del
Estado es la protección de la libertad, a renglón seguido POPPER bautiza
su concepción como *proteccionista*. Obviamente, y sin ambages, desmarca
el adjetivo de otras "tendencias contrarias a la libertad", como el referido
en la economía para describir "la política de protección de ciertos intereses industriales contra la libre competencia". También se cuida en advertir
que su teoría política se aparta del "no intervencionismo estricto" y señala
que "el liberalismo y la intervención estatal no se excluyen mutuamente".
Una visión desprevenida podría sugerir que esa lapidaria oración pone de
presente que el filósofo austriaco no comulga en realidad con los planteamientos neoliberales; por ese motivo, es preciso recordar que, enseguida,
él mismo explica a qué clase de intervención se refiere:

> Por el contrario, claramente se advierte que no hay libertad posible si no se ha-
> lla garantizada por el Estado. En la educación, por ejemplo, es necesario cierto
> grado de control por parte del Estado, si quiere resguardarse a la juventud de
> una ignorancia que la tornaría incapaz de defender su libertad, y es deber del
> Estado hacer que todo el mundo goce de iguales facilidades educacionales.
> Pero un control estatal excesivo en las cuestiones educacionales constituye
> un peligro mortal para la libertad, puesto que puede conducir al adoctrina-
> miento. Como ya indicamos antes, la importante y difícil cuestión de las li-
> mitaciones de la libertad no puede resolverse mediante una fórmula seca y
> tajante. Y el hecho de que siempre haya casos fronterizos, lejos de asustarnos,
> debe convertirse en un pilar más de nuestra posición, ya que sin el estímulo
> de los problemas políticos y de las luchas de este tipo, pronto desaparecería
> la disposición de los ciudadanos a combatir por su libertad y, junto con ella,
> la libertad misma. (Enfocando el problema desde este ángulo, el pretendido
> choque de la libertad y la seguridad, esto es, la seguridad garantizada por el
> Estado, resulta completamente ilusorio. En efecto, no puede haber libertad si
> ésta no se halla asegurada por el Estado, e inversamente, sólo un Estado con-
> trolado por ciudadanos libres puede ofrecerles una seguridad razonable)[337].

En buena síntesis, la exaltación de la libertad que propugna POPPER
hace imperativa la existencia misma del Estado como mecanismo de su
propia defensa y seguridad. A juicio del filósofo, y sin pretender ahondar
en cada rincón de su pensamiento, la locución *proteccionista* implica de suyo
una *intervención*, mas no por ello se puede afirmar que estemos en presen-

---

[336] *Ibidem*, capítulo 6, título VI.
[337] *Ibidem*, capítulo 6, título VI.

cia de un defensor del Estado providencia. Todo lo contrario: la *intervención* que se reclama, en la teoría política, es aquella mínima y suficiente para garantizar la libertad; vale decir, por ejemplo, asegurar el acceso a la educación por toda la población, con miras a evitar que su ignorancia interfiera en el goce efectivo de su libertad[338].

Y resta observar, para terminar de corroborar la defensa a ultranza que este autor hace de la autorresponsabilidad y libertad del individuo en el contexto social, la crítica al problema de la política que formulara PLATÓN bajo la forma de ¿quién debe gobernar? Afirma POPPER que se trata de un equívoco capital estructurar el interrogante en los anteriores términos, porque (i) intrínsecamente se reconoce que todos los gobernantes son siempre *buenos* o *sabios* y (ii) se parte de la premisa de que el poder político está eximido de control. En su lugar, se formula el siguiente interrogante: "¿De qué forma podemos organizar las instituciones políticas con el fin de que los gobernantes malos o incapaces no puedan ocasionar demasiado daño?"[339].

Para contestar, el filósofo austriaco distingue entre dos tipos de gobierno, a saber: (i) el primero, que rotula como democrático, en el que las instituciones —como la elección general— permiten la transición del poder sin derramamiento de sangre; y (ii) el segundo, que denomina tiranía o dictadura, en el que el cambio de gobierno es solo posible mediante la revolución. Sobre esas bases, concluye lo siguiente:

> Si, tal como hemos sugerido, hacernos uso de los dos rótulos propuestos, entonces podremos considerar que el principio de la política democrática consiste en la decisión de crear, desarrollar y proteger las instituciones políticas que hacen imposible el advenimiento de la tiranía. Este principio no significa que siempre sea posible establecer instituciones de este tipo, y me-

---

[338] No es POPPER el único neoliberal que defiende la existencia del Estado con miras a garantizar la educación. PLAZAS VEGA formula una aguda y lapidaria expresión que sintetiza, en buen grado, uno de los más importantes postulados del neoliberalismo: "la igualdad en el punto de partida y no en el punto de llegada". (Véase a MAURICIO A. PLAZAS VEGA. *Historia de las ideas políticas y jurídicas*, primera edición, tomo II, *La modernidad: El liberalismo.* (Bogotá: Ed. Temis, 2014), 83 a 159). En efecto, esta corriente de pensamiento defiende la igualdad de oportunidades y la igualdad de derechos como requisito indispensable para permitir el libre desarrollo de cualquier sociedad. Así lo sostienen MILTON FRIEDMAN y ROSE D. FRIEDMAN (*Capitalism and freemdom.* (Chicago: Ed. University of Chicago Press, 1982), 160 y siguientes) y FRIEDRICH AUGUST VON HAYEK (*The collected works of F.A. Hayek*, volumen XVII, *The constitution of liberty, definitive edition*, Ronald Hamowy (ed.) (Chicago: Ed. University of Chicago Press, 2011), 148 a 166).

[339] *Ibidem*, capítulo 7, título I.

nos todavía, que éstas sean impecables o perfectas, o bien que aseguren que la política adoptada por el gobierno democrático habrá de ser forzosamente justa, buena o sabia, o siquiera mejor que la adoptada por un tirano benévolo. (Puesto que no efectuamos ninguna afirmación de este tipo, queda eliminada la paradoja de la democracia). Lo que sí puede decirse, sin embargo, es que en la adopción del principio democrático va implícita la convicción de que hasta la aceptación de una mala política en una democracia (siempre que perdure la posibilidad de provocar pacíficamente un cambio en el gobierno), es preferible al sojuzgamiento por una tiranía, por sabia o benévola que ésta sea. Vista desde este ángulo, la teoría de la democracia no se basa en el principio de que debe gobernar la mayoría, sino más bien, en el de que los diversos métodos igualitarios para el control democrático, tales como el sufragio universal y el gobierno representativo, han de ser considerados simplemente salvaguardias institucionales, de eficacia probada por la experiencia, contra la tiranía, repudiada generalmente como forma de gobierno, y estas instituciones deben ser siempre susceptibles de perfeccionamiento[340].

No se requiere mayor análisis para descifrar que, detrás de todo su razonamiento, se encuentra una absoluta defensa del individualismo y la autorresponsabilidad. POPPER rechaza enfáticamente cualquier dictadura perfecta y sobre ella prefiere cualquier democracia imperfecta, porque es esa —a su juicio— la única manera de que prevalezca inalterada la libertad individual. Es, pues, una clara manifestación de la impronta neoliberal.

En una posición menos moderada, aparece el filósofo norteamericano ROBERT NOZICK. El profesor de la Universidad de Harvard fue un claro adherente del libertarismo, aunque no llegó a pregonar las tesis del anarcocapitalismo. NOZICK es, sin duda, un férreo defensor de la impronta sostenida por el neoliberalismo, en torno a la reivindicación del individuo, su valor en la sociedad y la libertad.

Su célebre frase, según la cual "[e]l Estado mínimo es el Estado más extenso que se puede justificar"[341], es perfectamente indiciaria de que se reconoce la necesidad del Estado en la sociedad. Mas como fluye de su contenido expreso, no se trata de cualquier Estado, sino del *mínimo*, que, al decir del autor, es "1) el que posee el tipo requerido de monopolio del uso de la fuerza en el territorio, y 2) que protege los derechos de cualquiera en el territorio, aun si esa protección universal pudiera proporcionarse única-

---

[340]   *Ibidem*, capítulo 7, título II.

[341]   Cfr. ROBERT NOZICK. *Anarquía, Estado y utopía*, primera edición en español. (Buenos Aires: Ed. Fondo de Cultura Económica, 1988), 153

mente a través de una forma 'redistributiva'"[342]. Aquí el Estado es, pues, en otras palabras, una *agencia de protección*.

La defensa a ultranza del individuo, sus libertades y, sobre todo, su derecho a la propiedad privada, es el epicentro de los planteamientos de Nozick. En efecto, "cualquier Estado más extenso [que el mínimo] viola los derechos de las personas"[343]. La razón para que ello sea así obedece, en lo fundamental, a que cualquier prerrogativa adicional que se confiera al Estado, por ejemplo en materia de redistribución, necesariamente implicará la afectación de la justicia de las pertenencias.

Para el filósofo estadounidense, la justicia de las pertenencias se sintetiza así: (i) una persona que adquiere una pertenencia de conformidad con el principio de justicia en la adquisición, tiene derecho a esa pertenencia; (ii) una persona que adquiere una pertenencia de conformidad con el principio de justicia en la transferencia, de algún otro con derecho a la pertenencia, tiene derecho a esa pertenencia; (iii) nadie tiene derecho a un pertenencia excepto por aplicaciones (repetidas) de (i) y (ii). Síguese de lo anterior que la base de la propiedad es eminentemente *histórica* —como criterio objetivo de retribución— y se opone, por completo, a *pautas* —como criterios subjetivos— que condicionen su distribución.

Sin necesidad de entrar en los planteamientos económicos de Nozick, sobre los que luego volveremos, resta transcribir aquí el ingenioso juego de palabras con el cual el autor irónicamente sienta las bases de su justicia retributiva sobre la justicia pautada:

> Pensar que la tarea de una teoría de justicia distributiva es llenar el espacio de 'a cada uno según sus —' es estar predispuesto a buscar una pauta; y el tratamiento separado de 'de cada quien según sus'— trata la producción y la distribución como dos cuestiones separadas e independientes. Según la opinión retributiva [que él defiende], éstas *no* son dos cuestiones separadas. Quienquiera que hace algo, habiendo comprado o contratado para todos los otros recursos que se usan en el proceso (…), tiene derecho a eso. La situación *no* es de algo que se está haciendo y que haya una pregunta abierta de quién debe obtener-

---

[342]   *Ibidem*, 117. Importa destacar que se debe distinguir el efecto "redistributivo" a que alude Nozick, con el adjetivo "redistributivo" que emplean otros filósofos —particularmente Rawls—, puesto que mucho se cuida aquél de permitir interferencias indebidas al derecho de propiedad por parte del Estado. De hecho, como el propio Nozick explica, la pretendida "redistribución" no es más que el efecto "compensación", que no afecta a los asociados de la agencia de protección de que se trate, por el que se reconocen las desventajas que se imponen (*Ibidem*, 118).

[343]   *Ibidem*, 153.

> lo. (…) Desde el punto de vista de la concepción histórica retributiva sobre la justicia de las pertenencias, los que comienzan nuevamente a completar 'a cada uno según sus ——' tratan los objetos como si aparecieran de la nada (…)

Tan enraizadas están las máximas de la forma usual que quizá deberíamos presentar la concepción retributiva como un competidor. Pasando por alto adquisición y rectificación, podríamos decir: "*De cada quien según lo que escoge hacer, a cada quien según lo que hace por sí mismo (tal vez con la ayuda contratada de otros) y lo que otros escogen hacer por él y deciden darle de lo que les fue dado (según esta máxima) y no han gastado aún o transmitido*"[344].

II. El neoliberalismo en el ámbito económico

Ahora bien, en los terrenos económico y político propiamente tales, como se anotó precedentemente, hay también una variopinta gama de facciones o modalidades del neoliberalismo. No elucubraremos sobre cada una de ellas, sino que tan solo nos referiremos a los rasgos generales que las identifican, por lo menos a nuestro juicio, abstracción hecha de la versión más radical —anarcocapitalista— que reclama la desaparición absoluta del Estado[345].

Si volvemos sobre el varias veces comentado paradigma neoliberal, anunciado con claridad en los objetivos fundacionales de la Sociedad MONT PÈLERIN, de reivindicar al individuo, su valor en la sociedad y la libertad, por sustracción de materia es sencillo deducir que el Estado providencia, como contraparte del individuo, correlativamente debe tender a reducirse. Consiguientemente, es lógico afirmar que debe ser el mercado, y no el Estado, el que fije las pautas regulatorias. Al respecto, FRIEDRICH AUGUST VON HAYEK sostuvo, en su *Camino de servidumbre*, lo siguiente:

> Es importante no confundir la oposición contra la planificación de esta clase [absoluta] con una dogmática actitud de laissez-faire. La argumentación liberal defiende el mejor uso posible de las fuerzas de la competencia como medio para coordinar los esfuerzos humanos, pero no es una argumentación en favor de dejar las cosas tal como están. Se basa en la convicción de que allí donde pueda crearse una competencia efectiva, ésta es la mejor guía para conducir los esfuerzos individuales. No niega, antes bien, afirma que, si la competencia ha de actuar con ventaja, requiere una estructura legal cuida-

---

[344] *Ibidem*, 162 y 163.

[345] Véase, sobre este particular, a DAVID FRIEDMAN, hijo de MILTON FRIEDMAN —neoliberal laureado con el Premio Nobel de Economía en 1976—, en su sugestiva obra *The machinery of freedom: Guide to radical capitalism*, tercera edición. (Chicago: Ed. Open Court, 2014).

dosamente pensada, y que ni las reglas jurídicas del pasado ni las actuales están libres de graves defectos. Tampoco niega que donde es imposible crear las condiciones necesarias para hacer eficaz la competencia tenemos que acudir a otros métodos en la guía de la actividad económica. El liberalismo económico se opone, pues, a que la competencia sea suplantada por métodos inferiores para coordinar los esfuerzos individuales. Y considera superior la competencia, no sólo porque en la mayor parte de las circunstancias es el método más eficiente conocido, sino, más aún, porque es el único método que permite a nuestras actividades ajustarse a las de cada uno de los demás sin intervención coercitiva o arbitraria de la autoridad. En realidad, uno de los principales argumentos en favor de la competencia estriba en que ésta evita la necesidad de un 'control social explícito' y da a los individuos una oportunidad para decidir si las perspectivas de una ocupación particular son suficientes para compensar las desventajas y los riesgos que lleva consigo[346].

En similar sentido, LUDWIG VON MISES, también economista y miembro fundador de la Sociedad MONT PÈLERIN, sostiene lo siguiente:

En la economía de mercado los consumidores tienen el papel supremo. El hecho de comprar o de abstenerse de hacerlo determina, en última instancia, lo que los empresarios producen, así como la cantidad y calidad de la producción. También determina directamente los precios de los bienes de consumo e indirectamente los precios de todos los bienes de capital, esto es, del trabajo y de los factores materiales de la producción. Determina, igualmente, el que surjan ganancias y pérdidas, la formación del tipo de interés y el ingreso de todos los individuos. El foco de la economía es el mercado, esto es, el proceso de la formación de los precios de las mercancías, de las tasas de los salarios y de los tipos de interés, así como de sus derivados, las utilidades y las pérdidas. Obliga a todos, en su capacidad de productores, a ser responsables frente a los consumidores. Esta dependencia es directa por cuanto ve a los empresarios, capitalistas, agricultores y profesionalistas, e indirecta por lo que hace a quienes trabajan a cambio de sueldos o salarios. El mercado pone los esfuerzos de todos los que se encuentran dedicados a satisfacer sus necesidades de los consumidores, de acuerdo con los deseos de estos, puesto que se produce para ellos[347].

Repárese en que los apartes transcritos rechazan la intervención severa del Estado en la economía y, por el contrario, reclaman la posibilidad de que la competencia en la oferta, así como la libre decisión de los individuos, sea el elemento central en la estructuración del sistema. Mas ello no significa, por lo menos en las facciones que aquí se analizan, que el neoliberalismo

---

[346] Cfr. FRIEDRICH AUGUST VON HAYEK, *Camino de servidumbre: Textos y documentos*, volumen II. (Madrid: Ed. Unión Editorial, 2008), 125.

[347] Cfr. LUDWIG VON MISES, *El socialismo: análisis económico y sociológico.* (México D.F: Ed. Hermés, 1961), 574.

demande la ausencia absoluta de intervención del Estado, ni mucho menos su desaparición. Veamos los planteamientos de HAYEK sobre el particular:

> El uso eficaz de la competencia como principio de organización social excluye ciertos tipos de interferencia coercitiva en la vida económica, pero admite otros que a veces pueden ayudar muy considerablemente a su operación e incluso requiere ciertas formas de intervención oficial. Pero hay buenas razones para que las exigencias negativas, los puntos donde la coerción no debe usarse, hayan sido particularmente señalados. Es necesario, en primer lugar, que las partes presentes en el mercado tengan libertad para vender y comprar a cualquier precio al cual puedan contratar con alguien, y que todos sean libres para producir, vender y comprar cualquier cosa que se pueda producir o vender. Y es esencial que el acceso a las diferentes actividades esté abierto a todos en los mismos términos y que la ley no tolere ningún intento de individuos o de grupos para restringir este acceso mediante poderes abiertos o disfrazados. Cualquier intento de intervenir los precios o las cantidades de unas mercancías en particular priva a la competencia de su facultad para realizar una efectiva coordinación de los esfuerzos individuales, porque las variaciones de los precios dejan de registrar todas las alteraciones importantes de las circunstancias y no suministran ya una guía eficaz para la acción del individuo.

> (...) Prohibir el uso de ciertas sustancias venenosas o exigir especiales precauciones para su uso, limitar las horas de trabajo o imponer ciertas disposiciones sanitarias es plenamente compatible con el mantenimiento de la competencia. La única cuestión está en saber si en cada ocasión particular las ventajas logradas son mayores que los costes sociales que imponen. Tampoco son incompatibles el mantenimiento de la competencia y un extenso sistema de servicios sociales, en tanto que la organización de estos servicios no se dirija a hacer inefectiva en campos extensos la competencia (...)

> Crear las condiciones en que la competencia actuará con toda la eficacia posible, complementarla allí donde no pueda ser eficaz, suministrar los servicios que, según las palabras de Adam Smith, 'aunque puedan ser ventajosos en el más alto grado para una gran sociedad, son, sin embargo, de tal naturaleza que el beneficio nunca podría compensar el gasto a un individuo o un pequeño número de ellos', son tareas que ofrecen un amplio e indiscutible ámbito para la actividad del Estado[348]. En ningún sistema que pueda ser defendido racionalmente el Estado carecerá de todo quehacer. Un eficaz sistema de competencia necesita, tanto como cualquier otro, una estructura legal inteligentemente trazada y ajustada continuamente. Sólo el requisito más esencial para su buen funcionamiento, la prevención del fraude y el abuso

---

[348]   [El pasaje citado por HAYEK se encuentra en ADAM SMITH, *An Inquiry into the Nature and Causes of the Wealth of Nations*, vol. 2 (Oxford: Clarendon Press, 1976, 1979), libro 5, capítulo 1, parte 3, 723.

(incluida en éste la explotación de la ignorancia), proporciona un gran objetivo nunca, sin embargo, plenamente realizado para la actividad legisladora[349].

Como es apenas natural, de los apartes transcritos se sigue que la entronización de la libre competencia y la limitación de la injerencia estatal en
la economía son predicables no solo para la política doméstica, sino para
el intercambio comercial internacional. Ello implica, de consiguiente, que
el neoliberalismo rechaza también los regímenes arancelarios que desin-
centivan la importación.

Otro aspecto fundamental que trata el neoliberalismo es el control de
la inflación. Milton Friedman, Nobel de Economía, padre de la *Escuela
monetarista* de la Universidad de Chicago y miembro fundador de la Sociedad Mont Pèlerin, dedicó gran parte de sus textos al tema inflacionario.
El economista describe la inflación como "una enfermedad, una peligrosa
y en ocasiones fatal enfermedad, una enfermedad que si no se revisa a
tiempo puede destruir una sociedad"[350].

Muy en línea con la Escuela que representa, Friedman sostuvo que la
inflación era un fenómeno eminentemente monetario, que "tiene lugar
cuando la cantidad de dinero incrementa apreciablemente más rápido que
la producción". Por tanto, "entre más rápido sea el incremento del dinero
por unidad de producción, más grande será la inflación"[351].

Al analizar las políticas de gasto público excesivo —propio de las iniciativas Keynesianas y del Estado benefactor para estimular la demanda
agregada como alternativa para la recuperación económica—, Friedman
explicó que éste no sería un factor inflacionario *siempre y cuando* fuera fi-
nanciado por el recaudo tributario o por empréstitos del público. Solo así
se compensaría el exceso del gasto público con los recursos disponibles de
la ciudadanía para consumo o inversión. Empero, tal proposición resulta

---

349   Cfr. Friedrich August Von Hayek. *Camino de...*, 125 a 128.
350   La anterior es una traducción libre. En su versión original: "Inflation is a disease,
      a dangerous and sometimes fatal disease, a disease that if not checked in time can
      destroy a society". Cfr. Milton Friedman y Rose Friedman, *Free to choose: A perso-
      nal statement*. (Nueva York: Ed. Harcout Brace Jovanovich, 1980), 253.
351   La anterior es una traducción libre. En su versión original: "Inflation occurs when
      the quantity of money rises appreciably more rapidly than output, and the more
      rapid the rise in the quantity of money per unit of output, the greater the rate of
      inflation". Cfr. *Ibidem*, 254.

muy costosa en términos políticos, por lo que se acude normalmente al incremento en la cantidad de dinero en circulación[352].

El fenómeno inflacionario es, sin duda, un *impuesto* para la ciudadanía, porque necesariamente representa la pérdida del poder adquisitivo de la moneda y, de contera, los ciudadanos se ven imposibilitados para adquirir la misma cantidad de bienes y servicios que antes adquirían por la misma cantidad de dinero. Sin embargo, desde la óptica estatal —dice FRIEDMAN—, la inflación se traduce en un aumento en la tributación efectiva de la ciudadanía[353].

Finalmente, FRIEDMAN concluye que, si la causa de la inflación obedece al acelerado crecimiento de la moneda en circulación en relación con la producción, la solución es disminuir la tasa de incremento de la cantidad de dinero. Aunque sencilla —apunta—, apareja efectos dolorosos como el aumento temporal del desempleo[354].

En todo caso, importa anotar los prominentes pensadores de la escuela económica neoliberal no arribaron a un común acuerdo respecto de quién sería el titular de la facultad de emitir el dinero, o en qué condiciones lo sería. HAYEK, por ejemplo, sostuvo la necesidad de arrebatar ese poder del Estado y transferirlo a un grupo privado[355]; FRIEDMAN, en cambio, propu-

---

[352]   *Ibidem*, 264 y 265.

[353]   *Ibidem*, 269. En similar sentido, JAMES MCGILL BUCHANAN, neoliberal, expresidente de la Sociedad MONT PÈLERIN y premio Nobel de Economía en 1986, dedica un capítulo de su importante obra *The power to tax: Analytical foundations of a fiscal constitution* a demostrar cómo la inflación se traduce en un tributo impuesto sobre los balances monetarios y, en particular, la forma discreta en la que, en materia del impuesto sobre la renta, el fenómeno inflacionario se traduce en un aumento de las tasas efectivas para los ciudadanos (JAMES MCGILL BUCHANAN. *The collected works of James M. Buchanan.* James McGill Buchanan y Geoffrey Brennan (comp.) volumen 9, capítulo 6. Específicamente sobre este aspecto, pág. 130 a 131 y 135). Esa explicación es también sostenida por ARTHUR BETZ LAFFER y R. DAVID RANSON en su estudio económico *Inflation, taxes and equity values.* (Boston: Ed. H.C. Wainwright & Co., 1979).

[354]   *Ibidem*, 281 y 282.

[355]   Cfr. FRIEDRICH AUGUST VON HAYEK. *Denationalisation of money: The argument refined,* tercera edición. (Londres: Ed. Institute of Economic Affairs, 1990). El autor sostiene (pág. 100 a 106) que no es posible instituir una política monetaria, y tampoco es ello deseable, porque el Gobierno es la mayor fuente de inestabilidad y, gracias a tales políticas monetarias, han surgido grandes depresiones económicas. Además (pág. 130), se opone también a la tesis de retornar al patrón oro como alternativa para controlar la inflación.

so dejarlo en el Estado, pero no en cabeza del Ejecutivo, sino con pesos y contrapesos definidos[356]; BUCHANAN, más cercano a la segunda alternativa, sugirió también la permanencia de tal facultad en el Estado, con precisas limitaciones provenientes de la Constitución Monetaria[357]; y LAFFER, por su parte, abogó por retornar estrictamente al patrón oro como única fuente admisible para la emisión[358].

III. El neoliberalismo en el ámbito tributario

JAMES MCGILL BUCHANAN, quien fuera galardonado con el premio Nobel de Economía en 1986, en alguna medida sintetizó los planteamientos identitarios de la mayor parte de la doctrina neoliberal cuando pronunció su discurso *Man and the State* como presidente de la sociedad MONT PÈLE-RIN en su reunión ordinaria:

> Entre nuestros miembros, hay algunos que son capaces de imaginar una sociedad viable sin Estado (...) Para la mayoría de nosotros, sin embargo, el orden social es inimaginable sin la presencia del Estado, al menos en un sentido preponderantemente normativo (...) Por necesidad, debemos ver nuestra relación con el Estado desde diversos ángulos (...) El hombre es, y seguirá siendo, un esclavo del Estado. Pero es de vital y crítica importancia reconocer que una esclavitud del diez por ciento es distinta que una esclavitud del cincuenta por ciento[359].

Resulta evidente, del aparte transcrito, que se ve al Estado como el más peligroso —aunque necesario— agente de la vida en sociedad. Y si se tiene en cuenta que el Poder Tributario del Estado se concreta, como lo define el propio BUCHANAN, en el "Poder de Tomar"[360], brota palmaria la preocu-

---

[356]   Cfr. MILTON FRIEDMAN y ROSE FRIEDMAN. *Free to choose...*, 307 a 309.

[357]   Cfr. JAMES MCGILL BUCHANAN. *The collected works...*, volumen 9, 132 a 134.

[358]   Cfr. ARTHUR BETZ LAFFER. *Reinstatement of the dollar: The blueprint*. (California: Ed. Rolling Hill Estates, 1980), 2 a 9. También véase a ARTHUR BETZ LAFFER y CHARLES W. KADLEC. "The point of linking the dollar to gold", *Wall Street Journal*,1982, 32.

[359]   La anterior es una traducción libre. En su versión original: "Among our members, there are some who are able to imagine a viable society without a state (...) For most of our members, however, social order without a state is not readily imagined, at least in any normatively preferred sense (...) Of necessity, we must look at our relations with the state from several windows (...) Man is, and must remain, a slave to the state. But it is critically and vitally important to recognize that ten percent slavery is different from fifty percent slavery". JAMES MCGILL BUCHANAN, *Man and the State*, 1986.

[360]   Cfr. JAMES MCGILL BUCHANAN, *The collected works...*, volumen 9, 23.

pación de los neoliberales. En efecto, el Poder Tributario se presenta, en línea de principio, como un antónimo del derecho a la propiedad privada. En virtud del primero, el Estado se encuentra facultado para privar a los ciudadanos del segundo.

Por lo anteriormente expuesto, en la cima de los postulados tributarios del neoliberalismo se ubica la celosa guarda del principio de *reserva de ley*. Pero no solamente se trata de exigir que los gravámenes sean adoptados mediante un documento formal que pueda recibir la denominación de "ley", sino que también se imponen diversos límites *constitucionales* —en los términos de Buchanan[361]— o *estructurales* —en los términos de Hayek[362]— para el ejercicio de la actividad legislativa. Es así, principalmente por dos motivos: (i) si no se protege el derecho a la propiedad privada, es posible que, so pretexto de constituir un cuerpo mayoritario, un grupo de la ciudadanía "democráticamente" y "por voto popular" expropie a otro; y (ii) las reglas de juego no pueden variar, en forma dramática y vulneratoria, según el antojo de quien detente el Poder en un determinado período histórico.

Ahora bien, en cuanto toca con los gravámenes sobre la renta, el neoliberalismo ha planteado reparos que se podrían denominar esenciales. Sin lugar a duda, una de las críticas más feroces que se formulan a los impuestos sobre la renta, y particularmente a aquellos que gravan los ingresos del trabajo, es la que plantea Nozick, según la cual este tipo de gravámenes deviene, indefectiblemente, en una forma de esclavitud:

> El impuesto a los productos del trabajo va a la par con el trabajo forzado.[363] Algunas personas encuentran esta afirmación obviamente verdadera: tomar las ganancias de *n* horas laborales es como tomar *n* horas de la persona; es como forzar a la persona a trabajar *n* horas para propósitos de otra. Para otros, esta afirmación es absurda. Pero aun éstos, *si* objetan el trabajo forzado, se opondrían a obligar a *hippies* desempleados a que trabajaran en beneficio

---

[361] *Ibidem*, 154 a 165 y 187 a 189.
[362] Cfr. Friedrich August Von Hayek. *Law, legislation and liberty: A new statement of the liberal principles of justice and political economy*, volumen 3. (Londres: Ed. Routledge Classics, 2013), 345 a 382.
[363] No estoy seguro en cuanto a si los argumentos que formulo más adelante muestran que tal imposición *es* meramente trabajo forzado; de esta manera "va a la par con" significa "es una clase de". O bien, si a la inversa, los argumentos acentúan las grandes similitudes entre tal gravamen y el trabajo forzado, mostrando que es verosímil y escalerecedor considerar tal imposición a la luz del trabajo forzado. Este segundo enfoque le recordaría a uno cómo John Wisdom concibe las afirmaciones de los metafísicos.

de los necesitados[364], y también objetarían obligar a cada persona a trabajar cinco horas extra a la semana para beneficio de los necesitados. Sin embargo, no les parece que un sistema que toma el salario de cinco horas en impuestos obliga a alguien a trabajar cinco horas, puesto que ofrece a la persona obligada una gama más amplia de opción en actividades que la que ofrece la imposición en especie con el trabajo particular, especificado[365].

Y es que, como lo recuerda BUCHANAN, todas las teorías que definen los alcances de lo que se debe entender por *renta* para la aplicación de ese impuesto tienen en cuenta los ingresos provenientes del trabajo[366]. Por ese motivo, algunos exponentes de la escuela neoliberal se han decantado por proponer alternativas diferentes a este tipo de imposición.

Por un lado, MAURICE FÉLIX CHARLES ALLAIS, miembro fundador de la Sociedad MONT PÈLERIN y premio Nobel de Economía en 1988, propuso en su libro, *L'impôt sur le capital et la réforme monétaire*, la sustitución de los impuestos sobre la renta de las personas físicas y jurídicas por un gravamen sobre el capital, con una tarifa plana del 2 %, sin deducciones ni exoneraciones de naturaleza alguna, salvas las relacionadas con hipotecas o prendas. En su sentir, los ingresos provenientes del trabajo debían ser considerados como *legítimos* y, consiguientemente, era necesario liberarlos de tributación. Como contrapartida, el impuesto sobre el capital obligaría a sus propietarios, poseedores o tenedores a hacer sus activos productivos[367].

---

[364]   Nada se sostiene del hecho de que aquí como en cualquier otra parte hablo vagamente de *necesidades*, puesto que continúo, cada vez, rechazando el criterio de justicia que lo incluye. Sin embargo, si algo dependiera de la noción, uno querría examinarla más detenidamente. Para un punto de vista escéptico, véase a KENNETH MINOGUE. *The liberal mind*. (Nueva York: Ed. Random House, 1963), 103 a 112

[365]   Cfr. ROBERT NOZICK, *Anarquía, Estado...*, 170 y 171.

[366]   El economista sostiene que esa afirmación es predicable, incluso, de la teoría de la "Renta-incremento patrimonial" de HAIG y SIMONS, sobre la cual elaboramos algunos planteamientos en el capítulo introductorio de este escrito. (JAMES MCGILL BUCHANAN, *The collected works...*, volumen 9, 100)

[367]   Cfr. MAURICE FÉLIX CHARLES ALLAIS. *L'impôt sur le capital et la réforme monétaire*, primera edición. (París: Ed. Hermann, 1977). En criterio de ALLAIS, el impuesto sobre la renta castiga a quienes son productivos en la economía y benefician a la sociedad, mientras que se estimula a quienes no lo son. En cambio, con el establecimiento de un tributo al capital quienes posean riquezas y las hagan productivas solo transferirán una porción de su ingreso al Fisco, en tanto que quienes las posean, pero sean completamente improductivos verán paulatinamente disminuido su patrimonio.

Por el otro, Guy Sorman[368] y Martin Stuart Feldstein[369] decididamente emprendieron su defensa por un impuesto sobre el consumo como alternativo al tributo sobre la renta. Sería injusto decir que el fundamento básico de su propuesta fue el gravamen sobre los ingresos provenientes del trabajo. En realidad, tanto para Sorman como para Feldstein la libertad de elección de los ciudadanos jugó un papel esencial. Pero es posible atar la consideración también al ingreso laboral: no hay manera de que los contribuyentes opten por pagar o no un tributo, cuandoquiera que su hecho imponible es el ingreso derivado del trabajo. Al fin y al cabo, salvo que una persona sea lo suficientemente solvente para vivir de los rendimientos de su capital, tendrá que laborar para subsistir. Otro es, en cambio, el panorama cuando lo que se grava es el consumo. En ese escenario, es decisión de los adquirentes incurrir en tal o cual erogación y, por tanto, configurar el hecho generador del tributo en cabeza suya[370].

Fuera de las anotadas alternativas, que de suyo excluyen al impuesto sobre la renta, otra parte de la doctrina neoliberal no pretende la abolición del tributo, aunque sí plantea la necesidad de reevaluar su estructura. Es normalmente pacífica la afirmación de que la manera más fácil de asegurar la progresividad es mediante la adopción de impuestos como aquel que grava la renta, puesto que en la graduación de las tarifas es posible medir el verdadero *sacrificio* del individuo con base en su propia *capacidad contributiva*. Y, por supuesto, se aduce que la progresividad no tiene por objeto castigar al más solvente, sino que propende por reducir la desigualdad y la pobreza mediante la redistribución de la riqueza.

Sobre este aspecto, no son pocas las críticas del neoliberalismo. Sus argumentos, para efectos académicos, se pueden aglutinar en tres grupos: (i) aquellos que cuestionan la progresividad en la práctica; (ii) los que se dirigen a increpar la esencia misma de la progresividad; y (iii) los que, en todo caso, sin perjuicio de su existencia, reclaman un límite. Veamos:

---

[368] Sorman, por ejemplo, afirmó que "un impuesto sobre los gastos constituye la esencia del nuevo contrato fiscal entre los ciudadanos y el Estado". Véase a Guy Sorman, *La solución liberal*. (Buenos Aires: Ed. Atlántida S.A., 1984), 129.

[369] Cfr. Martin Stuart Feldstein. "Taxing consumption", *The new republic*, volumen 174, número 9, 1976, 14 a 17.

[370] Como claramente lo señala Buchanan, en este tipo de gravámenes no quedan comprendidos los ingresos provenientes del trabajo (al menos directamente). James Mcgill Buchanan, *The collected works...*, 100.

En primer lugar, en cuanto a la progresividad puesta en práctica como tal, el neoliberalismo formula dos clases de objeciones, como se sigue a continuación:

FRIEDMAN cuestiona el hecho de que el impuesto directo y personal sobre la renta cumpla el propósito de ajustar el gravamen a la *capacidad contributiva* de cada individuo. A su juicio, las tarifas pueden ser tan altas como se quiera, pero si el diseño de la ley deja una vasta cantidad de vacíos e incluye otra cantidad de privilegios, personas con *capacidades contributivas* semejantes tributarán en forma disímil[371]. Por tanto, se impone la necesidad de reestructurar el gravamen, en aras de eliminar los beneficios legales y corregir los vacíos normativos.

Así mismo, y vista desde otro ángulo, se ha planteado que la progresividad puede ser útil para aumentar los recaudos y, por esa vía, solventar las erogaciones en que debe incurrir el Estado[372]. Al respecto, WALTER J. BLUM y HARRY KALVEN, profesores de la Universidad de Chicago, señalan que

---

[371] Cfr. MILTON FRIEDMAN y ROSE D. FRIEDMAN. *Free to...*, 306: "By general consent, the personal income tax is sadly in need of reform. It professes to adjust the tax to "ability to pay," to tax the rich more heavily and the poor less heavily and to allow for each individual's special circumstances. It does no such thing. Tax rates are highly graduated on paper, rising from 14 to 70 percent. But the law is riddled with so many loopholes, so many special privileges, that the high rates are almost pure window dressing". Más Adelante, en su obra *Capitalism and freedom* (pág. 142), profundiza su argumento, en los siguientes términos: "The tax rates are on paper both high and highly graduated. But their effect has been dissipated in two different ways. First, part of their effect has been simply to make the pre-tax distribution more unequal. This is the usual incidence effect of taxation. By discouraging entry into activities highly taxed in this case activities with large risk and non-pecuniary disadvantages they raise returns in those activities. Second, they have stimulated both legislative and other provisions to evade the tax so-called "loopholes" in the law such as percentage depletion, exemption of interest on state and municipal bonds, specially favorable treatment of capital gains, expense accounts, other indirect ways of payment, conversion of ordinary income to capital gains, and so on in bewildering number and kind. The effect has been to make the actual rates imposed far lower than the nominal rates and, perhaps more important, to make the incidence of the taxes capricious and unequal. People at the same economic level pay very different taxes depending on the accident of the source of their income and the opportunities they have to evade the tax. If present rates were made fully effective, the effect on incentives and the like might well be so serious as to cause a radical loss in the productivity of the society. Tax avoidance may therefore have been essential for economic wellbeing. If so, the gain has been bought at the cost of a great waste of resources, and of the introduction of widespread inequity".

[372] Cfr. MILTON FRIEDMAN y ROSE D. FRIEDMAN. *Capitalism...*, 143.

ello no es necesariamente cierto, pues, para 1952, en los Estados Unidos el recaudo atribuible a la progresividad tarifaria representaba menos de un cuarto del total del ingreso por ese tributo[373]. FRIEDMAN encima otro argumento: no es lógico pensar que tarifas progresivas de hasta el 70 % puedan tener por objeto solamente garantizar que se aumenten los recaudos[374].

A todo lo cual es de agregar, como parte de la réplica neoliberal, que el inusitado incremento tarifario no necesariamente se traduce en un aumento de los recaudos. Al efecto, el economista de la Universidad de Stanford, ARTHUR BETZ LAFFER, modeló una curva —popularmente conocida como *La curva de Laffer*— en la que trató de demostrar la correlación existente entre las tasas impositivas y la recaudación. Según su modelación, el incremento en la alícuota conduce un aumento en los ingresos tributarios del Estado hasta un punto máximo, luego del cual comienza a descender hasta llegar a cero[375].

Sobre esa premisa, LAFFER, exponente de la *Escuela ofertista* del neoliberalismo, sostiene que, contrario a lo pretendido por los defensores de la progresividad desmedida, después de cierta alícuota el ingreso susceptible de recaudo principiará a descender. Ello implica, como es normal, que, si las tarifas más altas están previstas para los mayores niveles de ingreso, pro-

---

[373]   Cfr. WALTER J. BLUM y HARRY KALVEN. "The uneasy case for progressive taxation", *The University of Chicago Law Review*, volumen 19, número 3, 1952, 417 a 520. En especial, sobre este aspecto, se lee en la página 421 lo siguiente: "It is not infrequently thought that under modem conditions progression in the personal income tax has become a revenue necessity. If the regular costs of operating government are now so large that it would not be possible to satisfy them through a merely proportionate tax on income, perhaps nothing further need be said. But this view appears to be based on an erroneous impression of how much of the revenue at the present time is produced exclusively by the graduation of rates. Something less than a quarter of the total revenue currently raised through the personal income tax is attributable to the graduated surtax rates, and there can be no doubt that it would be quite possible to obtain the same total through a personal income tax having a single basic rate".

[374]   Cfr. MILTON FRIEDMAN y ROSE D. FRIEDMAN, *Capitalism...*, 143.

[375]   No escapa a este texto que, como es normal, varios economistas han cuestionado la efectiva correlación que existe entre las tasas impositivas y el nivel de recaudo (Véase, solo por proponer un ejemplo, el artículo de PHILIP MIROWSKY, "What's wrong with the Laffer Curve?", *Journal of Economic Issues*, volumen 16, número 3, 1982, 815 a 828). Sin embargo, y sin perjuicio de que otros tantos aún la defienden, tan solo pretendemos hacer ver las críticas neoliberales al sistema impositivo. En una línea similar, el lector puede acudir a ALAN J. AUERBACH, "The theory of excess burden and optimal taxation", *National Bureau of Economic Research*, noviembre de 1982.

bablemente el Estado no llegará a alcanzar su mayor potencial de recaudo con este modelo de tributación.

El segundo grupo de argumentos, relacionados con la esencia misma de la progresividad, se estructura también a partir de dos clases de objeciones:

Por un lado, FRIEDRICH AUGUST VON HAYEK[376] y MILTON FRIEDMAN[377] afirman que la estructura *progresiva* del impuesto personal y directo cumple el efecto opuesto al que persigue. Pese a que su intención es morigerar la desigualdad por la vía de hacer que quienes más tengan soporten un mayor sacrificio, con la graduación tarifaria se logra una menor movilidad social. En efecto, a medida que una persona obtiene mayores ingresos, en lugar de destinar ese importe al ahorro debe destinarlo a sufragar los tributos que ascienden en forma geométrica.

Sobre esa base, se añaden dos complementos al mismo argumento: (i) el aumento de los impuestos en tal forma tiene un efecto psicológico disuasivo en la producción de riqueza; e, (ii) incluso sin tener en cuenta que los individuos podrán no trabajar con el mismo esmero que de otro modo lo

---

[376] FRIEDRICH AUGUST VON HAYEK. *Individualism and economic order*. Ed. The University of Chicago Press. Chicago, 1980 [1948]. Pág. 118: "I want to pick out only two aspects of it. The one is the effect of progressive income taxation at the rate which has now been reached and used for extreme egalitarian ends. The two consequences of this which seem to me the most serious are, on the one hand, that it makes for social immobility by making it practically impossible for the successful man to rise by accumulating a fortune and that, on the other, it has come near eliminating that most important element in any free society –the man of independent means, a figure whose essential role in maintaining a free opinion and generally the atmosphere of independence from government conform we only begin to realize as he is disappearing from the stage".

[377] Cfr. MILTON FRIEDMAN y ROSE D. FRIEDMAN, *Capitalism...*, 143: "A further factor that has reduced the impact of the graduated tax structure on inequality of income and wealth is that these taxes are much less taxes on being wealthy than on becoming wealthy. While they limit the use of the income from existing wealth, they impede even more strikingly so far as they are effective the accumulation of wealth. The taxation of the income from the wealth does nothing to reduce the wealth itself, it simply reduces the level of consumption and additions to wealth that the owners can support. The tax measures give an incentive to avoid risk and to embody existing wealth in relatively stable forms, which reduces the likelihood that existing accumulations of wealth will be dissipated. On the other side, the major route to new accumulations is through large current incomes of which a large fraction is saved and invested in risky activities, some of which will yield high returns. If the income tax were effective, it would close this route. In consequence, its effect would be to protect existing holders of wealth from the competition of newcomers".

harían, es posible que las personas destinen sus energías a ocupaciones en
que resulten menos útiles de lo que podrían. HAYEK desarrolla los complementos de la siguiente manera:

Supóngase que dos abogados deben llevar a cabo exactamente la misma
gestión. Sin embargo, la suma que cada uno podrá retener para sí de la remuneración que perciba dependerá del resto de ingresos que obtenga en el
año. Así, las más de las veces, se obtendrán distintas ganancias por esfuerzos
semejantes, con lo cual se quiebra el inveterado principio, universalmente
aceptado, que indica que el mismo trabajo debe recibir la misma remuneración. Además, un hombre que ha trabajado bastante, o que por cualquier
motivo tiene una mayor demanda, podría recibir una remuneración inferior por un mayor esfuerzo que el que hace otro hombre que no ha trabajado lo suficiente o no ha contado con la misma suerte que el primero. Así,
a mayor valor del trabajo de una persona por los consumidores, menor será
el aliciente del individuo para aumentar el empeño en lo que hace[378].

El efecto nocivo del incentivo, según HAYEK, es incluso más grave no
porque las personas dejarán de trabajar con el empeño y el ahínco que podrían, sino porque podrían redirigir sus esfuerzos, como se advirtió, a otro
tipo de actividades donde sean menos útiles de lo que podrían[379].

La segunda objeción que se plantea contra la esencia misma de la progresividad se endereza a demostrar que el objetivo de redistribución de la
riqueza no depende, en forma alguna, de que se gradúen las alícuotas. Si

---

[378] FRIEDRICH AUGUST VON HAYEK, *The collected works…*, volumen XVII. *The constitution…*, 275: "Progressive taxation necessarily offends against what is probably
the only universally recognized principle of economic justice, that of 'equal pay
for equal work'. If what each of two lawyers will be allowed to retain from his fees
for conducting exactly the same kind of case as the other depends on his other
earnings during that year –they will, in fact, often derive very different gains from
similar efforts. A man who has worked very hard, or for some reason is in greater
demand, may receive a much smaller reward for further effort than one who has
been idle or less lucky. Indeed, the more the consumers value a man's services, the
less worthwhile will it be for him to exert himself further".

[379] *Ibidem*, 275: "This effect on incentive, in the usual sense of the term, though important and frequently stressed, is by no means the most harmfull effect of progressive
taxation. Even here the objection is not so much that people may, as a result, not
work as hard as they otherwise would, as it is that the change in the net remunera-
tions for different activities will often divert their energies to activities where they
are less useful than they might be. The fact that with progressive taxation the net re-
muneration for any service will vary with the time rate at which the earning accures
thus becomes a source not only of injustice but also of a misdirection of resources".

bien este argumento se entrelaza con la segunda objeción propuesta a la progresividad desde su análisis práctico, aquí se expone teóricamente una alternativa igual o más útil, y mucho menos confiscatoria: emplear buena parte de los recaudos tributarios para prestar servicios que sean de utilidad para una clase específica de la sociedad, o subsidiarla directamente[380].

Finalmente, el tercer argumento contra la progresividad es aquel relacionado con los topes de las tarifas marginales en el establecimiento de tributos. Ciertamente, aqueja a los neoliberales que no haya un claro principio que permita determinar cuál debe ser el límite del *sacrificio* que se le exige a los contribuyentes más solventes. A su juicio, a nombre de la progresividad se podría simplemente desencadenar en una cruzada expropiatoria por parte del Estado.

BUCHANAN, por ejemplo, claramente establece la necesidad de imponer límites a las tarifas de impuestos específicos. Para ello, cita el caso de la *Proposition 13* en California, mediante la cual se impuso un límite a la alícuota del tributo que gravaba la propiedad, y sostiene, en todo caso, que no se puede permitir que la absoluta e indiscriminada graduación tarifaria que termine por extinguir la propiedad privada[381]. Otro tanto añade HAYEK[382], para quien la llamada justicia tributaria no permite desprender un criterio

---

[380] *Ibidem*, 267: "We shall also not consider separately the problems which arise from the fact that, though progressive taxation is today the chief instrument of income redistribution, it is not the only method by which the latter can be achieved. It is clearly possible to bring about considerable redistribution under a system of proportional taxation. All that is necessary is to use a substantial part of the revenue to provide services which benefit mainly a particular class or to subsidize it directly".

[381] Cfr. JAMES MCGILL BUCHANAN. *The collected works...*, 194 a 195 y 198 a 199.

[382] Cfr. FRIEDRICH AUGUST VON HAYEK. *The collected works...*, 272: "The real reason why all assurances that progression will remain moderate have proved false and why its development has gone so far beyond the most pessimistic prognostications of its opponents is that all arguments in support of progression can be used to justify any degree of progression. Its advocates may realize that beyond a certain point the adverse effects on the efficiency of the economic system may become so serious as to make it inexpedient to push it any further. But the argument based on the presumed justice of progression provides for no limitation, as has oftern been admitted by its supporters, before all incomes above a certain figure are confiscated and those below left untaxed. Unlike proportionality, progression provides no principle which tells us what the relative burden of different persons ought to be. It is no more than a rejection of proportionality in favor of a discrimination against the wealthy without any criterion for limiting the extent of this discrimination".

claro para identificar la carga que deben soportar los contribuyentes, lo que conduce inexorablemente a prácticas indudablemente discriminatorias[383].

Con todo, a pesar de las críticas —se repite—, esta parte del neoliberalismo no aboga por la eliminación del impuesto sobre la renta a las personas físicas, sino que propugna su reformulación con base en los siguientes lineamientos:

En primer lugar, como es obvio, se propone la sustitución del sistema de *progresividad* tarifaria por el sistema de *proporcionalidad*. Pero la tarifa plana con la que se grave la renta, al decir de FRIEDMAN, no debe ser superior al 20 %[384].

Ahora bien, si excepcionalmente se quisiera mantener la progresividad en las tarifas, sería imperioso racionalizar la máxima alícuota permitida. Al efecto, una solución podría ser equiparar la tarifa marginal superior al porcentaje del ingreso total nacional que el gobierno recaude por tributo[385].

---

[383] En la época reciente se ha desarrollado el principio de no confiscatoriedad de los tributos, al lado de la progresividad, que proscribe las prácticas expropiatorias del Estado mediante la imposición. Aunque en algunos países, como en el caso de Alemania con la regla de las dos mitades, los tribunales constitucionales han sentado lineamientos precisos sobre lo que se entiende por confiscación de la propiedad privada por medio de tributos, en otros, como Colombia, esa discusión ha quedado reservada, las más de las veces, a la doctrina y a la etérea conceptualización filosófica del *obiter dicta* de las sentencias judiciales sin que se hayan materializado sus verdaderos alcances.

[384] Cfr. MILTON FRIEDMAN y ROSE D. FRIEDMAN, *Free to...*, 306: "A low flat rate —less than 20 percent— on all income above personal exemptions with no deductions except for strict occupational expenses would yield more revenue than the present unwieldy structure. Taxpayers would be better off —because they would be spared the costs of sheltering income from taxes; the economy would be better off— because tax considerations would play a smaller role in the allocation of resources". En la obra *Capitalism...*, 144, se propone una tarifa del 23½ %, pero se admiten todas las deducciones que existían en la legislación estadounidense para 1959.

[385] Cfr. FRIEDRICH AUGUST VON HAYEK. *The collected works...*, 280: "What is needed is a principle that will limit the maximum rate of direct taxation in some relation to the total burden of taxation. The most reasonable rule of the kind would seem to be one that fixed the maximum admissible (marginal) rate of direct taxation at the percentage of the total national income which the government takes in taxation. This would mean that if the government took 25 percent of the national income, 25 percent would also be the maximum rate of direct taxation of any part of individual incomes. If a national emergency made it necessary to raise that proportion, the maximum admissible rate would be raised to the same figure; and it would be correspondingly reduced when the over-all tax burden was reduced". En el mismo sentido, véase a JAMES MCGILL BUCHANAN, *The collected works...*, 198 a 199.

Sin tener en cuenta los efectos positivos sugeridos por la *curva de Laffer*, es también necesario alcanzar una verdadera *equidad* en sentido *horizontal*. Por tanto, se requiere eliminar todo tipo de deducciones, salvo las estrechamente ligadas a la generación del ingreso y las relacionadas con el mínimo exento para la subsistencia, con el objeto de que no se erosionen las bases gravables. Ello permitiría, además, la ampliación de la base de tributación[386].

En tercer lugar, como complemento al sistema del impuesto sobre la renta propuesto, el neoliberalismo acoge los tributos que gravan el gasto o el consumo. Se insiste, empero, en que se trata de un complemento y no de un sustituto como lo propusieran NICHOLAS KALDOR[387], WILLIAM D. ANDREWS[388], IRVING y HERBERT FISHER[389], MARTIN STUART FELDSTEIN[390], GUY SORMAN[391], MICHAEL J. GRAETZ[392] o JAMES MEADE[393]. La concurrencia de este tipo de tributos, de alta eficiencia y sencilla administración, tiene dos virtudes adicionales que no pasan por alto los neoliberales: (i) por un lado, estimulan el ahorro —muy en línea con los postulados clásicos de ADAM SMITH—; y (ii)

---

[386]   Cfr. MILTON FRIEDMAN y ROSE D. FRIEDMAN, *Free to...*, 306: "A low flat rate —less than 20 percent— on all income above personal exemptions with no deductions except for strict occupational expenses would yield more revenue than the present unwieldy structure". También véase a MILTON FRIEDMAN y ROSE D. FRIEDMAN. *Capitalism...*, 142: "If present rates were made fully effective, the effect on incentives and the like might well be so serious as to cause a radical loss in the productivity of the society. Tax avoidance may therefore have been essential for economic wellbeing. If so, the gain been bought at the cost of a great waste of resources, and of the introduction of widespread inequity. A much lower set of nominal rates, plus a more comprehensive base through more equal taxation of all sources of income could be both more progressive in average incidence, more equitable in detail, and less wasteful of resources".

[387]   Cfr. NICHOLAS KALDOR, *An expenditure tax.* (Nueva York: Ed. The MacMillan Company, 1957).

[388]   Cfr. WILLIAM D. ANDREWS, "A consumption-type or cash flow personal income tax", *Harvard Law Review*, volumen 87, número 6, 1974, 1113 a 1188.

[389]   Cfr. IRVING y HERBERT FISHER, "Constructive income taxation: A proposal for reform" *The American Economic Review*, volumen 33, número 1, 1943, 162 a 164.

[390]   Cfr. MARTIN STUART FELDSTEIN, "Taxing consumption", *The New Republic*, volumen 174, número 9, 1976, 14 a 17.

[391]   Cfr. GUY SORMAN, *La solución liberal.* (Buenos Aires: Ed. Atlántida S.A. Buenos Aires, 1984), 129.

[392]   Cfr. MICHAEL J. GRAETZ. "Implementing a progressive consumption tax", *Harvard Law Review*, volumen 92, número 8, 1979, 1575 a 1661.

[393]   Cfr. JAMES MEADE. *The structure and reform of direct taxation.* (Londres: Ed. George Allen & Unwin., 1978).

por el otro, garantizan la libertad de elección de los consumidores. Con lo pretendido por la *Escuela de las opciones públicas*, en la que se destaca como exponente Buchanan, los posibles contribuyentes pueden decidir, libremente, si quieren incurrir en tal o cual erogación, con la correlativa consecuencia de quedar sujetos a imposición, lo que parece más acorde con el individualismo y la autorresponsabilidad que pregona el neoliberalismo[394].

En cuarto lugar, se propone la creación de un *impuesto negativo sobre la renta* o, lo que es lo mismo, una suerte de subsidio estatal. Contrario a lo que comúnmente se cree, el neoliberalismo no es indiferente a la pobreza y la desigualdad. Ya se explicó que el rechazo a la progresividad no sugiere una oposición a la redistribución de la renta; ahora se verá cómo Friedman[395], en opinión a la que adhiere Hayek[396], plantea la solución al agobiante problema de la pobreza:

Según se dejó expuesto, la alternativa neoliberal para reestructurar el impuesto sobre la renta de las personas naturales parte de la premisa de establecer una base exenta de tributación y de gravar todo exceso con una alícuota proporcional. En tal sentido, si los ingresos de una persona no superan el mínimo exento, al saldo de la exención se le deberá aplicar la

---

[394] En defensa de la concurrencia de la imposición directa y la indirecta, Hayek sostiene que su alternativa de limitar la alícuota marginal superior al porcentaje de los recaudos que el Estado tomará de los contribuyentes, sumada a la tributación sobre el consumo, puede hacer que los más solventes contribuyan en mayor medida: "This would still leave taxation somewhat progressive, since those paying the máximum rate on their incomes would also pay some indirect taxes which could bring their total proportional burden above the national average" (Friedrich August Von Hayek. *The collected works...*, 280). Véase también a james mcgill buchanan. *The collected works...*, 105 a 107.

[395] Cfr. Milton Friedman y Rose D. Friedman, *Capitalism...*, 158.

[396] En una entrevista, Friedrich August Von Hayek sostuvo lo siguiente: "Considero que la propuesta de Friedman es una solución. No me he especializado en cuestiones relacionadas con finanzas públicas, pero creo que la idea de Friedman puede hacerse compatible con una tasa uniforme de impuestos. No tiene que ser progresiva. Por debajo de cierto nivel, el Estado debería complementar el ingreso de las personas; y por encima, se les cobrarían impuestos pero sobre una base constante. Con esta aclaración, estaría dispuesto a aceptar la propuesta de Friedman. Ideas tales como establecer cupones para la educación o el impuesto negativo sobre la renta, son ideas brillantes". (Cfr. Diego Pizano Salazar, *Algunos creadores del pensamiento económico contemporáneo*. (México: Ed. Fondo de Cultura Económica., 1980), 38 y 39. Citado en Mauricio A. Plazas Vega. *Historia de las ideas políticas y jurídicas*. (Bogotá: Ed. Temis, 2014), 148 y 149).

tarifa proporcional y así se arribará al *impuesto sobre la renta negativo* o, expresado en otros términos, el subsidio que el Estado le desembolsará.

Para proponer un ejemplo práctico, supóngase que el mínimo exento es de $500 y la alícuota proporcional sobre el exceso es del 20 %. En caso de que una persona perciba ingresos totales en el año por $300, el *impuesto sobre la renta negativo* será el que resulte de aplicar la tarifa (20 %) sobre la diferencia entre el mínimo exento y el ingreso real del individuo ($500-$300=$200); esto es, el subsidio al que tendrá derecho esa persona será de $40 ($200X20 %)[397].

Visto lo anterior, es preciso indicar que, en relación con el impuesto sobre la renta corporativo, FRIEDMAN sostiene que se trata de un verdadero exabrupto. En su criterio, que apoyan los neoliberales, la imposición separada de las compañías y de los dividendos que reciben los accionistas es una clara doble imposición que debe ser abolida. Más aún, sostiene que las rentas de las compañías deberían ser atribuidas a sus socios directamente, en lugar de ser gravadas en cabeza de las personas jurídicas[398].

Por último, también defiende el neoliberalismo, con BUCHANAN a la cabeza, el *federalismo fiscal*, en el que los distintos niveles de gobierno se encargan de proveer los bienes y servicios que correspondan, con miras a lograr la eficiencia. Para el efecto, se debe prescindir de regímenes complicados de tributación en los cuales el gobierno central recaude la totalidad y, posteriormente, redistribuya el ingreso. Corresponde a cada nivel de gobierno tener su propia autonomía fiscal, siempre que provea bienes y servicios, que le permita solventar sus propias erogaciones. Ello redundará,

---

[397] En todo caso, se debe observar, como lo apunta MAURICIO A. PLAZAS VEGA, que la idea del impuesto sobre la renta negativo no es tributaria del neoliberalismo, ni únicamente aceptada por esta corriente de pensamiento. También adhieren a ella seguidores de la filosofía intervencionista, como JAMES TOBIN (MAURICIO A. PLAZAS VEGA. *Historia...*, tomo II, *La modernidad*, 149).

[398] Cfr. MILTON FRIEDMAN y ROSE D. FRIEDMAN. *Capitalism...*, 144: "I would combine this program with the abolition of the corporate income tax, and with the requirement that corporations be required to attribute their income to stockholders, and that stockholders be required to include such sums on their tax returns". En idéntico sentido, en la obra *Free to choose* (pág. 306) señala: "The corporate income tax, too, is highly defective. It is a hidden tax that the public pays in the prices it pays for goods and services without realizing it. It constitutes double taxation of corporate income —once to the corporation, once to the stock— holder when the income is distributed. It penalizes capital investment and thereby hinders growth in productivity. It should be abolished".

además, en beneficio de los contribuyentes, toda vez que las unidades gubernamentales —llámense estados federados, municipios, departamentos o regiones— tendrán que incurrir en una sana competencia para ser atractivos a la ciudadanía[399].

IV. El asentamiento del neoliberalismo en Colombia, en general, y en la Ley 75 de 1986, en particular

Hecho el repaso sobre los principales planteamientos del neoliberalismo en materia filosófica, económica y tributaria, corresponde a esta subsección abordar su asentamiento en Colombia.

Ya se apuntó aquí que alguna parte de la doctrina, como VALLEJO ZAMUDIO o LUIS BERNARDO FLÓREZ[400], han aseverado que fue el Gobierno del presidente LÓPEZ MICHELSEN el que abrió la puerta para la entrada del neoliberalismo a nuestro país. En opinión disidente, PERRY RUBIO, partícipe del mentado gobierno, ha sostenido que la administración LÓPEZ no tuvo orientaciones neoliberales[401]. otros, como KALMANOVITZ, van incluso más atrás y reseñan el ingreso del neoliberalismo en Colombia con la Misión CURRIE y los diferentes simposios que, ya para 1971, tenían lugar en el territorio nacional, en los que participaban ilustres miembros de la *Escuela de Chicago* como EDWARD SHAW[402].

Al respecto, es necesario y oportuno observar que las corrientes de pensamiento, como su propio nombre lo indica, no son normalmente avalanchas que se imponen de un brochazo y de un día para otro. Por el contrario, paulatinamente se gestan y van ganando aceptación entre los diferentes sectores sociales, hasta que llega el momento de su asentamiento. El caso colombiano en este punto no es la excepción.

En la década de los setenta ocurrió el fenómeno de gestación y creciente aprobación del neoliberalismo en nuestro país, seguramente como lo

---

[399] Para un mayor desarrollo, el lector puede acudir a JAMES MCGILL BUCHANAN, *The collected works...*, 172 a 178.
[400] Cfr. LUIS E. VALLEJO ZAMUDIO. *El modelo de crecimiento...*, 93; y LUIS BERNARDO FLÓREZ. "El modelo neoliberal en Colombia 1974-1948", en *Modelos de Desarrollo Económico. Colombia 1960-1982.* (Bogotá: Ed. La Oveja Negra, 1982), 83 y 84.
[401] Cfr. GUILLERMO PERRY RUBIO. *Decidí...*, 71 a 74.
[402] Cfr. SALOMÓN KALMANOVITZ, *Economía y nación...*, 464 y 465.

apunta KALMANOVITZ bajo la égida de algunas instituciones[403]. Pero no sería cierto afirmar que los postulados neoliberales en materia de tributación, expuestos en la subsección que antecede, fueron implementados en nuestro país en esa década. Acaso se podría argumentar, aunque con reservas, que en la reforma tributaria de 1974 —específicamente en el Decreto Legislativo 2053— se eliminaron las tarifas progresivas a que estaban sujetas las sociedades bajo el régimen de la Ley 81 de 1960, según su tipo, y se unificó la alícuota en el 40 % para las anónimas y asimiladas y el 20 % para la de responsabilidad limitada y asimiladas. Sin embargo, resulta evidente que el tipo impositivo era en extremo elevado para las primeras.

Ahora bien, nada de lo anterior desconoce que durante la década de 1970 se dieron algunos pasos —no en el ámbito tributario— hacia el neoliberalismo. Sería a todas luces necio ignorar las progresivas desregularizaciones del mercado cambiario que, poco a poco, tuvieron cabida en los gobiernos de los presidentes LÓPEZ MICHELSEN y TURBAY AYALA; o la paulatina liberación del sistema financiero desde 1976[404]. Son hechos históricamente verificables que no admitirían contradicción y que, en alguna medida, retoman postulados económicos propios del neoliberalismo.

Con ese contexto, parece claro que, independientemente de la visión que se adopte, el proceso de gestación y paulatina adopción sí ocurrió, en términos económicos, durante la década de los setenta. Mas en el ámbito tributario propiamente tal, objeto de comentario en estas líneas, el verdadero asentamiento del neoliberalismo ocurrió en la década de los ochenta. Fue allí cuando recibió su aceptación, al menos desde una óptica legislativa, como se pasa a explicar:

A principios de 1980, según ya se comentó aquí, el Gobierno del presidente TURBAY AYALA, por conducto de su ministro de hacienda EDUARDO WIESNER, convocó al experto RICHARD BIRD. Del informe finalmente presentado, dos aspectos se destacan: (i) por un lado, la inminente necesidad de controlar los gastos públicos —y correlativamente contribuir a la reducción del Estado—; y (ii) por el otro, la urgente necesidad de reformar

---

[403] Dice, sobre el particular, el economista colombiano: "[L]a ideología neoliberal alcanzó mayor raigambre durante los años setenta, cuando estudiantes colombianos de las universidades de Chicago, MIT, Rice, Stanford y California encontraron acogida en la fundación privada Fedesarrollo, la Universidad de los Andes, la Asociación Bancaria y el Banco de la República". Cfr. SALOMÓN KALMANOVITZ, *Economía y nación...*, 464.

[404] Para un mayor detalle, véase a SALOMÓN KALMANOVITZ, *Economía y nación...*, 475 y siguientes.

la estructura fiscal de las entidades territoriales —un poco orientada, en los términos que hemos venido empleando, a la aplicación del *federalismo fiscal*[405]—. Fruto del Informe en comentario, en Colombia hizo su tránsito legislativo el proyecto que se aprobaría como Ley 14 de 1983, sugestivamente intitulada así: "Por la cual se fortalecen los fiscos de las entidades territoriales y se dictan otras disposiciones".

En materia de tributación indirecta, el Gobierno del presidente Belisa-rio Betancur expidió el Decreto 3541 de 1983, por el cual se estatuyó la columna vertebral del impuesto sobre el valor agregado que —obviamente con reformas— conocemos hoy en día en Colombia. Como lo apunta Mau-ricio A. Plazas Vega, indiscutible autoridad en la materia, "[l]a reforma del impuesto a las ventas significó un considerable incremento en los re-caudos provenientes del tributo"[406], entre otras, porque "el nuevo régimen amplió en forma considerable la base tributaria"[407].

Desde el punto de vista de la imposición directa, el lector podrá consta-tar, si se remite a los capítulos que anteceden, que las alícuotas del impuesto sobre la renta fueron siempre apreciablemente elevadas y que la proliferación de exenciones y descuentos concedidos a las personas naturales abundaban en la legislación tributaria. Esta situación no era distinta para las compañías, ni se corrigió durante la primera mitad de la década de los ochenta. Acaso se podría aducir, aunque nuevamente con reservas, que la Ley 9ª de 1983 incorporó un título en que reconoció la "doble imposición —económica—" y se aumentó el descuento tributario a que tenían derecho los socios o accionistas de los distintos tipos societarios en relación con los dividendos

---

[405]   Lapidaria resulta la siguiente frase textual del Informe: Se recomienda una "me-nor participación de la Nación en la financiación de los gastos básicos de las otras entidades territoriales y, desde luego, un mayor esfuerzo fiscal de éstas en la finan-ciación de sus funciones". Cfr Richard Bird. *Intergovernmental...*, 63 y 64. Véanse, además, las interesantes reflexiones que en esta materia propone plazas vega en su obra *Derecho de la...*, Pág. 232.

[406]   Cfr. Mauricio A. Plazas Vega. *El impuesto sobre...*, 190. Poco importa, como tam-bién lo recuerda plazas vega en su texto, que el Gobierno del presidente Betan-cur hubiera aducido, al solicitarle al Congreso de la República que lo revistiera de facultades extraordinarias para expedir el decreto, su preocupación por la cre-ciente participación de los impuestos indirectos en el recaudo tributario total, o su intención de disminuir ese efecto —vertida en el Plan Nacional de Desarro-llo—, porque no se trata aquí de rechazar los impuestos indirectos sino de hacer ver que se fortaleció su estructura en la época que se comenta.

[407]   *Ibidem*, 194.

percibidos. Pero ese alivio era absolutamente imperfecto y, por demás, restringido a quienes percibieran ingresos inferiores a determinada cuantía.

Fue entonces con la Ley 75 de 1986, a cuyo estudio nos abocaremos enseguida, que realmente se aplicaron los postulados neoliberales en la tributación. Sin embargo, debido a que el análisis que a continuación se efectúa tiene como límite el impuesto sobre la renta de las personas naturales, y puntualmente las temáticas atañederas a los ingresos familiares, es oportuno efectuar, en esta subsección, una última precisión para redondear nuestro argumento:

En materia del impuesto sobre la renta a las compañías, el artículo 1° de la Ley 75 de 1986 disminuyó apreciablemente la alícuota a que se encontraban sujetas las sociedades anónimas, del 40 % al 30 %. Además, en la exposición de motivos del Gobierno del presidente BARCO, suscrita por el ministro de hacienda César Gaviria Trujillo —quien cuatro años más tarde sería elegido presidente de la República—, se lee que la intención del Ejecutivo era eliminar la doble tributación económica mediante la atribución de las utilidades de las compañías a los socios, en la proporción que correspondiera, de la mano con los planteamientos neoliberales. Empero, por motivos administrativos tal solución resultaba de difícil aplicación, lo que condujo a la adopción del método según el cual la tributación descansaría en su totalidad en cabeza de la compañía y, al ser distribuida como dividendo o participación, el socio la recibiría como ingreso no constitutivo de renta ni de ganancia ocasional[408].

SECCIÓN II. CONTENIDO NORMATIVO DE LA LEY 75 DE 1986

En octubre 1986, bajo la égida del neoliberalismo, el Gobierno del presidente estadounidense Ronald Reagan logró la aprobación por el Parlamento del *Tax Reform Act.* Por esa misma época, su homólogo colombiano, virgilio barco, radicó ante el Congreso de la República su propia refor-

---

[408] "La fórmula teóricamente más correcta para eliminar la doble tributación consiste en liberar del pago de impuestos a la sociedad, gravando a los accionistas según los dividendos recibidos más su participación en las utilidades no distribuidas de la empresa. Una medida de tal naturaleza es bien difícil de aplicar en un país que, como Colombia, muestra un alto grado de concentración de su recaudación en un reducido número de sociedades, con elevados niveles de evasión en el sector de personas naturales, y con una débil administración tributaria". Cfr. *Revista del Instituto Colombiano de Derecho Tributario,* número 33, 1987, 72.

ma tributaria, que fue rápidamente equiparada con la estadounidense por varias personas[409], dentro de las que cabe destacar a los exministros de hacienda ABDÓN ESPINOSA VALDERRAMA[410] y HERNANDO AGUDELO VILLA[411]. Mientras el primero lo hizo desde la barrera, en su columna de opinión en el diario El Tiempo, el segundo lo hizo en el ruedo como Representante a la Cámara por el Partido Liberal. Luego de las vicisitudes que tuvo, y de las diversas ampliaciones y modificaciones que sugirió el Ponente Liberal en el Congreso, VÍCTOR RENÁN BARCO, el proyecto fue aprobado como Ley 75 de 1986 y su promulgación ocurrió el 23 de diciembre de ese mismo año.

Para el análisis del compendio normativo emplearemos una estructura similar a la que se usa en los capítulos anteriores. Al efecto, se estudiarán los siguientes tópicos: (i) los matrimonios; (ii) las deducciones y/o descuentos personales; (iii) el régimen tarifario; (iv) el impuesto complementario sobre las ganancias ocasionales; y (v) algunas disposiciones adicionales. Finalmente, dedicaremos una subsección (vi) a esbozar algunas conclusiones.

I. Matrimonios

1. Antecedentes y texto definitivo de la Ley 75 de 1986

Desde su concepción original, el proyecto de Ley número 098 de 1986 consagró, en su artículo 63, el texto que hoy permanece vigente en el artículo 8º del Estatuto Tributario. La propuesta consistía en una drástica variación al régimen de tributación de los cónyuges, puesto que los identificaba como perfectos extraños ante el Fisco. Las siguientes fueron las razones que justificaron la medida:

> El artículo 63 del proyecto de ley, modifica el artículo 9 del decreto 2053 de 1974 que establecía la posibilidad de ceder una parte de las rentas de trabajo al cónyuge, con el objeto de mitigar el efecto de las elevadas tarifas aplicables a las personas naturales, quebrando la progresividad de las tarifas.

---

[409] Sobre este aspecto, el lector puede acudir a JULIO ROBERTO PIZA RODRÍGUEZ, *Evolución del...*, 46 y 47.

[410] Cfr. ABDÓN ESPINOSA VALDERRAMA. "Espuma de los acontecimientos", *El Tiempo*, 1983.

[411] Cfr. HERNANDO AGUDELO VILLA. *Criterios liberales sobre la reforma tributaria*. Constancia del Representante a la Cámara, leída en la sesión del 3 de diciembre de 1986 de las Comisiones Terceras del Senado de la República y la Cámara de Representantes. El documento se puede visualizar en la Revista del Instituto Colombiano de Derecho Tributario, 1987, 226 a 249.

La división de rentas era una solución parcial a la excesiva carga tributaria, cuya justificación desaparece ante la propuesta contenida en el presente proyecto de disminución y racionalización de las tarifas aplicables por concepto de impuesto de renta de las personas naturales.

El artículo propuesto tiene profundas connotaciones en materia de simplificación tributaria, pues desaparece la necesidad de mantener las tres tablas tradicionales de retención en la fuente, para asalariados que reciben rentas, para asalariados que ceden rentas y para asalariados que no reciben ni ceden rentas de trabajo.

De otra parte, se elimina la complejidad ocasionada en la responsabilidad solidaria del cónyuge cedente y el cónyuge cesionario, en relación con el impuesto atribuible a la renta cedida, así como la figura de la declaración conjunta, para que en el futuro, solamente declare el contribuyente que por razón de su capacidad contributiva debe hacerlo[412].

El congresista liberal VÍCTOR RENÁN BARCO a cuya tutela se puso el estudio del proyecto de Ley 098, en su Ponencia para Primer Debate formuló algunas modificaciones a la propuesta inicial del Gobierno, pero en el artículo 83 transcribió, en forma idéntica, el texto del artículo 63 de la reforma presentada por el Ejecutivo, en relación con la tributación de los cónyuges. Al respecto, es de anotar que el exministro HERNANDO AGUDELO VILLA, en su condición de Representante a la Cámara por el Partido Liberal, señaló que la consagración de los esposos como perfectos extraños en el impuesto sobre la renta implicaba que "deja de ser relevante para el fisco que el trabajador pague de acuerdo con su capacidad económica y las personas a su cargo"[413].

Finalmente, y a pesar de las críticas reseñadas, el Congreso de la República aprobó, tras surtir los debates reglamentarios, la Ley 75 de 1986, en cuyo artículo 82 se estableció lo siguiente:

Artículo 82. El artículo 9 del Decreto 2053 del 1974, quedará así:

'Los cónyuges, individualmente considerados, son sujetos gravables en cuanto a sus correspondientes bienes y rentas.

Durante el proceso de liquidación de la sociedad conyugal, el sujeto del impuesto sigue siendo cada uno de los cónyuges o la sucesión ilíquida, según el caso'.

---

[412] Cfr. Revista del Instituto Colombiano de Derecho Tributario, número 33, año 23, 1987, 100.

[413] *Ibidem*, 234.

Esta norma, no se puede pasar por alto, sería compilada en el artículo 8° del Código Tributario actualmente vigente.

2. Nuestra opinión

Como es natural, el criterio del Gobierno nacional, vertido en la exposición de motivos del proyecto de Ley 098 que suscribió el ministro de hacienda CÉSAR GAVIRIA TRUJILLO, fue el mismo que, a nuestro juicio equivocadamente, acogió el Congreso de 1960 cuando aprobó la Ley 81: La facultad de dividir las rentas entre los cónyuges es producto de un beneficio concedido por la gracia estatal. Y se dice que es natural la concepción del Gobierno, por dos motivos muy sencillos: (i) la historia fidedigna de la Ley 81 de 1960 muestra, en las múltiples y distintas ponencias, que esa fue la perspectiva prohijada por el Congreso de la República[414]; y (ii) la regulación finalmente aprobada por la normativa —contraída a la división de rentas exclusivas de trabajo—, no siguió de cerca al Código Civil en lo atañedero a la sociedad conyugal, por lo que perdió parte de su fundamentación técnica.

Así pues, dado que, en opinión del Gobierno, la facultad de dividir las rentas exclusivas de trabajo se concretaba en la posibilidad de "quebra[r] la progresividad de las tarifas (…) [por] la excesiva carga tributaria", la racionalización del sistema impositivo que se proponía hacía que desapareciera el fundamento para que se mantuviera en la legislación. El yerro, en nuestro criterio, se ubica en el punto de partida, en la concepción de la tributación de los cónyuges con sociedad conyugal vigente.

Si se percibe la facultad de cesión de rentas como un simple beneficio, carente de fundamentación legal —civil— o técnica, no habría motivos para pensar que el Estado se encontrara en la obligación de mantenerla inalterada. Empero, como se insistió *in extenso* en el punto 3 de la subsección I de la sección II del capítulo V de esta parte, esa visión es incorrecta.

En tal sentido, el Gobierno nacional dejó pasar la oportunidad de corregir el yerro en que habría incurrido el Congreso de la República en 1960, con la expedición de la Ley 81, y defender, técnicamente, la preservación del régimen de cesión de rentas exclusivas de trabajo entre cónyuges, con dos reformas primordiales: (i) la eliminación de los topes de cesión; y (ii) la extensión a todo tipo de ingresos que los cónyuges percibieran, habida cuenta de que, las más de las veces, sin importar su origen se reputan *gananciales*.

---

[414] Véase, al efecto, la subsección I de la sección II del capítulo V de este tomo.

A todo lo cual es de agregar que, para 1986, se encontraban vigentes las recomendaciones adoptadas por el las IX Jornadas LusoHispanoAmericanas de derecho tributario, cuya celebración tuvo lugar en Porto (1980), en lo relativo a la unidad familiar como sujeto fiscal. Veamos las dos primeras recomendaciones:

> 1. La elección a efectos fiscales entre la acumulación de las rentas de la familia y la imposición por separado de las mismas ha de realizarse por cada país según las concepciones en él vigentes acerca de la familia y de la posición de la misma dentro del ordenamiento.

> 2. El principio de protección de la familia exige necesariamente tener en cuenta las cargas que ésta soporta. En la elección de los métodos conducentes a ello debe evitarse el favorecer relativamente a las familias de renta más elevadas (...)

De acuerdo con lo señalado por la primera recomendación, era menester consultar las disposiciones legales que, sobre la materia, se habían desarrollado en cada legislación. Si ello se hubiera hecho, el Gobierno se habría percatado de que, desde el punto de vista puramente legal, el régimen patrimonial del matrimonio —comúnmente la sociedad conyugal— estaba presidido por reglas claras en lo atañedero a las *rentas* y las englobaba a casi todas ellas. Mas desde el punto de vista sociológico-jurídico, podrían plantearse varios interrogantes en torno a la verdadera posición de la familia en la sociedad:

Jamás, desde la disolución de la Gran Colombia, se incorporaron en nuestro país normas constitucionales relacionadas con la importancia y protección de la institución *familiar*. Acaso en forma dispersa se encontrarán convenios internacionales a los que adhirió el Estado colombiano y que se pronuncian sobre el particular, verbigracia la Declaración Universal de los Derechos Humanos (1948), cuyo artículo 16 (ordinal 3°) establece que "la familia es el elemento natural y fundamental de la sociedad y tiene derecho a la protección de la sociedad y el Estado", o la Convención Americana sobre Derechos Humanos–Pacto de San José (ratificado mediante Ley 16 de 1972), cuyo artículo 17 (ordinal 1°) repite, casi en copia *verbatim*, lo previsto por la Declaración Universal de los Derechos Humanos antes transcrita. Pero lo cierto es que, sin perjuicio de las consideraciones sobre las teorías monista o dualista del derecho internacional, a nivel constitucional se echaba de menos regulación alguna sobre el particular.

Al respecto, importa recordar, como lo hace EDUARDO UMAÑA LUNA, que la Conferencia Episcopal de 1951 propuso la inclusión de un artículo constitucional sobre la protección a la familia, solicitud que fue desatendida por partida doble: primero, en el mismo año de la propuesta; y segundo, cuando se gestó el *plebiscito* de 1957[415]. La negativa del Gobierno resulta muy diciente en cuanto a su voluntad política para darle una posición preponderante a la familia en la estructura social.

Con todo, para 1986 ya circulaban dos estudios sobre la importancia sociológico-jurídica de la familia que se han debido consultar: (i) *La familia y la ley en Colombia*, publicado el 10 de diciembre de 1968 por la Asociación Colombiana de Facultades de Medicina; y (ii) *La familia en la estructura político-jurídica colombiana*, publicado por la editorial Temis en Bogotá en 1973, de autoría de Eduardo Umaña Luna. En relación con el ámbito tributario, el segundo de los estudios trae una conclusión que, por su capital relevancia, transcribimos a continuación: "1) La justicia tributaria no está basada en la célula familiar, como debería serlo. 2) Las exenciones y las deducciones sobre los impuestos de renta, patrimonio y complementarios son mínimas frente a la situación económica del país"[416].

Repárese en que el texto transcrito fue incluido en 1973, cuando existía la división de rentas entre cónyuges, pero aun así reclamaba, como postulado de justicia tributaria, que su andamiaje se cimentara sobre la *célula familiar*. Al margen de que se esté de acuerdo o no con el planteamiento, ello se entrelaza muy bien con la segunda recomendación: es fundamental tener en consideración las cargas que debe soportar la familia y elaborar la estructura normativa del impuesto sobre la renta conforme a ellas, sin beneficiar a los más solventes.

En definitiva, el análisis que debió preceder la iniciativa del Gobierno se echa de ver, porque el miramiento que se le dio fue el de un simple beneficio, sin consideración alguna sobre la importancia de su destinatario —la *familia*— y la correspondiente regulación normativa de la sociedad conyugal en materia civil.

---

[415]   Al respecto, véanse los textos de Eduardo Umaña Luna: (i) *Los derechos humanos en Colombia.* (Bogotá: Ed. Lito-Textos, 1974), 112 y 113; y (ii) *Estado-Familia.* (Bogotá: Ed. Universidad Nacional de Colombia, 1995), 34 y 35. La propuesta de la iglesia fue la siguiente: "La familia es el núcleo fundamental de la sociedad: el Estado vigorizará su organización, tutelará sus intereses y garantizará sus derechos".

[416]   Cfr. Eduardo Umaña Luna. *La familia en la estructura jurídico-política colombiana.* (Bogotá: Ed. Temis, 1973), 127.

II. Eliminación de las deducciones y/o descuentos personales

Muy en línea con los planteamientos neoliberales apuntados en la sección que antecede, el Gobierno nacional anticipó la necesidad de devolver la equidad vertical al impuesto sobre la renta, gravemente lacerada, a su juicio, entre otros, por las exenciones, deducciones y descuentos tributarios reconocidos por la ley. Así se lee en la exposición de motivos radicada ante el Parlamento:

II. Equidad vertical

Se establece una tributación equitativa en proporción a los ingresos de los contribuyentes, y para el efecto, se eliminan los privilegios tributarios de que hoy disfrutan grupos específicos de contribuyentes. Desaparecen en consecuencia, los gastos de representación exentos, una serie de rentas exentas que rompen la equidad del sistema y carecen de justificación económica, las deducciones que no guardan relación de causalidad con la renta y los descuentos tributarios que desde el punto de vista teórico han sido concebidos como un instrumento de equidad, pero que en la práctica se han convertido en un vehículo para reducir la tributación produciendo graves situaciones de inequidad real[417].

Obviamente, la propuesta de eliminar, de un solo brochazo, todo tipo de tratamientos tributarios de favor, sin consideración a su naturaleza de *incentivo* o de *minoración estructural,* encontró bastante resistencia en diversos sectores del Parlamento. A manera de ejemplo, cabe destacar que el Conservatismo, en sus declaraciones políticas, suscritas por RODRIGO MARÍN BERNAL, manifestó su profunda preocupación por esta iniciativa[418]. También en ese sentido se pronunció la Comisión Política Central del Partido Liberal, el cual, no sobra recordar, era entonces el partido de Gobierno[419].

---

[417] Cfr. Revista del Instituto Colombiano de Derecho Tributario, número 33, año 23, 1987, 73.

[418] En el punto número 4 del texto, se afirma lo siguiente: "La predicada ventaja de ésta propuesta no guarda, en cambio, relación con el enorme costo social que implicarían las distorsiones en la definición de la capacidad tributaria de los estratos medios de la población. La eliminación de exclusiones de renta, deducciones, rentas exentas y descuentos tributarios que hoy favorecen los ingresos de un sector vital de la sociedad colombiana constituiría un rudo golpe a la equidad y sobrevendría a agravar el desequilibrio existente. El conservatismo declara su firme voluntad de impedir que se consume esa tentativa y asume, desde ahora, la defensa de todos los ciudadanos que pueden resultar afectados con la iniciativa oficial". Cfr. Revista del Instituto Colombiano de Derecho Tributario, número 33, año 23, 1987, 135.

[419] En su misiva enviada al Comité Asesor para la Reforma Tributaria el 11 de noviembre de 1986, la Comisión Política Central del Partido Liberal, integrada por ANTO-

En todo caso, luego de las múltiples discusiones el Congreso y de los cambios introducidos por su ponente, Víctor Renán Barco, el texto finalmente incorporó los siguientes cambios:

1) El artículo 108 de la Ley 75 de 1986 expresamente derogó el artículo 85 del Decreto legislativo 2053 de 1974, que versaba sobre los descuentos tributarios personales generales o comunes. Según se expuso en la sección II del capítulo VI de este tomo, durante el gobierno del presidente López Michelsen se cambió la naturaleza del tratamiento de favor que se había concedido a los contribuyentes (de *exención* a *descuento tributario*), con el propósito de garantizar que una porción de sus ingresos no resultara gravada con el impuesto sobre la renta. Así, se permitía restar un monto equivalente a $1 000 por contribuyente (que progresivamente fue indexado conforme a las reglas aquí comentadas) para atender su mínimo vital, y otro de $500 (también indexado año a año) por los dependientes cuya subsistencia debiera atender.

2) El artículo 108 de la Ley 75 de 1986 también derogó expresamente el artículo 2º de la Ley 20 de 1979, relativo al descuento tributario personal especial. Recuérdese, como se explicó en las secciones II y XI del capítulo VI de este tomo, que el Decreto Legislativo 2053 de 1974, artículo 86, y la Ley 20 de 1979, artículo 2, habían establecido que los contribuyentes podían restar del impuesto parte del importe atribuible a los arrendamientos pagados por su casa de habitación, y parte del importe atribuible a las erogaciones relacionadas con salud y educación suyas y de sus dependientes.

3) El artículo 108 de la Ley 75 de 1986 derogó el artículo 3 de la Ley 20 de 1979 que autorizaba el descuento tributario sobre una porción de las retenciones en la fuente que se hubieran practicado por el pago de salarios a los contribuyentes.

4) Si bien los intereses pagados por préstamos otorgados para la adquisición de vivienda de los contribuyentes no guardan relación de causalidad con la actividad productora de renta, el artículo 47 del Decreto Legislativo 2053 de 1974 había autorizado su deducibilidad

---

nio José Urdinola, Jorge Cárdenas Sarria, Alfredo Lewin Figueroa, Jorge Vivas, Sergio González y Stella Alzate de Buriticá, aseveró lo siguiente: "(…) [C]reemos que existen razones de conveniencia social suficientemente importantes como para que se mantengan algunas exenciones y deducciones". Cfr. Revista del Instituto Colombiano de Derecho Tributario, número 33, año 23, 1987, 142.

en el proceso de depuración del tributo. Sin embargo, el artículo 40 de la Ley 75 de 1986 estableció una limitación de la deducción hasta el valor de las Unidades de Poder Adquisitivo Constante (UPAC) que, a la fecha de promulgación de la ley, equivalieran a los primeros $5.900.000 del respectivo préstamo. Y en todo caso, precisó que la deducción no podría exceder anualmente del valor de las UPAC que, a la fecha de vigencia de esa ley, equivalieran a $1.000.000.

5) Para los asalariados, y como consecuencia de las múltiples solicitudes de distintos sectores, el artículo 35 de la Ley 75 de 1986 preservó algunas rentas que no serían alcanzadas con el impuesto sobre la renta, tales como las indemnizaciones por accidentes de trabajo o enfermedad, o relacionadas con la protección a la maternidad, los gastos de entierro del trabajador, parte del auxilio de cesantía, una porción de las pensiones de jubilación, vejez o invalidez, el seguro por muerte y los gastos de representación de algunos servidores públicos. Esa disposición obra como claro antecedente del artículo 206 del Estatuto Tributario, a cuyo comentario nos abocaremos luego.

6) A su turno, en tratándose de trabajadores independientes, el artículo 36 de la Ley 75 de 1986 estableció que los costos y deducciones imputables a su actividad no podrían exceder del 50 % de los ingresos percibidos. Empero, cuando se tratara de obras ejecutadas por ingenieros o arquitectos, el límite sería del 90 %, siempre y cuando llevaran libros de contabilidad.

III. Tarifas

También de la mano con los planteamientos neoliberales, especialmente aquellos pregonados por FRIEDMAN, antes explicados, el Gobierno nacional quiso disminuir la alícuota del impuesto sobre la renta, para efectos de garantizar la verdadera progresividad del tributo. Se lee en la exposición de motivos del proyecto de Ley 098 de 1986:

IV. Tarifas de las personas naturales

La reforma propuesta procura restituirle la progresividad al impuesto sobre la renta, mediante la adopción de una tabla impositiva que consulte la real capacidad de pago de los contribuyentes sin lesionar los intereses de la recaudación. De conformidad con la tabla propuesta, no se gravan rentas anuales hasta una cuantía de $924.000, situación que contrasta con el gravamen actual que se inicia a partir de una renta anual de $2.000. Las disminuciones oscilan entre el 100 % para rentas de hasta $924.000, 70 % para rentas de

$1.500.000 al año, 50% para rentas de $3.600.000 al año y un 39% para los niveles máximos de renta, donde la tarifa pasa de ser un 49% a un 30%[420].

Esta propuesta tampoco pasó inadvertida. Medió un importante cuestionamiento de los distintos sectores, toda vez que la reducción nominal de tarifas iba aparejada de la eliminación de todos (o la mayoría de) los tratamientos tributarios de favor, tales como exenciones, deducciones o descuentos. En todo caso, las tarifas finalmente aprobadas fueron las siguientes:

Tabla 19. Tarifa del impuesto sobre la renta para las personas naturales.

Intervalos de renta gravable o de ganancia ocasional	Tarifa del promedio del intervalo %	Impuesto
1 a 1.000.000	0.00	0
1.000.001 a 1.010.000	08	850
1.010.001 a 1.020.000	25	2.550
1.020.001 a 1.030.000	41	4.250
1.030.001 a 1.040.000	57	5.950
1.040.001 a 1.050.000	73	7.650
1.050.001 a 1.060.000	89	9.350
1.060.001 a 1.070.000	1.04	11.050
1.070.001 a 1.080.000	1.19	12.750
1.080.001 a 1.090.000	1.33	14.450
1.090.001 a 1.100.000	1.47	16.150
1.100.001 a 1.110.000	1.62	17.850
1.110.001 a 1.120.000	1.75	19.550
1.120.001 a 1.130.000	1.89	21.250
1.130.001 a 1.140.000	2.02	22.950
1.140.001 a 1.150.000	2.15	24.650
1.150.001 a 1.160.000	2.28	26.350
1.160.001 a 1.170.000	2.41	28.050
1.170.001 a 1.180.000	2.53	29.750
1.180.001 a 1.190.000	2.65	31.450
1.190.001 a 1.200.000	2.77	33.150
1.200.001 a 1.210.000	2.89	34.850
1.210.001 a 1.220.000	3.01	36.550
1.220.001 a 1.230.000	3.12	38.250

[420] Cfr. Revista del Instituto Colombiano de Derecho Tributario, número 33, año 23, 1987, 75.

Intervalos de renta gravable o de ganancia ocasional	Tarifa del promedio del intervalo %	Impuesto
1.230.001 a 1.240.000	3.23	39.950
1.240.001 a 1.250.000	3.35	41.650
1.250.001 a 1.260.000	3.45	43.350
1.260.001 a 1.270.000	3.56	45.050
1.270.001 a 1.280.000	3.67	46.750
1.280.001 a 1.290.000	3.77	48.450
1.290.001 a 1.300.000	3.87	50.150
1.300.001 a 1.310.000	3.97	51.850
1.310.001 a 1.320.000	4.07	53.550
1.320.001 a 1.330.000	4.17	55.250
1.330.001 a 1.340.000	4.27	56.950
1.340.001 a 1.350.000	4.36	58.650
1.350.001 a 1.360.000	4.45	60.350
1.360.001 a 1.370.000	4.55	62.050
1.370.001 a 1.380.000	4.64	63.750
1.380.001 a 1.390.000	4.73	65.450
1.390.001 a 1.400.000	4.81	67.150
1.400.001 a 1.410.000	4.90	68.850
1.410.001 a 1.420.000	4.99	70.550
1.420.001 a 1.430.000	5.07	72.250
1.430.001 a 1.440.000	5.15	73.950
1.440.001 a 1.450.000	5.24	75.650
1.450.001 a 1.460.000	5.32	77.350
1.460.001 a 1.470.000	5.40	79.050
1.470.001 a 1.480.000	5.47	80.750
1.480.001 a 1.490.000	5.55	82.450
1.490.001 a 1.500.000	5.63	84.150
1.500.001 a 1.520.000	5.82	87.900
1.520.001 a 1.540.000	6.07	92.900
1.540.001 a 1.560.000	6.32	97.900
1.560.001 a 1.580.000	6.55	102.900
1.580.001 a 1.600.000	6.79	107.900
1.600.001 a 1.620.000	7.01	112.900
1.620.001 a 1.640.000	7.23	117.900
1.640.001 a 1.660.000	7.45	122.900
1.660.001 a 1.680.000	7.66	127.900
1.680.001 a 1.700.000	7.86	132.900
1.700.001 a 1.720.000	8.06	137.900

Intervalos de renta gravable o de ganancia ocasional	Tarifa del promedio del intervalo %	Impuesto
1.720.001 a 1.740.000	8.26	142.900
1.740.001 a 1.760.000	8.45	147.900
1.760.001 a 1.780.000	8.64	152.900
1.780.001 a 1.800.000	8.82	157.900
1.800.001 a 1.820.000	9.00	162.900
1.820.001.a 1.840.000	9.17	167.900
1.840.001 a 1.860.000	9.35	172.900
1.860.001 a 1.880.000	9.51	177.900
1.880.001 a 1.900.000	9.68	182.900
1.900.001 a 1.920.000	9.84	187.900
1.920.001 a 1.940.000	9.99	192.900
1.940.001 a 1.960.000	10.15	197.900
1.960.001 a 1.980.000	10.30	202.900
1.980.001 a 2.000.000	10.45	207.900
2.000.001 a 2.020.000	10.59	212.900
2.020.001 a 2.040.000	10.73	217.900
2.040.001 a 2.060.000	10.87	222.900
2.060.001 a 2.080.000	11.01	227.900
2.080.001 a 2.100.000	11.14	232.900
2.100.001 a 2.120.000	11.27	237.900
2.120.001 a 2.140.000	11.40	242.900
2.140.001 a 2.160.000	11.53	247.900
2.160.001 a 2.180.000	11.65	252.900
2.180.001 a 2.200.000	11.78	257.900
2.200.001 a 2.220.000	11.90	262.900
2.220.001 a 2.240.000	12.01	267.900
2.240.001 a 2.260.000	12.13	272.900
2 260.001 a 2.280.000	12.24	277.900
2.280.001 a 2.300.000	12.35	282.900
2.300.001 a 2.320.000	12.46	287.900
2.320.001 a 2.340.000	12.57	292.900
2.340.001 a 2.360.000	12.68	297.900
2.360.001 a 2.380.000	12.78	302.900
2.380.001 a 2.400.000	12.88	307.900
2.400.001 a 2.420.000	12.98	312.900
2.420.001 a 2.440.000	13.08	317.900
2.440.001 a 2.460.000	13.18	322.900
2.460.001 a 2.480.000	13.28	327.900

Intervalos de renta gravable o de ganancia ocasional	Tarifa del promedio del intervalo %	Impuesto
2.480.001 a 2.500.000	13.37	332.900
2.500.001 a 2.550.000	13.53	341.650
2.550.001 a 2.600.000	13.75	354.150
2.600.001 a 2.650.000	13.97	366.650
2.650.001 a 2.700.000	14.17	379.150
2.700.001 a 2.750.000	14.37	391.650
2.750.001 a 2.800.000	14.56	404.150
2.800.001 a 2.850.000	14.75	416.650
2.850.001 a 2.900.000	14.93	429.150
2.900.001 a 2.950.000	15.10	441.650
2.950.001 a 3.000.000	15.27	454.150
3.000.001 a 3.050.000	15.43	466.650
3.050.001 a 3.100.000	15.58	479.150
3.100.001 a 3.150.000	15.73	491.650
3.150.001 a 3.200.000	15.88	504.150
3.200.001 a 3.250.000	16.02	516.650
3.250.001 a 3 300.000	16.16	529.150
3.300.001 a 3.350.000	16.29	541.650
3.350.001 a 3.400.000	16.42	554.150
3.400.001 a 3.450.000	16.54	566.650
3.450.001 a 3.500.000	16.67	579.150
3.500.001 a 3.550.000	16.78	591.650
3.550.001 a 3.600.000	16.90	604.150
3.600.001 a 3.650.000	17.01	616.650
3.650.001 a 3.700.000	17.12	629.150
3.700.001 a 3.750.000	17.23	641.650
3.750.001 a 3.800.000	17.33	654.150
3.800.001 a 3.850.000	17.43	666.650
3.850.001 a 3.900.000	17.53	679.150
3.900.001 a 3.950.000	17.62	691.650
3.950.001 a 4.000.000	17.71	704.150
4.000.001 a 4.050.000	17.87	719.150
4.050.001 a 4.100.000	18.02	734.150
4.100.001 a 4.150.000	18.16	749.150
4.150.001 a 4.200.000	18.30	764.150
4.200.001 a 4.250.000	18.44	779.150
4.250.001 a 4.300.0.00	18.58	794.150
4.300.001 a 4.350.000	18.71	809.150

Intervalos de renta gravable o de ganancia ocasional	Tarifa del promedio del intervalo %	Impuesto
4.350.001 a 4.400.000	18.84	824.150
4.400.001 a 4.450.000	18.96	839.150
4.450.001 a 4.500.000	19.09	854.150
4.500.001 a 4.550.000	19.21	869.150
4.550.001 a 4.600.000	19.33	884.150
4.600.001 a 4.650.000	19.44	899.150
4.650.001 a 4.700.000	19.55	914.150
4.700.001 a 4.750.000	19.66	929.150
4.750.001 a 4.800.000	19.77	944.150
4.800.001 a 4.850.000	19.88	959.150
4.850.001 a 4.900.000	19.98	974.150
4.900.001 a 4.950.000	20.08	989.150
4.950.001 a 5.000.000	20.18	1.004.150
5.000.001 a 5.100.000	20.33	1.026.650
5.100.001 a 5.200.000	20.52	1.056.650
5.200.001 a 5.300.000	20.70	1.086.650
5.300.001 a 5.400.000	20.87	1.116.650
5.400.001 a 5.500.000	21.04	1.146.650
5.500.001 a 5.600.000	21.20	1.176.650
5.600.001 a 5.700.000	21.36	1.206.650
5.700.001 a 5.800.000	21.51	1.236.650
5.800.001 a 5.900.000	21.65	1.266.650
5.900.001 a 6.000.000	21.79	1.296.650
6.000.001 a 6.100.000	21.93	1.326.650
6.100.001 a 6.200.000	22.06	1.356.650
6.200.001 a 6.300.000	22.19	1.386.650
6.300.001 a 6.400.000	22.31	1.416.650
6.400.001 a 6.500.000	22.43	1.446.650
6.500.001 a 6.600.000	22.54	1.476.650
6.600.001 a 6.700.000	22.66	1.506.650
6.700.001 a 6.800.000	22.77	1.536.650
6.800.001 a 6.900.000	22.87	1.566.650
6.900.000 a 7.000.000	22.97	1.596.650
7.000.001 a 7.100.000	23.07	1.626.650
7.100.001 a 7.200.000	23.17	1.656.650
7.200.001 a 7.300.000	23.26	1.686.650
7.300.001 a 7.400.000	23.36	1.716.650
7.400.001 a 7.500.000	23.44	1.746.650

Intervalos de renta gravable o de ganancia ocasional	Tarifa del promedio del intervalo %	Impuesto
7.500.001 a 7.600.000	23.53	1.776.651
7.600.001 en adelante	1.776.650	
Mas de 30.00% del exceso sobre	7.600.000	

Fuente: Ley 75 de 1986.

Nótese que la reducción de las alícuotas es ostensible. En efecto, la tarifa marginal superior pasó de ser del 49% al 30%. Sin embargo, la Ley 75 de 1986 preservó la estructura de la Ley 9 de 1983, en cuanto a la determinación del impuesto a cargo mediante la aplicación de la tarifa al promedio del intervalo correspondiente al contribuyente. Esa estructura —insistimos— resulta altamente cuestionable de cara a la equidad vertical.

IV. El impuesto complementario sobre las ganancias ocasionales

En la Ponencia para Primer Debate del proyecto de ley, el congresista VÍCTOR RENÁN BARCO emprendió una defensa sustantiva de la propuesta del Gobierno en relación con la equiparación de las tarifas del impuesto complementario sobre las ganancias ocasionales y el impuesto sobre la renta. Dijo el ponente:

> Ha recibido el proyecto algunas críticas relacionadas con el supuesto desnivel entre el alivio que se otorga a las rentas de capital y de trabajo. Estos temas parecen surgir más de una mala comprensión del alcance de la reforma que de su contenido. En primer lugar, el equiparamiento que se da al régimen de ganancias de capital con el de rentas de trabajo, lo que hace es corregir una distorsión contenida en la reforma tributaria de 1974 que le dio a estas ganancias, denominadas ocasionales, un tratamiento preferencial sobre las rentas de trabajo, lo que no solo era inequitativo sino que se prestaba a que los empresarios transfirieran rentas ordinarias al régimen de ganancias ocasionales, para bajar sus niveles de tributación. En segundo lugar, si se observan las rebajas que se han dado en las tarifas nominales para personas naturales y para sociedades, es claro que las rebajas más sustanciales se han dado respecto de las primeras[421].

Del aparte transcrito se sigue que la intención del Gobierno[422], avalada por el ponente, era someter todo tipo de rentas a un mismo tipo imposi-

---

[421]   Cfr. Revista del Instituto Colombiano de Derecho Tributario, número 33, año 23, 1987, 160 y 161.

[422]   Al respecto, el Gobierno nacional señaló en la exposición de motivos: "Se propone una tarifa igual tanto para la renta como para la ganancia ocasional y se eliminan

tivo. Con ello se eliminaba cualquier clase de interés que pudieran tener las personas en variar el régimen aplicable a sus ingresos y, por esa vía, disminuiría la evasión.

Finalmente, el artículo 4º de la Ley 75 de 1986 equiparó por completo las alícuotas del impuesto complementario sobre las ganancias ocasionales y del impuesto sobre la renta ordinario. Empero, en materia de tributación de las rentas constituidas por herencias, legados o porciones conyugales, caben las siguientes observaciones:

Impropiamente, el capítulo XI de la Ley 75 de 1986 fue intitulado "Impuesto sucesoral". Es así, porque, por una parte, el llamado "impuesto sucesoral" desapareció del ordenamiento jurídico colombiano con la expedición del Decreto Legislativo 237 de 1983[423] y, por otra, los artículos que componían el capítulo XI de la Ley 75 de 1986 no crearon un nuevo tributo de esta naturaleza, sino que se limitaron a regular aspectos relacionados con el impuesto complementario sobre las ganancias ocasionales, cuando su causa se originara en rentas provenientes de herencias, legados y donaciones.

Hecha la anterior precisión, es de destacar que el artículo 72 de la Ley 75 de 1986 modificó lo previsto en los incisos 6º y 7º del ordinal 4º del artículo 6º de la Ley 20 de 1976, relativo a las ganancias ocasionales exentas cuando su fuente fueran herencias, legados y donaciones.

Como se recordará, el artículo objeto de modificación contemplaba que los legitimarios y el cónyuge tendrían derecho de tratar como *exención* —no como descuento tributario— los primeros $500.000 recogidos como asignación por causa de muerte o porción conyugal, mientras que la base gravable de las herencias y legados recogidos por personas distintas a los legitimarios y el cónyuge sería del 80 % del valor efectivamente recibido. Fruto de las modificaciones incorporadas por la Ley 75 de 1986, la nueva forma del cálculo del tributo era la siguiente:

a) Para los legitimarios y el cónyuge, el primer millón de pesos recibido por herencia, legado o porción conyugal estaba gravado a la tarifa del 0 % y el siguiente millón se trataba como ganancia ocasional *exenta*.

aquellas disposiciones que conducen a un tratamiento discriminatorio entre estos dos tipos de rentas. En este orden de ideas, desaparecen las exenciones sobre las ganancias ocasionales y las inversiones sustitutivas vigentes a partir de 1979". Cfr. Revista del Instituto Colombiano de Derecho Tributario, número 3, año 23, 1987, 75.

[423] Véanse, al efecto, nuestros comentarios en la sección IV del capítulo VII de este tomo.

b) Para quienes no fueran legitimarios o cónyuge, la ganancia ocasional exenta era equivalente al 20 % de lo percibido, sin que en ningún caso ese valor pudiera ser superior a un millón de pesos.

Esa disposición obraría como antecedente de los artículos 307 y 308 del Estatuto Tributario.

V. Algunas disposiciones adicionales

Fuera de las temáticas que se abordan en las anteriores Subsecciones, importa hacer referencia aquí a tres aspectos que fueron regulados por la Ley 75 de 1986, por su directa incidencia sobre el objeto de estudio de este texto. Veamos:

En primer lugar, el artículo 16 de la ley en comentario dispuso, como ya lo habían hecho otras normas en el pasado, que los valores absolutos expresados en la normativa serían reajustados, anual y acumulativamente, en 100 % del incremento porcentual del índice de precios al consumidor certificado por el Departamento Administrativo Nacional de Estadística. Obviamente, ello no supuso el aumento de los beneficios o de la carga impositiva, sino que trató de preservar las condiciones en iguales términos.

En segundo lugar, el artículo 63, *ibidem*, en línea con lo que había ordenado el artículo 36 de la Ley 55 de 1985, eliminó la obligación de presentar declaración del impuesto sobre la renta y complementarios para los asalariados cuyos ingresos provinieran, al menos en un 80 %, de pagos originados en relaciones laborales, legales o reglamentarias, y que satisficieran los siguientes requisitos: (i) que sobre los pagos se hubiere practicado la retención en la fuente correspondiente; (ii) que el patrimonio bruto del contribuyente no excediera de $6.000.000; (iii) que el contribuyente no fuera responsable del impuesto sobre el valor agregado; (iv) que el ingreso total anual del asalariado no hubiera sido superior a $4.000.000; y (v) que el contribuyente conservara los certificados de retención en la fuente, expedidos por quien la hubiere practicado.

A pesar de que la disposición en análisis parece ser benévola, en la medida en que releva a algunos contribuyentes de la obligación de presentar su denuncio rentístico, lo cierto es que, en ocasiones, podía llegar a ser muy perjudicial. En efecto, las tarifas de retención en la fuente consagradas en el artículo 6° de la Ley 75 de 1986 ascendían progresivamente hasta llegar al 30 % del pago o abono en cuenta, para lo cual se debía tener en cuenta alguno de los dos procedimientos allí establecidos. Pero, como lo denuncia PLAZAS VEGA, esa simplificación administrativa podía resultar muy injusta, en algunos casos, porque el importe de la retención en la fuente sería inferior al impuesto que le correspondería pagar al contribuyente si presentara declaración; y en otros, porque la retención podía superar el impuesto a cargo[424].

Y, en tercer lugar, bueno es destacar que el artículo 90 de la Ley 75 de 1986 revistió al presidente de la República con facultades extraordinarias, entre otras cosas, para que expidiera

> un Estatuto Tributario de numeración continua, de tal forma que se armonicen en un solo cuerpo jurídico las diferentes normas que regulan los impuestos que administra la Dirección General de Impuestos Nacionales. Para tal efecto, se podrá reordenar la numeración de las diferentes disposiciones tributarias, modificar su texto y eliminar aquellas que se encuentran repetidas o derogadas, sin que en ningún caso se altere su contenido.

Sobre este aspecto volveremos en capítulo posterior, dedicado exclusivamente a la expedición del Estatuto.

VI. Conclusiones

No parece caber un ápice de duda de que el asentamiento del neoliberalismo en el sistema tributario colombiano ocurrió con la expedición de la Ley 75 de 1986. Para constatarlo, se ha demostrado: (i) la disminución de las tarifas del impuesto sobre la renta en casi veinte puntos porcentuales; (ii) la eliminación de la mayor parte de los tratamientos tributarios de favor, especialmente aquellos que no guardaban relación con la generación de la renta; y (iii) el sistema de complemento en la recaudación, entre el impuesto sobre el valor agregado y el impuesto sobre renta, que operó desde aquella época en Colombia.

Por otro lado, no se debe perder de vista que esta ley cobra particular importancia porque varias de sus disposiciones, entre ellas las relativas al régimen de tributación de los cónyuges, permanecen vigentes hoy en Colombia. Por tal motivo, es fuente ineludible de consulta para formular los comentarios o críticas que se expondrán más adelante, en el tomo III de esta obra.

---

[424]   Cfr. MAURICIO A. PLAZAS VEGA. *Derecho de...*, 80 y 81.

SECCIÓN III. DECRETO REGLAMENTARIO 3750 DE 1986

Poco tiempo después de la promulgación de la Ley 75 de 1986, el Gobierno del presidente VIRGILIO BARCO expidió el Decreto Reglamentario 3750, publicado en el Diario Oficial número 37.745 del 30 de diciembre de 1986, por el cual se dictaron disposiciones relacionadas con la retención en la fuente. En atención a su finalidad, el artículo 1° del decreto rediseñó la tabla tarifaria de la retención aplicable a los pagos originados en relaciones laborales, legales o reglamentarias, pero preservó la alícuota marginal superior del 30 %. Además, el artículo 2° puntualizó aspectos relativos a los procedimientos 1 y 2, fijados en la Ley 75 de 1986.

Para nuestros efectos, son de comentar los artículos 7° y 8° del decreto reglamentario, en la medida en que aludieron a la deducción de los intereses pagados cuyo origen se hallara en los créditos otorgados para la adquisición de vivienda. Sobre el particular, el artículo 7° estableció la forma de cálculo de la retención en la fuente cuandoquiera que el beneficiario del pago tuviera derecho a la deducción, en tanto que el 8° precisó que, si el crédito había sido "otorgado a ambos cónyuges, la deducción podr[í]a ser solicitada en su totalidad en cabeza de uno de ellos siempre y cuando manif[estara] en su solicitud que el otro cónyuge no la ha[bía] solicitado".

Nótese que en esta oportunidad el Gobierno sí reconoció la existencia de la sociedad conyugal entre los casados, por la vía de autorizar la deducción de la totalidad de los intereses pagados por créditos de adquisición de vivienda en cabeza de uno de ellos. Ello se contrapone abiertamente a los fundamentos que sirvieron de base para la expedición de la Ley 75 de 1986, donde se optó por tratar a los cónyuges como perfectos extraños en materia del impuesto sobre la renta.

Para el autor de esta obra, es indudable que la disposición reglamentaria comportó un gran acierto en la medida en que adecuadamente se consultó el régimen civil. Ciertamente, entre quienes se unen en matrimonio surge, las más de las veces, una sociedad conyugal que es muy difícil ignorar. La *ratio legis* de la disposición no es otra que reconocer el impacto y la verdadera existencia de la sociedad conyugal entre los casados. Por ese motivo, la facultad de deducir la totalidad de los intereses pagados se limitó a los cónyuges exclusivamente, en lugar de extenderse a cualesquier copropietarios; porque para este último caso solo se concibió el derecho de deducir proporcionalmente los intereses atribuibles a la persona —no cónyuge—.

Es curioso que el mismo Gobierno que ideó la Ley 75 de 1986, por la cual los casados comenzaron a ser considerados perfectos extraños en materia del impuesto sobre la renta, incluso a pesar de que mediara entre ellos una sociedad conyugal vigente, haya expedido el reglamento en el que se autorizó la deducción del 100 % de los intereses por créditos para la adquisición de vivienda en cabeza de uno de los cónyuges, pese a que este hubiera sido otorgado a los dos.

SECCIÓN IV. DECRETO LEY 2503 DE 1987

En desarrollo de las facultades extraordinarias conferidas por el Congreso de la República, el Gobierno nacional profirió el Decreto 2503 de 1987, en el que dictaminó "normas para el efectivo control, recaudo, cobro, determinación y discusión de impuestos que administra la Dirección General de Impuestos Nacionales". En lo fundamental, como el título del cuerpo normativo lo sugiere, las disposiciones se encauzaron a regular aspectos procedimentales. Dos artículos son relevantes para este estudio:

En primer lugar, el artículo 2º señaló que todos los contribuyentes estarían obligados a presentar denuncio rentístico, salvo, entre otros, las personas naturales o sucesiones ilíquidas que, durante el año gravable, obtuvieran ingresos inferiores a $1.200.000 y que poseyeran un patrimonio bruto inferior a $700.000. Por su parte, el artículo 3º precisó que los asalariados cuyos ingresos provinieran de pagos originados en relaciones laborales o legales y reglamentarias tampoco estarían obligados a presentar su denuncio rentístico, siempre y cuando su patrimonio bruto fuera inferior a $7.000.000, no fueran responsables del impuesto sobre el valor agregado y sus ingresos en el año no excedieran de $4.700.000.

Para los anteriores contribuyentes, el impuesto sobre la renta equivaldría al monto de las retenciones en la fuente practicadas. Al respecto, ya se comentaron las inequidades que se podrían derivar de este tratamiento.

Capítulo IX.
El Estatuto Tributario

El recuento histórico que aquí se ha hecho, y en el que se han excluido varios decretos y leyes relativos a los tributos por razones de oportunidad, pone de manifiesto que en el ordenamiento jurídico fiscal imperó la más compleja y aterradora dispersión normativa. Ya desde 1951, cuando el presidente LAUREANO GÓMEZ ordenó, mediante el Decreto 868 de ese mismo año, la *Compilación de las normas del impuesto sobre la renta, complementarios y adicionales,* faena que estuvo a cargo de HÉCTOR JULIO BECERRA BECERRA, era claro que la falta de orden de la normativa creaba una importante inseguridad jurídica entre los contribuyentes, al propio tiempo como dificultaba la labor fiscalizadora y recaudatoria de la Administración. Y no podría ser distinto, porque la proliferación legislativa en materia tributaria impide adquirir certeza sobre la vigencia de las obligaciones con el Fisco, o sobre los derechos y prerrogativas de los contribuyentes. Era entonces necesaria la codificación.

En 1967 se dio a conocer el Modelo de Código Tributario para América Latina de la OEA y el BID, cuya Comisión Redactora estuvo conformada por CARLOS MARÍA GIULIANI FONROUGE, RUBENS GOMES DE SOUSA y RAMÓN VALDÉS COSTA. Tan importante obra sirvió de preludio para que, en Colombia, se empezara a ventilar la conveniencia de adoptar, de una vez por todas, un Código Tributario. Sin embargo, tuvieron que transcurrir cinco años desde la publicación del Modelo de Código Tributario para América Latina para que verdaderamente principiaran las iniciativas legislativas en ese sentido en nuestro país.

En 1972, luego de que una misión de la OEA encauzara sus esfuerzos en Colombia en pos de la codificación[425], el Gobierno de MISAEL PASTRANA BORRERO presentó al Congreso de la República, por primera vez, un proyecto de ley por el cual se revestía de facultades extraordinarias al presidente para la expedición de un Código Tributario; mas la iniciativa del Ejecutivo quedó frustrada por el archivo del proyecto, como consecuencia de la superación del lapso máximo permitido para su discusión por el Parlamento sin que fuera adoptado definitivamente como ley. Un año

---

[425] Sobre este particular, véase a JUAN MANUEL TURBAY MARULANDA y CAMILO ARTURO CABAL CABAL, *Un código tributario para Colombia.* (Bogotá: Ed. Venus, 1975).

después, en 1973, se radicó un segundo proyecto de ley por el presidente PASTRANA y su ministro de hacienda, pero su suerte no fue distinta a la de la anterior iniciativa presentada.

Más adelante, en 1977, durante el gobierno del presidente LÓPEZ MICHELSEN, se promulgó la Ley 52, conocida como *Estatuto del contribuyente*. En ella se procuró estructurar, en algún grado, la relación jurídica entre los contribuyentes y el Fisco; y en su artículo 85 se revistió al presidente de facultades extraordinarias para que, en el término de doce meses, expidiera un Estatuto único, compilatorio de las normas vigentes. Empero, el lapso transcurrió sin que el Gobierno ejerciera tales facultades.

Luego, durante el Gobierno del presidente BETANCUR CUARTAS, el Congreso de la República expidió la Ley 9ª de 1983. El artículo 106 del cuerpo normativo facultó al Ejecutivo, nuevamente, para que "compilará las normas del impuesto sobre la renta y procedimiento vigentes", sin que ello ocurriera.

Posteriormente, con la promulgación de la Ley 75 de 1986, el Parlamento revistió de facultades extraordinarias al Gobierno del presidente BARCO VARGAS, para que expidiera "un Estatuto Tributario de numeración continua, de tal forma que se armonicen en un solo cuerpo jurídico las diferentes normas que regulan los impuestos que administra la Dirección General de Impuestos Nacionales". Las facultades en comentario, conforme al artículo 90 de la ley, estuvieron vigentes hasta el 31 de diciembre de 1987; pero, una vez más, el Gobierno Nacional dejó vencer el término sin expedir codificación alguna.

Ante esa situación, fue necesario que el artículo 41 de la Ley 43 de 1987 ampliara el término con que contaba el Ejecutivo hasta el 30 de marzo de 1989. Y, finalmente, el mismo 30 de marzo de 1989, el presidente BARCO expidió el Decreto 624, por el cual compiló las normas vigentes en lo que hoy se conoce como Estatuto Tributario.

Ineludible es anotar, como lo enseña MAURICIO ALFREDO PLAZAS VEGA, que la codificación adoptada en Colombia, al menos por el Estatuto Tributario, es de tipo francés; esto es, una recopilación de derecho constante, y no un código de principios generales y definiciones básicas[426]. Y aunque ha habido gestiones, principalmente lideradas por el Instituto Colombiano de Derecho Tributario, tendientes a la expedición de una ley estatutaria en materia tributaria, sin que ello haya ocurrido hasta la fecha, lo cierto es

---

[426]   Cfr. MAURICIO A. PLAZAS VEGA, *La codificación tributaria*. (Bogotá: Ed. Universidad del Rosario, 2012), 75 a 92.

que a nuestro Código se le debe reconocer la virtud de haber ordenado la dispersión legal imperante en Colombia. Su clara estructura es fuente de seguridad jurídica, tanto para los contribuyentes como para la Administración, y de simplicidad.

Debido a que en lo sucesivo volveremos reiterativamente sobre varios de los artículos del Estatuto Tributario, corresponde ahora aludir a aquellos que serán los puntos cardinales de nuestro estudio:

SECCIÓN I. ARTÍCULO 1: NACIMIENTO DE LA OBLIGACIÓN TRIBUTARIA SUSTANCIAL

Estableció el nacimiento de la obligación tributaria sustancial al momento de la realización del presupuesto o presupuestos previstos en la ley como generadores del impuesto. También señaló que su objeto era el pago del tributo.

SECCIÓN II. ARTÍCULO 8º: TRIBUTACIÓN DE LOS CÓNYUGES

En estricta compilación de lo previsto por la ley 75 de 1986, señaló que los cónyuges serían, individualmente considerados, sujetos pasivos del impuesto sobre la renta. Así mismo, precisó que, durante el proceso de liquidación de la sociedad conyugal, el sujeto pasivo continuaría siendo cada cónyuge en forma individual.

SECCIÓN III. ARTÍCULO 26: FORMA DE DEPURACIÓN DE LA RENTA

Compiló lo previsto en el Decreto Legislativo 2053 de 1974 y dispuso que la forma de depurar la renta sería la siguiente:

> de la suma de todos los ingresos ordinarios y extraordinarios realizados en el año o período gravable, que sean susceptibles de producir un incremento neto del patrimonio en el momento de su percepción, y que no hayan sido expresamente exceptuados, se restan las devoluciones, rebajas y descuentos, con lo cual se obtienen los ingresos netos. De los ingresos netos se restan, cuando sea el caso, los costos realizados imputables a tales ingresos, con lo cual se obtiene la renta bruta. De la renta bruta se restan las deducciones realizadas, con lo cual se obtiene la renta líquida. Salvo las excepciones legales, la renta líquida es renta gravable y a ella se aplican las tarifas señaladas en la ley.

SECCIÓN IV. ARTÍCULO 45: INDEMNIZACIONES
QUE NO CONSTITUYEN RENTA

En el artículo 45 del Estatuto Tributario se compiló lo previsto en la Ley 20 de 1979, en relación con que los ingresos atribuibles al daño emergente no serían constitutivos de renta ni de ganancia ocasional, por no producir un verdadero incremento patrimonial, en tanto que los atribuibles al lucro cesante sí estarían sometidos al impuesto.

SECCIÓN V. ARTÍCULO 47: TRIBUTACIÓN
DE LOS GANANCIALES Y DE LA PORCIÓN CONYUGAL

Se estableció que lo recibido a título de gananciales no constituirían renta ni ganancia ocasional. En cambio, indicó que lo percibido por porción conyugal se gravaría con el impuesto complementario sobre las ganancias ocasionales. Su primer antecedente, según se vio, se remonta a la Ley 63 de 1936, en tanto que su antecedente inmediato encuentra su fuente en la Ley 20 de 1979.

SECCIÓN VI. ARTÍCULO 119: DEDUCIBILIDAD
DE INTERESES POR CRÉDITOS OTORGADOS
PARA LA ADQUISICIÓN DE VIVIENDA

Se reguló la deducibilidad de los intereses pagados que se originaran en créditos otorgados para la adquisición de vivienda del contribuyente, incluso a pesar de que no guardaran causalidad con la actividad productora de renta.

SECCIÓN VII. ARTÍCULO 206:
RENTAS DE TRABAJO EXENTAS

Se enlistaron taxativamente las rentas que se considerarían exentas en el proceso de depuración del tributo, provenientes de relaciones laborales o legales y reglamentarias.

SECCIÓN VIII. ARTÍCULO 241: TARIFAS DEL IMPUESTO SOBRE LA RENTA PARA PERSONAS NATURALES Y SUCESIONES ILÍQUIDAS

Consagró la tabla tarifaria aplicable a la renta líquida de los contribuyentes personas naturales residentes fiscales en Colombia y sucesiones ilíquidas de causantes que fueran residentes fiscales en nuestro país.

SECCIÓN IX. ARTÍCULO 302: TRATAMIENTO TRIBUTARIO DE HERENCIAS, LEGADOS Y DONACIONES

Estableció que las herencias, legados y donaciones se considerarían ingresos sometidos al impuesto complementario sobre las ganancias ocasionales, en lugar del impuesto sobre la renta.

SECCIÓN X. ARTÍCULOS 307 Y 308: GANANCIAS OCASIONALES EXENTAS

Compiló las disposiciones relativas a la exención sobre las herencias, porciones conyugales y legados recogidos por legitimarios o cónyuges del causante y aquellas aplicables a quienes no lo fueran.

SECCIÓN XI. ARTÍCULOS 313 Y 314: TARIFA DEL IMPUESTO SOBRE LAS GANANCIAS OCASIONALES

Consagró el régimen tarifario para la determinación del impuesto sobre las ganancias ocasionales.

SECCIÓN XII. ARTÍCULO 387: DEDUCCIONES DE LA BASE DE RETENCIÓN EN LA FUENTE

Señaló que los intereses pagados por créditos otorgados para la adquisición de vivienda del contribuyente serían susceptibles de deducción de la base para practicar la retención en la fuente.

SECCIÓN XIII. ARTÍCULO 555: CAPACIDAD Y REPRESENTACIÓN

Precisó quiénes serían considerados capaces para actuar ante la Administración y para satisfacer sus deberes formales y materiales por sí mismos.

SECCIÓN XIV. ARTÍCULOS 571 Y 572: OBLIGACIÓN DE CUMPLIR DEBERES FORMALES

Reguló quiénes deben cumplir con deberes formales y la forma en la cual se debe proceder para ese efecto.

SECCIÓN XV. ARTÍCULOS 573 Y 798: RESPONSABILIDAD SUBSIDIARIA

Establecieron que los obligados a cumplir deberes formales de terceros responderían subsidiariamente por las consecuencias derivadas de su omisión.

SECCIÓN XVI. ARTÍCULOS 591, 592 Y 593: OBLIGADOS A DECLARAR

Reguló los contribuyentes que se encontraban en la obligación de presentar declaración del impuesto sobre la renta y aquellos que quedaban relevados de tal obligación, junto con los requisitos para que operara la exoneración.

SECCIÓN XVII. ARTÍCULO 793: RESPONSABILIDAD SOLIDARIA

Consagró los casos en los cuales se configura la solidaridad en el pago del impuesto sobre la renta y complementarios.

Capítulo X.
Leyes 54 de 1990 y 979 de 2005:
del concubinato a la unión marital de hecho

El 31 de diciembre de 1990 se promulgó la Ley 54 de 1990, por la cual se regularon en el ordenamiento jurídico colombiano las uniones maritales de hecho y se precisaron sus efectos patrimoniales. Es incontestable la importancia de este cuerpo normativo para nuestro objeto de estudio, toda vez que, a partir de su expedición, se definió la existencia de un verdadero régimen patrimonial entre quienes conforman la unión, hecho que indefectiblemente reclama su análisis desde el punto de vista tributario.

Pero para proceder con las necesarias apreciaciones fiscales, que serán objeto de desarrollo en el Tomo III de este escrito, es menester comprender los alcances de esta figura.

Como precisión necesaria se debe advertir que, con la venia del lector, en este capítulo romperemos el estricto esquema cronológico que hasta ahora se ha empleado, por lo cual se abordarán, en conjunto, las leyes 54 de 1990 y 979 de 2005, con los correlativos pronunciamientos jurisprudenciales.

SECCIÓN I. UNA NECESARIA DELIMITACIÓN CONCEPTUAL

Es muy común, tanto en la jerga jurídica como en el discurrir cotidiano, que se empleen las expresiones adulterio, amancebamiento y concubinato como si fueran sinónimas, pero no necesariamente lo son. Por razones metodológicas y de organización se impone, previo a analizar la unión marital de hecho, elaborar unas delimitaciones conceptuales sobre el alcance y contenido de cada uno de esos conceptos, con miras a evitar confusiones impertinentes que puedan afectar nuestro estudio.

I. Adulterio

Etimológicamente proviene del verbo latín *adulterare* y del sustantivo *adulterium*, que traducen *corromper* o *falsificar*. El Diccionario de la Real Academia de la Lengua lo define, en su primera acepción, como la "[r]elación sexual voluntaria entre una persona casada y otra que no lo sea".

Despréndense de ello dos características que estructuran su alcance: (i) por un lado, una de las partes debe estar casada; y (ii) por el otro, no se exige permanencia o estabilidad alguna.

La primera característica de su estructura se apoya claramente en los textos históricos. Piénsese, en cuanto hace al cristianismo, en el Evangelio según SAN MATEO (5:31-32), donde claramente se indica que quien despida a su mujer la expone a ser adúltera y que quien se casare con la repudiada será adúltero[427]. Esa característica firmemente se ratifica con los *cánones sobre el sacramento del matrimonio,* aprobados en la Vigésima Cuarta Sesión del Concilio de Trento (1545 a 1563).

Sería posible replicar a lo anterior que, en el Derecho Romano, la *Lex Iulia de Adulteriis Coercendis,* dictada por el emperador CÉSAR AUGUSTO alrededor del año 17 a. C., utiliza indistintamente los conceptos de *estupro* y *adulterio,* con lo cual daría a entender que esta última expresión sería también predicable del hombre, casado o no, que tuviera relaciones sexuales con doncellas vírgenes y, consiguientemente, que en ese ordenamiento jurídico no se requería el vínculo matrimonial de alguno de los intervinientes para que su acto se considerara adulterino. A ello habría que contra replicar con la claridad de los planteamientos de PAPIANO, recogidos en el Digesto:

> "[L]a ley habla muy abusivamente (...) de estupro y adulterio, pero, hablando propiamente, el *adulterio* es con la casada, que se llama así por el hijo que nace *ex altero*; el estupro, en cambio, es con la doncella o con la no casada, lo que los griegos llaman *phtoora*"[428].

Y también serían de agregar las afirmaciones de MODESTINO, recogidas en el Digesto: "Se comete adulterio con la mujer casada, y estupro con la que no está casada como con una doncella"[429].

En doctrina más reciente, conviene traer a colación las definiciones propuestas por HERNÁN LARRAÍN RÍOS, para quien el adulterio es "el acto por el cual una persona casada, violando la fe conyugal, concede sus favores

---

[427] Cfr. *Sagrada Biblia* (Traducida ... por FÉLIX TORRES AMAT ... Pág. 1113): "31. Hase dicho: Cualquiera que despidiere a su mujer, déle libelo de repudio; 32. pero yo os digo, que cualquiera que despidiere a su mujer, si no es por causa de adulterio, la expone a ser adúltera; y el que se casare con la repudiada, es asimismo adúltero".

[428] Cfr. *Digesto,* 48.5.6., PAPIANO.

[429] Cfr. *Digesto,* 48.5.35., MODESTINO.

a otra"[430], y por Antonio María Arregui y Marcelino Zalba, quienes explican el adulterio como "el acto venéreo completo de un casado con persona distinta del otro cónyuge"[431]. Es incontestable que en ambos casos verdaderamente se exige, como elemento para la configuración del adulterio, que por lo menos uno de los intervinientes se encuentre atado por un vínculo conyugal vigente con tercera persona.

Como contrarréplica, sería factible hacer notar que, quizás, esa no fue la percepción que quiso incorporar el ordenamiento jurídico colombiano, porque el ordinal 7° del artículo 140 del Código Civil, hoy derogado, establecía que los matrimonios serían nulos "cuando se h[ubieran] celebrado entre la mujer adúltera y su cómplice, siempre que antes de efectuarse el matrimonio se hubiere declarado, en juicio, probado el adulterio". En apoyo de tal posición, se diría que, en su versión original, el Código Civil no contemplaba el divorcio vincular. Por tanto, la única manera en que se podría pensar que "la mujer adúltera" podría contraer nupcias con su "cómplice" sería si la referencia se hiciera a quienes incurren en el acto sexual antes del matrimonio, o si se tratara de un caso de bigamia (penalmente reprochado).

La contestación más clara y precisa a este razonamiento la proporciona Manuel Somarriva Undurraga cuando irónicamente indica que "a nadie escapa que esta causal de nulidad solo tiene aplicación para cuando el marido haya fallecido"[432]. En efecto, con ella se busca reprimir que los adúlteros, entendidos por tales quienes, pese a su matrimonio vigente, conceden sus favores a terceras personas, puedan sanear o formalizar la relación adulterina con un matrimonio posterior. Ello solo podría ocurrir, como es obvio, una vez ha ocurrido el deceso del marido, con lo cual se autorizaría pasar a segundas nupcias por la mujer.

Así queda acreditada la primera característica para que se configure el adulterio: que uno de los intervinientes esté unido en matrimonio con tercera persona.

---

[430] Cfr. Hernán Larraín Ríos. *Divorcio.* Ed. Editorial Jurídica de Chile. Santiago de Chile, 1996. Pág. 185.

[431] Cfr. Antonio María Arregui y Marcelino Zalba. *Compendio de teología moral.* Ed. Imprenta Elexpuru Hermanos. Bilbao, 1951.

[432] Cfr. Manuel Somarriva Undurraga. *Derecho de familia.* Ed. Nascimento. Santiago de Chile, 1946. Pág. 42.

Por lo que toca con la segunda característica, relacionada con la falta de necesidad de estabilidad o permanencia de la relación, ella se deduce de cuanto se ha expuesto. Sin perjuicio de que más adelante ahondaremos en este tema al abordar el amancebamiento, el Diccionario de la Real Academia de la Lengua, los pasajes bíblicos, la doctrina transcrita y las leyes romanas despojaron al adulterio de condiciones adicionales para su configuración, tales como la reincidencia o su prolongación en el tiempo. Bastaba entonces con un acto adulterino para que se hicieran efectivas o susceptibles de ser exigidas las sanciones adversas prescritas en las leyes.

II. Amancebamiento

De acuerdo con el Diccionario de la Real Academia de la Lengua, amancebamiento es la "[a]cción y efecto de amancebarse". Esta última expresión, derivada del vocablo *manceba*, significa "[e]stablecer una relación marital sin mediar vínculo de matrimonio". A su turno, el Diccionario Panhispánico del Español Jurídico precisa que por amancebamiento se entiende la "[c]onvivencia de hecho de hombre y mujer solteros o bien de hombre casado y mujer soltera".

Prima facie, se podría decir que únicamente brota una característica esencial para que se configure esta conducta: la relación sostenida y permanente entre dos personas. Esa conclusión sería consistente con la explicación propuesta por JOSÉ ALBERTO GARRONE en su Diccionario Jurídico: "Dentro del concepto de amancebamiento está comprendido el de concubinato (…) El amancebamiento no es punible entre solteros (…)"[433]. En tales condiciones, el amancebamiento se podría configurar con la sola existencia de una relación estable y permanente entre dos personas, sea que alguno de ellos tenga un vínculo matrimonial vigente con un tercero, o no.

EDUARDO GARCÍA SARMIENTO va un poco más allá y define el amancebamiento como un "trato ilícito y habitual de un hombre y una mujer"[434]. Una mirada rápida sugeriría que por *trato ilícito* se debería entender, necesariamente, que alguno de los intervinientes está unido en matrimonio con tercera persona, puesto que de otro modo no se entendería el adjetivo calificativo de *ilícito*, mas ello no es así. Como lo recuerda GUSTAVO BOS-

---

[433] Cfr. JOSÉ ALBERTO GARRONE. *Diccionario Jurídico*. Tomo I. Ed. Abeledo Perrot. Buenos Aires, 1986. Pág. 142.
[434] Cfr. EDUARDO GARCÍA SARMIENTO. *Elementos de derecho de familia*. Ed. Temis. Bogotá, 1999. Pág. 478.

SERT, antes del Concilio de Trento, en el Derecho Canónico se autorizaba el concubinato entre un hombre y una mujer, siempre que se garantizara la unión *monogámica* y *permanente*. De hecho —dice—, SAN AGUSTÍN otorgó el bautismo a las concubinas que se comprometieran a mantenerse fieles a sus compañeros. Pero llegado el Concilio de Trento, la Iglesia proscribió todo tipo de uniones entre personas libres para contraer matrimonio, con lo que esas relaciones pasaron a ser castigadas con la excomunión y la calificación de herejía; o, para plantearlo en términos similares a los que venimos empleando, ilícitas[435].

Otra es la posición de ROBERTO SUÁREZ FRANCO, quien es muy claro en afirmar que:

> "[e]n épocas pasadas, las nociones de concubinato y amancebamiento obedecían a contenidos distintos: (...) el amancebamiento implicaba las relaciones sexuales estableces y notorias entre un hombre y una mujer púberes, quienes no podían celebrar matrimonio por existir entre ellos un impedimento de carácter dirimente. Hoy día, los vocablos *concubinato* y *amancebamiento* se emplean indistintamente en el lenguaje jurídico, como sinónimo de relación sexual estable extramatrimonial"[436].

En esos términos, el amancebamiento requeriría, para su configuración, otra característica adicional a la de permanencia y estabilidad antes comentada: la imposibilidad de contraer nupcias entre los intervinientes, por mediar un impedimento dirimente. Sobre esta clase de impedimentos, JORGE ADOLFO MAZZINGHI explica que son aquellos que "obstan no solo la licitud sino también [la] validez [del matrimonio]"[437]. Se diferencian de los impedimentos meramente impedentes, acogidos por el *Codex Iuris Canonici* de 1917, pero abandonados por el cuerpo normativo de 1983, que "solo tenían efectos de orden moral"[438].

Así pues, entre quienes mediara un impedimento dirimente por la vigencia de un matrimonio anterior, a causa de lo cual un eventual matrimonio posterior sería sancionado con la declaratoria de nulidad, se podía con-

---

[435] Cfr. GUSTAVO BOSSERT. *Régimen jurídico del concubinato*. Ed. Astrea. Buenos Aires, 1992. Pág. 15 y 16.

[436] Cfr. ROBERTO SUÁREZ FRANCO. *Derecho* ... Tomo I ... Pág. 428.

[437] Cfr. JORGE ADOLFO MAZZINGHI. *Derecho de familia*. Tomo I. *El matrimonio como acto jurídico*. Tercera Edición. Ed. Depalma. Buenos Aires, 1995. Pág. 138.

[438] Cfr. *Código de derecho canónico*. Anotado y comentado por PEDRO LOMBARDÍA y JUAN IGNACIO ARRIETA. Ed. Universidad de Navarra. Pamplona, 1983. Nota al Capítulo II del Título VII del Libro IV.

figurar el amancebamiento. En cambio, las uniones estables y permanentes de personas no casadas, sin impedimento para contraer matrimonio, configurarían concubinato (sobre esto volveremos en la siguiente subsección). Y comoquiera que quien contraiga matrimonio mientras esté ligado en un vínculo anterior vigente hará que aquél quede viciado de nulidad (art. 140, ord. 12, del Código Civil), en tales casos habría amancebamiento.

Sin necesidad de entrar en discusiones sobre si el amancebamiento es el género que aglutina al concubinato como una de sus especies o no, por practicidad metodológica partiremos aquí del supuesto de que son figuras autónomas. Por tanto, el amancebamiento quedará reservado a las relaciones que cumplan las siguientes dos características: (i) ser permanentes y prolongadas en el tiempo; y (ii) estar conformadas por personas que no pueden contraer matrimonio entre sí, específicamente porque alguno de ellos tiene un vínculo matrimonial anterior vigente.

Esta apreciación, además de práctica, muy bien se ajusta con la redacción original del artículo 154 de nuestro Código Civil, en donde se contemplaba como causal de divorcio *quoad thorum et cohabitationem* el amancebamiento del marido. Obviamente, si hay lugar a decretar un *divorcio quoad thorum et cohabitationem*, necesariamente debe mediar un matrimonio vigente. Por tanto, quien incurre en la conducta de amancebamiento será quien esté casado.

III. Concubinato

La expresión se relaciona con los términos *concumbo, concubui* y *concubituim*, que indican dormir o acostarse con alguien. El Diccionario de la Real Academia de la Lengua lo define como una "[r]elación marital de un hombre y una mujer sin estar casados". Si se confronta con la definición de amancebamiento, transcrita en la Subsección que antecede, no se encontrarán mayores diferencias. De la definición se extrae, también, una única característica: la vocación de permanencia de la relación.

Pero es oportuno recordar que, en sus inicios, con la expedición de la *Lex Iulia de Adulteriis Coercendis*, CÉSAR AUGUSTO prohibió las uniones por fuera del matrimonio, pero dejó a salvo y les dio un tratamiento preferencial a las relaciones concubinarias. Así, los hijos de la relación concubina eran tenidos como *naturales*, mientras que los de las demás se denominaban *bastardos*. Y es particularmente importante es mencionar que, en ese entonces, la necesidad de conferir una posición legal al concubinato surgió por la imposibilidad de que personas de distintas clases (verbigracia un senador romano con mujer de extracción social baja, o dedicada al teatro) contrajeran *iustas nuptias*. De manera que el concubinato no surgía entre cualesquiera individuos, se requería que: (i) fueran púberes, (ii) ninguno estuviere unido en *iustas nuptias* con terceras personas, (iii) la relación fuera singular, (iv) no existieran impedimentos de parentesco entre los intervinientes, y (v) no fuese una relación adulterina.

Por eso, no resulta extraño que MODESTINO afirmara que "comete estupro el que cohabita con mujer libre sin mediar matrimonio con ella; exceptuando, claro está, si es concubina"[439]. Es que, se repite con MARCIANO, en esta unión un ciudadano tomaba para concubina a una mujer indigna de ser su esposa[440], de lo cual se extrae que los intervinientes no podían estar casados con terceras personas. Por tal motivo, en la época de CONSTANTINO EL GRANDE se autorizó la legitimación de los hijos habidos en relación concubinaria por el subsecuente matrimonio de sus padres (*legitimatio subsecuens matrimonium*) y se concedieron derechos hereditarios mínimos a la concubina[441].

Más adelante, en el Concilio de Toledo del año 400, la Iglesia reguló el *concubinato legal* para aquellos casos en los que los intervinientes no podían contraer matrimonio por mediar impedimentos meramente impedentes[442]; mas con el paso del tiempo se le dio un nuevo alcance al concubinato en el Derecho Canónico: se empezó a diferenciar entre el concubinato simple, constituido entre dos personas sin vínculos matrimoniales vigentes con terceros, y el concubinato cualificado, constituido entre dos personas con vínculos matrimoniales vigentes con terceras personas[443]. Este último tipo de concubinato —el cualificado— sugeriría que no hay diferencia alguna entre el amancebamiento y el concubinato.

---

[439] Cfr. *Digesto*, 48.5.35., MODESTINO.

[440] Cfr. *Digesto*, Libro 3, XXV, MARCIANO.

[441] Un interesante recuento hace JOEL CHIRINO CASTILLO. *Concubinato y matrimonio* en Homenaje a Miguel Ángel Zamora y Valencia por el Colegio de Profesores de Derecho Civil de la Facultad de Derecho de la UNAM. Ed. UNAM. Ciudad de México, 2018. Pág. 38 a 41.

[442] Véase la diferencia con impedimentos dirimentes en la Subsección anterior.

[443] Para un mayor detalle, el lector puede acudir a GIULIO VISMARA (*Pratica e disciplina del Concubinato nella Gallia visigota* en Estudios de Derecho Romano en Honor a Álvaro D'ors. Tomo II. Ed. EUNSA. Madrid, 1987. Pág 1076) y a JUAN FERREIRO GALGUERA (*Uniones de hecho: perspectiva histórica y derecho vigente* en Uniones de Hecho. Edit. J.M. Martinell y María Teresa Piñol. Ed. Universitat de Lleida. Lleida, 1998. Pág. 203).

Pero acogemos aquí los planteamientos de Suárez Franco en torno a la necesaria diferenciación que se debe hacer con el amancebamiento, incluso a pesar de que en la época actual se empleen ambos vocablos como sinónimos: el concubinato se refiere a las relaciones entre dos púberes, hábiles legalmente para contraer matrimonio. Esa conclusión se acompasa con los planteamientos de Jorge Adolfo Mazzinghi[444] y Augusto César Belluscio[445].

En esa línea, es oportuno traer a colación lo expuesto por Eduardo Zannoni sobre el concubinato, indiscutiblemente arraigado en las sociedades latinoamericanas:

> "Sea por costumbres adquiridas durante siglos de esclavitud o servilismo (el caso de los indígenas o de los negros); sea por la marginalidad estructural fomentada muchas veces por el factor racial; sea por el escaso desarrollo de los sistemas administrativos y las vías de comunicación y, en última instancia, por la ausencia de estructuras que integren a la familia en el proceso cívico, ético y cultural, Latinoamérica enfrenta el concubinato como una forma o modo internacionalizado de unión conyugal. (…)
>
> Ello explica que diversas legislaciones, en esos países, hayan paulatinamente previsto los efectos civiles de las uniones consensuales, sobre las que descansan la constitución de millares de familias y sus hijos"[446].

A pesar de que en la siguiente Sección se abordará, en forma muy sucinta, la historia sobre el tratamiento de los concubinos en el derecho colombiano, los apartes transcritos sirven de base para estructurar un último argumento en favor de adicionar un segundo requisito para la configuración del concubinato —relativo a la ausencia de vínculo matrimonial vigente de los intervinientes con terceras personas—: En Colombia, el artículo 328 del Código Civil, en su versión original, consagró una presunción de paternidad del hijo de la concubina (su concubino) y el artículo 329, *ibídem*, señaló que "no se tendr[ía] como concubina de un hombre sino la mujer que viv[iera] públicamente con él, como si fueran casados, siempre que uno u otro sean solteros o viudos".

---

444 Cfr. Jorge Adolfo Mazzinghi. *Derecho* … Tomo I … Pág. 344 y ss.

445 Cfr. Augusto César Belluscio. *Manual de derecho de familia.* Tomo II. Séptima Edición. Ed. Depalma. Buenos Aires, 2004. Pág. 503 y 534. Bueno es aclarar, en todo caso, que varias veces el autor se refiere al concubinato como aquel que surge entre persona casada y un tercero, y lo analiza desde la perspectiva de los efectos alimentarios en separaciones de cuerpos.

446 Cfr. Eduardo A. Zannoni. *Derecho de familia.* Tomo II. Ed. Astrea. Buenos Aires, 1993. Pág. 248.

Con todo, según la tesis que aquí se acepta, los requisitos para la conformación del concubinato son: (i) la permanencia y prolongación en el tiempo de la relación; y (ii) que los intervinientes que la conforman no tengan vínculos matrimoniales anteriores vigentes con terceras personas.

IV. Recapitulación

En buenas cuentas, por temas de practicidad metodológica, las siguientes son las características que consideramos intrínsecas en el amancebamiento, el adulterio y el concubinato, y que se entenderán comprendidas cuando se empleen tales expresiones en este texto, sin perjuicio de que otros autores hayan sostenido una mayor o menor amplitud relativa de sus alcances:

a) La relación adulterina es aquella, esporádica o no, en que dos personas tienen un trato íntimo de afecto sexual, y en la que uno o ambos están ligados por un vínculo matrimonial vigente con terceras personas. Sus características son: (i) trato íntimo de afecto sexual; (ii) sin necesidad de permanencia o prolongación en el tiempo —un solo acto basta para su configuración—; y (iii) que alguno de los intervinientes esté casado con tercera persona.

b) El amancebamiento ocurre entre dos personas que tienen una relación afectiva y sexual estable, notoria o no, cuando uno o ambos están ligados por un vínculo matrimonial vigente con terceras personas. Sus características son: (i) relación afectiva y sexual estable o prolongada en el tiempo; (ii) sin necesidad de notoriedad o publicidad; y (iii) que alguno de los intervinientes esté casado con tercera persona.

c) El concubinato es el hecho social que tiene lugar entre dos personas que tienen una relación afectiva y sexual estable, notoria o no, en la que ninguno de los intervinientes está ligado por un vínculo matrimonial vigente con terceras personas. Sus características son: (i) relación afectiva y sexual estable o prolongada en el tiempo; (ii) sin necesidad de notoriedad o publicidad; y (iii) que ninguno de los intervinientes esté casado con tercera persona.

De lo anterior se desprende que una relación adulterina prolongada en el tiempo tendrá vocación de ser, además, amancebamiento; pero jamás será concubinato. Así mismo, una relación concubinaria en que uno de los intervinientes contraiga nupcias con tercera persona se convertirá en amancebamiento y, por el contrario, cuando los mancebos disuelvan sus vínculos matrimoniales con terceros su relación mutará a una concubinaria.

Queda además perfectamente explicado, con este brevísimo recuento, lo odiosa e injusta que resultaba la redacción original de nuestro Código Civil cuando señalaba que eran causales para solicitar el divorcio *quoad thorum et cohabitationem* "el adulterio de la mujer" o el "amancebamiento del marido"; porque un acto aislado de afecto íntimo sexual del marido con tercera persona no autorizaba a la mujer para pedir el divorcio, pero si la situación era la opuesta, el marido sí quedaría facultado para demandar el decreto del divorcio *quoad thorum et cohabitationem*.

SECCIÓN II. BREVÍSIMOS ANTECEDENTES DEL CONCUBINATO EN EL DERECHO COLOMBIANO

Hechas las anteriores precisiones o delimitaciones conceptuales, bueno es principiar por explicar que, como acertadamente lo apunta ZANNONI[447], el concubinato es un hecho social que paulatinamente ha aumentado su popularidad entre nosotros. Empero, en un primer momento, el ordenamiento jurídico colombiano, como la inmensa mayoría, optó por volcar su mirada hacia otros horizontes e ignorar la realidad social, como si con ello fueran a desaparecer las relaciones concubinarias.

Para comprender los motivos que orientaron esta filosofía, resulta indispensable traer a colación los planteamientos de los hermanos MAZEAUD, quienes veían con desprecio que se hubieren creado "disposiciones favorables a quienes viven en concubinato". A su juicio, tales medidas "merecen ser censuradas porque al extender a quienes viven en concubinato las ventajas concedidas a los cónyuges, incitan al mantenimiento del concubinato, que no implica las obligaciones del matrimonio"[448].

En la misma línea, JORGE ADOLFO MAZZINGHI califica el concubinato como "una relación contraria al bien común, socialmente negativa, que resulta de la exaltación del egoísmo y de la irresponsabilidad"[449], porque carece de estabilidad, encarna la idea de permanecer unidos mientras dura la atracción sexual mutua y responde a la "más mezquina concepción de la relación entre los sexos, a una desvalorización del otro, contemplado tan solo como el objeto de la propia apetencia, y a una prescindencia por la prole,

---

447 Véase la transcripción hecha en la Subsección III de la Sección anterior.
448 Cfr. HENRI, LEÓN y JEAN MAZEAUD. *Leçons de droit civil.* Tomo III. Trad. Luis Alcalá Zamora. Ed. Ejea. Buenos Aires, 1959. Pág. 54.
449 Cfr. JORGE ADOLFO MAZZINGHI. *Derecho* ... Tomo I ... Pág. 346.

que, o bien resulta sistemáticamente excluida, o bien está signada por la inestabilidad de la relación entre los padres"[450]. Por eso, concluye que "el legislador debe tener en cuenta el signo negativo del hecho social que constituye el concubinato, y sentar con claridad el principio de que la relación torpe que él implica no puede ser fuente de derechos y beneficios para quienes la mantienen, aunque sí causa generadora de obligaciones frente terceros"[451].

Esa filosofía moralista fue retomada por nuestra Corte Suprema de Justicia que, en sentencia del 12 de diciembre de 1955, M.P. José Hernández Arbeláez, G.J. LXXXI, Pág. 731 y ss., abiertamente se pronunció contra la figura del concubinato. Dijo la Corporación:

> "La vida en concubinato contradice la organización de la familia legítima como base de orden público primario para los fines del Estado. Y así como los amancebados [SIC] menosprecian la ley que solemniza la unión matrimonial y voluntariamente desdeñan sus mandatos, para el régimen jurídico esa unión irregular carece de efectos entre el concubinario y la manceba [SIC], quienes consintieron en la unión libre con todas sus consecuencias extrajurídica. Por consiguiente, el concubinato no prueba ningún género de relaciones de derecho entre los amancebados [SIC], ni el transcurso del tiempo para transformar y darle eficacia a tal situación contraria al ordenamiento".

Los fuertes señalamientos de la Corporación justifican, en la práctica, el hecho de que nuestro Legislador haya pretermitido regular los efectos de las relaciones concubinarias, porque, a su juicio, es exclusivamente la familia legítima la que funge como base del orden público. De la providencia se extrae que la retaliación del derecho contra quienes obvian solemnizar su vínculo afectivo con la celebración del matrimonio es ser ignorados, puestos en un plano de irrelevancia total.

Acaso en forma aislada nuestro ordenamiento jurídico reguló algunos aspectos del concubinato, como, por ejemplo, la presunción de paternidad extramatrimonial (artículo 328 y 329 del Código Civil —hoy derogados— y el artículo 4° de la ley 45 de 1936 —hoy modificado—), el seguro obligatorio de riesgos profesionales, accidentes de trabajo y enfermedades profesionales (artículo 55 de la Ley 90 de 1946 —hoy derogado—), la atención médico-obstétrica para la concubina del trabajador (Decreto 2690 de 1960 —hoy derogado—), la asistencia médica por maternidad de la concubina de los empleados oficiales (Decreto 1848 de 1969 —hoy derogado—) y los derechos sobre la pensión de jubilación del trabajador fallecido (leyes

---

[450]   *Ibídem.*
[451]   *Ibídem.* Pág. 349.

12 de 1976 y 113 de 1986 —hoy derogadas—). Pero lo cierto es que no se había forjado un cuerpo normativo sobre el particular, regulatorio de los efectos personales y patrimoniales que surgían entre concubinos.

Y este último aspecto es de especial interés, habida cuenta de que a nadie escapa la veracidad contundente de la siguiente afirmación: en toda relación afectiva donde se comparte un proyecto de vida, los intervinientes forjan —o por lo menos así lo intentan— un patrimonio común. Es difícil imaginar que dos personas que han decidido compartir su vida entre sí no procuren objetivos económicos comunes, sino que cada quien prosiga su camino como si fuera completamente independiente del otro. Siendo ello así, como en efecto lo es, surgen de bulto interrogantes muy complejos de resolver: ¿cómo se cuantifica pecuniariamente el aporte de quien dejó de trabajar para atender los cuidados del hogar y la crianza de su prole, y para que el otro se pudiera dedicar de lleno a producir los recursos necesarios para la subsistencia de la familia?, ¿no merece esa persona adjudicación alguna al momento de terminar la relación afectiva?, ¿al finalizar la relación, cuál es la suerte que deben correr los bienes que se adquirieron como consecuencia del mutuo esfuerzo económico de ambos intervinientes, pero que solo se radicaron en cabeza de uno de ellos?, etc.

Así pues, se trabaron varias controversias que confrontaron el moralismo extremo del Estado, con fundamento en el cual se prohijaba el total desconocimiento de las relaciones concubinarias, y los principios generales sobre los que descansa el ordenamiento jurídico, principalmente aquellos atañederos a la justicia, la equidad, la prohibición de irrogar daño a otro, entre otros. Para solucionar las controversias, no le quedó más remedio a la Corte Suprema de Justicia que echar mano de tres figuras jurídicas: (i) el contrato de trabajo, (ii) el enriquecimiento torticero y (iii) la sociedad de hecho.

En cuanto al contrato de trabajo, y obviamente en función de las condiciones fácticas de cada caso, la Corporación afirmó:

> "En concepto de la sala, si la concubina presta servicios personales en beneficio del hombre con quien vive, ese hecho no impide el nacimiento del contrato laboral. En tal hipótesis, objeto de la convención es el trabajo personal, respecto del cual el trato sexual es extraño e independiente y, por tanto, sin incidencia en el derecho social. Pero, como es obvio, es preciso demostrar que el servicio personal no se prestó en consideración a la vinculación concubinaria, extremo que no ha tenido comprobación en este proceso"[452].

---

[452] Sentencia de la Sala de Casación Laboral de la Corte Suprema de Justicia, proferida el 21 de febrero de 1963, M.P. José Joaquín Rodríguez, G.J. CI, Pág. 640.

Por lo que toca con el enriquecimiento sin causa, en un somero repaso general de su jurisprudencia, la Corte Suprema de Justicia sostuvo:

"De remota ocurrencia viene a ser que por razón del concubinato llegue a producirse el antedicho fenómeno. Pues si a virtud de comunes intereses y esfuerzos y por fines lucrativos susceptibles de estimación en dinero y no en función del concubinato mismo, viene a demostrarse la *affectio societatis*, habrá sociedad, de derecho si se trata de actividades civiles, o simplemente de hecho si versa sobre operaciones comerciales: esto elimina la acción de enriquecimiento injusto, a virtud de que hay contrato para regir las relaciones que por tal causa se formen. Según lo dicho atrás, en otras hipótesis podrá establecerse el mandato, el contrato de trabajo u otra figura jurídica como causa de la acción deducible en juicio. La sola injerencia del concubinario en los negocios de su manceba, o viceversa, no da base tampoco para deducir el enriquecimiento injusto, desde luego que la hipótesis está regida por las normas de la agencia oficiosa, y no por aquella teoría subsidiaria, y porque además el empobrecimiento, si lo hubiese, no aparecería incausado, desde luego que el artículo 2308 del Código Civil le niega al gestor el derecho a remuneración por sus servicios. Y si de recíprocas relaciones de asistencia, cuidados mutuos y ayuda más o menos permanente se tratara, aún de contenido pecuniario, aparte de que allí se envuelven las condiciones de orden práctico para la perdurabilidad del concubinato y estarían torcidos los móviles, no podría perderse de vista, aunque no se escrutaran los motivos determinantes, que el espíritu de liberalidad es causa suficiente, y sale la materia esta vez también de la acción subsidiaria de enriquecimiento injusto para situarse en el campo de las donaciones. De donde se infiere que si en doctrina no es imposible que con ocasión del concubinato llegue a presentarse el enriquecimiento injusto, es sin embargo de muy remota ocurrencia, y en el presente caso no llegó a configurarse"[453].

Y, en materia de la sociedad de hecho entre concubinos, de mucha más frecuente aceptación por la jurisprudencia, la primera providencia de la Corporación en que se abordó el tema fue la proferida por la Sala de Casación Civil el 30 de noviembre de 1935, M.P. Eduardo Zuleta Ángel, G.J. XLII, pág. 479. Veamos sus planteamientos más importantes:

"Si la sociedad —lo que es muy frecuente— se ha creado de hecho entre concubinos, será necesario que medien para poderla reconocer, estas dos circunstancias adicionales:

1ª) Que la sociedad no haya tenido por finalidad el crear, prolongar, fomentar o estimular el concubinato, pues si esto fuere así, el contrato sería nulo por causa ilícita, en razón de su móvil determinante. En general, la ley ignora las relaciones sexuales fuera del matrimonio, sea para hacerlas producir efectos, sea para deducir de ellas incapacidad civil, y por ello, en principio, no hay

---

[453]   Sentencia de la Sala de Casación Civil de la Corte Suprema de Justicia, proferida el 12 de diciembre de 1955, M.P. José Hernández Arbeláez, G.J. LXXXI, Pág. 731 y ss.

obstáculos para los contratos entre concubinos, pero cuando el móvil determinante en esos contratos es el de crear o mantener el concubinato, hay lugar
a declarar la nulidad por aplicación de la teoría de la causa;

2ª) Como el concubinato no crea por sí solo comunidad de bienes, ni sociedad de hecho, es preciso, para reconocer la sociedad de hecho entre concubinos, que se pueda distinguir claramente lo que es la común actividad de los
concubinos en una determinada empresa creada con el propósito de realizar
beneficios, de lo que es el simple resultado de una común vivienda y de una
comunidad extendida al manejo, conservación y administración de los bienes
de uno y otro o de ambos".

Esta posición, continuamente reiterada por la Corte Suprema de Justicia a lo largo de los años[454], será objeto de minucioso análisis en el Tomo
III de este escrito.

Con todo, a pesar del pudor y la tendencia moralista que procuró el
Estado al ignorar las relaciones concubinarias, los anteriores pronunciamientos probaron cierta la apreciación de Josserand, quien de tiempo
atrás ya había manifestado la importancia de este tipo de hechos sociales
para el derecho y para el jurista:

"El Legislador de 1804 quiso cerrar púdicamente sus ojos sobre el concubinato (...) pero los hechos, las necesidades de la vida, las exigencias de la
equidad, han sido más poderosos que la voluntad legislativa; ubicada en la
realidad, nuestra jurisprudencia ha debido resolver, caso a caso, cualquier
cantidad de conflictos relacionados con el concubinato, y, si la unión libre no
es una institución, al menos ha revestido una significación jurídica progresivamente mayor y se ha tornado en un centro obligatorio que sabe retener la
atención del jurista"[455].

---

[454] Véanse, además, las sentencias de la Sala de Casación Civil de la Corte Suprema
de Justicia, proferidas: (i) el 6 de diciembre de 1943, M.P. Fulgencio Lequerica
Vélez, G.J. LVI, Pág. 330 y ss; y (ii) el 26 de marzo de 1958, M.P. Arturo Valencia
Zea, G.J. LXXXVII, Pág. 490 y ss.

[455] Cfr. Louis Josserand. *Cours de droit civil positif français*. Tomo I. Tercera Edición.
Ed. Recueil Sirey. París, 1938. Pág. 656. La anterior es una traducción libre. En su
versión original: "Le législateur de 1804 a voulu fermer pudiquement les yeux sur
le concubinage (...) Mais les faits, les nécessités de la vie, les exigences de l'équité
ont été plus puissants que la volonté législative; placée en présence de la réalité,
notre jurisprudence a dû résoudre, coûte que coûte, de nombreux problèmes
soulevés par le concubinage, et, si l'union libre n'est pas une institution, du moins
a-t-elle revêtu une signification juridique de plus en plus accusée et est-elle deve-
nue comme un centre obligatoire qui doit retenir l'attention du juriste".

Sus reflexiones, formuladas en 1938, parecen hechas al contexto colombiano que sirvió de antesala para la promulgación de la Ley 54 de 1990. El rechazo del Parlamento a las uniones concubinarias, por más fundado en razones morales o éticas que estuviera, fue ciertamente en vano; las relaciones afectivas sin la mediación del matrimonio se hicieron campo en nuestro país y en la mayor parte de América Latina[456]. Fue ese el contexto en que surgió la imperante necesidad regulatoria que culminaría con la aprobación de la Ley 54 de 1990.

SECCIÓN III. LA UNIÓN MARITAL DE HECHO: ELEMENTOS

El artículo 1° de la Ley 54 de 1990 se erige como la disposición que condensa los requisitos legales para que se pueda afirmar, con propiedad, que estamos ante una unión marital de hecho y no ante otro tipo de relación. Dice, a la letra, la norma:

> "**ARTÍCULO 1°**. A partir de la vigencia de la presente ley y para todos los efectos civiles, se denomina Unión Marital de Hecho, la formada entre un hombre y una mujer, que sin estar casados, hacen una comunidad de vida permanente y singular.

> Igualmente, y para todos los efectos civiles, se denominan compañero y compañera permanente, al hombre y la mujer que forman parte de la unión marital de hecho".

Nótese, pues, que de la lectura de la disposición transcrita se deducen, en forma literal, los siguientes requisitos: (i) que la unión sea entre un hombre y una mujer; (ii) que los intervinientes en la relación no estén casados; (iii) que hagan una comunidad de vida; (iv) que la comunidad de vida sea permanente; y (v) que la comunidad de vida sea singular. Cumplidos los antedichos presupuestos, para los efectos civiles los miembros de la pareja se denominarán compañero y compañera permanente.

---

[456] Muy dicientes son los datos estadísticos presentados por EDUARDO A. ZANNONI, en los que muestra que, para 1965, era más alto el número de parejas en concubinato que matrimonios en Haití (38.9 % en relaciones concubinarias y 13.1 % casados) y Guatemala (40.9 % en relaciones concubinarias y 19.2 % casados). Por su parte, en Colombia el 39.9 % de las parejas estaba unida por matrimonio y el 9.2 % convivía en relaciones concubinarias. (EDUARDO A. ZANNONI. *El concubinato.* Ed. Depalma. Buenos Aires, 1970. Pág. 80).

Esa interpretación literal se queda corta si lo que se quiere es entender verdaderamente el alcance de esta figura. Por tal motivo, dedicaremos varias Subsecciones a esclarecer el contenido de cada uno de los requisitos que mencionamos con anterioridad.

I. Unión entre dos personas

Según el tenor literal del artículo 1º de la Ley 54 de 1990, solamente se entiende haber unión marital de hecho en los casos en que la pareja estuviere conformada por "un hombre y una mujer". De hecho, fue esa la voluntad expresa del Legislador, como se puede observar en los planteamientos de la Ponencia para Tercer Debate en el Senado de la República, en que se dijo lo siguiente: "En lo que atañe al art. 1º pienso que habría sido importante definir el concepto de singularidad, pero en su defecto para evitar dudas en la aplicación de la ley, considero aconsejable dejar consignado en esta ponencia que el deseo del legislador es el de proteger la *unión de un hombre con una mujer*".

Por sustracción de materia, forzoso deviene concluir que, en estricto apego a la voluntad legislativa, no se podría afirmar que una pareja conformada por dos personas del mismo sexo tendría la entidad de constituir una "unión marital de hecho". Y, como consecuencia, este último tipo de parejas no quedarían cubiertas por la regulación de la Ley 54 de 1990.

Si bien en este texto se ha tratado de hacer una referencia histórica escalonada, con miras a analizar cada disposición en el contexto histórico en que fue incorporada al ordenamiento jurídico y sus posteriores variaciones, resulta imperativo hacer un salto temporal en esta Subsección para abolir cualquier confusión:

Luego de expedida la Carta Política de 1991, se intentó primero una acción de inconstitucionalidad contra la expresión "un hombre y una mujer", entre otros fragmentos, del citado artículo 1º de la Ley 54 de 1990. Mediante Sentencia C-098 de 1996, el Tribunal Constitucional, con ponencia del magistrado Eduardo Cifuentes, negó que se advirtiera la forma en la que la disposición contrariaba la Carta Política, pues con la expedición de la ley se "reivindica y protege a un grupo anteriormente discriminado [concubinos], pero no crea un privilegio que resulte constitucionalmente censurable". A juicio de la Corporación, el hecho de haber regulado jurídicamente la situación patrimonial de los hombres y mujeres que no contrajeran nupcias no implicaba de suyo una discriminación en contra de las parejas conformadas por personas del mismo sexo.

Más adelante, ante la formulación de una nueva demanda de inconstitucionalidad, la Corte, en Sentencia C-075 de 2007, M.P. RODRIGO ESCOBAR GIL, dio un viraje a sus planteamientos y sostuvo, con buen criterio, que lo allí regulado era también aplicable a las parejas conformadas por personas del mismo sexo. Veamos:

> "Independientemente de la motivación original de la ley, es claro que hoy la misma tiene una clara dimensión protectora de la pareja, tanto en el ámbito de la autonomía de sus integrantes, como en el de las hipótesis de desamparo que en materia patrimonial puedan surgir cuando termine la cohabitación. En esa perspectiva, se reitera, mantener ese régimen de protección exclusivamente para las parejas heterosexuales e ignorar la realidad constituida por las parejas homosexuales, resulta discriminatorio.
>
> 6.3. A la luz de los anteriores criterios y sin desconocer el ámbito de configuración del legislador para la adopción, en proceso democrático y participativo, de las modalidades de protección que resulten más adecuadas para los requerimientos de los distintos grupos sociales, encuentra la Corte que es contrario a la Constitución que se prevea un régimen legal de protección exclusivamente para las parejas heterosexuales y por consiguiente se declarará la exequibilidad de la Ley 54 de 1990, tal como fue modificada por la Ley 979 de 2005, en el entendido que el régimen de protección allí previsto también se aplica a las parejas homosexuales.
>
> Quiere esto decir que la pareja homosexual que cumpla con las condiciones previstas en la ley para las uniones maritales de hecho, esto es la comunidad de vida permanente y singular, mantenida por un periodo de al menos dos años, accede al régimen de protección allí dispuesto, de manera que queda amparada por la presunción de sociedad patrimonial y sus integrantes pueden, de manera individual o conjunta, acudir a los medios previstos en la ley para establecerla cuando así lo consideren adecuado".

Y decimos que el criterio de la Corporación fue adecuado porque, según se explicó en las Secciones que anteceden, la ausencia de regulación patrimonial de las parejas que no contrajeran nupcias había creado un verdadero galimatías en nuestro país. Al margen de consideraciones personales, lo cierto es que —insistimos— resulta inocuo pretender eliminar conductas sociales por el solo hecho de ignorarlas jurídicamente. Ciertamente, como se demostró, no ocurrió así con el concubinato y tampoco sucedería —ni sucedió— con las parejas conformadas por personas del mismo sexo. En cambio, sí se creó un déficit de protección que, la mayoría de las veces, forzaba injustificadamente a las personas a acudir a complejas vías legales para la obtención de sus derechos.

Con motivo de lo anterior, no se requieren largas disquisiciones filosóficas, antropológicas y jurídicas para aceptar, de aquí en adelante, que el requisito de la ley quedó subrogado a "la unión de dos personas", sin importar su sexo.

II. Que los integrantes no estén casados

El requisito de ausencia de matrimonio es, quizás, el más contra intuitivo de todos los que aquí analizaremos. De la lectura de la ley, dos posibles interpretaciones se coligen en torno a este requisito: o bien que el legislador quiso excluir el matrimonio entre los miembros de la pareja, o bien que lo que quiso excluir fue el matrimonio de los miembros de la pareja con terceras personas.

Una interpretación lógica conduciría a la afirmación de que el requisito sería que los miembros de la pareja no estuvieran casados con terceras personas. En efecto, si entre ambos integrantes de la relación existiera un vínculo matrimonial, desde una perspectiva lógica y jurídica no se podría pensar que son compañeros permanentes, porque en realidad serían cónyuges, luego parecería exótico que la ley hubiera plasmado una obviedad en su texto.

Pero, como se anunció, este requisito es contra intuitivo porque la interpretación correcta es que el requisito implica que no haya vínculo matrimonial entre los compañeros permanentes. Así lo sostuvo la Corte Suprema de Justicia en sentencias del (i) 10 de septiembre de 2003, expediente 7603, M.P. Manuel Isidro Ardila Velásquez, (ii) 14 de junio de 2013, expediente 244361, M.P. Ruth Marina Díaz Rueda y (iii) 2 de septiembre de 2005, expediente 7819, M.P. Pedro Octavio Munar Cadena, a saber:

> "Es muy de notar que la ley preceptuó, como requisito indeficiente, que los compañeros permanentes no estén casados. Hay que entender que dicha locución se refiere a que no estén casados *entre sí*; pues de estarlo, sus relaciones tanto personales como económicas serían las dimanantes del matrimonio; aserto que definitivamente lo apuntala la consideración de que si el casamiento es con terceras personas, no es impedimento para la unión, ni para la sociedad patrimonial con apenas cumplir la condición consagrada en el segundo artículo de la misma ley".

Conclusiones obligadas de lo anterior son las siguientes: (i) el requisito de no estar casados los compañeros permanentes se predica del matrimonio *entre ellos*; y (ii) puede haber unión marital de hecho, incluso si alguno de los compañeros permanentes tiene un vínculo matrimonial vigente con terceras personas. Así las cosas, delanteramente se advierte que la unión marital de hecho, en consecuencia, no vino a elevar a rango legal únicamente las relaciones concubinarias, sino también el amancebamiento, puesto que es permitido que uno de los compañeros permanentes tenga un vínculo matrimonial anterior subsistente con un tercero.

Vale aclarar que, al momento de expedición de esta ley, no existía divorcio vincular por mutuo acuerdo en nuestra legislación. Y, en todo caso, las parejas que se hubieran casado por el rito católico —que eran muchas— no podían acceder al divorcio vincular, sino que tan solo les estaba dado acudir a la separación de cuerpos.

Esa precisión se vuelve fundamental, toda vez que la Corte Suprema de Justicia, en sentencia del 19 de diciembre de 2005, expediente 7765, M.P. PEDRO OCTAVIO MUNAR CADENA, sostuvo que las relaciones incestuosas, entre quienes se encuentren unidos en parentesco en un grado en el que la ley impide su matrimonio, no tienen la entidad de ser consideradas uniones maritales de hecho. El siguiente fue el fundamento de su aseveración:

"Así las cosas, resulta palmario que de entenderse que la unión de hecho incestuosa genera sociedad patrimonial entre la pareja, es tanto como aseverar que, simultáneamente, una misma conducta sea permitida por el ordenamiento y a la vez reprimida por éste, lo que es inadmisible en nuestro sistema legal que reclama la coherencia entre sus instituciones.

Inclusive, es tan rotundo y vigoroso en el ordenamiento patrio el rechazo al incesto que bien miradas las cosas, y de la mano de los reseñados antecedentes históricos, considera la Corte que la existencia de un vínculo de parentesco en los grados previstos por el legislador como causal de impedimento [para el matrimonio] no solamente obsta el nacimiento de una sociedad patrimonial entre los amantes, sino, lo que es más tajante, impide que aflore entre ellos una unión marital que merezca tutela legal. O, por decirlo con mayor claridad, si entre la pareja existe una relación de parentesco que el ordenamiento considere como incestuosa, no surge entre ellos una unión marital de las previstas en la Ley 54 de 1990, ni, menos aún, una sociedad patrimonial. Por supuesto que sería una inconcebible paradoja que lo que el resto del ordenamiento reprime con reciedumbre, fuera protegido ciegamente por la susodicha ley.

5. No puede afirmarse, como desacertadamente lo infirió el Tribunal, que si por mandato del numeral 4° del artículo 1820 del Código Civil, el matrimonio incestuoso genera sociedad conyugal, nada impediría que la relación marital entre personas ligadas por cualquiera de los grados de parentesco que tipifican el delito de incesto, genere a la vez, sociedad patrimonial, por cuanto el matrimonio, a diferencia de la unión marital, — y aquí radica la impropiedad de su asimilación— constituye un singular acto jurídico cuyos efectos se surten mientras no sea declarado nulo por decisión judicial cuyos alcances no son, por regla general, retroactivos a la luz de las prescripciones del artículo 148 Ibídem, fenómeno éste que, por sustracción de materia, no puede darse en una situación de facto como lo son las relaciones maritales extramatrimoniales,

razón por la cual el legislador, previendo esa situación, buscó impedir de entrada la producción de efectos a las uniones afectadas por ese impedimento".

Muy curioso resulta que la fundamentación que sirvió de base para que la Corte Suprema de Justicia proscribiera la denominación de unión marital de hecho a las relaciones incestuosas hubiera sido el contrasentido de que una conducta fuera, al mismo tiempo, reprimida y prohijada por el ordenamiento jurídico. Y se afirma que es curioso porque el mismo razonamiento cabría en el caso de las relaciones entre personas que tuvieran vínculos matrimoniales vigentes con terceros: De una parte, el artículo 140 del Código Civil consagra un impedimento para contraer nupcias cuando se tiene un vínculo matrimonial anterior vigente y, además, el artículo 154, *ibídem*, consagra como causal de divorcio el acaecimiento de relaciones sexuales extramatrimoniales. Pero, por otro lado, la Ley 54 de 1990 sí prohijó estas relaciones, con la sola exigencia de que la sociedad conyugal surgida del matrimonio vigente se encontrara disuelta. Es, pues, indiscutible que con los artículos 140 y 154 del Código Civil se trata de reprimir una conducta, mientras que con la Ley 54 de 1990 se la prohíja con efectos jurídicos.

Habrá quien replique que la Ley 54 de 1990 se estructuró, según se explicó atrás, en una época en la que resultaba imposible para los casados por el rito católico —que eran muchos— obtener el divorcio, argumento este en el que por completo coincidimos. Mas en el estado de cosas actual, en que Colombia admite (según se verá en los capítulos posteriores) tanto (i) la cesación de efectos civiles de los matrimonios católicos o religiosos, como (ii) el divorcio en los matrimonios civiles por el solo mutuo acuerdo de los cónyuges (causal 9ª del artículo 154 del Código Civil), no se explica por qué se amparan los efectos económicos del amancebamiento, al propio tiempo como se reprime esa conducta.

También se objetará que las relaciones incestuosas están tipificadas por la ley penal (Art. 237 del Código Penal), en tanto que las adulterinas o de amancebamiento no. Ello es verdad. Empero, no resulta suficiente porque la argumentación desplegada por la Corte Suprema de Justicia no se basa en la reprimenda criminal, sino en el contrasentido lógico de que el ordenamiento (sea la rama que fuere) procure sancionar una conducta, a la vez como le brinde tutela legal.

Por último, otros dirán que la unión marital de hecho solo está encaminada a producir efectos patrimoniales y, consiguientemente, la única manera en que resulta procedente su coexistencia con el matrimonio es si en éste se ha disuelto la sociedad conyugal. En primer lugar, suponiendo que ello fuere así, no por ese hecho deja de ser el amancebamiento una conducta sancionada, reprimida y repudiada por nuestro ordenamiento jurídico. En segundo lugar, ese argumento es impropio en la época actual, porque la doctrina mayoritaria y la jurisprudencia sostienen que la unión marital de hecho crea un *estado civil*, de manera que sus efectos han dejado de ser eminentemente patrimoniales.

Es necesario adoptar una posición coherente en cuanto a este tipo de situaciones, de manera que el Legislador debe optar por una de las siguientes alternativas: (i) o deja de reprimir el amancebamiento y elimina la causal de divorcio constituida por las relaciones sexuales extramatrimoniales; (ii) o deja de prohijar el amancebamiento y remueve los efectos de este tipo de relaciones.

A nuestro juicio, claro está, la solución debe ser la segunda, porque con la primera se comprometería la estabilidad del matrimonio, y con él la familia. Es que, como se ha dicho, ya no median razones que justifiquen la dualidad represión-permisión del ordenamiento jurídico, toda vez que hoy es posible que cesen los efectos civiles de los matrimonios religiosos y se divorcien los casados, por mutuo acuerdo o por haber mediado dos años desde la separación de cuerpos, entre otras causales.

Adicionalmente, la indefinición jurídica ha conducido a innumerables conflictos, porque el reconocimiento de los efectos económicos en las uniones maritales de hecho no se limita al surgimiento de la sociedad patrimonial. Si ello fuera así, no habría objeción distinta a la del contrasentido normativo, recién tratada. Pero piénsese en los derechos hereditarios o la porción conyugal. Cuando el *de cujus* tenga compañero permanente y cónyuge, ¿quién tendrá derecho a la porción conyugal? ¿Ambos? ¿Solo el cónyuge? ¿El que más tiempo haya convivido con el causante? ¿En proporción al tiempo convivido? ¿Por mitades? Y las mismas preguntas se pueden replicar cuando se reparta la herencia en el segundo o en el tercer orden sucesoral. Obviamente, no sería necesario absolver esos interrogantes si el Parlamento despoja al amancebamiento de tutela legal.

Otro tanto se complejiza la situación si se entiende que la unión marital de hecho es un verdadero *estado civil*. Esta tesis es defendida por PEDRO LAFONT PIANETTA[457], HELÍ ABEL TORRADO[458], MARÍA CRISTINA CORAL BO-

---

[457]   PEDRO LAFONT PIANETTA. *Derecho de familia.* Cuarta Edición. Ed. Librería del Profesional. Bogotá, 2009. Pág. 110.

[458]   HELÍ ABEL TORRADO. *Lecciones básicas de derecho civil. Unión marital de hecho. De la sociedad patrimonial entre compañeros permanentes.* Cuarta Edición. Ed. Universidad Ser-

RRERO Y FRANKLIN TORRES[459], ELENA MONTOYA Y GUILLERMO MONTOYA[460], ROBERTO SUÁREZ FRANCO[461], AROLDO WILSON QUIROZ MONSALVO[462], HERMAN PIESCHACÓN FORONDONA[463], ILDEMAR BOLAÑOS[464], la CORTE SUPREMA DE JUSTICIA[465] y la CORTE CONSTITUCIONAL[466]. Abstracción hecha de las objeciones que se pudieran presentar a esta postura[467], admitir que la

---

gio Arboleda. Bogotá, 2014. Pág. 87. En el mismo sentido, véase *Derecho de familia. Unión marital de hecho. De la sociedad patrimonial entre compañeros permanentes.* Séptima Edición. Ed. Universidad Sergio Arboleda y Legis. Bogotá, 2021. Pág. 27 a 30.

[459] MARÍA CRISTINA CORAL BORRERO y FRANKLIN TORRES. *Instituciones de derecho de familia.* Ed. Doctrina y Ley. Bogotá, 2002. Pág. 252 y 253.

[460] MARTHA ELENA MONTOYA OSORIO y GUILLERMO MONTOYA PÉREZ. *Las personas en el derecho civil colombiano.* Ed. Leyer. Bogotá, 2010. Pág. 124.

[461] ROBERTO SUÁREZ FRANCO. *Desarrollo actual de los regímenes económicos de la pareja. Sociedad conyugal y sociedad patrimonial de hecho* en Realidades y Tendencias del Derecho en el Siglo XXI. Derecho Privado. Tomo IV. Vol. II. Ed. Temis. Bogotá, 2010. Pág. 689.

[462] AROLDO QUIROZ MONSALVO. *Manual de familia.* Tomo VI. Segunda Edición. Ed. Doctrina y Ley. Bogotá, 1999. Pág. 385.

[463] HERMAN PIESCHACÓN FORONDONA. *Lecciones de derecho notarial.* Ed. Pontificia Universidad Javeriana. Bogotá, 2001. Pág. 48.

[464] ILDEMAR BOLAÑOS. *Unión marital de hecho.* Ed. Leyer. Bogotá, 2002. Pág. 57

[465] Véanse los autos del 18 de junio y del 19 de diciembre de 2008.

[466] Sentencia C-308 de 2012, M.P. JORGE IVÁN PALACIO PALACIO.

[467] EDUARDO GARCÍA SARMIENTO, por ejemplo, considera que "el legislador ha sido ciertamente inconsecuente, como quiera que tras definir la figura [se refiere a la unión marital de hecho] para todos los efectos civiles, no la considera constitutiva de un estado civil". (Cfr. EDUARDO GARCÍA SARMIENTO. *Elementos ...* Pág. 465 y 466). Por su parte, CECILIA DÍEZ VARGAS plantea críticas estructurales a la posibilidad de considerar la unión marital de hecho como estado civil, fundamentalmente a partir de que, en línea con los planteamientos de GARCÍA SARMIENTO, todo estado civil requiere de una regulación legal y la normativa que disciplina la unión marital de hecho jamás le ha conferido la condición de tal (esta posición, bueno es señalarlo, la recogió la Corte Suprema de Justicia en autos del 28 de noviembre de 2001 y 10 de noviembre de 2004). Además, en línea con lo expuesto por ANTONIO ROCHA ALVIRA (*De la prueba en derecho.* Ed. Ibáñez. Bogotá, 2013. Pág. 297) y JORGE ANGARITA GÓMEZ (*Estado civil y nombre de la persona natural.* Ed. Librería Jurídica Sánchez. Medellín, 1995. Pág. 117), DÍEZ VARGAS retoma la naturaleza *indisponible* del estado civil como atributo de la personalidad, de donde se deduce que éste no puede ser transigido. Seguidamente, explica que el artículo 40 de la ley 640 de 2001 exige la conciliación prejudicial en asuntos relativos a la declaratoria de unión marital de hecho, su disolución y la liquidación de la sociedad patrimonial, al propio tiempo como sostiene que, en la nueva redacción de los artículos 2º y 4º de la ley 54 de 1990, tal como fueron modificados por la ley 979 de 2005, se puede declarar la unión marital de hecho por mutuo acuerdo en acta de conciliación. Con base en

unión marital de hecho crea un *estado civil* supone, forzosamente, que una persona puede tener dos estados civiles contrarios: el de cónyuge y el de compañero permanente. Ello contraviene, a no dudarlo, la *indivisibilidad* del estado civil, característica según la cual "no puede la persona ocupar simultáneamente situaciones contrarias por un mismo respecto"[468].

La ruta de escape más expedita ante esta crítica se constituirá por la afirmación de que no se trata de situaciones *contrarias*. En nuestra opinión, tal aseveración no resiste el más mínimo análisis, como se pasa a explicar:

El artículo 1° del Decreto 1260 de 1970 define el estado civil como la situación jurídica de una persona en la familia y en la sociedad, al tiempo como determina su capacidad para ejercer ciertos derechos y contraer ciertas obligaciones. Sobre este punto, EDUARDO RODRÍGUEZ PIÑERES expresa que el estado civil se relaciona con las cualidades de la persona a las que la ley les asigna efectos jurídicos[469], los cuales, complementa GARCÍA SARMIENTO, son determinados por el derecho con base en la política familiar y social que estime importante el Parlamento[470].

Basta entonces pasar revista, en forma somera, por la *fidelidad* como efecto jurídico que se deriva del *matrimonio* y contrastarla con la *comunidad de vida* que supone la *unión marital de hecho*. Es a todas luces evidente que una y otra se contraponen abruptamente. Más aún, es indiscutido que tanto el matrimonio como la unión marital de hecho son dos formas por las cuales una pareja constituye familia; entonces, ¿no resulta incompatible el efecto jurídico, en derechos y obligaciones, que surge por el matrimonio con el efecto jurídico que se colige de la unión marital de hecho? Creemos

---

esas premisas, precisa que los asuntos susceptibles de conciliación son solo aquellos en los que procede la transacción, característica impensable de los atributos de la personalidad y, particularmente, del estado civil de la persona natural. De manera que no solo hay una ausencia de regulación en cuanto a la unión marital de hecho como estado civil, sino que la propia ley admite que aquélla es susceptible de conciliación. Siendo ello así, afirma la profesora, desde todo punto de vista resulta impensable que lo querido por el legislador hubiera sido desnaturalizar la *indisponibilidad* del estado civil, por lo cual rechaza que la unión marital de hecho ostente la condición de estado civil. (CECILIA DÍEZ VARGAS. Cátedra de Derecho de Familia en Colegio Mayor de Nuestra Señora del Rosario. Abril 28 de 2020).

[468] EDUARDO GARCÍA SARMIENTO. *Elementos* ... Pág. 141. Sobre este particular, el lector puede acudir, adicionalmente, a JORGE ANGARITA GÓMEZ. *Estado* ... Pág. 117.

[469] EDUARDO RODRÍGUEZ PIÑERES. *Derecho civil colombiano*. Tomo I. Ed. Dike. Bogotá, 1990. Pág. 179.

[470] EDUARDO GARCÍA SARMIENTO. *Elementos* ... Pág. 137.

que sí. Para expresar el interrogante en los términos de García Sarmiento, ¿quiere ello decir que la política familiar del Estado ha dejado de ser
monogámica? La respuesta, como es obvio, es negativa.

Esa impertinente contraposición de estados civiles, que hoy tiene cabida en nuestro ordenamiento jurídico por virtud de la jurisprudencia de la
Corte Suprema de Justicia, debe ser corregida por el derecho. Sin embargo, se repite, la rectificación que se reclama no entraña el desconocimiento de la familia extramatrimonial, simplemente tiene que ver con la coherencia del sistema normativo, en el sentido de establecer concretamente si
se va a repudiar o no la coexistencia de dos relaciones a la vez. De ser así,
la unión marital de hecho se deberá regular en forma holística, y no por
escasos nueve artículos, e incluso se la podrá considerar como *estado civil,*
pero los llamados a conformarla habrán de ser solteros o viudos, toda vez
que no se debe prohijar (por el derecho legislado) la incertidumbre ni se
pueden amparar las situaciones de indefinición jurídica.

III. Comunidad de vida

El requisito de la *comunidad de vida* es, sin lugar a dudas, el eje sobre
el cual gravita la unión marital de hecho. Por eso mismo, alrededor de su
alcance y contenido se han propuesto diversas discusiones. Y no podría ser
distinto, porque, a diferencia de lo que sucede en el matrimonio, institución ampliamente regulada y que principia en un instante puntual y definido, la unión marital de hecho, como su nombre lo indica, surge de *hechos*
concatenados y su comienzo no es siempre indiscutido. Veamos:

De la expresión *comunidad de vida* se coligen necesariamente tanto factores objetivos como subjetivos. Desde la perspectiva de los factores objetivos, al convencimiento de que hay una *comunidad de vida* se podría arribar
si concurren la "convivencia, la ayuda y el socorro mutuos, las relaciones
sexuales y la permanencia"[471]. Por su parte, los factores subjetivos serían "el
ánimo mutuo de pertenencia, de unidad y la *affectio maritalis*"[472].

Expresado en otros términos, la *comunidad de vida* supone el establecimiento de un proyecto de vida común entre los compañeros permanentes,
la suma de esfuerzos físicos, económicos y morales para alcanzar objetivos

---

[471]   Sentencia de la Sala de Casación Civil de la Corte Suprema de Justicia SC-15173, del
         24 de octubre de 2016, expediente 515310, M.P. Luis Armando Tolosa Villabona.
[472]   *Ibídem.*

mutuos; todo ello, como es apenas normal, motivado por la firme *voluntad, libre y responsable*, de conformar una familia. Lo expuesto se opone, consiguientemente, a los "episodios pasajeros", a compartir "fragmentariamente la vida profesional, la vida sexual, la vida social, la vida íntima"[473], etcétera.

Somos conscientes de que esta definición puede resultar en extremo etérea y, si se quiere, ambigua, pero es ese el problema capital de que la unión marital se construya a partir de *hechos*. Es más, cabe añadir un ingrediente adicional para aumentar la confusión: algún sector de la doctrina opina que es ineludible, para que se configure la *comunidad de vida*, que medie una *convivencia* entre los compañeros permanentes[474]; empero, la jurisprudencia de la Corte Suprema de Justicia fue enfática en advertir que ello no es así[475]. Veamos:

> "Lo esencial, entonces, es la convivencia marital, donde, respetando la individualidad de cada miembro, se conforma una auténtica comunión física y mental, con sentimientos de fraternidad, solidaridad y estímulo para afrontar las diversas situaciones del diario existir. Es el mismo proyecto de vida similar al de los casados, con objetivos comunes, dirigido a la realización personal y en conjunto, y a la conformación de un hogar doméstico, abierto, si se quiere, a la fecundidad.

---

[473] Véanse las sentencias de la Sala de Casación Civil de la Corte Suprema de Justicia del: (i) 5 de septiembre de 2005, expediente 225883, M.P. EDGARDO VILLAMIL PORTILLA; (ii) 12 de diciembre de 2011, expediente 228326, M.P. ARTURO SOLARTE RODRÍGUEZ; y (iii) 7 de noviembre de 2013, expediente 246158, M.P. ARTURO SOLARTE RODRÍGUEZ.

[474] ROBERTO SUÁREZ FRANCO (*Derecho* ... Pág. 437) afirma que "la comunidad de vida equivale a cohabitar, y el colaborarse económica y personalmente en las distintas circunstancias de la vida. Esto externamente se representa en la comunidad de habitación o residencia". Sentado en las antípodas, LAFONT PIANETTA (*Derecho* ... Pág. 88) replica con contundencia: "[P]uede acontecer que habiendo relación heterosexual de marido y mujer [hoy entre dos personas sin importar su sexo], ella se manifieste objetivamente como una disposición y concesión recíproca de vida, esto es, como un hogar de vida y, sin embargo, 'alguno de ellos no habite, ni resida permanentemente en el mismo techo por cualquier circunstancia' (*v. gr.*, trabajo o vivencia en otro lugar, por cohabitación concurrente, con el cónyuge; por cuestiones económicas, familiares o sociales, etc.), 'porque lo que es esencial es la comunidad de vida, que no es lo mismo que comunidad de habitación o residencia'" (Subraya fuera del original). Sobre el deber de cohabitación también se pronuncian HELÍ ABEL TORRADO (*Lecciones* ... Pág. 42) y GUILLERMO MONTOYA PÉREZ (*Uniones maritales de hecho*. Ed. Fondo Editorial Universidad EAFIT. Medellín, 2016. Pág. 27).

[475] Sentencia de la Sala de Casación Civil de la Corte Suprema de Justicia SC-15173, del 24 de octubre de 2016, expediente 515310, M.P. LUIS ARMANDO TOLOSA VILLABONA.

5.3.3 El requisito de permanencia denota la estabilidad, continuidad o perseverancia en la comunidad de vida, al margen de elementos accidentales involucrados en su devenir, como acaece con el trato sexual, la cohabitación o su
notoriedad, los cuales pueden existir o dejar de existir, según las circunstancias surgidas de la misma relación fáctica o establecidas por los interesados.

(…) tampoco, necesariamente, implica residir constantemente bajo el mismo techo, dado que ello puede estar justificado por motivos de salud; o por
causas económicas o laborales, entre otras, cual ocurre también en la vida
matrimonial (artículo 178 del Código Civil); (…)

La presencia de esas circunstancias no puede significar el aniquilamiento de los
elementos internos de carácter psíquico en la pareja que fundan el entrecruzamien-
to de voluntades, inteligencia y afectos para hacerla permanente y duradera (…)".

De la providencia transcrita se sigue la necesidad de analizar, caso por caso,
para establecer si se ha conformado una *comunidad de vida* que pueda abrir
paso a que estemos en presencia de la unión marital de hecho, aun sin necesidad de que medie, al efecto, cohabitación entre los compañeros permanentes.

Como es apenas natural, lo hasta aquí expuesto no supone dificultad
de aplicación en los *casos fáciles* que llamara Herbert Lionel Adolphus
Hart. Piénsese, por ejemplo, en el típico caso de una pareja que, con firmes convicciones de que el matrimonio es una institución inocua, principia
una relación bajo el mismo techo, sin vínculos conyugales vigentes con terceros, en la cual se comportan como esposos para todos los efectos de cara a
terceros y entre sí, e incluso procrean y atienden la crianza de su prole. Imposible resulta negar que han constituido una verdadera *comunidad de vida*.

Supóngase ahora, en un caso que pudiera decirse menos *fácil,* que una
persona contrajo nupcias con otra, convivió con ella, procreó e hizo vida
marital hasta su muerte, pero en forma paralela sostuvo una relación amo-
rosa durante muchos años con tercera persona, con la que también procreó
y a quien económicamente sostuvo. A pesar de que se echa de ver convivencia alguna entre el cónyuge y la tercera persona, bajo un amplio concepto
de *comunidad de vida* se podría discutir —aunque en forma muy dudosa—
que ésta se constituyó (muy importante es precisar que, a pesar de que se
forme la comunidad de vida, no se formará la unión marital de hecho si se
hizo vida marital con ambas personas simultáneamente, por incumplir el
criterio de *singularidad* que se estudia en la siguiente Subsección)[476].

---

[476]   Pareciera indicar Lafont Pianetta (*Derecho* … Pág. 88) que, en un caso semejante, sí se podría aducir la configuración de la *comunidad de vida* cuando afirma que

En tratándose de los casos *difíciles*, trazar una línea específica para establecer la conformación de una *comunidad de vida* se puede volver una faena muy subjetiva. ¿Hasta qué punto un noviazgo entre dos personas adultas puede dar lugar a la aludida *comunidad de vida* y, ulteriormente, a la conformación de una unión marital de hecho? Evidentemente, "los elementos internos de carácter psíquico en la pareja" a que se refiere la Corte Suprema de Justicia crean altísimos grados de incertidumbre e impiden por completo establecer criterios objetivos concretos. Por tanto, la conformación de la *comunidad de vida* dependerá, como se dijo, del acervo probatorio que repose en cada causa judicial y de la valoración que en su sana crítica haga el juez.

Con todo, es de advertir que la *comunidad de vida* que exige la normativa colombiana se acompasa y desarrolla en el artículo 42 de la Carta Política, en cuanto esta última preceptiva exige que la constitución de familia provenga de una decisión libre de los integrantes, acompañada de la voluntad responsable de conformarla. Así lo ha hecho ver insistentemente la Corte Suprema de Justicia, a saber:

> "Es pacífico que la comunidad de vida se forma a partir de la decisión libre y voluntaria de los compañeros de conformar una familia, esto es, cuando de forma expresa o tácita consiente en que haya objetivos colectivos para alcanzar un propósito compartido[477], la cual se ve truncada por la ruptura del vínculo o el establecimiento de otros paralelos, lo que no acontece por el mero hecho de sostener o permitir encuentros íntimos fortuitos con terceras personas"[478].

IV. Singularidad

No es posible comenzar esta Subsección sin insistir en nuestra opinión de que resulta en extremo curioso, y si se quiere contradictorio, que el artículo 1° de la Ley 54 de 1990 exija la singularidad como requisito para la conformación de la unión marital de hecho, mientras correlativamente admite la concurrencia de un vínculo matrimonial anterior vigente con

---

un eximente de la convivencia entre compañeros permanentes sería la "cohabitación concurrente, con el cónyuge". A nuestro juicio, resulta sumamente complicado sostener esta postura. Y, en todo caso, si en gracia de discusión se aceptara que se formó una *comunidad de vida*, nunca habría lugar a configurar la unión marital de hecho por falta del requisito de singularidad.

477   CSJ, SC, 12 dic. 2012, rad. n.° 2003-01261-01.

478   Sentencia de la Sala de Casación Civil de la Corte Suprema de Justicia SC3929 de 2020, M.P. AROLDO WILSON QUIROZ MONSALVO.

tercera(s) persona(s). Es claro, también se repite, que la *ratio legis* se fundamenta en que, para 1990, los casados por el rito católico no podían disolver su vínculo mediante el divorcio (solo tenían derecho a la separación de cuerpos) y los casados por el rito civil, que sí podían, tenían que acreditar alguna causal específica, sin que fuera posible alegar el mutuo acuerdo.

No resulta extraño que se haya ideado esta figura para quienes se hubieran casado por el rito católico, ante la imposibilidad de divorcio vincular obtuvieran su separación judicial de cuerpos (sin extinguir el vínculo matrimonial) y quisieran conformar una nueva comunidad de vida con tercera persona. Pero en el estado de cosas actual, donde la cesación de efectos civiles de los matrimonios religiosos se encuentra en vigor y el divorcio vincular se puede solicitar de común acuerdo, parece completamente incoherente la admisibilidad jurídica del amancebamiento.

¿Cómo se podría afirmar que hay singularidad en una relación donde uno de los miembros de la pareja no convive con el otro porque se encuentra cohabitando y haciendo vida conyugal con su consorte? La respuesta, como es obvio, es que no la hay. Por tal motivo, cuando propusimos el segundo ejemplo en la Subsección anterior sostuvimos que, a pesar de que se pudiera discutir que se había formado una *comunidad de vida* entre los miembros de la pareja, no había lugar a afirmar el surgimiento de una unión marital de hecho, precisamente porque se echa de ver la *singularidad*.

En sentencia del 7 de noviembre de 2013, expediente 246158, M.P. Arturo Solarte Rodríguez, la Sala de Casación Civil de la Corte Suprema de Justicia conoció de un caso semejante al aquí propuesto. En el litigio se reconoció como hecho cierto que el cónyuge había sostenido una relación adulterina con tercera persona durante un lapso considerable. La esposa, cansada de la infidelidad y de los malos tratos, demandó la separación de bienes que terminó con la disolución de su sociedad conyugal; sin embargo, nunca solicitó el divorcio. Así pues, el cónyuge vivió concurrentemente con su manceba y con su esposa e hizo vida marital con ambas.

Luego del fallecimiento del varón, la manceba inició un proceso de declaratoria de unión marital de hecho y de liquidación de sociedad patrimonial. Tras las disquisiciones de rigor, la Corporación concluyó lo siguiente:

> "Se concluye, en definitiva, que como las pruebas recaudadas en el presente proceso acreditan que el señor Víctor Raúl Mideros Rosero durante los últimos siete años de vida sostuvo relaciones de pareja e hizo vida marital tanto con la aquí demandante, como con su esposa, señora María Orfilia Giraldo González, el vínculo que la señora Gloria Nancy Cardona Laserna mantuvo con él, no es constitutivo de una unión marital de hecho en los términos del artículo 1° de la Ley 54 de 1990, ni dio lugar al surgimiento entre ellos de una

sociedad patrimonial entre compañeros permanentes, del modo que establece el artículo 2° de ese mismo ordenamiento jurídico".

Síguese de lo anterior que la Corte Suprema de Justicia fue enfática en concluir que, en los casos en que concurran las *relaciones de pareja* entre los cónyuges y uno de éstos, o ambos, con tercera(s) persona(s), no se formará unión marital de hecho, por incumplimiento del requisito de singularidad. Naturalmente, se podrá pensar que la posición de la Sala de Casación Civil, antes transcrita, es suficiente para desestimar nuestro argumento sobre la necesidad de corregir el contrasentido de admitir la unión marital de hecho concurrente con el matrimonio. Para el efecto, se argumentará que no se ha dejado de prohijar la monogamia en la medida en que no se puede abrir paso una unión marital de hecho cuando se hace vida marital conco- mitante con el cónyuge y, consiguientemente, la aplicabilidad práctica de esta figura queda reservada a los casos en los que los esposos han cesado su comunidad de vida por completo.

Sin embargo, un argumento como el expuesto no pasa de ser un simple sofisma, porque nada de ello no obsta para que se reafirme la necesidad de imprimir coherencia al sistema jurídico. La crítica que aquí se plantea es esencial, por cuanto toca la esencia misma de las bases fundacionales de la familia. No deja de ser un contrasentido lógico que se mantenga la po- sibilidad de concurrencia de ambas figuras, ni siquiera con la encomiable postura de la Corte Suprema de Justicia, toda vez que el *matrimonio*, como institución, demanda la fidelidad de ambos consortes, mandato este que repudia cualquier tipo de pacto en contrario.

Si las facilidades para el divorcio o la cesación de efectos civiles de los matrimonios religiosos están dadas, como en efecto ocurre, abundan en- tonces las razones para que el derecho positivo cierre la puerta a situacio- nes de indefinición jurídica. Quien desee voluntariamente dar inicio a un nuevo proyecto de vida se encuentra facultado para hacerlo, pero debe, en atención al ejercicio responsable de su autonomía y de su libertad, concluir primero el estado civil que tiene vigente. No se trata, repetimos, de negar la existencia de la familia extramatrimonial, sino de estructurar reglas lógi- cas y coherentes para una mínima armonía social, porque dejar abierto el sendero para que las personas ignoren, sin más, sus vínculos matrimoniales vigentes y procedan a iniciar lazos afectivos distintos es fuente inocultable de conflictos que terminan por repercutir, indefectiblemente, en la estabi- lidad de la familia, instituto básico de la sociedad y cuya protección primor- dial reclama hoy nuestra carta política.

Hechas las anteriores precisiones, y con miras a retomar el análisis del elemento de singularidad para la conformación de la unión marital de hecho, conviene recordar los tempranos planteamientos de la Corte Suprema de Justicia, en sentencia del 20 de septiembre de 2000, expediente 6117, M.P. Silvio Fernando Trejos Bueno, los cuales sentaron el rumbo de lo que se ha de entender por "singularidad", a saber:

> "7. En efecto, de un lado, la ley sólo le otorga efectos civiles a la unión marital de hecho que se conforma por un solo hombre y una sola mujer [léase, actualmente, dos personas sin importar su sexo], lo que, per se, excluye que uno u otra puedan a la vez sostenerla con personas distintas y da para decir que si uno de los compañeros tiene vigente un vínculo conyugal, lo contrae después, o mantiene simultáneamente una relación semejante con un tercero, no se conforma en las nuevas relaciones la unión marital, e incluso, eventualmente se pueden desvirtuar las que primero fueron iniciadas; en el fondo, implícitamente se produce el efecto personal de la exclusividad de la relación. Otra cosa es que ante la ocurrencia de uniones maritales en la que uno o ambos compañeros son casados, la ley haya tomado las medidas conducentes para que exista una debida separación temporal, tanta que impida la concurrencia de distintas sociedades patrimoniales, dado que la presencia del vínculo matrimonial genera de inmediato la sociedad conyugal. (…)

> Y que la comunidad de vida sea singular atañe con que sea solo esa, sin que exista otra de la misma especie, cuestión que impide sostener que la ley colombiana dejó sueltas las amarras para que afloraran en abundancia uniones maritales de hecho, y para provocar conflictos mil para definir los efectos patrimoniales; si así fuera, a cambio de la seguridad jurídica que reclama un hecho social incidente en la constitución de la familia, como núcleo fundamental de la sociedad, se obtendría incertidumbre".

De manera que, según se lee en la providencia transcrita, es clara la Corporación al indicar que la singularidad excluye, además, la conformación de otra relación "de la misma especie", con lo cual se deduce que no pueden coexistir dos uniones maritales de hecho respecto de una misma persona. Especial hincapié se debe hacer en el verbo *coexistir*, toda vez que el requisito de singularidad se predica de un momento específico. Por tanto, nada se opone a que una persona forme varias uniones maritales de hecho con distintos extremos temporales.

Para ilustrarlo de manera más clara, entreténgase el siguiente ejemplo: Pedro podría configurar una unión marital de hecho con Lucía entre el 1° de enero de 1999 y el 1° de enero de 2001. Posteriormente, Pedro podría formar una nueva unión marital de hecho con Camila entre el 5 de diciembre de 2002 y el 10 de junio de 2009. Ello es perfectamente válido. Lo que impide el requisito de singularidad es que, entre el 1° de enero de 1999 y el 1° de enero de 2001, Pedro hubiera pretendido conformar una segunda unión marital de hecho con Juliana, distinta que la que tenía con Lucía.

Surge de bulto un nuevo interrogante relacionado con la singularidad: ¿qué sucede en los casos en los que medie una infidelidad? La respuesta, consistentemente sostenida por la Corte Suprema de Justicia, es la siguiente:

> "La singularidad de la comunidad de vida (...) 'atañe con que sea solo esa, sin que exista otra de la misma especie', tema que también abordó en el fallo proferido el 5 de septiembre de 2005 (exp. 1999 0150 01), en el que luego de trasuntar apartes de la ponencia para el primer debate de la ley en comento, precisó que la exposición de motivos en ella contenida permite entender que 'las expresiones lingüísticas 'comunidad de vida permanente y singular', empleadas en la Ley 54 de 1990, todas a una convergen en la exigencia de exclusividad, y por fuerza de las reglas de la lógica, la pluralidad de relaciones de similar naturaleza destruye la singularidad' (destaca la Sala).

> Empero, y esto hay que subrayarlo firmemente, una vez establecida una unión marital de hecho, la singularidad que le es propia no se destruye por el hecho de que un compañero le sea infiel al otro, pues lo cierto es que aquella, además de las otras circunstancias previstas en la ley, cuyo examen no viene al caso, sólo se disuelve con la separación física y definitiva de los compañeros; por supuesto que como en ella no media un vínculo jurídico de carácter solemne que haya que romper mediante un acto de la misma índole, su disolución por esa causa no requiera declaración judicial. Basta, entonces, que uno de los compañeros, o ambos, decidan darla por terminada, pero, claro está, mediante un acto que así lo exteriorice de manera inequívoca. Trátase, entonces, de una indeleble impronta que la facticidad que caracteriza el surgimiento y existencia de esa especie de relaciones les acuña"[479].

Más recientemente, la Corporación precisó lo siguiente:

> "En otras palabras, la singularidad, como requisito de la unión marital de hecho, no se resquebraja por la existencia de infidelidades, consentidas o no por la pareja, siempre que estas no comporten duplicidad de relaciones permanentes o fractura de la convivencia establecida con anterioridad (cfr. CSJ, SC, 5 sep. 2005, exp. n.° 00150).

> Y es que la unión marital sólo resulta birlada cuando «alguno de [los compañeros], o los dos, sostienen además uniones con otros sujetos o un vínculo matri-

---

[479] Sentencia de la Sala de Casación Civil de la Corte Suprema de Justicia, proferida el 10 de abril de 2007, expediente 226581, M.P. Pedro Octavio Munar Cadena. En similar sentido, las sentencias de la misma Corporación, proferidas: (i) 5 de agosto de 2013, expediente 244387, M.P. Fernando Giraldo Gutiérrez; y (ii) 5 de septiembre de 2005, expediente 225883, M.P. Edgardo Villamil Portilla.

monial en el que no estén separados de cuerpos los cónyuges»[480], lo que no sucede por sostener relaciones sexuales extramaritales esporádicas u ocasionales.

Conclusión que halla su razón de ser en que los «encuentros transitorios… no tipifica[n] una unión marital de hecho en los términos de la Ley 54 de 1990» (CSJ, SC16891, 23 nov. 2016, rad. n.° 2006-00112-01), de allí que, por sí mismos, carezcan de la virtualidad de impedir la formación de aquéllos"[481].

Síguese de lo anterior que la unión marital de hecho no se destruye por el solo acaecimiento de una infidelidad, porque para que ello suceda se requiere que la ruptura sea definitiva. Pero si la infidelidad adquiere una naturaleza sostenida en el tiempo, al punto en que se configuraría una "nueva" unión marital de hecho, se habrá perdido el requisito de singularidad y, consiguientemente, ninguna de las dos relaciones estará llamada a producir efectos jurídicos[482].

Finalmente, bueno es aludir al poliamor, muy tratado en la época reciente. En efecto, hace relativamente poco tres individuos (*trieja*) acudieron a una notaría de Medellín para formalizar su vínculo afectivo. Los medios de comunicación no dudaron en calificar el acto notarial como un *matrimonio* o una *unión marital de hecho*[483]. Incluso, alguna parte de la doctrina especializada ha llegado también a sugerir que la protocolización notarial tuvo la forma jurídica de *unión marital de hecho*[484].

Obviamente no se trató de un matrimonio, temática sobre la que no profundizaremos aquí, pero tampoco de una *unión marital de hecho*. Y justamente el motivo por el cual se descarta que se trate de una unión marital de hecho es la ausencia del requisito de singularidad, abordado en esta

---

[480]   CSJ, SC11294, 17 ag. 2016, rad. n.° 2008-00162-01.
[481]   Sentencia de la Sala de Casación Civil de la Corte Suprema de Justicia SC3929 de 2020, M.P. AROLDO WILSON QUIROZ MONSALVO.
[482]   Tal fue el caso estudiado en la sentencia de la Sala de Casación Civil de la Corte Suprema de Justicia, proferida el 16 de noviembre de 2001, expediente 6655, M.P. MANUEL ISIDRO ARDILA VELÁSQUEZ.
[483]   Véanse los reportajes de Semana, disponible en https://www.semana.com/nacion/articulo/medellin-pareja-de-tres-formaliza-su-union-trieja-ante-notario/528324/, y de CNN, disponible en https://cnnespanol.cnn.com/2017/06/13/tres-hombres-se-casaron-legalmente-en-colombia-asi-es-la-primera-trieja-del-pais/.
[484]   NELSON OSPINA GÓMEZ. *Es constitucional el matrimonio civil notarial o judicial de la trieja* en Ámbito Jurídico, edición del 20 de junio de 2017, disponible en https://www.ambitojuridico.com/noticias/civil/civil-y-familia/es-constitucional-el-matrimonio-civil-notarial-o-judicial-en-trieja.

subsección, claramente detallado en la ley y desarrollado por la Corte Suprema de Justicia, que resulta incompatible con relaciones donde intervengan más de dos individuos.

En su caso particular se podrá formar una sociedad de hecho, según la cual los miembros de la *trieja* tendrán derecho de solicitar los rendimientos sobre sus aportes económicos, pero no una unión marital de hecho, ni su correlativa sociedad patrimonial. Quizás en el futuro, por virtud de cambios legislativos, esa opción quede abierta, pero definitivamente en el estado de cosas legislativo actual no es admisible considerar que la figura jurídica de la *trieja* pueda recibir el tratamiento de una unión marital de hecho.

V. Permanencia

Para entender este requisito resulta indispensable tener en mente que lo que quería el Parlamento era proteger patrimonialmente a las parejas que fueran *estables*. Y no podría ser distinto, toda vez que la unión marital de hecho se sigue, como su nombre lo sugiere, de *hechos sociales* y no de un vínculo jurídico —cual sucede en el caso del matrimonio—, lo que conduce indefectiblemente a que no se necesite más que un *hecho social* —separación física y definitiva— para que se termine. Si se admitiera, entonces, que cualquier tipo de *comunidad de vida singular* fuera tratada como unión marital de hecho, y consiguientemente amparada con efectos patrimoniales específicos, se abrirían paso una multiplicidad de conflictos judiciales que fueron estimados inconvenientes e innecesarios por el Legislador[485].

Al decir de la Corte Suprema de Justicia, el elemento de *permanencia* "toca con la duración firme, la constancia, la perseverancia y, sobre todo, la estabilidad de la comunidad de vida, y excluye la que es meramente pasajera o casual"[486]. Esa Corporación también ha precisado que, como consecuencia natural de la permanencia,

> "deben surgir de manera indubitable aspectos tales como la convivencia de ordinario bajo un mismo techo, esto es la cohabitación, el compartir lecho y mesa y asumir en forma permanente y estable ese diario quehacer existencial, que por consiguiente implica no una vinculación transitoria o esporádica, sino un proyecto de vida y hogar comunes que, se insiste, no podría darse sin

---

[485] Véase, al respecto, la exposición de motivos de la ley 54 de 1990, disponible en la Gaceta del Congreso de la República número 24 de 1988.

[486] Corte Suprema de Justicia, Sala de Casación Civil, sentencia del 20 de septiembre de 2000, expediente 6117, M.P. SILVIO FERNANDO TREJOS BUENO.

la cohabitación que posibilita que una pareja comparta todos los aspectos y avatares de esa vida en común"[487].

Repárese en que, en los planteamientos transcritos, la Sala de Casación Civil sostuvo que la cohabitación es una consecuencia "indubitable" del requisito de permanencia. Sin embargo, según se explicó en subsección anterior, la jurisprudencia ha variado su posición para indicar que la *comunidad de vida* no necesariamente surge por el hecho de la convivencia[488]; vale decir, si bien la cohabitación sirve como criterio para arribar al firme convencimiento de que hay una *comunidad de vida permanente*, su ausencia no impide que ella se forme. En ese orden de ideas, no es posible confundir *permanencia* con *cohabitación*.

De lo expuesto se colige que la permanencia es, pues, un elemento que dice estrecha relación con la *estabilidad de la unión*, independientemente de su forma de manifestación. Por ello no se encontrará un término específico de duración establecido para que se pueda decir que se está en presencia de una unión marital de hecho (distinto es que la ley exija dos años, como mínimo, para presumir la *sociedad patrimonial*), ni tampoco se exigirá la cohabitación. Será necesario que el juez escudriñe, en cada caso, todo tipo de manifestación externa de los sujetos que pueda dar cuenta de que había una vocación de perdurabilidad en el tiempo y, de llegar al convencimiento pleno de que sí hubo tal vocación, habrá lugar a decir que nos encontramos ante una unión marital de hecho.

IV. Recapitulación

En síntesis, y a manera de recapitulación, podemos decir que la unión marital de hecho requiere la concurrencia de los siguientes elementos para su reconocimiento:

a) Los miembros de la relación deben ser dos. Ni más, ni menos. Y su sexo resulta del todo irrelevante, por lo que este requisito se satisface si se trata de dos hombres, dos mujeres o un hombre y una mujer.

---

[487] Corte Suprema de Justicia, Sala de Casación Civil, sentencia del 12 de diciembre de 2001, expediente 6721, M.P. JORGE SANTOS BALLESTEROS.

[488] Cfr. Sentencia de la Sala de Casación Civil de la Corte Suprema de Justicia SC-15173, del 24 de octubre de 2016, expediente 515310, M.P. LUIS ARMANDO TOLOSA VILLABONA.

b) La pareja no puede estar casada entre sí; de estarlo, el régimen que la gobernará será el del matrimonio y no el de la unión marital de hecho. Sin embargo, sí pueden los miembros de la pareja tener vínculos matrimoniales vigentes con terceras personas, porque así lo autoriza la ley.

c) La pareja, sin matrimonio entre sí, debe conformar una *comunidad de vida*, que no es nada distinto a compartir un proyecto de vida común en el que se aúnen esfuerzos morales, económicos y sociales para alcanzar sus objetivos. La *comunidad de vida* supone compartir la totalidad de su vida con el otro, no simples fragmentos. Para su configuración, al decir de la Corte Suprema de Justicia, no en todos los casos se requiere la cohabitación, por lo que se ha deferido al juez el ejercicio valorativo del acervo probatorio de manera independiente para cada caso. Este requisito es un correcto desarrollo de la exigencia enquistada en el artículo 42 de la Carta Política colombiana, según la cual el nacimiento de la familia debe provenir de una decisión libre de los intervinientes y de la voluntad responsable de conformarla.

d) La comunidad de vida debe ser singular, lo que implica que los miembros de la pareja no pueden hacer *vida marital* con terceros. Por antonomasia, no se puede predicar la singularidad en los casos en los que se forman dos relaciones de la <u>misma especie</u>.

Sobre las anteriores bases, una *comunidad de vida* no será *singular* si uno de los miembros de la pareja está casado con una tercera persona y hace vida marital concurrente, tanto con su cónyuge como con su mancebo. Tampoco lo será cuando, sin estar casado con tercera persona, uno de los integrantes de la pareja tiene otra relación con el mismo trato íntimo. Por el contrario, no necesariamente se destruirá la *comunidad de vida singular* cuando ocurre una infidelidad esporádica y aislada.

e) La *comunidad de vida* será *permanente* en los casos en los que se denote la estabilidad y vocación de perdurabilidad de la pareja. Es indiciario de la permanencia, aunque no constituye un requisito *sine qua non*, que los miembros de la pareja cohabiten. En todo caso, si no lo hacen no significa que se diluya el elemento de permanencia, porque será susceptible de prueba por todos los medios legales admitidos en el ordenamiento jurídico.

SECCIÓN IV. DEBERES PERSONALES ENTRE COMPAÑEROS PERMANENTES

El lector podrá advertir, de lo hasta ahora expuesto, que la unión marital de hecho ha venido a recoger los conceptos de concubinato y amancebamiento, conforme a las definiciones que proporcionamos en la sección I de este capítulo. Y así también se colige de los nítidos planteamientos de la exposición de motivos de la Ley 54 de 1990, a saber:

> "Para todos los efectos civiles y con el ánimo de abolir de una vez por todas la odiosa discriminación social a este tipo de uniones, el artículo 1º introduce el nombre de 'uniones de hecho' y 'compañero' y 'compañera' diferente a las anteriormente denominadas uniones concubinarias y concubinas"[489].

Aunque el texto transcrito haya omitido hacer referencia al amancebamiento, quizás porque, como lo enseña SUÁREZ FRANCO, en la época actual se emplean ambas expresiones sin distinción alguna[490], lo cierto es que la intención de la ley no fue cambiar la estructura de este tipo de relaciones, sino acuñar efectos jurídicos —patrimoniales— específicos. Por ese motivo, tampoco se opone esta percepción a lo señalado por la Corte Constitucional en Sentencia C-239 de 1994, M.P. JORGE ARANGO MEJÍA, en la cual sostuvo que la unión marital de hecho era una figura verdaderamente nueva, distinta del antiguo concubinato. En efecto, la Corporación fue clara al explicar que la razón de la diferencia estribaba en las consecuencias jurídicas que se le acuñaban a la figura, pero que, vistas desde el ángulo de los hechos, las relaciones concubinarias y las uniones maritales de hecho sí correspondían a un mismo concepto[491].

Así pues, confirmado que unión marital de hecho significa concubinato o amancebamiento, según el caso, con consecuencias jurídicas particulares, en la presente subsección se indagará por los efectos personales de la relación, si es que los hay.

---

489   Cfr. Gaceta del Congreso de la República número 24 de 1988.
490   Cfr. ROBERTO SUÁREZ FRANCO. *Derecho* … Tomo I … Pág. 428.
491   Dijo la Corte: "Tampoco acierta el actor al afirmar que la unión marital de hecho es el mismo concubinato existente antes de la vigencia de la ley. Podría serlo si se tienen en cuenta únicamente los hechos, desprovistos de sus consecuencias jurídicas. Pero la verdad es la creación de una nueva institución jurídica, la unión marital de hecho, a la cual la ley 54 le asigna unos efectos económicos, o patrimoniales como dice la ley, en relación con los miembros de la pareja".

Una lectura detallada de la Ley 54 de 1990 no permite colegir, con propiedad, la existencia de derechos y deberes que surjan entre compañeros permanentes, como sí los precisan los artículos 176 y siguientes del Código Civil para los matrimonios. Ciertamente, el cuerpo normativo se limita a regular tan solo uno de los efectos económicos de este tipo de uniones —la sociedad patrimonial—, pero nada indica sobre las consecuencias personales.

Ante la ausencia de regulación legal, alguna parte de la doctrina se ha decantado por acudir a los elementos estructurales de la unión marital de hecho, en los términos del artículo 1° de la Ley 54 de 1990, para deducir los efectos personales. Así, hay quienes dicen que el deber de *fidelidad* se desprende del requisito de *singularidad*[492], en tanto que otros sostienen que el deber de *cohabitación* halla su fuente en la *comunidad de vida permanente*[493].

A nuestro juicio, tan respetables apreciaciones parten del equívoco fundamental de confundir la causa con sus efectos. Aquí se vuelve relevante la caracterización ofrecida líneas atrás, en relación con que la unión marital de hecho elevó a rango legal el concubinato y el amancebamiento, por una muy sencilla razón: al ser ambas figuras (concubinato y amancebamiento)

---

[492] En ese sentido, véase a HELÍ ABEL TORRADO TORRADO (*Derecho* ... Séptima Edición ... Pág. 49 y ss.). A la verdad, la opinión del tratadista se ha visto seriamente menguada por la relativización del requisito de *singularidad* que se aprecia en las más recientes sentencias de la Sala de Casación Civil de la Corte Suprema de Justicia (SC4263 de 2020 y SC3929 de 2020, ambas con ponencia del Magistrado AROLDO WILSON QUIROZ MONSALVO). De hecho, así lo reconoce él mismo cuando afirma (pág. 52): "Con todo el respeto que merece y se exige ante tan alta corte de justicia, nos parece simplista la afirmación de que la infidelidad entre los compañeros permanentes no da lugar a la disolución de la unión marital de hecho, porque ella, además de otras circunstancias, sólo se disuelve por la separación física y definitiva de los compañeros. Entonces, ¿qué sucede si en medio de la relación desaparece alguno de esos elementos? Lo cierto y concreto es que, si uno de los compañeros permanentes es infiel al otro, se desnaturaliza la unión marital de hecho como institución familiar, porque deja de cumplir uno de los requisitos exigidos por el artículo 1° de la Ley 54 de 1990, como es el de la singularidad". Pero más allá de las objeciones y observaciones que puedan caber a la jurisprudencia, lo cierto es que la Corporación ha ido relativizando el concepto de singularidad y, de consiguiente, pretender hacer un parangón entre el requisito de fidelidad del matrimonio y el que surgiría en la unión marital de hecho por conducto de la *singularidad* no es solo inoportuno, sino que abiertamente inobserva el precedente judicial.

[493] En punto a este criterio, ya se vio que la Corte también ha relativizado la cohabitación de los compañeros permanentes como supuesto impajaritable de la comunidad de vida. Desde luego, los matices de la convivencia han sido mucho más tenues que los trazados en torno a la fidelidad.

el resultado de *hechos sociales,* no se puede afirmar que de su configuración surjan obligaciones personales recíprocas para los intervinientes en la relación. Cuestión distinta es que, verificada la concurrencia de los elementos previstos en el artículo 1º de la Ley 54 de 1990, se abra paso la denominación de unión marital de hecho.

Para explicarlo más claramente, la comunidad de vida singular y permanente de dos personas que no estén casadas entre sí constituye la causa que da lugar a que se catalogue o reconozca la relación como una unión marital de hecho. La nuez del asunto radica en su naturaleza declarativa —y no constitutiva—, toda vez que, contrario a lo que ocurre con el matrimonio, donde el acto de celebración fija la pauta de su inicio, la unión marital de hecho se limita a constatar si en tal o cual relación concurrieron los elementos para cubrirla con su denominación. Es por ese motivo que resulta imposible afirmar que de la unión marital de hecho puedan surgir obligaciones o deberes personales entre los compañeros permanentes[494].

---

[494] No pretendemos aquí adentrarnos en la discusión relativa a si la unión marital de hecho es un acto jurídico familiar o un hecho jurídico, porque claramente comportaría una innecesaria desviación a la temática objeto de análisis. En efecto, en ambas hipótesis es del todo imposible sostener que este tipo de uniones estén llamadas a producir efectos personales específicos *per se.* A más de las importantes diferencias que se podrían suscitar dependiendo de la tesis que se adopte (*v. gr.* la admisibilidad de la simulación para declarar su inexistencia, entre otros), lo cierto es que si la unión marital de hecho se toma como acto jurídico familiar –tesis que defienden Aroldo Wilson Quiroz Monsalvo (*Manual de derecho civil.* Tomo V. Segunda Edición. Ed. Ediciones Doctrina y Ley. Bogotá, 2011. Pág. 356), Luz Myriam Reyes Casas y Néstor Javier Ochoa Andrade (*La unión marital de hecho y su revolución jurisprudencial a partir de la Constitución de 1991.* Segunda Edición. Ed. Universidad Autónoma del Caribe. Barranquilla, 2013), Ildemar Bolaños (*Unión ...*), Guillermo Montoya Pérez (*Uniones ...* Pág. 89) y Juan Álvaro Vallejo Tobón, Julio César Echeverry Ceballos y Rodrigo León Palacio Laverde (*La unión marital de hecho y el régimen patrimonial entre compañeros permanentes.* Ed. Dike. Medellín, 2001)– o si se concibe como hecho jurídico –tesis que defienden Álvaro Fernando García Restrepo (*Unión marital de hecho y sociedad patrimonial.* Ed. Ediciones Doctrina y Ley. Bogotá, 2001), Luz Stella Roca Betancur (coautora, junto con Álvaro Fernando García Restrepo, del libro *Hacia un justo régimen de bienes entre compañeros permanentes.* Ed. Semilla y Viento. Medellín, 1994), Jorge Parra Benítez (*Derecho ...* Tomo I ... Pág. 369), Pedro Agustín Talavera Fernández (*La unión de hecho y el derecho a no casarse.* Ed. Comares. Granada, 2001. Pág. 67), Pedro Lafont Pianetta (*Derecho de familia. Unión marital de hecho.* Ed. Librería Ediciones el Profesional. Bogotá, 1992. Pág. 95) y Juan Daniel Franco Tamayo (*La capacidad en la unión marital de hecho: una reflexión sobre la familia delineada por el poder.* Ed. Facultad de Derecho y Ciencias Políticas de la Univer-

Pero si en gracia de discusión se entretuviera el argumento, aunque no se comparte, de que los deberes personales de la unión marital de hecho se coligen de los elementos estructurales para su reconocimiento, tendríamos que decir que no estamos en condiciones de elaborar un listado objetivo, porque la jurisprudencia de la Corte Suprema de Justicia ha sido en extremo amplia.

En cuanto toca con el deber de *cohabitación*, por ejemplo, cuyo fundamento se encontraría en el elemento de *comunidad de vida permanente*, habrá que hacer notar que la sentencia de la Sala de Casación Civil de la Corte Suprema de Justicia SC15173, del 24 de octubre de 2016, expediente 515310, M.P. Luis Armando Tolosa Villabona, ya fue enfática en afirmar que no es la cohabitación un deber ineludible. Esta posición, sobra advertir, ya la había prohijado Lafont Pianetta en sus textos[495] y, más antiguamente, Carlos Ignacio Jaramillo en un salvamento de voto presentado en el año 2001. Por su relevancia, transcribiremos algunos apartes:

"Es cierto que la unión marital de hecho presupone la convivencia, como elemento *sub conditione* de la comunidad de vida que le es propia; pero ello no significa, per se, que los compañeros permanentes tengan el ineludible e irrefragable deber de convivir de determinada manera, menos aún bajo la arquitectura de otros tipos familiares, asunto que, por lo demás, es del resorte exclusivo de aquellos y frente al cual la ley —y sus intérpretes— debe mantenerse extramuros, pues esa materia está blindada —nada menos que— por el espesor de la intimidad familiar, de suyo inviolable y por contera intangible. Y ello es así porque en la hora de ahora, no existe un modus vivendi que, a manera de *unicum*, pueda ser impuesto o dictado como obligatorio, según acontece, sólo por vía de ejemplo, en determinados regímenes fundamentalistas, permeados por un peculiar tinte de carácter 'religioso'. Podemos no compartir o incluso censurar una determinada forma de vida; puede aún ser contraria a nuestras propias creencias e íntimas convicciones, pero ello no legitima que le impartamos reprobación, por la vía de negarle los efectos jurídicos que la ley le concede a las uniones maritales de hecho. (...)

Fluye de lo expuesto que la comunidad de vida, entendida como la disposición soberana de un hombre y de una mujer para compartir un proyecto de

---

sidad de Antioquia. Medellín, 2020. Pág. 124)– en ningún caso se podrá decir que la ley prevé deberes o efectos personales que, ante su incumplimiento por alguno de los compañeros permanentes, faculte al otro para solicitar la imposición de sanciones (como sí ocurre en el matrimonio). Tan solo se podrá esgrimir, en línea con lo indicado por la Corte Constitucional en sentencia C-117 de 2021, M.P. Alejandro Linares Cantillo, que los compañeros permanentes que den lugar a la terminación de la unión marital de hecho por actos de violencia o ultrajes serán conminados a sufragar alimentos en favor de la víctima.

495   Pedro Lafont Pianetta. *Derecho* ... Pág. 88.

vida —el suyo, y no el de los demás, necesariamente—, no puede ser confundida, o asimilada a la cohabitación. Esta, ni siquiera, es un elemento esencial a dicho consorcio exigido por la ley (54/90), menos aún si se tiene en cuenta que la pareja, libre y autónomamente, esto es, ad libitum, puede decidir de qué manera quiere y desea vivir. Sólo de esta forma se entiende que la familia, como "núcleo fundamental de la sociedad" (arts. 5º y 42 C. Pol.), sea uno de los escenarios más apropiados para que el ser humano se realice como tal. Por ello es por lo que la institución familiar no traduce un sacrificio de los derechos fundamentales de cada uno de sus miembros, sino que, antes bien, debe ser el reflejo del adecuado y recto ejercicio de los mismos"[496].

Nótese, entonces, que no es cierto que la *cohabitación* sea un deber del que no se pueden sustraer los compañeros permanentes, porque la propia Corporación lo denominó como un "elemento accidental" en su providencia de 2016. Y, obviamente, nos rehusamos a consentir en que los deberes personales puedan ser susceptibles de pactos entre particulares, por lo que forzosamente se debe concluir que el de cohabitación no ha sido, en la postura actual de la Corte Suprema, considerado como un deber personal.

Lo propio sucede con la *fidelidad,* deber personal que en principio se derivaría del elemento de la *singularidad.* Pues bien, sobre este aspecto, la Corte Suprema de Justicia ha señalado, en no pocas oportunidades, que lo que se exige es que no haya dos relaciones "de la misma especie". Ello implica, y así lo ha sostenido la Alta Corte, que la infidelidad por sí misma no basta para desvirtuar la singularidad que se requiere acreditar para dar el tratamiento de unión marital de hecho a una relación.

En consecuencia, no sería descabellado pensar que una pareja en la que uno de sus miembros sostenga encuentros sexuales casuales y esporádicos con terceras personas, en forma regular y habitual, pero sin llegar a crear una relación "de la misma especie", podría ser considerada como unión marital de hecho (partiendo de la base de que los demás elementos para su configuración concurren). En esos términos, la *fidelidad* no podría ser considerada propiamente como un deber personal, en la medida en que incluso a pesar de su incumplimiento sería posible acreditar el elemento de singularidad.

Acaso la *ayuda* y *socorro* entre compañeros permanentes, derivados de la *comunidad de vida,* serían los únicos deberes personales que se podrían extraer de los elementos estructurales de la unión marital de hecho. En

---

[496]   Salvamento de voto del Magistrado Carlos Ignacio Jaramillo a la sentencia de la Corte Suprema de Justicia, Sala de Casación Civil, sentencia del 12 de diciembre de 2001, expediente 6721, M.P. Jorge Santos Ballesteros.

efecto, no parecería posible imaginar que haya tal comunidad sin que medie ayuda o socorro entre los miembros de la pareja.

En cualquier caso, ante la imposibilidad de elaborar un listado objetivo de deberes personales, resultan aplicables las glosas que Planiol y Ripert dejaron plasmadas en sus textos sobre el concubinato:

> "La diferencia estriba en que los esposos reconocen estas obligaciones [las personales] y se comprometen a cumplirlas, mientras que los concubinos no se comprometen a ello, reservándose la posibilidad de sustraerse a los mismos [deberes personales] (…) conservan su libertad, privando al poder social de todo medio de obligarlos"[497].

Con todo, un aspecto es pacífico en la doctrina y en la jurisprudencia: sean cuales fueren los deberes personales que se quieran colegir de la unión marital de hecho, por vía de deducción o hermenéutica, la ley no los dotó de eficacia jurídica alguna, por lo que su incumplimiento no da lugar a reclamaciones ni tiene efectos adversos, como sí los hay en el caso del matrimonio (el cónyuge culpable del divorcio será condenado al pago de alimentos a favor del inocente y las donaciones hechas por causa de matrimonio serán susceptibles de revocación).

Tan solo se podrá oponer a este razonamiento que el deber de *respeto* en la pareja sí goza de eficacia jurídica, habida cuenta de que la Corte Constitucional, en Sentencia C-117 de 2021, M.P. Alejandro Linares Cantillo, señaló que el compañero permanente que diera lugar a la terminación de la unión marital de hecho por incurrir en actos de violencia o ultrajes contra el otro quedaría conminado al pago de alimentos. Pero sería exagerado concluir, a partir de ese razonamiento[498], que los pretendidos efectos personales de la unión marital de hecho quedaron dotados de plena eficacia jurídica. Ello no correspondería a la realidad.

---

[497] Cfr. Marcel Planiol y Georges Ripert. *Traité élémentaire de droit civil*. Tomo VIII. Trad. Leonel Pereznieto Catro. Ed. Oxford Press University. México D.F., 1999. Pág. 116.

[498] Importa dejar sentado que el autor de comparte plenamente el razonamiento de la Corte Constitucional y tuvo la oportunidad de emitir un pronunciamiento en ese sentido dentro del expediente en que se tramitó la causa que culminó con el fallo en análisis, a nombre del Colegio Mayor de Nuestra Señora del Rosario con Cecilia Díez Vargas, Directora de la Especialización en Derecho de Familia, y Alberto Gaitán Martínez, Decano de la Facultad de Jurisprudencia.

SECCIÓN V. EFECTOS PATRIMONIALES: LA SOCIEDAD PATRIMONIAL

En el Tomo III de esta obra se expondrán con todo detalle los efectos patrimoniales de las uniones maritales de hecho. Por tal motivo, simplemente nos limitaremos a decir que la Ley 54 de 1990 únicamente reguló la sociedad patrimonial de los compañeros permanentes como principal efecto económico de las uniones maritales de hecho.

SECCIÓN VI. PRUEBA DE LA UNIÓN MARITAL DE HECHO

Según se dejó expuesto, no toda relación es susceptible de ser catalogada como unión marital de hecho; para que ello ocurra, es menester que se satisfagan los presupuestos que se comentan en la Sección III de este capítulo. Esa consideración es de suma importancia, puesto que solo relaciones que, además, reciban la denominación de uniones maritales de hecho están llamadas a producir el efecto económico de la sociedad patrimonial; y, de acuerdo con la jurisprudencia de la Corte Suprema de Justicia colombiana, a crear un *estado civil*.

Sea que se entretenga que la unión marital de hecho es un *acto jurídico familiar* o que se trata de un *hecho jurídico*, es inocultable que no hay un documento o instrumento que abra paso a su conformación, a diferencia de lo que sucede con el matrimonio. En caso de que se quiera sostener la tesis de que la unión marital de hecho corresponde a un acto jurídico familiar, habrá que reconocer, con Ildemar Bolaños, que es de naturaleza consensual[499], despojado de todo tipo de formalidades y ritualidades. Si, por el contrario, se prohíja la tesis del hecho jurídico, es evidente que las situaciones fácticas que dan pie a su surgimiento tampoco requieren, y las más de las veces no los tienen, documentos que bauticen la relación como tal.

Así pues, ante los efectos jurídicos que se siguen de que una relación sea considerada como unión marital de hecho y la ausencia absoluta de instrumentos o documentos que sirvan de base para su conformación, el Parlamento tuvo que regular la obligatoriedad de la declaratoria como única forma para su acreditación.

En cuanto toca con la regulación de la declaratoria, dos han sido los regímenes imperantes en nuestro país: de un lado, el sistema original de la

---

[499] Ildemar Bolaños. *Unión* ... Pág. 118.

Ley 54 de 1990; y, del otro, el disciplinado por la Ley 979 de 2005. Para una mayor comprensión, los analizaremos separadamente. Veamos:

I. Sistema original de la Ley 54 de 1990

El artículo 4º de la Ley 54 de 1990, en su versión original, previó que la existencia de las uniones maritales de hecho se debía acreditar exclusivamente mediante sentencia judicial, a saber:

> "Artículo 4. La existencia de la unión marital de hecho se establecerá por los medios ordinarios de prueba, consagrados en el Código de Procedimiento Civil y será de conocimiento de los jueces de familia, en primera instancia".

De lo anterior se deduce que la única alternativa con que contaban los compañeros permanentes para declarar su unión marital de hecho era mediante la comparecencia a los estrados judiciales. Sin embargo, como lo manifestó la Sala de Casación Civil de la Corte Suprema de Justicia en sentencia del 17 de septiembre de 2013, expediente 245236, M.P. Arturo Solarte Rodríguez, ello cambió a partir de la promulgación de la Ley 640 de 2001, relativa a la conciliación. Dijo la Corporación:

> "3.1. Es verdad que en los términos de la Ley 54 de 1990, el reconocimiento de una unión marital de hecho y de la correlativa sociedad patrimonial entre compañeros permanentes estaba reservado a los jueces de familia, previa tramitación del proceso judicial correspondiente, en el que debían acreditarse los elementos estructurales definidos en la misma ley para el efecto, como se desprende de su artículo 4º (…).
>
> 3.2. Empero, también es cierto que esa regla fue modificada implícitamente por la Ley 640 de 2001, toda vez que allí se estableció la conciliación extrajudicial en derecho como requisito de procedibilidad 'para acudir ante las jurisdicciones civil, contencioso administrativa, laboral y de familia', en los casos definidos por ese mismo ordenamiento (art. 35).
>
> Es así como en su artículo 40 se previó que 'la conciliación extrajudicial en derecho en materia de familia deberá intentarse previamente a la iniciación del proceso judicial en los siguientes asuntos: (…) 3. Declaración de la unión marital de hecho, su disolución y la liquidación de la sociedad patrimonial'.
>
> 3.3. Significa lo anterior que, a partir de la vigencia de la Ley 640 de 2001, el reconocimiento, disolución y liquidación de las sociedades patrimoniales entre compañeros permanentes, son cuestiones susceptibles de ser definidas por los interesados, a través de mecanismos alternos a la intervención de la jurisdicción ordinaria. Como es propio entenderlo, entonces, de presentarse diferencias entre ellos, están obligados a solucionarlas, primero, por la vía de la conciliación extrajudicial en derecho y, en caso de que ella fracase, utilizando la vía judicial".

En ese orden de ideas, entre la promulgación de la Ley 54 de 1990 y la Ley 640 de 2001, acudir a la jurisdicción ordinaria era la única forma admisible para declarar la unión marital de hecho. Y, desde la promulgación de la Ley 640 de 2001, quedó autorizada también la declaratoria de las uniones maritales de hecho mediante acta de conciliación extrajudicial. Como es obvio, si era posible declarar su existencia mediante acta de conciliación, nada se oponía a que se pudiera hacer lo mismo por escritura pública elevada ante notario, cuando los contrayentes estuvieran de acuerdo.

II. Ley 979 de 2005

Sin perjuicio del reconocimiento de la Corte Suprema de Justicia, en el sentido de que las uniones maritales de hecho se podían declarar mediante vías alternativas a la sentencia judicial, lo cierto es que la rigidez del artículo 2º de la Ley 54 de 1990 abrió paso a que se controvirtiera esa posibilidad. Por tal motivo, el 24 de julio de 2003, en la Gaceta del Congreso de la República número 353, se radicó y publicó el Proyecto de Ley número 29 de Senado, por el cual se modificaría parcialmente la Ley 54 de 1990. En la exposición de motivos, el parlamentario Gustavo Enrique Sosa Pacheco sostuvo lo siguiente en torno a la declaratoria de la unión marital de hecho:

> "(…) [C]onforme a dicha ley [se refiere a la ley 54 de 1990], según lo prescribe su artículo 4°, para poder acreditar la existencia de la unión marital de hecho, la única salida es presentar ante el juez de familia una demanda de existencia de la unión marital cuyo fallo puede demorar más de un año; y si se pretende reclamar alimentos por ejemplo, una vez que el juez haya declarado la existencia de dicha unión, uno de los compañeros puede demandar al otro para que provea alimentos, que requiere de un lapso de tiempo similar al anterior. Entonces, es válido nuevamente preguntarnos: ¿Por qué razón no tratamos de facilitarle la resolución de sus conflictos a las personas, consagrando medios más expeditos para resolverlos, si incluso se está propugnando por la descongestión de los despachos judiciales?"[500].

Luego del tránsito legislativo ordinario, el Proyecto fue promulgado como Ley 979 de 2005. En su artículo 2º, se modificó el texto del artículo 4º de la Ley 54 de 1990, así:

> "Artículo 4°. La existencia de la unión marital de hecho entre compañeros permanentes, se declarará por cualquiera de los siguientes mecanismos:

---

[500] Gaceta del Congreso de la República número 353 de 2003.

1. Por escritura pública ante Notario por mutuo consentimiento de los compañeros permanentes.

2. Por Acta de Conciliación suscrita por los compañeros permanentes, en centro legalmente constituido.

3. Por sentencia judicial, mediante los medios ordinarios de prueba consagrados en el Código de Procedimiento Civil, con conocimiento de los Jueces de Familia de Primera Instancia".

Sobre las anteriores bases, tres son las alternativas con que cuentan los interesados para declarar la unión marital de hecho; declaratoria que, bueno es advertirlo, abrirá paso para que se pueda entretener la formación de la sociedad patrimonial entre los compañeros permanentes: (i) la sentencia judicial; (ii) el acta de conciliación extrajudicial; y (iii) la escritura pública.

1. Sentencia judicial

En los mismos términos que sucedía antes de la promulgación de la Ley 979 de 2005, la ley defirió el conocimiento de las acciones relativas a la declaratoria de la unión marital de hecho a los *jueces de familia* en *primera instancia*. Esta atribución de competencia funcional vino a ser reiterada por el ordinal 20 del artículo 22 del Código General del Proceso y la competencia territorial, de conformidad con el ordinal 2° del artículo 28 del mismo Estatuto, le fue concedida al juez de familia del domicilio común anterior.

Comoquiera que lo pretendido en este tipo de causas es acreditar la existencia de una unión marital de hecho, se habrá de encauzar como un proceso *declarativo*. En efecto, corresponderá al juez de conocimiento verificar la satisfacción de los presupuestos previstos en la ley para que la relación pueda ser catalogada como unión marital de hecho y *declararlo* así en su sentencia. Pese a lo obvio que puede resultar, la precisión cobra especial interés porque con la providencia judicial no se *constituye* una situación jurídica nueva; simplemente se reconoce que tal o cual unión satisfizo unas condiciones particulares, cuales son las comentadas en la Sección III de este Capítulo.

Ahora bien, en cuanto a la forma de probar el cumplimiento de los requisitos legales para la declaratoria de la unión marital de hecho, el ordinal 3° del artículo 4° de la Ley 54 de 1990, tal como fue modificado por el artículo 2° de la Ley 979 de 2005, es muy claro en señalar que serán admisibles todos los medios ordinarios que consagra el Código General del Proceso (la disposición se refiere al Código de Procedimiento Civil pero, como es sabido, la Ley 1564 de 2012 derogó ese Estatuto e instituyó el Código General del Proceso en Colombia). De manera que, como lo ha sostenido la Corte Constitucional, los interesados no están conminados a demostrar la verificación de los elementos de la unión marital de hecho mediante un documento o testimonio específico, basta con que aporten al proceso todo el material probatorio que consideren pertinente y si, de acuerdo con las reglas de la sana crítica, el juez llega al convencimiento de que efectivamente hubo una unión marital de hecho, tendrá que declararla.

2. Acta de conciliación

A la letra, el ordinal segundo del artículo 4º de la Ley 54 de 1990, tal como fue modificado por el artículo 2º de la Ley 979 de 2005, señala que la unión marital de hecho se podrá declarar mediante "acta de conciliación suscrita por los compañeros permanentes, en centro legalmente constituido".

Como es sabido, la conciliación es un método alternativo de solución de controversias que, en Colombia, está disciplinado, en lo fundamental, por la Ley 2220 de 2022 (Estatuto de Conciliación). En razón de que, por medio de la conciliación, "dos o más personas gestionan por sí mismas la solución de sus diferencias, con la ayuda de un tercero neutral y calificado denominado conciliador" (artículo 3º de la Ley 2220 de 2022), se ha reconocido que su naturaleza es autocompositiva[501]. De lo anterior se deduce, con toda claridad, que no es posible acudir al trámite conciliatorio si alguno de los presuntos compañeros permanentes ha fallecido.

Ahora bien, en armonía con lo previsto por la Ley 979 de 2005, el artículo 67 de la Ley 2220 de 2022 señala que "[e]n los asuntos susceptibles de conciliación, conciliación extrajudicial en derecho es requisito de procedibilidad para acudir ante las jurisdicciones que por norma así lo exijan, salvo cuando la ley lo excepcione". Y más adelante, el ordinal 3º del artículo 69, *ibidem*, establece que, en los asuntos de familia, será requisito de procedibilidad para la interposición de la demanda agotar la conciliación prejudicial en asuntos relativos a la "[d]eclaración de la unión marital de hecho, su disolución y la liquidación de la sociedad patrimonial".

---

[501] Sobre la distinción entre los métodos alternativos de solución de controversias autocompositivos y heterocompositivos, el lector puede acudir a MARCO GERARDO MONROY CABRA. *Métodos alternativos de solución de conflictos*. Ed. Legis. Bogotá, 1997. Pág. 1 a 6.

Por consiguiente, para la declaratoria de la unión marital de hecho se debe tener en cuenta que la suscripción del acta conciliatoria por los compañeros permanentes es considerada como suficiente; pero, adicionalmente, cuando se pretenda la declaratoria por vía judicial, será siempre mandatorio acudir previamente a la conciliación, so pena de inadmisión de la demanda. Los únicos casos en que es posible pretermitir la solicitud de conciliación como requisito prejudicial son: (i) aquellos en los cuales hubiere mediado violencia en el contexto familiar[502]; (ii) cuando alguno de los compañeros permanentes hubiere fallecido; o (iii) cuando se solicite la práctica de medidas cautelares.

En línea con lo expuesto, es pertinente observar que la Ley 2220 de 2022, en su artículo 17, establece que "[l]as personas jurídicas sin ánimo de lucro, las notarías, las entidades públicas y los consultorios jurídicos universitarios podrán crear centros de conciliación, previa autorización del Ministerio de Justicia y del Derecho". Así las cosas, solo este tipo de centros cumplen la condición del ordinal 2° del artículo 4° de la Ley 54 de 1990, tal como fue modificado por el artículo 2° de la Ley 979 de 2005, relativa a estar "constituidos en forma legal". Por tanto, toda acta conciliatoria suscrita entre compañeros permanentes en centros distintos de los enunciados carecerá de validez legal y no será considerada suficiente para la declaratoria de la respectiva unión marital de hecho.

Por último, cabe hacer notar que la loable intención del Parlamento de facilitar y agilizar el trámite por el cual dos compañeros permanentes pueden declarar la existencia de la unión marital de hecho, vertida en las leyes 640 de 2001, 979 de 2005 y 2220 de 2022, paradójicamente dio nacimiento a uno de los argumentos más robustos de quienes se oponen a que este tipo de uniones creen un estado civil. En efecto, a juicio de quienes, como CECILIA DÍEZ VARGAS[503], prohíjan esta tesis, el razonamiento es sencillo, pero contundente:

La conciliación, conforme a lo previsto por el artículo 7° de la Ley 2220 de 2022, procede respecto de los asuntos susceptibles de transacción. A su turno, el artículo 2473 del Código Civil perentoriamente establece que "[n]o se puede transigir sobre el estado civil de las personas". De manera que, como es obvio, mal se podría afirmar que la unión marital de hecho

---

[502] Así lo señaló la Corte Constitucional en sentencia C-1195 de 2001, M.P. MANUEL JOSÉ CEPEDA ESPINOSA y MARCO GERARDO MONROY CABRA.

[503] CECILIA DÍEZ VARGAS. Cátedra de Derecho de Familia en Colegio Mayor de Nuestra Señora del Rosario. Abril 28 de 2020.

es conciliable, si se trata de un estado civil; y, *a contrario,* si la unión marital de hecho es conciliable, es porque no se trata de un estado civil[504].

Empero, la jurisprudencia de la Corte Suprema de Justicia y la Corte Constitucional, sin responder puntualmente a este argumento, han superado la discusión por la vía de señalar, inequívocamente, que sí se trata de un estado civil.

3. Escritura pública

La escritura pública, al decir del artículo 13 del Decreto 960 de 1970, "es el instrumento que contiene declaraciones en actos jurídicos, emitidas ante el Notario, con los requisitos previstos en la Ley y que se incorpora al protocolo". Así pues, los compañeros permanentes que, de común acuerdo, quieran declarar la existencia de su unión marital de hecho, deberán comparecer ante un Notario para que reciba, extienda, otorgue y autorice la escritura pública respectiva.

4. Otros medios de prueba

Es sabido que la Ley 54 de 1990 reguló específicamente un aspecto económico de las uniones maritales de hecho, cual es la sociedad patrimonial entre compañeros permanentes. Sin embargo, la ley y la jurisprudencia han extendido otro tipo de efectos económicos y personales a este tipo de uniones, como son: (i) los beneficios derivados de la seguridad social, (ii) los beneficios prestacionales derivados de pactos o convenciones colectivas de trabajo o (iii) la presunción de paternidad del hijo habido en la unión marital de hecho[505], entre otros.

---

[504] Faltan varios ingredientes en esta discusión, como por ejemplo el hecho de que el artículo 1° del decreto 1260 de 1970 haya previsto que el estado civil de las personas es "indisponible e indivisible", que es pacífico, en la doctrina y la jurisprudencia, que el estado civil no es susceptible de conciliación (*v. gr.* sentencias de la Corte Constitucional C-902 de 2008, M.P. Nilson Pinilla Pinilla, y C-294 de 1995, M.P. Jorge Arango Mejía) o que el artículo 42 de la Carta Política expresamente señale que "[l]a ley determinará lo relativo al estado civil de las personas" y ninguna norma de rango legal haya previsto que la unión marital de hecho sea un estado civil.

[505] En este aspecto, conviene aclarar que la presunción fue establecida por la ley 1060 de 2006, pero el medio de prueba sí fue creado por vía jurisprudencial.

Pese a que el artículo 4º de la Ley 54 de 1990, tal como fue modificado por el artículo 2º de la Ley 979 de 2005, es bastante claro y preciso en explicar las alternativas con que cuentan los interesados para declarar la existencia de una unión marital de hecho, la Corte Constitucional ha reconocido, a lo largo del tiempo, distintas formas de probarla, según el objetivo que se pretenda. Veamos:

A. Declaración juramentada ante notario

A'. Afiliación al Plan Obligatorio de Salud

En Sentencia C-521 de 2007, M.P. CLARA INÉS VARGAS HERNÁNDEZ, la Corte Constitucional precisó que, para la afiliación de un compañero permanente como beneficiario del POS, bastaba probar tal "condición (…) mediante declaración ante notario, expresando la voluntad de conformar una familia de manera permanente, actuación a la que deben acudir quienes conforman la pareja y que supone la buena fe y el juramento sobre la verdad de lo expuesto; por lo tanto, el fraude o la ausencia de veracidad en las afirmaciones hechas durante esta diligencia acarrearán las consecuencias previstas en la legislación penal y en el resto del ordenamiento jurídico". Ello implicaría que no se podría exigir el otorgamiento de escritura pública, sino que basta con la suscripción de una declaración juramentada por parte de los compañeros permanentes.

B'. Exoneración de prestar servicio militar obligatorio

En Sentencia T-489 de 2011, M.P. JORGE IGNACIO PRETELT CHALJUB, la Corporación amparó los derechos fundamentales de un soldado, en el entendido de que estaba cobijado por una causal eximente de la obligación de prestar servicio militar por tener una unión marital de hecho vigente y depender económicamente de él su compañera permanente y su hijo. El Tribunal Constitucional dio como acreditada la unión marital de hecho porque "dentro del acervo probatorio se enc[ontrab]a la declaración juramentada de dos conocidos de la pareja, quienes afirma[ro]n que lleva[ba]n una convivencia de 9 meses y que Edwin Alexander Figueroa e[ra] padre cabeza de familia y e[ra] el encargado del sostenimiento de su núcleo familiar, declaración que se ve corroborada con la copia del contrato laboral suscrito entre Edwin Alexander Figueroa y la Empresa ASOMER LTDA., lo que permite inferir que es el proveedor económico de su familia".

Nótese que, aunque esta última providencia guarda alguna simetría con la anterior, se diferencia de ella en que aquí la Corte Constitucional reco-

noció la unión marital de hecho por cuenta de una declaración juramentada de terceras personas —no los compañeros permanentes— y el contrato
laboral suscrito entre el soldado y la compañía.

B. *Demás medios de prueba*

A'. *Exoneración de prestar servicio militar obligatorio*

También en un caso sobre el servicio militar obligatorio, la Corte Suprema de Justicia, mediante Sentencia T-667 de 2012, M.P. ADRIANA GUILLÉN
ARANGO, hizo un análisis muy relevante en torno al alcance del artículo 4º
de la Ley 54 de 1990. Luego de transcribir la disposición, indicó que, "[d]
e una primera lectura[,] podría considerarse que sólo mediante tales elementos es dable demostrar la existencia de la unión marital de hecho para
todos los asuntos legales". A renglón seguido, explicó que una interpretación semejante es incorrecta porque, en su criterio, con base en un análisis
sistemático del cuerpo normativo, "los medios probatorios necesarios para
declararla cuando se trata de dilucidar cuestiones jurídicas relacionadas
con los aspectos económicos de la unión marital de hecho son aquellos
establecidos en el artículo 4º de la Ley 54 de 1990". Así las cosas, la Corporación concluyó que:

> "[E]s posible demostrar la existencia de la unión marital de hecho —para
> efectos diferentes a la declaración de los efectos económicos de la sociedad
> patrimonial— a través de otros medios probatorios, como lo son las declara-
> ciones juramentadas. (…)
>
> En consecuencia, la unión marital puede demostrarse a través de otros ele-
> mentos [SIC], dado que ella no se constituye a través de formalismos, sino por
> la libertad de una pareja de conformarla, donde se observe la singularidad, la
> intención y el compromiso de un acompañamiento constante. Así las cosas,
> exigir un determinado documento para evidenciar su existencia conlleva a
> que sea transgredida tal libertad probatoria y, adicionalmente, a que se desco-
> nozca el debido proceso de quienes pretenden demostrar la existencia de la
> unión para derivar de ella una consecuencia jurídica, como lo es la exención
> al servicio militar obligatorio, conforme a lo dispuesto en el literal 'g' del artí-
> culo 28 de la Ley 48 de 1993".

Nótese que, en la providencia que se analiza, la Corte Constitucional fue
clara en tratar las declaraciones juramentadas como un ejemplo de las alternativas posibles con que cuentan los compañeros permanentes para acreditar la existencia de su unión marital de hecho, siempre que lo pretendido
con la prueba sea algo distinto del reconocimiento de la sociedad patrimonial de que trata la Ley 54 de 1990. Por tanto, y sin perjuicio de que se trata

de una providencia en ejercicio del control concreto de constitucionalidad, los medios probatorios quedaron ampliados en forma indeterminada para acreditar la existencia de la unión marital de hecho, si lo que se pretende no es la obtención del efecto económico de sociedad patrimonial[506].

B'. Resarcimientos económicos

Por lo que toca con resarcimientos económicos, la Corte Constitucional, en Sentencia T-247 de 2016, M.P. Gabriel Eduardo Mendoza Martelo, tuvo como válidas las declaraciones extra juicio aportadas por los accionantes en el proceso, como elementos materiales de prueba para demostrar la existencia de su unión marital de hecho. Pero, además, reiteró los planteamientos de la Sentencia T-667 de 2012, antes transcrita, en el sentido de afirmar que lo previsto en el artículo 2° de la ley 979 de 2005 es solo aplicable para los aspectos relacionados con la sociedad patrimonial.

---

[506] En sentencia T-699 de 2009, M.P. Humberto Antonio Sierra Porto, la Corte Constitucional había sostenido que, para la exoneración del deber de prestar el servicio militar obligatorio, sí era requerido acreditar la existencia de la unión marital de hecho con base en lo dispuesto por el artículo 2° de la ley 979 de 2005. Dijo la Corporación: "Ahora bien, este Tribunal respecto de la acción de tutela formulada (…), considera que el amparo deprecado no debe ser concedido por las razones que a continuación se indican. La primera, por cuanto no fue probada la unión permanente [léase unión marital de hecho] en los términos previstos en la Ley 54 de 1990 modificada por la Ley 979 de 2005 (Art. 2°), puesta de presente en la solicitud de tutela como causal de exoneración del servicio militar obligatorio, toda vez que las pruebas ordenadas en sede de revisión (registro civil de nacimiento, *escritura pública ante Notario por mutuo consentimiento de los compañeros permanentes, acta de conciliación suscrita en centro legalmente constituido o sentencia judicial*), que dada su conducencia pretendían demostrar la existencia de la unión marital de hecho y el reconocimiento del menor que estaba por nacer al momento de la presentación de la solicitud tutelar, no fueron allegadas dentro del término judicial concedido". Sin embargo, la sentencia T-667 de 2012, objeto de comentario en el cuerpo principal del texto, señaló que, "en tal providencia, sin duda anterior a la T-489 de 2011, no se efectuó un análisis detallado de la jurisprudencia de esta Corporación que en sentencias de constitucionalidad –como lo es la C-521 de 2007– así como de tutela, como lo son la T-774 de 2008 y T-489 de 2011, validaba la presentación de declaraciones juramentadas para demostrar la existencia de una unión marital de hecho. Igualmente, no efectuó un estudio en torno a la diferencia existente entre un medio declarativo para los efectos económicos de la sociedad patrimonial y medios probatorios para la existencia de la unión marital de hecho". Por tal motivo, se apartó de la jurisprudencia sentada en la providencia T-699 de 2009.

C'. Presunción de paternidad extramatrimonial

También se ha pronunciado el Tribunal Constitucional en torno a la aplicación de la presunción de paternidad extramatrimonial que consagró el artículo 2º de la Ley 1060 de 2006, conforme a la cual se reputa concebido en el vínculo, y tiene por padres a los compañeros permanentes, el hijo que nace después de expirados los ciento ochenta días subsiguientes "a la declaración de la unión marital de hecho". En la Sentencia C-131 de 2018, M.P. Gloria Stella Ortiz Delgado, se analizó si la sujeción a la condición de que la unión marital de hecho estuviere *declarada* para que operara la presunción quebrantaba el principio constitucional de igualdad (en el entendido de que, en tratándose de los matrimonios, la presunción se hace efectiva desde la celebración del matrimonio).

Al resolver el problema jurídico, la Corte reiteró que:

> "para demostrar la existencia de la unión marital de hecho, en orden a lograr consecuencias jurídicas distintas a la declaración de los efectos económicos de la sociedad patrimonial, se puede acudir a cualquiera de los medios ordinarios de prueba previstos en el ordenamiento procesal como lo son los testimonios o las declaraciones juramentadas ante notario. De allí que, exigir determinadas solemnidades para tales efectos, desconoce el principio de libertad probatoria que rige en la materia y, además, vulnera el derecho fundamental al debido proceso de quienes pretenden derivar de ella efectos tales como: reparaciones económicas, reconocimientos pensionales, beneficios de la seguridad social y exención del servicio militar obligatorio, entre otros".

Luego de efectuar su análisis sobre el caso concreto, señaló:

> "la manera más acertada de resolver el problema jurídico es mediante un fallo de exequibilidad condicionada, en el cual se reconozca la constitucionalidad de la norma acusada, en el entendido que para el caso de los hijos nacidos durante la unión marital de hecho, el término de ciento ochenta días se empezará a contar desde cuando se acredite el inicio de la convivencia entre los padres. De esta forma se aclara la dificultad interpretativa que ofrece la estipulación legal antes explicada y, de la misma manera, se evitaría el vacío normativo antes mencionado".

La decisión de la Corporación, aparentemente satisfactoria, encuentra algunos inconvenientes prácticos y teóricos, a saber:

En primer lugar, el Tribunal Constitucional incurrió en una grave imprecisión al atar la procedibilidad de la presunción a la acreditación de la *convivencia* entre los padres. Es así, toda vez que, según se estudió previamente, la jurisprudencia de la Corte Suprema de Justicia estableció, desde

2016[507], que la *convivencia* es un elemento "accidental" de la unión marital de hecho. En tal sentido, resulta perfectamente posible que se presente el caso —como ya sucedió— en que concurran los presupuestos esenciales para que se declare la existencia de una unión marital de hecho, pero los compañeros permanentes no *cohabiten*. ¿Quiere ello decir que en tal supuesto no operaría la presunción? Creemos, como es lógico, que la respuesta debe ser que sí operaría, aunque se necesite hacer un ejercicio hermenéutico complicado para evadir la precisión con que la Corte Constitucional condicionó la exequibilidad de la norma.

En segundo lugar, es pertinente centrar ahora la atención en el verbo que condiciona la presunción y no en el hecho en que se basa. Al decir de la Corte Constitucional, el "término de ciento ochenta días se empezará a contar desde cuando se *acredite* el inicio de la convivencia entre los padres". Del condicionamiento se pueden desprender dos interpretaciones distintas: (i) que el término principia su cómputo desde el día en que se inició la convivencia de los padres, según se logre acreditar por el interesado; o (ii) que el término principia su cómputo desde el día en que el interesado aporte los documentos que acreditan que ha habido una convivencia anterior entre los padres. Resulta evidente que la interpretación correcta es la primera. Ello no ofrece dificultad alguna, porque sostener lo contrario sería inocuo y completamente contradictorio.

Ahora bien, el verbo *acreditar* significa, en su sentido natural y obvio, "hacer digno de crédito algo, probar su certeza o realidad"[508]. En consecuencia, cuando el Tribunal Constitucional exigió que se *acreditara* la convivencia de los padres, quiso decir que ésta se debía "probar" o "demostrar". Recuérdese que, al hacer alusión a la *convivencia,* la Corporación creyó destacar el elemento fundamental y *esencial* de toda unión marital de hecho, solo que, por error, pasó por alto que la Corte Suprema de Justicia ya había reconocido la *cohabitación* como un elemento *accidental* de este tipo de uniones.

De lo anterior se sigue que el interesado deberá "probar" la *convivencia* (y con ella la unión marital de hecho), con miras a que opere la presunción. Y, como se ha explicado consistentemente en estas líneas, el rigorismo de escritura pública, sentencia judicial o acta de conciliación solo se predica, en criterio de la Corte Constitucional, para los casos en los que se pretenda obte-

---

[507] Sentencia de la Sala de Casación Civil de la Corte Suprema de Justicia SC-15173, del 24 de octubre de 2016, expediente 515310, M.P. LUIS ARMANDO TOLOSA VILLABONA.

[508] Definición del Diccionario de la Real Academia de la Lengua.

ner el efecto económico de la sociedad patrimonial; mas, para el resto de pretensiones, la "prueba" de la unión marital de hecho es completamente libre.

Ese entendimiento se armoniza, además, con la lógica empleada por la Corte Constitucional en la Sentencia C-131 de 2018, a saber:

> "[D]os de los intervinientes consideran que la Corte debe declarar la inexequibilidad de la expresión 'a la declaración', de manera que la disposición deje en el mismo supuesto al matrimonio y a la unión marital. Esta aproximación, aunque fundamentada y compatible con los argumentos anteriores, plantea una nueva dificultad interpretativa, esta vez derivada de un vacío normativo. Ello debido a que la previsión legal resultante estipularía el término presuntivo de paternidad para el 'hijo que nace después de expirados los ciento ochenta días subsiguientes al matrimonio o a la unión marital de hecho', fórmula que no aclararía cuándo se entiende que inicia la unión marital, sin que su asimilación con el matrimonio resuelva el interrogante. Esto en razón que mientras este es un contrato solemne, aquella es un hecho susceptible de prueba, sin que la capacidad demostrativa del contrato pueda extenderse, sin más, a la convivencia material".

Empero, alguna parte de la doctrina piensa que se debe ir más allá. Veamos, a manera de ejemplo, los planteamientos de JORGE PARRA BENÍTEZ sobre el particular:

> "Quiso la Corte que la cuestión tuviera claridad —máxime que estuvo inclinada a declarar la inconstitucionalidad, al advertir que 'no es constitucionalmente válido establecer el requisito de la declaración de la unión marital de hecho para que, a partir de ese momento opere la presunción de paternidad, pues ello vulnera el artículo 13 Superior, al establecer un régimen de filiación más gravoso para los hijos nacidos durante dicha unión'— y por ello debe también ser interpretado el condicionamiento del fallo, pues literalmente significa que mientras no se acredite la unión marital no obra la presunción de filiación o, en otro sentido, que esta depende de que se demuestre esa unión (acreditar es demostrar y establecer la existencia de la unión de hecho)"[509].

Fluye patente del aparte transcrito que, a juicio del tratadista, el condicionamiento al que se sujetó la exequibilidad de la norma no es suficiente, sino que *debe ser interpretado*. Pese a que no indica cuál tendría que ser el alcance de la interpretación del condicionamiento, se puede deducir que lo pretendido por PARRA BENÍTEZ es que se releve al interesado de la obligación de *acreditar* la unión. En efecto, según sus planteamientos exigir la *acreditación* de la unión marital de hecho implica, en últimas, tener que *demostrar y establecer la existencia* de la misma, con lo cual se dejaría a los interesados en la

---

[509] JORGE PARRA BENÍTEZ. *Derecho* ... Tomo I ... Pág. 496.

misma posición gravosa que se quiso evitar cuando la Corporación afirmó que no era constitucionalmente válido exigir el requisito de la declaratoria.

No compartimos tan respetables consideraciones, de acuerdo con el siguiente razonamiento:

Además del error conceptual, derivado de asumir que la *convivencia* es elemento de la *esencia* de toda unión marital de hecho, lo cierto es que la Corte Constitucional sí introdujo una variación sustancial a la presunción consagrada en el artículo 214 del Código Civil, tal como fue modificado por el artículo 2° de la Ley 1060 de 2006. La disposición original, objeto de reproche constitucional, establecía que la presunción de paternidad extramatrimonial tenía aplicación si el hijo nacía después de expirados los ciento ochenta días subsiguientes a la declaratoria de la unión marital de hecho; en cambio, conforme a la interpretación de la Alta Corte, tal presunción opera si el hijo nace después de expirados los ciento ochenta días subsiguientes al momento en que principie la convivencia de los padres, según se acredite por el interesado.

Brotan palmarias al menos dos diferencias entre el texto original de la disposición y su interpretación constitucional: (i) por un lado, el artículo 2° de la Ley 1060 de 2006 ordenaba que el cómputo del término comenzara a partir de la *declaratoria* de la unión marital de hecho, mientras que ahora ello ocurre desde el *momento en que inicia la convivencia*; y, (ii) por el otro, el artículo 2° de la Ley 1060 de 2006 exigía, como requisito *sine qua non* para la efectividad de la presunción, que la unión marital de hecho se hubiera *declarado* mediante escritura pública, acta de conciliación o sentencia judicial (artículo 2° de la Ley 54 de 1990, tal como fue modificado por el artículo 4° de la Ley 979 de 2005)[510], en tanto que ahora no se exige acreditar la unión marital de hecho, sino la convivencia, y tampoco se requiere prueba específica.

---

[510] Fue ese el criterio de la Corporación al sostener lo siguiente: "[O]tros intervinientes también plantean que la norma es exequible, puesto que cuando se usa la expresión 'declaración', en realidad refiere al momento en que se inicia la convivencia en la unión marital, de modo que los hijos nacidos luego del matrimonio o de dicha convivencia quedarían en pie de igualdad. La Sala se opone a esta conclusión, al advertir que la declaración de la unión marital de hecho es un concepto definido por el Legislador, de manera diferente a como lo sugieren los intervinientes. En efecto, el artículo 4° de la Ley 54 de 1990, modificado por el artículo 2° de la Ley 979 de 2005, establece que la existencia de la unión de hecho se declarará por escritura pública, acta de conciliación o sentencia judicial. Por ende, desde la interpretación autorizada que ejerce el Congreso, no es posible hacer equivalente la declaración al inicio de la convivencia".

Siendo ello así, mal se podría pensar que los requisitos para hacer efectiva la presunción no se modificaron sustancialmente por la Corte Constitucional.

Aunado a lo anterior, si bien es cierto que, de conformidad con lo preceptuado por el artículo 13 de la Carta Política, está proscrita toda discriminación fundada en el origen familiar, no lo es menos que la jurisprudencia constitucional admite regulaciones diversas para los distintos tipos de familia, precisamente en razón de las diferencias propias entre las familias[511], siempre que no se afecten derechos protegidos por el ordenamiento superior. Expresado en otros términos, no todo tratamiento diferenciado entraña una afrenta al principio-derecho de igualdad; para que ello ocurra, se requiere que tal distinción no atienda a un criterio razonable y lesione derechos constitucionalmente protegidos.

Bueno es recordar, en este punto, que el motivo por el cual el Tribunal Constitucional estuvo inclinado a declarar la inexequibilidad de la norma no fue el requisito de *acreditar* la unión marital de hecho, sino que se obligara a los interesados a acudir a los medios de prueba establecidos en el artículo 4º de la Ley 54 de 1990 (según la modificación introducida por el artículo 2º de la Ley 979 de 2005), que se enderezan a la demostración de la sociedad patrimonial exclusivamente, y, más significativamente, que la presunción de paternidad extramatrimonial operara a partir de la declaratoria de la unión marital de hecho.

Es más, la Corporación fue sumamente consciente de los alcances de su decisión. Por ese motivo, al analizar la posibilidad de declarar la inexequibilidad de la expresión "a la declaración" de la norma censurada, explicó que, aunque sería constitucionalmente razonable, si la ley estableciera la presunción para el *hijo que nace después de expirados los ciento ochenta días subsiguientes a la unión marital de hecho,* se crearía un vacío normativo. En efecto, tal proposición jurídica "no aclararía cuándo se entiende que inicia la unión marital, sin que su asimilación con el matrimonio resuelva el interrogante". Incluso, fue más allá y lapidariamente sentenció: "mientras este [el matrimonio] es un contrato solemne, aquella [la unión marital de hecho] es un hecho susceptible de prueba, sin que la capacidad demostrativa del contrato pueda extenderse, sin más, a la convivencia material".

---

[511]   En palabras propias de la Corte, vertidas en la providencia que se comenta, "resulta aceptable que el Legislador establezca reglas diferenciadas sobre las diferentes formas constitutivas de familia, pues ellas no son estrictamente asimilables".

Con ese contexto, no cabe duda alguna de que el Tribunal Constitucional, al momento de decidir, tenía claridad meridiana sobre las diferencias entre el matrimonio y la unión marital de hecho. Fue por ese motivo que, concienzuda y deliberadamente, precisó que el término para la aplicación de la presunción de paternidad extramatrimonial principiaría su cómputo desde el inicio de la convivencia entre los padres, según se *acreditara* por el interesado.

Cabe preguntar, por supuesto, si la interpretación literal del condicionamiento de la Corte Constitucional impone un tratamiento más gravoso e injustificado al régimen de filiación de quienes nacen de una unión marital de hecho. La respuesta, delanteramente debemos decirlo, es a nuestro juicio negativa.

Puestos el matrimonio y la unión marital de hecho en estricto pie de igualdad, y de acuerdo con lo previsto por el artículo 214 del Código Civil, para que un hijo se pudiera reputar concebido en el vínculo y tuviera por padres a los cónyuges o compañeros permanentes, su nacimiento debería ocurrir después de expirados los ciento ochenta días subsiguientes al matrimonio o al inicio de la unión marital de hecho. Si se acepta la anterior premisa, es lógico que, para el cómputo del término de ciento ochenta días, el funcionario respectivo deba conocer la fecha del matrimonio o la fecha de inicio de la unión marital de hecho, según sea el caso.

Si se tratare de un matrimonio, corresponderá al interesado acreditar la circunstancia que alega, es decir, el matrimonio. A ese propósito, tendrá que hacer valer el registro civil de matrimonio que, conforme a lo previsto por el Decreto 1260 de 1970, es la prueba idónea. *A pari*, cuando se tratare de una unión marital de hecho, será deber del interesado acreditar la circunstancia que alega, esto es, la unión marital de hecho. Para el efecto, la ley no ha consagrado una prueba específica, por lo que son admisibles todos los medios de prueba conducentes, pertinentes y útiles de que disponga el interesado. Pero, con el objeto de simplificar la situación todavía más, la Corte Constitucional permitió que los interesados no tuvieran que probar la *comunidad de vida singular* y *permanente*, con vocación de conformar familia, sino que decidió echar mano del elemento que consideró más representativo de este tipo de uniones: la *convivencia*. Así, acreditada la *convivencia* se considera también probada la unión marital de hecho y quedan con ello esclarecidas las circunstancias fácticas para que el funcionario efectúe el conteo del término y aplique la presunción.

Salta a la vista, entonces, lo inocultable: no media en este caso un tratamiento más gravoso para quienes nacen de una unión marital de hecho que para quienes nacen de un matrimonio. En ambos casos, como quedó demostrado, se requiere acreditar el vínculo de que se trate. Lo que sucede es que la regulación difiere, como es obvio, por las diferencias propias entre la formación de la familia matrimonial y extramatrimonial. De ello se deriva, indefectiblemente, una justificación poderosa que sustenta la regulación que se hace para cada evento.

En nuestro criterio, el régimen actual de presunción de paternidad extramatrimonial está construido sobre una doble presunción. Sin embargo, sostener que se debe relevar al interesado de acreditar la convivencia entre los compañeros permanentes es tanto como querer establecer una triple presunción. Veamos:

El artículo 66 del Código Civil claramente señala que "se dice presumirse el hecho que se deduce de ciertos antecedentes o circunstancias conocidas". Por consiguiente, para que opere la presunción de paternidad extramatrimonial se requiere: primero, que haya un nacimiento; segundo, que haya una unión marital de hecho entre la madre que dio a luz y una tercera persona; y, tercero, que el nacimiento se produzca después de expirados los ciento ochenta días subsiguientes al inicio de la unión marital de hecho.

A su turno, debido a que la Corte Constitucional condicionó la exequibilidad de la presunción de paternidad extramatrimonial a que el término de ciento ochenta días se contabilizara "desde cuando se acredite el inicio de la convivencia entre los padres", es forzoso concluir que actualmente se *presume* que hay una unión marital de hecho si se acredita la *convivencia* de los compañeros permanentes. Es ese el antecedente o circunstancia conocida que abre paso a la segunda presunción.

Por tanto, una vez se acredite la convivencia (hecho o circunstancia conocida) se *presume* haber unión marital de hecho. Y si hay una unión marital de hecho (hecho o circunstancia conocida), un nacimiento (hecho o circunstancia conocida) y ese nacimiento se produce expirados los ciento ochenta días desde que se verifica la unión marital de hecho (hecho o circunstancia conocida), se tendrá que *presumir* la paternidad extramatrimonial del compañero permanente de la mujer que dio a luz.

Ahora bien, la triple presunción opera si se releva de la carga de la prueba a quien afirma la convivencia, así: con la sola afirmación del interesado (hecho o circunstancia conocida) se *presumiría* la convivencia; con la convivencia (hecho o circunstancia conocida) se *presumiría* la unión marital de hecho; y con la unión marital de hecho (hecho o circunstancia conocida), un nacimiento (hecho o circunstancia conocida) y que ese nacimiento se produzca expirados los ciento ochenta días desde que se verifica la unión marital de hecho (hecho o circunstancia conocida), se *presumiría* la paternidad extramatrimonial del compañero permanente de la mujer que dio a luz.

Semejante seguidilla de presunciones, además de complejizar el sistema en grado sumo, no persigue un objetivo constitucionalmente admisible. Como se dijo, la consecuencia jurídica de la interpretación exegética o literal del condicionamiento hecho por la Corte Constitucional en la Sentencia C-131 de 2018 no solo pone en un plano de igualdad real y material a los hijos habidos en una unión marital de hecho con los habidos en un matrimonio, sino que va un paso más allá y simplifica las cargas para los compañeros permanentes en la medida en que no exige probar una *comunidad de vida singular* y *permanente*, pues basta con acreditar la sola *convivencia*. Por el contrario, relajar el régimen de filiación hasta tal punto podría conducir, sin perjuicio del principio constitucional de buena fe, a la congestión del sistema judicial con procesos de impugnación de paternidad.

Finalmente, es de resaltar que el condicionamiento del fallo del Tribunal Constitucional es bastante claro al exigir la *acreditación* de la convivencia, por parte del interesado, para que se pueda aplicar la presunción de paternidad extramatrimonial. Por tanto, si los notarios o registradores sustraen a los interesados de tal obligación podrían llegar a incurrir en responsabilidad administrativa e incluso penal.

En síntesis, respecto de la presunción de paternidad extramatrimonial se puede decir que la Corte Constitucional estableció que se deberá acreditar la convivencia, hecho que será susceptible de prueba por cualquiera de los medios legalmente autorizados.

5. Conclusión

A manera de conclusión de todo lo expuesto, se puede señalar lo siguiente:

1) Entre la fecha de promulgación de la Ley 54 de 1990 y la fecha de promulgación de la Ley 640 de 2001, la única forma de probar la existencia de la unión marital de hecho era mediante sentencia judicial.

2) Entre la fecha de promulgación de la Ley 640 de 2001 y la fecha de promulgación de la Ley 979 de 2005, además de la sentencia judicial, se autorizó la posibilidad de que se probara la existencia de la unión marital de hecho mediante acta de conciliación. En efecto, la Ley 640 de 2001 estableció que las acciones de reconocimiento y existencia de unión marital de hecho debían agotar el requisito de conciliación extrajudicial. Por tanto, si las partes lograban un acuerdo conciliatorio, éste prestaría mérito ejecutivo.

3) A partir de la promulgación de la Ley 979 de 2005 se modificó el artículo 4° de la Ley 54 de 1990, en el sentido de señalar expresamente que la existencia de la unión marital de hecho se podría probar mediante sentencia judicial, acta de conciliación o escritura pública.

4) Conforme al desarrollo jurisprudencial, la prueba de la unión marital de hecho, para los efectos exclusivos de la demostración de la sociedad patrimonial, se constituye por los medios previstos en el artículo 4° de la Ley 54 de 1990, tal como fue modificado por el artículo 2° de la Ley 979 de 2005, a saber: (i) sentencia judicial; (ii) acta de conciliación en centro legalmente constituido; y (iii) escritura pública otorgada ante notario.

5) Sobre la sentencia judicial. El conocimiento del proceso corresponderá a los jueces de familia del domicilio común anterior en primera instancia y la providencia que pone fin al litigio *declara* una situación existente, no la *constituye*. Para efectos de la acreditación de la unión marital de hecho, los interesados podrán hacer uso de todos los medios de prueba previstos en el ordenamiento procesal vigente, no hay restricciones.

6) Sobre el acta de conciliación en centro legalmente constituido. El acta de conciliación debe ser suscrita por los compañeros permanentes, de donde se deduce que si alguno de los dos ha fallecido no será posible acudir a este medio para declarar la existencia de la unión marital de hecho. Es factible que se solicite la conciliación en cualquier tiempo y las partes se pongan de acuerdo sobre la existencia de la unión marital de hecho. Sin embargo, en caso de que se quiera obtener la declaratoria de la unión marital de hecho por vía judicial, la conciliación extrajudicial será siempre un requisito de procedibilidad cuya pretermisión desencadenará, indefectiblemente, en la inadmisión y ulterior rechazo de la demanda.

7) Sobre la escritura pública. Los compañeros permanentes que, de común acuerdo, quieran declarar la existencia de su unión marital de hecho, podrán comparecer a una notaría para que se protocolice la escritura pública respectiva.

8) Para todas las demás pretensiones, distintas de la sociedad patrimonial, la jurisprudencia de la Corte Constitucional ha reconocido que la unión marital de hecho se puede probar por vías distintas de las consagradas en el artículo 4° de la Ley 54 de 1990.

9) Para la afiliación al Plan Obligatorio de Salud (POS), la Corte Constitucional ha sostenido que basta con que los compañeros permanentes hagan una declaración juramentada ante notario, sin que sea dable exigir requisito adicional alguno para probar la unión marital de hecho.

10) En cuanto a la exoneración de la prestación del servicio militar obligatorio, la Corte Constitucional ha transitado por varios caminos. Primero sostuvo que la única forma de probar la existencia de una unión marital de hecho, y así obtener la exoneración de prestar el servicio militar, era mediante los cauces definidos por el artículo 4º de la Ley 54 de 1990, esto es, por escritura pública, acta de conciliación o sentencia judicial. Más adelante, dio como acreditada la unión marital de hecho en un proceso en el que se allegaron dos declaraciones juramentadas de terceras personas, distintas de los compañeros permanentes. Y, finalmente, concluyó que era admisible cualquier medio de prueba que hicieran valer los interesados, con tal que se acreditara efectivamente la existencia de la unión marital de hecho.

11) Para el reconocimiento de resarcimientos económicos, en procesos contra el Estado, la Corte Constitucional tiene entendido que la unión marital de hecho se puede acreditar por todos los medios de prueba autorizados por el Código General del Proceso.

12) Por lo que toca con la eficacia de la presunción de paternidad extramatrimonial, la Corte Constitucional señaló que ella operaría siempre y cuando el interesado acreditara la *convivencia*. Obviamente, para efectos de la prueba, serán admisibles todos los elementos de que disponga el interesado.

SECCIÓN VII. FINALIZACIÓN DE LA UNIÓN MARITAL DE HECHO

Sea que la unión marital de hecho se trate como *negocio jurídico* o como un simple *hecho jurídico*, no cabe duda alguna en cuanto a que el Legislador pretermitió la consagración de causales específicas para su finalización. La anterior afirmación se robustece, en grado sumo, con la Sentencia C-117 de 2021, M.P. ALEJANDRO LINARES CANTILLO, en la cual la Corte Constitucional se declaró inhibida para conocer de una demanda ciudadana en la que se pretendía extender las causales de divorcio —propias del matrimonio— a las uniones maritales de hecho. El siguiente fue el razonamiento de la Corporación:

"[E]l demandante no logró establecer la manera en la que los cónyuges y los compañeros permanentes debían estar sujetos a iguales consecuencias ante la ley, respecto a la terminación del vínculo y sus efectos. Cabe resaltar que, las uniones maritales de hecho pueden darse por terminadas cuando ha cesado la convivencia entre la pareja, sin que exista necesidad de acudir a un proceso notarial o judicial para el efecto, a diferencia de lo que sucede con los cónyuges. Por ende, con los elementos aportados en la demanda, no se pudo establecer si existe un trato diferenciado entre sujetos con rasgos comunes o si, por el contrario, se trataría de un trato desigual ante sujetos diferentes[512]. (…)

[E]l artículo 154 del mencionado Código alude a las *'causales de divorcio'*, las cuales no fueron configuradas por el Legislador en el régimen aplicable a las uniones maritales de hecho, por cuanto una de las diferencias estructurales entre este tipo de vínculo y el de matrimonio es precisamente la inexistencia de formalidades para dar por terminada la unión.

47. La sentencia C-1033 de 2002 indicó que la obligación alimentaría surgía a cargo del cónyuge culpable, como sanción a la conducta que originó el rompimiento del vínculo matrimonial en el caso del divorcio, propio del matrimonio civil. También afirmó que esta posibilidad surge en los procesos de cesación de los efectos civiles, en el matrimonio, o la causal que suspende la vida en común de los casados y disuelve la sociedad conyugal, en el caso de la separación de cuerpos. En virtud de lo anterior, consideró la Corte en dicha sentencia que no se podía estructurar un juicio de igualdad, en tanto el divorcio y la separación de cuerpos son figuras que operan exclusivamente en el contrato matrimonial y, por lo tanto, no están previstas para los miembros de las uniones maritales de hecho:

'El divorcio y la separación de cuerpos son figuras jurídicas que operan en el campo exclusivo del contrato matrimonial y por lo mismo no regulan las relaciones entre los miembros de la unión marital de hecho. Pretender que ello sea así, es partir del supuesto de que el matrimonio y la unión marital de

---

[512] Como en su momento lo indicó la sentencia C-841 de 2010, al inhibirse respecto a un juicio de igualdad, *"para estructurar un verdadero cargo de inconstitucionalidad por violación del principio de igualdad, no es suficiente con sostener que la disposición objeto de controversia establece un trato diferente entre dos o más personas, grupos o sectores y que ello es contrario al artículo 13, como en esta oportunidad lo pretenden los demandantes. Se requiere también, que se identifique claramente el término de comparación y, a su vez, que se señalen los motivos o razones por los cuales se considera que la supuesta diferencia es inconstitucional, respaldando tal afirmación con verdaderos cargos de constitucionalidad dirigidos a cuestionar directamente el fundamento de la medida. El cumplimiento de esta exigencia es particularmente relevante, pues, siguiendo la hermenéutica constitucional sobre la materia, la realización de la igualdad no le impone al legislador la obligación de otorgar a todos los sujetos el mismo tratamiento jurídico, ya que no todos se encuentran bajo situaciones fácticas similares ni gozan de las mismas condiciones o prerrogativas personales e institucionales".*

> *hecho son instituciones equiparables y tienen los mismos efectos jurídicos, lo*
> *cual, como se ha explicado, es un supuesto interpretativo equivocado.*
>
> *En efecto, al no existir regulación normativa que permita determinar la cul-*
> *pabilidad de uno de los compañeros permanentes en la ruptura de la unión*
> *marital de hecho, no puede equipararse la condición del cónyuge culpable a*
> *la de un "compañero culpable" y mucho menos la existencia de un "compa-*
> *ñero permanente divorciado o separado de cuerpos", inferencia que surge de*
> *la interpretación que hace la accionante de la disposición acusada, la cual no*
> *admite dicho entendimiento*'[513]*".*

Más allá de las consideraciones en torno al régimen de alimentos, que se abordan con buen detalle en el Tomo II de esta obra, lo que importa resaltar es que no hay un régimen que discipline la culminación de la unión marital de hecho entre nosotros. Por tal motivo, en virtud de la naturaleza declarativa del reconocimiento de esta forma de conformar familia, la fuerza de la razón obliga a admitir que la unión marital de hecho termina cuando se verifica que han desaparecido uno o varios de los elementos que sirven de base para su configuración.

Así las cosas, a título enunciativo mencionaremos algunas de las causas por las que puede operar la finalización de esta figura:

1) Por la separación definitiva de los compañeros permanentes, por la razón que fuere. Importa destacar, en este aspecto, la condición de que la separación sea *definitiva*, puesto que la sola separación *temporal* no tiene la entidad de dar al traste con la unión marital de hecho. También se debe destacar que, con motivo de la Sentencia C-117 de 2021, antes transcrita, la Corte Constitucional reconoció que la culminación de la unión por razones de violencia intrafamiliar o malos tratos dan lugar a que el compañero permanente culpable quede obligado al pago de alimentos en favor del inocente.

2) Por la muerte de uno o ambos compañeros permanentes. En tal caso, es claro que no puede haber *comunidad de vida singular* y *permanente* entre ellos.

3) Por la inclusión de otros miembros a la relación; esto es, por ejemplo, la conformación de un harén o una *trieja*. En este evento se contravendrían dos requisitos: (i) por un lado, se superaría el límite máximo de

---

[513] Corte Constitucional, sentencia C-1033 de 2002.

integrantes que exige la ley (la pareja); y, (ii) por el otro, se abdicaría de la *singularidad*, pues habría dos o más relaciones de la misma especie.

4) Por el matrimonio de los compañeros permanentes entre sí. Aquí sería evidente la finalización de la unión marital de hecho, pues el régimen legal que comenzaría a disciplinar la relación sería el del matrimonio.

5) Por el matrimonio de uno de los compañeros permanentes con terceros. Si el matrimonio es real, y no simulado, conllevará la desaparición de dos elementos de la unión marital de hecho: (i) por un lado, finalizará la *comunidad de vida*, pues con la celebración del matrimonio se consiente en la conformación de una unidad vital con la contraparte, lo cual excluye, necesariamente, la continuidad de proyectos de vida con terceros que se hayan iniciado en el pasado; y, (ii) por el otro, se echará de ver la *singularidad*, porque si continúa la unión marital de hecho habrá dos relaciones maritales o, lo que es lo mismo, de la misma especie.

Capítulo XI.
Régimen de las leyes 49 de 1990 y 6ª de 1991: reformas tributarias en la administración Gaviria Trujillo

En las elecciones presidenciales de 1990, que estuvieron precedidas por un lamentable asesinato sistemático de candidatos, el liberal César Gaviria Trujillo, Ministro de Hacienda del gobierno Barco, se impuso sobre sus contendores. El mismo año de su elección, de la mano con su Ministro de Hacienda, Rudolf Hommes Rodríguez, el gobierno Gaviria sometió a discusión el proyecto de reforma tributaria que, a la postre, sería aprobado como Ley 49 de 1990. Dos años más tarde, en 1992, nuevamente discutió y aprobó, en el seno del Parlamento, otra reforma tributaria, que quedó vertida en la Ley 6ª.

Debido a que ambas reformas tributarias se orientaron a modificar el ordenamiento jurídico en aspectos distintos del impuesto sobre la renta (salvo puntuales excepciones), aglutinaremos su estudio en un solo Capítulo por razones metodológicas, dividido, eso sí, en dos Secciones independientes. Veamos:

SECCIÓN I. LEY 49 DE 1990

Como es apenas natural, la Ley 49 de 1990 siguió los lineamientos neoliberales trazados por la Ley 75 de 1986, ambientada por César Gaviria cuando fungía como Ministro de Hacienda. Así pues, resulta también natural que la mayor parte del cuerpo normativo en análisis se haya enfocado en desmontar el régimen proteccionista[514], liberalizar los mercados, fortalecer los Fiscos subnacionales y alcanzar mayores recaudos por medio de los impuestos al gasto, como el IVA. Sin embargo, para nuestro estudio cobran particular interés las disposiciones de los artículos 10, 11, 12 y 13 de la Ley 49 de 1990, que ampliaron el universo de contribuyentes no declarantes. Veamos:

---

[514] Revista del Instituto Colombiano de Derecho Tributario. Número 41. Año 27. Ed. Instituto Colombiano de Derecho Tributario. Bogotá, 1991. Pág. 55.

Mediante el artículo 10, se adicionó el Estatuto Tributario con el artículo 594-1 y se estableció que los trabajadores independientes no estarían obligados a presentar declaración del impuesto sobre la renta, siempre y cuando cumplieran los siguientes requisitos: (i) no ser responsables del impuesto a las ventas; (ii) que sus ingresos brutos estuvieran debidamente facturados; (iii) que, al menos, el 80% o más de sus ingresos brutos facturados tuvieran su origen en honorarios, comisiones y servicios sobre los cuales se hubiera practicado la respectiva retención en la fuente; (iv) que los ingresos totales del ejercicio gravable no fueran superiores a \$8.000.000 (valor año base 1990); y (v) que su patrimonio bruto en el último del año no excediera de \$15.000.000 (valor año base 1990).

Por otro lado, el artículo 11 de la ley modificó los ordinales 1° y 3° del artículo 593 del Estatuto Tributario, en el sentido de incrementar (i) el tope de patrimonio bruto de los asalariados para no ser declarantes, de \$7.000.000 a \$15.000.000, y (ii) el tope de ingresos totales anuales de los asalariados para no ser declarantes, de \$4.700.000 a \$12.000.000.

El artículo 12 de la ley modificó el ordinal 1° del artículo 592 del Estatuto Tributario, de manera que, independientemente de su fuente de ingresos, las personas naturales que obtuvieran ingresos brutos inferiores a \$3.000.000[515] y poseyeran, en el último día del período gravable, un patrimonio bruto inferior a \$15.000.000[516], no estarían obligadas a presentar declaración del impuesto sobre la renta.

Finalmente, el artículo 13 de la ley dispuso que, "[e]l valor límite de patrimonio bruto del año gravable 1991, señalado como requisito para considerarse como contribuyente no declarante, en los artículos 592, 593 y 594-1, se duplicar[ía] para el año gravable de 1992".

Las razones para las anteriores modificaciones fueron esgrimidas por el Ministro de Hacienda, HOMMES RODRÍGUEZ, en la exposición de motivos del proyecto de ley, cuyo texto es el siguiente:

> "La simplificación del sistema tributario ha venido reduciendo el universo de declarantes desde 1984, época en que se llegó a tener una población declarante de más de 2 millones, cuando buena parte de ellos ya habían cubierto su impuesto a través de la retención en la fuente, por lo cual el exigirles el cumplimiento de la obligación de declarar resultaba inoficioso y altamente

---

[515] El texto original del ordinal 1° del artículo 594 del Estatuto Tributario fijaba la suma en \$1.200.000.

[516] El texto original del ordinal 1° del artículo 594 del Estatuto Tributario fijaba la suma en \$700.000.

costoso para el Estado. Sin duda, la actualización de la base para declarar ha demostrado sus beneficios para la administración tributaria; pues sin sacrificar el recaudo, se ha reducido el número de declarantes a menos de 1 millón. Tal categoría se encuentra discriminada en 130.000 sociedades y más de 700.000 personas naturales, siendo los asalariados el sector que más se ha beneficiado con la medida, al pasar de cerca de millón y medio en 1984 a sólo 65.000 en 1988.

El proyecto busca entonces, ampliar la categoría de contribuyentes no declarantes para las personas naturales cuyos ingresos brutos recibidos en el año, estén compuestos en más de un 80% por honorarios, servicios y comisiones, con lo cual el impuesto sobre la renta para estos contribuyentes será la suma de las retenciones efectuadas durante el año sobre los ingresos recibidos, tal como ocurre hoy con los contribuyentes no obligados a presentar declaración de renta. Como en este sector solamente se incluyen las personas de ingresos bajos y medios, se han puesto topes máximos para pertenecer a esta categoría, ingresos totales no superiores a 6 millones [en el tránsito legislativo se aumentó a 8] en el año y patrimonio bruto poseído de 15 millones, para hacer compatible el tamaño de los contribuyentes incluidos.

Para los contribuyentes asalariados no declarantes, es necesario actualizar las bases de ingresos y patrimonio teniendo en cuenta las modificaciones legales introducidas en estos años. Ciertamente, el impuesto de patrimonio sobre la casa de habitación se ha eliminado sobre los primeros 10 millones de patrimonio neto; este hecho, sumado al proceso de formación catastral adelantado desde 1983, implica que muchos asalariados se verían obligados a presentar declaración de renta simplemente por los efectos patrimoniales de su casa de habitación, de no tomarse la decisión comentada"[517].

SECCIÓN II. LEY 6ª DE 1992

En forma semejante a lo ocurrido con la Ley 49 de 1990, la Ley 6ª de 1992 estuvo dirigida a regular diversos aspectos (impuesto sobre el valor agregado, impuesto de timbre, impuesto a la gasolina y el ACPM, contribución para la descentralización, control tributario, cobro coactivo y fortalecimiento de la Administración, entre otros), por lo que las modificaciones en relación con el impuesto sobre la renta, a pesar de contar con un capítulo

---

[517] Exposición de Motivos de la Ley 49 de 1990. Disponible en: Revista del Instituto Colombiano de Derecho Tributario. Número 41. Año 27. Ed. Instituto Colombiano de Derecho Tributario. Bogotá, 1991. Pág. 69.

expreso, fueron más bien escasas[518]. Del cuerpo normativo, contentivo de 140 artículos, interesan a nuestro estudio dos en particular: (i) el primero, relacionado con una "contribución especial" o sobretasa del impuesto sobre la renta; y, (ii) el segundo, tocante con la disminución de la base de retención en la fuente por pagos efectuados a medicina prepagada. Veamos:

I. Contribución especial – Sobretasa del impuesto sobre la renta

El artículo 11 de la ley adicionó el artículo 248-1 del Estatuto Tributario y creó una "contribución especial", a cargo de los contribuyentes del impuesto sobre la renta y complementarios, que en realidad corresponde a una sobretasa. Veamos:

> "Artículo 248-1. Contribución especial a cargo de contribuyentes declarantes del impuesto sobre la renta. Créase una contribución especial para los años gravables 1993 a 1997, inclusive, a cargo de los declarantes del impuesto sobre la renta y complementarios. Esta contribución será equivalente al veinticinco por ciento (25 %) del impuesto neto sobre la renta determinado por cada uno de dichos años gravables y se liquidará en la respectiva declaración de renta y complementarios".

> Parágrafo primero. Tendrán derecho a solicitar un descuento equivalente al cincuenta por ciento (50 %) de la contribución a su cargo del respectivo año gravable, las personas naturales, sucesiones ilíquidas y las asignaciones y donaciones modales, que inviertan un quince por ciento (15 %) de su renta gravable obtenida en el año inmediatamente anterior, en acciones y bonos de sociedades cuyas acciones, en dicho año, hayan registrado un índice de bursatilidad alto, o que conformen el segundo mercado, de acuerdo con lo dispuesto por la Sala General de la Superintendencia de Valores; o en sociedades de economía mixta o privadas que tengan como objeto exclusivo la prestación de servicios públicos de acueducto, alcantarillado, aseo, gas y/o generación de energía; o en participaciones o bonos de largo plazo en cooperativas; o en ahorro voluntario en fondos de pensiones u otras formas de ahorro contractual a largo plazo destinado al cubrimiento de pensiones. (...)

---

[518]   Así se sigue, con toda claridad, de las Memorias al Congreso Nacional, presentadas por el Ministro de Hacienda, RUDOLF HOMMES, en los años 1992 y 1993. Tanto es así, que en la Memoria de 1992-1993 ni siquiera se trata la temática del impuesto sobre la renta, sino que se alude a los demás mecanismos incorporados en la legislación tributaria. (Cfr. RUDOLF HOMMES RODRÍGUEZ. *Memoria al Congreso Nacional 1992.* Ed. Ministerio de Hacienda y Crédito Público. Bogotá, 1992. Pág. 36 a 39; y RUDOLF HOMMES RODRÍGUEZ. *Memoria al Congreso Nacional 1992-1993.* Ed. Ministerio de Hacienda y Crédito Público. Bogotá, 1993. Pág. 15 y 16)

En el caso en que la inversión que se efectúe sea de un porcentaje inferior al quince por ciento (15 %) de la renta gravable, el monto del descuento tributario se disminuirá proporcionalmente".

No se elucubrará en torno a la naturaleza jurídica del pago que debían asumir los contribuyentes, toda vez que eso comportaría una desviación innecesaria de nuestro objeto de estudio. Importa, sí, hacer ver que todos los contribuyentes deberían liquidar un mayor importe del 25 %, a título de "contribución especial", de su impuesto neto sobre la renta. Sin embargo, las personas naturales o sucesiones ilíquidas que invirtieran un 15 % de su renta líquida del año gravable inmediatamente anterior en sociedades y bonos con índice de bursatilidad alto, empresas de servicios públicos, bonos a largo plazo en cooperativas o ahorraran en fondos de pensiones, tendrían derecho a un descuento del 50 % de la contribución especial[519].

Las razones que dieron lugar a que se creara la sobretasa en comentario fueron explicadas por el Ministro de Hacienda, RUDOLF HOMMES, en la exposición de motivos del proyecto que se convertiría en la Ley 6ª de 1992, así:

"Se establece una contribución especial de carácter temporal (...), a cargo de los declarantes del impuesto sobre la renta y complementarios. (...) Para el caso de las personas naturales, se reconoce similar descuento, si invierten parte de su renta gravable obtenida en el año inmediatamente anterior, en sociedades que en dicho año hayan transado en bolsa un volumen de acciones por lo menos equivalente a un cuarenta por ciento (40 %) del total de sus acciones en circulación, con lo cual se promueve el mercado accionario"[520].

Fluye de lo anterior que la intención de la norma, explicada por el Gobierno Nacional, no fue otra que la promoción del mercado accionario. Tal voluntad quedó plasmada el artículo 2º del Decreto Reglamentario 2076 de 1992, en el que se exigía, para la procedencia del descuento, mantener la inversión por un período de un año como mínimo. Esta exigencia fue morigerada por el artículo 3º del Decreto Reglamentario 2057 de 1993, en el que se redujo el término de mantenimiento de la inversión a tres meses.

---

[519] Sobre este aspecto, véase a JUAN DE DIOS BRAVO GONZÁLEZ. *Comentarios a la ley 6º de 1992 en materia del impuesto sobre la renta* en Revista del Instituto Colombiano de Derecho Tributario. Número 43. Año 29. Ed. Instituto Colombiano de Derecho Tributario. Bogotá, 1993. Pág. 241.

[520] Exposición de Motivos al Proyecto de Ley 20 de 1992. Disponible en: Revista del Instituto Colombiano de Derecho Tributario. Número 43. Año 29. Ed. Instituto Colombiano de Derecho Tributario. Bogotá, 1993. Pág. 99.

Adicionalmente, el artículo 11 de la Ley 6ª de 1992 modificó el artículo 115 del Estatuto Tributario, en el sentido de adicionar un parágrafo transitorio, según el cual sería deducible del impuesto sobre la renta del contribuyente, en el año del pago efectivo, el importe liquidado a título de "contribución especial"[521].

II. Depuración de la base de la retención en la fuente

El artículo 387 del Estatuto Tributario, en su versión original, provenía del Decreto Legislativo 2553 de 1974 (art. 47) y de la Ley 55 de 1985 (art. 39). Su texto únicamente admitía la reducción de la base sobre la cual se practicaba la retención en la fuente con intereses o corrección monetaria en virtud de préstamos para la adquisición de vivienda. Cuando comentamos esta disposición, *supra*, sostuvimos que era un claro desarrollo del asentamiento del neoliberalismo en el ámbito tributario, toda vez que se limitaron profundamente las exenciones personales —generales y especiales— que se habían consagrado en las leyes anteriores.

En esta oportunidad, fruto de las discusiones que se surtieron al interior del Parlamento, se admitió la depuración de la base sobre la cual se practica la retención en la fuente con gastos de salud y educación en que incurriera el contribuyente. En la primera versión del artículo, aprobada por las Comisiones Terceras y Cuartas del Senado y Cámara de Representantes, parecía posible deducirla de la base de retención en la fuente, tanto con los intereses causados por préstamos para la adquisición de vivienda, como con las erogaciones en que, por concepto de salud y educación, hubiera incurrido el contribuyente[522].

Sin embargo, el Parlamentario VÍCTOR RENÁN BARCO, ponente para Cuarto Debate en Plenaria del Senado, presentó, en su Informe, una proposición sustitutiva del artículo, que correspondió al texto con el cual fue finalmente aprobada la modificación al artículo 387 del Estatuto Tributa-

---

[521] Sobre este aspecto, véase a JUAN DE DIOS BRAVO GONZÁLEZ. *Comentarios a la ley 6º de 1992 en materia del impuesto sobre la renta* en Revista del Instituto Colombiano de Derecho Tributario. Número 43. Año 29. Ed. Instituto Colombiano de Derecho Tributario. Bogotá, 1993. Pág. 236 y 237.

[522] Véase la Ponencia para Segundo Debate, en Plenaria de Cámara de Representantes, del Proyecto de Ley 20 de 1992, presentada por RODRIGO GARAVITO HERNÁNDEZ. Disponible en: Revista del Instituto Colombiano de Derecho Tributario. Número 43. Año 29. Ed. Instituto Colombiano de Derecho Tributario. Bogotá, 1993. Pág. 150.

rio[523]. El texto del artículo 387, con la adición incorporada por el artículo 120 de la Ley 6ª de 1992, pasó a ser el siguiente:

"Artículo 387. En el caso de trabajadores que tengan derecho a la deducción por intereses o corrección monetaria en virtud de préstamos para adquisición de vivienda, la base de retención se disminuirá proporcionalmente en la forma que indique el reglamento".

El trabajador podrá optar por disminuir de su base de retención lo dispuesto en el inciso anterior o los pagos por salud y educación conforme se señalan a continuación, siempre que el valor a disminuir mensualmente, en este último caso, no supere el quince por ciento (15%) del total de los ingresos gravados provenientes de la relación laboral o legal y reglamentaria del respectivo mes, y se cumplan las condiciones de control que señale el Gobierno Nacional:

a) Los pagos efectuados por contratos de prestación de servicios a empresas de medicina prepagada vigiladas por la Superintendencia Nacional de Salud, que impliquen protección al trabajador, su cónyuge y hasta dos hijos.

b) Los pagos efectuados por seguros de salud, expedidos por compañías de seguros vigiladas por la Superintendencia Bancaria, con la misma limitación del literal anterior, y

c) Los pagos efectuados, con la misma limitación establecida en el literal a), por educación primaria, secundaria y superior, a establecimientos educativos debidamente reconocidos por el Icfes o por la autoridad oficial correspondiente.

Lo anterior será sólo aplicable a los asalariados que tengan unos ingresos laborales inferiores a quince millones seiscientos mil pesos ($ 15.600.000) en el año inmediatamente anterior. (Valor año base 1992).

Parágrafo. La opción establecida en este artículo será aplicable a partir del primero de enero de 1993.

Así las cosas, se amplió la posibilidad de que los trabajadores redujeran la base sobre la cual se practicaba la retención en la fuente: o bien con

---

[523]   Véase la Ponencia para Cuarto Debate, en Plenaria del Senado de la República, del Proyecto de Ley 20 de 1992, presentada por Víctor Renán Barco. Disponible en: Revista del Instituto Colombiano de Derecho Tributario. Número 43. Año 29. Ed. Instituto Colombiano de Derecho Tributario. Bogotá, 1993. Pág. 162. En su proposición, dijo el ponente: "Se reescribe el artículo, para clarificar que la nueva posibilidad de disminución de la base de retención de los asalariados, por pagos de salud y educación, se consagra como una opción que, de ser acogida en un caso concreto, excluye la vigente por intereses sobre préstamos para adquisición de vivienda".

los intereses causados por préstamos para adquisición de vivienda, o bien con los pagos por educación o salud, en los términos transcritos. Huelga advertir, en todo caso, que la posibilidad de tomar la opción solo se contempló para quienes tuvieran ingresos laborales (y no totales) inferiores a $15.600.000 en el año gravable.

Finalmente, se debe observar que la alternativa para la depuración de la base de retención en la fuente fue reglamentada por el Decreto 2000 de 1992, artículos 3° y siguientes.

Esta adición resulta indiscutiblemente acertada, porque verdaderamente repara en que los contribuyentes, que son normalmente los padres y madres que trabajan para sostener a sus familias y a sí mismos, tienen una obligación natural, prohijada por el derecho positivo, de incurrir forzosamente en erogaciones tendientes a educar y cuidar de la salud de su prole. Por consiguiente, aunque no se trate de gastos que guardan "relación de causalidad, necesidad y proporcionalidad con la actividad productora de renta", indudablemente deben ser reconocidos como expensas deducibles en un ordenamiento jurídico que, como el colombiano, consagra una especial protección a la familia en sus cánones constitucionales.

Capítulo XII.
Ley 25 de 1992: divorcio y cesación de efectos civiles de matrimonios religiosos

Hacia finales de la década de 1980 soplaron los vientos de reforma constitucional en Colombia. La Carta Política de 1886, tributaria de la *Regeneración*, había cumplido su misión. Las modificaciones al ordenamiento Superior quedaron seriamente menguadas desde la aprobación del '*Plebiscito*' de 1957, en cuyo artículo 13 se atribuyó la facultad exclusiva al Congreso de tramitar reformas constitucionales. Pese a que la Corte Suprema de Justicia admitió la variación al texto supralegal que se efectuó en 1968, durante el Gobierno del Presidente LLERAS RESTREPO, ese mismo Órgano declaró que la *Pequeña Constituyente* del Presidente LÓPEZ MICHELSEN, de 1978, no se ajustaba a la Carta e impidió así que se le diera trámite a la iniciativa reformatoria.

Luego de varios traspiés, las iniciativas del movimiento estudiantil y el pacto político bipartidista vieron la luz al final del túnel cuando la Corte Suprema de Justicia respaldó, jurídicamente, la convocatoria a la Asamblea Nacional Constituyente, con lo cual se abriría paso la Carta Política de 1991. De los muchos y muy importantes aspectos que introdujo la nueva Constitución, es de destacar en este Capítulo la elevación y consagración en el texto supralegal de la *familia* en general, y de la cesación de efectos civiles de los matrimonios en particular. En desarrollo de lo previsto por el artículo 42 la Carta Política de 1991, el 17 de diciembre de 1992 se promulgó la Ley 25 de ese año, publicada en el Diario Oficial número 40.693 del día siguiente.

Es común oír que el divorcio nació en Colombia con la Ley 25 de 1992, pero esa afirmación es del todo incorrecta. Según se dejó expuesto en los Capítulos que anteceden, el divorcio vincular fue instituido en nuestro ordenamiento jurídico por la Ley 1ª de 1976. Sin embargo, la virtud de la ley 25 de 1992 estribó en desarrollar los mandatos incorporados por el artículo 42 de la Carta Política en dos frentes específicos: (i) la cesación de efectos civiles de los matrimonios religiosos; y (ii) las causales para la obtención del divorcio vincular. Por su elevada importancia para nuestro análisis, estudiaremos cada uno de esos frentes en dos Secciones independientes, a saber:

SECCIÓN I. CESACIÓN DE EFECTOS CIVILES
DE MATRIMONIOS RELIGIOSOS

I. *Breves apuntaciones históricas*

Si bien el Código Civil reguló, desde siempre, todos los aspectos relacionados con los matrimonios que se celebraran por el rito *civil*, su aplicación fue, las más de las veces, escasa. La razón, sencilla pero contundente, obedece a que la mayoría de las personas en Colombia profesaban la religión católica. Ello conducía a que, en línea con los dictados del Concilio de Trento, sus nupcias se debieran verificar por las autoridades eclesiásticas, al cobijo de las solemnidades y procedimientos establecidos en la legislación canónica, y no conforme a las disposiciones del Estado colombiano. Así se evidencia, con toda claridad, en los artículos XVII a XIX del Concordato suscrito entre Colombia y la Santa Sede en 1887, incorporados al ordenamiento doméstico por la ley 35 de 1888, cuyo texto es el siguiente:

> "ARTÍCULO XVII. El matrimonio que deberán celebrar todos los que profesan la Religión Católica producirá efectos civiles respecto a las personas y bienes de los cónyuges y sus descendientes solo cuando se celebre de conformidad con las disposiciones del Concilio de Trento. El acto de la celebración será presenciado por el funcionario que la ley determine con el solo objeto de verificar la inscripción del matrimonio en el registro civil, a no ser que se trate de matrimonio *in articulo mortis*, caso en el cual podrá prescindirse de esta formalidad si no fuere fácil llenarla y reemplazarla por pruebas supletorias. Es de cargo de los contrayentes practicar las diligencias relativas a la intervención del funcionario civil para el registro, limitándose la acción del párroco a hacerles oportunamente presente la obligación que la ley civil les impone.
>
> ARTICULO XVIII. Respecto de matrimonios celebrados en cualquier tiempo de conformidad con las disposiciones del Concilio de Trento y que deban surtir efectos civiles, se admiten de preferencia como pruebas supletorias las de origen eclesiástico.
>
> ARTICULO XIX. Serán de la exclusiva competencia de la autoridad eclesiástica las causas matrimoniales que afecten el vínculo del matrimonio y la cohabitación de los cónyuges, así como las que se refieren a la validez de los esponsales. Los efectos civiles del matrimonio se regirán por el Poder Civil".

Corolario obligado del texto transcrito es que el Estado colombiano abdicó de la facultad de alcanzar, con su regulación civil, a los católicos que contrajeran nupcias. En efecto, para los católicos dejó de ser una obligación *moral* contraer nupcias por el rito eclesiástico[524] y se convirtió en una obligación *legal*, positivizada en la primera oración del artículo XVII. Así mismo, el propio artículo XIX atribuyó competencia exclusiva a la autoridad eclesiástica para conocer de las causas matrimoniales que afectaran el vínculo, como lo era el *divorcio quoad thorum et cohabitationem* (hoy separación de cuerpos). Por consiguiente, las disposiciones del Estatuto Civil sobre el matrimonio terminaron relegadas, en su aplicación, para los católicos que apostataran y/o quienes profesaran otras religiones (o ninguna).

Tan estricta era la aplicación de este mandato que, para confirmarlo, bueno es evocar, a manera de anécdota, y muy ilustrativa, la excomunión del eximio jurista, tratadista y Magistrado de la Corte Suprema de Justicia, JOSÉ J. GÓMEZ R. —se dice que es anecdótica porque la condena fue revocada por las autoridades eclesiásticas—. Cuando GÓMEZ fungía como Juez Civil Municipal, en la primera mitad de la década de 1920, ofició un matrimonio *civil* entre dos contrayentes que habían dicho apostatar de su religión católica y profesaban en ese entonces el protestantismo. En 1919, el Vicario General de Diócesis de Medellín había dictado un decreto, conforme al cual "incurrían ipso facto en excomunión, no solo las personas que contrajeran matrimonio llamado civil estando obligadas a observar la forma eclesiástica, y los testigos que en tales ceremonias interviniesen, sino también los Magistrados que por razón de sus funciones presenciaran esta clase de nupcias"[525].

Así pues, como consecuencia de la aplicación del decreto en mención, fue excomulgado el jurista (su secretario, los contrayentes, los testigos y el juez que conoció en segunda instancia de la apelación). Luego de una ardua y extensa batalla legal, el Tribunal de la Sagrada Rota Romana, integrado por los Magistrados MAXIMO MASSIMI (ponente), RAFAEL CHIMENTI y JULIO GRAZIOLI, profirió sentencia de segunda instancia, el 17 de julio de 1924, en que resolvió declarar que "[n]o es verdad que el señor JOSÉ J. GÓMEZ ha incurrido en excomunión en este caso"[526].

---

[524]   Es cierto que el *Codex Iuris Canonici* de 1917 preveía, en su canon 1099, la obligación de que los católicos observaran los ritos tridentinos para sus nupcias, so pena de excomunión. Pero esa obligación era de orden moral, y por supuesto religioso, extraña a la legislación civil colombiana. En cambio, con la positivización del mandato, en el artículo XVII del Concordato, se entiende que la ley colombiana también se ocupó de regular tal supuesto.

[525]   Sentencia del 17 de julio de 1924, proferida por el Tribunal de la Sagrada Rota Romana, integrado por los Magistrados MAXIMO MASSIMI (ponente), RAFAEL CHIMENTI y JULIO GRAZIOLI. Folio 1.

[526]   *Ibídem.* Folio 5.

Aunque las resultas del proceso fueron favorables para el Juez Gómez, es nítido que la rigidez con que se aplicaba la norma del Concordato, por parte de algunos miembros de la Iglesia Católica, era de tal grado que excluía casi por completo la posibilidad de que se celebraran matrimonios por el rito civil. Fue por ello que, previo acuerdo entre el Cardenal Gasparri —en representación de la Santa Sede— y José Vicente Concha —diplomático colombiano—, se tramitó y aprobó la Ley 54 de 1924 (conocida como Ley Concha), para evitar conflictos semejantes y precisar el alcance del artículo XVII del Concordato. Al efecto, los artículos 1° y 2° de la ley establecieron lo siguiente:

"Artículo 1°. No es aplicable la disposición de la primera parte del articulo XVII del Concordato cuando los dos individuos que pretenden contraer matrimonio declaren que se han separado formalmente de la iglesia y de la religión católicas, siempre que quienes hagan tal declaración no hayan recibido órdenes sagradas, ni sean religiosos que hayan hecho votos los solemnes. Los que en todo caso sometidos a las prescripciones del Derecho canónico.

Artículo 2°. La declaración de que trata el aparte precedente se hará por escrito, por los dos individuos que pretenden contraer matrimonio, ante el Juez Municipal respectivo, en la solicitud que presenten para la celebración del contrato, y se expresaran en ella la época en que se separaron de la iglesia y de la religión católicas. Tal declaración se insertará en el edicto que se debe publicar conforme a la ley; se comunicara por el Juez inmediatamente al Ordinario eclesiástico respectivo, y la ratificaran los contrayentes en el acto de la celebración del matrimonio, que no se podrá celebrar sino transcurrido un mes desde el día en que la declaración dicha haya sido comunicada oficialmente al Ordinario, dejando constancia de la misma declaración en la diligencia o partida respectiva".

Más adelante, con la celebración del nuevo Concordato entre Colombia y la Santa Sede, en 1973, incorporado a la legislación doméstica por medio de la Ley 20 de 1974, varió significativamente el alcance de las disposiciones sobre el matrimonio. Los artículos VII, VIII y IX del Concordato previeron lo siguiente:

"ARTÍCULO VII. El Estado reconoce plenos efectos civiles al matrimonio celebrado de conformidad con las normas del derecho canónico. Para la efectividad de este reconocimiento la competente autoridad eclesiástica transmitirá copia auténtica del Acta al correspondiente funcionario del Estado quien deberá inscribirla en el registro civil.

ARTÍCULO VIII. Las causas relativas a la nulidad o a la disolución del vínculo de los matrimonios canónicos, incluidas las que se refieren a la dispensa del matrimonio rato y no consumado, son de competencia exclusiva de los Tribunales Eclesiásticos y Congregaciones de la Sede Apostólica.

Las decisiones y sentencias de éstas, cuando sean firmes y ejecutivas, conforme al derecho canónico, serán transmitidas al Tribunal Superior del Distrito Judicial territorialmente competente, el cual decretará su ejecución en cuanto a efectos civiles y ordenará su inscripción en el registro civil.

ARTÍCULO IX. Las Altas Partes Contratantes convienen en que las causas de separación de cuerpos de los matrimonios canónicos sean tramitadas por los Jueces del Estado, en primera instancia ante el Tribunal Superior respectivo y en segunda instancia ante la Corte Suprema de Justicia. A solicitud de uno de los cónyuges la causa respectiva se suspenderá en primera instancia y por una sola vez, durante treinta días, para dar lugar a la acción conciliadora y pastoral de la Iglesia, salvo la competencia del Tribunal para adoptar las medidas precautelativas que estime convenientes. Vencido el plazo el respectivo Tribunal reanudará el trámite correspondiente".

Repárese en que, desde entonces, simplemente se dispuso que el Estado reconocería los efectos civiles de los matrimonios celebrados por el rito católico, sin que ello supusiera que los jueces colombianos quedarían impedidos para oficiar o presenciar matrimonios de católicos que quisieran seguir el rito civil (cuestión diferente serían los efectos de excomunión, solamente atinentes al ámbito de la religión). Adicionalmente, si bien el artículo VIII preservó la exclusiva atribución de las autoridades eclesiásticas para conocer de las causas relacionadas con la disolución o afectación del vínculo matrimonial, el artículo IX autorizó al Estado colombiano para tramitar las causas de *separación de cuerpos* (antes denominadas *divorcio quoad thorum et cohabitationem*). Y, por último, el artículo 2° de la Ley 20 de 1974 derogó expresamente la Ley 54 de 1924 (Ley Concha), con lo cual se eliminó la obligación de que los contrayentes apostataran, públicamente y por escrito, de la religión católica para que se pudiera celebrar el matrimonio civil.

Las anteriores consideraciones tuvieron un importante efecto sobre los matrimonios, pues se eliminaron progresivamente las barreras que impedían la celebración de matrimonios por el rito civil. Es así porque, a partir de la entrada en vigor del nuevo Concordato, los católicos ya no requerían apostatar públicamente de su religión para que el Juez pudiera oficiar su matrimonio (sin temor de ser excomulgado). Sencillamente, los católicos quedaron sujetos a las leyes de la moral y, por supuesto, las consagradas en el *Codex Iuris Canonici*, pero no había limitaciones de orden jurídico colombiano (como sí ocurría con anterioridad).

Dos años después de que se promulgara la Ley 20 de 1974, el Congreso de la República aprobó la Ley 1ª de 1976, por la cual se introdujo el divorcio vincular en Colombia; esto es, el divorcio capaz de extinguir efectivamente el vínculo del matrimonio. Sobre este aspecto, véase la Sección VIII del Capítulo VI de esta Parte.

Sin embargo, el novedoso e importante divorcio vincular tuvo efectos de aplicación limitados, toda vez que, como se ha visto, el artículo VIII del Concordato de 1973, en reiteración de lo previsto por el artículo XIX del Concordato de 1887, sujetó al conocimiento exclusivo de los Tribunales Eclesiásticos y Congregaciones de la Sede Apostólica, todas las "causas relativas a la nulidad o a la disolución del vínculo de los matrimonios canónicos". Por consiguiente, solo en los matrimonios civiles era susceptible de ser impetrada la acción de divorcio vincular. Pero la mayoría de matrimonios en Colombia se habían celebrado por el rito católico, debido a la fuerte fe que profesaba la Nación y la absoluta rigidez que, hasta 1973, se mantuvo en relación con este aspecto. De ahí que se haya originado la creencia, indudablemente errada, de que no se había incorporado el divorcio vincular a la legislación colombiana.

II. Antecedentes del artículo 42 de la Carta Política, específicamente en relación con la cesación de efectos civiles de todos los matrimonios

Uno de los temas más álgidos discutidos en el marco de la Asamblea Nacional Constituyente fue aquel relacionado con la posibilidad de permitir la cesación de efectos civiles de los matrimonios religiosos. Según se vio, y en esta Subsección se profundizará, el Concordato de 1973 era suficientemente claro en advertir que las causas relativas a la afectación o disolución del vínculo conyugal competían, exclusivamente, a las autoridades eclesiásticas, lo que impedía que el Estado se arrogara una facultad a la que había renunciado expresamente en un Tratado Internacional (como lo es el Concordato). Sin embargo, luego de múltiples discusiones, que enseguida examinaremos, se tomó la determinación de establecer que los efectos civiles de los matrimonios católicos podían cesar por vías del derecho colombiano, incluso a pesar del propio Concordato. Veamos:

Como aclaración preliminar, se advierte que en esta Subsección nos enfocaremos específicamente en lo atañedero a la incorporación del octavo inciso del artículo 42 Superior, en el que se estableció que "los efectos civiles de *todo matrimonio* cesarán por divorcio con arreglo a la ley civil".

Para ese propósito, sea lo primero indicar que la Comisión V de la Asamblea Nacional Constituyente estuvo encargada de elaborar los artículos relacionados con la estructura familiar, con base en los textos propuestos por la ciudadanía, diversas organizaciones y el Gobierno Nacional. Y, dentro de la Comisión V, se creó la Subcomisión I, integrada por JAIME BENÍTEZ, GUILLERMO PERRY RUBIO, IVÁN MARULANDA, TULIO CUEVAS, ANGELINO

Garzón y Guillermo Guerrero, que tuvo un rol protagónico en la compilación y estructuración de los textos sobre la familia.

Luego de estudiadas todas las propuestas allegadas, la Subcomisión I propuso el siguiente texto del artículo sobre *Derechos de la familia* a la Comisión V de la Asamblea Nacional Constituyente:

"**DERECHOS DE LA FAMILIA. ARTÍCULO.** (...) 7. Los matrimonios religiosos tendrán efectos civiles en los términos que establezca la ley.

Todo matrimonio, en lo que se refiere a sus efectos civiles, puede ser disuelto por divorcio con arreglo a la ley civil"[527].

La justificación del aparte transcrito fue la siguiente:

"[E]l proyecto de reforma constitucional presentado por el Gobierno nacional dice que 'sólo la ley colombiana regulará las formas de matrimonio ...'. Esta propuesta dio oportunidad para estudiar lo relacionado con matrimonios válidamente celebrados en el país o en el exterior y así, para evitar inconvenientes a familiar legal y formalmente establecidas, se propone una redacción diferente que acoge, en líneas generales, la intención gubernamental y del pueblo de establecer el divorcio en Colombia.

El incremento sostenido de las separaciones para la generación del 44 alcanzan 32.5%; el descenso de la duración de las uniones, donde se ve que entre el primero y el cuarto año se producen el 31.1% de las rupturas; la alta presencia de separados en el país porque el 41% de los hogares urbanos encuestados incluían por los menos una persona que no convivía con su pareja, encontrando que 2.5 de cada 10 personas unidas estaban separadas; la utilización de los hijos en el conflicto conyugal porque con ellos presionan afectivamente al otro cónyuge haciéndoles inmenso daño con la vivencia cotidiana del conflicto conyugal y sus consecuencias, según lo reconocieron los mismos padres; el aumento de las uniones sucesivas que nos muestra cómo el 94% de los separados se encuentran en unión de hecho, el 3% obtuvo anulación y el otro 3% acudió a la figura simbólica de un matrimonio civil en el extranjero, significando que ese 94% estaría en situación de adulterio y el 3% en una especie de bigamia 'que se mueve entre cierto reconocimiento social y la indiferencia legal'; la falta de reglamentación sobre las obligaciones económicas de los cónyuges durante la separación o después de ella y la opinión que el pueblo ha tomado frente al divorcio hacen que sea esta la solución, no buena, pero sí necesaria, según concluyen las mencionadas investigaciones Zamudio y Rubiano en la obra citada.

---

527   Jaime Benítez, Guillermo Perry Rubio, Iván Marulanda, Tulio Cuevas, Angelino Garzón y Guillermo Guerrero. *Derechos de la familia, el niño, el joven, la mujer y la tercera edad.* Informe de Ponencia de la Subcomisión I a la Comisión V de la Asamblea Nacional Constituyente. Gaceta Constitucional número 52. Bogotá, 1991. Pág. 3.

Se reconoce y se repiten (SIC) que no es la solución ideal. La situación perfecta para un hogar es vivir bien, en familia. El ideal de quienes integran en cualquier forma su núcleo familiar es el de vivir unidos para siempre entre sí y con sus hijos. El máximo desarrollo para un niño es el que puede lograr con sus padres y familia.

Pero el divorcio es necesario cuando el bienestar de la familia y en especial de los niños exige esta solución.

Es preferible el adecuado desarrollo emocional de un niño, que el crecer con la figura simbólica de unos padres cuando éstos, con su conducta y ejemplo, le proporcionan malformaciones que luego serán la línea de conducta con sus propios hijos.

No es necesario citar la cantidad de encuestas, investigaciones y textos que en el país se han dado sobre este tema. (...)"[528].

Ante la propuesta de incorporar la posibilidad de que los efectos *civiles* de todo matrimonio, y en especial su disolución, estuvieran gobernados por el ordenamiento doméstico, se presentaron dos reparos:

Por un lado, MARIANO OSPINA HERNÁNDEZ, hijo del Ex Presidente MARIANO OSPINA PÉREZ, dejó constancia de su disentimiento por considerar que se presentaba una contradicción cuando se planteaba el divorcio mientras se decía defender los derechos de los niños y de la familia. En sus palabras, "no es lógica una propuesta orientada a la intervención del Estado para romper los vínculos legítimos del matrimonio y regresar a los niveles primitivos de la comunidad, cuando el único límite para el libertinaje era que no hubiera relaciones matrimoniales entre padres e hijos, hermanos y hermanas. Sería injusto que en la Asamblea Nacional Constituyente predominen los intereses egoístas de adultos que buscan fórmulas para rehuir las obligaciones de solidaridad familiar"[529].

La anterior constancia, aunque sumamente interesante, corresponde a una válida visión política de la discusión. Y no podría ser distinto, pues la naturaleza de Carta Constitucional no es otra que eminentemente *política*, orientadora del discurrir de la Nación. Sin embargo, no podemos formular mayores comentarios porque no es nuestro interés inmiscuirnos en este tipo de consideraciones.

---

[528]   *Ibídem.*
[529]   Boletín del Constituyente número 29. 11 de mayo de 1991. Oficina de Prensa de la Asamblea Nacional Constituyente. Disponible para consulta en: Archivo General de la Nación, Registro 4807, Caja 71, Rollo 26, Legajo 851, Folios 592 a 606.

Por otro lado, CARLOS LEMOS SIMMONDS, ÁLVARO CALA HEDERICH e IGNACIO MOLINA GIRALDO formularon un reparo de orden legal, que no podemos pasar por alto en esta Subsección: a su juicio, consagrar una disposición de esta naturaleza quebraría los compromisos válida y autónomamente adquiridos por el Estado colombiano al suscribir el Concordato con la Santa Sede, en virtud del cual concedió a las autoridades eclesiásticas el conocimiento privativo de todas las causas enderezadas a disolver los vínculos matrimoniales que se hubieren celebrado por el rito católico[530].

Tan contundentes consideraciones, que además entrañan una profunda lógica jurídica, fueron abordadas desde dos perspectivas, una política y otra jurídica.

Desde el punto de vista político, los delegados JAIME BENÍTEZ TOBÓN, GUILLERMO PERRY RUBIO y ANGELINO GARZÓN QUINTERO señalaron que lo pretendido con la propuesta era dar respuesta a una realidad que afectaba a un alto número de niños, en la medida en que los forzaba a soportar las resquebrajadas relaciones entre sus padres. Adicionalmente, sostuvieron que la reforma constitucional en esos términos permitiría que el Gobierno Nacional principiara diálogos con la Santa Sede, con el objeto de alcanzar las necesarias reformas al Concordato, sin prescindir de él, como lo habían hecho Italia, Portugal o España[531].

Desde el ángulo estrictamente jurídico, en el debate de la Comisión V no se dio una respuesta satisfactoria. Por su parte, la Comisión I de la Asamblea Nacional Constituyente, en sesión del 14 de mayo de 1991, documentada en el Acta número 39, sí discutió la temática *in extenso* —aunque tampoco se arribó a una conclusión legalmente válida—. Para ese propósito, compareció el Ministro de Relaciones Exteriores, FERNANDO JARAMILLO CORREA, quien explicó que, desde 1988, se venía haciendo un extenso trámite con el ánimo de modificar algunos aspectos del Concordato de 1973. Luego de resaltar que las conversaciones no habían sido del todo fructíferas hasta el momento, señaló lo siguiente:

"La materia matrimonial es ciertamente la más compleja y debatida, y posiblemente aquella en la que existe mayor expectativa en la sociedad colombiana.

---

[530] Véase el Acta de la Comisión V número 31, del 10 de mayo de 1991. Asamblea Nacional Constituyente. Bogotá, 1991. Disponible para consulta en: Archivo General de la Nación, Rollo 16, Legajo 773, Folios 1 a 5.

[531] *Ibídem.* Además, el lector puede acudir a MAURICIO BOCANUMENT-ARBELÁEZ. *Estructuras de familia* ... Pág. 72.

La reforma busca la protección a la familia, y lo hace con el ánimo de proteger a la sociedad de los males que se derivan de las situaciones irregulares existentes, cada vez más frecuentes.

Esta reforma permitiría que la Ley Civil establezca la cesación de los efectos civiles del matrimonio canónico, al igual que lo hace con el matrimonio Civil. En el caso particular del católico, obviamente seguiría siendo indisoluble a los ojos de la iglesia, es decir, sin perjuicio de la libertad de los cónyuges para el cumplimiento de los actos propios de su convicción religiosa.

Así mismo, el matrimonio católico mantendría los efectos civiles tal y como está hoy estipulado en el Concordato vigente.

La estabilidad matrimonial no puede depender simplemente de la prohibición a celebrar nuevas uniones. La imposición normativa de la indisolubilidad del matrimonio ha llevado a un sinnúmero de miembros de parejas desavenidas a buscar nuevas uniones al amparo de legislaciones foráneas. Es así como se ha convertido en práctica usual para los colombianos, el ir a países vecino, y allí, luego de un corto trámite judicial, obtener la disolución del vínculo matrimonial existente, para contraer matrimonio subsiguiente, al amparo de la ley internacional. Pero estos nuevos matrimonios se consideran viciados de nulidad en Colombia, pues la sentencia de divorcio no produce efectos disolutorios del vínculo civil del matrimonio católico, y en consecuencia las parejas que han recurrido a este procedimiento quedan bajo un régimen precario, que la ley colombiana no protege.

El proyecto de reforma gubernamental no pretende establecer la obligatoriedad del matrimonio civil para todas las personas. Los colombianos que profesan la fe católica tendrían derecho a celebrar su matrimonio conforme a los preceptos del derecho canónico y dicha forma de matrimonio tendría plena validez por cuanto se han de reconocer sus efectos civiles. Otro tanto puede afirmarse de la competencia del Estado para declarar la cesación de los efectos civiles de todas las formas de matrimonio. Se trata de una alternativa para quienes quieren recurrir al divorcio pero en ningún caso podría entenderse como una imposición para aquellos que no quieren por esta vía (SIC) y menos aún para quienes por su convicción religiosa prefieren acogerse a los preceptos del derecho matrimonial eclesiástico. En este último caso, bien conviene señalar la conveniencia de que las personas que someten su situación al conocimiento de la jurisdicción eclesiástica gocen también de la protección de la Ley en la medida en que las providencias de la jurisdicción eclesiástica tendrían efectos civiles y plena validez ante el Estado, una vez cumplido el procedimiento de rigor.

De esta manera se trata de resolver un problema social, evidente para un sinnúmero de familias colombianas sin desconocer en ningún caso la existencia e importancia de la religión católica en nuestro país. Todas esas consideraciones coinciden desde luego con el empeño de consolidar la estirpe democrática de nuestro Estado de derecho, uno de cuyos principios fundamentales consiste en la garantía de la igualdad y de las libertades de conciencia, de culto y de práctica religiosa.

> En conclusión, el planteamiento del Gobierno en materia concordataria busca fundamentalmente que los católicos colombianos, discriminados hoy en su propio país en relación con los no bautizados, puedan tener una situación semejante a la que tienen los mismos creyentes de esta religión en otros países, donde pueden optar por la forma religiosa para la celebración de sus nupcias al mismo tiempo que puedan recurrir a la jurisdicción civil de su país, para obtener la disolución de los efectos civiles de su matrimonio"[532].

En realidad, el pronunciamiento del Ministro, lejos de proporcionar insumos jurídicos claros, dejó sentado que el país se encontraba en una encrucijada de difícil solución, toda vez que reconoció la naturaleza vinculante del Concordato, sin proponer alternativa jurídica alguna para que fuera posible la aprobación del artículo sujeto a discusión en la Asamblea Nacional Constituyente. Así lo hizo ver DIEGO URIBE VARGAS, al señalar lo siguiente:

> "[E]l Concordato es un tratado con la Santa Sede que debe cumplirse y está sometido a la Convención de Viena. La renegociación es el camino ideal y ha sido intentado sin éxito, en ese estado de cosas, va siendo necesario pensar en otro procedimiento cual sería la denuncia del Concordato por la invocación de la cláusula *rebus sic stantibus*, considerando el cambio de circunstancias; así, la Iglesia Católica ha dejado de ser la religión del Estado colombiano, ese es un cambio fundamental de circunstancias, la Iglesia ha perdido su condición de Iglesia del Estado. Además, se ha consagrado la absoluta libertad de conciencia y de cultos para todas las religiones y creencias y no se justifica que una sola fe tenga prerrogativas. La educación y el tema matrimonial entrañan también cambios fundamentales de circunstancias"[533].

Con todo, la falta de claridad en cuanto a la salida jurídica del problema que se viene comentando, hizo que el inciso relacionado con la posibilidad de que los efectos civiles de todo matrimonio cesaran conforme a lo dispuesto por la ley civil tuviera cinco votos a favor, cuatro en contra y seis abstenciones.

El texto aprobado en la Comisión V fue llevado para votación a la Sesión Plenaria del 14 de junio de 1991, cuya acta se encuentra disponible en la Gaceta Constitucional número 136 de 1991. En lo que toca con el numeral 7°, sobre cesación de efectos civiles de los matrimonios religiosos, hubo cincuenta y dos votos favorables, tres negativos y seis abstenciones. IVÁN MARULANDA GÓMEZ, JOSÉ MARÍA VELASCO GUERRERO y JAIME ORTIZ HURTADO fueron quienes se opusieron a la iniciativa y solicitaron que se dejara

---

[532]   Acta de la Comisión I, número 39, de la Asamblea Nacional Constituyente. Gaceta Constitucional número 133. Bogotá, 1991. Pág. 20.

[533]   *Ibídem.* Pág. 21.

constancia de tal hecho en el acta[534]. Con la aprobación, los incisos 9°, 10°
y 11° del artículo 42 establecen hoy en día lo siguiente:

> "**ARTÍCULO 42.** (…) Los matrimonios religiosos tendrán efectos civiles en los
> términos que establezca la ley.
>
> Los efectos civiles de *todo* matrimonio cesarán por divorcio con arreglo a la
> ley civil.
>
> También tendrán efectos civiles las sentencias de nulidad de los matrimonios
> religiosos dictadas por las autoridades de la respectiva religión, en los térmi-
> nos que establezca la ley".

Resulta inocultable que los textos constitucional y concordatario eran
abiertamente incompatibles. A pesar de ello, hay quien ha afirmado que la
incompatibilidad era tan solo aparente, pues en virtud de expedición de la
Carta Política de 1991 los casados por lo católico quedaron conminados a
"casarse por lo civil para que su matrimonio tuviera efectos civiles", con lo
cual, a los ojos del Estado colombiano, sería dable conceder el divorcio en
esos casos, aunque no lo fuera a los ojos de la Iglesia, sin que así se contra-
viniera lo pactado en el Concordato[535].

En nuestro criterio, tal planteamiento no es del todo exacto. Si bien
se consagró que los matrimonios religiosos tendrían los efectos que la ley
civil les concediera, el Concordato de 1973, que había sido incorporado al
derecho colombiano por medio de la ley 20 de 1974, ya garantizaba plenos
efectos civiles a los matrimonios católicos. Luego el cambio en este aspecto,
muy pertinente en realidad, se debe avizorar en lo relativo a las otras religiones, que no son objeto de este análisis.

Es el inciso 10, transcrito, el que entró en riña con el Concordato, pues
estableció que *todo* matrimonio cesaría, en sus efectos civiles, por el divorcio, con lo cual alcanzó también a los matrimonios católicos. De ello se
deduce que en el seno de la Asamblea Nacional Constituyente de 1991 se
impuso el argumento político, que dotaría al Estado de un insumo podero-
so para exigir la reforma al Concordato celebrado con la Santa Sede, pero,
en nuestra opinión, es jurídicamente irrebatible que sí se presentó una
palmaria contradicción entre la Carta Política y el Tratado Internacional.

---

[534]   Sesión Plenaria del 14 de junio de 1991, acta disponible en la Gaceta Constitucional número 136. Bogotá, 1991. Pág. 8.
[535]   Guillermo Perry Rubio. *Decidí* … Pág. 257.

Ante el panorama descrito, se abrieron tres alternativas jurídicas para superar la controversia: (i) reformar el Concordato por mutuo acuerdo entre las partes; (ii) denunciar el Concordato, en aplicación de la cláusula *Rebus sic stantibus*; o (iii) demandar la declaratoria de inconstitucionalidad del Concordato, ante la recién creada Corte Constitucional. El Estado colombiano descartó de plano la segunda alternativa, que en su momento fuera puesta en discusión por el Constituyente DIEGO URIBE VARGAS. En su lugar, optó por enviar toda una comitiva, liderada por la Canciller NOEMÍ SANÍN POSADA, a la Santa Sede, en procura de alcanzar acuerdos sobre las modificaciones sustanciales se requerían. Concomitantemente, tres demandas se presentaron ante la Corte Constitucional, con la pretensión de que se declarara inexequible la ley 20 de 1974, aprobatoria del Concordato de 1973, habida cuenta de su incongruencia con la Carta Política[536].

Después de varios meses de diálogos y negociaciones, la Canciller colombiana, NOEMÍ SANÍN POSADA, y el Nuncio PAOLO ROMEO suscribieron, en representación del Presidente GAVIRIA TRUJILLO y el Papa SAN JUAN PABLO II, una reforma al Concordato. El Acuerdo, firmado el 20 de noviembre de 1992, estaba pendiente de surtir su trámite de ratificación en el Congreso de la República, pero de su texto saltan a la vista los siguientes cambios[537]:

---

[536] Las demandas fueron las siguientes: (i) Expediente D-018, Actor: CARLOS FRADIQUE-MÉNDEZ; (ii) Expediente D-116, Actores: VÍCTOR VELÁSQUEZ REYES, ISRAEL MORALES PORTELA y LUIS EDUARDO CORRALES; y (iii) Expediente D-136, Actores: VÍCTOR MANUEL SERNA, FABIÁN GONZALO MARÍN y JAVIER BERNARDO TORRES.

[537] Disponible para consulta en: https://www.olir.it/wp-content/uploads/2004/01/787-accordo-20-novembre-1992.pdf

Mateo Vargas Pinzón

Tabla: 20. Comparativo entre el Concordato de 1973 y el Acuerdo de Reforma,
firmado el 20 de noviembre de 1992

Comparativo entre el Concordato de 1973 y el Acuerdo de Reforma, firmado el 20 de noviembre de 1992	
Concordato de 1973	**Acuerdo de Reforma, firmado el 20 de noviembre de 1992**
"ARTÍCULO VII. El Estado reconoce plenos efectos civiles al matrimonio celebrado de conformidad con las normas del derecho canónico. Para la efectividad de este reconocimiento la competente autoridad eclesiástica transmitirá copia auténtica del Acta al correspondiente funcionario del Estado quien deberá inscribirla en el registro civil".	ARTÍCULO I. El ARTÍCULO VII quedará así: "ARTÍCULO VII. El Estado reconoce plenos efectos civiles al matrimonio celebrado de conformidad con las normas del derecho canónico. Para la efectividad de este reconocimiento la competente autoridad eclesiástica transmitirá copia auténtica del Acta al correspondiente funcionario del Estado quien deberá inscribirla en el registro civil. La Santa Sede, ante las nuevas normas introducidas en Colombia en el campo matrimonial, reafirma la doctrina de la Iglesia Católica acerca de la indisolubilidad del vínculo matrimonial y recuerda a los cónyuges que han contraído matrimonio canónico el grave deber que les incumbe de no recurrir a la facultad civil de pedir el divorcio".
"ARTÍCULO VIII. Las causas relativas a la nulidad o a la disolución del vínculo de los matrimonios canónicos, incluidas las que se refieren a la dispensa del matrimonio rato y no consumado, son de competencia exclusiva de los Tribunales Eclesiásticos y Congregaciones de la Sede Apostólica. Las decisiones y sentencias de éstas, cuando sean firmes y ejecutivas, conforme al derecho canónico, serán transmitidas al Tribunal Superior del Distrito Judicial territorialmente competente, el cual decretará su ejecución en cuanto a efectos civiles y ordenará su inscripción en el registro civil".	ARTÍCULO II. El ARTÍCULO VIII quedará así: "ARTÍCULO VIII. Las causas relativas a la nulidad de los matrimonios canónicos y las que se refieren a la dispensa del matrimonio rato y no consumado, son de competencia exclusiva de los Tribunales Eclesiásticos y Congregaciones de la Sede Apostólica. Las sentencias de nulidad del vínculo de los matrimonios canónicos y las decisiones de dispensa del matrimonio rato y no consumado, cuando sean firmes y ejecutivas conforme al derecho canónico, serán transmitidas al Tribunal Superior del Distrito Judicial territorialmente competente, el cual decretará su ejecución en cuanto a efectos civiles y ordenará su inscripción en el registro civil. El matrimonio canónico que contraiga quien haya obtenido de la Iglesia disolución en favor de la fe solo podrá ser inscrito en el Registro Civil, en orden al reconocimiento de los efectos civiles, cuando el contrayente recupere su estado de libertad civil, de conformidad con las normas civiles que regulan la materia. Comprobada la recuperación de dicho estado de libertad por el Tribunal Superior del Distrito Judicial territorialmente competente, éste ordenará la inscripción del matrimonio canónico en el Registro Civil, con el fin de que surta plenos efectos civiles".

ARTÍCULO IX. Las Altas Partes Contratantes convienen en que las causas de separación de cuerpos de los matrimonios canónicos sean tramitadas por los Jueces del Estado, en primera instancia ante el Tribunal Superior respectivo y en segunda instancia ante la Corte Suprema de Justicia. A solicitud de uno de los cónyuges la causa respectiva se suspenderá en primera instancia y por una sola vez, durante treinta días, para dar lugar a la acción conciliadora y pastoral de la Iglesia, salvo la competencia del Tribunal para adoptar las medidas precautelativas que estime convenientes. Vencido el plazo el respectivo Tribunal reanudará el trámite correspondiente"	ARTÍCULO III. Derógase el ARTÍCULO IX del Concordato.

Repárese en lo fructíferos que resultaron, sobre esta materia, los esfuerzos diplomáticos emprendidos por el Gobierno colombiano, en cabeza de la Canciller, para superar el *impasse* jurídico en que habíamos quedado por cuenta de la contradicción entre el texto del artículo 42 de la Carta Política y el Concordato de 1973. Empero, mientras se surtía el trámite ordinario de ratificación por el Congreso de la República, la Corte Constitucional colombiana profirió la sentencia C-027 de 1993, M.P. Simón Rodríguez Rodríguez[538], en la que analizó el contenido de la ley 20 de 1974 y retiró del ordenamiento jurídico varias disposiciones del Concordato.

Para esta obra, son de especial incumbencia las decisiones referidas a los artículos VII, VIII y IX. En cuanto al primero, es decir el artículo VII, la Corte declaró su *exequibilidad*, por lo que su texto permaneció incólume. Por lo que toca con el artículo VIII, el Tribunal declaró la *inexequibilidad* del "aparte de su inciso 1° que dice '…o la disolución del vínculo … incluidas las que se refieren a la dispensa del matrimonio rato y no consumado' y además el aparte del inciso 2° que dice '… al Tribunal Superior del Distrito Judicial territorialmente competente'". Consiguientemente, el nuevo texto del artículo VIII pasó a ser el siguiente:

"ARTÍCULO VIII. Las causas relativas a la nulidad de los matrimonios canónicos, incluidas las que se refieren a la dispensa del matrimonio rato y no consumado, son de competencia exclusiva de los Tribunales Eclesiásticos y Congregaciones de la Sede Apostólica.

---

[538]   Con salvamento de voto del Magistrado José Gregorio Hernández Galindo.

> Las decisiones y sentencias de éstas, cuando sean firmes y ejecutivas, conforme al derecho canónico, serán transmitidas, el cual decretará su ejecución en cuanto a efectos civiles y ordenará su inscripción en el registro civil".

Finalmente, el artículo IX fue declarado *inexequible* en su totalidad.

La providencia del Tribunal Constitucional ha sido objeto de una variopinta gama de críticas[539], todas ellas encaminadas a cuestionar el hecho de que la Corporación se hubiera arrogado la competencia de estudiar el fondo y contenido un Tratado Internacional en vigor, por haber cumplido con las formalidades requeridas para su aprobación. En especial, las críticas de varios sectores se han intensificado porque ese Tribunal, a partir de la sentencia C-267 de 1993, M.P. Vladimiro Naranjo Mesa[540], dio un drástico viraje a su jurisprudencia y reconoció que "el examen constitucional no se puede ejercer respecto de instrumentos públicos internacionales ya perfeccionados. Esto se entiende como un reflejo natural de la supranacionalidad en este tipo de convenios que comprometen a la Nación, como persona de derecho público internacional, en un acto en el que ha perfeccionado su voluntad y en donde ningún organismo de carácter interno, ni siquiera el órgano encargado de la jurisdicción constitucional, puede entrar a revisar aquello que es ley entre las partes, siendo tales los Estados vinculados. La Carta Política ha tenido en cuenta este espíritu de equivalencia entre las partes, al considerar que el control constitucional tan sólo se puede ejercer con anterioridad al momento en que se perfeccione el Tratado, esto es, previamente a la manifestación íntegra de la voluntad del Estado pactante".

Y las inconformidades se refuerzan, puesto que el propio Tribunal, en providencias posteriores, ha seguido esa línea jurisprudencial respecto de demandas relacionadas con el Concordato (Ley 20 de 1974). Así sucedió, por ejemplo, en la Sentencia C-567 de 1993, M.P. Carlos Gaviria Díaz[541],

---

[539] Sobre este aspecto, véase a Vicente Prieto. *El Concordato de 1973 y la evolución del Derecho Eclesiástico colombiano situación actual y perspectivas de futuro* en Revista General de Derecho Canónico y Derecho Eclesiástico del Estado. Núm. 22. Ed. Iustel. Madrid, 2010. Pág. 1 a 50; Delio Enrique Maya Barroso. *La Laicidad del Estado Colombiano* en Revista Criterios. Vol. 1. Núm. 2. Ed. Universidad San Buenaventura. Bogotá, 2008. Pág. 55 a 89; y Richard Ernest Castro Ortiz. *La educación en el Concordato de 1973 entre Colombia y la Santa Sede*. Tesis para optar por el título de Magíster en Derecho Canónico. Ed. Pontificia Universidad Javeriana. Bogotá, 2016. Pág. 114 a 153.

[540] Con salvamento de voto de los Magistrados Eduardo Cifuentes Muñoz, Carlos Gaviria Díaz, Alejandro Martínez Caballero y Fabio Morón Díaz.

[541] Con salvamento de voto de los Magistrados Eduardo Cifuentes Muñoz, Carlos Gaviria Díaz, Alejandro Martínez Caballero y Fabio Morón Díaz.

en la cual se afirmó que "[n]o le corresponde a la Corte Constitucional que ejerce competencias otorgadas por el Constituyente de 1991, conocer del contenido de los Tratados, cuando ellos han sido perfeccionados antes de la promulgación de la Carta Política (…), como en el caso a examen". Con base en esa afirmación, se declaró inhibida para conocer sobre la constitucionalidad del artículo 2° de la Ley 20 de 1974.

Obviamente, la Sentencia C-027 de 1993 hizo que el trámite del Acuerdo reformatorio del Concordato, suscrito en noviembre de 1992, fuera archivado en el Congreso de la República, pues ya había sido superada la incompatibilidad que lo había originado. No obstante, es muy pertinente señalar que todavía persiste una fuerte discusión teórica sobre el contenido actual del Concordato, particularmente porque, a pesar de que no se desconoce la sentencia C-027 de 1993, la Corte Constitucional ha entrado en terrenos fangosos para procurar explicar el fenómeno acontecido con el texto concordatario. Así, en Sentencia C-225 de 1995, M.P. EDUARDO CIFUENTES MUÑOZ[542], sostuvo lo siguiente:

> "[N]o obstante que el Concordato, como tratado internacional, se encuentra vigente en el ámbito internacional y se rige para su enmienda, modificación, terminación y suspensión por lo previsto en las partes IV y V de la Convención de Viena sobre el derecho de los tratados del 23 de mayo de 1969, en el ámbito interno, en cambio, los preceptos del mismo, incorporados en la Ley 20 de 1974, que fueron declarados inexequibles por esta Corte en su Sentencia C-027 del cinco (5) de febrero de 1993, son inaplicables dentro del territorio nacional a partir de la fecha del citado fallo y como consecuencia de dicha declaratoria".

En verdad, esta confusa línea argumentativa de la Corte es cuestionable porque no hay manera de explicar que las disposiciones del Concordato sigan vigentes en el ámbito internacional, pero no ocurra lo mismo en el ordenamiento doméstico. Al ser este un Convenio bilateral, significaría que sus disposiciones siguen inalteradas de cara a la Santa Sede, mas no para Colombia. Por tanto, compelido como se encuentra el Estado colombiano a seguir el principio del *pacta sunt servanda*, la inaplicación de los artículos concordatarios que fueron declarados inexequibles implicaría, sin más, una grosera trasgresión e incumplimiento del Tratado.

Inexplicable, por decir lo menos, es el galimatías en que nos encontramos en la actualidad; y más si se tiene en cuenta que ya había una reforma acordada por los signatarios del Concordato, a la que le restaba únicamen-

---

[542]   Con aclaración de voto de los Magistrados JOSÉ GREGORIO HERNÁNDEZ GALINDO, VLADIMIRO NARANJO MESA y HERNANDO HERRERA VERGARA.

te la aprobación del Congreso de la República para su ratificación. Es cierto que no se ocupaba el Acuerdo de noviembre de 1992, popularmente conocido como Concordato Sanín-Romeo, de todas las disposiciones que fueron declaradas inexequibles, pero sí se enfocaba en muchas de ellas.

Con todo, sin pretender fijar una posición sobre cuál es el contenido vigente de los artículos del Concordato, plenamente coincidimos con Vicente Prieto[543], Darío Rojas Araque[544], J.J. Amaya[545] y Richard Ernest Castro Ortiz[546] en el sentido de que lo que corresponde, en el estado de cosas actual, es que Colombia y la Santa Sede renegocien el Concordato y la reforma, como bien lo explica la Corte Constitucional, siga los cauces de la Convención de Viena sobre el Derecho de los Tratados, con miras a abandonar la incertidumbre que rodea al Concordato.

III. Contenido de la Ley 25 de 1992

Aunque el artículo 42 de la Carta Política de 1991 dispuso que los efectos de *todo* matrimonio cesarían por divorcio, lo que indefectiblemente arroja como resultado que su aplicación se extienda a los matrimonios católicos, persistía en ese entonces una duda capital: ¿Cuál era el cauce que debían seguir los matrimonios católicos que quisieran optar por el divorcio? ¿eran aplicables, analógicamente, las normas sobre divorcio de matrimonios civiles? ¿no se podía impetrar la acción de divorcio por no tener un trámite y unas causales específicamente diferidas?

Como lo recuerda Alcides Morales Acacio[547], algunos procesalistas arguyeron que las causales de divorcio en los matrimonios católicos eran

---

[543]   Vicente Prieto. *El Concordato de 1973 y la evolución del Derecho Eclesiástico colombiano situación actual y perspectivas de futuro* en Revista General de Derecho Canónico y Derecho Eclesiástico del Estado. Núm. 22. Ed. Iustel. Madrid, 2010. Pág. 1 a 50.

[544]   Darío Rojas Araque. *El Concordato eclesiástico de 1973 y la competencia de la Corte Constitucional Colombiana* en Revista Colombia Universitas Canónica. Ed. Pontificia Universidad Javeriana. Bogotá, 2004. Pág. 187 a 202.

[545]   J.J. Amaya. *Situación actual del Concordato después de las sentencias de la Corte Constitucional de Colombia: punto de vista eclesiástico* en Revista Colombia Universitas Canónica. Vol. 15. Ed. Pontificia Universidad Javeriana. Bogotá, 1994. Pág. 21 a 28.

[546]   Richard Ernest Castro Ortiz. *La educación en el Concordato de 1973 entre Colombia y la Santa Sede.* Tesis para optar por el título de Magíster en Derecho Canónico. Ed. Pontificia Universidad Javeriana. Bogotá, 2016. Pág. 153.

[547]   Alcides Morales Acacio. *Lecciones de derecho de familia.* Ed. Leyer. Bogotá, 1997. Pág. 557 a 559.

las consagradas en el artículo 154 del Código Civil (para el divorcio de matrimonios civiles), mientras que otros respaldaron la tesis según la cual esa aplicación analógica y extensiva no era posible. La discusión, en últimas, fue zanjada por la Sala de Casación Civil y Agraria de la Corte Suprema de Justicia en Auto A-016 del 29 de enero de 1992, expediente 3772, M.P. Pedro Lafont Pianetta, en el sentido de que no era posible dar aplicación plena al artículo 42 de la Carta Política, por lo tocante con el divorcio de matrimonios católicos, hasta que el Congreso de la República no expidiera una norma que desarrollara el texto supralegal. Dijo la Corte:

"Mediante las normas contenidas en la Ley 1ª de 1976 reguladora del divorcio vincular en el Estado colombiano, consagró en su artículo 27, el proceso de divorcio, sólo para los matrimonios civiles, como un proceso abreviado, transformado a proceso verbal con las modificaciones que le fueron introducidas por el Decreto 2282 de 1989. Normas éstas de orden público sustancial y procesal, que, aún, bajo la vigencia de la Constitución de 1991, son las básicas, para regular con sentido restrictivo y mientras no sean modificadas, entre otras, la naturaleza del matrimonio objeto de divorcio civil, las causas, la acción, la jurisdicción, la competencia, los procedimientos, los recursos, etc. en materia de divorcio de matrimonios, no aplicables por tanto a los matrimonios católicos mientras el legislador no desarrolle la norma programática constitucional contenida en artículo 42 de la C.N., pues conforme a los antecedentes jurídicos y al exacto alcance de su contenido, la calidad normativa de este programa institucional (recogido en la Carta Política) no le atribuye la aptitud para operar por sí sola, de manera inmediata, sino por el contrario, mediante su desarrollo legislativo".

Fue en ese contexto en que se gestó y aprobó la Ley 25 de 1992, cuyo artículo 5º adicionó un inciso al artículo 152 del Código Civil, a la luz del cual "[l]os efectos civiles de todo matrimonio religioso cesarán por divorcio decretado por el juez de familia o promiscuo de familia". Tan importante inclusión tuvo un carácter definitivo para que se supliera el vacío advertido por la Corte Suprema de Justicia en el auto recién transcrito, pues hizo expresamente aplicables las causales del artículo 154, sobre *divorcio*, a la cesación de efectos civiles de los matrimonios religiosos.

El compendio normativo también se complementó con el establecimiento de atribuciones jurisdiccionales para el conocimiento de las causas de cesación de efectos civiles de los matrimonios religiosos (arts. 7º, 8º, 9º y 11º), al propio tiempo como agregó dos incisos al artículo 68 del Decreto 1260 de 1970, en virtud de los cuales las actas de matrimonio expedidas por autoridades religiosas se deben inscribir en el Registro del Estado Civil de las personas.

En todo caso, y para mitigar cualquier duda o contingencia, en el artículo 12 de la ley se dispuso que "[l]as causales, competencias, procedimientos y demás regulaciones establecidas para el divorcio, la cesación de efectos civiles del matrimonio religioso, la separación de cuerpos y la separación de bienes, se aplicarán a todo tipo de matrimonio, celebrado antes o después de la presente Ley".

Estas consideraciones son de capital importancia para nuestro estudio, toda vez que, a partir de diciembre de 1992, el divorcio, y con él la disolución de la sociedad conyugal (que se analizará en el Tomo III), se admitió para los matrimonios celebrados por los ritos religiosos en general, y el católico en particular.

SECCIÓN II. CAUSALES DE DIVORCIO

Otro importante punto de análisis es el de las causales previstas por el legislador para impetrar la acción de divorcio o de cesación de efectos civiles de matrimonio religioso, según corresponda, en la medida en que la Ley 25 de 1992 incorporó algunos cambios al artículo 154 del Código Civil. Para mayor claridad, principiaremos por diagramar un cuadro comparativo del artículo 154 del Código Civil (se subrayan las diferencias):

Tabla 21: Comparativo Artículo 154 del Código Civil, según el texto asignado
por las leyes 1ª de 1976 y 25 de 1992

Comparativo Artículo 154 del Código Civil, según el texto asignado por las leyes 1ª de 1976 y 25 de 1992	
Artículo 154 del Código Civil, según Ley 1ª de 1976	**Artículo 154 del Código Civil, según Ley 25 de 1992**
Son causas de divorcio:	Son causales de divorcio:
1°. Las relaciones sexuales extramatrimoniales de uno de los cónyuges, salvo que el demandante las haya consentido, facilitado o perdonado. Se presumen las relaciones sexuales extramatrimoniales por la celebración de un nuevo matrimonio, por uno de los cónyuges, cualquiera que sea su forma y eficacia.	1. Las relaciones sexuales extramatrimoniales de uno de los cónyuges, salvo que el demandante las haya consentido, facilitado o perdonado[548]. 2. El grave e injustificado incumplimiento por parte de alguno de los cónyuges de los deberes que la ley les impone como tales y como padres.

---

[548] Importa advertir que la expresión *"salvo que el demandante las haya consentido, facilitado o perdonado"* fue declarada inexequible por la Corte Constitucional en sentencia C-660 de 2000, M.P. Álvaro Tafur Galvis.

2°. El grave e injustificado incumplimiento por parte de alguno de los cónyuges, de sus deberes <u>de marido o de padre y de esposa o de madre.</u>	3. Los ultrajes, el trato cruel y los maltratamientos de obra.
3°. Los ultrajes, el trato cruel y los maltratamientos de obra<u>, si con ello peligra la salud, la integridad corporal o la vida de uno de los cónyuges, o de sus descendientes, o se hacen imposibles la paz y el sosiego domésticos.</u>	4. La embriaguez habitual de uno de los cónyuges.
	5. El uso habitual de sustancias alucinógenas o estupefacientes, salvo prescripción médica.
4°. La embriaguez habitual de uno de los cónyuges.	6. Toda enfermedad o anormalidad grave e incurable, física o síquica, de uno de los cónyuges, que ponga en peligro la salud <u>mental</u> o física del otro cónyuge e imposibilite la comunidad matrimonial.
5°. El uso habitual <u>y compulsivo</u> de sustancias alucinógenas o estupefacientes, salvo prescripción médica.	7. Toda conducta de uno de los cónyuges tendientes a corromper o pervertir al otro, a un descendiente, o a personas que estén a su cuidado y convivan bajo el mismo techo.
6°. Toda enfermedad o anormalidad grave e incurable, física o síquica de uno de los cónyuges, que ponga en peligro la salud <u>moral</u> o física del otro cónyuge e imposibilite la comunidad matrimonial.	8. La separación de cuerpos, <u>judicial o de hecho,</u> que haya perdurado por más de dos años.
7°. Toda conducta de uno de los cónyuges tendiente a corromper o pervertir al otro, o a un descendiente, o a personas que estén a su cuidado y convivan bajo el mismo techo.	9. <u>El consentimiento de ambos cónyuges manifestado ante juez competente y reconocido por éste mediante sentencia.</u>
8°. La separación de cuerpos <u>decretada judicialmente</u> que perdure más de dos años, y	
9°. <u>La condena privativa de la libertad personal, superior a cuatro años, por delito común, de uno de los cónyuges, que el juez que conozca del divorcio califique como atroz o infamante.</u>	

Según se observa, son varias las diferencias entre ambas legislaciones. No nos ocuparemos de estudiar el alcance y contenido de cada una de las causales, sino que tan solo nos limitaremos a comentar los cambios introducidos por la Ley 25 de 1992.

En relación con la causal primera, el artículo 5° de la ley suprimió la presunción de que las relaciones extramatrimoniales se configuraban "con la celebración de un nuevo matrimonio por uno de los cónyuges, cualquiera que sea su forma y eficacia". Como claramente lo explica GARCÍA SARMIENTO, "la supresión de la presunción (…) no significa obviamente que se tolere el acto ilícito causa de nulidad. Y probar que un cónyuge contrajo un nuevo matrimonio es demostrar un indicio que, por sí solo, permite adquirir la convicción de certeza de la ocurrencia de las relaciones" [549].

Respecto de la segunda causal, la variación es del todo insignificante. En efecto, únicamente se ajustó la redacción para evitar hacer referencia, por separado, al varón y a la mujer.

Por lo que toca con la tercera causal, la Ley 25 de 1992 eliminó el requisito de que se analizaran los *efectos* producidos por el acaecimiento de las conductas descritas en la ley; esto es, ya no se exige al juez comprobar que el ultraje, el trato cruel o el maltratamiento de obra haga *peligrar la salud, la integridad corporal o la vida de uno de los cónyuges, o de sus descendientes, o haga imposibles la paz y el sosiego domésticos.*

En palabras de MORALES ACACIO, "[l]a parte suprimida de la causal, (SIC) realmente sobraba, pues no era indispensable el agotamiento de los comportamientos. Y hoy, es suficiente que simplemente se den para que el juez decrete el divorcio de manera perentoria, figuran eliminados los condicionamientos subjetivos o la cualificación de las conductas"[550]. Empero, esa apreciación es morigerada por GARCÍA SARMIENTO, a cuyo juicio "[l]a supresión de los *efectos* de los comportamientos descritos no significa consagrar *una responsabilidad objetiva* sin considerar los efectos, porque, primeramente, el divorcio es la solución extrema a los problemas graves que desquician la unidad y la armonía de la familia matrimonial, de modo que respecto de todas las causales compete al juez precisar en cada caso si los hechos que configuran el motivo legan han quebrado realmente la unidad doméstica, de manera que la solución sea el divorcio"[551]. La opinión de GARCÍA SARMIENTO es también compartida por SUÁREZ FRANCO, para quien "[l]a procedencia de la causal se subordina a la apreciación razonada del juez, consistente en determinar la gravedad de los ultrajes o de las injurias; el trato cruel o los maltratamientos de obra deben ser lo suficientemente graves para decretar el divorcio. (…) Cuando hay duda sobre la gravedad de los hechos, el juez debe analizarlos detenidamente; si

---

[549] EDUARDO GARCÍA SARMIENTO. *Elementos de …* Pág. 396. En el mismo sentido, AL-CIDES MORALES ACACIO. *Lecciones …* Pág. 566.

[550] ALCIDES MORALES ACACIO. *Lecciones …* Pág. 576. En opinión contraria a las propuestas por GARCÍA SARMIENTO y SUÁREZ FRANCO, MORALES considera que, a raíz de la modificación, la causal consagró una responsabilidad objetiva (Pág. 575).

[551] EDUARDO GARCÍA SARMIENTO. *Elementos de …* Pág. 398.

eventualmente subsistiere un desquiciamiento de la vida matrimonial cuya estabilidad se torne imposible, se debe optar por el divorcio"[552].

En punto a la quinta causal, la eliminación de la expresión "y compulsivo" no generó mayores traumatismos, porque bastaba con el calificativo de *habitual*.

En lo que hace a la sexta causal, se sustituyó la expresión "salud moral" por "salud mental". El cambio normativo se introdujo en la proposición final, durante el segundo debate al proyecto de ley, sin explicación alguna. Sin embargo, desde 1976 se habían lanzado duras críticas a la expresión salud "moral", por parte de la Academia Colombiana de Jurisprudencia[553] y de HERNANDO DEVIS ECHANDÍA. Este último, claramente señaló en su escrito *Aspectos sustanciales y procesales de la nueva ley de divorcio, separación de cuerpos y de bienes*, que "es un grave error utilizar el texto de la expresión *salud moral*, porque moralmente es imposible lesionar a un cónyuge por una enfermedad o anormalidad de otro; ha debido decirse mental o psíquica, y creemos que así debe entenderse esa parte del texto"[554]. La opinión de DEVIS ECHANDÍA fue seguida de cerca por el Legislador de 1992.

Para GARCÍA SARMIENTO, la razón de esa sustitución fue "evitar variadas y aun cambiantes y contradictorias interpretaciones, como que la moral alude a costumbres y reglas de conducta, mientras que lo mental atiende al entendimiento y la voluntad"[555]

En cuanto atañe a la octava causal, la redacción consagrada en la ley 25 de 1992 incluyó como supuesto para el divorcio la "separación de hecho", en tanto que la norma anterior solo preveía la "separación judicialmente decretada". Al decir de MORALES ACACIO, antes de la entrada en vigor de la ley 25 de 1992 "la doctrina había llamado más certeramente a la separación de cuerpos, no judicial, como lo estipulaba (SIC) la norma, sino separación legal; con ello se comprendían tanto las separaciones por sentencias judiciales como las que se hacían ante los notarios".

---

552 ROBERTO SUÁREZ FRANCO. *Derecho* … Tomo I … Pág. 203 y 204.
553 *Ibídem*. Pág. 207.
554 HERNANDO DEVIS ECHANDÍA. *Aspectos sustanciales y procesales de la nueva ley de divorcio, separación de cuerpos y de bienes*. Mimeógrafo. Bogotá, 1976. Pág. 21.
555 EDUARDO GARCÍA SARMIENTO. *Elementos de* … Pág. 406. En el mismo sentido, véase a MARÍA ALEJANDRA RAMÍREZ MARTÍNEZ. *Las enfermedades y anomalías como causa de divorcio en la legislación colombiana*. Tesis para optar por el título de Abogada. Colegio Mayor de Nuestra Señora del Rosario. Repositorio. Bogotá, 1996.

Sobre el particular, es de advertir que, por medio de la expedición del decreto 2458 de 1988, se autorizó a los cónyuges para que, cuando mediara común acuerdo, tramitaran su separación de cuerpos ante notario. Así mismo, el decreto 1900 de 1989 consagró la posibilidad de que, transcurridos dos años desde la separación de cuerpos, los cónyuges pudieran proceder con su divorcio también ante notario. Sin embargo, ambos decretos fueron expresamente derogados por el artículo 15 de la Ley 25 de 1992, con lo cual desapareció la posibilidad de tramitar tanto la separación de cuerpos como el divorcio por la causal 8ª del artículo 154 ante los notarios.

Así las cosas, de conformidad con la legislación anterior la separación de cuerpos era legal, y abría paso a la configuración de la causal de divorcio si se mantenía por más de dos años, cuando se decretaba judicialmente o hacía constar por escritura pública (en los términos del Decreto 2458 de 1988). Pero a raíz de la promulgación de la Ley 25 de 1992, dos fueron los cambios introducidos: (i) por un lado, se eliminó la posibilidad de solicitar la separación de cuerpos, por mutuo acuerdo, ante notario (art. 15) [556]; y, (ii) por el otro, se incorporó como supuesto para la configuración de la causal la separación de hecho, es decir, aquella que se lleva a cabo por los cónyuges sin validación judicial o notarial alguna.

Los motivos que abrieron paso a la incorporación de la separación de hecho como causal de divorcio son recogidos por HERNÁN FABIO LÓPEZ BLANCO, con apoyo en el trámite legislativo de la norma. Veamos:

> "[C]uando se presenta al Senado la ponencia para primer debate[557] se advierte que se adiciona a la separación judicial la de hecho por cuatro años, debido a que se estima que cuando una relación conyugal se rompe y ese

---

[556] JORGE PARRA BENÍTEZ sostiene que es factible solicitar, hoy en Colombia, la separación de cuerpos por mutuo acuerdo ante notario: "La ley 25 de 1992, en el artículo 15 derogó el citado decreto [se refiere al decreto 2458 de 1988], desapareciendo la separación de común acuerdo por vía notarial. Empero, nada obsta para aplicar analógicamente, *ad maiore ad minus*, el artículo 34 de la ley 962 de 2005, según el cual podrá convenirse ante notario, por mutuo acuerdo de los cónyuges, por intermedio de abogado, mediante escritura pública, la cesación de los efectos civiles de todo matrimonio religioso y el divorcio del matrimonio civil, sin perjuicio de la competencia asignada a los jueces por la ley, teniendo tal actuación los mismos efectos que la adelantada judicialmente. Entonces, si el divorcio, que es más que la separación de cuerpos, puede alcanzarse notarialmente, es válido considerar que también la separación puede lograrse de ese modo". (JORGE PARRA BENÍTEZ. *Derecho* ... Tomo I ... Pág. 344). Esta opinión no es mayoritaria en la doctrina y, aunque algunos notarios la prohíjan, en la práctica otros tantos no la admiten.

[557] Anales del Congreso, jueves 30 de abril de 1992, pág. 6.

rompimiento se mantiene por varios años 'no hay razón para forzar el mante-nimiento de un vínculo materialmente inexistente'.

En la ponencia del Senado para segundo debate[558] se advierte que es mejor unificar el término en los dos años, y que la causal es 'apenas elemental ex-tenderla a la separación de hecho de los cónyuges, no sólo porque las razones que la justifican son las mismas de la separación de hecho, sino por cuanto en la realidad social dichas separaciones son las más numerosas, especialmente en los estratos populares"[559].

Finalmente, y quizás más importante, la causal novena fue drásticamente modificada. En efecto, en la versión consagrada por la Ley 1ª de 1976 se preveía "[l]a condena privativa de la libertad personal, superior a cuatro años, por delito común, de uno de los cónyuges, que el juez que conozca del divorcio califique como atroz o infamante", en tanto que, en vigencia de la ley 25 de 1992, pasó a ser "[e]l consentimiento de ambos cónyuges ma-nifestado ante juez competente y reconocido por éste mediante sentencia".

SUÁREZ FRANCO cataloga la derogatoria de la antigua causal como un acierto, toda vez que su "redacción adolecía de cientificidad además de ser poco jurídica"[560]. Por su parte, LÓPEZ BLANCO elogia notablemente la adopción de la nueva causal, en los siguientes términos:

"El haber sido acogida esta causal permite una salida decorosa para múltiples uniones deshechas que desean ventilar aspectos de su más estricta intimidad pues el mutuo acuerdo es la causa única y eficiente determinante de la cau-sal, sin que importe a la ley el motivo que pudo llevar a obtenerlo.

No nos cansamos de recomendar que frente a la manifestación de los cón-yuges de terminar su relación matrimonial ojalá acudan a esta causal, la más convincente de todas por ser la que menos daño emocional ocasiona, pro-cedencia que es tanto más explicable si se tiene en cuenta que los procesos contenciosos de divorcio no generan beneficios especiales desde el aspecto patrimonial como erradamente se piensa, pues la sociedad conyugal no se afecta en su liquidación por el comportamiento de sus socios, a quienes co-rresponde igual parte del patrimonio, sin que interese en nada quién fue el culpable del divorcio"[561].

---

558 Anales del Congreso, martes 26 de mayo de 1992, pág. 3.
559 HERNÁN FABIO LÓPEZ BLANCO. Ponencia presentada en el XIV Congreso Colom-biano de Derecho Procesal. Barranquilla, 1993.
560 ROBERTO SUÁREZ FRANCO. *Derecho* ... Tomo I ... Pág. 210.
561 HERNÁN FABIO LÓPEZ BLANCO. *La ley de divorcio: implicaciones procesales.* Ed. Dupre. Bogotá, 1994. Pág. 71 y 72.

El notable avance en la consagración de esta causal, que indudablemente constituye una concesión a favor de la autonomía privada en las relaciones de familia, ha sido determinante en la disolución de los matrimonios en Colombia, que hoy se tramitan mayoritariamente al cobijo suyo. Por supuesto, hay quienes se oponen a la incorporación de este tipo de facilidades[562], por atentar contra una de las fuentes fundacionales de la familia, en tanto que hay quienes abogan por abolir, de una vez por todas, el régimen de causales en Colombia, para optar por el divorcio unilateral o incausado[563]. De

---

[562] Jorge Adolfo Mazzinghi, por ejemplo, sostiene lo siguiente: "Quienes ven el matrimonio como un mero contrato civil consideran que el principio de la rescisión es aplicable como causal de divorcio. Para definir nuestra posición frente a esta tendencia, basta recordar cuanto hemos dicho sobre la naturaleza jurídica del matrimonio. Aun cuando el vínculo nace de un acuerdo de voluntades, dicho acuerdo no tiene alcance para establecer las obligaciones conyugales ni sus características. Por lo tanto, el mutuo acuerdo conyugal debería ser insuficiente para disolver el vínculo en cuya subsistencia hay implicados intereses ajenos al interés de los esposos. Conforme a la posición que analizamos, la manifestación de querer divorciarse, sin que se invoque ningún hecho objetivo, sirve de base para que el juez pronuncie el divorcio. No hace falta reflexionar muy profundamente para advertir que la dignidad del matrimonio se resiente de manera muy grave al admitir esta vía de disolución, y, de hecho, el divorcio se ha banalizado hasta transformarse, para muchos, en una alternativa normal de la vida conyugal". (Jorge Adolfo Mazzinghi. *Derecho de familia*. Tomo III. *Separación personal y divorcio*. Tercera Edición. Ed. Depalma. Buenos Aires, 1996. Pág. 35).

[563] El autor de esta obra tuvo el honor de participar, con motivo de la deferente invitación de la Facultad de Jurisprudencia del Colegio Mayor de Nuestra Señora del Rosario, en el Comité que estudió la propuesta de un nuevo Código Civil colombiano, puesta a consideración del público por la Universidad Nacional de Colombia, específicamente en lo relacionado con el régimen del matrimonio, la sociedad conyugal, el divorcio y la separación de bienes. El Comité se conformó, además, por los Honorables Jueces de la República José Ricardo Buitrago Fernández y Laura Lusma Castro Ortiz. El proyecto de Código Civil consagra, novedosamente, el divorcio incausado, respecto del cual se surtió una nutrida y académicamente relevante discusión en el seno del Comité. Sin embargo, la postura del autor fue derrotada en la votación efectuada al interior de la mesa de trabajo, por lo que no quedó documentada en el compendio final presentado al público (Cfr. Mateo Vargas Pinzón, José Ricardo Buitrago Fernández y Laura Lusma Castro Ortiz. *Matrimonio y régimen de bienes. Observaciones a los artículos 1603 a 1718 del proyecto del Código Civil* en Observaciones al "Proyecto de Código Civil de Colombia: reforma del Código Civil y su unificación en obligaciones y contratos con el Código de Comercio". Facultad de Jurisprudencia del Colegio Mayor de Nuestra Señora del Rosario. Compilado por Yira López Castro, Tatiana Oñate Acosta y Nicolás Pájaro Moreno. Bogotá, 2020. Pág. 199 a 204). Delantera-

mente debemos decir que no apoyamos, ni consideramos adecuado, que se implante la figura del divorcio incausado o unilateral en Colombia. Ello no supone, ni por asomo, que también rechacemos, como lo hacen las posturas más ortodoxas de Mazzinghi (*Derecho* ... Tomo III ... Pág. 76 a 82) y Corral Talciani (*Indisolubilidad matrimonial* ... Pág. 35 a 52), la incorporación del divorcio vincular en el ordenamiento jurídico. Todo lo contrario: creemos firmemente que pueden tener lugar circunstancias específicas que ameriten, por la preservación del sosiego doméstico, la disolución del vínculo matrimonial. Son varios los motivos que nos conducen a creer que, quizás, el divorcio unilateral, como sustituto del régimen causalista que actualmente nos rige, no es la alternativa correcta por la que se debe optar. No parece posible pasar por alto que, en primer lugar, a raíz de la adopción de la Carta Política de 1991, Colombia elevó a rango constitucional la protección de la *familia*. Varias veces se ha hecho ver en estas páginas que, de tiempo atrás, nuestro Estado había adherido a Tratados Internacionales que ya conferían ese reconocimiento, pero muy diciente resulta que hayan sido los propios delegatarios del Constituyente Primario, reunidos como expresión máxima de la democracia colombiana, quienes hayan decidido estructurar, con el esmero con el que lo hicieron, dos artículos incardinados a calificar la *familia* como núcleo fundamental de la sociedad: el 5° y el 42. Y a nadie escapa que este último artículo, con absoluta precisión, señala que una de las fuentes –la jurídica– para la constitución de *familia* es precisamente el matrimonio. Por tal motivo, cualquier análisis que se aboque al estudio del matrimonio, sea en su fuente, ora en su contenido o bien en su disolución, es por fuerza de la razón un análisis también sobre la *familia*. Siendo ello así, como en efecto lo es, toda alternativa regulatoria del matrimonio ha de partir de una premisa lógica ineludible: se debe procurar la mayor estabilidad posible, pues solo así se puede garantizar la cumplida ejecución de lo querido por el pueblo colombiano cuando le dio el estatus de *nucleo fundamental de la sociedad* a la *familia*. Sentados así los postulados que obran como punto de partida, orientadores de cualquier reflexión en torno al matrimonio, corresponde ahora explicar los motivos por los cuales nos apartamos de la idea de que el divorcio unilateral es una alternativa satisfactoria para Colombia. De tiempo atrás, Planiol plasmó que "la sola posibilidad del divorcio desune muchos hogares que, sin ella, permanecerían unidos (...); desempeña el oficio de una chimenea de escape que crea una corriente ficticia; por último muchas personas se casan a la ligera, diciendo si no me resulta bien, me divorcio" (Marcel Planiol. *Tratado elemental de derecho civil*. Vol. IV. Trad. José María Cajicá. México D.F., 1946. Pág. 46). *Prima facie*, el planteamiento del connotado civilista puede parecer inocuo e incluso inane, en la medida en que el jurista no soportó su afirmación en estudios ni en datos científicos que permitieran concluir que su afirmación era algo más que una simple consideración subjetiva. Empero, años después de que se plasmara en papel esa "opinión", que viene a ser casi premonitoria, la socióloga Lynn K. White, profesora de la Universidad de Nebraska, publicó el estudio *Determinants of divorce: A review of research in the eighties*, en el cual concluyó que la eliminación de barreras para el divorcio hacía que problemas superables en principio fueran vistos por los cónyuges como motivos suficientes para disolver su vínculo matrimonial (Lynn K. White. *Determinants of divorce: A review of research in the eighties* en Journal of Marriage and Family. Vol. 52. Núm. 4. Ed. National Council on Family Relations. Minneapolis, 1990. Pág. 904 a 912). Ese hallazgo es consistente con el análisis económico que GARY BECKER, premio Nobel de Economía, hizo en 1987, en el sentido de que los matrimonios tienen una mayor tendencia a la disolución cuando los costos de elegir una nueva pareja, distinta de su cónyuge, son mínimos. Y la razón resulta obvia: si es irrelevante –o, en términos económicos, igual de costoso– estar soltero que estar casado para conseguir una pareja ideal, la tendencia será a contraer nupcias con la primera persona que mínimamente cumpla los estándares que se buscan (GARY BECKER. *A treatise on the family.* Ed. Harvard University. Cambridge, 1981. Pág. 286). Tan funesta conclusión es nítidamente indiciaria de que se trata de un factor que altera gravemente la estabilidad familiar. Ello se corrobora, por ejemplo, con el estudio de la economista LEORA FRIEDBERG, profesora de la Universidad de Virginia, intitulado *Did unilateral divorce raise divorce rates? Evidence from panel data,* que constata que las tasas de rompimiento del vínculo conyugal tienden a incrementar en la medida en que el régimen de divorcio adoptado por el ordenamiento jurídico de que se trate sea más laxo. Así, las sociedades en las que se aprobó el divorcio por mutuo consentimiento tuvieron un incremento de divorcios significativamente menor que aquellas en las que se aprobó el divorcio incausado o unilateral (LEORA FRIEDBERG. *Did unilateral divorce raise divorce rates? Evidence from panel data* en American Economic Review. Vol. 88. Núm. 3. 1998. Pág. 608 a 627). Los resultados del estudio de FRIEDBERG coinciden, en esencia, con los resultados presentados por DOUGLAS ALLEN en su *paper* intitulado *Marriage and divorce: comment* (DOUGLAS ALLEN. *Marriage and divorce: comment* en American Economic Review. Núm. 82. Ed. American Economic Association. Nashville, 1992. Pág. 679 a 685. También es importante el análisis que el autor hace sobre el caso canadiense, cuyos resultados son muy similares. Cfr. DOUGLAS ALLEN. *No-fault divorce in Canada: Its cause and effect* en Journal of Economic Behavior & Organization. Núm. 37. Ed. Elsevier. Amsterdam, 1998. Pág. 129 a 149). Importa advertir, empero, que otra parte de la literatura científica, particularmente liderada por la renombrada economista de la Universidad de Chicago, H. ELIZABETH PETERS, rechazó que el incremento de la tasa de divorcios se debiera a la implantación del divorcio unilateral. En su opinión, el análisis histórico demostraba que el divorcio incausado simplemente condujo a que las parejas que ya se habían resquebrajado optaran por disolver su vínculo (Véase a H. ELIZABETH PETERS. *Marriage and divorce: informational constraints and private contracting* en American Economic Review. Núm. 76. Ed. American Economic Association. Nashville, 1986. Pág. 437 a 454; y H. ELIZABETH PETERS. *Marriage and divorce: reply* en American Economic Review. Núm. 82. Ed. American Economic Association. Nashville, 1992. Pág. 686 a 693). En 2003, JUSTIN WOLFERS, profesor de la Universidad de Michigan, publicó un nuevo estudio en que reconoció que la incorporación del divorcio unilateral incrementa la tasa de disolución de vínculos matrimoniales, pero agregó que la tasa se tendía a estabilizar después de transcurrido un período aproximado de diez años (JUSTIN WOLFERS. *Did Unilateral Divorce Laws Raise Divorce Rates? A Reconciliation and New Results* en American Economic Review. Núm. 96. Ed. American Economic Association. Nashville, 2006. Pág. 1802 a 1820). Finalmente, la profesora de la Universidad de Nueva York

(NYU), EDITH AGUIRRE, fue la primera persona en publicar un estudio relacionado con los efectos del divorcio unilateral en un país latinoamericano y concluyó
que, en México, la tasa de rompimiento del vínculo matrimonial asociada al divorcio unilateral incrementó en un 26.4% entre 2009 y 2015 (EDITH AGUIRRE. *Do
changes in divorce legislation have an impact on divorce rates? The case of unilateral divorce in Mexico* en Latin American Economic Review. Núm. 28. Ed. Springer Open.
Nueva York, 2019. Pág. 1 a 24). Sin pretender arrogarnos ninguna autoridad en la
materia –que no tenemos–, es preciso entretener, en forma prudente, la idea de
que los resultados investigativos sobre la correlación entre el aumento de disolución de vínculos conyugales y la implantación del divorcio unilateral no es conclu-
yente –aunque hay buenas bases para creer que sí se desprende una correlación
entre ambas–. Entonces, surge de bulto el interrogante: Incluso sin resultados
concluyentes sobre el particular, ¿cuál debería ser la actitud regulatoria y de política legislativa matrimonial de cara a, siquiera, la posibilidad de que los hallazgos
científicos sí concluyan una eventual correlación? En nuestra opinión, la respuesta es muy clara: En ese escenario se debe aplicar (en términos de construcción de
política legislativa matrimonial) el principio *familiæ favoris*. Así pues, si se indaga
cuál de las alternativas protegerá mejor a la *familia*, núcleo fundamental de la sociedad, la conclusión no puede ser otra que aquella más cautelosa, es decir, la no
inclusión del divorcio incausado en el ordenamiento jurídico. Con ese contexto
científico, es preciso advertir que el argumento de ZANNONI, en cuanto a que la
regulación del divorcio "no se dirige a quien no quiere divorciarse, sino a los que
resuelven hacerlo" (EDUARDO ZANNONI. *Régimen del matrimonio civil y divorcio: ley
23.515.* Ed. Astrea. Buenos Aires, 1987. Pág. 80.), es sólido tan solo en apariencia.
Es así, porque lo pretendido por el planteamiento es demostrar que una regulación más laxa sobre el divorcio no tiene incidencia sobre las parejas que no desean finiquitar su vínculo. Sin embargo, científicamente se ha concluido, en varios
estudios que atrás se citan, que sí tiene un efecto psicológico de generar una mayor propensión al divorcio cuando se presenten problemas que, en principio, serían solucionables. Otro tanto cabe agregar en relación con los hijos, en donde los
estudios sí han sido unívocos al encontrar que la descendencia de padres divorciados –y específicamente nos referimos a estudios que asocian el fenómeno al divorcio unilateral– tienen un menor índice de escolaridad, menores ingresos en su
vida adulta, tienden a contraer nupcias primero y a divorciarse con prontitud y
aumentan sus probabilidades de suicidio (El lector puede acudir a JONATHAN
GRUBER. *Is making divorce easier bad for children?* En Journal of Labor Economics.
Núm. 22. Ed. University of Chicago Press. Chicago, 2004. Pág. 799 a 833; JOHN
JOHNSON y CHRISTOPHER MAZINGO. *The economic consequences of unilateral divorce for
children.* Ed. Universidad de Illinois. Chicago, 2000; y, en particular, al fantástico y
completo estudio de JULIO CÁCERES-DELPIANO y EUGENIO GIOLITO. *How unilateral
divorce affects children.* Papel de Trabajo número 3342. Ed. Institute for the Study of
Labor (IZA). Bonn, 2008. Pág. 1 a 33). A estos hallazgos se podrán oponer, sin
buen suceso, los estudios que demuestran que los hijos de padres que permanecen casados, pero cuya relación es supremamente tormentosa, tienden a tener similares índices de desescolaridad, menores ingresos, matrimonios quebrados y
suicidio. La irrelevancia argumentativa de estos estudios, en el caso que aquí se

discute, obedece fundamentalmente a que no es nuestra intención defender la proscripción absoluta del divorcio. No. Con firmeza creemos que cuando se ha desquiciado la unidad familiar, cuando han llegado las desavenencias insuperables o cuando se ha resquebrajado irreversiblemente la relación de pareja es conveniente y procedente la aplicación del divorcio. Mas como su contenido mismo lo enseña, debe ser esta una medida que se adopta como última *ratio*. No es, ni puede ser, una opción que se prohíje sin el ponderado análisis que demanda, porque de por medio, se insiste, está la estabilidad de la *familia*. En ese sentido, también se tiene que advertir, sin lugar a dudas, que la política legislativa y estatal en materia matrimonial no se puede producir, al menos no satisfactoriamente, a partir de un estudio aislado del régimen de divorcio. Es imperativo tomar en consideración, para garantizar la cumplida protección de la *familia*, el papel y significado que el *matrimonio* tiene en la sociedad. Ya en 1990, la psicóloga JUDITH WALLERSTEIN y la escritora científica SANDRA BLAKESLEE explicaban, en su sesudo trabajo *Padres e hijos después del divorcio*, que "[a]sí como ha cambiado nuestra actitud frente al divorcio, también ha cambiado nuestra actitud respecto al matrimonio y a la familia. El divorcio entraña un debilitamiento de los compromisos que asumimos ante nuestra pareja y ante la institución matrimonial. También se debilitan los compromisos morales tácitos que asumimos frente a nuestros hijos. En la actualidad esperamos del matrimonio más de lo que esperaban las generaciones anteriores y lo respetamos menos" (JUDITH WALLERSTEIN y SANDRA BLAKESLEE. *Padres e hijos después del divorcio*. Trad. Javier Vergara. Ed. Javier Vergara Editor. Buenos Aires, 1990). Esas conclusiones fueron luego reiteradas en su segundo estudio, *The unexpected legacy of divorce: the 25 year landmark study*, al que se unió la psicóloga JULIA M. LEWIS (JUDITH WALLERSTEIN, JULIA M. LEWIS y SANDRA BLAKESLEE. *The unexpected legacy of divorce: the 25 year landmark study* en Psychoanalitic Psychology. Ed. American Psychological Association. Vol. 21. Washington, 2004. Pág. 353 a 370). Sería necio atribuir el desvalor social del matrimonio exclusivamente al divorcio. Obviamente, como lo ponen de presente SHELLY LUNDBERG, ROBERT. A. POLLAK y JENNA STEARNS en su estudio *Family inequality: Diverging patterns in marriage, cohabitation, and childbearing*, de 2016, parte de la disminución en el compromiso se relaciona con la tecnología, los cambios de pensamiento social y económico y el arraigado individualismo. Empero, tanto LUNDBERG, POLLAK y STEARS, como BETSEY STEVENSON, concuerdan con los hallazgos de WALLERSTEIN, LEWIS y BLAKESLEE, en el sentido de que la aparición del divorcio unilateral disminuyó los costos de salida del matrimonio y redujo el valor del matrimonio como una figura de compromiso frente a la inversión que hacen los cónyuges en el mantenimiento de la unidad familiar (Véase a BETSEY STEVENSON. *The impact of divorce laws on marriage-specific capital* en Journal of Labor Economics. Núm. 25. Ed. University of Chicago Press. Chigago, 2007. Pág. 75 a 94). Así pues, en materia de política pública se debe dar inicio a un verdadero sistema armónico que abra paso nuevamente a la concepción del matrimonio como lo que es: una fuente de constitución de *familia* y, consiguientemente, un vínculo que requiere realmente de un esfuerzo entre los contrayentes, por oposición a una alternativa de simple conveniencia y, en algunos casos, de reducción de costos de manutención. Con estas consideraciones no desconocemos, en absoluto, que las familias en las que ha mediado el divorcio siguen siendo tales; que los padres siguen siendo padres y los hijos siguen siendo hijos. Tampoco creemos que sea el matrimonio la única ni la más adecuada forma de dar inicio a una *familia*, pues respaldamos la opinión de la Corte Constitucional respecto del libre desarrollo de la personalidad que faculta a todas las personas para elegir la vía que más se ajuste a su proyecto de vida. Simple y llanamente creemos, en una visión fundamentada en el respeto al compromiso, la seriedad y la autodeterminación, que quien opte por acudir al matrimonio para conformar su *familia* debe ser consciente de las implicaciones de esta figura jurídica, y que no es posible, ni en todo ni en parte, adoptar la miope visión de que el matrimonio es tan solo un contrato, de la misma naturaleza y estirpe que cualquiera otro, que se podría ubicar al lado de la compraventa, la donación o el suministro. En verdad, como lo apuntó con acierto VALENCIA ZEA, "si el matrimonio por su fuente es acuerdo de voluntades, por sus efectos es estado, en virtud de su carácter institucional. Una institución es algo muy superior a un acuerdo de voluntades tanto por sus efectos como por su duración; lo es por sus efectos, porque, según se ha dicho, no depende de la voluntad de los contrayentes, quienes de ordinario los desconocen en el momento de la celebración; lo es por su duración, porque aunque el matrimonio se extinga, sus efectos se perpetúan en los hijos (…) habidos en él" (ARTURO VALENCIA ZEA. *Derecho civil*. Tomo V. *Derecho de familia*. Sexta Edición. Ed. Temis. Bogotá, 1983. Pág. 79). Ese planteamiento, prohijado hoy por la Corte Constitucional colombiana, desemboca en que tampoco sea de recibo el argumento de muchos, conforme al cual el libre desarrollo de la personalidad, la dignidad humana y la libertad a cumplir su propio proyecto de vida se imponen sobre el compromiso válida, libre y espontáneamente adquirido de dar origen a una *familia* por medio del matrimonio. Porque el individualismo exacerbado, que muchas veces se torna en hedonismo, no puede abrir la puerta para que se despoje de protección al núcleo familiar así, sin más. Se repite, sin embargo, que con estos argumentos no buscamos eliminar el divorcio del ordenamiento jurídico colombiano, sino que creemos que la procura de la estabilidad del matrimonio, y con él de la *familia*, es más completa y adecuada si se mantiene un régimen causalista, como el que hoy nos rige, con inclusión de la causal de mutuo acuerdo. Por ello, no caben aquí los pasajes del ilustre MIGUEL DE CERVANTES SAAVEDRA en los *Entremeses del Juez de los Divorcios*, en que se hace ver con ironía la manera en que los cónyuges no pueden extinguir su vínculo matrimonial, ni siquiera cuando media común acuerdo entre ellos y es claro que se ha resquebrajado por completo la unidad de la pareja. En nuestra opinión, que dejamos aquí sentada con propósitos académicos y para discusión, la siguiente debería ser la fórmula adoptada por el Legislador en torno al régimen del divorcio: Hemos expuesto con suficiente precisión el significado histórico de la *separación de cuerpos*, figura jurídica que tuvo su apogeo con la promulgación de la ley 1ª de 1976 –sobre divorcio para matrimonios celebrados por el rito civil– y el Concordato de 1973, pues se convirtió en la salida equivalente al divorcio para los matrimonios celebrados por el rito católico. Así, es plenamente explicable que las causales que rigen esa institución normativa fueran idénticas –salvo en lo que toca con el mutuo acuerdo, cuya incorporación como causal de divorcio se dio con la ley 25 de 1992– a las del divorcio. Empero, a raíz de la adopción de la Carta

hecho, en los últimos años la Corte Constitucional ha conocido de varias demandas contra el actual artículo 154 del Código Civil, cuyo objetivo es lograr que se apruebe el divorcio sin limitaciones, pero la Corporación siempre ha despachado las pretensiones, y con razón, desfavorablemente[564].

Por otro lado, bueno es advertir que el artículo 15 de la Ley 25 de 1992 derogó expresamente el Decreto 1900 de 1989, que facultaba a los cónyuges para tramitar su divorcio ante notario, cuando mediara la separación de cuerpos regulada en la causal 8ª del artículo 154 del Código Civil. Corolario obligado de lo anterior es que el divorcio solo se podía tramitar, desde la promulgación de la Ley 25 de 1992, por vía judicial.

Política de 1991 (art. 42) y la promulgación de la ley 25 de 1992, los matrimonios celebrados por el rito católico tuvieron acceso a la figura del divorcio, bajo la denominación de *cesación de efectos civiles de matrimonio religioso*. Desde entonces, la *separación de cuerpos* cayó, por decir lo menos, en el más desafortunado desuso; y, a decir verdad, es completamente obvio que así haya ocurrido, porque no hay motivos para pensar que una pareja, habiéndose configurado una de las causales para acudir directamente al divorcio, pretenda echar mano de la *separación de cuerpos*. Pues bien, la alternativa que se propone es una exhaustiva revisión de las causales de divorcio y de separación de cuerpos, con miras a establecer, para la primera figura, un cúmulo de motivos de mayor entidad, serios e inadmisibles, que sean suficientes para poner fin al matrimonio (incluida, por supuesto, la causal del mutuo acuerdo entre los cónyuges); y, para la segunda figura, instituir otro cúmulo de motivos, distinto del primero, de menor envergadura, que autoricen la separación de cuerpos en la forma que lo tiene previsto hoy nuestro Código Civil. En este último grupo de causales se podría evaluar la posibilidad de incluir la voluntad unilateral de uno de los cónyuges, con causa justificativa del desquiciamiento familiar y la imposibilidad de preservar el sosiego doméstico. De manera que el divorcio podría ser impetrado cuando transcurran dos años desde la separación de cuerpos y, así, al menos se tendría un proceso escalonado de divorcio, que no permitiría la disolución del vínculo de forma intempestiva y a despecho del otro cónyuge, haciendo que "los costos de salida del matrimonio" sean más altos. Adicionalmente, de optar por esta vía podremos sostener, con BURBANO DE GARCÍA, que la separación de cuerpos "revist[irá] trascendental importancia (…), porque puede constituir una terapia a los conflictos conyugales, ya que con toda propiedad se puede predicar aquí el aforismo: 'después de la tempestad viene la calma'" (STELLA BURBANO DE GARCÍA. *Matrimonio, divorcio y separación de cuerpos*. Ed. Librería Wilches. Bogotá, 1978. Pág. 71).

[564] Para mayor ilustración, el lector puede acudir a MATEO VARGAS PINZÓN y CECILIA DÍEZ VARGAS. *Régimen de causales objetivas y subjetivas del divorcio en Colombia: la cuestión a debate* en Ámbito Jurídico, publicación del 10 de septiembre de 2019. Disponible en: https://www.ambitojuridico.com/noticias/especiales/civil-y-familia/regimen-de-causales-objetivas-y-subjetivas-del-divorcio-en.

No obstante, el artículo 34 de la Ley 962 de 2005, popularmente conocida como ley *anti-trámites*, instituyó la posibilidad de que, únicamente cuando mediara la causal de mutuo acuerdo, los cónyuges acudieran a una notaría para protocolizar su divorcio o la cesación de efectos civiles de su matrimonio católico. Esta disposición ha sido duramente criticada por SUÁREZ FRANCO, así:

> "[R]educir el divorcio a un simple acuerdo de voluntades (de trámite) ante notario es propiciar la inestabilidad familiar. Se debe ser cauteloso en la adopción de reformas precipitadas, las cuales, a la postre, influyan de manera negativa en el ordenamiento de la comunidad; no se puede continuar expidiendo normas de profundo contenido social, alegando la celeridad, que afectan situaciones atinentes a la familia y, de consiguiente, a la sociedad en general. Otorgarle un tratamiento superficial e intrascendente a actos de particular relevancia para la estabilidad de la comunidad, como son el matrimonio y el divorcio, y reducirlos a simples actos de trámite, en muchos casos debidos a impulsos momentáneos, pueden ser fuente de efectos nocivos para la sociedad"[565].

SECCIÓN III. OTRAS MODIFICACIONES

Al lado de las sustanciales reformas ya comentadas, la Ley 25 de 1992 incluyó dos de particular interés para nuestro texto: (i) por un lado, derogó expresamente el artículo 155 del Código Civil; y, (ii) por el otro, modificó el artículo 156, *ibídem*. Veamos:

Las causales de divorcio se pueden clasificar, desde el punto de vista de la obligación de su decreto por parte del juez, como perentorias o facultativas. Son perentorias aquellas que, demostrado su acaecimiento, imponen al fallador la obligación de decretar el divorcio. En cambio, son facultativas aquellas "que dejan subsistir la apreciación judicial sobre su suficiente gravedad"[566].

Antes de la expedición de la Ley 25 de 1992, el artículo 155 del Código Civil, tal como fue modificado por la Ley 1ª de 1976, facultaba al juez para abstenerse de decretar el divorcio si no encontraba que "la causal probada [hubiera] producido un desquiciamiento profundo de la comunidad matrimonial de tal gravedad que no sea posible esperar el restablecimiento de la unidad de vida de los casados". Así mismo, lo facultaba para negar el divorcio, a pesar de hallar probada la causal, "si lo considera[ba] mo-

---

565 ROBERTO SUÁREZ FRANCO. *Derecho* ... Tomo I ... Pág. 220.

566 MIREILLE DELMAS-MARTY y CATHERINE LABRUSSE-RIOU. *Matrimonio y divorcio*. Ed. Temis. Bogotá, 1987. Pág. 64.

ralmente no justificado, en atención al interés de los hijos menores, a la antigüedad del matrimonio y a la edad de los cónyuges". De ello se deduce que, en principio, todas las causales para decretar el divorcio tuvieran el carácter de facultativas.

Como lo apunta VALENCIA ZEA, una de las ilustres mentes jurídicas que estuvo detrás de la seguidilla de reformas implantadas en el régimen de familia en la década de los setenta, "en principio el art. 155 del proyecto solo contemplaba como facultativas las causales 3ª (ultrajes) y 4ª (embriaguez habitual). Carece de explicación el que la definitiva redacción del art. 155 hubiera convertido todas las causales en facultativas"[567]. Sin embargo, con apoyo en los planteamientos de MARCO GERARDO MONROY CABRA[568], el civilista colombiano señaló que la naturaleza facultativa que, en principio, tenían las causales del artículo 154 del Código Civil era tan solo aparente, porque el último inciso del artículo 155, *ibídem*, precisaba que, "una vez [hubieran] cesado las anteriores circunstancias de no justificación moral de la pretensión del divorcio, establecidas en consideración a los hijos, podrá decretarse el divorcio, aun por los mismos hechos alegados inicialmente".

En ese sentido, VALENCIA ZEA concluía que, respecto de las causales 4ª, 5ª, 6ª, 7ª y 9ª, era posible sostener que su naturaleza era facultativa, en tanto que las causales 1ª, 2ª y 8ª eran absolutamente perentorias. Pero aclaraba que esa "facultad", que se debía aplicar con recelo por el juez, generalmente perdía sentido si mediaba una demanda de divorcio y fracasaban las audiencias de conciliación, pues en esos casos se podía entrever un claro síntoma de que la vida conyugal se había roto de manera definitiva[569].

Ahora bien, con la derogatoria del artículo 155 del Código Civil, ordenada por el artículo 15 de la Ley 25 de 1992, la regla general pasó a ser la naturaleza perentoria de todas las causales de divorcio[570]. Y se dice que es la *regla general*, mas no *absoluta*, porque la derogatoria del artículo 155 del Código Civil no supuso que el juez quedara impedido para aplicar su debida valoración. Por ejemplo, como lo reseñamos con anterioridad, la gravedad de los ultrajes y maltratamientos (causal 3ª) debe ser valorada

---

[567] ARTURO VALENCIA ZEA. *Derecho* ... Tomo V ... Pág. 189.

[568] MARCO GERARDO MONROY CABRA. *Matrimonio civil y divorcio en Colombia.* Ed. Temis. Bogotá, 1979. Pág. 215

[569] ARTURO VALENCIA ZEA. *Derecho* ... Tomo V ... Pág. 196.

[570] Cfr. JORGE PARRA BENÍTEZ. *Derecho* ... Pág. 315; y ALCIDES MORALES ACACIO. *Lecciones* ... Pág. 602.

por el juez[571]. Sin embargo, queda claro que, acreditada la causal, por lo general el fallador deberá proceder a decretar inmediatamente el divorcio.

Por otro lado, el 10 de la Ley 25 de 1992 introdujo algunos cambios al artículo 156 del Código Civil, que se explican más sencillamente con un cuadro comparativo (subrayamos los cambios):

Tabla 22: Comparativo del texto del Artículo 156 del Código Civil, según las versiones asignadas por las leyes 1ª de 1976 y 25 de 1992

Comparativo del texto del Artículo 156 del Código Civil, según las versiones asignadas por las leyes 1ª de 1976 y 25 de 1992	
Artículo 156 del Código Civil, de acuerdo con la ley 1ª de 1976.	**Artículo 156 del Código Civil, de acuerdo con el artículo 10º de la ley 25 de 1992.**
"ARTÍCULO 156. El divorcio sólo podrá ser demandado por el cónyuge que no haya dado lugar a los hechos que lo motivan y dentro del término de un año, contado desde cuando tuvo conocimiento de ellos respecto de las causas 1a y 7a o desde cuando se sucedieron, en tratándose de las causas 2a, 3a, 4a y 5a. En todo caso, las causas 1a y 7a sólo podrán alegarse dentro de los dos años siguientes a su ocurrencia. Las causas de divorcio no podrán probarse con la sola confesión de los cónyuges".	"ARTÍCULO 156. El divorcio sólo podrá ser demandado por el cónyuge que no haya dado lugar a los hechos que lo motivan y dentro del término de un año, contado desde cuando tuvo conocimiento de ellos respecto de las causales 1a. y 7a. o desde cuando se sucedieron, respecto a las causales 2a., 3a., 4a. y 5a., en todo caso las causales 1a. y 7a. sólo podrán alegarse dentro de los dos años siguientes a su ocurrencia".

En primer lugar, se ve un cambio intrascendente en la norma, exclusivamente de redacción, en el inciso primero. Es de anotar, sin embargo, que la expresión "y dentro del término de un año, contado desde cuando tuvo conocimiento de ellos respecto de las causales 1a. y 7a. o desde cuando se sucedieron, respecto a las causales 2a., 3a., 4a. y 5a." fue declarada condicionalmente exequible por la Corte Constitucional, en Sentencia C-985 de 2010, M.P. JORGE IGNACIO PRETELT CHALJUB, en el entendido de que "los términos de caducidad que la disposición prevé solamente restringen el tiempo la posibilidad de solicitar las sanciones ligadas a la figura del divorcio basado en causales subjetivas". Además, en la misma providencia se resolvió declarar la inexequibilidad de la expresión "en todo caso las causales 1a. y 7a. sólo podrán alegarse dentro de los dos años siguientes a su ocurrencia".

En segundo lugar, la nueva norma no contempló el segundo inciso del artículo, con lo cual se debe entender inexorablemente derogado. Quiere

---

[571] Cfr. EDUARDO GARCÍA SARMIENTO. *Elementos de …* Pág. 398; y ROBERTO SUÁREZ FRANCO. *Derecho …* Tomo I … Pág. 203 y 204.

ello decir que, por línea de principio, si las causas de divorcio antes no se podían probar por confesión, hoy sí es posible que ello ocurra.

En opinión disidente, Pedro Alejo Cañón Ramírez señala que, para la configuración de la causal primera (relaciones sexuales extramatrimoniales), la confesión no vale como medio único de prueba y, por tanto, requiere complemento de otros medios ordinarios de prueba[572]. Pese a que no explica en detalle los motivos que lo conducen a su afirmación, ciertamente no compartimos su planteamiento porque estimamos, sin duda, que la legislación negativa del Congreso, por la vía de no incorporar el último inciso del artículo 6° de la Ley 1ª de 1976, debe ser tomada como una autorización para que la *confesión* constituya prueba eficaz de la causal que se alegue, cualquiera que sea, por el interesado.

---

[572] Pedro Alejo Cañón Ramírez. *Derecho civil.* Tomo II. Volumen 1. *Familia.* Ed. Presencia. Bogotá, 1995. Pág. 205 y 206.

Capítulo XIII.
Régimen de la Ley 223 de 1995

El Partido Liberal Colombiano había conducido las riendas del país desde 1986, cuando Virgilio Barco Vargas fue elegido Presidente de la República. Como consecuencia del bipartidismo imperante para entonces, tanto en el Partido Liberal como en el Conservador se albergaban distintas posiciones que cubrían gran parte del espectro político. Así, el Partido Liberal acogía a quienes adherían al liberalismo económico y a quienes defendían una visión de estirpe socialdemócrata. Ello explica que en el mismo partido político convergieran César Gaviria Trujillo y Ernesto Samper Pizano. El primero, de marcada tendencia neoliberal; y, el segundo, una apuesta hacia la socialdemocracia.

A finales de 1993 se empezaron a conformar las candidaturas de quienes habrían de participar en los comicios electorales del año siguiente, las primeras que se celebrarían al cobijo de la nueva Carta Política. En ese contexto, la consulta liberal de 1993 tuvo como precandidatos a Carlos Lemos Simmonds, Enrique Parejo, Carlos Lleras de la Fuente, Humberto de la Calle Lombana y Ernesto Samper Pizano. Tras las votaciones de rigor, este último se impuso y fue ungido como candidato oficial del Partido Liberal Colombiano.

A pesar de que Samper pertenecía al Partido Liberal, como el Presidente en funciones —César Gaviria—, su proyecto político distaba en mucho del de César Gaviria Trujillo. En particular, y por lo que aquí interesa, el modelo económico propuesto por Samper se alineaba con las corrientes que en ese momento soplaban en el mundo, de corte neointervencionista. Por el contrario, Humberto de la Calle, quien contó con la segunda mayor votación en la consulta liberal, había servido como Ministro de Gobierno del Presidente Gaviria entre 1991 y 1993 y su corte de pensamiento era mucho más alineado con el entonces gobierno de turno. Quizás por ese motivo, aunado a la legitimación que le daba haber sido respaldado por la segunda mayor votación de la consulta, Samper Pizano lo nombró como candidato vicepresidencial en el tiquete electoral.

En la otra cara de la moneda, el conservatismo se encontraba también dividido, con el inconveniente de que el Partido Conservador Colombiano ya se había fragmentado en varios partidos con personería propia. En efecto, Álvaro Gómez Hurtado, hijo del Ex Presidente Laureano Gómez

CASTRO, había fundado, en 1990, el Movimiento de Salvación Nacional, al auspicio del cual se presentó a la candidatura presidencial de ese año; y ANDRÉS PASTRANA ARANGO, hijo del Ex Presidente MISAEL PASTRANA BORRERO, había fundado, también en 1990, la Nueva Fuerza Democrática, que logró obtener nueve escaños en el Senado de la República en 1991.

Para las elecciones presidenciales de 1994, y luego de que GÓMEZ HURTADO se retirara de la vida pública después de fungir como Co-Presidente de la Asamblea Nacional Constituyente de 1991, el camino quedó pavimentado para que PASTRANA ARANGO presentara su candidatura, que fue rápidamente apoyada por el Partido Conservador Colombiano y el Movimiento de Salvación Nacional. Como fórmula vicepresidencial, PASTRANA ARANGO designó a LUIS FERNANDO RAMÍREZ ACUÑA, quien se desempeñaba como Ministro de Trabajo del Presidente GAVIRIA TRUJILLO.

Finalmente, a los comicios se presentó también, como candidato alternativo, ANTONIO NAVARRO WOLFF, quien había pertenecido al movimiento guerrillero M-19 y, luego de su desmovilización, sirvió como Co-Presidente de la Asamblea Nacional Constituyente de 1991.

En las elecciones presidenciales de 1994 se impuso, tanto en primera como en segunda vuelta, el candidato del Partido Liberal, ERNESTO SAMPER PIZANO, con su programa de gobierno *El Salto Social*, al cual nos abocaremos en este Capítulo.

SECCIÓN I. NEOINTERVENCIONISMO Y *TERCERA VÍA*

I. *Contexto político y generalidades*

Después del asentamiento neoliberal en el mundo, con su apogeo en los gobiernos estadounidenses de RONALD REAGAN —con sus *Reaganomics*— y GEORGE HERBERT WALKER BUSH, y en el gobierno británico de MARGARET THATCHER, la política económica tuvo un viraje en la década de 1990.

En Estados Unidos, el cambio se presentó con el ascenso a la presidencia del demócrata WILLIAM (BILL) CLINTON, en 1992. A diferencia de lo que había ocurrido con los anteriores candidatos demócratas, CLINTON promovió, al interior del Democratic Leadership Council (DLC), una plataforma política y económica mucho más moderada, al punto que se autodenominó en su campaña como un "Nuevo Demócrata". En su gobierno, los Chicago Boys (como se les conocía a los asesores económicos de los gobiernos neoliberales, provenientes de la Escuela de Chicago) cedieron el paso al Massachusetts Institute of Technology (MIT). En efecto, el Consejo de Asesores Económicos (Council of Economic Advisers) del Presidente CLINTON, en su primer periodo, estuvo conformado por LAURA TYSON, ALAN BLINDER y JOSEPH STIGLITZ, todos doctores en economía del MIT.

La política económica del MIT era una expresión de la reconciliación entre el libre mercado absoluto o capitalismo manchesteriano, en el que el Estado jugaba un ínfimo papel, y el estatismo desbordado que prohijaban algunos sectores, en que el libre mercado era limitado o nulo. Así se observa, por ejemplo, en el *paper* que STIGLITZ presentó, en 1993, ante el Banco Mundial en relación con el rol del Estado en los mercados financieros. Su conclusión, luego de un profundo análisis, es que las fallas endémicas de los mercados financieros hacen necesaria la intervención o presencia del Estado para su correcto funcionamiento, lo que no supone que todas las áreas económicas deban siempre estar permeadas por la presencia gubernamental[573].

El Nobel de Economía ROBERT SOLOW, profesor y doctor en economía del MIT, explicó el *justo medio* que se perseguía en su discurso *The economic of resources or the resources of economics,* pronunciado en la octogésima sexta reunión anual de la American Economic Association: "[U]no debe sospechar tanto de la centralización absoluta como del libre mercado absoluto. Quizás la alternativa más segura es favorecer políticas públicas específicas —como impuestos graduados por extracción de recursos naturales no renovables— en lugar de arropar soluciones institucionales"[574].

Por último, no es posible aludir al departamento de economía del MIT sin hacer referencia a su padre, PAUL SAMUELSON, Nobel de Economía y escritor de los ya inveterados textos de estudio sobre la materia. A juicio

---

[573] JOSEPH STIGLITZ. *The role of the State in financial markets* en The World Bank Economic Review. Vol. 7. Washington, 1993. Pág. 19 a 52.

[574] La anterior es una tarducción libre. En su versión orginal: "[O]ne ought to be as suspicious of uncritical centralization as of uncritical free-marketeering. Maybe the safest course is to favor specific policies—like graduated severance taxes— rather than blanket institutional solutions". (ROBERT SOLOW. *The economic of resources or the resources of economics* en The American Economic Review. Vol. 64. Núm. 2. Ed. American Economic Association. Nueva York, 1974. Pág. 13). El economista, al expresar sus diferencias particulares con el también Nobel de Economía MILTON FRIEDMAN, sarcásticamente afirmó: "Another difference between Milton and myself is that everything reminds Milton of the money supply. Well, everything reminds me of sex, but I keep it out of my papers". (ROBERT SOLOW. *Comments* en Guidelines: Informal Controls and the Market Place. Editores: George Shultz y Robert Aliber. Ed. University of Chicago Press. Chicago, 1966. Pág. 63).

de SAMUELSON, el Estado contemporáneo se encuentra indiscutiblemente presente en todos los mercados, en la medida en que corrige las fallas estructurales[575], interviene en aspectos centrales y tiene tres funciones esenciales, cuales son fomentar (i) la eficiencia, (ii) la equidad y (iii) la estabilidad y el crecimiento macroeconómicos.

El aumento de la *eficiencia*, en criterio de SAMUELSON, se alcanza mediante el fomento de la competencia, el freno de las externalidades (como la contaminación) y el suministro de bienes públicos. La *equidad*, por su parte, se alcanza con los programas de impuestos y de gasto para redistribuir la renta. Y la *estabilidad* y el *crecimiento macroeconómicos* se fomentan con la reducción del desempleo y la inflación, por medio de la política fiscal y la regulación monetaria[576].

Pero nada de lo anterior supone la revigorización sin límites del Estado benefactor. Al respecto, sostiene el profesor del MIT:

> "Cuando se sopesan las virtudes relativas del Estado y del mercado, en los debates públicos suelen simplificarse excesivamente las complejas decisiones que tienen que tomar las sociedades. Los mercados han obrado milagros en algunos países. Pero sin el tipo correcto de estructura jurídica y política y sin el capital social fijo que fomente el comercio y la inversión privada, los mercados también pueden producir un capitalismo corrupto con grandes desigualdades, pobreza general y disminución del nivel de vida. (…)
>
> El éxito de las economías de mercado puede llevarnos a pasar por alto los numerosos éxitos que ha conseguido la acción colectiva en los últimos cien años, como nos recuerda el caso del faro. (…)
>
> Estos éxitos no se deben, desde luego, exclusivamente al Estado. Éste ha aprovechado el ingenio privado a través del mecanismo del mercado para ayudar

---

[575] Dice, al respecto, SAMUELSON: "[E]n el mundo real ninguna economía se ajusta totalmente al mundo idealizado de la mano invisible que funciona armoniosamente, sino que todas las economías de mercado tienen imperfecciones que producen males como una contaminación excesiva, desempleo y los extremos de riqueza y pobreza. (…) [N]ingún gobierno del mundo, por muy conservador que sea, mantiene sus manos alejadas de la economía. (…) El ejército, la policía, el servicio meteorológico nacional y la construcción de autopistas son todas ellas actividades características del Estado. (…) El Estado regula algunos sectores (como la banca y los medicamentos) y subvenciona otros (como la educación y la sanidad). El Estado también grava a los ciudadanos y redistribuye entre los ancianos y los necesitados parte de los ingresos recaudados". (PAUL SAMUELSON y WILLIAM NORDHAUS. Economía. Decimoséptima Edición. Trad. Esther Rabasco y Luis Toharía. Ed. Mc Graw Hill. Madrid, 2002. Pág. 29).

[576] Véase a PAUL SAMUELSON y WILLIAM NORDHAUS. Economía. Decimoséptima Edición. Trad. Esther Rabasco y Luis Toharía. Ed. Mc Graw Hill. Madrid, 2002. Pág. 29 y 30.

a conseguir estos objetivos sociales. Y en algunos casos el Estado ha sido como los oradores que no sabían cuando parar.

El debate sobre los éxitos y los fracasos del Estado demuestra de nuevo que trazar la frontera entre el mercado y el Estado es un problema permanente. Los instrumentos de la economía son indispensables para ayudar a las sociedades a encontrar el punto medio entre los mecanismos del mercado basados en el *laissez faire* y las reglas democráticas de la carretera. La buena economía mixta es, por fuerza, la economía mixta limitada. Pero los que reducirían el Estado a la policía y a unos cuantos faros viven en un mundo de sueños. Una sociedad eficiente y humana necesita las dos mitades del sistema mixto: el mercado y el Estado. Dirigir una economía moderna sin las dos es como tratar de aplaudir con una mano"[577].

Todos los planteamientos que se han recogido demuestran que la visión económica de la escuela del MIT infirma, por completo, la libertad absoluta que arropa el neoliberalismo, pero tampoco se alinea con el establecimiento de un Estado omnímodo. Busca llegar a un justo medio que reconozca la necesaria presencia gubernamental en la economía, sin que se desborde o termine por anular los mercados o sectores que no presentan fallas.

Al cruzar el Océano Atlántico, en Gran Bretaña la situación no fue distinta. El arribo de ANTHONY (TONY) CHARLES LYNTON BLAIR como Primer Ministro, en 1997, trajo consigo una visión más moderada que la prohijada en los años anteriores por los conservadores MARGARET THATCHER y JOHN MAJOR. Aunque ha habido posiciones que sostienen que las políticas de BLAIR entrañaron, sin más, la prosecución del neoliberalismo rampante que imperó en Gran Bretaña[578], lo cierto es que la plataforma política (y económica) de su campaña, como sucedió con la de CLINTON en los Estados Unidos de América, se presentó como una visión alternativa, más de centro, más moderada; se presentó e hizo carrera como parte de una *Tercera vía*.

La *Tercera vía*, como se ha venido a denominar, pregona como uno de sus valores fundamentales la máxima de "no hay derechos sin responsabilidades"[579]. ERIC SHAW, profesor de la Universidad de Stirling, presenta la *Tercera vía*

---

[577] *Ibídem.* Pág. 35.

[578] Véase, al respecto, a NADER ELHEFNAWY. *Was Tony Blair's Prime Ministership Neoliberal?: A Survey of British Economic Policy, 1979-2007* en Social Science Research Network. Disponible en: https://ssrn.com/abstract=3676360. Miami, 2020. Pág. 73 a 75.

[579] ANTHONY GIDDENS, amplio expositor de esta corriente de pensamiento, sostiene que esa particular máxima ha de obrar como referente no solo para los receptores de ayudas, sino para todos los miembros de la colectividad. (ANTHONY GIDDENS. *The third way: the renewal of social democracy.* Ed. Polity Press. Oxford, 1998. Pág. 66).

como una alternativa eminentemente pragmática, en la que la política pública se adopta conforme a las particularidades de cada caso, la verosimilitud de la implantación de las medidas y una rigurosa investigación en torno a las consecuencias derivadas de cada alternativa posible, en lugar de ser construida a partir de fórmulas ideológicas fijas[580].

Empero, el pragmatismo a que aquí se alude se refiere a la necesidad de dejar de lado si tal o cual idea es o ha sido defendida por una corriente de pensamiento específica, para pasar a asumir una actitud proactiva en la definición de problemáticas reales. Por consiguiente, es menester abordar los postulados que defiende la *Tercera vía*, los cuales claramente deben obrar como orientadores de toda decisión. Para el efecto, tomaremos el cuadro construido por ARMANDO BARRIENTOS y MARTIN POWELL[581], en el que se muestra cómo la *Tercera vía* ha venido a reconciliar los extremos del neoliberalismo y la socialdemocracia antigua:

Figura 3. Cuadro comparativo entre el neoliberalismo, la socialdemocracia antigua y la tercera vía.

Table 1.1 Dimensions of the Third Way in social policy

Dimension	Old social democracy	Third way	Neo-liberal
Discourse	Rights	Rights *and* responsibilities	Responsibilities
	Equity	Equity *and* efficiency	Efficiency
	Market failure	Market *and* state failure	State failure
Values	Equality of outcome	Inclusion	Equality of opportunity
	Security	Positive welfare	Insecurity
Policy goals	Equality of outcome	Minimum opportunities	Equality of opportunity
	Full employment	Employability	Low inflation
Policy means	Rights	Conditionality	Responsibilities
	State	Civil society/market	Market/civil society
	State finance and delivery	State/private finance and delivery	Private/state finance and delivery
	Security	Flexicurity	Insecurity
	Hierarchy	Network	Market
	High tax and spend	Pragmatic tax to invest	Low tax and spend
	High services and benefits	High services and low benefits	Low services and benefits
	High cash redistribution	High asset redistribution	Low redistribution
	Universalism	Pragmatic mix of universalism and selectivity	Selectivity
	High wages	National minimum wage/tax credits	Low wages

Referencia: *The route map of the third way* en The third way and beyond: Criticisms, futures and alternatives. Editores: Sarah Hale, Will Leggett y Luke Martell. Ed. Manchester University Press. Manchester, 2004. Pág. 15.

---

[580] Sobre el particular, el lector puede acudir a ERIC SHAW (*What matters is what works: The third way and the case of the private finance initiative* en The third way and beyond: Criticisms, futures and alternatives. Editores: Sarah Hale, Will Leggett y Luke Martell. Ed. Manchester University Press. Manchester, 2004. Pág. 66) y a MICHAEL TEMPLE (*New Labour's third way: pragmatism and governance* en The British Journal of Politics and International Relations. Vol. 2. Núm. 3. Ed. Sage Publications. Londres, 2000. Pág. 320).

[581] ARMANDO BARRIENTOS y MARTIN POWELL. *The route map of the third way* en The third way and beyond: Criticisms, futures and alternatives. Editores: Sarah Hale, Will Leggett y Luke Martell. Ed. Manchester University Press. Manchester, 2004. Pág. 15.

Nótese la conjugación que se hace, la síntesis si se quiere, entre ambos extremos. Se reconoce que el ciudadano tiene derechos, como lo hace la socialdemocracia antigua, pero también se exaltan sus responsabilidades, en línea con el liberalismo. Se admite que tanto el mercado como el Estado presentan fallas, por lo que ninguno es absoluto o prevalente sobre el otro. En los valores, la socialdemocracia antigua se preocupa por la *igualdad en la llegada* y el neoliberalismo lo hace por la *igualdad en la salida*, mientras que la *Tercera vía* se preocupa por crear un *mínimo de oportunidades* para todas las personas. Así, la *Tercera vía* procura ubicarse en un justo medio que no desecha ni se alinea con los modelos que la antecedían, busca trascender para ofrecer alternativas que consulten verdaderamente los intereses de la ciudadanía, antes que enfrascarse en discusiones ideológicas que no garantizan soluciones serias y efectivas.

II. Aspectos tributarios

Por supuesto, no escapa a la *Tercera vía* la política tributaria. Según se vio, el sistema propuesto por Keynes acoge con ahínco una alta tributación y un correlativo gasto público elevado, con miras a alcanzar una efectiva redistribución de la riqueza; de ahí que el tributo más importante para la socialdemocracia ortodoxa sea el impuesto sobre la renta. En las antípodas, el neoliberalismo propugna una baja tributación, y la correspondiente disminución en el gasto público, porque no pretende inmiscuir por completo al Estado en aspectos redistributivos de la riqueza, sino tan solo garantizar unos mínimos de convivencia; de ahí que, en su seno, se ubicara el impuesto al gasto o al consumo. Como conciliación de ambas visiones, la *Tercera vía* propone la imposición pragmática, sea mediante tributos directos sobre la renta o indirectos sobre el consumo, con un gasto público de inversión estratégico.

Esa alternativa surge como consecuencia del comunitarismo moderado que ofrece la *Tercera vía*. El empoderamiento del individuo —idea arraigada en el neoliberalismo— y de la comunidad —consigna de la socialdemocracia— es necesario por cuanto el Estado juega un papel clave en la conducción moral de la sociedad[582]. En el nuevo contexto, quienes adhieren a la *Tercera vía* ven, como los profesores PHILIP SELZNICK (Universidad de Berkeley) y HENRY TAM (Universidad de Cambridge), la tributación no ya como un

---

[582] Cfr. AMITAI ETZIONI. *The spirit of community rights, responsibilities and the communitarian agenda.* Ed. Crown Publishers. Carmarthen, 1993. Pág. 31.

castigo, sino como *una virtud cívica de la que los buenos ciudadanos se precian*[583]. Y, de contera, reclaman la progresividad como un *imperativo* para la participación responsable de quienes ganan más que los demás, porque, quien más recibe del orden económico y social, y de los beneficios de la comunidad, tiene correlativamente una mayor obligación que quienes obtienen menos, y especialmente de quienes reciben la menor cantidad de beneficios[584].

Sobre las anteriores premisas, ante el urgido presupuesto axiológico de obtener una cumplida redistribución de la riqueza —al menos en un mayor grado que el admitido por el neoliberalismo—, vuelve el impuesto sobre la renta a reclamar un papel protagónico en la política tributaria del Estado.

Ya se pudo constatar que la filosofía pregonada por la *Tercera vía* es, pues, muy cercana a la visión económica que el MIT ha defendido. Por eso, bueno es echar mano de los planteamientos de SAMUELSON sobre la política tributaria, de manera que se esclarezca, en mayor medida, esta cuestión:

Habida cuenta de que el Estado, en la *Tercera vía*, cumple un papel más importante que el presupuestado en el neoliberalismo, es su deber "conseguir los ingresos necesarios para pagar sus bienes públicos y financiar sus programas de redistribución de la renta"[585]. Para ello, es imperativo que se acepte que el Estado debe tener el "control de la economía", con miras a intervenirla con instrumentos como los *impuestos sobre la renta y sobre los bienes*; el *gasto público*; y la *regulación o control*.

Mediante los impuestos, dice SAMUELSON, se reduce "la renta privada y, por lo tanto, el gasto privado (en automóviles o en almuerzos en restaurantes) y [se] proporcionan recursos para el gasto público (en misiles o en almuerzos escolares). El sistema tributario también sirve para disuadir de realizar determinadas actividades (como el consumo de tabaco) gravándolas más y fomentar otras gravándolas menos o incluso subvencio-

---

[583] Véase a HENRY TAM. *Third way politics and communitarian ideas: time to take a stand* en The International Scope Review. Vol. 1. Núm. 2. Ed. Social Capital Foundation. Bruselas, 1999. Pág. 5.

[584] Véase AMITAI ETZIONI. *The essential communitarian reader*. Ed. Rowman & Littlefield Publishers. Oxford, 1998. Pág. 68; a PHILIP SELZNICK. Social justice: a communitarian perspective en The Responsive Community. Vol. 6. Núm. 4. California, 1996; y a EUNICE GOES. *The third way and the politics of community* en en The third way and beyond: Criticisms, futures and alternatives. Editores: Sarah Hale, Will Leggett y Luke Martell. Ed. Manchester University Press. Manchester, 2004. Pág. 111.

[585] PAUL SAMUELSON y WILLIAM NORDHAUS. Economía. Decimoséptima Edición. Trad. Esther Rabasco y Luis Toharía. Ed. Mc Graw Hill. Madrid, 2002. Pág. 32.

nándolas (como las viviendas ocupadas por sus propietarios)"[586]. Por su parte, los *gastos* en carreteras, educación o protección policial y las *transferencias* (pensiones y subvenciones sanitarias) "proporcionan recursos a los individuos"[587]. Por último, con la *regulación* se motiva o desmotiva a los individuos a "emprender determinadas actividades económicas"[588] (*v. gr.* normas que limitan la cantidad de contaminación de las empresas, etc.).

Parte de las funciones del Estado, en la *Tercera vía,* responden a mejorar la eficiencia económica. En criterio del profesor, los aspectos *microeconómicos* de la política económica (que centran su atención en el *qué* y el *cómo* de la vida económica) se pueden dejar en manos del mercado. Sin embargo, "algunas veces existen buenas razones para que el gobierno invalide las asignaciones derivadas de la oferta y de la demanda del mercado"[589], como cuando (i) se presenta una quiebra de la competencia perfecta por monopolios u oligopolios, (ii) aparecen externalidades negativas como la contaminación excesiva; o (iii) la información del consumidor es imperfecta.

Además, al Estado le corresponde reducir la desigualdad económica, porque "[l]a mano invisible puede generar al mismo tiempo una distribución muy desigual de la renta, incluso cuando funciona y es maravillosamente eficiente"[590]. A ese propósito, señala el profesor que "[l]a renta se redistribuye normalmente por medio de la política de impuestos y de gasto (…). Hoy la mayoría de países avanzados tiene establecido que los niños no deben pasar hambre a causa de las circunstancias económicas de sus padres; que los pobres no deben morir por carecer de suficiente dinero para sufragar la asistencia médica necesaria; que los jóvenes deben recibir educación pública gratuita; y que los ancianos deben poder vivir sus últimos años con un mínimo nivel de renta"[591].

Por ello, la principialística que ha de orientar la tributación tiene dos contenidos específicos: el del beneficio, "según el cual los individuos deben pagar unos impuestos proporcionales a los beneficios que reciben"[592]; y el de la capacidad de pago, "según el cual la cantidad de impuestos que

---

[586] *Ibídem.* Pág. 281.
[587] *Ibídem.* Pág. 282.
[588] *Ibídem.*
[589] *Ibídem.* Pág. 284.
[590] *Ibídem.* Pág. 285.
[591] *Ibídem.*
[592] *Ibídem.* Pág. 289.

pagan los contribuyentes debe estar relacionada con su renta o riqueza"[593]. En este último caso, los sistemas tributarios tienden a ser *redistributivos*.

Sobre las anteriores bases, es preciso concluir que la visión comunitarista moderada que propone la *Tercera vía* incorpora grandes cambios que no se pueden pasar por alto: (i) en primer lugar, deja de ver la tributación como un lastre con el que tiene que cargar el individuo, para darle un miramiento de responsabilidad colectiva; (ii) en segundo lugar, asigna al Estado un papel más amplio que el que le adjudicó el neoliberalismo, pero más pequeño que el conferido por la socialdemocracia antigua, por lo que se debe centrar en reducir la desigualdad económica, mejorar la regulación y potenciar la eficiencia del sistema; (iii) en tercer lugar, y para cumplir los anteriores cometidos, se reivindica el papel del impuesto directo y progresivo, como aquel que grava la renta, porque es un idóneo mecanismo de *redistribución* de la riqueza que permite medir con mayor fiabilidad la capacidad de pago de los individuos.

SECCIÓN II. AMÉRICA LATINA: DEL NEOLIBERALISMO AL NEOESTRUCTURALISMO

Ya se vio aquí que, en forma juiciosa, los principales exponentes del estructuralismo cepalino en América Latina se dieron a la tarea de evaluar las razones por las cuales su proyecto económico, aunque acogido en varios Estados, no tuvo buen suceso. Parte fundamental, como lo afirma VILLARREAL, obedeció a que "el proteccionismo, que se diera al principio a las industrias nacientes, se prolongó innecesariamente, permitiendo que las empresas obtuvieran sus ganancias con toda tranquilidad protegidas en un invernadero"[594]. Esa conclusión es del todo consistente con la propuesta por FERNANDO FAJNZYLBER en su texto *La industrialización trunca de América Latina*, en la que se reconoce que el proteccionismo adoptado por los Estados fue uno *débil*, en lugar de haber sido un *'proteccionismo para el aprendizaje'*[595].

Luego de ese análisis autocrítico se presentó, como también atrás lo mencionamos, una solución de singular importancia: la reformulación del

---

[593] *Ibídem.*

[594] RENÉ VILLARREAL. *La contrarrevolución* ... Pág. 176.

[595] Véase a FERNANDO FAJNZYLBER. *La industrialización trunca de América Latina*. Ed. Nueva Imagen. México D.F., 1983.

paradigma del "desarrollo *hacia* adentro" por el del "desarrollo *desde* dentro". Esa nueva máxima fue explicada por el veterano SUNKEL, así:

> "El cambio de preposición sugiere una distinción fundamental. PREBISCH estaba pensando en un proceso interno de industrialización capaz de crear un mecanismo endógeno de acumulación y generación de progreso técnico y mejoras de productividad como el que se constituyó a partir de la Revolución industrial en los países centrales [...].

> En contraste con lo anterior, la expresión 'desarrollo hacia dentro', en lugar de poner el acento en la acumulación, el progreso técnico y la productividad, coloca el énfasis en la demanda, en la expansión del mercado interno y en el reemplazo por producción local de los bienes previamente importados"[596].

Ciertamente, la réplica neoestructuralista halló su origen en el diagnóstico del legado neoliberal en las economías latinoamericanas al final de la década de los ochenta. SUNKEL[597], ZULETA[598], RAMOS[599] y ROSALES[600] pusieron de relieve las principales características comunes de los Estados latinoamericanos: (i) "la vigencia de un patrón de inserción externa, que (...) conduce a una especialización empobrecedora"[601]; (ii) "el predominio de un patrón productivo desarticulado"[602]; y (iii) "la persistencia de

---

[596]   OSVALDO SUNKEL. *Del desarrollo hacia adentro al desarrollo desde dentro* en Revista Mexicana de Sociología. Volumen 53. Ed. Universidad Autónoma de México. México D.F., 1991. Pág. 42.

[597]   OSVALDO SUNKEL y GUSTAVO ZULETA. *Neoestructuralismo versus neoliberalismo en los años noventa* en Revista de la CEPAL. Núm. 42. (LC/CL 1642-P). Ed. Comisión Económica para América Latina y el Caribe (CEPAL). Santiago de Chile, 1990; y OSVALDO SUNKEL y JOSEPH RAMOS. *Hacia una síntesis neoestructuralista* en El desarrollo desde dentro. Un enfoque neoestructuralista para la América Latina. Ed. Fondo de Cultura Económica. México D.F., 1991.

[598]   OSVALDO SUNKEL y GUSTAVO ZULETA. *Neoestructuralismo versus neoliberalismo en los años noventa* en Revista de la CEPAL. Núm. 42. (LC/CL 1642-P). Ed. Comisión Económica para América Latina y el Caribe (CEPAL). Santiago de Chile, 1990.

[599]   OSVALDO SUNKEL y JOSEPH RAMOS. *Hacia una síntesis neoestructuralista* en El desarrollo desde dentro. Un enfoque neoestructuralista para la América Latina. Ed. Fondo de Cultura Económica. México D.F., 1991.

[600]   OSVALDO ROSALES. *Balance y Renovación en el Paradigma Estructuralista del Desarrollo Latinoamericano* en Revista de la CEPAL. Núm. 34. Ed. Comisión Económica para América Latina y el Caribe (CEPAL). Santiago de Chile, 1988.

[601]   OSVALDO SUNKEL y GUSTAVO ZULETA. *Neoestructuralismo versus neoliberalismo en los años noventa* en Revista de la CEPAL. Núm. 42. (LC/CL 1642-P). Ed. Comisión Económica para América Latina y el Caribe (CEPAL). Santiago de Chile, 1990. Pág. 15.

[602]   *Ibídem.* Pág. 16.

una distribución del ingreso altamente concentrada y excluyente"[603]. En consecuencia, la agenda neoestructuralista se concretó, en palabras de JOSÉ ANTONIO OCAMPO[604], en los siguientes elementos:

1) Una reestructuración macroeconómica de ajuste expansivo, con acumulación de capital. Con ello se pretendía reestructurar la deuda externa y abrir espacios al financiamiento requerido para la inversión social.

2) Una reestructuración productiva orientada a la creación de ventajas comparativas de carácter *dinámico*; esto es, relacionadas con los conocimientos tecnológicos y científicos. Así se podrían reinsertar las economías latinoamericanas en los intercambios globales con productos redituarios.

3) Hacer frente a las dinámicas de integración económica que adelantaban los países del *centro*, mediante la celebración de este tipo de acuerdos entre países de la *periferia*, con miras a maximizar las ventajas y capacidades heterogéneas de cada economía. En otras palabras, el abandono de la política absoluta de *sustitución de importaciones* y su cambio por una de *sustitución eficiente de importaciones*.

4) Una incorporación de las temáticas de protección ambiental a la esfera nacional, para hacer sostenible el sistema de exploración y explotación de recursos naturales no renovables en que se sustentan las economías latinoamericanas.

5) Reubicación de la equidad en el centro de todos los sistemas económicos y políticos. Era entonces imperativo reconocer que los ajustes durante la crisis de la deuda habían dejado como perdedores a las clases medias y pobres de los países latinoamericanos, por lo que se hacía necesario construir programas asistenciales para superar la pobreza extrema y de apoyo al empleo. Para el efecto, se requería también implementar políticas públicas de eliminación de la informalidad y de apoyo a la pequeña y mediana empresa.

6) Resolver "el falso dilema de Estado vs. Mercado". Por consiguiente, se necesitaba "hacer un uso más activo que en el pasado de las fuerzas del mercado, pero también fortalecer el Estado. Esto último exigía,

---

[603] *Ibídem.*

[604] JOSÉ ANTONIO OCAMPO. *Osvaldo Sunkel, el estructuralismo y el neoestructuralismo* en Del estructuralismo al neoestructuralismo. La travesía intelectual de Osvaldo Sunkel. Editores: Alicia Bárcena y Miguel Torres. Ed. Comisión Económica para América Latina y el Caribe (CEPAL). Santiago de Chile, 2019. Pág. 53 a 57.

en primer término, que el Estado desempeñara sus funciones clásicas (proveer servicios sociales e infraestructura, garantizar los equilibrios macroeconómicos y fomentar la equidad) y fortalecer sus finanzas, tanto mediante la consolidación de nuevas fuentes de ingreso como a través de la priorización del gasto"[605].

En términos de SUNKEL y RAMOS, el Estado debía tomar las riendas de promover y simular mercados ausentes (mercados de capital de largo plazo, mercados de divisas a futuro); fortalecer mercados incompletos (mercado tecnológico); superar o enmendar distorsiones estructurales (heterogeneidad de la estructura productiva, concentración de la propiedad, segmentación del mercado de capital y del trabajo); y eliminar las más importantes fallas de mercado derivadas de rendimientos a escala, externalidades y aprendizaje (industrial y del sector externo)[606].

7) Finalmente, se debían responder las demandas de la democracia, mediante el ajuste coordinado y articulado del modelo de desarrollo en cada uno de los países latinoamericanos.

No se requiere mayor análisis para descubrir que, en verdad, la postura planteada por el neoestructuralismo coincide en buena parte con la propuesta de la *Tercera vía*. Obviamente, aquélla es más específica que ésta, por cuanto está pensada para ser aplicada en los países latinoamericanos. Pero lo cierto es que, sin lugar a dudas, los puntos cardinales de ambos proyectos político-económicos son idénticos, o al menos muy similares.

En particular, es de destacar la impronta de la equidad como fórmula reivindicatoria de los vejámenes a que fue sometido el pueblo por la implantación del neoliberalismo en el mundo. Es así como se busca desmitificar lo que ambas corrientes denominan, a su modo, la falsa dicotomía entre Estado y mercado. No se propende ya por el restablecimiento pleno del Estado Providencia, capaz de anular al mercado, sino de reconocer que no hubo tal "mano invisible" —al decir suyo— y que persisten fallas patológicas en el mercado que le corresponde al Estado atajar.

Esas nuevas consideraciones son clara expresión de la intención de volver al *centro*, de reconciliar las posturas que parecen irreconciliables, de despojar de juicios *aprioristicos* la posible adopción de distintas alternativas en precisos

---

[605] *Ibídem.* Pág. 55.

[606] Véase a OSVALDO SUNKEL y JOSEPH RAMOS. *Hacia una síntesis neoestructuralista* en El desarrollo desde dentro. Un enfoque neoestructuralista para la América Latina. Ed. Fondo de Cultura Económica. México D.F., 1991. Pág. 17 y 18.

contextos económicos y sociales. Toda esa estructura, en el mundo en general como en América Latina en particular, fue el contexto de la década de 1990.

SECCIÓN III. MODELO ECONÓMICO EN LA CONSTITUCIÓN POLÍTICA DE 1991

Por razones de orden y oportunidad no nos detendremos en la totalidad de aspectos ideológicos que informaron la expedición de la Carta Política de 1991, ni tampoco haremos un profundo repaso de lo que, influidos por la escuela alemana, hemos venido a denominar *Constitución Económica*. Sencillamente importa a esta Sección vislumbrar algunos de esos aspectos que permiten entender los planteamientos del Gobierno Nacional en su Ley 223 de 1995, que es el verdadero objeto de este Capítulo.

I. Antecedentes constitucionales del artículo 333 de la Carta Política

Sea lo primero hacer notar que, con motivo de la expedición del acto legislativo 1 de 1968, el artículo 32 de la Constitución Nacional garantizó "la libertad de empresa y la iniciativa privada dentro de los límites del bien común". Sin embargo, siguiendo de cerca la doctrina cepalina que para esa época imperaba, reconoció el intervencionismo estatal al disponer, lapidariamente, que "la dirección general de la economía estar[ía] a cargo del Estado".

Ese texto fue objeto de profundo análisis en el decurso de la Asamblea Nacional Constituyente, fruto del cual se adoptó el que hoy es el artículo 333 de la Carta Política. Antes de adentrarnos en su contenido, conviene detenernos en sus antecedentes.

Las propuestas presentadas a la Comisión V de la Asamblea Nacional Constituyente, por el Gobierno Nacional[607] y por los delegatarios Anto-

---

[607] Decía el artículo 56 del Proyecto: "Libertad de empresa e intervención del Estado en la economía. 1. Se garantizan la libertad de empresa y la iniciativa privada dentro de los límites del bien común, pero la dirección general de la economía estará a cargo del Estado. Este intervendrá, por mandato de la ley, en la producción, distribución, utilización y consumo de los bienes y en los servicios públicos y privados, para racionalizar y planificar la economía con el fin de lograr el desarrollo integral. 2. Intervendrá también el Estado, por mandato de la ley, para dar pleno empleo a los recursos humanos y naturales, dentro de una política de estabilidad económica, conforme a la cual el desarrollo tenga como objetivo principal la jus-

NIO NAVARRO WOLFF, ANGELINO GARZÓN, OTTY PATIÑO, ABEL RODRÍGUEZ, ROSEMBERG PABÓN, GERMÁN TORO, CARLOS OSSA, FABIO VILLA, HÉCTOR PINEDA, AUGUSTO RAMÍREZ CARDONA, JOSÉ MARÍA VELASCO, FRANCISCO MATURANA, MARÍA MERCEDES CARRANZA, GERMÁN ROJAS NIÑO, ÁLVARO ECHEVERRY y ORLANDO FALS BORDA[608], recogieron la esencia de lo que disponía el artículo 32 de la Constitución Nacional de 1886, con algunas variaciones entre cada uno de los textos.

Por su parte, el delegatario RODRIGO LLOREDA propuso, en su acto reformatorio de la Constitución, la creación de tres artículos desagregados que abordaran las temáticas que condensaba el entonces vigente artículo 32. El primero de ellos, sobre *libertad de empresa e intervención*, eliminaba la lapidaria oración según la cual la dirección de la economía se encontraba a cargo del Estado, aunque reconocía algún grado de intervención por parte de éste, y prohijaba una garantía a "la libertad de empresa y la economía de mercado, dentro de los límites del bien común"[609].

En el segundo artículo, sobre *libertad de iniciativa*, proscribía la posibilidad de exigir permisos previos para que las personas pudieran emprender actividades, salvo que generaran riesgos o daños a la salud, el medio ambiente o la economía[610]. Finalmente, en el tercer artículo, sobre *libre competencia*, se precisaba que "[l]os empresarios y los consumidores tienen derecho a las ventajas de la libre competencia, y el deber de asumir las responsabilidades que ella implica"[611].

---

ticia social y el mejoramiento armónico de la comunidad y de las clases proletarias en particular". (Gaceta Constitucional número 5. Bogotá, 1991. Pág. 6).

[608] Así se lee en el artículo 46 del Acto Reformatorio número 7: "Dirección estatal de la economía. Se reconoce la libertad de empresa y la iniciativa privada en el marco de la economía de mercado y dentro de los límites del bien común, pero la dirección general de la economía estará a cargo del Estado. Este intervendrá, por mandato de la ley, en la producción, distribución, utilización y consumo de los bienes y en los servicios públicos y privados, para asegurar las condiciones mínimas de competencia, productividad y eficiencia, lo mismo que para proteger los derechos de los consumidores y usuarios, dentro de una política de racionalización y planificación económica que tenga como objetivos principales la realización de la justicia social, la adecuada utilización de los recursos físicos y humanos, el desarrollo armónico de las regiones y el mejoramiento integral de la comunidad y de las clases trabajadoras en particular". (Gaceta Constitucional número 8. Bogotá, 1991. Pág. 2).

[609] Gaceta Constitucional número 23. Bogotá, 1991. Pág. 3.

[610] *Ibídem.*

[611] *Ibídem.*

En su exposición de motivos, el delegatario LLOREDA explicó lo siguiente:

"La libertad económica es el presupuesto fundamental de la prosperidad de los ciudadanos, como factor del desarrollo integral. Por ello, se reafirma su vigencia, como eje de nuestro régimen económico, a través de sus dos expresiones más amplias: la libertad de empresa y la economía de mercado, concebidas en función del bien común.

Para precisar el alcance de la función del Estado en la regulación de la economía, se determinan los fines de la intervención a la luz de dos criterios rectores: racionalizar y democratizar la economía. (...)

La experiencia en muchos países ha demostrado que en los sistemas de libre competencia se alcanza mayor producción de bienes y servicios, más empleo y mejor remunerado, que en sistemas de economía dirigida. Sin embargo, para que el país se beneficie de la libre competencia no es suficiente que las autoridades se abstengan de regular la vida de los negocios; es indispensable que eviten la formación de monopolios y la realización de prácticas tendientes a impedir la competencia libre"[612].

Ahora bien, aunque el delegatario JAIME ORTIZ HURTADO propuso[613] un texto muy similar al consagrado en el artículo 32 de la Constitución Nacional de 1886, es relevante para nuestro análisis traer a colación su exposición de motivos, en razón del marcado contraste que salta a la vista con los planteamientos del delegatario LLOREDA. Veamos las críticas de ORTIZ al sistema de libre mercado sin fuertes controles estatales:

"En la fase inicial del liberalismo la preocupación fundamental era el aseguramiento de la libertad individual, el Estado debía reducir al mínimo todo intento de injerencia en el mundo de las relaciones tanto económicas como sociales de los particulares, sólo le competía a la administración asegurar el orden público dejando que las fuerzas sociales y económicas se desarrollaran libremente.

Muy pronto se evidencia (SIC) claramente los elementos que conforman el sistema. Es imperante el individualismo, la actitud egoísta de la sociedad no transforma la vida de los hombres, sino que los subyuga y esclaviza en un grado mayor, la nueva esclavitud se hace evidente y la riqueza se concentra en unos pocos dejando una mayoría desposeída y explotada con una única arma de lucha en el juego que se le plantea, su fuerza de trabajo.

El sistema lleva en sí unos elementos éticos deformados. (...) El sistema capitalista perpetúa dos clases sociales bien definidas. Los propietarios de los medios de producción y los obreros, los trabajadores pese a que son los que realmente

---

[612] *Ibídem.* Pág. 4.
[613] Gaceta Constitucional número 24. Bogotá, 1991. Pág. 6 y 7.

producen la riqueza con su habilidad, su fuerza o la labor de sus manos, nunca llegan a poseer cosa alguna de la industria o empresa en la cual trabajan (…).

Los principios del orden económico deben ser transformados, deben ser cristianizados. Creemos que debemos emplear todos los medios a nuestros alcance y todas nuestras energías para apoyar y alcanzar un orden social basado en la justifica y la solidaridad. (…)

En el aspecto concreto de institucionalización de estos principios consideramos que el artículo 32 de la Constitución Política debe mantenerse. En una sociedad caracterizada por el profundo desequilibrio económico, el Estado debe participar activamente para lograr un orden económico justo, creando mecanismos de corrección en aquellos aspectos que dentro de una economía de mercado tienden naturalmente a desviarse del propósito del bien común, incentivando actividades que de no ser por su presencia serían deficientemente atendidas, por razón de las escasas utilidades económicas que reportan, un fin equilibrando la balanza del juego de intereses que configura la Economía del Mercado. No es ni mucho menos una propuesta nueva, se trata de actualizar los principios que llevaron en los años 30 a hablar del Estado intervencionista"[614].

Del texto transcrito se colige que había dos visiones marcadas en el seno de la Asamblea Nacional Constituyente de 1991: una, que propugnaba la libertad económica y la protección del libre mercado sobre la intervención estatal; y otra, que defendía la necesidad de un Estado fuerte, vigoroso, verdadero director de la economía. Ambos puntos de vista trazaban los extremos en los que se habría de mover la Comisión V, en el ámbito ideológico, para proponer un texto constitucional sobre el modelo económico que adoptaría Colombia.

Delimitados los extremos, el 15 de abril de 1991 la Comisión V, integrada por los delegatarios Iván Marulanda, Guillermo Perry, Jaime Benítez, Angelino Garzón, Tulio Cuevas y Guillermo Guerrero, presentó su Informe de Ponencia sobre el *Régimen económico, libertad de empresa, competencia económica, monopolios e intervención del Estado*[615]. Luego de efectuar un análisis histórico de la versión original de la Constitución Nacional de 1886 y la impronta ideológica con que se gestó y aprobó, en 1968, el nuevo texto del artículo 32 de la Carta, se hizo notar que paulatinamente se habían consolidado el principio de libertad económica y la responsabilidad del Estado en la dirección de la economía, "en procura del desarrollo in-

---

[614] *Ibídem*. Pág. 10 y 11.
[615] Gacera Constitucional número 46. Bogotá, 1991. Pág. 7 y ss.

tegral de la justicia social y de otros objetivos de carácter más específico, ampliando el campo y los instrumentos de su intervención"[616].

Con ese contexto, la propuesta de la Comisión V pretendía "ampliar el ámbito de la libertad económica y perfeccionar los elementos propios de la economía de mercado"[617], al tiempo como buscaba "precisar mejor la responsabilidad del Estado en la conducción de la economía y del proceso de desarrollo"[618] y dotarlo de Instrumentos más eficaces para el logro de los propósitos comunes y de la equidad social. A juicio de la Comisión, "[l]a operación sana de un sistema de mercado y de una economía capitalista reposa sobre tres elementos esenciales, a saber: la propiedad privada, la libre empresa y la libertad de competencia. Para que el sistema opere en favor de la sociedad, y no en su contra, se precisa que ninguno de estos elementos se desnaturalice. Si tal desnaturalización ocurre, el sistema funciona mal y el bienestar social, fin último de todo sistema económico y político, se ve seriamente comprometido"[619].

Por tal motivo, se estimó también necesario consagrar la libre competencia como un derecho colectivo. Así, "cualquier grupo de personas en representación de la comunidad podría adelantar acciones por daños y perjuicios contra quien lo infrinja. Con ello se conseguiría que no solamente el Estado, sino también la comunidad, interviniera en procura de salvaguardar la competencia y controlar las prácticas monopolísticas". Además, habida cuenta de que la empresa es "sinónimo y encarnación de la libertad económica"[620], la Comisión creyó conveniente indicar que ésta tendría una función social que implica obligaciones.

Con todo, en lugar de mezclar en un mismo artículo la libertad económica y la dirección general de la economía a cargo del Estado, se propuso un canon independiente para regular este último mandato, en aras de garantizar la posibilidad de que el libre mercado fuese provechoso para todos[621].

Después de que se llevó a cabo la discusión y aprobación del texto en el seno de la Comisión V de la Asamblea Nacional Constituyente, el 23 de mayo de 1991 se radicó el Informe de Ponencia, por los delegatarios IVÁN MARU-

---

[616]   *Ibídem.* Pág. 7 y 8.
[617]   *Ibídem.* Pág. 8.
[618]   *Ibídem.*
[619]   *Ibídem.*
[620]   *Ibídem.*
[621]   *Ibídem.* Pág. 10 y 12.

LANDA, GUILLERMO PERRY, JAIME BENÍTEZ, ANGELINO GARZÓN, TULIO CUE-VAS y GUILLERMO GUERRERO[622], para su Primer Debate en Plenaria. Es de advertir, sin embargo, que durante el debate en Comisión se hicieron algunas adiciones al artículo inicialmente propuesto. La más importante, sin duda, fue la de haber reconocido la libertad en la iniciativa privada, puesto que inicialmente se consagraba únicamente la libertad en la actividad económica.

En todo caso, debido a la similitud entre ambos textos, la exposición de motivos allegada en el Informe de Ponencia para Primer Debate en Plenaria fue idéntica a la que se presentó para el Primer Debate en la Comisión V; por tanto, no es oportuno detenernos en ella. Lo que sí conviene anotar es que el 20 de junio de 1991, durante el Primer Debate en Plenaria, se hicieron algunas reformas al texto propuesto y se aprobó el que a la postre se convertiría en el artículo 333 de la Carta Política[623].

Por último, el 5 de julio se presentó el Informe de Ponencia para Segundo Debate en Plenaria de la Asamblea Nacional Constituyente, por el delegatario JESÚS PÉREZ GONZÁLEZ-RUBIO[624]. Como se acaba de indicar, el texto que hoy reposa en el artículo 333 de la Carta Política colombiana fue aprobado desde el Primer Debate en Plenaria, por lo que se hacen especialmente interesantes los planteamientos del Informe de Ponencia para Segundo Debate, porque reflejan las opiniones ya recogidas de los delegatarios y dan verdadera cuenta de los aspectos ideológicos que enmarcan el modelo económico adoptado por la Carta Política. Veamos, entonces, algunos de las consideraciones consagradas en el Informe del delegatario PÉREZ GONZÁLEZ-RUBIO:

"No se trata de consagrar el principio del 'Laissez faire, laissez passer'. Por eso 'la dirección general de la economía estará a cargo del Estado', el cual intervendrá con miras a los siguientes objetivos: 'Racionalizar la economía con el fin de conseguir el mejoramiento de la calidad de vida de los habitantes, la distribución equitativa de las oportunidades, los beneficios del desarrollo y la preservación de un ambiente sano'. (...)

Como se puede ver, no consagra la Constitución el principio de que el mejor gobierno sea aquel que menos gobierne la economía y los negocios. No solo por lo ya anotado, sino porque la libertad económica puede ser determinada en su alcance, mediante ley, cuando así lo exijan el interés social, el ambiente y el patrimonio cultural de la Nación. Tampoco consagra el viejo concepto de la intervención sin límites, en razón de las nuevas características de las

---

[622] Gaceta Constitucional número 80. Bogotá, 1991. Pág. 18 y ss.
[623] Gaceta Constitucional número 109. Bogotá, 1991. Pág. 27; y Gaceta Constitucional número 103. Bogotá, 1991.
[624] Gaceta Constitucional número 113. Bogotá, 1991. Pág. 29 y ss.

leyes de intervención, las cuales deberán señalar, de un lado, 'los objetivos, criterios y alcances a los cuales debe sujetarse el Gobierno para efectos de dicha intervención', y de otro, precisar los límites a la libertad económica, y los fines de la mencionada intervención. [625] (…)

En resumen, se trata de construir una economía en la cual la competencia sea la norma[626] (…).

La planeación es el mecanismo más importante de la intervención oficial. Sera fruto de una amplia concertación sin perjuicio del Imperium del Estado, que tomara la decisión final"[627].

Esos son, pues, los antecedentes que condujeron a que la Asamblea Nacional Constituyente adoptara, en Colombia, el artículo 333 de la Carta Política, que a la letra indica:

"ARTÍCULO 333. La actividad económica y la iniciativa privada son libres, dentro de los límites del bien común. Para su ejercicio, nadie podrá exigir permisos previos ni requisitos, sin autorización de la ley.

La libre competencia económica es un derecho de todos que supone responsabilidades.

La empresa, como base del desarrollo, tiene una función social que implica obligaciones. El Estado fortalecerá las organizaciones solidarias y estimulará el desarrollo empresarial.

El Estado, por mandato de la ley, impedirá que se obstruya o se restrinja la libertad económica y evitará o controlará cualquier abuso que personas o empresas hagan de su posición dominante en el mercado nacional.

La ley delimitará el alcance de la libertad económica cuando así lo exijan el interés social, el ambiente y el patrimonio cultural de la Nación".

---

[625] *Ibídem.* Pág. 29.
[626] *Ibídem.*
[627] *Ibídem.* Pág. 30.

II. Comentarios sobre las obligaciones del Estado, el modelo económico de la Carta Política de 1991 y la Ley 223 de 1995

De cuanto se ha expuesto queda muy claro que el Constituyente de 1991 tuvo en mente la instauración de un modelo económico mixto. Es, como lo afirma Perry Rubio siguiendo a Douglas North, una racionalización según la cual "Estado y mercado no son necesariamente antagónicos", sino que, "además de que se necesitan mutuamente, pueden tener grandes sinergias"[628].

Antes dijimos que no nos ocuparíamos de estudiar la totalidad de lo que se ha venido a conocer como *Constitución Económica*. Tan solo tenemos por objeto esbozar algunas consideraciones que son de utilidad para nuestro estudio.

Pues bien, nuestras consideraciones deben principiar por explicar que, en los términos en que quedó demostrado con el análisis de los antecedentes constitucionales, en la Asamblea Nacional se fijaron dos *extremos* distintos: Aquel que pregonaba la preponderancia del libre mercado y aquel que buscaba un Estado vigoroso que se impusiera.

La palabra *extremos* se debe matizar y atemperar a las justas proporciones del contexto en que se emplea, porque ciertamente las posiciones defendidas en la Asamblea Nacional Constituyente no constituían los verdaderos *extremos* del estatismo desmesurado y el neoliberalismo a ultranza. En efecto, la vertiente que abanderaba Rodrigo Lloreda reconocía y reclamaba la presencia del Estado, pero consideraba preeminentes las fuerzas del libre mercado para el manejo económico. A su turno, la orilla en que se encontraba Jaime Ortiz Hurtado salvaguardaba la existencia del libre mercado, pero al cobijo de un Estado más robusto e interventor.

Sobre las anteriores bases, desde el principio y en todas las ponencias y propuestas se habían dado por sentadas varias premisas: (i) en ningún caso se prohijaría la reducción del Estado a su mínima expresión; (ii) tampoco sería de recibo la estatización de la economía, ni la privación de la propiedad privada para que los medios de producción fueran colectivos; (iii) por tanto, Estado y libre mercado habrían de coexistir. El interrogante, como fluye palmario, era ¿cuánto Estado y cuánto libre mercado?

La respuesta al interrogante la plantea Perry, delegatario que hubo de integrar la Comisión V que redactó los artículos 333 y 334 de la Carta Política, al afirmar que la Constituyente tuvo como base central el lema: "Tanto

---

[628] Guillermo Perry Rubio. *Decidí ...* Pág. 228 y 229.

mercado como sea posible y tanto Estado como sea necesario"[629]. Y parece incontestable la veracidad de su afirmación, pues el texto constitucional consagra una mixtura de los postulados intervencionistas y neoliberales que no resulta posible pasar por alto. Es así como protege la iniciativa privada y la libre actividad económica, pero las subordina al bien común; ampara la libre competencia, pero la enmarca en la colectividad y le ata responsabilidades; reconoce la empresa como base del desarrollo, pero le asigna una función social; y ordena que el Estado intervenga los mercados cuando se adviertan prácticas monopolísticas que afecten la libre competencia.

De lo hasta ahora expuesto salta a la vista una importante conclusión: El modelo económico adoptado por la Carta Política colombiana se identifica, en varias de sus partes, con el modelo de la *Tercera Vía* a que se aludió en las Secciones que anteceden. Evidentemente, no fue la intención del Constituyente eliminar o minimizar el libre mercado, como tampoco lo fue abolir el Estado; siempre se quiso encontrar una coherente existencia mutua, capaz de organizar la vida social y económica de la Nación.

Según lo relata ALEXEI JULIO ESTRADA, en los tribunales constitucionales de Estados Unidos y de algunos países de Europa se ha impuesto la tesis de que la Constitución es neutra en términos económicos, porque los cánones superiores "no suponen una decisión global del constituyente por un determinado sistema económico"[630], sino que se limitan a fijar un marco dentro del cual pueden maniobrar las autoridades públicas. En Colombia, esa visión es *mutatis mutandis* recogida por RODRIGO UPRIMNY y CÉSAR AUGUSTO RODRÍGUEZ cuando califican la Carta Política de 1991 como "abierta, porque no constitucionaliza un modelo económico preciso, sino que admite políticas económicas diversas, aunque dentro de ciertos límites normativos y valorativos"[631].

Más allá de la denominación "neutral", que no es completamente admitida por alguna parte de la doctrina[632], es en verdad pacífico que nuestra

---

[629]   *Ibídem.* Pág. 229.

[630]   ALEXEI JULIO ESTRADA. *Economía y ordenamiento constitucional* en I Jornadas de Derecho Constitucional y Administrativo. Universidad Externado de Colombia. Bogotá, 2000.

[631]   RODRIGO UPRIMNY YEPES y CÉSAR AUGUSTO RODRÍGUEZ. *Constitución y modelo económico en Colombia: hacia una discusión productiva entre economía y derecho* en Revista Debates de Coyuntura Económica. Ed. Dejustcia. Bogotá, 2005. Pág. 24.

[632]   Véase a HÉCTOR SANTAELLA QUINTERO. *El modelo económico en la Constitución de 1991* en Revista Derecho del Estado. Núm. 21. Ed. Universidad Nacional de Colombia. Bogotá, 2001. Pág. 87 a 89. A juicio del autor, no es correcto hablar de *neu-*

Carta Política limita la libre configuración normativa del Parlamento en materia económica, por cuanto repudia toda posibilidad de que se adopte un modelo neoliberal clásico (en los términos precedentemente explicados) o uno de economía absolutamente centralizada[633]. Ello, por supuesto, es natural consecuencia de la concurrencia entre Estado y mercado que quiso el Constituyente de 1991[634], de la inmersión en la *Tercera vía* por Colombia.

En buenas cuentas, se puede decir que, desde la expedición de nuestra Carta Política de 1991, la cláusula *social* vino a acompañar al Estado de Derecho y a la Economía de Mercado. Así, imperan hoy en Colombia el Estado *Social* —y democrático— de Derecho y la Economía *Social* de Mercado. En esta última, al decir la copiosa y monolítica jurisprudencia de la Corte Constitucional[635], "se reconocen las libertades económicas en cabeza de los individuos, entendidas éstas como la facultad que tiene toda persona de realizar actividades de carácter económico, según sus preferencias o habilidades, con miras a crear, mantener o incrementar su patrimonio;

---

tralidad en términos absolutos dentro de ordenamientos jurídicos que, como el colombiano, consagran las libertades económicas como derechos fundamentales.

[633] En este sentido, consúltese a NELSON GARCÍA LOZADA y JUAN JORGE ALMONACID SIERRA. *La constitución económica de 1991: instrumento jurídico para la democratización de la economía colombiana* en Revista Economía y Derecho. Núm. 10. Ed. Universidad Nacional de Colombia. Bogotá, 1998. Pág. 135 a 170; RODOLFO ARANGO. *Constitución económica y procesos judiciales* en Revista de Tutela, Acciones Populares y de Cumplimiento. Núm. 11. Tomo I. Ed. Legis. Bogotá, 2000. Pág. 2367 a 1377; HÉCTOR SANTAELLA QUINTERO. *El modelo* ...; y RODRIGO UPRIMNY YEPES y CÉSAR AUGUSTO RODRÍGUEZ. *Constitución y modelo* ....

[634] Sobre el particular, el lector puede acudir a: MARCO ANTONIO VELILLA. *Reflexiones sobre la constitución económica colombiana* en Constitución Económica Colombiana. Colección de Derecho Económico y de los Negocios. Varios Autores. Ed. El Navegante. Bogotá, 1996; ALEXEI JULIO ESTRADA. *Economía* ...; HÉCTOR SANTAELLA QUINTERO. *El modelo* ...; y MAURICIO A. PLAZAS VEGA. *Derecho* ... Tomo I ... Segunda Edición ... Pág. 221.

[635] Véanse las sentencias C-074 de 1993, M.P. CIRO ANGARITA BARÓN; C-265 de 1994, M.P. JORGE ARANGO MEJÍA; C-524 de 1995, M.P. CARLOS GAVIRIA DÍAZ; Sentencia C-535 de 1997, M.P. EDUARDO CIFUENTES MUÑOZ; Sentencia C-616 de 2001, M.P. RODRIGO ESCOBAR GIL; Sentencia C-815 de 2001, M.P. RODRIGO ESCOBAR GIL; Sentencia C-615 de 2002, M.P. MARCO GERARDO MONROY CABRA; Sentencia C-830 de 2010, M.P. LUIS ERNESTO VARGAS SILVA; Sentencia C-228 de 2010, M.P. LUIS ERNESTO VARGAS SILVA; Sentencia C-978 de 2010, M.P. LUIS ERNESTO VARGAS SILVA; Sentencia C-263 de 2011, M.P. JORGE IGNACIO PRETELT CHALJUB; Sentencia C-909 de 2012, M.P. NILSON PINILLA PINILLA; Sentencia C-263 de 2013, M.P. JORGE IVÁN PALACIO PALACIO; Sentencia C-148 de 2015, M.P. GLORIA STELLA ORTIZ DELGADO; y Sentencia C-035 de 2016, M.P. GLORIA STELLA ORTIZ DELGADO.

libertades que no son absolutas, pudiendo ser limitadas por el Estado para remediar las fallas del mercado y promover desarrollo con equidad. Se reconocen dos tipos de libertades económicas: la libertad de empresa y la libre competencia. Si bien las libertades económicas no son absolutas, éstas solamente pueden ser restringidas cuando lo exija el interés social, el ambiente y el patrimonio cultural de la Nación y, en virtud de los principios de igualdad y razonabilidad que rigen la actividad legislativa, cualquier restricción de las libertades económicas debe (i) respetar el núcleo esencial de la libertad involucrada, (ii) obedecer al principio de solidaridad o a alguna de las finalidades expresamente señaladas en la Constitución, y (iii) responder a criterios de razonabilidad y proporcionalidad".

Y, consiguientemente, dentro de la *economía social de mercado* que nos rige, la doctrina[636] ha identificado cuatro rasgos característicos, a saber: (i) la protección constitucional a la economía de mercado; (ii) el principio pro igualdad y progresividad de los derechos económicos y sociales; (iii) la dirección general de la economía a cargo del Estado; y (iv) la protección y promoción de la libre competencia como derecho colectivo y principio constitucional.

El apretado recuento que hasta ahora hemos hecho nos permite vislumbrar que, en realidad, el modelo económico incorporado en la Carta Política colombiana —o, si se quiere, los lineamientos o marcos generales al interior de los cuales puede operar la libertad de configuración normativa en materia económica del Parlamento— procuró armonizar la presencia del libre mercado y del Estado.

Pero, además, en línea con los planteamientos de la *Tercera vía*, la Carta Política asignó al Estado varias funciones prestacionales para la cumplida materialización de la justicia y, particularmente, con el objeto de garantizar la *igualdad real y efectiva* (art. 13). Es así como se consagró un extenso listado de *Derechos sociales, económicos y culturales* (art. 42 a 77) en el Capítulo 2º del Título II del texto Superior, del que caben destacar los derechos a la *familia* (art. 42), los derechos de los *niños* (art. 44), el derecho-deber-servicio público a la *seguridad social* (art. 48), el derecho a la *vivienda digna* (art. 51), el derecho a la *propiedad privada* —y su función social— (art. 58), el derecho a la *educación* (art. 67). Adicionalmente, en el Capítulo 3º, *ibídem*, se consagraron los *Derechos colectivos y del ambiente*, dentro de los que podemos

[636] ANDREA ALARCÓN PEÑA. *Economía social de mercado como sistema constitucional económico colombiano. Un análisis a partir de la jurisprudencia de la Corte Constitucional* en Revista Estudios Constitucionales. Vol. 16. Núm. 2. Ed. Centro de Estudios Constitucionales de la Universidad de Talca. Santiago, 2018. Pág. 167 a 171.

destacar el derecho a un *medio ambiente sano* (art. 79) y el deber estatal de planificar *el manejo y aprovechamiento de los recursos naturales, para garantizar su desarrollo sostenible, su conservación, restauración o sustitución* (art. 80).

Como se puede apreciar, la mayoría de los derechos enlistados son de naturaleza prestacional, en la medida en que su correlato exige del Estado una actuación tendiente a su materialización, más allá de la simple remoción de obstáculos para su goce efectivo. Expresado en otros términos, la garantía de la educación o la seguridad social suponen que se despliegue un andamiaje robusto, por parte del Estado, con miras al verdadero disfrute de estos derechos por la población, en tanto que la protección a la familia, las más de las veces, exige lo contrario: la limitación o restricción de la actividad del Estado por la cual se laceren los derechos familiares. Piénsese, para ejemplificar este último caso, en la expedición de una ley que prohíba matrimonios interraciales o de personas del mismo sexo. Evidentemente, en este caso la actividad del Estado lesionaría, a más de muchos otros derechos fundamentales, la prerrogativa constitucional enderezada a proteger la libre conformación de una familia.

Y otro tanto se puede advertir con la obligación de que la ley de apropiaciones contenga un rubro de *Gasto público social* (art. 350), el incremento del *situado fiscal* (art. 356 y ss.) —hoy sustituido, por virtud del Acto Legislativo 01 de 2001, por el Sistema General de Participaciones—, el deber estatal de *garantizar la prestación eficiente de los servicios públicos* (art. 365), etcétera.

Todo lo anterior sirve de fundamento para afirmar, sin asomo de duda, que la inspiración filosófica e ideológica que subyació a la Carta Política de 1991 influyó, decidida y voluntariamente, en el incremento del *gasto público*. Pero, como es sabido, la imposición de nuevas obligaciones de *gasto* reclama de suyo una contrapartida necesaria en el ingreso. No es posible pensar en una Hacienda Pública sana que apalanque la totalidad del gasto en la deuda. Esta premisa, que parece muy lógica, no es siempre fácil de materializar.

Así pues, se tiene que, desde 1991, cuando se expidió la Carta Política colombiana, las obligaciones del Estado en materia de *gasto público* sufrieron un apreciable incremento. Ello explica que este rubro hubiera incrementado, durante el Gobierno del Presidente GAVIRIA, del 9.4% (1990) al 12.8% (1994) del PIB[637]. En lo que hace a su contrapartida, las reformas

---

[637] Véase a GUILLERMO PERRY RUBIO.. *Memoria al Congreso Nacional 1994-1995*. Ed. Editextos 2000. Bogotá, 1995; a ROBERTO JUNGUITO y HERNÁN RINCÓN. *La política fiscal ...* Pág. 96; y a JOSÉ ANTONIO OCAMPO. *La política económica durante la admi-*

tributarias no fueron suficientes, pues solo lograron que el ingreso creciera dos puntos del PIB[638]. Por lo tanto, en la transición entre las Administraciones GAVIRIA y SAMPER hubo en este aspecto un desfase de dos puntos del PIB, por cuanto el gasto público había incrementado en cuatro puntos entre 1990 y 1994, en tanto que el ingreso lo había hecho en tan solo dos.

Es que, como lo explica JOSÉ ANTONIO OCAMPO, Director del Departamento Nacional de Planeación y posteriormente Ministro de Hacienda del Gobierno SAMPER, en la década de 1990 el gasto consolidado incrementó del 24.3 % (1990) al 36.9 % (1997) del PIB, sin contar las transferencias entre entidades del gobierno, principalmente por razón de las nuevas obligaciones contraídas en la Carta Política de 1991 y "el crecimiento relativo de las administraciones públicas (especialmente los gobiernos locales) y del sistema de seguridad social"[639]. Naturalmente, y con el solo propósito de evitar cualquier confusión, este marco de referencia no tiene por objeto criticar los importantes avances que, en materia de *gasto público social,* se han logrado al auspicio de la Constitución Política de 1991. Pero sí resulta indispensable identificar los motivos económicos por los cuales se adoptaron las medidas que enseguida se estudiarán.

Por último, es preciso advertir que no fueron las obligaciones nacidas con la Carta Política los únicos factores que potenciaron el incremento del *gasto público,* porque es sabido, y ya se explicó en Secciones anteriores, que la naturaleza social del ideario defendido por ERNESTO SAMPER obró como base obligada de su programa de gobierno, El Salto Social, con el cual se pretendía un aumento significativo de ese rubro.

---

nistración Samper en A diez años del salto social ¿Que no nos dejaron gobernar? Coord. Ernesto Samper Pizano. Ed. D'Vinni S.A. Bogotá, 2008. Pág. 185.

[638] Véase a GUILLERMO PERRY RUBIO. *Memoria al Congreso Nacional 1994-1995.* Ed. Editextos 2000. Bogotá, 1995; y a ROBERTO JUNGUITO y HERNÁN RINCÓN. *La política fiscal* ... Pág. 98.

[639] JOSÉ ANTONIO OCAMPO. *La política económica durante la administración Samper* en A diez años del salto social ¿Que no nos dejaron gobernar? Coord. Ernesto Samper Pizano. Ed. D'Vinni S.A. Bogotá, 2008. Pág. 176. En el mismo sentido, el lector puede acudir a JOSÉ ANTONIO OCAMPO. *Evaluación de la situación fiscal colombiana* en Revista Coyuntura Económica. Vol. 27. Núm. 2. Ed. Fedesarrollo. Bogotá, 1997. Véase, además, la exposición de motivos de la que, a la postre, se convertiría en la ley 223 de 1995 (GUILLERMO PERRY RUBIO. *Exposición de motivos al proyecto de ley 026 Cámara, 158 Senado.* Disponible en Revista del Instituto Colombiano de Derecho Tributario. Núm. 46. Año. 32. Vol. I. Ed. Instituto Colombiano de Derecho Tributario. Bogotá, 1996. Pág. 23 a 26).

Con todo, queda perfectamente claro que:

1) El modelo económico —o sus lineamientos— consagrados en la Carta Política son fiel reflejo de la *Tercera vía.*

2) La economía social de mercado que nos rige demanda una actitud proactiva del Estado, por oposición a una meramente pasiva.

3) Varios derechos prestacionales consagrados en la Carta, así como el incremento de las transferencias y la descentralización administrativa, tuvieron como consecuencia un apreciable incremento en el *gasto público.*

4) A pesar de que la reforma tributaria de 1992 logró incrementar los recaudos y el *ingreso* aumentó dos puntos entre 1990 y 1994, en ese mismo lapso el *gasto público* aumentó cuatro puntos, con lo que se creó un desfase que continuaría creciendo por las obligaciones adquiridas por el Estado.

5) Aunado al incremento en el *gasto público*, surgido en virtud de las disposiciones de la Carta Política, el Plan Nacional de Desarrollo del Presidente SAMPER, intitulado El Salto Social, también tenía por objeto aumentar el *gasto público.*

6) Sin tener en cuenta la apremiante situación política que se vivía en Colombia por cuenta del *Proceso 8.000*, el anteriormente descrito fue el panorama en que se presentó, discutió y adoptó la Ley 223 de 1995.

SECCIÓN IV. ASPECTOS DE LA LEY 223 DE 1995

Con el contexto económico antes comentado, la ley 223 de 1995 pretendió aumentar los recaudos tributarios por varios frentes. Tan propio como es del pensamiento económico de la *Tercera vía,* y particularmente del neoestructuralismo latinoamericano, al que sin duda adscribió el Gobierno del Presidente SAMPER, el cuerpo normativo denominado *de Racionalización tributaria* reivindicó el papel del impuesto sobre la renta, al tiempo como continuó echando mano del impuesto sobre el valor agregado.

Para efectos de nuestro análisis, cuatro son las disposiciones que interesan: (i) la modificación al artículo 206 del Estatuto Tributario; (ii) la inclusión de un parágrafo en el artículo 387, *ibídem*; (iii) la modificación al régimen tarifario del impuesto sobre la renta; y (iv) la incorporación de una regla de ineficacia de las declaraciones presentadas por no obligados. Veamos:

I. *Rentas de trabajo exentas – Modificación al artículo 206 del Estatuto Tributario*

Mediante la expedición de la ley 50 de 1990 (art. 18), el Congreso de la República modificó el artículo 132 del Código Sustantivo del Trabajo en el sentido de incorporar el denominado *salario integral*. De acuerdo con esta figura jurídica, los empleadores y trabajadores quedan autorizados para estipular que la remuneración de estos últimos compensará el valor de prestaciones sociales, recargos y beneficios tales como el correspondiente al trabajo nocturno, extraordinario o al dominical y festivo, el de primas legales, extralegales, las cesantías y sus intereses, subsidios y suministros en especie y, en general, todos los demás que se incluyan en tal estipulación, salvo las vacaciones. Esa facultad, sin embargo, quedó reservada para los trabajadores que devengaran, como mínimo, un salario ordinario superior a diez (10) salarios mínimos legales mensuales vigentes y la ley estableció que, además, a título de factor prestacional, los trabajadores habrían de recibir una suma no inferior al 30 % del salario ordinario. De ahí viene, consiguientemente, el nombre de salario *integral*, pues en él se integran las prestaciones y pagos que, de otro modo, conforme a la ley laboral deben recibir los trabajadores en forma independiente a su salario ordinario.

Esa genérica conceptualización resulta importante para nuestro análisis, toda vez que el ordinal 2° del artículo 132 del Código Sustantivo del Trabajo, tal como fue modificado por el artículo 18 de la Ley 50 de 1990, estableció que "[e]l monto del factor prestacional quedar[ía] exento del pago de retención en la fuente y de impuestos". Tan afortunada disposición tuvo un inconveniente capital: al limitar su aplicación exclusivamente a los salarios *integrales* creó un grupo privilegiado de trabajadores, puesto que quienes no hubieran estipulado esta modalidad salarial sí tendrían que tributar, las más de las veces, sobre el "factor prestacional" de su remuneración.

Con ese contexto, para efectos de superar la odiosa disparidad que se había creado, el Gobierno Nacional, desde la exposición de motivos del proyecto que a la postre se convertiría en la Ley 223 de 1995, consagró una disposición modificatoria del artículo 206 del Estatuto Tributario. En ella se pretendía incorporar un ordinal que precisara que estaría exento del impuesto sobre la renta "el treinta por ciento (30 %) del valor total de los pagos laborales recibidos por los trabajadores".

Por otro lado, dado que la normativa laboral previó que el factor prestacional "no podr[ía] ser inferior al treinta por ciento (30 %)" del salario ordinario, era posible que se pactara un factor prestacional más alto. Así, persistía el riesgo de que se mantuviera la situación de inequidad entre trabajadores, porque los trabajadores que pactaran, en el salario integral, un factor prestacional superior al 30 % de su salario ordinario, tendrían un monto exento de impuestos más alto que los demás. En consecuencia, también se propuso en el proyecto de ley la incorporación de un parágrafo en el artículo 206 del Estatuto Tributario, conforme al cual "[l]a exención del factor prestacional a que se refiere el artículo 18 de la Ley 50 de 1990 queda sustituida por lo previsto en este numeral". En otras palabras, sin importar el monto pactado como factor prestacional en los salarios *integrales,* solo se consideraría exento del impuesto sobre la renta el 30 % del salario ordinario.

Luego del trámite legislativo de rigor, el Congreso de la República aprobó la ley 223 de 1995 y, sobre este aspecto, dijo el artículo 96:

"ARTÍCULO 96. Rentas de Trabajo Exentas. Modifícanse el numeral 5 y el parágrafo del artículo 206 del Estatuto Tributario, y Adiciónase el mismo artículo con el numeral 10 y los parágrafos 2 y 3, cuyos textos son los siguientes:

5. Las pensiones de jubilación, invalidez, vejez, de sobrevivientes y sobre Riesgos Profesionales, hasta el año gravable de 1997. A partir del 1° de enero de 1998 estarán gravadas sólo en la parte del pago mensual que exceda de cincuenta (50) salarios mínimos mensuales.

El mismo tratamiento tendrán las Indemnizaciones Sustitutivas de las Pensiones o las devoluciones de saldos de ahorro pensional. Para el efecto, el valor exonerado del impuesto será el que resulte de multiplicar la suma equivalente a cincuenta (50) salarios mínimos mensuales, calculados al momento de recibir la indemnización, por el número de meses a los cuales ésta corresponda.

10. El treinta por ciento (30%) del valor total de los pagos laborales recibidos por los trabajadores, sumas que se consideran exentas.

PARÁGRAFO 1. La exención prevista en los numerales 1, 2, 3, 4, y 6 de este artículo, opera únicamente sobre los valores que correspondan al mínimo legal de que tratan las normas laborales; el excedente no está exento del impuesto de renta y complementarios.

PARÁGRAFO 2. La exención prevista en el numeral 10 no se otorgará sobre las cesantías, sobre la porción de los ingresos excluida o exonerada del impuesto de renta por otras disposiciones, ni sobre la parte gravable de las pensiones. La exención del factor prestacional a que se refiere el artículo 18 de la Ley 50 de 1990 queda sustituida por lo previsto en este numeral.

PARÁGRAFO 3. Para tener derecho a la exención consagrada en el numeral 5 de este artículo, el contribuyente debe cumplir los requisitos necesarios para acceder a la pensión, de acuerdo con la Ley 100 de 1993".

Nótese que, desde entonces, se eliminó, en materia tributaria, todo tipo de diferenciación entre la modalidad salarial pactada por los trabajadores y sus empleadores. Hoy, por supuesto, esa exoneración no es vista solo como un tratamiento tributario de favor al "factor prestacional" (el cual, tratándose de trabajadores que no hayan estipulado un salario integral, se sigue discriminando del salario ordinario), sino como una garantía de respeto al mínimo vital de los contribuyentes (sobre esto se volverá en el Tomo III de esta obra).

II. Modificación del artículo 387 del Estatuto Tributario – Intereses por financiación de vivienda y gastos de educación y salud

El artículo 124 de la ley 223 de 1995 dispuso la incorporación del siguiente parágrafo en el artículo 387 del Estatuto Tributario:

> "PARÁGRAFO 2. Cuando se trate del Procedimiento de Retención Número dos, el valor que sea procedente disminuir mensualmente, determinado en la forma señalada en el presente artículo, se tendrá en cuenta tanto para calcular el porcentaje fijo de retención semestral, como para determinar la base sometida a retención".

A diferencia de lo ocurrido con la exención del 30 %, a que aludimos en la Subsección anterior, en este caso hubo un choque de visiones entre el Ejecutivo y el Parlamento. Veamos:

En la exposición de motivos al Proyecto de Ley 026 Cámara, 158 Senado, el Gobierno Nacional incorporó el artículo 146, conforme al cual se añadía un parágrafo al artículo 387 del Estatuto Tributario que ordenaba que, tratándose del procedimiento de retención número dos, el valor procedente de disminución mensual solo se tendría en cuenta para calcular el porcentaje fijo de retención semestral.

En la explicación del articulado, el Ministro PERRY señaló que el objetivo era "precisa[r] que el descuento sólo opera una vez, para evitar las confusiones interpretativas que reclaman doble beneficio". Al respecto, bueno es indicar que esa era la opinión de la Administración Tributaria, que se pretendía positivizar en la ley.

Más adelante, en el Informe de Ponencia para Primer Debate[640], los parlamentarios señalaron enfáticamente que su propósito era aclarar, "de una vez por todas, que cuando se utiliza el procedimiento de retención nú-

---

[640] Disponible en la Gaceta del Congreso de la República número 318 de 1995.

mero dos, el valor deducible por concepto de intereses para préstamos de vivienda o por concepto de gastos de educación y salud, se tiene en cuenta tanto para calcular el porcentaje fijo de retención semestral, como para determinar la base sometida a retención"[641].

Así, el texto consagrado en el artículo 130 de la Ponencia para Primer Debate añadía también un parágrafo al artículo 387 del Estatuto Tributario, conforme al cual, tratándose del procedimiento de retención número dos, el valor procedente de disminución mensual se tendía en cuenta para calcular el porcentaje fijo de retención semestral y, además, para determinar la base sometida a retención[642].

La misma visión imperó en la Ponencia para Segundo Debate, en que se afirmó, con mayor dureza, que se trataba de una norma de "aclara[ción] con autoridad" del Congreso de la República.

No se requiere más que un simple cotejo para advertir que la visión que se impuso fue la del Parlamento. Por tanto, desde entonces quedó disipada la diferencia interpretativa del alcance de la disminución de la base de retención en la fuente, por concepto de intereses por préstamos para adquisición de vivienda o gastos de educación y salud, cuandoquiera que se utilizara el procedimiento número dos.

Esta discusión, aunque hoy parece superflua, en su momento no lo fue, por la siguiente razón: en aquella época, el artículo 592 del Estatuto Tributario establecía que no estaban obligados a declarar los asalariados a los que se les hubiere eliminado la declaración tributaria. A su turno, el artículo 593, tal como había sido modificado por la ley 49 de 1990, señalaba que los asalariados con ingresos no superiores a $12.000.000 y patrimonio bruto igual o inferior a $15.000.000 (valores base para 1990, sin actualización por IPC), no estaban obligados a presentar declaración del impuesto sobre la renta. Por consiguiente, el valor que les retuvieran en la fuente era equivalente a su impuesto a cargo.

Así las cosas, un importante número de trabajadores colombianos se veían afectados por la falta de claridad normativa en el aspecto objeto de comentario en la presente Subsección, toda vez que la retención en la fuente que les practicaban era equivalente a su impuesto, sin que ellos pudieran presentar, *motu proprio*, su denuncio rentístico, por ser considerado ineficaz a la luz de lo dispuesto por el artículo 594-2 del Estatuto Tributario.

---

[641] *Ibídem.*
[642] *Ibídem.*

III. Tarifas

Como explicamos en la Subsección I de la Sección II del Capítulo XI de esta Parte, la ley 49 de 1990 creó el artículo 248-1 del Estatuto Tributario, contentivo de una sobretasa del impuesto sobre la renta. El tributo consistía en liquidar el 25 % del impuesto neto sobre la renta y su vigencia se extendería hasta 1997. Ante la premura económica, y con la preocupación propia por el debilitamiento político del Gobierno, se optó por incorporar definitivamente el valor de la sobretasa en la tarifa permanente del impuesto sobre la renta. Así, se incrementó la tarifa marginal superior del impuesto de 30 a 35 %.

Se debe tener en cuenta que, tratándose de la sobretasa, la norma preveía un descuento del 50 % si el contribuyente invertía un quince por ciento (15 %) de su renta gravable en acciones y bonos de sociedades cuyas acciones con un índice de bursatilidad alto, o que conformen el segundo mercado; o en sociedades de economía mixta o privadas que tengan como objeto exclusivo la prestación de servicios públicos de acueducto, alcantarillado, aseo, gas y/o generación de energía; o en participaciones o bonos de largo plazo en cooperativas; o en ahorro voluntario en fondos de pensiones u otras formas de ahorro contractual a largo plazo destinado al cubrimiento de pensiones. Empero, con la consolidación del importe en el tributo básico sobre la renta, la posibilidad del descuento desapareció por completo.

Huelga advertir que, por supuesto, mediante el artículo 285 de la Ley 223 de 1995 se derogó el artículo 248-1 del Estatuto Tributario, con lo cual se dejó de cobrar la sobretasa.

IV. Modificación del artículo 594-2 del Estatuto Tributario

Finalmente, el artículo 30 de la Ley 223 de 1995 modificó el artículo 594-2 del Estatuto Tributario, en el sentido de señalar que "[l]as declaraciones tributarias presentadas por los no obligados a declarar no producirán efecto legal alguno". Este texto es de capital relevancia para nuestro estudio y consistentemente volveremos sobre él a medida en que avance el análisis.

Capítulo XIV.
Régimen de la Ley 488 de 1998

Hacia finales de 1997 el país se encontraba claramente dividido por el *Proceso 8000*, en virtud del cual se cuestionaba el ingreso de dineros del narcotráfico a la campaña del Presidente SAMPER. Tal división terminó en la conformación dos grupos marcados: aquel que apoyaba la inocencia del Presidente y pretendía continuar el camino trazado por él, liderado por su Ministro del Interior, HORACIO SERPA URIBE; y el que reclamaba un cambio y sostenía que el Presidente tenía pleno conocimiento de que esos dineros habían ingresado a su campaña, liderado por ANDRÉS PASTRANA ARANGO.

Luego de las consultas y convenciones internas de rigor, el Partido Liberal eligió como candidato a HORACIO SERPA, en tanto que el Partido Conservador, con el apoyo del fiscal liberal, ALFONSO VALDIVIESO, respaldó la candidatura de ANDRÉS PASTRANA ARANGO. Aunque en la primera vuelta el Liberal se impuso sobre su contendor, al celebrarse la segunda vuelta el Conservador fue elegido Presidente de la República con algo más de seis millones de votos.

El nuevo Gobierno tuvo que afrontar una aguda crisis económica, materializada en un desbalance de las finanzas públicas y la crisis financiera. Por ese motivo, la Administración PASTRANA ARANGO radicó, a pocos días de su posesión, un cúmulo de reformas tendientes a rectificar en parte la situación. Una de ellas, como es normal, fue la reforma tributaria, en la que el Ministro de Hacienda, JUAN CAMILO RESTREPO SALAZAR, resaltó la crítica situación que transitaba el país. Veamos:

"Anteriormente se creía que los países no se quiebran. La experiencia ha demostrado lo contrario. Rusia está en quiebra. Los países del Cono Sur y Perú se quebraron a finales de la década de los setenta y principios de los ochenta.

Cuando un país se quiebra, quiebran todos sus habitantes. Cuando la Nación gasta más de lo que recibe y no tiene posibilidades de financiar ese mayor gasto, corre el riesgo de quebrarse, y con él colapsa toda la economía del país.

Las posibilidades de financiamiento interno de este déficit se hacen cada día más difíciles. Prácticamente ya se copó la capacidad de endeudamiento de la Nación. Además, con la crisis asiática, japonesa y rusa, cada vez es más difícil para los países de mercados emergentes financiarse con créditos externos.

La situación actual es angustiosa. Sin el ajuste introducido por esta administración, el déficit del gobierno central hubiera llegado este año a 5.2% del PIB. El déficit consolidado hubiera sido de 3.8% del PIB. Con el ajuste se estima que el déficit del gobierno central será de 4.8% del PIB y el consolidado de 3.3% del PIB, como se ve en el Cuadro 1. (…)

Ya no existe margen para reducir gastos. Es imperativo mejorar el recaudo tributario. (…)

En 1997 los ingresos tributarios llegaron a los $12.5 billones. Para este año se estima que serán de $14.1 billones, un crecimiento nominal de 12.4%, lo que significa un decrecimiento en términos reales de seis puntos. (…)

El IVA interno, que en 1997 fue la principal fuente de recaudos con $3.8 billones, le cedió el primer lugar a la retención en 1998, que llegó a $4.48 billones contra $3.59 billones en 1997. En 1998 el recaudo del IVA interno se estima en $4.3 billones, lo que significa un crecimiento de solamente 13.7%, cerca de cinco puntos, inferior a la inflación registrada a la fecha.

La causa de la disminución en el recaudo no es otra que la crisis económica que vive el país. Mientras que los recaudos de IVA crecieron el segundo bimestre de este año ligeramente por encima del 20%, la cifra ha ido cayendo en forma dramática (…).

Según estudios de Fedesarrollo, en Colombia ya se acusa una curva de Laffer, o sea que a mayores tasas de tributación, mayor es la evasión. Actualmente ésta se calcula en un 35% para el IVA y más de 40% en el Impuesto de Renta"[643].

Con ese contexto, se presentó una reforma con alcances eminentemente recaudatorios; esto es, para sanear las finanzas públicas. Y por lo que a nuestro estudio interesa, tres fueron los tópicos que impactaron la tributación de las rentas familiares, a saber: (i) el intento de eliminar la exención al 30% de los ingresos percibidos por los trabajadores; (ii) la modificación del tope de deducibilidad de los intereses pagados por préstamos para la adquisición de vivienda; y (iii) el tratamiento tributario de los pagos indirectos. Veamos:

---

[643] JUAN CAMILO RESTREPO SALAZAR. *Exposición de motivos al proyecto de ley número 045 de 1998*. Gaceta del Congreso de la República número 171 de 1998. Pág. 34.

SECCIÓN I. INTENTO FALLIDO DE ELIMINAR LAS RENTAS DE TRABAJO EXENTAS (ART. 206, NÚM. 10, DEL ESTATUTO TRIBUTARIO)

Claramente se puede observar, en la exposición de motivos del proyecto que a la postre se convertiría en la Ley 488 de 1998, que el mecanismo más importante de recaudo tributario había pasado a ser, en 1998, la retención en la fuente. Si a ello se aúna el palmario interés recaudatorio de la reforma, no es difícil concluir que una de las mejores alternativas para garantizar un aumento en el importe tributario recaudado por el Estado era la eliminación de la exención del 30 % de los pagos laborales recibidos por los trabajadores.

En efecto, ya se vio que para un buen número de trabajadores el importe retenido en la fuente por sus empleadores era equivalente al impuesto sobre la renta a cargo, toda vez que no les estaba dado presentar denuncio privado alguno, y si lo hacían, se consideraba ineficaz. Así mismo, el artículo 395 del Estatuto Tributario, vigente para la época (y aún en el texto actual subsiste esa disposición), precisaba que no estarían sujetos a retención en la fuente "[l]os pagos o abonos en cuenta que por disposiciones especiales sean exentos en cabeza del beneficiario". Ello significa, como es natural, que la exención del 30 % sobre los pagos laborales se debía deducir de la base para calcular la retención en la fuente a practicar por el empleador y, consiguientemente, también así se disminuía el recaudo estatal. Obviamente, en los casos en los que los asalariados sí debieran presentar declaración del impuesto sobre la renta, la naturaleza exenta del 30 % del pago laboral también permitía depurar su renta e ingresar un menor valor al Estado, a título de tributo.

De esa forma se explica que en el artículo sobre vigencias y derogatorias del proyecto de ley inicialmente presentado se hubiera contemplado la eliminación del numeral 10° del artículo 206 del Estatuto Tributario, contentivo de la exención del 30 % de los pagos laborales recibidos por los trabajadores[644].

Empero, al advertir la derogatoria propuesta, el Instituto Colombiano de Derecho Tributario fue el primero en alzar su voz de protesta, mediante la *Declaración de principios y observaciones* que envió al Congreso de la República el 7 de octubre de 1998, suscrita por Luis Enrique Betancourt, Álvaro Leyva Zambrano y Mauricio Piñeros Perdomo, así:

---

[644]   Cfr. Gaceta del Congreso de la República número 171 de 1998.

"Numeral 10 del artículo 206 E.T. Exención del 30% de los pagos laborales. El Instituto no encuentra razonable, en cambio, la derogatoria del numeral 10 del artículo 206 del Estatuto Tributario, que establece una exención del 30% de los pagos laborales, en forma general, para todos los trabajadores asalariados. Las razones que fundamentan esta apreciación son las siguientes:

La clase asalariada es una de las que más contribuye a las cargas públicas de la Nación, puesto que no le es permitido tomar deducciones y sus ingresos vienen a constituir en su totalidad renta liquida, a diferencia de lo que ocurre con las rentas mixtas y de capital donde, además de las expensas necesarias, existen muchas deducciones que tienden a la reposición del patrimonio productor de renta.

Al trabajador asalariado, en cambio, nada se le permite deducir por ese concepto, a pesar de las cuantiosas inversiones que hoy debe efectuar para colocarse en condiciones de prestar los servicios que le son demandados y no obstante el deterioro que sufre en su persona con ocasión de la prestación de tales servicios. Gravarle sus ingresos con mayor severidad, resulta inequitativo frente a los demás contribuyentes.

La clase asalariada es una de las más controladas en sus ingresos a través del sistema de retención en la fuente y por la facilidad que existe para el cruce de informaciones en la relación empleador - trabajador.

La exención del 30% representa el desgravamen de las prestaciones sociales, por lo menos para los trabajadores que devengan salario integral, como claramente se estableció en el artículo 18 de la Ley 50 de 1990, prestaciones que representan el único ingreso susceptible de ahorro para la clase asalariada.

En aplicación del principio de progresividad del sistema tributario consagrado en el artículo 363 de la Constitución Nacional, igual que se propuso respecto a las contribuciones para fondos de pensiones de jubilación e invalidez y fondos de cesantías, el Instituto considera que también con relación a la exención consagrada en el numeral 10 del artículo 206 del Estatuto Tributario, debería establecerse una escala descendente de porcentajes de exención, de tal manera que el porcentaje de exención fuera disminuyendo en la medida en que aumentan los ingresos laborales del trabajador"[645].

La elocuente disquisición del Instituto fue acogida por el Gobierno Nacional, quien presentó un pliego de modificaciones a su proyecto inicial en

---

[645] Luis Enrique Betancourt Builes, Álvaro Leyva Zambrano y Mauricio Piñeros Perdomo. *Declaración de principios y observaciones del ICDT sobre los proyectos de reforma tributaria de 1998* en Revista del Instituto Colombiano de Derecho Tributario. Núm. 49. Año 35. Ed. Instituto Colombiano de Derecho Tributario. Bogotá, 1999. Pág. 525 y 526.

el que retiró esta disposición de las normas que serían derogadas, pliego de modificaciones que fue acogido por la Ponencia para Primer Debate en las Comisiones Terceras y Cuartas conjuntas del Senado de la República y la Cámara de Representantes.

Por consiguiente, el intento de eliminar la exención fue claramente fallido y la norma se mantuvo en el ordenamiento jurídico colombiano.

SECCIÓN II. INTERESES PAGADOS POR PRÉSTAMOS PARA LA ADQUISICIÓN DE VIVIENDA

Inicialmente, el parágrafo artículo 47 del Decreto Legislativo 2053 de 1974 admitía la deducibilidad de los intereses pagados sobre préstamos para adquisición de vivienda del contribuyente, siempre que el préstamo estuviera garantizado con hipoteca cuando el acreedor no estuviera sometido a la vigilancia del Estado. En su segundo inciso, la norma preveía que sería deducible la totalidad del costo financiero de los préstamos de vivienda adquiridos en unidades de poder adquisitivo constante (UPAC).

Posteriormente, el artículo 40 de la ley 75 de 1986 limitó la deducción de intereses y corrección monetaria, "para cada contribuyente[,] al valor de las Unidades de Poder Adquisitivo Constante, UPAC, que a la fecha de promulgación de la ley equivalgan a los primeros $ 5.900.000. del respectivo préstamo. Dicha deducción no podrá exceder anualmente del valor de las Unidades de Poder Adquisitivo Constante, UPAC, que a la fecha de vigencia de esta ley, equivalgan a un millón de pesos ($ 1.000.000)".

Finalmente, el artículo 119 del Estatuto Tributario compiló ambas disposiciones y dispuso que la deducción de intereses y corrección monetaria, para cada contribuyente, estaría limitada "al valor al valor equivalente a las primeras 4.553 Unidades de Poder Adquisitivo Constante, UPAC, del respectivo préstamo", sin que excediera "anualmente del valor equivalente a 771 Unidades de Poder Adquisitivo Constante, UPAC".

A pesar de la necesidad de recaudo, el Gobierno Nacional propuso, y así lo adoptó el Congreso de la República, la modificación del segundo inciso del artículo 119 del Estatuto Tributario, en el sentido de limitar la deducibilidad de los intereses y corrección monetaria, cuando el préstamo de vivienda se hubiera adquirido en unidades de poder adquisitivo constante (UPAC), al valor equivalente a las primeras 4.553 Unidades de Poder Adquisitivo Constante, UPAC, del respectivo préstamo, sin que tal deducción excediera anualmente del valor equivalente a 1.000 unidades de poder adquisitivo constante, UPAC.

Así, el artículo incrementó el límite máximo de deducibilidad autorizado por la normativa tributaria.

SECCIÓN III. PAGOS INDIRECTOS

De especial interés resulta para este texto la adición del Estatuto Tributario con el artículo 387-1, de acuerdo con lo ordenado por el artículo 6º de la ley 488 de 1998. Según se ha visto, en la redacción original del artículo 387 del Estatuto Tributario y las disposiciones concordantes, los pagos que el empleador hiciera al trabajador, directa o *indirectamente,* se debían tener en cuenta para establecer la base sobre la cual se aplicaría la respectiva retención en la fuente.

Con buen criterio, el Legislador de 1998 decidió establecer que los pagos *indirectos* que hiciera el empleador a su trabajador, o a la familia de éste, siempre que no superaran los dos (2) salarios mínimos legales mensuales vigentes, no integrarían la base para el cálculo de la retención en la fuente a practicar. Veamos:

"ARTÍCULO 6º.- Disminución de la base de retención por pagos a terceros por concepto de alimentación.

Adiciónase al Estatuto Tributario el siguiente artículo:

ARTÍCULO 387-1. Disminución de la base de retención por pagos a terceros por concepto de alimentación. Los pagos que efectúen los patronos a favor de terceras personas, por concepto de la alimentación del trabajador o su familia, o por concepto del suministro de alimentación para éstos en restaurantes propios o de terceros, al igual que los pagos por concepto de la compra de vales o tiquetes para la adquisición de alimentos del trabajador o su familia, son deducibles para el empleador y no constituyen ingreso para el trabajador, sino para el tercero que suministra los alimentos o presta el servicio de restaurante, sometido a la retención en la fuente que le corresponda en cabeza de estos últimos. Lo anterior sin menoscabo de lo dispuesto en materia salarial por el Código Sustantivo de Trabajo.

Cuando los pagos en el mes en beneficio del trabajador o de su familia, de que trata el inciso anterior, excedan la suma de dos (2) salarios mínimos mensuales vigentes, el exceso constituye ingreso tributario del trabajador, sometido a retención en la fuente por ingresos laborales. Lo dispuesto en este inciso no aplica para los gastos de representación de las empresas, los cuales son deducibles para estas.

Para los efectos previstos en este artículo, se entiende por familia del trabajador, el cónyuge o compañero (a) permanente, los hijos y los padres del trabajador".

La afortunada disposición previó, consiguientemente, la concurrencia de los siguientes requisitos para que el pago *indirecto* no constituyera ingreso tributario para el trabajador, ni hiciera parte de la base para el cálculo de la retención en la fuente: (i) que el empleador efectuara el pago directamente a terceras personas, distintas del trabajador o su familia; (ii) que el concepto específico de los pagos hechos por el empleador fuera el de garantizar la alimentación del trabajador o su familia; (iii) que el pago mensual no excediera de dos (2) salarios mínimos legales mensuales vigentes; y (iv) que estuviera dirigido exclusivamente a la satisfacción alimenticia del *trabajador* o su *familia*, entendida por tal el/la *cónyuge*, el/la *compañero(a) permanente*, los *hijos* y los *padres*.

La reglamentación de este beneficio fue luego consagrada en el decreto 1345 de 1999, cuyo artículo 1° estableció lo siguiente:

"Artículo 1°. Pagos por concepto de alimentación. Para que procedan los beneficios previstos en el artículo 387-1 del Estatuto Tributario, los pagos que efectúen los patronos por concepto de alimentación, deberán corresponder exclusivamente a:

1. El pago de los costos en que incurra el empleador, para adquirir de terceros los alimentos y demás insumos necesarios para su preparación, que conduzcan a suministrar la alimentación al trabajador o a su familia, en restaurantes propios del empleador o de terceros.

2. El pago de los costos que cobren al empleador, terceros que operen los restaurantes, en los cuales se suministre la alimentación al trabajador o a su familia.

3. El pago de los costos de las comidas preparadas que adquiera el empleador, de empresas especializadas en tal suministro, con destino al trabajador o a su familia.

4. La entrega al trabajador, de vales o tiquetes para la adquisición de alimentos para éste o para su familia.

Parágrafo 1°. Para que procedan los beneficios a través del mecanismo de vales o tiquetes para la adquisición de alimentos para el trabajador o su familia, a que se refiere el numeral 4 del presente artículo, es necesario que se cumplan los siguientes requisitos:

a) El administrador de los vales o tiquetes debe ser una empresa distinta de la que otorga el beneficio a sus trabajadores y de aquella donde los mismos son utilizados o consumidos;

b) La empresa que administra, comercializa, distribuye y reembolsa los vales o tiquetes debe tener esta actividad como su objeto social principal;

c) Los vales o tiquetes deben indicar el nombre o razón social, NIT, dirección y teléfono de la empresa que los administra, así como el nombre o razón social y NIT del patrono que los adquiere.

Parágrafo 2°. Para efectos de la procedencia del costo o la deducción en cabeza de los empleadores, y para efectos del suministro de informaciones tributarias, en el caso de los vales o tiquetes para la adquisición de alimentos, cuya cuantía mensual en cabeza de un trabajador no exceda de dos (2) salarios mínimos mensuales, bastará con suministrar la identificación tributaria de la empresa administradora de los respectivos vales o tiquetes, y el monto total de los pagos realizados a ésta durante el respectivo año, con el número de trabajadores a los que se les entregaron los vales o tiquetes.

El pago mensual a través de vales o tiquetes, que exceda de dos (2) salarios mínimos mensuales en cabeza de un trabajador, deberá registrarse como ingreso del trabajador, sometido a retención en la fuente por ingresos laborales.

Parágrafo 3°. Las empresas administradoras de vales o tiquetes para la adquisición de alimentos, deberán suministrar anualmente, en los formatos que establezca la DIAN, la identificación tributaria de los terceros beneficiarios de los ingresos, en cuyos establecimientos de comercio fueron utilizados o consumidos los respectivos vales o tiquetes, con indicación del valor total de éstos, durante el año gravable anterior.

Parágrafo 4°. De conformidad con los artículos 378 y 379 del Estatuto Tributario, el valor de los vales o tiquetes para la adquisición de alimentos, deberá incluirse en el Certificado de Ingresos y Retenciones. La parte de los mismos, cuya cuantía mensual en cabeza del trabajador no exceda de dos (2) salarios mínimos mensuales, deberá incluirse como ingreso no gravado". (Subraya fuera del original)

Únicamente resta poner de presente que la nulidad de los apartes subrayados fue declarada por la Sección Cuarta del Consejo de Estado en sentencia del 12 de febrero de 2002, expediente 12076, C.P. JUAN ÁNGEL PALACIO HINCAPIÉ. Por lo demás, salvo una modificación que estudiaremos con la ley 788 de 2002, el texto de la norma se mantiene vigente y el reglamento se encuentra compilado en el artículo 1.2.1.18.38 del Decreto 1625 de 2016, Único Reglamentario en materia Tributaria.

Capítulo XV.
Régimen de la Ley 788 de 2002

Después de que hubiera fracasado el proyecto de paz del Presidente PASTRANA ARANGO, con sustento en el cual se habían creado varias zonas de distensión en el territorio nacional, Colombia transitó por un recrudecimiento de la violencia armada. Así, a la contienda electoral de 2002 se presentaron varios candidatos, pero uno de ellos, que resultaría vencedor en las votaciones, abanderó el programa de Seguridad Democrática: ÁLVARO URIBE VÉLEZ.

Con la superación de la crisis económica de finales del siglo XX, el proyecto de seguridad democrática impulsado por el Presidente URIBE tuvo como propósito, en materia tributaria, lograr el saneamiento fiscal. Por ese motivo, de la mano con su Ministro de Hacienda, ROBERTO JUNGUITO BONNET, el 19 de septiembre de 2002, a pocos días de su posesión, se radicó el proyecto que se convertiría en la Ley 788 de 2002.

Para nuestro estudio, nos detendremos en cuatro aspectos fundamentales de la ley: (i) la limitación de las rentas de trabajo exentas; (ii) la sobretasa del impuesto sobre la renta; (iii) la variación al régimen de obligados a declarar; y (iv) la limitación del beneficio otorgado a los pagos indirectos. Veamos, pues, su desarrollo:

SECCIÓN I. LIMITACIÓN DE LAS RENTAS DE TRABAJO EXENTAS (ART. 210, NÚM. 10, DEL ESTATUTO TRIBUTARIO)

I. Antecedentes legislativos

El proyecto de ley radicado ante el Congreso de la República pretendía, en su artículo 16, modificar el numeral 10 del artículo 206 del Estatuto Tributario, en el sentido de mantener la exención del 30% del ingreso laboral, pero limitándola a tres millones de pesos mensuales.

Según se observa en la exposición de motivos del Gobierno Nacional, "[e]l objetivo de las modificaciones sugeridas al Impuesto sobre la Renta

[era] mejorar el recaudo"[646]. Respecto de la temática particular que nos ocupa, sencillamente se indicó que se mantendría "la exención del 30% a los ingresos laborales, pero [con] un límite de $3.000.000 mensuales"[647].

En la Ponencia para Primer Debate del proyecto de ley se eliminó la limitación propuesta por el Gobierno, con el siguiente argumento:

> "Otra de las restricciones inconvenientes a las rentas de trabajo exentas es la que se consagra en el artículo 21 del proyecto, donde se limita la exención del 30% de los ingresos laborales a 1 millón (SIC) de pesos, restricción que no compartimos debido a la gravosa carga tributaria que padecen los trabajadores. Paralelamente implicaría pérdida del poder adquisitivo, propicia la tendencia hacia la informalidad, afecta la estructura nominal de las empresas, y que es peor en términos reales empobrecemos y perdemos posibilidad de acrecentar la demanda agregada"[648].

Sin embargo, como se observa en la Ponencia para Segundo Debate del proyecto de ley, la proposición de los parlamentarios fue desechada en el análisis en las Comisiones Terceras y Cuartas conjuntas de Cámara de Representantes y Senado de la República. En su lugar, se fue más allá y, además de establecer un límite numérico a la exención, se redujo el porcentaje previsto en el artículo 210, núm. 10, del Estatuto Tributario. Se lee lo siguiente en la Ponencia:

> "Adicionalmente, se disminuyó del 30 al 25% el porcentaje exento de las rentas laborales, limitándolas para salarios superiores a $ 16 millones mensuales. (...) Se negó una proposición sustitutiva presentada por el honorable Senador Camilo Sánchez que determinaba eliminar el artículo 18 del Proyecto de Reforma Tributaria estudiado"[649].

Comoquiera que el texto aprobado en Primer Debate fue el que, a la postre, se adoptaría como definitivo en la ley 788 de 2002, no nos detendremos en las demás discusiones parlamentarias.

---

[646] Roberto Junguito Bonnet. *Exposición de motivos al proyecto de ley 080, Cámara de Representantes*. Gaceta del Congreso de la República número 398 de 2002.

[647] *Ibídem.*

[648] Gaceta del Congreso de la República número 536 de 2002.

[649] Gaceta del Congreso de la República número 614 de 2002.

II. Texto definitivo y análisis

El artículo 17 de la ley 788 de 2002 modificó el texto del ordinal 10° del artículo 206 del Estatuto Tributario, así:

"ARTÍCULO 17. RENTAS DE TRABAJO EXENTAS. Modifícase el numeral 10 del artículo 206 del Estatuto Tributario, así:

'10. El veinticinco por ciento (25%) del valor total de los pagos laborales, limitada mensualmente a cuatro millones de pesos ($4.000.000) (Valor año base 2003)'".

Como se aprecia de los antecedentes normativos, con los cambios incorporados se desnaturalizó, por completo, el objeto inicial de la exención, cual era, por un lado, el de no someter a imposición el monto previsto por la ley 50 de 1990 como factor prestacional en los salarios integrales y, por el otro, el de garantizar la igualdad para los demás trabajadores que no estipularon salario integral con su empleador. En efecto, a la fecha no se ha modificado el artículo 18 de la aludida Ley 50, en el que se establece que el factor prestacional de los salarios integrales será, como mínimo, el 30% del salario ordinario. Significa lo anterior que, para este tipo de pactos salariales, el 5% del factor prestacional pasó a ser gravado.

Téngase en cuenta, además, que con la incorporación de una limitación numérica ($4.000.000) se logró, como lo pretendió el Legislador, que solo estuviera exento, en realidad, el 25% del pago salarial de quienes recibieran una remuneración de hasta $16.000.000 en 2003. Por consiguiente, la proporción del factor prestacional gravado, tratándose de salarios integrales más altos, sería mayor al 5%. Y poco hay que agregar en lo que respecta a los contratos laborales en que no se hubiera pactado el *salario integral*.

De todo lo expuesto se sigue que, claramente, la exención de que trata el ordinal 10° del artículo 206 del Estatuto Tributario dejó de estar pensada en función del factor prestacional y pasó a tener otra connotación, cual es la de proteger un mínimo vital de los trabajadores contribuyentes del impuesto sobre la renta y complementarios. Ese nuevo cariz ha sido prohijado, en forma consistente, por la Corte Constitucional colombiana[650].

---

[650] Consúltese, a manera de ejemplo, la sentencia C-492 de 2015, M.P. MARÍA VICTORIA CALLE CORREA.

SECCIÓN II. SOBRETASA DEL IMPUESTO SOBRE LA RENTA

I. Antecedentes legislativos

Teniendo en cuenta el objetivo de mayor recaudo[651], el Gobierno Nacional propuso, en el artículo 22 del proyecto de ley, la creación de una "contribución especial a cargo de los contribuyentes obligados a declarar el impuesto sobre la renta". De esa manera, se pretendía adicionar el artículo 260-1 al Estatuto Tributario para establecer que, únicamente por el año gravable 2003, los contribuyentes declarantes del impuesto sobre la renta liquidaran una sobretasa del 10 % de su impuesto sobre la renta neto.

En los términos del Gobierno, "[c]omo una medida excepcional, y sólo para el período gravable 2003, se establece una contribución especial del 10 % sobre el impuesto a la renta, que recaería sobre los contribuyentes obligados a declarar"[652].

En la Ponencia para Primer Debate, los parlamentarios consideraron que la sobretasa "representa[ba] un exceso de gravámenes para los contribuyentes, más aún cuando acabamos de pagar el impuesto al patrimonio. Nuestra propuesta en primera instancia permitiría este cobro por una sola vez, si es aprobado que se puedan descontar los impuestos de industria y comercio y predial. De no ser así pediremos que este artículo se vote de forma negativa, porque sería un exceso sin precedentes contra el sector real[653].

Empero, como se observa en la Ponencia para Segundo Debate, las Comisiones Terceras y Cuartas conjuntas, durante la discusión legislativa, hicieron caso omiso de lo propuesto en la Ponencia para Primer Debate y aprobaron la sobretasa no solo para el año 2003, sino que la prolongaron en el tiempo. De esa manera, se aprobó el artículo que se adoptaría en la ley 788 de 2002, conforme al cual se creaba una sobretasa para los contribuyentes declarantes del impuesto sobre la renta "equivalente al 10 % por el año gravable 2003 y un 5 % permanente a partir del año gravable 2004"[654].

---

[651] ROBERTO JUNGUITO BONNET. *Exposición de motivos al proyecto de ley 080, Cámara de Representantes*. Gaceta del Congreso de la República número 398 de 2002.

[652] ROBERTO JUNGUITO BONNET. *Exposición de motivos al proyecto de ley 080, Cámara de Representantes*. Gaceta del Congreso de la República número 398 de 2002.

[653] Gaceta del Congreso de la República número 536 de 2002.

[654] Gaceta del Congreso de la República número 614 de 2002.

II. Texto definitivo y análisis

El artículo 29 de la ley 788 de 2002 incorporó el artículo 260-11 al Estatuto Tributario, en los siguientes términos:

"ARTÍCULO 29. SOBRETASA A CARGO DE LOS CONTRIBUYENTES OBLIGADOS A DECLARAR EL IMPUESTO SOBRE LA RENTA. Adiciónase el Estatuto Tributario con el siguiente artículo:

Artículo 260-11. Sobretasa a cargo de los contribuyentes obligados a declarar el impuesto sobre la renta. Créase una sobretasa a cargo de los contribuyentes obligados a declarar el impuesto sobre la renta y complementarios. Esta sobretasa será equivalente para el año gravable 2003 al diez por ciento (10%) del impuesto neto de renta determinado por dicho año gravable. A partir del año gravable 2004 ésta sobretasa será equivalente al cinco por ciento (5%) del impuesto neto de renta del respectivo período gravable.

La sobretasa aquí regulada se liquidará en la respectiva declaración de renta y complementarios y no será deducible ni descontable en la determinación del impuesto sobre la renta.

PARÁGRAFO. La sobretasa que se crea en este artículo está sujeta para el ejercicio 2003 a un anticipo del 50% del valor de la misma calculada con base en el impuesto neto de renta del año gravable 2002, el cual deberá pagarse durante el segundo semestre del año 2003, en los plazos que fije el reglamento".

Según se observa, sin alterar las tarifas del impuesto sobre la renta se incrementó la incidencia tributaria de quienes tenían la condición de contribuyentes declarantes, en forma indefinida. Sin embargo, se debe reparar positivamente en que el hecho de haber fijado como requisito para la procedencia de la sobretasa que se tuviera la condición de *declarante* impidió que la incidencia tributaria de los asalariados no obligados a declarar incrementara dramáticamente.

SECCIÓN III. OBLIGADOS A DECLARAR

I. Antecedentes legislativos

La modificación de los topes para presentar declaración del impuesto sobre la renta no estuvo contemplada en el proyecto inicialmente presentado por el Gobierno Nacional al Congreso de la República, ni en la Ponencia para Primer Debate. Fue durante la discusión en las Comisiones

Terceras y Cuartas conjuntas que se incluyó la proposición y fue aprobada "para cumplir con la finalidad propuesta en la ley"[655].

II. Textos definitivos y análisis

Los artículos 75 a 77 de la ley 788 de 2002 modificaron, en su orden, los artículos 592, 593 y 594-1 del Estatuto Tributario, así:

"ARTÍCULO 75. QUIÉNES NO ESTÁN OBLIGADOS A DECLARAR. Modifíquese el numeral 1 del artículo 592 del Estatuto Tributario, el cual quedará así:

'1. Los contribuyentes personas naturales y sucesiones ilíquidas que no sean responsables del impuesto a las ventas, que en el respectivo año o período gravable hayan obtenido ingresos brutos inferiores a veintitrés millones ochocientos mil pesos ($23.800.000) y que el patrimonio bruto en el último día del año o período gravable no exceda de ciento cincuenta millones de pesos ($150.000.000). (Valor año base 2003)'.

ARTÍCULO 76. QUIÉNES NO ESTÁN OBLIGADOS A DECLARAR. Modifíquense los numerales 1 y 3 del artículo 593 del Estatuto Tributario, los cuales quedan así:

'1. Que el patrimonio bruto en el último día del año o período gravable no exceda de ciento cincuenta millones de pesos ($150.000.000). (Valor año base 2003).

3. Que el asalariado no haya obtenido durante el respectivo año gravable ingresos totales superiores a sesenta millones de pesos ($60.000.000) (Valor año base 2003)'.

ARTÍCULO 77. TRABAJADORES INDEPENDIENTES NO OBLIGADOS A DECLARAR. Modifíquese el artículo 594-1 del Estatuto Tributario, el cual queda así:

'Artículo 594-1. Trabajadores independientes no obligados a declarar. Sin perjuicio de lo establecido por los artículos 592 y 593, no estarán obligados a presentar declaración de renta y complementarios, los contribuyentes personas naturales y sucesiones ilíquidas, que no sean responsables del impuesto a las ventas, cuyos ingresos brutos se encuentren debidamente facturados y de los mismos un ochenta por ciento (80%) o más se originen en honorarios, comisiones y servicios, sobre los cuales se hubiere practicado retención en la fuente; siempre y cuando, los ingresos totales del respectivo ejercicio gravable no sean superiores a sesenta millones de pesos ($60.000.000) y su patrimonio bruto en el último día del año o período gravable no exceda de ciento cincuenta millones de pesos ($150.000.000) (Valor año base 2003)'".

---

[655] *Ibídem.*

En relación con las modificaciones, cabe destacar que el incremento de los topes para presentar denuncio rentístico dejó por fuera del espectro de declarantes a un buen número de individuos que, de otra manera, habrían tenido que liquidar la sobretasa de que trata la Sección anterior.

SECCIÓN IV. LIMITACIÓN AL BENEFICIO DE PAGOS INDIRECTOS

I. Antecedentes legislativos

En forma similar a lo ocurrido con la modificación de los topes para presentar declaración del impuesto sobre la renta, la limitación al beneficio de pagos indirectos no estuvo contemplada en el proyecto inicialmente presentado por el Gobierno Nacional al Congreso de la República, ni en la Ponencia para Primer Debate. Fue durante la discusión en las Comisiones Terceras y Cuartas conjuntas que se incluyó la proposición y fue aprobada "para cumplir con la finalidad propuesta en la ley"[656].

II. Texto definitivo y análisis

El artículo 84 de la ley 788 de 2002 modificó el artículo 387-1 del Estatuto Tributario, en los siguientes términos:

"ARTÍCULO 84. Modifícase el artículo 387-1 del Estatuto Tributario, el cual queda así:

Artículo 387-1. Disminución de la base de retención por pagos a terceros por concepto de alimentación. Los pagos que efectúen los patronos a favor de terceras personas, por concepto de la alimentación del trabajador o su familia, o por concepto del suministro de alimentación para éstos en restaurantes propios o de terceros, al igual que los pagos por concepto de la compra de vales o tiquetes para la adquisición de alimentos del trabajador o su familia, son deducibles para el empleador y no constituyen ingreso para el trabajador, sino para el tercero que suministra los alimentos o presta el servicio de restaurante, sometido a la retención en la fuente que le corresponda en cabeza de esto s últimos, siempre que el salario del trabajador beneficiado no exceda de quince (15) salarios mínimos mensuales legales vigentes. Lo anterior sin menoscabo de lo dispuesto en materia salarial por el Código Sustantivo de Trabajo.

---

[656] *Ibídem.*

Cuando los pagos en el mes en beneficio del trabajador o de su familia, de que trata el inciso anterior excedan la suma de dos (2) salarios mínimos mensuales vigentes, el exceso constituye ingreso tributario del trabajador, sometido a retención en la fuente por ingresos laborales. Lo dispuesto en este inciso no aplica para los gastos de representación de las empresas, los cuales son deducibles para estas.

Para los efectos previstos en este artículo, se entiende por familia del trabajador, el cónyuge o compañero (a) permanente, los hijos y los padres del trabajador".

Como se aprecia de la confrontación del texto aprobado por la Ley 788 de 2002 con aquel aprobado por la Ley 488 de 1998, la modificación incorporada por la nueva disposición consistió en limitar el beneficio a los trabajadores que percibieran una remuneración igual o inferior a quince (15) salarios mínimos legales mensuales vigentes. Sin embargo, los demás requisitos consagrados en la ley se mantuvieron incólumes.

Capítulo XVI.
Régimen de la Ley 863 de 2003

Un año después de la expedición de la ley 788 de 2002, el Gobierno Nacional, de la mano con el nuevo Ministro de Hacienda, ALBERTO CARRASQUILLA BARRERA, puso en consideración del Congreso de la República una nueva reforma tributaria, que sería aprobada y sancionada como Ley 863 de 2003. Entre las modificaciones que a este texto interesa, se destacan: (i) la modificación de la sobretasa del impuesto sobre la renta; (ii) las variaciones al régimen de obligados a presentar denuncio rentístico; y (iii) la alteración del régimen tarifario. Veamos:

SECCIÓN I. SOBRETASA DEL IMPUESTO SOBRE LA RENTA

Según se observa en los antecedentes legislativos, el Gobierno Nacional propuso modificar el artículo 260-11 del Estatuto Tributario, en el sentido de incrementar el importe de la sobretasa para los años 2004 y siguientes, del 5 al 10 %[657]. Aunque la Ponencia para Primer Debate mantuvo incólume la voluntad gubernamental, los ponentes del Partido Conservador dejaron sentada la necesidad de que se limitara la vigencia de la sobretasa "por un periodo de tres (3) años a partir del 1° de enero de 2004"[658]. Esta salvedad del Partido Conservador se impuso en el curso del Primer Debate, como lo explica la Ponencia para Segundo Debate del proyecto de ley[659].

Así pues, luego del trámite legislativo el artículo 7 de la ley 863 de 2003 modificó el artículo 260-11 del Estatuto Tributario, con miras a incrementar el importe de la sobretasa, del 5 al 10 %, pero limitó su vigencia hasta 2006. Dijo la norma:

---

[657] Gaceta del Congreso de la República número 572 de 2003.

[658] Gaceta del Congreso de la República número 634 de 2003.

[659] "En cuanto a la Sobretasa del impuesto sobre la renta que el proyecto del Gobierno la planteaba de manera permanente en un diez por ciento (10 %), durante el debate en Comisiones conjuntas se aceptó dicho porcentaje, pero limitada su aplicación por un término de tres (3) años correspondientes a los períodos gravables 2004, 2005 y 2006". Gaceta del Congreso de la República número 691 de 2003.

"**ARTÍCULO 7º. SOBRETASA A CARGO DE LOS CONTRIBUYENTES OBLI-GADOS A DECLARAR EL IMPUESTO SOBRE LA RENTA.** Modifícase el artículo 260-11 del Estatuto Tributario, el cual quedará así:

Artículo 260-11. Sobretasa a cargo de los contribuyentes obligados a declarar el impuesto sobre la renta. Por los años gravables 2004, 2005 y 2006, créase una sobretasa a cargo de los contribuyentes obligados a declarar el impuesto sobre la renta y complementarios. Esta sobretasa será equivalente al diez por ciento (10%) del impuesto neto de renta determinado por cada año gravable.

La sobretasa aquí regulada se liquidará en la respectiva declaración de renta y complementarios y no será deducible ni descontable en la determinación del impuesto sobre la renta.

PARÁGRAFO. La sobretasa que se crea en este artículo está sujeta para el ejercicio gravable 2004 a un anticipo del cincuenta por ciento (50%) del valor de la misma, calculado con base en el impuesto neto de renta del año gravable 2003, el cual deberá pagarse en los plazos que fije el reglamento".

SECCIÓN II. OBLIGADOS A DECLARAR

Los artículos 22, 23 y 24 del proyecto de ley radicado por el Gobierno Nacional pretendían: (i) aumentar el tope de ingresos brutos previstos en el artículo 592 del Estatuto Tributario para adquirir la condición de declarante del impuesto sobre la renta; (ii) disminuir el tope de patrimonio previsto en los artículos 592, 593 y 594-1 del Estatuto Tributario para adquirir la condición de declarante del impuesto sobre la renta; (iii) disminuir el tope de ingresos brutos previstos en los artículos 593 y 594-1 del Estatuto Tributario para adquirir la condición de declarante del impuesto sobre la renta; y (iv) crear nuevos requisitos para preservar la condición de *no declarante* del impuesto sobre la renta[660].

En la Ponencia para Primer Debate se hicieron algunos retoques a la propuesta del Gobierno Nacional, los cuales fueron finalmente acogidos como ley. Las variaciones al régimen de declarantes del impuesto sobre la renta fue el siguiente:

1) El artículo 20 de la Ley 863 de 2003 aumentó el tope de ingresos brutos previstos en el artículo 592 del Estatuto Tributario para adquirir la condición de declarante del impuesto sobre la renta. Así,

---

[660] Gaceta del Congreso de la República número 572 de 2003.

el requisito previsto en el ordinal 1° del artículo 592 se incrementó de \$23.800.000 (Ley 788 de 2002) a \$25.000.000 (Ley 863 de 2003).

2) El artículo 20 de la Ley 863 de 2003 disminuyó el tope de patrimonio previsto en el artículo 592 del Estatuto Tributario para adquirir la condición de declarante del impuesto sobre la renta. Así, el requisito previsto en el ordinal 1° del artículo 592 disminuyó de \$150.000.000 (ley 788 de 2002) a \$80.000.000 (Ley 863 de 2003).

3) El artículo 20 de la ley 863 de 2003 disminuyó el tope de patrimonio previsto en el artículo 593 del Estatuto Tributario para adquirir la condición de declarante del impuesto sobre la renta. Así, el requisito previsto en el ordinal 1° del artículo 593 disminuyó de \$150.000.000 (ley 788 de 2002) a \$80.000.000 (Ley 863 de 2003).

4) El artículo 20 de la Ley 863 de 2003 disminuyó el tope de patrimonio previsto en el artículo 594-1 del Estatuto Tributario para adquirir la condición de declarante del impuesto sobre la renta. Así, el requisito previsto en el artículo 594-1 disminuyó de \$150.000.000 (ley 788 de 2002) a \$80.000.000 (Ley 863 de 2003).

5) El artículo 20 de la ley 863 de 2003 preservó el tope de ingresos brutos previstos en los artículos 593 y 594-1 del Estatuto Tributario para adquirir la condición de declarante del impuesto sobre la renta.

6) El artículo 21 de la ley 863 de 2003 adicionó el artículo 594-1 del Estatuto Tributario con un inciso, según el cual los trabajadores que obtuvieran ingresos como independientes y como asalariados debían sumarlos para establecer los ingresos brutos.

7) El artículo 22 de la Ley 863 de 2003 adicionó el artículo 594-3 del Estatuto Tributario, contentivo de algunos requisitos adicionales para preservar la condición de no obligado a declarar, a saber:

"**ARTÍCULO 22. OTROS REQUISITOS PARA NO OBLIGADOS A PRE-SENTAR DECLARACIÓN DEL IMPUESTO SOBRE LA RENTA**. Adiciónase el Estatuto Tributario con el siguiente artículo:

Artículo 594-3. Otros requisitos para no obligados a presentar declaración del impuesto sobre la renta. Sin perjuicio de lo dispuesto en los artículos 592, 593 y 594-1 del Estatuto Tributario, para no estar obligado a presentar declaración de renta y complementarios se tendrán en cuenta los siguientes requisitos:

a) Que los consumos mediante tarjeta de crédito durante el año gravable no excedan de la suma de cincuenta millones de pesos (\$50.000.000) (Valor año base 2004);

b) Que el total de compras y consumos durante el año gravable no superen la suma de cincuenta millones de pesos ($50.000.000) (Valor año base 2004);

c) Que el valor total acumulado de consignaciones bancarias, depósitos o inversiones financieras, durante el año gravable no exceda de ochenta millones de pesos ($80.000.000) (valor año base 2004)".

SECCIÓN III. TARIFAS

El artículo 63 de la Ley 863 de 2003 introdujo una variación al régimen tarifario incorporado por la Ley 223 de 1995. Pese a que no se incrementó la tarifa marginal superior, sí hubo alteraciones en la intensidad del gravamen según los distintos intervalos de renta.

Esta circunstancia obedeció a que, inicialmente, el Gobierno Nacional quería expandir la base de contribuyentes por la vía de gravar los ingresos de pensiones de vejez, invalidez y sobrevivientes. Sin embargo, su iniciativa fue rechazada por la Ponencia para Primer Debate. Ante tal rechazo, la alternativa que surgió fue la de incorporar algunas variaciones en el régimen tarifario, como se lee en el Acta del 7 de diciembre de 2003, con la intervención del Senador GABRIEL ZAPATA CORREA:

"Presidente mientras se buscan los números para dejar la constancia de lo que se va a retirar, hay un artículo que es fundamental porque como ya se derogaron o no se aprobaron los de pensiones es necesario modificar los artículos 241 del Estatuto Tributario. Tarifas para personas naturales y extranjeras residentes y asignaciones y donaciones modales y tarifa. 'La retención en la fuente aplicable a los pagos gravables, efectuados por las personas naturales jurídicas, las sociedades de hecho, las comunidades organizadas y las sucesiones ilíquidas, originados en la relación laboral, o legal y reglamentaria y pensiones, será la que resulte de aplicar a dichos pagos la siguiente tabla de retención en la fuente'. 383 Tarifas, y el artículo 869 literal c) del Estatuto Tributario que se refiere a los procedimientos para ajuste de cifras"[661].

---

[661] Gaceta del Congreso de la República número 198 de 2004.

Capítulo XVII.
Régimen de la Ley 1111 de 2006

El 27 de diciembre de 2006, luego de surtir el debido trámite ante el Congreso de la República, fue promulgada la Ley 1111 de ese año, "[p]or la cual se modifica el Estatuto Tributario de los impuestos administrados por la Dirección de Impuestos y Aduanas Nacionales". Para nuestro estudio, interesa centrar la atención en dos aspectos fundamentales: (i) la reexpresión de los valores numéricos en Unidades de Valor Tributario (UVT); y (ii) la modificación al régimen tarifario del impuesto sobre la renta.

SECCIÓN I. REEXPRESIÓN DE VALORES NUMÉRICOS EN UNIDADES DE VALOR TRIBUTARIO (UVT)

Consciente como era el Gobierno Nacional de las dificultades que generaba la continua actualización de los valores numéricos establecidos en las normas tributarias, puso en consideración del Congreso de la República un artículo por el cual se reexpresaran todos los valores en una medida de fácil acceso y comprensión para los contribuyentes y la Administración. Así, el artículo 50 de la Ley 1111 de 2006 modificó el artículo 868 del Estatuto Tributario e implantó en nuestro sistema fiscal la Unidad de Valor Tributario. Dice la norma:

"**ARTÍCULO 50.** Modifícase el artículo 868 del Estatuto Tributario, el cual queda así:

Artículo 868. Unidad de Valor Tributario, UVT. Con el fin de unificar y facilitar el cumplimiento de las obligaciones tributarias se crea la unidad de Valor Tributario, UVT. La UVT es la medida de valor que permite ajustar los valores contenidos en las disposiciones relativas a los impuestos y obligaciones administrados por la Dirección de Impuestos y Aduanas Nacionales.

El valor de la unidad de valor tributario se reajustará anualmente en la variación del índice de precios al consumidor para ingresos medios, certificado por el Departamento Administrativo Nacional de Estadística, en el período comprendido entre el primero (1) de octubre del año anterior al gravable y la misma fecha del año inmediatamente anterior a este.

De acuerdo con lo previsto en el presente artículo, el Director General de la Dirección de Impuestos y Aduanas Nacionales publicará mediante Resolución antes del primero (1) de enero de cada año, el valor de la UVT aplicable para el año gravable siguiente. Si no lo publicare oportunamente, el contribuyente aplicará el aumento autorizado.

El valor en pesos de la UVT será de veinte mil pesos ($20.000.00) (Valor año base 2006).

Todas las cifras y valores absolutos aplicables a impuestos, sanciones y en general a los asuntos previstos en las disposiciones tributarias se expresarán en UVT.

Cuando las normas tributarias expresadas en UVT se conviertan en valores absolutos, se empleará el procedimiento de aproximaciones que se señala a continuación, a fin de obtener cifras enteras y de fácil operación:

a) Se prescindirá de las fracciones de peso, tomando el número entero más próximo cuando el resultado sea de cien pesos ($100) o menos;

b) Se aproximará al múltiplo de cien más cercano, si el resultado estuviere entre cien pesos ($100) y diez mil pesos ($10.000);

c) Se aproximará al múltiplo de mil más cercano, cuando el resultado fuere superior a diez mil pesos ($10.000)".

Con base en lo anterior, se simplificó en grado sumo el cumplimiento de las obligaciones y la aplicación de las disposiciones tributarias.

SECCIÓN II. TARIFAS

Aunado a la loable tarea de simplificación del régimen fiscal que se había alcanzado con la implementación de la UVT, el artículo 12 de la Ley 1111 de 2006 trajo una modificación al régimen tarifario de las personas naturales, así:

"Artículo 241. *Tarifa para personas naturales y extranjeras residentes y asignaciones y donaciones modales.* El impuesto correspondiente a la renta gravable de las personas naturales colombianas, de las sucesiones de causantes colombianos, de las personas naturales extranjeras residentes en el país, de las sucesiones de causantes extranjeros residentes en el país y de los bienes destinados a fines especiales, en virtud de donaciones o asignaciones modales, es determinado en la tabla que contiene el presente artículo.

TABLA DEL IMPUESTO SOBRE LA RENTA Y COMPLEMENTARIOS

RANGOS EN UVT	TARIFA MARGINAL		IMPUESTO
DESDE	HASTA		
>0	1.090	0%	0
>1.090	1.700	19%	(Renta gravable o ganancia ocasional gravable expresada en UVT menos 1.090 UVT)*19%
>1.700	4.100	28%	(Renta gravable o ganancia ocasional gravable expresada en UVT menos 1.700 UVT)*28% más 116 UVT
>4.100	En adelante	33%	(Renta gravable o ganancia ocasional gravable expresada en UVT menos 4.100 UVT)*33% más 788 UVT

PARÁGRAFO TRANSITORIO. Para el año gravable 2007, la tarifa a que se refiere el último rango de esta tabla será del treinta y cuatro por ciento (34%)".

Las bondades de la norma son muchas. En primer lugar, se abandonó el complejo y confuso sistema de largos listados de intervalos que, como desde tiempo atrás lo anticipó Musgrave, son fuente primaria de evasión fiscal. El nuevo régimen, constituido por cuatro rangos, hace más sencilla la tarea de fiscalización de la Administración Tributaria, así como el cumplimiento de las obligaciones por los contribuyentes.

En segundo lugar, y más loable todavía, se abandonó el odioso, y a juicio del autor inconstitucional, régimen de tributación sobre promedios que no se avenían con la real capacidad contributiva de las personas. ¿Cómo era posible pensar, por pequeño que fuera el desfase, que no se alteraba la progresividad cuando se forzaba a dos contribuyentes con distintas rentas líquidas reales a calcular exactamente un mismo impuesto por encontrarse en un mismo intervalo? Esa ausencia de equidad vertical tenía que ser corregida y, con buen tino, en la Ley 1111 de 2006 se logró que las personas tributaran sobre su renta real.

Para no extender el presente análisis, solo se propone una salvedad al nuevo régimen tarifario y es que la progresividad se agota en niveles de ingresos medios, cuando se ha debido reconocer que en Colombia existen unas rentas individuales muy altas que podrían estar sometidas a una mayor tarifa.

Capítulo XVIII.
Régimen de la Ley 1607 de 2012

Agotado el período presidencial de Álvaro Uribe Vélez, con su respectiva reelección, en los comicios electorales de 2010 se impuso Juan Manuel Santos Calderón, quien fungió como Ministro de Defensa de la saliente Administración. Después de transcurridos poco más de dos años desde su elección, el 26 de diciembre de 2012 se promulgó la Ley 1607, publicada en el Diario Oficial número 48.655.

En el cuerpo normativo de que aquí se trata se incluyeron varias modificaciones al sistema tributario que conviene estudiar en este acápite y que, por motivos de orden, aglutinaremos en las siguientes secciones: (i) Obligados a declarar y declaración voluntaria del impuesto sobre la renta y complementarios; (ii) Retención en la fuente para empleados; (iii) Depuración de la renta para personas naturales; y (iv) Variación al sistema de ganancias ocasionales.

SECCIÓN I. OBLIGADOS A DECLARAR
Y DECLARACIÓN VOLUNTARIA DEL IMPUESTO
SOBRE LA RENTA Y COMPLEMENTARIOS

Hemos insistido, consistentemente, en que el régimen tributario imperante en Colombia prohijaba una seria inequidad, en la medida en que, so pretexto de simplificar el sistema, por la vía de eliminar la obligación de presentar declaración del impuesto sobre la renta para algunos contribuyentes, los forzaba a que su tributo equivaliera al retenido en la fuente. En ocasiones, ese importe podía ser más alto que el que resultaría de efectuar la depuración en los términos previstos en la ley, para los obligados a presentar denuncio rentístico.

Y decimos que el ordenamiento jurídico "forzaba" a los individuos, por los siguientes motivos: (i) por un lado, el 6º del Estatuto Tributario señalaba que el impuesto de los no obligados a declarar equivalía a la sumatoria de las retenciones en la fuente practicadas; (ii) adicionalmente, artículo 594-2, *ibídem*, sancionaba con ineficacia de pleno derecho a las declaraciones privadas que se presentaran por los no obligados; y, (iii) por último, el artículo 244, *ibídem*, disponía que el tributo de los no obligados a declarar no se regía por las normas tarifarias previstas en el artículo 241. De una lectura armónica de esas preceptivas se extrae que los no obligados a declarar quedaban completamente maniatados para depurar su renta[662].

Tal circunstancia entraña de suyo una afrenta a la equidad si se tiene en cuenta que una persona podía percibir ingresos de diversas fuentes, a los cuales se les practicara una retención en la fuente equivalente al 5 o 7 % de sus ingresos. Pero si esa misma persona tuviera la posibilidad de presentar su denuncio privado, sin que fuera considerado ineficaz por la ley, y depurar la renta en debida forma, quizás el importe que debería ingresar al Fisco sería del 0 % de sus ingresos.

Con ese antecedente, la Ley 1607 de 2012 tuvo la afortunada iniciativa de adicionar, mediante su artículo 1°, un parágrafo al artículo 6° del Estatuto Tributario, conforme al cual el denuncio privado de "las personas naturales residentes en el país", que no estuvieran obligadas a presentarlo, tendría plena eficacia y validez para el ordenamiento jurídico. Quiere decir lo anterior que, aunque se preservó la ineficacia de las declaraciones que presentaran los demás contribuyentes no obligados a cumplir con ese deber tributario formal (art. 594-2 del Estatuto Tributario), se creó una excepción a la regla especial, pensada en beneficio de los contribuyentes de menores ingresos, siempre que fueran persona naturales residentes fiscales en Colombia.

Como correlato necesario del parágrafo incorporado por el artículo 1° de la ley, el artículo 198, *ibídem*, expresamente derogó el artículo 244 del Estatuto Tributario, de manera que las personas naturales residentes fiscales en Colombia quedaron habilitadas para liquidar su impuesto sobre la renta en los mismos términos, independientemente de su condición de obligados a presentar declaración tributaria o no.

Es también relevante hacer notar que, por medio del artículo 18, la Ley 1607 de 2012 disminuyó los topes previstos en el artículo 594-1 del Estatuto Tributario para que los trabajadores independientes adquirieran la obligación de presentar denuncio rentístico. En efecto, de acuerdo con la disposición hasta entonces vigente, no estaban obligados a presentar declaración "los contribuyentes personas naturales y sucesiones ilíquidas, que no sean responsables del impuesto a las ventas, cuyos ingresos brutos se en-

---

[662]   Véanse, al efecto, las ilustrativas consideraciones que, sobre el particular, se dejaron consignadas en el Informe de Ponencia para Primer Debate del proyecto que se convertiría en ley 1607 de 2012. Gaceta del Congreso de la República número 829 de 2012.

cuentren debidamente facturados y de los mismos un ochenta por ciento (80 %) o más se originen en honorarios, comisiones y servicios, sobre los cuales se hubiere practicado retención en la fuente; siempre y cuando, los ingresos totales del respectivo ejercicio gravable no sean superiores a 3.300 UVT y su patrimonio bruto en el último día del año o período gravable no exceda de 4.500 UVT". Por oposición, el artículo 18 de la ley estableció que los ingresos totales del respectivo ejercicio gravable no podrían superar los 1.400 UVT; esto es, disminuyó el tope para declarar a casi la mitad.

SECCIÓN II. RETENCIÓN EN LA FUENTE PARA EMPLEADOS

En materia de retención en la fuente para empleados, la Ley 1607 de 2012 modificó las tablas tarifarias (artículo 13) y estableció una tarifa mínima de retención (artículo 14). Mas lo realmente notable fue que, mediante su artículo 15, se reformó el artículo 387 del Estatuto Tributario, en el sentido de prescindir del régimen alternativo en virtud del cual la base de retención se podía depurar (i) con los intereses o corrección monetaria por préstamos para la adquisición de vivienda o (ii) los pagos por salud y educación, siempre que el valor a disminuir mensualmente no superara el quince por ciento (15 %) del total de los ingresos gravados provenientes de la relación laboral o legal y reglamentaria del respectivo mes. En su lugar, la nueva redacción de la norma unificó los criterios de depuración de la base de retención en la fuente, así:

1) Intereses o corrección monetaria en virtud de préstamos para adquisición de vivienda.

2) Pagos por salud, siempre que el valor a disminuir mensualmente no supere 16 UVT mensuales; y

3) Pagos por dependientes, hasta un total del 10 % del total de los ingresos brutos provenientes de la relación laboral o legal y reglamentaria del respectivo mes o hasta 32 UVT mensuales.

De esta forma, ya no se tenía que optar por una alternativa de depuración de la base a la que se le practicaría la retención en la fuente, sino que todos los rubros, en la medida en que fueran aplicables, serían susceptibles de resta.

SECCIÓN III. DEPURACIÓN DE LA RENTA
DE LAS PERSONAS NATURALES

Ya se explicó que el artículo 1º de la Ley 1607 de 2012 habilitó a las personas naturales residentes fiscales en el país, que no estuvieran obligadas a presentar declaración del impuesto sobre la renta, para presentar su denuncio y le confirió plenos efectos legales (modificación del artículo 6º del Estatuto Tributario). Además, el artículo 198, *ibídem*, derogó el artículo 244 del Estatuto Tributario, con lo cual se autorizó a los contribuyentes personas naturales residentes en el país para liquidar su tributo en la misma forma en que lo hacían los obligados a declarar. Por consiguiente, los comentarios que enseguida se plasman resultaban aplicables también a ese grupo de individuos, cuando optativamente presentaran su denuncio privado.

Pues bien, en primer lugar, el artículo 3º de la Ley 1607 de 2012 modificó el artículo 126-1 del Estatuto Tributario, en el sentido de precisar que los aportes obligatorios a los fondos de pensiones, así como los voluntarios, tendrían la naturaleza de rentas exentas para el cotizante. Así, resulta apenas natural que el artículo 5º de la ley haya modificado el parágrafo del artículo 135 de la Ley 100 de 1993, con miras a indicar que el beneficio tributario que recibían tales cotizaciones no era el de ingreso no constitutivo de renta ni de ganancia ocasional, sino de rentas exentas.

En segundo lugar, respecto de la aplicación de la renta exenta consagrada en el artículo 206, núm. 10, del Estatuto Tributario, el Parlamento positivizó una práctica que ya había sido respaldada por el Consejo de Estado, la doctrina oficial de la Administración y, en general, la mayoría de contribuyentes. Recuérdese que esta norma, como se ha comentado en los títulos que anteceden, estableció un mínimo vital del 25 % del valor total de los pagos recibidos por los trabajadores, limitado a 240 UVT mensuales.

La positivización a que se alude consistió, en esencia, en precisar que la aplicación del 25 % de renta exenta (con su límite) tendría lugar una vez detraídos, del valor total de los pagos laborales recibidos por el trabajador, los ingresos no constitutivos de renta, las deducciones y las demás rentas exentas diferentes a la establecida en el ordinal 10º del artículo 206 del Estatuto Tributario.

En tercer lugar, y quizás más interesante, el artículo 15 de la Ley 1607 de 2012 modificó el artículo 387 del Estatuto Tributario, con miras a unificar, como ya se dijo en la Sección anterior, los rubros susceptibles de ser detraídos de la base de cálculo de la retención en la fuente. Sin embargo, claramente añadió que "[l]as deducciones establecidas en este artículo se tendrán en cuenta en la declaración ordinaria del Impuesto sobre la Renta", con lo cual se reconoció también su deducibilidad en la depuración del impuesto propiamente tal, pese a que, de facto, ello ya ocurría con anterioridad.

Se reitera, entonces, que los rubros susceptibles de ser deducidos en la depuración del impuesto, según el propio artículo 387 del Estatuto Tributario, son: (i) los intereses o corrección monetaria por créditos para la adquisición de vivienda; (ii) los pagos por salud, limitados a 16 UVT mensuales; y (iii) los pagos por dependientes, con un límite de hasta el 10 % del total de los ingresos brutos provenientes de la relación laboral o legal y reglamentaria del respectivo mes o 32 UVT mensuales. No es necesario hacer mayores elucubraciones para entender que estos rubros equivalen, en términos del análisis histórico que aquí se ha hecho, a las deducciones personales especiales de los contribuyentes. Por tanto, nos detendremos un poco para analizar cada uno de los conceptos susceptibles de restar la renta bruta de los contribuyentes. Veamos:

1) En materia de intereses o corrección monetaria por créditos para la adquisición de vivienda, es sabido que el artículo 119 del Estatuto Tributario, tal como fue modificado por la Ley 488 de 1998, estableció un límite de deducibilidad cuando el préstamo de vivienda se hubiera adquirido en unidades de poder adquisitivo constante (antes UPAC, hoy UVR), al valor equivalente a las primeras 4.553 Unidades de Poder Adquisitivo Constante, UPAC (hoy UVR), del respectivo préstamo, sin que tal deducción excediera anualmente del valor equivalente a 1.000 unidades de poder adquisitivo constante, UPAC (hoy UVR).

2) Por lo que toca con los pagos de salud, el propio artículo 387 del Estatuto Tributario, según la modificación introducida por la Ley 1607 de 2012, estableció que la deducibilidad era procedente si se cumplían los siguientes requisitos: (i) que los pagos se hicieran a favor de empresas de medicina prepagada vigiladas por la Superintendencia de Salud o a favor de compañías de seguros vigiladas por la Superintendencia Financiera; y (ii) que tuvieran por objeto la cobertura del trabajador, u cónyuge (o compañero permanente), sus hijos y/o dependientes.

En este aspecto se observa que las variaciones respecto de la normativa vigente consistieron, primero, en la limitación del monto deducible (15 % antes de la Ley 1607 y 16 UVT a partir de la promulgación de esa ley) y, segundo, en que la disposición anterior sujetaba la posibilidad de deducción a dos hijos, en tanto que la nueva no fija ninguna suerte de límite.

Además, el inciso 3° de la norma anterior, incorporado por la Ley 6ª de 1992, señalaba que la facultad alternativa para la depuración de la base de retención en la fuente era solo admisible para los asalariados que hubieran devengado ingresos inferiores a 4.600 UVT (entiéndase que el cambio a UVT fue introducido por la Ley 1111 de 2006), en tanto que la nueva disposición, a más de eliminar el carácter alternativo, removió la limitación de aplicabilidad en función de los ingresos del trabajador.

3) En lo atañedero a los dependientes, el artículo 387 del Estatuto Tributario limitó la deducción al 10 % de los ingresos brutos provenientes de la relación laboral, legal o reglamentaria o a 32 UVT mensuales. Esta deducción vino a sustituir, en forma adecuada, la correspondiente a *educación* que tenía consagrada el artículo 387, en su versión anterior, para la depuración de la base de retención en la fuente.

Fue adecuada —y afortunada— la nueva redacción normativa porque consultó, en algún grado, el Derecho Común, en la medida en que entendió que las erogaciones de los contribuyentes no respondían exclusivamente al concepto de *educación*, sino que también se ampliaban a lo que en Derecho Civil se conoce como *alimentos*[663]. En efecto, el deber de asistencia de la familia, que comentaremos *in extenso* en el Tomo II, hace imperativo que se provean los recursos pertinentes para la *educación* —cuando se proveen a los hijos—, *vestuario, recreación, salud, habitación, alimentación*, entre otras. Por tanto, salvedad hecha del rubro de *salud*, que el Legislador quiso separar de los demás, esta deducción en el cálculo o liquidación del tributo tiene como referente el concepto de *alimentos* que se deben a algunos miembros de la familia.

Ello es más claro todavía cuando se desentraña el alcance de la expresión *dependientes*, definido en el parágrafo segundo del artículo 387 del Estatuto Tributario y el parágrafo tercero del artículo 2° del decreto 099 de 2013. Al decir de la normativa, son dependientes: (i) los hijos del contribuyente que tengan hasta 18 años de edad y dependan económicamente del contribuyente —hecho este último que se debe presumir por su minoría

---

[663] Sin perjuicio de la explicación que, al respecto, efectuaremos en el Tomo II de esta obra, para una aproximación detallada el lector puede acudir a: (i) JOHN EISENHOWER RAMÍREZ SÁNCHEZ. *El derecho de alimentos.* Ed. Leyer. Bogotá, 2017. Pág. 9 a 20; (ii) ROBERTO SUÁREZ FRANCO. *Derecho* ... Tomo II ... Pág. 285 a 320; (iii) PEDRO ALEJO CAÑÓN RAMÍREZ. *Derecho* ... Pág. 325 a 333; (iv) JORGE PARRA BENÍTEZ. *Derecho* ... Tomo I ... Pág. 597 a 617; (v) ALCIDES MORALES ACACIO. *Lecciones* ... Pág. 319 a 379; y (vi) JORGE ADOLFO MAZZINGHI. *Derecho de familia.* Tomo III. *Filiación. Procreación artificial. Adopción. Patria potestad. Tutela y curatela. Parentesco. Violencia familiar. Mediación.* Tercera Edición. Ed. Ábaco de Rodolfo Depalma. Buenos Aires, 1999. Pág. 599 a 643.

de edad—; (ii) los hijos del contribuyente, entre los 18 y 23 años, cuando el contribuyente se encuentre financiando su educación en instituciones formales de educación superior certificadas por el ICFES o la autoridad oficial correspondiente, o en los programas técnicos de educación no formal debidamente acreditados por la autoridad competente; (iii) los hijos del contribuyente mayores de 23 años[664] que se encuentren en situación de dependencia originada en factores físicos o psicológicos que sean certificados por Medicina Legal[665]; (iv) el cónyuge o compañero permanente del contribuyente que se encuentre en situación de dependencia, sea por ausencia de ingresos o ingresos en el año menores a 260 UVT, certificada por contador público, o por dependencia originada en factores físicos o psicológicos que sean certificados por Medicina Legal[666]; y (v) los padres y los hermanos del contribuyente que se encuentren en situación de dependencia, sea por ausencia de ingresos o ingresos en el año menores a 260 UVT, certificada por contador público, o por dependencia originada en factores físicos o psicológicos que sean certificados por Medicina Legal[667]. Y, por su parte, la normativa civil (artículo 411 del Código Civil) establece que son titulares del derecho de alimentos, entre otros: (i) los hijos (ordinales 2°, 5° y 7°); (ii) el cónyuge (ordinal 1°); (iii) los padres (ordinales 3° y 8°); y (iv) los hermanos (ordinal 9°).

No se requiere más que un simple cotejo para entender que los *dependientes* en materia tributaria son también titulares del derecho de *alimentos*, el cual pueden reclamar incluso judicialmente, cumplidos determinados supuestos. Por manera que, se repite, no cabe duda de que la ampliación en el concepto del rubro deducible de la liquidación del impuesto sobre la renta obedeció a una adecuada consulta del régimen civil por el tributario.

---

[664] Bueno es advertir que el artículo 9° de la ley 2277 de 2022 corrigió un aparente vacío que dejaba esta disposición e indicó que los dependientes serían los mayores de 18 años cuya situación de dependencia se originara en factores físicos o psicológicos.

[665] Sobre el requisito de certificación de Medicina Legal, remitimos al lector a los comentarios vertidos en el número 5 de la Subsección I de la Sección III del Capítulo V del Tomo II de esta obra.

[666] Véase la nota anterior, con la salvedad de que en estos casos no operaba la "prórroga de la patria potestad", sino simplemente la declaratoria de interdicción.

[667] Véase la nota anterior.

SECCIÓN IV. VARIACIÓN AL SISTEMA
DE GANANCIAS OCASIONALES

Desde el asentamiento del modelo neoliberal en el régimen tributario colombiano (cfr. Capítulo VII de esta Parte y, en específico, §IV de la Sección II), el impuesto complementario sobre las ganancias ocasionales fue regulado con suma dureza, por lo menos en lo que hace a su tarifa, lo que condujo en varios casos a la evasión fiscal, fruto de la imposibilidad del Gobierno Nacional para efectuar un adecuado control de los contribuyentes[668]. Así fue reconocido en la exposición de motivos del proyecto que se convertiría en la Ley 1607 de 2012, a saber:

> "Un caso que merece especial atención es el impuesto de ganancias ocasionales[669]. El recaudo por este tributo es muy bajo debido a unas elevadas tarifas, que incentivan la implementación de esquemas elusivos. En el caso de herencias, además, el impuesto se calcula sobre los valores históricos que tenían los bienes al momento de la muerte del causante del impuesto. Como se muestra en el cuadro, en 2010 la tarifa efectiva por impuesto de ganancia ocasional fue del 0,17 %, siendo del 0,28 % para personas jurídicas y del 0,08 % para naturales (Cuadro 4). (…)
>
> Ganancias Ocasionales. El impuesto a las ganancias ocasionales, que hoy en día se genera a la misma tarifa del impuesto sobre la renta, es de los que menos recaudo le reporta al fisco. Desde ya hace varios años el sector privado y la academia vienen abogando por una disminución de la tarifa del impuesto a las ganancias ocasionales, de acuerdo con la tendencia mundial en la materia. Es así como, se propone la disminución de la mencionada tarifa del 33 % a una tarifa única, aplicable a todos los contribuyentes del 10 %. Lo anterior, con el fin de, por un lado, incentivar la revelación de los montos reales por los cuales se hacen las operaciones económicas en el país, y por el otro, desincentivar el diseño, uso y abuso de estructuras cuyo único propósito es evitar la generación y el pago de dicho impuesto; todo lo cual se espera repercuta en un aumento del recaudo por concepto del impuesto a las ganancias ocasionales.

---

[668]   Cfr. Fernando Zarama Vásquez y Camilo Zarama Martínez. *Reforma tributaria comentada, ley 1607 de 2012*. Ed. Legis. Bogotá, 2013. Pág. 316.

[669]   Este impuesto es complementario al impuesto de renta y grava ciertos ingresos expresamente consagrados en la ley, que no se obtienen de la actividad ordinaria del contribuyente (Esquema 3.3). Este impuesto es complementario al de Renta, con (i) tarifa progresiva (igual a la de impuesto de renta) para Personas Naturales y (ii) tarifa única del 33 % para las Personas Jurídicas y para los Extranjeros.

> Por último, se ha propuesto que la nueva tarifa sea del 10% para estar a tono con la tendencia mundial y buscando tener una tarifa competitiva con respecto a los demás países de la región"[670].

Recuérdese, al respecto, que en la exposición de motivos del proyecto que sería aprobado como ley 75 de 1986, el Gobierno Nacional adujo la necesidad de eliminar los tratamientos diferenciados que había en el ordenamiento jurídico para las rentas según su origen. Veamos:

> "Se propone una tarifa igual tanto para la renta como para la ganancia ocasional y se eliminan aquellas disposiciones que conducen a un tratamiento discriminatorio entre estos dos tipos de rentas. En este orden de ideas, desaparecen las exenciones sobre las ganancias ocasionales y las inversiones sustitutivas vigentes a partir de 1979"[671].

Es, pues, claro que se hizo completamente insostenible el sistema de gravar con tal grado de dureza las rentas "ocasionales" o "esporádicas" que recibían los contribuyentes, puesto que tal circunstancia había conducido a la estructuración de esquemas de planeación —en el mejor de los casos— y de evasión que el Fisco no podía controlar por las consabidas deficiencias tecnológicas y presupuestales. Así, se impuso la necesidad de reformar gran parte del régimen de este impuesto complementario, en la forma que se estudia a continuación: (i) hecho generador; (ii) base gravable; (iii) exenciones; y (iv) tarifa.

I. Hecho generador

El hecho generador del impuesto complementario sobre las ganancias ocasionales estaba constituido, previo a la modificación introducida por la Ley 1607 de 2012, por los ingresos "provenientes de herencias, legados y donaciones y lo percibido como porción conyugal"[672]. Sin embargo, en

---

[670] Cfr. Gaceta del Congreso de la República número 666 de 2012.

[671] Disponible para consulta en Revista del Instituto Colombiano de Derecho Tributario. Número 33. Año 23. Ed. Instituto Colombiano de Derecho Tributario. Bogotá, 1987. Pág. 75

[672] Téngase en cuenta, sin embargo, que los artículos 300 y 301 del Estatuto Tributario consagran otros supuestos de causación del impuesto complementario sobre las ganancias ocasionales, como el constituido por los ingresos provenientes de la enajenación de bienes de cualquier naturaleza que haya hecho parte del activo fijo del contribuyente por un término de dos años y aquellos provenientes de la liquidación de sociedades de cualquier naturaleza, que hayan existido por dos

el Informe de Ponencia para Primer Debate[673], el Parlamento estimó necesario adicionar el artículo 302 del Estatuto Tributario con un supuesto adicional, cual es el correspondiente a ingresos provenientes de "cualquier otro acto jurídico celebrado *inter vivos* a título gratuito".

Esta disposición, sumamente afortunada, sujetó un cúmulo importante de ingresos, derivados de negocios jurídicos que antes no contemplaba expresamente la ley, al impuesto complementario sobre las ganancias ocasionales. Como estudiaremos más adelante, para efectos fiscales resulta hoy inocuo discutir el título al que se recibe en tratándose de la "partición de bienes en vida una persona", porque es claro que su gratuidad encauza el ingreso por este gravamen. Y, en general, al haber hecho recaer la sujeción del ingreso al régimen de ganancias ocasionales sobre la gratuidad de los negocios jurídicos, y no sobre su denominación como herencia, legado, porción conyugal o donación, el Legislador zanjó un buen número de controversias que, hasta la expedición de la ley 1607 de 2012, no habían surgido por razón de la equiparación de tarifas entre ese tributo complementario y el impuesto sobre la renta, pero que ahora potencialmente se podrían generar.

II. Base gravable

La base gravable de la ganancia ocasional está constituida, en los casos previstos en el artículo 302 del Estatuto Tributario (ver §I de esta Sección), por la totalidad de lo percibido por el heredero, legatario, cónyuge, donatario o receptor del negocio jurídico *inter vivos* a título gratuito. En efecto, en tales casos el enriquecimiento se predica del valor completo de los bienes o derechos que ingresan a la esfera patrimonial del receptor, por lo que no es posible, en principio detraer rubros de naturaleza alguna. Empero, como se verá en la siguiente Subsección, el Legislador preservó algunos montos exentos que obran como factor de resta de la base.

En cualquier caso, nos referiremos ahora al monto de la ganancia ocasional bruta, es decir, aquella constituida por el valor atribuible a la totalidad de los bienes y derechos que recibe el heredero, legatario, cónyuge, donatario o receptor del negocio jurídico *inter vivos* a título gratuito, sin depuración alguna. Veamos:

---

o más años, en lo que respecta a lo percibido como exceso de aportes y que no pueda ser tratado como reserva o utilidad repartible a título de dividendo.
[673] Cfr. Gaceta del Congreso de la República número 829 de 2012.

Conforme al texto original del artículo 303 del Estatuto Tributario, la regla general para la valoración de las ganancias ocasionales estaba dada por el costo fiscal de los bienes o derechos, excepto en el caso del dinero, cuya tasación equivalía a lo efectivamente recibido. Esa regla, que parece justa, condujo a una serie de maniobras dilatorias de los contribuyentes, tendientes a diferir el pago del impuesto y reducir el valor de los bienes o derechos que habían recibido en el tiempo. Así lo hizo ver el Informe de Ponencia para Primer Debate, en forma clara e ilustrativa:

"Se adiciona un artículo, que pasa a ser el artículo 88 de la ponencia, mediante el cual se modifica el artículo 303 del Estatuto Tributario. El objetivo de la adición es establecer el valor de los bienes y derechos que se tendrá en cuenta para efectos de la liquidación del impuesto a las ganancias ocasionales provenientes de herencias, legados, donaciones, actos jurídicos celebrados inter vivos a título gratuito, y lo percibido como porción conyugal.

En la actualidad, el impuesto generado con ocasión de los actos y hechos jurídicos antes mencionados se liquida, salvo en el caso de las sumas dinerarias, sobre el costo fiscal que tenían los bienes objeto de dichos actos o hechos jurídicos en la declaración del impuesto sobre la renta y complementarios del causante, donante o transfirente (SIC), según el caso, correspondiente al año inmediatamente anterior al de la muerte, donación o acto de transferencia, según el caso. Esta disposición ha generado comportamientos tendientes a dilatar la liquidación de las sucesiones, con el propósito de liquidar el impuesto sobre una base gravable que disminuye año a año. Así las cosas, se propone modificar la disposición relativa a la base gravable del impuesto a las ganancias ocasionales, estableciendo que los valores que se tendrán en cuenta para efectos de la determinación y liquidación del impuesto son, ya no los valores históricos de los bienes, sino unos más cercanos a sus valores reales. Ahora bien, la modificación busca incentivar la liquidación oportuna de las sucesiones, pero sin que ello signifique un incremento exorbitante del impuesto, ya que el aumento de la base se hace al tiempo que se disminuye la tarifa del impuesto".

En razón de lo anterior, el artículo 103 de la Ley 1607 de 2012 preservó la regla general del costo fiscal, pero creó una variopinta gama de excepciones que, las más de las veces, excluyen la aplicación de la regla general. En tal sentido, se precisó lo siguiente:

1) Dinero: El valor el de su valor nominal.

2) Oro y demás metales preciosos: El valor será el comercial.

3) Vehículos automotores: El valor será el del avalúo comercial que fije anualmente el Ministerio de Transporte mediante resolución.

4) Acciones, aportes y derechos en sociedades: El valor será el determinado de conformidad con lo establecido en el artículo 272 de este Estatuto (costo fiscal).

5) Créditos: El valor será el determinado de conformidad con lo establecido en el artículo 270 de este Estatuto.

6) Bienes y créditos en moneda extranjera: El valor será su valor comercial, expresado en moneda nacional, de acuerdo con la tasa oficial de cambio que haya regido el último día hábil del año inmediatamente anterior al de liquidación de la sucesión o al de perfeccionamiento del acto de donación o del acto jurídico inter vivos celebrado a título gratuito, según el caso.

7) Títulos, bonos, certificados y documentos negociables que generan intereses y rendimientos financieros: El valor será el determinado de conformidad con el artículo 271 de este Estatuto.

8) Derechos fiduciarios: El valor será el 80 % del valor determinado de acuerdo con lo dispuesto en el artículo 271-1 de este Estatuto (costo fiscal).

9) Inmuebles: El valor será el determinado de conformidad con el artículo 277 de este Estatuto.

10) Rentas o pagos periódicos provenientes de fideicomisos, trusts, fundaciones de interés privado y similares, de Colombia o el exterior, a favor de personas naturales: El valor será el valor total de las respectivas rentas o pagos periódicos.

11) Derecho real de usufructo: "El valor del derecho de usufructo temporal se determinará en proporción al valor total de los bienes entregados en usufructo, establecido de acuerdo con las disposiciones consagradas en este artículo, a razón de un 5 % de dicho valor por cada año de duración del usufructo, sin exceder del 70 % del total del valor del bien. El valor del derecho de usufructo vitalicio será igual al 70 % del valor total de los bienes entregados en usufructo, determinado de acuerdo con las disposiciones consagradas en este artículo. El valor del derecho de nuda propiedad será la diferencia entre el valor del derecho de usufructo y el valor total de los bienes, determinado de acuerdo con las disposiciones consagradas en este artículo".

III. *Exenciones*

1. Rentas exentas en sucesiones, donaciones y actos jurídicos gratuitos inter vivos

Como se explicó, las ganancias ocasionales exentas obran como factor de resta de la ganancia ocasional bruta, para efectos de depurar la base gravable del tributo. Al cobijo del régimen anterior a la expedición de la Ley 1607 de 2012, nuestro Estatuto Tributario consagraba, en dos disposiciones distintas, algunas rentas familiares que recibían el tratamiento de ganancias ocasionales exentas:

Por un lado, el artículo 307 precisaba que, en tratándose de asignaciones por causa de muerte recogidas por legitimarios o de porción conyugal, las primeras 1.200 UVT estaban gravadas con tarifa del 0 % y las 1.200 UVT siguientes estaban exentas del impuesto sobre las ganancias ocasionales. Por el otro, el artículo 308 indicaba que, en tratándose de asignaciones por causa de muerte recogidas por personas distintas a los legitimarios o el cónyuge o compañero permanente, o de donaciones, la ganancia ocasional exenta sería el 20 % del valor percibido, sin que la exención fuera superior a 1.200 UVT.

Empero, el artículo 104 de la Ley 1607 de 2012 unificó todas las exenciones en el artículo 307 del Estatuto Tributario y ordenó la derogatoria del artículo 308. Por su elevada importancia para nuestro estudio, a continuación transcribimos la disposición:

"**Artículo 307. Ganancias Ocasionales Exentas.** Las ganancias ocasionales que se enumeran a continuación están exentas del impuesto a las ganancias ocasionales:

1. El equivalente a las primeras siete mil setecientas (7.700) UVT del valor de un inmueble de vivienda urbana de propiedad del causante.

2. El equivalente a las primeras siete mil setecientas (7.700) UVT de un inmueble rural de propiedad del causante, independientemente de que dicho inmueble haya estado destinado a vivienda o a explotación económica. Esta exención no es aplicable a las casas, quintas o fincas de recreo.

3. El equivalente a las primeras tres mil cuatrocientas noventa (3.490) UVT del valor de las asignaciones que por concepto de porción conyugal o de herencia o legado reciban el cónyuge supérstite y cada uno de los herederos o legatarios, según el caso.

4. El 20 % del valor de los bienes y derechos recibidos por personas diferentes de los legitimarios y/o el cónyuge supérstite por concepto de herencias y lega-

dos, y el 20 % de los bienes y derechos recibidos por concepto de donaciones y de otros actos jurídicos inter vivos celebrados a título gratuito, sin que dicha suma supere el equivalente a dos mil doscientas noventa (2.290) UVT.

5. Igualmente están exentos los libros, las ropas y utensilios de uso personal y el mobiliario de la casa del causante".

Para desentrañar el alcance de la disposición, primero agruparemos el estudio de los primeros dos ordinales, luego de los segundos dos ordinales, después nos abocaremos al análisis del quinto ordinal y, finalmente, haremos una sucinta recapitulación de lo expuesto. Veamos:

A. *Rentas exentas objetivas en sucesiones*

En relación con los primeros dos ordinales, se observa una exención objetiva. Es así, porque opera la exoneración de las primeras 7.700 UVT del valor de un inmueble de vivienda urbana, del cual fuera propietario el *de cujus* (ordinal 1°), y de las primeras 7.700 UVT del valor de un inmueble rural de propiedad del causante, salvo que se trate de una finca de recreo. Como acertadamente lo puntualizan Zarama Vásquez y Zarama Martínez[674], este tipo de exenciones objetivas (porque recaen sobre los bienes) parecen más propias de sistemas en los que se gravan las masas sucesorales, cual sucedía entre nosotros cuando se encontraba vigente el impuesto sobre la masa global hereditaria, creado por la Ley 63 de 1936 (cfr. Sección II del Capítulo IV de esta Parte). Pero es exótica su aplicación cuando los destinatarios del gravamen son los asignatarios —a título de herederos o legatarios— o cónyuge que recogen parte del patrimonio del *de cujus*.

En todo caso, esta exención se aplica, en la práctica, de la siguiente manera: Supóngase que un causante fallece en Colombia y deja, a su sazón, un apartamento situado en Bogotá, avaluado en 6.500 UVT, y una finca de producción situada en Anapoima, avaluada en 7.000 UVT. En razón de que la exención es objetiva, es decir, recae sobre el objeto, sin importar cuántos herederos haya en la sucesión, jamás habrá lugar a liquidar el impuesto sobre las ganancias ocasionales. En efecto, al apartamento en Bogotá está 100 % cubierto por la exención, en la medida en que está avaluado en 6.000 UVT y el tratamiento tributario de favor se aplica hasta las 7.700 UVT. Lo propio sucede con la finca de producción. Por tanto, sea que una

---

[674] Cfr. Fernando Zarama Vásquez y Camilo Zarama Martínez. *Reforma tributaria comentada, ley 1607 de 2012.* Ed. Legis. Bogotá, 2013. Pág. 324.

persona recoja la totalidad de esos bienes, sea que los recojan varios, la exención objetiva impedirá que se deba liquidar impuesto sobre las ganancias ocasionales a cargo de los receptores.

B. Rentas exentas subjetivas en sucesiones, donaciones y actos jurídicos gratuitos *inter vivos*

Por lo que toca con los ordinales 3° y 4°, salta a la vista una exención subjetiva. Es así, porque dependiendo de la calidad del receptor de los bienes se le asigna un monto exento.

Ambas disposiciones son desafortunadas y sumamente impropias en su redacción, pues el ordinal 3° concede la exención a las primeras 3.490 UVT del valor de las asignaciones que perciban los cónyuges supérstites y cada uno de los herederos o legatarios, a título de porción conyugal, de herencia o de legado, según el caso; mientras que el ordinal 4° lo hace respecto del 20 % de los bienes recibidos por personas diferentes de los legitimarios y/o el cónyuge supérstite por concepto de herencias y legados, y del 20 % de los bienes recibidos por el beneficiario de donaciones o actos jurídicos gratuitos *inter vivos*, siempre limitada a 2.290 UVT.

Si se mira con detenimiento, una interpretación literal o exegética de los ordinales 3° y 4° del artículo 307 del Estatuto Tributario arrojaría como resultado que los herederos o legatarios del causante, que no sean legitimarios ni cónyuge o compañero permanente supérstite, estarían facultados: (i) para solicitar las exenciones previstas en los ordinales 3° y 4°; esto es, la exención total ascendería, como máximo, a 5.780 UVT; o (ii) para solicitar alguna de las dos exenciones, a discreción del contribuyente. Ello es así, porque el ordinal 3° no especifica que los herederos o legatarios deban tener la condición de legitimarios o cónyuge o compañero permanente supérstite, como sí ocurría en el régimen anterior, en tanto que el ordinal 4° sí excluye de su aplicación a los herederos o legatarios que sean legitimarios y al cónyuge o compañero permanente supérstite.

Sin embargo, una interpretación razonable conduce a una conclusión distinta:

Del régimen anterior a la Ley 1607 de 2012 era absolutamente claro que la exención consagrada en el artículo 307 solamente era aplicable para los herederos o legatarios que, además, tuvieran la condición de legitimarios, así como para el cónyuge o compañero permanente supérstite. En cambio, el artículo 308 cobijaba a todos los herederos y legatarios que no fueran legitimarios ni cónyuge o compañero permanente del causante.

Ahora bien, la modificación de las ganancias ocasionales exentas fue introducida en las Ponencias para Primer y Tercer Debate del proyecto que a la postre se convertiría en la Ley 1607 de 2012. En sus textos, legibles en las Gacetas del Congreso de la República números 829 y 914 de 2012, se justificó el cambio normativo, en los siguientes términos:

> "Ganancias ocasionales (…) Ganancias ocasionales exentas. Se incluye un nuevo artículo, que pasa a ser el artículo 89 de la ponencia. En vista de la modificación introducida al valor de los bienes sobre los cuales se liquida el impuesto a las ganancias ocasionales, se modifica el artículo 307 y se deroga el 308 del Estatuto Tributario, ajustando el valor de las ganancias ocasionales exentas e incluyendo dentro de las mismas la vivienda de casa o habitación, urbana o rural, hasta un valor equivalente a 7.700 UVT".

Repárese en que la intención del Legislador fue ajustar el valor de las ganancias ocasionales exentas, mas no variar la naturaleza de las exenciones. Expresado en otros términos, de las consideraciones transcritas no se colige que el Congreso pretendiera autorizar a los herederos o legatarios, que no fueran legitimarios ni cónyuge supérstite, para tomar una doble exención (resultante de sumar las previstas en los numerales 3º y 4º de la redacción actual del artículo 307 del Estatuto Tributario), ni para que pudieran elegir, a su arbitrio, cuál beneficio aplicar en la depuración de su base gravable.

Y, desde un criterio de razonabilidad, no parecería lógico que con la nueva regulación de las exenciones el Congreso hubiera querido poner a los herederos y legatarios que no son legitimarios ni cónyuge supérstite en una mejor posición que aquellos que sí ostentan alguna de esas dos condiciones. Recuérdese, al efecto, que de acuerdo con el artículo 1240 del Código Civil solo son legitimarios los descendientes o ascendientes del causante.

Así las cosas, a pesar de que la redacción del artículo 307 del Estatuto Tributario parecería sugerir que los herederos o legatarios no legitimarios ni cónyuge podrían acceder a las exenciones previstas en los ordinales 3º y 4º, de una interpretación sistemática e histórica de la ley se deduce que solo les está dado solicitar la exención prevista en el ordinal 4º[675]. Sin embargo,

---

[675] Bueno es advertir, además, que esa interpretación fue acogida por la Administración Tributaria en concepto 49410 de 2014. La DIAN arribó a su conclusión por vía de una hermenéutica forzada e incorrecta, porque mágicamente sostuvo, con una seguidilla de citas doctrinales sin hilo conductor, que la expresión herederos de suyo implicaba la condición de legitimarios. Esa aseveración debe ser comple-

la interpretación razonable, sistemática e histórica que aquí hacemos no se sostiene en lo expresamente dicho por la ley, porque una interpretación exegética y literal arroja otra conclusión diametralmente opuesta. Es, por tanto, necesario que el Legislador corrija el yerro en que incurrió, con miras a evitar que se gesten disputas que hayan de ser resueltas en los estrados judiciales.

No ofrece duda alguna, en cambio, la situación de los donatarios y de los beneficiarios de actos jurídicos gratuitos *inter vivos*, pues la exención que los cobija se extiende al 20 % de lo recibido, sin que ese valor pueda exceder de 2.290 UVT. Por ser claro, no nos detendremos en su explicación.

C. Segundo caso de rentas exentas subjetivas en sucesiones

De acuerdo con el ordinal 5°, todos los libros, ropas y utensilios de uso personal y el mobiliario de la casa del causante están completamente exonerados de tributación.

Aunque sencilla en su aplicación, ciertamente se echa de ver el motivo por el que el Parlamento acogió una norma tan similar a la consagrada por el régimen civil para la adjudicación de la propiedad de los activos cuando se forma sociedad conyugal en un matrimonio. En efecto, la razón para que se dispusiera en el Estatuto Civil que la ropa y los muebles de uso personal se mirarían como bienes propios, y no pertenecientes al haber de la sociedad conyugal (art. 1795 del Código Civil, *in fine*), estriba en el hecho de que fue redactado en el Siglo XIX, momento para el cual no se apreciaba el mobiliario personal como de gran valor. Pero hoy se han suscitado las más diversas controversias en punto a esta circunstancia, habida cuenta de que una persona puede ser propietaria de relojes cuyo valor asciende a más de cien millones de pesos o joyería incluso más cara aún, lo que conduce a la discusión de si ese activo no debería ser tenido como de propiedad de la sociedad conyugal para ser repartido por mitades entre los cónyuges.

Sobre esas bases, no resulta explicable que el titular del Poder Tributario haya abdicado de la facultad de gravar (o por lo menos no la haya limitado en cuantía) "utensilios de uso personal del causante" que pueden ascender

---

tamente infirmada y tenida por falsa. En nuestra opinión, la exégesis y el tenor literal de la norma sí permiten concluir, abiertamente, que los herederos y legatarios que no sean legitimarios tienen derecho de acceder a las dos exenciones. Sin embargo, una interpretación más profunda, sistemática, razonable e histórica permiten concluir, aunque contra lo expresamente dicho por la ley, que el ordinal 3° se aplica a los legitimarios, en tanto que el 4° no.

a sumas apreciables. Y qué decir del "mobiliario de la casa" del *de cujus*, donde se pueden encontrar cuadros, esculturas, platería, vajillas, porcelanas u otros activos avaluados en cientos o miles de millones de pesos.

En todo caso, de una estricta lectura se colige que, en ningún caso, los libros, ropas, utensilios de uso personal o mobiliario de la casa estarán sujetos al impuesto complementario sobre las ganancias ocasionales.

D. *Recapitulación y conclusiones*

De lo expuesto es posible extraer las siguientes conclusiones:

1) Las exenciones consagradas en los ordinales 1° y 2° del artículo 307 del Estatuto Tributario, únicamente aplicables a las sucesiones, son de naturaleza objetiva. En efecto, recaen sobre el objeto (inmueble de vivienda urbana o rural), sin consideración al sujeto que se pueda ver beneficiado.

2) Por oposición, las exenciones consagradas en los ordinales 3° y 4° del artículo 307 del Estatuto Tributario son de naturaleza subjetiva. Es así, porque conceden un tratamiento tributario de favor en función del sujeto de que se trate.

3) En lo atañedero a las sucesiones, los ordinales 3° y 4° del Estatuto Tributario son sumamente impropios y desafortunados en su redacción, puesto que el primero autoriza una exención de hasta 3.490 UVT a favor de los herederos o legatarios, sin distinción entre si son o no legitimarios del *de cujus*, y los cónyuges o compañeros permanentes supérstites. Por su parte, el segundo concede el tratamiento tributario de favor al 20%, sin exceder de 2.290 UVT, de lo percibido por los herederos o legatarios que no sean legitimarios del *de cujus*.

Una interpretación exegética y literal de ambos ordinales conduciría a la conclusión de que los herederos o legatarios del causante, que no sean legitimarios ni cónyuge o compañero permanente supérstite, estarían facultados: (i) para solicitar las exenciones previstas en los ordinales 3° y 4°; esto es, la exención total ascendería, como máximo, a 5.780 UVT; o (ii) para solicitar alguna de las dos exenciones, a discreción del contribuyente. Sin embargo, una interpretación razonable, fundada en la historia legislativa y los antecedentes específicos de las disposiciones, se deduce que a este tipo de herederos o legatarios solo les está dado solicitar la exención prevista en el ordinal 4°, mientras que a los legitimarios y al cónyuge o compañero permanente supérstite les corresponde aplicar la exención de que trata el ordinal 3°. Recuérdese, al efecto, que son legitimarios los ascendientes y descendientes del *de cujus*.

4) Las exenciones objetivas y subjetivas previstas en los ordinales 1° a 4° del artículo 307 del Estatuto Tributario son concurrentes y no excluyentes. Ello implica que, como se estudiará en detalle en el Tomo IV, un contribuyente podrá acumular las exenciones de los ordinales 1°, 2° y 3° o 4°, según haya lugar a ello.

5) Es muy clara, en cambio, la situación de los donatarios y de los beneficiarios de actos jurídicos gratuitos *inter vivos*. La exención que los cobija se extiende al 20 % de lo recibido, sin que ese valor pueda exceder de 2.290 UVT.

6) La exención de que trata el ordinal 5° está solo prevista para las sucesiones y se extiende al valor total de los libros, ropas y utensilios de uso personal y el mobiliario de la casa del causante. Es, sin embargo, exótico que el titular del Poder Tributario haya abdicado de la facultad de gravar (o por lo menos no la haya limitado en cuantía) "utensilios de uso personal del causante" que pueden ascender a sumas apreciables, así como el "mobiliario de la casa" del *de cujus*, donde se pueden encontrar cuadros, esculturas, platería, vajillas, porcelanas u otros activos avaluados en cientos o miles de millones de pesos.

2. Rentas exentas en la venta de casas o apartamentos de habitación poseídos por dos o más años

Durante el trámite legislativo, específicamente mientras se surtían los debates Primero y Tercero ante las Comisiones Terceras y Cuartas conjuntas del Congreso de la República[676], surgió una proposición que sería avalada por el Gobierno Nacional y, posteriormente, aprobada por los parlamentarios, encaminada a crear una exención adicional en el régimen del impuesto complementario de las ganancias ocasionales. Desde siempre, el artículo 300 del Estatuto Tributario ha previsto que la utilidad en la enajenación de activos fijos poseídos por dos o más años está sujeta al impuesto complementario de ganancias ocasionales. Así, para calcular la aludida utilidad, se debe restar del precio de venta el costo fiscal del bien respectivo.

---

[676] Así se lee en el acta 07 de Comisión, del 29 de noviembre de 2012, disponible para consulta en la Gaceta del Congreso de la República número 425 de 2013.

Consciente como fue el Parlamento de la necesidad de amilanar las cargas tributarias para los contribuyentes de menores ingresos, el artículo propuesto y aprobado tuvo por objeto agregar el artículo 311-1 al Estatuto Tributario, para disponer que las primeras 7.500 UVT correspondientes a la utilidad generada en la venta de casa o apartamento de habitación de personas naturales contribuyentes del impuesto sobre la renta y complementarios estarían exentas del impuesto sobre las ganancias ocasionales, siempre que se acreditara el cumplimiento de los siguientes requisitos: (i) que la utilidad se deposite en cuentas de ahorro para el fomento de la construcción (AFC) o que se destine al pago total o parcial de uno o más créditos hipotecarios vinculados directamente con la casa o apartamento objeto de la venta; y (ii) que la casa o apartamento de habitación tenga un valor catastral o autoavalúo no superior a 15.000 UVT. Obviamente, el retiro de los recursos para otro propósito tiene como consecuencia la pérdida del beneficio y la consiguiente práctica de la retención en la fuente por las entidades financieras a que haya lugar.

IV. Tarifa

Es evidente, de todo lo expuesto, que una de las más significativas variaciones que tuvo el régimen del impuesto complementario sobre las ganancias ocasionales fue la del cambio de tarifa. Como se dijo *supra*, desde la expedición de la Ley 75 de 1986 se había aumentado vertiginosamente la alícuota con el ánimo de evitar "distinciones en el tratamiento de las rentas según su origen", pero esa intención resultó, las más de las veces, en la adopción y elaboración de prácticas y esquemas elusivos o evasivos que difícilmente podían ser controlados con el andamiaje administrativo de la Dirección de Impuestos y Aduanas Nacionales.

Ante el panorama descrito, y con el ánimo de hacer el ordenamiento fiscal colombiano más competitivo y similar a los de la región, no quedó más alternativa que reducir la tarifa aplicable, para efectos de disuadir a los contribuyentes de crear estructuras que podrían ser inútiles, en un análisis costo-beneficio, para eludir o diferir el pago del tributo. Fue entonces como los artículos 106 a 108 de la Ley 1607 de 2012 modificaron, en su orden, los artículos 313, 314 y 316 del Estatuto Tributario. Veamos las modificaciones:

En primer lugar, el artículo 313 consagraba la tarifa única del impuesto complementario sobre las ganancias ocasionales para las sociedades y entidades nocionales y extranjeras, y la fijaba en el 30 %. Fruto de la reforma, la alícuota para ese mismo grupo de contribuyentes se fijó en el 10 %.

En segundo lugar, el artículo 314 establecía que la tarifa del impuesto complementario sobre las ganancias ocasionales, para las personas naturales residentes en el país, sería la misma que la consagrada en el artículo 241, con los ajustes de los artículos 242 y 243. En otras palabras, la tarifa del impuesto sobre las ganancias ocasionales era idéntica a la consagrada para el impuesto básico sobre la renta. A raíz de la promulgación de la Ley 1607 de 2012, esa alícuota se fijó en el 10 %.

En tercer lugar, el artículo 316 del Estatuto Tributario precisaba que la tarifa única del impuesto complementario sobre las ganancias ocasionales para las personas naturales extranjeras sin residencia fiscal en el país sería del 30 %. Por su parte, el artículo 108 de la Ley 1607 de 2012 redujo la alícuota al 10 %.

Como se observa, la gran bondad de la ley 1607 de 2012 estribó en (i) unificar la tarifa del impuesto complementario sobre las ganancias ocasionales para todos los contribuyentes y (ii) reducir la alícuota, en todos los casos, a una muy razonable. Con ello se simplifica la tributación, se disuade de las prácticas elusivas y evasivas y se puso a Colombia en una posición competitiva en relación con los países de la región.

SECCIÓN V. TARIFAS EN EL IMPUESTO SOBRE LA RENTA

Como ha quedado expuesto, fruto de la modificación incorporada por la Ley 1111 de 2006, la tarifa progresiva del impuesto sobre la renta para las personas naturales, consagrada en el artículo 241 del Estatuto Tributario, era aplicable a quienes fueran "colombianos", independientemente de su residencia fiscal. Es por ello que, con buen tino, y habida cuenta de la sustantiva modificación incorporada por la Ley 1607 de 2012 en materia de residencia fiscal, ese cuerpo normativo consagró, en su artículo 8º, una variación al inciso primero del artículo 241 del Estatuto Tributario, con el solo propósito de aclarar que las tarifas progresivas allí contenidas se aplicarían exclusivamente a "las personas naturales residentes en el país, de las sucesiones de causantes residentes en el país, y de los bienes destinados a fines especiales, en virtud de donaciones o asignaciones modales".

Quiere decir lo anterior que la Ley 1607 de 2012 no introdujo cambios en las tarifas ni los tramos de renta aplicables, sino que excluyó de la progresividad a las personas naturales colombiana que, de acuerdo con la normativa tributaria, no fueran consideradas residentes fiscales en el país.

SECCIÓN VI. LEY 1739 DE 2014 Y SU ADECUADA MODIFICACIÓN A LA RENTA EXENTA POR MÍNIMO VITAL

Indudable resulta que todas las reformas tributarias habidas en Colombia han tenido importantes propósitos regulatorios en una variopinta gama de aspectos. Sin embargo, como se apuntó en la introducción, resultaría extremadamente ambicioso y escaparía al objeto de este texto abordar, minuciosamente, cada una de ellas. Es por ello que, por motivos de orden, hemos decidido incluir nuestros comentarios sobre la Ley 1739 de 2014 como una Sección del Capítulo dedicado a estudiar la Ley 1607 de 2012, pese a que en muchos aspectos fue innovadora.

Entonces, únicamente nos detendremos en esta ley para comentar la previsión contenida en el artículo 26, por el cual se adicionó un parágrafo al artículo 206 del Estatuto Tributario, en el sentido de advertir que la exención prevista en el numeral 10 del artículo 206, que hemos dicho corresponde al mínimo vital, era también procedente para las personas naturales clasificadas en la categoría de empleados, cuyos pagos o abonos en cuenta no provengan de una relación laboral, o legal y reglamentaria. Recuérdese, sobre el particular, que el artículo 10° de la Ley 1607 de 2012 modificó el artículo 329 del Estatuto Tributario y estableció una nueva clasificación de las personas naturales como "empleados" o "trabajadores por cuenta propia"[677].

Al decir de la norma, era "empleado" toda persona natural residente en el país cuyos ingresos provinieran, en una proporción igual o superior al 80 %, de la prestación de servicios de manera personal o de la realización de una actividad económica por cuenta y riesgo del empleador o contratante, mediante una vinculación laboral o legal y reglamentaria o de cualquier otra naturaleza, independientemente de su denominación. Así, los trabajadores que prestaran servicios personales mediante el ejercicio de profesiones liberales o que presten servicios técnicos que no requieran la utilización de materiales o insumos especializados o de maquinaria o equipo especializado, eran también considerados como "empleados", siempre que sus ingresos correspondieran, en un porcentaje igual o superior a 80 %, al ejercicio de dichas actividades.

En cambio, era "trabajador por cuenta propia" la persona natural residente en el país cuyos ingresos provinieran, en una proporción igual o superior a un 80 %, de la realización de una de las actividades económicas

---

[677] No trataremos aquí los impuestos alternativos IMAN e IMAS creados por la ley 1607 de 2012, porque no son esenciales para el objeto de esta obra.

señaladas en el Capítulo II del Título V del Libro I del Estatuto Tributario. Bueno es advertir que la remisión contenida en la disposición correspondía al Capítulo que creaba el artículo 11 de la Ley 1607 de 2012.

El anterior contexto es suficiente para ubicar al lector en el contexto dentro del cual se gestó la modificación introducida por la Ley 1739, que ahora comentamos. Y es que, en efecto, en el Informe de Ponencia para Primer Debate de ese proyecto, donde surgió la iniciativa, claramente se lee que su razón de ser estuvo orientada a alinear la nueva clasificación de las personas naturales con el régimen fiscal imperante, a saber:

> "Según se ha expuesto, el objetivo de la nueva clasificación de empleados y trabajadores por cuenta propia es el de la eliminación de diferencias tarifarias, retenciones en la fuente, y beneficios tributarios entre personas naturales en iguales niveles de ingresos y con similares índices de capacidad contributiva. En materia de beneficios tributarios, la reforma tributaria extendió el beneficio de depuración de base de retención en la fuente establecido en el artículo 383 del Estatuto Tributario a todos los trabajadores clasificados en la categoría tributaria de empleados, haciendo extensivo a estos las aminoraciones estructurales permitidas a los asalariados como los ingresos no constitutivos de renta ni ganancia ocasional, las deducciones del artículo 387 del Estatuto Tributario, los aportes obligatorios al Sistema General de Seguridad Social en Salud, y las rentas exentas. Dentro de estas últimas, se encuentran las rentas exentas del artículo 206 del Estatuto Tributario, y de manera especial, el numeral 10 que establece la exención general del 25 % del total de pagos recibidos por el trabajador.
>
> Para efectos de aclarar los efectos creados por la última reforma tributaria [se refiere a la Ley 1607 de 2012], y garantizar la correcta aplicación del beneficio tributario contemplado en el numeral 10 del artículo 206 del Estatuto Tributario, se hace necesario incluir un parágrafo adicional a este artículo donde se aclare la procedencia de esta exención general del 25 % sobre los pagos recibidos por el empleado, provenientes de contratos de prestación de servicios distintos a los laborales, y/o legales y reglamentarios"[678].

Así pues, el objetivo de la disposición fue garantizar que los "empleados", con el alcance de esa expresión definido en el régimen tributario y no laboral, pudieran acceder a la renta exenta que propende hoy, en últimas, por proteger su mínimo vital. Sin embargo, a renglón seguido se leía en la disposición que los contribuyentes que estuvieran clasificados en la categoría de "empleados" "no podr[ían] solicitar el reconocimiento fiscal de costos y gastos distintos de los permitidos a los trabajadores asalariados

---

[678]   Cfr. Gaceta del Congreso de la República número 743 de 2014.

involucrados en la prestación de servicios personales o de la realización de actividades económicas por cuenta y riesgo del contratante".

Tan desafortunada regla fue oportunamente corregida por la Corte Constitucional que, en Sentencia C-668 de 2015, M.P. GLORIA STELLA OR- TIZ DELGADO, declaró su inexequibilidad. Los motivos para hacerlo, como no podía ser distinto, hallaron su fuente en el principio de equidad. Esta fue la opinión del Tribunal Constitucional:

"47. La equiparación que efectuó el fragmento acusado entre los sujetos pertenecientes a la categoría de empleados en materia de costos y gastos, impide que los empleados cuyos pagos o abonos en cuenta no provengan de una relación laboral, o legal y reglamentaria puedan solicitar el reconocimiento fiscal de los costos y gastos en los que incurren en el ejercicio de su profesión, de esa manera resultan gravados sus ingresos brutos y no su renta real.

48. En consecuencia, la norma comporta un sacrificio del principio de equidad tributaria, en la medida en que desconoce la real capacidad económica de un grupo de contribuyentes y genera una tributación paritaria entre los trabajadores independientes y los empleados asalariados, quienes cuentan con una mayor capacidad económica, ya que por la forma en la que prestan sus servicios personales no incurren en los costos y gastos que deben sufragar los empleados que prestan servicios personales por su cuenta y riesgo.

49. La Corte encuentra, por consiguiente, que no es razonable ni proporcional prohibir el reconocimiento de los costos y gastos en los que incurren los empleados independientes para definir la base gravable del impuesto sobre la renta. Efectivamente, esa prohibición (i) desconoce la capacidad económica de los contribuyentes, (ii) genera una tributación igual entre sujetos con diversa capacidad económica y (iii) genera un impacto regresivo en el sistema tributario".

Capítulo XIX.
Régimen de la Ley 1819 de 2016

Por mandato expreso del artículo 44 de la Ley 1739 de 2014 se hubo de conformar, en Colombia, una Comisión de Expertos encargados de "estudiar, entre otros, el Régimen Tributario Especial del Impuesto sobre la Renta y Complementarios aplicable a las entidades sin ánimo de lucro, los beneficios tributarios existentes y las razones que los justifican, el régimen del impuesto sobre las ventas y el régimen aplicable a los impuestos, tasas y contribuciones de carácter territorial con el objeto de proponer reformas orientadas a combatir la evasión y elusión fiscales y a hacer el sistema tributario colombiano más equitativo y eficiente". La Comisión fue presidida por SANTIAGO ROJAS ARROYO, Director de la Administración Tributaria, y se integró por RICARDO BONILLA, ROSARIO CÓRDOBA, ALFREDO LEWIN, ÓSCAR DARÍO MORALES, SORAYA MONTOYA, GUILLERMO PERRY, JULIO ROBERTO PIZA, MIGUEL URRUTIA y LEONARDO VILLAR.

El Informe Final presentado al Ministerio de Hacienda[679], de gran espesor, obró como antecedente inmediato y claro para la articulación del proyecto que, a la postre, se convertiría en la Ley 1819 de 2016, llamada de reforma tributaria estructural. En cumplimiento de su encargo, la Comisión de Expertos abordó una multiplicidad temática, y, en lo que aquí interesa, su Capítulo Segundo estuvo encaminado a estudiar el régimen de los impuestos directos; más precisamente, la Sección II se ocupó de analizar el impuesto sobre la renta personal en Colombia y de formular algunas propuestas.

En razón de lo anterior, para simplificar nuestro estudio retomaremos, a medida que desglosemos las materias objeto de la reforma, el tozudo Informe presentado por la Comisión. Así, este Capítulo se dividirá en las siguientes Secciones, dedicadas al análisis individualizado de: (i) el tránsito del sistema sintético o global al sistema analítico o cedular en el impuesto sobre la renta de las personas naturales; (ii) el régimen tarifario; (iii) la retención en la fuente; y (iv) los obligados a declarar. Además, por la consabida importancia que reviste el régimen sucesoral en el impuesto complementario sobre las ganancias ocasionales, añadiremos una Sección

---

[679] Disponible para consulta en: https://www.fedesarrollo.org.co/sites/default/files/LIBAgosto2016Comision.pdf

final, dedicada al estudio de la ley 1934 de 2018, por la cual se hicieron variaciones a la normativa que regula las herencias.

SECCIÓN I. TRÁNSITO DEL SISTEMA GLOBAL O SINTÉTICO AL SISTEMA CEDULAR O ANALÍTICO PARA LA DEPURACIÓN DEL IMPUESTO SOBRE LA RENTA DE LAS PERSONAS NATURALES

Según se explicó en la introducción de este Tomo, ha sido tendencia mundial en la doctrina clasificar el impuesto sobre la renta, en función de la forma de depuración o recaudación. Es así como se denomina impuesto sobre la renta "analítico", "cedular" o "inglés" a aquel por medio del cual las rentas, según su fuente, son separadas y se someten a tratamiento diferente en cuanto a las condiciones y reglas de depuración y recaudación. Por oposición, se denomina impuesto sobre la renta "unitario", "sintético", "personal" o "alemán"[680] al sistema según el cual la depuración de la base gravable y la aplicación de la tarifa correspondiente se efectúa sobre la totalidad de los ingresos percibidos por los contribuyentes, sin importar su fuente[681].

Un breve repaso por las diversas leyes que aquí se han analizado permite concluir que, en Colombia, el sistema cedular del impuesto sobre la renta fue adoptado mediante la Ley 56 de 1916, pero fue prontamente sustituido por el sistema global con la Ley 64 de 1927. Este último sistema imperó en nuestro país desde entonces, hasta la promulgación de la Ley 1819 de 2016, por la cual se retomó el método cedular, analítico o inglés.

En su propuesta, la Comisión de Expertos señaló la necesidad de dejar atrás la clasificación de las personas según la fuente de sus ingresos, con miras a implementar una clasificación en función de los tipos de renta según su naturaleza. En tal sentido, se planteó la posibilidad de dividir las rentas en: (i) rentas de trabajo y (ii) otras rentas. Serían rentas de trabajo, en línea con lo que ya preceptuaba el artículo 103 del Estatuto Tributario, "las obtenidas por personas naturales por concepto de salarios, comisiones, prestaciones sociales, viáticos, gastos de representación, honorarios, emolumentos eclesiásticos, compensaciones recibidas por el trabajo asociado

---

[680] FEDERICO FLORA. *Manuale …* Pág. 52 y 118.
[681] *Ibídem.*

cooperativo y en general, las compensaciones por servicios personales". Las demás rentas serían todas aquellas que no calificaran como de trabajo[682].

Alineado con la visión de la Comisión de Expertos, el Gobierno Nacional hizo notar, en la exposición de motivos del proyecto que se convertiría en la Ley 1819 de 2016, la necesidad de simplificar el sistema de depuración y determinación del impuesto sobre la renta para las personas naturales, para lo cual propuso la cedulación de las rentas. Veamos:

"El proyecto de ley propone una modificación a la estructura del impuesto sobre la renta de las personas naturales, que supone una simplificación del sistema de depuración del impuesto y una determinación cedular de la renta líquida gravable.

El propósito de simplificación se alcanza eliminando el IMAN y el IMAS, y dejando un único sistema de determinación cedular del impuesto. Al lado de lo anterior, se elimina la clasificación de las personas y se avanza hacia una clasificación de las rentas según su naturaleza. La propuesta supone que una persona natural podrá obtener rentas de diferentes fuentes y para cada una de ellas aplicará el régimen correspondiente, pero los sumará para liquidar un solo impuesto por el respectivo periodo.

La cedulación permite que el régimen jurídico aplicable a cada renta no afecte a ninguna otra, y que la base gravable no se vea disminuida indebidamente por deducciones, beneficios tributarios, y costos y gastos que solo deban ser imputados a una renta. Como resultado del proceso de depuración de cada cédula se obtendrán rentas líquidas cedulares, que se sumarán para obtener la renta líquida gravable a la que se aplicará la tarifa establecida en el artículo 241 del ET.

Las rentas que se incluyen en el proyecto de ley son: i) rentas de trabajo; ii) pensiones; iii) rentas de capital; iv) rentas no laborales y v) dividendos y participaciones"[683].

Nótese que, a diferencia de lo propuesto por la Comisión de Expertos, el Gobierno Nacional sugirió la creación de cinco cédulas, y no de dos. El Congreso de la República prohijó la idea del Gobierno y, mediante el artículo 1° de la Ley 1819 de 2016, transformó el sistema de depuración del impuesto sobre la renta de las personas naturales a uno cedular. Veamos:

---

[682] COMISIÓN DE EXPERTOS PARA LA EQUIDAD Y LA COMPETITIVIDAD TRIBUTARIA. *Informe final presentado al Ministerio de Hacienda y Crédito Público*. Ed. Fedesarrollo. Bogotá, 2015. Pág. 68.

[683] Cfr. Gaceta del Congreso de la República número 894 de 2016.

I. Cédula de rentas de trabajo

La cédula de rentas de trabajo se integraba por todas aquellas rentas "obtenidas por personas naturales por concepto de salarios, comisiones, prestaciones sociales, viáticos, gastos de representación, honorarios, emolumentos eclesiásticos, compensaciones recibidas por el trabajo asociado cooperativo y, en general, las compensaciones por servicios personales"[684]. Importa advertir que, pese a que la definición cobija los "honorarios", el artículo 340 del Estatuto Tributario, modificado por el artículo 1º de la Ley 1819 de 2016, precisaba que la totalidad de los "honorarios percibidos por las personas naturales que presten servicios y que contraten o vinculen por al menos noventa (90) días continuos o discontinuos, dos (2) o más trabajadores o contratistas asociados a la actividad, ser[ían] ingresos de la cédula de rentas no laborales".

Por consiguiente, requisito indispensable para integrar la cédula de rentas de trabajo con honorarios era que la persona natural respectiva no podía contratar, por un término de 90 días continuos o discontinuos en el año, dos o más trabajadores o contratistas asociados a su actividad. De lo contrario, tales honorarios debían ser incluidos en la cédula de rentas no laborales.

Para la determinación del impuesto a cargo (artículo 336 del Estatuto Tributario, reformado por el artículo 1º de la Ley 1819 de 2016), del total de ingresos de la cédula se debían restar los ingresos no constitutivos de renta ni de ganancia ocasional. Entre ellos, cabe destacar los aportes obligatorios al Sistema Integral de Seguridad Social. Si bien los aportes obligatorios al Sistema General de Seguridad Social en Salud se trataban como deducción y los aportes obligatorios al Sistema General de Seguridad Social en Pensión se trataban como rentas exentas, los artículos 13 y 14 de la Ley 1819 de 2016 modificaron, en lo pertinente, los artículos 55 y 56 del Estatuto Tributario y 135 de la Ley 100 de 1993, en el sentido de disponer que estas cotizaciones serían tratadas como ingresos no constitutivos de renta ni de ganancia ocasional.

Luego de obtenido el resultado de la anterior ecuación, procedía la depuración con rentas exentas y deducciones. De ordinario, y hasta la promulgación de la Ley 1819, tal depuración no estaba limitada, ni cuantitativa ni porcentualmente, justamente por la necesidad de gravar a los sujetos

---

[684] El artículo 335 del Estatuto Tributario, como fue reformado por el artículo 1º de la ley 1819 de 2016, expresamente remitía al artículo 103, *ibídem*, contentivo de la definición de rentas de trabajo, arriba transcrita.

en función de su verdadera capacidad contributiva. Empero, en criterio de la Comisión de Expertos, "[c]on el fin de hacer el régimen del impuesto de renta más equitativo y también con el propósito de elevar el recaudo, el cual es atípicamente bajo para estándares internacionales"[685], era necesario limitar beneficios actuales del impuesto de renta a personas naturales.

Esa recomendación derivó en que el Gobierno Nacional incluyera, en el proyecto de ley inicialmente radicado ante el Congreso de la República, una limitación porcentual al monto de las rentas exentas y deducciones equivalente al 35 % del resultado de restar del total de los ingresos, los ingresos no constitutivos de renta. Adicionalmente, se incluyó una limitación cuantitativa de 3.500 UVT[686].

En el Informe de Ponencia Mayoritaria para Primer y Tercer Debate en las Comisiones Terceras y Cuartas conjuntas, los congresistas incrementaron el límite cuantitativo a 5.040 UVT, pero preservaron el límite porcentual en el 35 %[687]. Más adelante, en los Informes de Ponencia Mayoritaria para Segundo[688] y Cuarto[689] Debate se elevó el límite porcentual al 40 %.

Así las cosas, como finalmente quedó redactada la norma, el límite a las deducciones y rentas exentas fue del 40 % o de 5.040 UVT (artículo 336 del Estatuto Tributario, como fue reformado por el artículo 1° de la Ley 1819 de 2016)[690]. Quiere decir lo anterior que, abstracción hecha de las limitaciones específicas impuestas por la normativa tributaria, las personas naturales no podían tomar la totalidad de exenciones o deducciones a que tuvieran derecho, cuando éstas superaran el 40 % del resultado de restar de sus ingresos totales los ingresos no constitutivos de renta ni de ganancia ocasional, o cuando sean mayores a 5.040 UVT, según el caso.

Resta advertir que la Corte Constitucional, en Sentencia C-120 de 2018, M.P. Gloria Stella Ortiz Delgado, condicionó la exequibilidad del artículo 336 del Estatuto Tributario al entendido de que "los contribuyentes que perciban ingresos considerados como rentas de trabajo derivados de

---

[685] Comisión de Expertos para la Equidad y la Competitividad Tributaria. *Informe final presentado al Ministerio de Hacienda y Crédito Público*. Ed. Fedesarrollo. Bogotá, 2015. Pág. 71.

[686] Cfr. Gaceta del Congreso de la República número 894 de 2016.

[687] Cfr. Gaceta del Congreso de la República número 1088 de 2016.

[688] Cfr. Gaceta del Congreso de la República número 1158 de 2016.

[689] Cfr. Gaceta del Congreso de la República número 1156 de 2016.

[690] Esta limitación particular fue declarada exequible por la Corte Constitucional, mediante sentencia C-061 de 2021, M.P. Mauricio Piñeros Perdomo.

una fuente diferente a la relación laboral o legal y reglamentaria pueden detraer, para efectos de establecer la renta líquida cedular, los costos y gastos que tengan relación con la actividad productora de renta".

II. Cédula de rentas de pensiones

En cuanto toca con las pensiones, la Comisión de Expertos sugirió que éstas estuvieren sometidas a imposición, en los mismos términos que los demás ingresos percibidos por los *asalariados*. Así, la renta pensional sería susceptible de depuración mediante la renta exenta del 25 % (artículo 206, núm. 10, del Estatuto Tributario) y los gastos de intereses por préstamos para adquisición de vivienda, dependientes, salud, etc., sin que el factor de resta excediera del 10 % del ingreso total[691].

Las duras críticas que se lanzaron a esta propuesta condujeron a que el Gobierno Nacional propusiera la creación de una cédula de pensiones, sin afectar la exoneración del tributo por la que estaban cobijadas. Dijo el Gobierno en la exposición de motivos del proyecto que, posteriormente, se convertiría en la Ley 1819 de 2016:

> "El tratamiento tributario de las pensiones no se modifica. Así, conforme se señala en el numeral 5 del artículo 206 del ET, no estarán gravadas las mesadas inferiores a 1.000 UVT, manteniéndose el mismo monto de renta exenta vigente desde 1996"[692].

Así pues, el artículo 337 del Estatuto Tributario, tal como fue modificado por el artículo 1º de la Ley 1819 de 2016, dispuso que serían ingresos de la cédula de pensiones "las pensiones de jubilación, invalidez, vejez, de sobrevivientes y sobre riesgos laborales, así como aquellas provenientes de indemnizaciones sustitutivas de las pensiones o las devoluciones de saldos de ahorro pensional".

En cuanto a su depuración, la misma disposición previó que, "del total de ingresos se restarán los ingresos no constitutivos de renta y las rentas exentas, considerando los límites previstos en este Estatuto, y especialmente las rentas exentas a las que se refiere el numeral 5 del artículo 206". Es oportuno observar, al respecto, que el ordinal 5º del artículo 206, confor-

---

[691]   COMISIÓN DE EXPERTOS PARA LA EQUIDAD Y LA COMPETITIVIDAD TRIBUTARIA. *Informe final presentado al Ministerio de Hacienda y Crédito Público*. Ed. Fedesarrollo. Bogotá, 2015. Pág. 74.

[692]   Cfr. Gaceta del Congreso de la República número 894 de 2016.

me a la modificación incorporada por el artículo 96 de la Ley 223 de 1995, señaló que las pensiones de jubilación, invalidez, vejez, de sobrevivientes y sobre Riesgos Profesionales (hoy Laborales) estarían completamente exentas hasta el año gravable de 1997. Luego, desde el 1° de enero de 1998, esas mismas pensiones estarían gravadas sólo en la parte del pago mensual que excediera de 1.000 UVT.

En la práctica, al mantener la exoneración prevista en el artículo 206, núm. 5°, del Estatuto Tributario, se dejó por fuera de tributación a la mayoría de pensionados. En efecto, en Colombia las pensiones de vejez tienen un tope de cotización de 25 salarios mínimos legales mensuales vigentes, pero la pensión que resulta de esos aportes no es del 100 % del ingreso base de cotización, ni en el Régimen de Ahorro Individual con Solidaridad (RAIS) ni en el de Prima Media con Prestación definida. Pero incluso si se admitiera que la pensión resultante puede ser del 100 % del ingreso base de cotización, si se contrasta la suma de 25 salarios mínimos legales mensuales vigentes con los 1.000 UVT que la norma tributaria establece como exentos, este último valor será siempre superior (por lo menos hasta la fecha).

III. Cédula de rentas de capital

Al decir del artículo 338 del Estatuto Tributario, conforme a la modificación incorporada por el artículo 1° de la Ley 1819 de 2016, en la cédula de rentas de capital se debían incluir los "intereses, rendimientos financieros, arrendamientos, regalías y explotación de la propiedad intelectual".

En relación con su depuración, el artículo 339, *ibídem*, señalaba que el total de los ingresos se debía afectar con los ingresos no constitutivos de renta imputables a esa cédula, y los costos y gastos procedentes de acuerdo con la actividad productora de renta, siempre que estuvieran debidamente soportados. Además, las rentas exentas y las deducciones eran susceptibles de detracción, con un límite porcentual del 10 % del resultado anterior, sin exceder los 1.000 UVT.

Como lo recuerda JORGE HUMBERTO TALERO ESPEJO, "[l]os beneficios tributarios para esta cédula [eran]: i) por rentas exentas, la deducción de contribuciones a fondos de pensiones de jubilación e invalidez y fondos de cesantías (E.T., art. 126-1), los depósitos en cuentas de ahorro AFC (E.T., art. 126-4) y, ii) las deducciones por pago de intereses por créditos para la adquisición de vivienda (E.T., art. 119) y el 50 por ciento del gravamen a los movimientos

financieros (E.T., inc. 2° del art. 115); en todo caso manteniendo las limitaciones para cada uno de ellos, y sin sobrepasar el límite del 10 por ciento"[693].

IV. Cédula de rentas no laborales

Como categoría residual[694] se creó la cédula de rentas no laborales (artículo 340 del Estatuto Tributario, tal como fue modificado por el artículo 1°
de la Ley 1819 de 2016), en que se incluían los ingresos no susceptibles de
ser clasificados en otras cédulas. Adicionalmente, por expresa disposición
legal, "[l]os honorarios percibidos por las personas naturales que prest[ara]
n servicios y que contraten o vincul[ara]n por al menos noventa (90) días
continuos o discontinuos, dos (2) o más trabajadores o contratistas asociados a la actividad, ser[ía]n ingresos de la cédula de rentas no laborales".

En lo atañedero a su depuración, el artículo 341 del Estatuto Tributario precisó que se podrían detraer los ingresos no constitutivos de renta imputables
a esa cédula, y los costos y gastos procedentes de acuerdo con la actividad productora de renta, siempre que estuvieran debidamente soportados. Además,
las rentas exentas y las deducciones eran susceptibles de detracción, con un
límite porcentual del 10 % del resultado anterior, sin exceder los 1.000 UVT.

Los beneficios tributarios de rentas exentas y deducciones eran los mismos que los mencionados en la Subsección anterior, apoyados en los planteamientos de Jorge Humberto Talero Espejo.

V. Cédula de dividendos y participaciones

En línea con la intención del Gobierno Nacional, el artículo 342 del Estatuto Tributario, tal como fue modificado por el artículo 1° de la Ley 1819
de 2016, indicó que esta cédula se integraría por los ingresos "recibidos
por concepto de dividendos y participaciones, y constituyen renta gravable
en cabeza de los socios, accionistas, comuneros, asociados, suscriptores y

---

[693] Jorge Humberto Talero Espejo, con colaboración de César Augusto Báez
Alipio. *Impuesto sobre la renta de las personas naturales* en Comentarios a la Ley 1819
de 2016, de Reforma Tributaria Estructural. Ed. Temis. Bogotá, 2017. Pág. 9.

[694] Esa fue la intención del Gobierno Nacional, que en su exposición de motivos
adujo: "Esta cédula incluye todas las rentas no clasificadas en otra cédula. Se in-
cluirán en esta cédula las rentas de honorarios cuando la persona contrate a dos
o más personas para el desarrollo de la actividad". Cfr. Gaceta del Congreso de la
República número 894 de 2016.

similares, que sean personas naturales residentes y sucesiones ilíquidas de causantes que al momento de su muerte eran residentes, recibidos de distribuciones provenientes de sociedades y entidades nacionales, y de sociedades y entidades extranjeras".

Para efectos del cálculo, se acudió a dos subcédulas: (i) la primera, para los dividendos o participaciones que, de acuerdo con el ordinal 3° del artículo 49 del Estatuto Tributario, fueran susceptibles de ser distribuidos como *ingreso no constitutivo de renta ni de ganancia ocasional,* por haber estado gravados en cabeza de la sociedad; y (ii) la segunda, para los dividendos o participaciones que, de acuerdo con el parágrafo segundo del artículo 49 del Estatuto Tributario, no fueran susceptibles de ser distribuidos como *ingreso no constitutivo de renta ni de ganancia ocasional,* por no haber estado gravados en cabeza de la sociedad.

SECCIÓN II. TARIFAS

Fruto de la modificación en la estructura del impuesto, habida cuenta del retorno al sistema cedular que ya había regido en nuestro país, se hizo también necesario adecuar las tarifas para los diferentes tipos de renta, según su fuente. Es así como el artículo 5° de la Ley 1819 de 2016 modificó el artículo 241 del Estatuto Tributario.

En su diseño original, el Gobierno Nacional tenía previsto hacer importantes variaciones al régimen tarifario, con miras a aumentar la base por la vía de disminuir el tramo que estaba gravado con la tarifa del 0 %[695]. Sin embargo, comoquiera que en el tránsito legislativo el aumento de la base se obtuvo mediante la limitación de las rentas exentas y deducciones de las cédulas de rentas de trabajo al 40 %, no se hizo necesario, en este aspecto, alterar el régimen tarifario.

Distinta fue, por supuesto, la situación en relación con las cédulas de rentas de capital y no laborales. Allí sí tuvo buen eco la propuesta del Gobierno Nacional y se estableció la siguiente tabla tarifaria:

Rangos en UVT	Tarifa Marginal		Impuesto
Desde			Hasta
>0	600	0 %	0
>600	1000	10 %	(Base Gravable en UVT menos 600 UVT) x 10 %

---

[695]   Cfr. Gaceta del Congreso de la República número 894 de 2016.

Rangos en UVT	Tarifa Marginal		Impuesto
>1000	2000	20%	(Base Gravable en UVT menos 1000 UVT) x 20% + 40 UVT
>2000	3000	30%	(Base Gravable en UVT menos 2000 UVT) x 30% + 240 UVT
>3000	4000	33%	(Base Gravable en UVT menos 3000 UVT) x 33% + 540 UVT
>4000	En adelante	35%	(Base Gravable en UVT menos 4000 UVT) x 35% + 870 UVT

Y en lo que hace a los dividendos y participaciones, se hubo de crear, mediante el artículo 6º de la Ley 1819 de 2016, un nuevo impuesto, retenido en la fuente en su totalidad. La tarifa, según el artículo 242 del Estatuto Tributario, era la resultante de aplicar la siguiente tabla:

Rangos en UVT	Tarifa Marginal		Impuesto
Desde			Hasta
>0	600	0%	0
>600	1000	5%	(Dividendos en UVT menos 600 UVT) x 5%
>1000	En adelante	10%	(Dividendos en UVT menos 1000 UVT) x 10% + 20 UVT

Este impuesto especial gravó tanto las utilidades obtenidas después del 1º de enero de 2017 susceptibles de ser distribuidas como "ingreso no constitutivo de renta ni de ganancia ocasional", por haber estado sometidas a tributación en cabeza de la Compañía (ordinal 3º del artículo 49 del Estatuto Tributario), así como aquellas susceptibles de ser distribuidas como "gravadas", por no haber tributado en cabeza de la Entidad que las repartía (parágrafo 2º del artículo 49 del Estatuto Tributario).

La diferencia entre ambos tipos de utilidades, entonces, radicaba en que aquellas que se distribuían como "gravadas" se sometían primero a la tarifa del impuesto sobre la renta general del 35% (que era la misma fijada para las personas naturales sin residencia en el país) y, luego, sobre el saldo se aplicaba la tarifa del impuesto especial sobre los dividendos.

SECCIÓN III. RETENCIÓN EN LA FUENTE

En materia de retención en la fuente por pagos laborales, el artículo 17 de la Ley 1819 de 2016 estableció que las tarifas de retención allí contenidas serían aplicables no solo a quienes recibieran el ingreso de (i) una relación laboral (contrato de trabajo), (ii) legal y reglamentaria o (iii) a título de pensión, sino también para quienes percibieran (iv) honorarios y compensaciones por servicios personales, siempre y cuando no hubieran vinculado dos o más personas a su actividad. A todos ellos les sería aplicable la tabla de retención en la fuente que se indica a continuación, que quedó consagrada en el artículo 383 del Estatuto Tributario:

Rangos en UVT	Tarifa marginal		Impuesto
Desde			Hasta
>0	95	0	0
>95	150	19%	Ingreso laboral gravado expresado en UVT menos 95 UVT)*19%
>150	360	28%	(Ingreso laboral gravado expresado en UVT menos 150 UVT)*28% más 10 UVT
>360	En adelante	33%	(Ingreso laboral gravado expresado en UVT menos 360 UVT)*33% más 69 UVT

Adicionalmente, el artículo 18 de la Ley 1819 de 2016 modificó el artículo 388 del Estatuto Tributario y precisó los rubros susceptibles de detracción de la base para el cálculo de retención en la fuente, así:

En primer lugar, los ingresos no constitutivos de renta ni de ganancia ocasional;

En segundo lugar, las rentas exentas (dentro de las que se destaca el 25% de que trata el ordinal 10º del artículo 206 del Estatuto Tributario) y las siguientes deducciones, sujetas a la limitación general del 40%, sin perjuicio de las limitaciones particulares: (i) los intereses pagados por préstamos para la adquisición de vivienda; (ii) los pagos por salud, sin superar 16 UVT mensuales; y (iii) el 10% de los ingresos, por conceptos de dependientes, sin superar 32 UVT mensuales.

SECCIÓN IV. OBLIGADOS A DECLARAR

Según se vio, una de las intenciones principales del Gobierno Nacional fue ampliar la base de tributación de las personas físicas. Para ese propósito, se limitaron las deducciones y, además, se redujo el monto para los obligados a declarar. La siguiente fue la exposición de motivos presentada por el Gobierno Nacional:

"La reforma propone una modificación de los rangos a partir de los cuales se hace obligatorio presentar declaración. Actualmente el artículo 592 del ET establece esa obligación para quienes en el respectivo año o período gravable hayan obtenido ingresos brutos superiores a 1.400 UVT. La reforma propone reducir ese rango a 1.000 UVT en 2019"[696].

---

[696]   Cfr. Gaceta del Congreso de la República número 894 de 2016.

En buena hora, el Parlamento rechazó la disminución el rango de ingresos gravables, de 1.400 a 1.000 UVT, pero sí se incrementó el número de personas obligadas a declarar. Para clarificar la modificación, muy ilustrativa resulta la tabla elaborada por TALERO ESPEJO[697]:

COMPARATIVO AÑOS 2016 Y 2017	Estatuto Tributario	UVT antes	Año 2016 UVT $29.753	UVT reforma	Año 2017 UVT $31.859
Ingresos brutos anuales	Numeral 1 art. 592	1.400	$41.654.000	1.400	$44.603.000
Patrimonio bruto en el último día del año	Numeral 1 art. 592	4.500	$133.889.000	4.500	$143.366.000
Consumos con tarjetas de crédito durante el año	Literal a) art. 594-3	2.800	$83.308.000	1.400	$44.603.000
Compras y consumos durante el año	Literal b) art. 594-3	2.800	$83.308.000	1.400	$44.603.000
Acumulado de consignaciones, depósitos o inversiones financieras	Literal c) art, 594-3	4.500	$133.889.000	1.400	$44.603.000

SECCIÓN V. LEY 1934 DE 2018: REFORMA AL RÉGIMEN SUCESORAL

Después de la gran reforma al régimen sucesoral, ocurrida con la expedición de la importante Ley 29 de 1982, antes comentada, en 2016 un grupo de parlamentarios radicó, ante el Congreso de la República, un proyecto de ley para incrementar la libertad testamentaria en Colombia. La propuesta estuvo encaminada a regular específicamente un aspecto del régimen sucesoral, cual es el relativo a la facultad testamentaria. Para tal fin, se hacía necesario incrementar la libre disposición y, correlativamente, disminuir las asignaciones forzosas.

En aras de comprender los alcances de la propuesta formulada por los congresistas, resulta oportuno recordar sus planteamientos en la exposición de motivos del proyecto de ley. Veamos:

"La presente iniciativa de ley propone ampliar la libertad de testar mediante la reducción de las legítimas a una cuarta parte de la masa sucesoral y la eliminación de la cuarta de mejoras con el fin de permitir la libre disposición de las tres cuartas partes de los bienes, sin perjuicio de la porción conyugal y de los

---

[697] JORGE HUMBERTO TALERO ESPEJO, con colaboración de CÉSAR AUGUSTO BÁEZ ALIPIO. *Impuesto sobre la renta de las personas naturales* en Comentarios a la Ley 1819 de 2016, de Reforma Tributaria Estructural. Ed. Temis. Bogotá, 2017. Pág. 18.

> alimentos que se deban por ley. Se establece una excepción a esta norma en lo referente a la pequeña propiedad rural, a fin de evitar la excesiva fragmentación de las tierras en microfundios, en virtud de lo cual quedan eximidas del régimen de legítimas las sucesiones testadas de predios rurales de extensión inferior al equivalente de cuatro (4) Unidades Agrícolas Familiares (UAF), las que quedarán en libertad de testar sin perjuicio de la porción conyugal y de los alimentos que se deben por ley"[698].

Nótese, como previamente lo anticipamos, que la intención vertida en el proyecto era ampliar la libertad testamentaria, o, lo que es lo mismo, aumentar la porción de libre disposición del testador, para lo cual el proyecto se valía de dos alternativas mutuamente complementarias: (i) por un lado, se pretendía la reducción de la legítima rigorosa, establecida por nuestro Código Civil en la mitad (½) de la masa sucesoral repartible, a ¼; y, (ii) por el otro, buscaba eliminar la cuarta de mejoras, considerada por el artículo 1226, *ibídem*, como asignación forzosa. Así las cosas, si se tiene en cuenta que, antes de la promulgación de la ley, la libre disposición correspondía a ¼ de la masa hereditaria partible del testador, con las reformas se buscaba aumentar esa fracción a ¾ partes de la aludida masa. Lo anterior, sin perjuicio de las otras asignaciones forzosas estatuidas en la ley, como son los alimentos debidos por el *de cujus* y la porción conyugal.

En apoyo de sus consideraciones, los ponentes pasaron revista por el Derecho Comparado y concluyeron que Colombia era uno de los países con mayores restricciones a la libertad de testar. Además, justificaron su propuesta en la coyuntura nacional actual, específicamente en lo que toca con el derecho de propiedad, el fraccionamiento de la tierra en nuestro país y su productividad, la situación de los pequeños propietarios, los inconvenientes de la restricción testamentaria en materia de empresas familiares y la nueva concepción de la solidaridad familiar[699].

Finalmente, apersonados de la tesis de ANDRÉS BELLO[700], derrotada en la Comisión de Reforma del Código Civil chileno, concluyeron los autores del proyecto que su iniciativa "part[ía] de la idea que (SIC) aumentando la

---

[698]   Gaceta del Congreso de la República número 602 de 2016.

[699]   *Ibídem.*

[700]   Importa aclarar que solo en este aspecto prohijaron verdaderamente los argumentos que BELLO propuso en Chile, que se basaban en la solidaridad familiar y en la preponderancia del amor del corazón paterno sobre las previsiones legales. Pero, en lo demás, sustentaron su tesis en argumentos bastante alejados de los argumentos del redactor del Código Civil chileno, principalmente incardinados a demostrar ineficiencias económicas.

libertad de testar de las personas, estas podrán asignar con mayor sabiduría los recursos que han logrado acumular dentro de sus vidas"[701]. Y culminaron con la lapidaria consideración de que "las leyes no deben ser solamente económicamente idóneas sino también morales. Debemos adaptar la ley de sucesiones a los nuevos vínculos de solidaridad familiar que definen a la sociedad actual. Hoy, los hijos, a diferencia del momento en que redactamos nuestro Código Civil, no nacen en el seno de familias constituidas por el matrimonio; en la actualidad los niños son educados en su gran mayoría por madres solteras. Los matrimonios son secuenciales y los reagrupamientos familiares muy frecuentes. Es difícil saber si la libertad de testar nos permitirá fortalecer la familia tradicional, pero sí podemos afirmar que la libertad de testar, al permitir un trato diferenciado, se adapta más idóneamente a las necesidades de las nuevas formas de solidaridad familiar"[702].

El sucinto recuento de la exposición de motivos del proyecto es, según atrás se anunció, muy ilustrativo para interpretar su contenido. Empero, hemos de advertir que la propuesta inicialmente puesta en conocimiento del Congreso no fue la que se convirtió en ley de la República. En el Informe de Ponencia para Segundo Debate en Plenaria de la Cámara de Representantes, Elbert Díaz Lozano y Rodrigo Lara Restrepo —uno de los autores del proyecto— dieron al traste con la propuesta de disminuir la legítima rigorosa a ¼ y, en su lugar, dejaron intacto el texto original del Código Civil que la fijaba en la mitad (½) del acervo susceptible de distribución del testador[703].

Como es natural, este viraje halló su origen en la reticencia de los demás parlamentarios respecto de que las personas pudieran disponer libremente de ¾ partes de su patrimonio susceptible de distribución, en desmedro de sus descendientes o ascendientes (legitimarios), según sea el caso. Así, la ley finalmente aprobada simplemente removió del ordenamiento jurídico la cuarta de mejoras, pero no afectó, en parte alguna, la ½ de legítima rigorosa. Veamos, pues, los cambios introducidos por la ley:

I. Redefinición de los "legitimarios": una modificación de forma

De suma importancia es para este texto la noción de *legitimarios*, pues, como se ha visto, la legislación fiscal los ha tenido siempre presentes en

---

[701]   *Ibídem.*

[702]   *Ibídem.*

[703]   Cfr. Gaceta del Congreso de la República número 161 de 2017.

relación con los tratamientos tributarios de favor que allí se consagran. Aunque, según se expuso, la Ley 1607 de 2012 fue sumamente desafortunada en la forma en que estructuró las exenciones en el impuesto sobre las ganancias ocasionales que se liquidan por los asignatarios, toda vez que olvidó sujetar uno de los beneficios a la condición de ser *legitimario* o *cónyuge supérstite* del *de cujus*, lo cierto es que en nuestro ordenamiento jurídico tributario esta expresión es del mayor interés.

Y, naturalmente, la noción de *legitimarios* es también fundamental en el Derecho de Familia, rama a la cual verdaderamente pertenece. La trascendencia en este ámbito se deduce del hecho de que son los *legitimarios* los llamados a recoger la *legítima rigorosa*. Esta última, en la actualidad, corresponde a la mitad (½) del acervo distribuible del *de cujus*, es decir, previa depuración de las bajas generales de la herencia a que alude el artículo 1016 del Código Civil.

Pues bien, según el artículo 1240 del Código Civil, en su versión original, eran *legitimarios*: (i) "Los hijos legítimos personalmente, o representados por su descendencia legítima"; (ii) "Los ascendientes legítimos"; (iii) "Los hijos naturales personalmente, o representados por su descendencia legítima"; y (iv) "Los padres naturales". Posteriormente, el artículo 1° de la ley 140 de 1960 modificó el artículo 281 del Código Civil y, sin tocar el artículo 1240, *ibídem*, dispuso que el hijo adoptivo sería *legitimario* del adoptante, pero éste no sería legitimario de aquél (art. 282).

Más adelante, el artículo 1° de la Ley 5ª de 1975 modificó el régimen sobre adopciones y señaló, en los artículos 284 y 285 del Código Civil, sin tocar el artículo 1240, *ibídem*, que todo hijo adoptivo sería *legitimario* del adoptante y todo padre adoptante sería *legitimario* del hijo adoptivo.

Luego, el artículo 9° de la Ley 29 de 1982, segunda gran reforma al régimen sucesoral, modificó el artículo 1240 del Estatuto Civil, con miras a ponerlo a tono con la dispersa regulación sobre los *legitimarios*. Al respecto, advirtió que serían tales: (i) "Los hijos legítimos, adoptivos y extramatrimoniales personalmente, o representados por su descendencia legítima o extramatrimonial"; (ii) "Los ascendientes"; (iii) "Los padres adoptantes"; y (iv) "Los padres de sangre del hijo adoptivo en forma simple". Es de advertir, en relación con este aspecto, que, como ya lo hicimos notar en Capítulos anteriores, el Código del Menor (Decreto 2737 de 1989) instituyó la adopción *plena*, es decir, la que extingue todo vínculo jurídico entre los padres de sangre y el hijo biológico que es adoptado por un tercero, como única alternativa admisible en Colombia a partir de la fecha de su expedición. Por tanto, si bien los hijos adoptivos *simples* no perdían su condición de tales, desde entonces ya no era posible acudir a esta figura jurídica. Y esa visión fue luego recogida en el Código de la Infancia y la Adolescencia (Ley 1098 de 2006), vigente a la fecha.

Así las cosas, en cuanto hace a los *legitimarios*, se puede decir que los ascendientes y descendientes ostentaban la condición de tales, según lo preveía la propia ley, sin importar si se trataba de hijos o padres extramatrimoniales, adoptivos o matrimoniales. Esa elemental consideración, que ya era pacífica para la jurisprudencia y la doctrina, vino a ser simplificada por el artículo 1° de la Ley 1934 de 2018, al variar el artículo 1240 del Código Civil en el siguiente sentido: "Son legitimarios: 1. Los descendientes personalmente o representados"; y "2. Los ascendientes".

Como se puede ver, no se trató sino de un cambio en la redacción de la ley, una simplificación si se quiere, pero mal haría quien dijera que la reforma legal tuvo por propósito variar en algo la situación ya existente y pacífica en la doctrina y la jurisprudencia. Por consiguiente, no se requiere hacer una mayor elucubración sobre el particular.

II. Eliminación de la cuarta de mejoras

1. Delimitación de la cuestión

El artículo 1009 de nuestro Estatuto Civil señala que, "[s]i se sucede en virtud de un testamento, la sucesión se llama testamentaria, y si en virtud de la ley, intestada o abintestato. La sucesión en los bienes de una persona difunta puede ser parte testamentaria y parte intestada".

De lo anterior se deduce, sin dificultad, que tres son las clases de sucesiones que pueden tener lugar en Colombia: (i) la testada, que halla su origen en el *testamento* que otorga el causante mientras vive; (ii) la intestada, o *ab intestato*, que se lleva a efecto cuando el *de cujus* no otorgó testamento en vida y, consiguientemente, se defiere supletoriamente a la ley la regulación de las particularidades de tal sucesión; y (iii) la mixta, que sintetiza o aglutina las dos anteriores, y ocurre cuando se testa solo respecto de una parte del patrimonio del causante. Además, algún sector de la doctrina ha insistido en incluir otras tipologías de sucesión[704], a saber: (i) la contrac-

---

[704] Ambas alternativas las explicaremos, con mayor detalle, en el Tomo IV.

tual[705], en virtud de los negocios jurídicos de donación que, en vida, celebra el causante; y (ii) la partición en vida de los bienes del *de cujus*, figura recientemente adoptada por la legislación colombiana mediante el Código General del Proceso (Ley 1564 de 2012).

Pero se debe observar que, sin perjuicio de la forma o tipología que adopte la sucesión respectiva, en todas ellas se tiene un denominador común, cual es el constituido por el límite infranqueable de reservas o apropiaciones que, incluso en perjuicio de la voluntad del causante, la ley hace en favor de ciertas personas y que se denominan *asignaciones forzosas*. La definición legal de las *asignaciones forzosas* se encuentra en el artículo 1226 del Estatuto Civil, según el cual "son las que el testador está obligado a hacer, y que se suplen cuando no las ha hecho, aún con perjuicio de sus disposiciones testamentarias expresas".

Una mirada desprevenida permitiría concluir que, dado que la ley se refiere específicamente al *testador*, estas asignaciones se erigen como límite únicamente en las sucesiones *testadas*. Empero, tal conclusión sería mayúsculamente errada, como lo ponen de manifiesto HERNANDO CARRIZOSA PARDO[706] y ROBERTO RAMÍREZ FUERTES[707].

La disposición alude al *testador*, habida cuenta de que el *testamento*, según el artículo 1055, *ibídem*, es el acto por el que "una persona dispone del todo o de una parte de sus bienes para que tenga pleno efecto después de

---

[705] Véanse, al respecto, a ARTURO VALENCIA ZEA (*Derecho civil*. Tomo VI. *De las sucesiones*. Sexta Edición. Ed. Temis. Bogotá, 1984. Pág. 353 a 385) y a PEDRO LAFONT PIANETTA (*Derecho de sucesiones*. Tomo I. *Teoría del derecho sucesoral*. Segunda Edición. Ed. Librería del Profesional. Bogotá, 1980. Pág. 484 a 494).

[706] Al respecto, sostiene CARRIZOSA PARDO: "No son leyes exclusivas y propias [se refiere a las asignaciones forzosas] de la sucesión testamentaria, también tienen efecto como reguladoras de la sucesión intestada. En cuanto representan restricciones a la libertad de testamentifacción, en cuanto circunscriben la eficacia de las disposiciones del causante, son leyes propias de la sucesión testamentaria, pero en cuanto señalan el mínimo de lo que ciertos asignatarios han de llevar en una herencia, son preceptos de aplicación obligatoria, tanto en sucesión testamentaria como en la intestada". Cfr. HERNANDO CARRIZOSA PARDO. *Las sucesiones*. Cuarta Edición. Ed. Lerner. Bogotá, 1959. Pág. 371.

[707] RAMÍREZ FUERTES señala que "[l]as asignaciones forzosas son de orden público y se presentan en toda clase de sucesión (testada, abintestato, mixta) (…). En la sucesión testada restringen la eficacia de las disposiciones del testamento; y en general miden el valor de lo que deben llevar, a título de herencia o de porción conyugal, ciertos asignatarios". Cfr. ROBERTO RAMÍREZ FUERTES. *Sucesiones*. Sexta Edición. Ed. Temis. Bogotá, 2003. Pág. 153.

sus días, conservando la facultad de revocar las disposiciones contenidas en él mientras viva". Como es obvio, si el *testamento* entraña la disposición de la propiedad del causante para su posteridad, es evidente que es en las sucesiones testamentarias donde mayor relevancia cobrará la barrera de las *asignaciones forzosas.*

Sin embargo, ello no implica, ni por asomo, que las *asignaciones forzosas* no tengan cabida o aplicación en las otras tipologías de sucesión, porque su inobjetable naturaleza imperativa despliega plenos efectos y cerca la libertad del causante para decidir sobre el futuro de sus bienes, por medio de una insolvencia voluntaria anticipada (sin otorgar testamento) o por cualquier otra vía, al propio tiempo como establece los montos mínimos que pueden recoger determinadas personas en una herencia. De ahí se desprende la tan evocada frase, que alberga mucha verdad, de que la libertad para testar o disponer de los bienes, en Colombia, es limitada.

De acuerdo con la versión original de nuestro Código Civil (art. 1226), eran forzosas las siguientes asignaciones: (i) "Los alimentos que se deben por la ley a ciertas personas"; (ii) "La porción conyugal"; (iii) "Las legítimas"; y (iv) "La cuarta de mejoras en la sucesión de los descendientes legítimos"[708]. Con esta precisión se despeja en grado sumo el panorama y se explica que las denominadas *asignaciones forzosas* no sean solo aplicables en las sucesiones testamentarias, puesto que nadie duda en afirmar que poco o nada importa que se haya otorgado testamento, o no, para una sucesión determinada, cuando lo que se reclaman son los alimentos debidos por el causante o la porción conyugal. En la forma en la que lo reseña CARRIZOSA PARDO, "[t]odas se llaman forzosas porque participan de la propiedad de ser obligatorias para el testador, y de que se pueden suplir, cuando no las ha dispuesto, aun con perjuicio de sus disposiciones testamentarias. Pero fuera de este carácter, ningún otro tienen con común entre sí. En realidad, las únicas que constituyen verdaderas restricciones a la libertad de testar, o mejor, las que tienen naturaleza de asignaciones legales, son las legítimas y la cuarta de mejoras, que definen la parte mínima de ciertos herederos en una determinada herencia. Los alimentos y la porción conyugal no tienen propio carácter de asignaciones *mortis causa,* porque más bien comparten la naturaleza de las deudas hereditarias"[709].

---

[708] La expresión "legítimos" fue declarada inexequible por la Corte Constitucional, en sentencia C-105 de 1994, M.P. JORGE ARANGO MEJÍA.

[709] HERNANDO CARRIZOSA PARDO. *Las sucesiones* ... Pág. 372.

Como se ve, según el lúcido criterio expuesto por Carrizosa, las legítimas rigorosas y las mejoras constituyen las únicas *asignaciones forzosas* que verdaderamente restringen la libertad de testar. Por tanto, al centrar nuestra atención en estos rubros, se hace necesario indicar que no ha sido pacífica la opinión de la doctrina en torno al establecimiento de estos límites para las personas.

A guisa de ejemplo, en materia de las legítimas rigorosas, y sin inmiscuir nuestra opinión sobre la materia, es preciso entablar un diálogo entre algunas de las más autorizadas voces del Derecho de Familia: Andrés Bello, por un lado, y Marcel Planiol y Georges Ripert, por el otro:

En decidida oposición a la consagración legal de la legítima rigorosa, Andrés Bello se pronunció en sus anotaciones al Proyecto de Código Civil chileno de 1853[710]. Veamos:

"En el establecimiento de legítimas, la filosofía no parece estar de acuerdo con la legislación. Aquel antiguo principio de los romanos: «*Pater familias uti legassit……. ita jus esto*», sería la regla que propondríamos, si no fuese preciso transigir con las preocupaciones.

En el corazón de los padres, tiene el interés de los descendientes una garantía mucho más eficaz que cuantas puede dar la ley; y el beneficio que deban éstos alguna vez a la intervención del legislador, es más que contrapesado por la relajación de la disciplina doméstica, consecuencia necesaria del derecho de los hijos y su descendencia sobre casi todos los bienes del padre. No se diga que la desheredación legal remedie este inconveniente. ¿Qué padre, con entrañas de tal, querrá sacar a la luz pública la criminalidad de su hijo, criminalidad cuya afrenta recae sobre él mismo y sobre toda una familia?

Las legítimas no fueron conocidas en Roma, mientras a la sombra de las virtudes republicanas se mantuvieron puras las costumbres y severa la disciplina doméstica. Las legítimas no son conocidas en la mayor parte de la Gran Bretaña y de los Estados Unidos de América; y tal vez no hay países donde sean más afectuosas y tiernas las relaciones de familia, más santo el hogar doméstico, más respetados los padres, o procurada con mas ansia la educación y establecimiento de los hijos. El legislador de la Luisiana, que ha copiado en parte las disposiciones del Código Civil Francés, y de los Códigos Españoles, ha adoptado las legítimas, pero con modificaciones considerables. Cuanto

---

[710] El texto de que disponemos para hacer la transcripción es la compilación original del Proyecto de Código Civil chileno de 1853 y, por tanto, las anotaciones de Bello están redactadas en español antiguo. Para facilitar la comprensión del lector, el autor ha hecho las adecuaciones ortográficas y gramaticales pertinentes a las palabras vertidas por el redactor del Código Civil, sin alterar, en lo más mínimo, su contenido.

más suave el yugo de las leyes, más poderosa es menester que sea la venerable judicatura que la naturaleza confiere a los padres.

¿Y cómo suplir el afecto paternal o filial, si llega alguna vez a extinguirse? Si pasiones depravadas hacen olvidar lo que se debe a aquéllos de quienes hemos recibido el ser, o a quienes lo hemos trasmitido, ¿de qué sirven las precauciones del legislador? Cabalmente a la hora de la muerte, cuando callan las pasiones maléficas y revive el imperio de la conciencia, es cuando menos se necesita su intervención. Difunda las luces, estimule la industria, refrene por medios indirectos la disipación y el lujo (pues los medios directos está demostrado que nada pueden); y habrá proveído suficientemente al bienestar de las descendencias y de la ancianidad sobreviviente. A los hombres en cuyo pecho no habla con bastante energía la naturaleza, no faltarán jamás ni tentaciones ni medios de frustrar las restricciones legales.

El establecimiento de legítimas, no solo es vicioso porque es innecesario (pues no deben multiplicarse las leyes sin necesidad), sino porque, complicando las particiones, suscitando rencillas y pleitos en el seno de las familias, retardando el goce de los bienes hereditarios, ocasiona a los herederos un daño muy, superior al beneficio que pudiera alguna vez acarrearles.

A pesar de estas consideraciones, que creemos justificadas por la experiencia, ha conservado este Proyecto las legítimas, aunque acercándose más al nivel de las Partidas y de la legislación romana, que al del Fuero Juzgo, el Fuero Real y las leyes de Toro. Se puede siempre disponer libremente, aun entre extraños, de la mitad de los bienes, pero se debe dividir la otra mitad entre los legitimarios. Para cómputo de ambas mitades, se toman en cuenta, junto con los bienes existentes al tiempo de la muerte, aquéllos de que se ha dispuesto inmoderadamente por donaciones entre vivos a favor de cualesquiera personas. La necesidad de hacer así este cómputo es consecuencia precisa del establecimiento de legítimas, y no es uno de sus menores inconvenientes"[711].

Sentados en las antípodas, los connotados civilistas franceses, PLANIOL y RIPERT, se pronuncian a favor de la consagración legal de las legítimas, así:

"La institución de la legítima puede defenderse a un mismo tiempo desde el punto de vista moral y desde el punto de vista social[712]:

---

[711] ANDRÉS BELLO. *Obras completas de don Andrés Bello.* Volumen XII. *Proyecto de Código Civil (1853).* Ed. Pedro G. Ramírez. Santiago de Chile, 1888. Pág. 315 a 319.

[712] LE PLAY, *La réforme sociale en France: L'organisation de la famille;* GLASSON, *L'autorité paternelle et le droit de succession des enfants, Réforme sociale,* 1889, II, p. 209; CORNULIER-LUCINIÈRE, *Le droit de tester,* 1876, 7ª ed., 1880; G. ALBERT, *La liberté de tester,* 1895; AUBURTIN, *En péril de mort,* 1929. V. Asimismo A. COLIN, *Le droit de succession dans le Code civil. Livre du centenaire,* I, p. 297.

1º Las personas descendientes unas de otras están ligadas entre sí por un deber natural, piedad filial por un lado, afecto paternal del otro. Ese lazo resultante de la comunidad de sangre produce diversas obligaciones sancionadas por la ley: por una parte la obligación de prestar alimentos, por otra, la legítima; en virtud de la primera de ellas, los parientes en línea directa deben socorrerse en vida unos a otros; por la segunda, al morir, están obligados a dejar una gran parte de sus bienes a los que les sobreviven. Ninguna de esas obligaciones es consecuencia de la otra, pues no tienen igual importancia ni extensión; además, el crédito por alimentos se atribuye a un mayor número de personas que la legítima. Por otra parte, si se hubiera hecho de la institución de la legítima un simple caso de aplicación de la obligación a prestar alimentos después de la muerte, hubiera bastado otorgar a los hijos legítimos o naturales lo que la ley concede a los adulterinos o incestuosos, es decir, un simple derecho a los alimentos sobre la herencia, limitándolo a las necesidades reales del que los recibiera. Ello no es así, lo que evidencia que desde el punto de vista legislativo, no existe en derecho francés estrecha intimidad entre las dos instituciones[713]. En realidad sólo tienen un origen moral común, pero desde su origen se han alejado, especialmente si se tiene en cuenta que, en cuanto a la legítima, se ha agregado al motivo moral otro derivado del interés social.

2º La legítima aparece como una de las instituciones más adecuadas al mantenimiento de la familia y a garantizar su prosperidad. Y la familia es el elemento primordial de la sociedad. Por tanto, la Nación tiene un interés directo y considerable en la buena organización de la familia y, como consecuencia, en su perpetuación, en su estabilidad. Ya lo expresaba así, en su viejo adagio, el Canciller Michel de l'Hospital cuando deploraba 'las donaciones inmoderadas, de las que resulta la desolación de las buenas familias y en consecuencia la disminución de las fuerzas del Estado'[714]. Bigot du Preameneu decía, asimismo, que 'es preciso que la voluntad o el derecho de ciertos individuos ceda ante la necesidad de mantener el orden social, que no puede subsistir si es incierta la trasmisión de una porción del patrimonio de los padres a los hijos; esas trasmisiones sucesivas son las que determinan la categoría y el estado de los ciudadanos'[715]. Si esta última afirmación no concuerda en cierto modo con nuestras concepciones modernas, no es menos cierto que la garantía de una parte de la herencia permite cierto sentimiento de seguridad que, debidamente interpretado, no es un estímulo a la holgaza, sino a la actividad. (…)

Este sistema, defendido aún actualmente [se refieren al sistema de libertad absoluta para testar], contiene una gran parte de utopía y se le oponen objeciones concluyentes. En primer lugar, no es seguro que los padres usarían correctamente esa libertad. Pero, especialmente, ese sistema, puramente teórico, desconoce totalmente nuestras tradiciones y nuestras costumbres; el sen-

---

[713] Sobre las relaciones que se han pretendido establecer sobre ambas instituciones, v. Huc. *Le Code civil italien*, I, p. 200 y s.

[714] Preámbulo del Edicto sobre las segundas nupcias de julio de 1560.

[715] Fenet, XII, p. 244-245. Comp. Huc, *Le Code civil italien*, I., p. 199-211.

timiento de igualdad entre los herederos y el derecho intangible de los hijos a una porción, cuando menos, de la herencia de su padre, están profundamente arraigados en las costumbres. No son como otras tantas innovaciones del Código, y tales principios ya eran perfectamente conocidos para el antiguo derecho, aparte del derecho de mayorazgo y del privilegio de masculinidad, restringidos grandemente. Resucitar las desigualdades en las familias sería igual a introducir odiosos inextinguibles y consumir en pleitos de todas clases el patrimonio familiar"[716].

Las anteriores transcripciones tan solo ponen al descubierto una verdad inocultable: la pugna en relación con la transmisión de la propiedad después de la muerte ha sido una constante histórica ineludible. Y ello se corrobora en Colombia con el proyecto que, luego de su discusión, se convertiría en la Ley 1934 de 2018, objeto de estos comentarios. Recuérdese que la intención original de los parlamentarios titulares de la iniciativa legislativa fue reducir la legítima rigorosa (que la ley en comentario llamó *rigurosa*) a ¼ del patrimonio distribuible, pero encontraron tal resistencia en el Congreso de la República que abandonaron esta idea y solo se aferraron a la propuesta de eliminar la cuarta de mejoras. Es ese el objeto del presente comentario, temática a la que ahora volcaremos toda nuestra atención.

Si la discusión sobre la incorporación de la legítima rigorosa como asignación forzosa ha estado rodeada de serios reparos y pugnas, la disputa en torno a la cuarta de mejoras no ha salido mejor librada. En el Proyecto de Código Civil chileno, propuesto por ANDRÉS BELLO en 1846-1847, no figuraban en parte alguna las mejoras (que antes eran un tercio). La algidez de la discusión, que BELLO hace notar en sus glosas[717], muestra el complicado camino que tuvieron que transitar las mejoras hasta quedar instituidas en el Código Civil chileno, de donde serían extrapoladas al Estatuto Civil colombiano:

"En este Proyecto no se impone al padre la obligación de emplear cierta cuota de sus bienes, fuera de las legítimas, en beneficiar a uno o más de sus descendientes a su arbitrio, dividiéndola entre ellos como quiera. Se le autoriza,

[716] MARCEL PLANIOL Y GEORGES RIPERT, con el concurso de ANDRÉ TRASBOT. *Tratado práctico de derecho civil francés.* Tomo V. *Donaciones y testamentos.* Trad. MARIO DÍAZ CRUZ, con colaboración de EDUARDO LE RIVEREND BRUSONE. Ed. Cultural S.A. La Habana, 1935. Pág. 30 a 33.

[717] El texto de que disponemos para hacer la transcripción es la compilación original del Proyecto de Código Civil chileno de 1853 y, por tanto, las anotaciones de BELLO están redactadas en español antiguo. Para facilitar la comprensión del lector, el autor ha hecho las adecuaciones ortográficas y gramaticales pertinentes a las palabras vertidas por el redactor del Código Civil, sin alterar, en lo más mínimo, su contenido.

pues, para disponer libremente de la mitad de sus bienes, y se suprime la mejora del tercio, invención peculiar de los godos.

Esta supresión es una de las reformas en que tenemos más divergencia de opiniones. La creemos, con todo, apoyada en razones de gran peso. (...)

Se dirá que estas razones [son las mismas razones que, con posterioridad, se usaron para glosar el Proyecto de Código Civil de 1853, transcritas en las líneas que anteceden] prueban demasiado y que militan no solo contra el tercio de mejoras, sino contra la mitad legitimaria. Nosotros individualmente aceptaríamos en toda su extensión la consecuencia. Pero la Comisión ha creído más conveniente el término medio, siguiendo la norma de la ley de Partidas y del Derecho Romano, con una ligera diferencia a favor de los descendientes. Su juicio ha sido en todo conforme al del Consejo de Estado, en cuyo seno se discutieron y aprobaron, algunos años atrás, ciertas bases para la reforma de la ley de sucesiones.

No debe olvidarse que, por medio de esta reforma, se evita una multitud de enmarañadas cuestiones, relativas a la deducción del tercio"[718].

Esa batalla contra las mejoras se reviviría en nuestro país, en el año 2016, y finalizaría con la expedición de la Ley 1934 de 2018, por la cual se eliminó definitivamente la cuarta de mejoras.

2. Generalidades sobre el régimen de mejoras vigente en Colombia hasta la promulgación de la Ley 1934 de 2018

Del anterior recuento el lector habrá podido inferir que la *cuarta de mejoras*, pese a que pueda sonar tautológico, correspondía a la *cuarta parte* (¼) del patrimonio distribuible del causante y tenía por objeto *mejorar* la situación de un tipo de herederos en particular: los descendientes. Veamos en qué consistían las mejoras y su regulación, para entender con mayor claridad la derogatoria efectuada por la Ley 1934 de 2018:

El artículo 1242 del Código Civil colombiano, como había sido reformado por el artículo 23 de la Ley 45 de 1936, ordenaba la forma en que se debía proceder para hallar la porción del patrimonio del causante que correspondía a las mejoras, sin perjuicio de que la estudiaremos con mayor detenimiento en el Tomo IV:

---

[718] ANDRÉS BELLO. *Obras completas de don Andrés Bello*. Volumen XI. *Proyecto de Código Civil (1846-1847)*. Ed. Pedro G. Ramírez. Santiago de Chile, 1887. Pág. 80 y 81.

(i) Del total de patrimonio relicto, era primero necesario detraer las costas de la publicación del testamento, si lo hubiere, y las demás anexas a la apertura de la sucesión, las deudas hereditarias, los tributos que gravaren la masa hereditaria, las asignaciones alimenticias forzosas y, en caso de ser necesario y posible, lo correspondiente a la porción conyugal;

(ii) Al saldo se debían agregar los acervos imaginarios, o colaciones, si los hubiere;

(iii) El valor así resultante se denominaría *acervo líquido* cuando no hubiere acervos imaginarios que agregar o *acervo líquido imaginario* si se hacían colaciones imaginarias;

(iv) Si había descendientes con derecho a suceder, el *acervo líquido* o *acervo líquido imaginario*, según el caso, se dividiría en cuatro partes: (a) dos cuartas partes, es decir, la mitad, corresponderían a la *legítima rigorosa*; (b) una cuarta parte correspondería a las *mejoras*; y (c) otra cuarta parte correspondería a la *libre disposición*; y

(v) En caso de que no hubiera descendientes con derecho a suceder, pero sí *ascendientes*, el *acervo líquido* o *acervo líquido imaginario*, según el caso, se dividiría en dos: (a) una mitad correspondería a la *legítima rigorosa*; y (b) la otra correspondería a la *libre disposición*.

Ahora bien, aunque fluye patente de lo expuesto que la cuarta de mejoras solo aparece cuando hay descendientes con derecho a suceder, el artículo 1253, *ibídem*, aclaraba mucho más la cuestión, cuando afirmaba que "[d]e la cuarta de mejoras puede hacer el donante o testador la distribución que quiera entre sus descendientes (…) y podrá asignar a uno o más de ellos toda la dicha cuarta, con exclusión de los otros". Así pues, era perfectamente válido que el futuro causante decidiera emplear toda su *cuarta de mejoras* en beneficiar a uno de sus descendientes, mediato o inmediato, sin tener en cuenta a los demás; es decir, el futuro *de cujus* podía utilizar toda la *cuarta de mejoras* en provecho de uno de sus nietos, incluso si para el momento de su fallecimiento le sobrevivían varios hijos, otros nietos y uno o más biznietos.

Como complemento forzoso, sin embargo, el artículo 1249, *ibídem*, ordenaba que, cuando el testador o donante hubiera podido disponer de la *cuarta de mejoras* y no lo hiciere, ese valor acrecería o aumentaría las legítimas rigorosas de todos los legitimarios, en partes iguales.

Otro aspecto para destacar, en punto a las mejoras, era la previsión contenida en el artículo 1262 del Código Civil, que autorizaba la celebración de contratos, entre el futuro causante y alguno sus descendientes, con el objeto de no donar ni asignar por testamento parte alguna de la *cuarta de mejoras*. Este aspecto resulta cuando menos esencial, si se tiene en cuenta que la misma norma sancionaba con nulidad "[c]ualesquera otras estipulaciones sobre la sucesión futura, entre un legitimario y el que le debe la legítima"[719].

La excepcional validez con que se revestía este tipo de pactos era solo admisible en la medida en la que hallaba su respaldo en un mandato legal expreso. Más aún, la validez del pacto se reconocía civilmente, en cuanto se obligaba al promitente a cumplir lo estipulado, so pena de que el legitimario quedara facultado para emprender las acciones legales pertinentes con miras a que los otros beneficiarios de la mejora dieran valor a la promesa incumplida y le devolvieran[720] al demandante lo correspondiente, "a prorrata de lo que su infracción les aprovechare".

Aunado a lo anterior, contrario a lo previsto para las *legítimas* (art. 1250 del Código Civil), en tratándose de las mejoras sí le estaba dado al futuro causante someter su asignación o donación a gravámenes. Esto resulta fundamental, pues si bien se protegía una porción del patrimonio en favor de la descendencia, la rigurosidad con que lo hacía el ordenamiento jurídico no era la misma en el caso de las *legítimas* que en el caso de las *mejoras*, por lo que el futuro *de cujus* quedaba habilitado para imponer cargas, de cualquier naturaleza, tendientes a la efectiva protección del patrimonio o, visto desde otro ángulo, a la limitación del uso, goce y disposición omnímodos del descendiente.

Finalmente, bueno es hacer notar que de las *mejoras* se valía, en buena medida, el denominado régimen de *sucesión contractual*, que abordaremos con la completitud requerida en el Tomo IV. Por ahora, solo importa anotar que, como se dijo, el ordenamiento jurídico facultaba, y aún hoy, al futuro causante para donar irrevocablemente bienes a sus herederos, como anticipo de lo que les ha de corresponder en la sucesión. En cuanto aquí interesa, era factible que el donante expresamente dispusiera que la donación se hacía con cargo a la cuarta de mejoras (art. 1256 del Código Civil),

---

[719] Las únicas excepciones adicionales conocidas en el ordenamiento jurídico colombiano en este aspecto, distintas de la que se comenta en el texto principal, son la de la anticipación de la legítima por medio de donación irrevocable y las donaciones irrevocables hechas con cargo a la libre disposición. Sin embargo, por razones de oportunidad, no nos detendremos en ellas por ahora.

[720] Véase, sobre este punto, a ARTURO VALENCIA ZEA. *Derecho civil.* Tomo VI. *De las sucesiones.* Sexta Edición. Ed. Temis. Bogotá, 1984. Pág. 356.

en cuyo caso quedaba autorizado para absorber la totalidad de esa porción herencial (art. 1253 del Código Civil), obviamente en el entendido de que el donatario fuere un legitimario-descendiente. Si no lo era, operaría la resolución de la donación (art. 1259 del Código Civil).

Pero, en procura de la claridad, debemos ser insistentes al advertir que el acto jurídico de donación tenía que indicar, necesariamente, que el donante entregaba con imputación a la *cuarta de mejoras*, porque si nada decía lo que se presumía era que se había hecho con imputación a la *legítima rigorosa* (art. 1256 del Código Civil)[721]. Y es que, ciertamente, los efectos de que la donación se hiciera imputando a una u otra eran bien diferentes, a saber:

(i) Imputación a la *legítima*:

En este caso, se tenía que identificar a cuánto ascendía la *legítima* del donatario, de acuerdo con el procedimiento antes indicado (artículo 1242 del Código Civil). Luego, ese valor se debía comparar con la donación que, en vida, hubiera hecho el causante.

Si el valor de la *legítima* era superior que el de la *donación*, el descendiente quedaba autorizado para solicitar el excedente (art. 1264 del Código Civil). Si, por el contrario, el valor de la *legítima* era inferior que el de la *donación*, el exceso se debía imputar a la *cuarta de mejoras* que le cupiere al legitimario (art. 1251 del Código Civil). Sin embargo, para identificar cuánto de la *cuarta de mejoras* le cabía al donatario, era necesario dividir el valor de la *cuarta* entre el número de descendientes con derecho a participar en ella. El resultado sería el rubro susceptible de ser afectado por el exceso en la donación.

Si lo donado excedía el valor de lo que le cabía al legitimario en la *cuarta de mejoras*, el exceso se habría de imputar a la *cuarta de libre disposición* (art. 1252 del Código Civil), con preferencia a cualquier otra disposición que el causante hiciera sobre este rubro. Si seguía habiendo un exceso entre lo donado y los anteriores cálculos, tal exceso tendría que ser restituido por el donatario (art. 1264 del Código Civil).

Veamos un sucinto ejemplo para entender la cuestión: Supóngase que Juan, al fallecer, dejó dos hijos (Carlos y Andrea) y una herencia de $10.000. En vida donó a Andrea $30.000.

Para el cálculo ordenado por el artículo 1242 se deben tomar los $10.000 de herencia y adicionarlos con lo donado en vida ($30.000). Ello arroja

---

una masa partible de $40.000 ($10.000 + $30.000). Es preciso ahora dividir esa masa en cuatro partes iguales de $10.000 ($40.000 ÷ 4): (i) dos de ellas, es decir, $20.000, forman la *media de legítima rigorosa*; (ii) $10.000 son la *cuarta de mejoras*; y (iii) $10.000 corresponden a la *cuarta de libre disposición*.

La *legítima* que, en principio, le corresponde a cada hijo, será el resultado de dividir la *media de legítima rigorosa* entre el número de hijos. Por consiguiente, la *legítima* asciende a $10.000 ($20.000 ÷ 2).

Andrea recibió anticipadamente $30.000, imputables a su *legítima*. Pero como la *legítima* que le corresponde según el cálculo anterior es de $10.000, hay un exceso de $20.000. El exceso se habrá de imputar en la parte que le pertenezca en la *cuarta de mejoras*.

Como ya se dijo, la *cuarta de mejoras* asciende, en este caso, a $10.000. Para identificar cuánto le pertenece a cada hijo, es necesario dividir ese valor entre el número de hijos, lo que arroja un resultado de $5.000 ($10.000 ÷ 2). Así las cosas, Andrea solo tiene derecho de recibir, como *mejora*, $5.000 de los $20.000 de exceso calculado en el párrafo anterior. Por lo tanto, quedaremos con un nuevo exceso de $15.000.

El nuevo exceso ($15.000) habrá de imputarse a la *cuarta de libre disposición*, con preferencia a cualquier asignación que pudiera haber hecho el causante. La *cuarta de libre disposición*, según se vio, en este caso equivale a $10.000. Y comoquiera que el valor del nuevo exceso es de $15.000, no será posible pagarlo en su totalidad con la *cuarta de libre disposición*, por lo que quedará un saldo de $5.000 ($20.000 - $15.000) que Andrea tendrá que restituir a la herencia.

Ahora bien, para conformar la *legítima efectiva* (art. 1249 del Código Civil) de Carlos, será preciso adicionar el valor de la *legítima* inicialmente calculada ($10.000) con lo que le corresponde a cada uno en la *cuarta de mejoras* ($5.000), lo que da como resultado $15.000. No podemos adicionar ese valor con la porción correspondiente a la *libre disposición* de Carlos porque, como quedó visto, la copó toda Andrea.

Carlos no recibió nada anticipadamente y tiene derecho de recibir $15.000. Comoquiera que Juan dejó $10.000 en su herencia al momento de fallecer, la totalidad de ese valor se le adjudicará a Carlos y Andrea le tendrá que restituir el restante ($5.000), que equivale exactamente al saldo que le hace falta a Carlos para completar su *legítima efectiva* ($10.000 + $5.000 = $15.000).

(ii) Imputación a la *cuarta de mejoras*:

En este caso, se tenía que identificar a cuánto ascendía la *cuarta de mejoras* del causante, de acuerdo con el procedimiento antes indicado (artículo 1242 del Código Civil). Luego, ese valor se debía comparar con la donación que, en vida, éste hubiera hecho.

Si el valor de la *cuarta de mejoras* era superior que el de la *donación*, el excedente se distribuiría entre los legitimarios descendientes, por partes iguales (art. 1249 del Código Civil). Si, por el contrario, el valor de la *cuarta de mejoras* era inferior que el de la *donación*, el exceso se debía imputar a la *cuarta de libre disposición* (art. 1252 del Código Civil), con preferencia a cualquier otra asignación que el causante hiciera sobre este rubro. Si seguía habiendo un exceso entre lo donado y los anteriores cálculos, y obviamente la *legítima* que le correspondía al *donatario*, tal exceso tendría que ser restituido (art. 1264 del Código Civil).

Veamos el mismo ejemplo planteado en la parte anterior, para entender las diferencias: Supóngase que Juan, al fallecer, dejó dos hijos (Carlos y Andrea) y una herencia de $10.000. En vida donó a Andrea $30.000, a título de *mejora*.

Para el cálculo ordenado por el artículo 1242 se deben tomar los $10.000 de herencia y adicionarlos con lo donado en vida ($30.000). Ello arroja una masa partible de $40.000 ($10.000 + $30.000). Es preciso ahora dividir esa masa en cuatro partes iguales de $10.000 ($40.000 ÷ 4): (i) dos de ellas, es decir, $20.000, forman la *media de legítima rigorosa*; (ii) $10.000 son la *cuarta de mejoras*; y (iii) $10.000 corresponden a la *cuarta de libre disposición*.

Andrea recibió anticipadamente $30.000, imputables a la *cuarta de mejoras*. Como en este caso no se debe comparar la donación con la *legítima*, sino con la *cuarta de mejoras*, podremos observar que hay un exceso de $20.000. Lo anterior, porque la *cuarta de mejoras* equivale a $10.000 y la donación imputable a ese rubro fue por valor de $30.000. Desde ya se hace clara la primera diferencia con el ejemplo anterior: a Carlos no le corresponderá nada a título de *mejoras*.

El exceso ($20.000) se debe imputar, en primer término, a la *libre disposición*, con preferencia a cualquier otra asignación hecha por el causante. Comoquiera que la *cuarta de libre disposición* asciende a $10.000, tendremos un nuevo exceso de $10.000 ($20.000 - $10.000).

Sin embargo, la *legítima* que, en principio, le corresponde a cada hijo, será el resultado de dividir la *media de legítima rigorosa* entre el número de hijos. Por consiguiente, la *legítima* asciende en este caso a $10.000 ($20.000 ÷

2). Ello significa que el exceso que quedaba ($10.000) se imputará a la *legítima* que le corresponde a Andrea ($10.000), con lo cual no será necesario que restituya valor alguno, como tampoco habrá de pagársele nada nuevo.

Por su parte, Carlos tendrá derecho de recibir su *legítima* ($10.000), sin aumentos de ninguna naturaleza porque la totalidad de la *libre disposición* y de las *mejoras* fueron aprovechadas por Andrea. Y, debido a que en la herencia dejada por Juan hay justamente $10.000, ese valor se le entregará a Carlos.

3. Eliminación del régimen de mejoras

La breve y somera conceptualización antes hecha sirve para que el lector se haga una idea de la forma en que operaban las mejoras en Colombia; en especial porque, como más adelante se verá, el artículo 22 de la ley 1934 de 2018 difirió su entrada en vigor hasta el 1° de enero de 2019, lo que significa que las sucesiones que se hayan abierto sustancialmente antes de esta fecha[722] seguirán gobernadas por las leyes del Código Civil, como también lo harán los testamentos otorgados antes de esa fecha (sobre esto se volverá más adelante).

Pues bien, la estocada de muerte a la *cuarta de mejoras* la dio el artículo 2° de la Ley 1934 de 2018, que modificó el artículo 1226 del Código Civil, en el sentido de disponer que solo serían *asignaciones forzosas* (i) "Los alimentos que se deben por la ley a ciertas personas"; (ii) "La porción conyugal"; y (iii) "Las legítimas". De ahí se deriva la seguidilla de reformas incorporadas por la Ley 1934, con el solo propósito de adecuar nuestro Estatuto Civil al nuevo sistema, en el que ya no tienen cabida las *mejoras*.

Como consecuencia natural, el artículo 3° de la Ley 1934 modificó el artículo 1242 del Código Civil, que regula la forma de calcular el patrimonio partible del causante, en el sentido de prever que, hechas las deducciones de que trata el artículo 1016, *ibídem,* y las agregaciones de que tratan los artículos 1243 a 1243, siempre que haya legitimarios el remanente se divide en dos mitades: (i) una, correspondiente a la *legítima rigurosa* (antes rigorosa); y (ii) otra, equivalente a la *libre disposición*. Así también los artículos

---

[722]　Según el artículo 1012 del Código Civil, "[l]a sucesión en los bienes de una persona se abre al momento de su muerte". Es ésta la denominada "apertura sustancial de la sucesión". La "apertura procesal" tiene lugar cuando se inicia el trámite judicial o notarial, según sea el caso.

4º a 19 de la Ley 1934 reformaron varios artículos del Estatuto Civil, con variaciones de forma para adecuar el sistema sucesoral a la nueva realidad.

III. Normas derogadas

En cuanto a la derogatoria puntual de algunas normas relacionadas con el régimen de *mejoras*, resulta indispensable dividir nuestro análisis en dos segmentos: (i) el primero, dedicado a estudiar un execrable error que, por torpeza, cometió el Legislador; y (ii) el segundo, abocado revisar las normas que desaparecieron de nuestro Estatuto Civil.

1. Derogatoria, por error, del primer acervo imaginario (artículo 1243 del Código Civil): un equívoco execrable

Si se mira en forma inadvertida, todo parece indicar que la Ley 1934 de 2018 tuvo un objeto principal: la eliminación de la *cuarta de mejoras* de nuestro ordenamiento civil. Así entendida, no parecería ofrecer mayores discusiones jurídicas su incidencia, abstracción hecha de las consideraciones que se pudieran proponer en torno a la conveniencia política de la legislación.

Empero, no fue tan dócil el cambio, ni tan sencilla su inmersión en los terrenos del Derecho Sucesoral. Como se hará ver en esta Subsección, el Parlamento incurrió en un equívoco insalvable, fruto de lo cual puso en jaque buena parte de las instituciones en materia sucesoral y, más grave aún, no lo hizo con intención. Por error, inadvertencia o torpeza, y así lo demostraremos, derogó el primer acervo imaginario, con lo cual creó una incalculable discusión jurídica sobre la correcta aplicación normativa.

Para explicar de la manera más clara posible el inconveniente, dividiremos nuestro estudio en tres partes: (i) primero, haremos algunas precisiones conceptuales sobre lo que significa el primer acervo imaginario y su utilidad, en aras de que el lector pueda comprender la magnitud del tema que se aborda; (ii) luego, demostraremos que la derogatoria en que incurrió el Legislador fue producto de un error, y no de su verdadera intención; y, (iii) por último, indicaremos las distintas alternativas que ha ofrecido la doctrina al respecto, al tiempo como fijaremos nuestra posición. Veamos:

A. Precisión conceptual del primer acervo imaginario y su utilidad, antes de la promulgación de la ley 1934 de 2018

Varias veces hemos insistido en que el artículo 1242 del Código Civil era (y aún hoy después de su modificación lo es) la fuente de la que bebe el Derecho Sucesoral para determinar el capital que verdaderamente puede ser distribuido en una sucesión. Con el propósito de entenderlo lo más claramente posible, diremos lo siguiente:

Después de ocurrido el fallecimiento de una persona, queda todo su patrimonio a merced de la sucesión. En orden a lograr su efectiva partición, es el Código Civil el que se encarga de fijar ciertas reglas de organización, elementales y muy lógicas por demás.

Lo primero que se debe hacer es tasar el *acervo bruto herencial,* que se habrá de conformar con todos los activos —bienes y derechos— que poseía el *de cujus* al momento de su fenecimiento. No importa si estaba en posesión real y efectiva de los activos, tan solo interesa que jurídicamente se reflejen como de su propiedad.

Hechas las anteriores sumas, y así obtenido el *acervo bruto herencial,* es luego mandatorio observar lo previsto en el artículo 1016 del Código Civil, de acuerdo con el cual "se deducirán del acervo o masa de bienes que el difunto ha dejado, (…) 1. Las costas de la publicación del testamento, si lo hubiere, y las demás anexas a la apertura de la sucesión. 2. Las deudas hereditarias. 3. Los impuestos fiscales que gravaren toda la masa hereditaria. 4. Las asignaciones alimenticias forzosas. 5. La porción conyugal a que hubiere lugar (…)".

Y es aquí oportuno hacer notar, con la pluma de FERNANDO VÉLEZ, que "en toda sucesión no habrá necesidad de hacer todas las deducciones que menciona aquel artículo [se refiere al artículo 1016, recién transcrito] que comprende tanto la sucesión testamentaria como la intestada. Si no hay testamento, no habrá que deducir las costas de su publicación; si no hay deudas hereditarias, tampoco habrá que deducirlas, así como no habrá que deducir impuestos fiscales si no existen, ni alimentos, ni porción conyugal, si no se debieren por la sucesión. Entonces todas las deducciones pueden reducirse a los gastos que exijan la práctica de inventarios y la partición, es decir, el juicio de sucesión. Puede ocurrir que sólo haya que hacer algunas deducciones de las que indica el artículo 1.016. En una palabra: únicamente se hacen las que existieren, porque sólo esas son pasivo de la sucesión"[723].

---

[723] FERNANDO VÉLEZ. *Estudio sobre el derecho civil colombiano.* Tomo IV. Segunda Edición. Ed. Imprenta París-América. París, 1926. Pág. 428 y 429.

No es este el momento para detenernos a explicar el alcance y contenido de las costas de publicación del testamento o las anexas a la apertura de la sucesión, las deudas hereditarias, los tributos que gravaban la masa sucesoral, las asignaciones alimenticias forzosas ni la porción conyugal[724]; ello lo haremos en el Tomo IV. Lo que sí es bueno destacar es que, una vez restadas las *bajas generales* (como las llama el artículo 1016 del Código Civil) o deducciones del *acervo bruto herencial*, se obtiene un valor que se denomina el *acervo líquido*.

Hallado así el *acervo líquido*, el propio artículo 1242 del Código Civil nos exige hacer una serie de agregaciones, que son aquellas previstas en los artículos 1243 a 1245, *ibídem*. El artículo 1243 precisaba que "se acumularán imaginariamente al acervo líquido todas las donaciones revocables e irrevocables, hechas en razón de legítimas o de mejoras, según el valor que hayan tenido las cosas donadas al tiempo de la entrega". A su turno, el artículo 1244 indicaba que "[s]i el que tenía, a la sazón, legitimarios, hubiere hecho donaciones entre vivos a extraños, y el valor de todas ellas juntas excediere a la cuarta parte de la suma formada por este valor, tendrán derecho los legitimarios para que este exceso se agregue también imaginariamente al acervo, para la computación de las legítimas y mejoras".

Leídas en conjunto ambas disposiciones se aprecia que las agregaciones de que trata el artículo 1242 del Código Civil son, pues, las donaciones irrevocables o revocables con entrega que hizo en vida el causante, en favor de los legitimarios o de terceros extraños. Esas agregaciones han sido también denominadas *acumulaciones imaginarias*, *acervos imaginarios* o *colaciones*, porque se trata de traer a colación bienes que ya no están en el patrimonio del causante, para efectos de calcular la masa a distribuir. En términos de VALENCIA ZEA, la *colación* es "la agregación ficticia o imaginaria que es necesario hacer a la masa herencial efectivamente dejada por el causante, de

---

[724] En todo caso, sí es importante precisar, desde ahora, que el cálculo de la porción conyugal y la oportunidad para deducirla varía según el orden en que se reparta la herencia. Si la herencia se reparte en el primer orden, y el cónyuge o compañero permanente supérstite opta por porción conyugal, para su cálculo se debe tener a quien sobrevive a su consorte como otro hijo en la sucesión (sin que por ello se convierta en heredero, pues es tan solo titular de la porción conyugal). Pero si la herencia se reparte en cualquier otro orden hereditario, y el cónyuge o compañero permanente supérstite opta por porción conyugal, la baja se produce después de restar las costas de la sucesión, las deudas hereditarias, los impuestos que gravan la masa hereditaria –que hoy no los hay– y las asignaciones alimenticias forzosas, y su valor asciende al 25 %. De todo esto nos ocuparemos, en detalle, en el Tomo IV.

aquellos bienes que salieron de su patrimonio mediante pacto sucesorio, o sea, como anticipo de bienes *mortis causa*"[725].

VÉLEZ, sin embargo, aclara que "debe tenerse presente que el calificativo de imaginario no debe tomarse en su sentido literal, porque entonces no produce ningún resultado efectivo, y éste es el que se busca con las acumulaciones. (...) De modo que, como observa el Sr. FABRES [se refiere al chileno JOSÉ CLEMENTE FABRES], el acervo imaginario 'es el más real y positivo, es el más cuantioso de los acervos, puesto que es aquel que ha recibido las acumulaciones. Llamar, pues, imaginario a este acervo es una paradoja[726]"[727]. Tan afortunada aclaración conduce a la inequívoca conclusión, pacífica por demás, de que el alcance de la expresión *imaginariamente*, empleada por la ley, en verdad busca traer a cuento el valor de las cosas — no las cosas en sí mismas— que ya no están, y ello lo hace, como lo explica CARRIZOSA PARDO, con el propósito de "tomar precauciones para evitar que sea menoscabado o totalmente frustrado el derecho del legitimario a su forzosa asignación, quien por vía de las donaciones a extraños, o a los legitimarios mismos, podría durante su vida adelgazar de tal manera su caudal, que a su muerte no hubiera manera de pagar las asignaciones determinadas por la ley. De nada serviría establecer esas reservas, si quedara al arbitrio del testador respetarlas o no"[728].

Así las cosas, con sabio criterio el Legislador decidió establecer límites para evitar que se inobservaran sus previsiones en torno a las asignaciones forzosas. Puede decirse, con acierto, que esos límites están constituidos por dos *acervos imaginarios*: (i) el primero, conformado por las donaciones revocables e irrevocables con entrega hechas a favor de sus propios legitimarios o mejorarios; y (ii) el segundo, que viene después, integrado por las donaciones irrevocables hechas a favor de extraños.

En punto a aquello que es colacionable[729], se tienen las siguientes reglas: (i) en tratándose del primer acervo imaginario, la propia ley indica se deben colacionar las donaciones irrevocables o revocables (art. 1243); (ii) también en el primer acervo se colacionan las donaciones indirectas (art. 1261); (iii)

---

[725]   ARTURO VALENCIA ZEA. *Derecho civil.* Tomo VI. *De las sucesiones.* Sexta Edición. Ed. Temis. Bogotá, 1984. Pág. 369.

[726]   *Memorias y Discursos,* etc., t. I.°, págs. 401, etc.

[727]   FERNANDO VÉLEZ. *Estudio* ... Tomo IV ... Pág. 429 y 430.

[728]   HERNANDO CARRIZOSA PARDO. *Las sucesiones.* Cuarta Edición. Ed. Lerner. Bogotá, 1959. Pág. 407.

[729]   Sobre este tema volveremos en detalle en el Tomo IV.

en tratándose del segundo acervo, la ley señala que se colacionan las donaciones irrevocables, pero solo en cuanto excedan de lo que el causante hubiera podido disponer a su arbitrio; (iv) para el primer acervo, no se acumulan los gastos hechos para la educación de un descendiente, ni los presentes hechos por causa de matrimonio u otros regalos de costumbre (art. 1256); (v) en ningún caso se deben acumular los regalos moderados, autorizados por la costumbre en ciertos días y casos (art. 1246); y, (vi) en tratándose de donaciones remuneratorias, regladas el artículo 1490 del Código Civil, lo único colacionable es el exceso de lo que ordinariamente valga el servicio que se remunera, pues lo demás tiene verdadera naturaleza onerosa.

Nótese, entonces, que la utilidad práctica de estas *colaciones* estriba en la protección de las legítimas. Más exactamente, como lo plantea Suárez Franco, "[s]e quiere evitar que se vulneren los derechos de los legitimarios"[730].

Hechas las agregaciones de rigor, y sin entrar a discutir las deducciones que se ordenan a la porción conyugal en el artículo 1234 del Estatuto Civil, se habrá determinado el *acervo líquido imaginario*. Ese *acervo*, al tenor de la versión anterior del artículo 1242, *ibídem*, debía dividirse en cuatro partes (¼) iguales si había descendientes y en dos partes (½) iguales cuando hubiera ascendientes pero no descendientes. Veamos:

En cuanto hubiere <u>descendientes</u>, las cuatro partes en que se dividía el *acervo líquido imaginario* eran las siguientes: dos cuartas partes (2/4), o sea la mitad (½) del acervo, para las legítimas rigorosas; otra cuarta (¼), para las mejoras a favor de sus descendientes; y la última cuarta (¼), para la libre disposición del causante. Cuando hubiere <u>ascendientes</u>, pero no <u>descendientes</u>, las dos partes en que se dividía el *acervo líquido imaginario* eran las siguientes: la mitad (½) del acervo para la legítima rigorosa; y la otra mitad (½), para la libre disposición.

Ahora bien, recordemos que el *primer acervo imaginario* es aquel constituido por las donaciones hechas o liberalidades entregadas a los *legitimarios*. Puesto en otras palabras, se trata de las donaciones o liberalidades hechas en favor de los *descendientes* o *ascendientes* del causante. Veamos, ordenadamente, cómo se debía hacer el cómputo de tales donaciones, para efectos de garantizar el respeto de los derechos de todos los legitimarios:

---

[730] Roberto Suárez Franco. *Derecho de sucesiones*. Séptima Edición. Ed. Temis. Bogotá, 2019. Pág. 398.

A'. El primer acervo imaginario y las liberalidades en favor de los descendientes, antes de la promulgación de la Ley 1934 de 2018

El artículo 1256 del Código Civil, en su versión anterior, disponía que "[t]odos los legados, todas las donaciones, sean revocables o irrevocables, hechas a un legitimario que tenía entonces la calidad de tal, *se imputarán a su legítima, a menos que en el testamento o en la respectiva escritura o en acto posterior auténtico, aparezca que el legado o la donación ha sido a título de mejora*". Esta regla ofrecía entonces tres alternativas: (i) la primera, que el donante guardara silencio en relación con la imputación de la donación hecha al legitimario, en cuyo caso la ley suplía el silencio con la orden de que se imputara a su legítima; (ii) la segunda, que el donante expresamente señalara que la donación se imputaba a la legítima; y (iii) la tercera, que el donante expresamente indicara que la donación se imputaba a la cuarta de mejoras.

Surge entonces un interrogante: ¿se podía donar imputando a la cuarta libre? Aunque se sostuvo por algún sector de la doctrina[731] que ello no era factible, en la medida en que no había expresa habilitación legal, constituía un contrato sobre sucesión futura susceptible de ser declarado nulo por objeto ilícito y que nadie podía disponer de su derecho de otorgar testamento, otro sector[732], al cual adhiere el autor de esta obra, ha considerado que era perfectamente factible hacerlo. Pero ello implicaba que estas liberalidades no se acumularan en el *primer acervo imaginario*, sino en el *segundo*, porque el artículo 1243 señalaba que solo se colacionaban en el *primer acervo* aquellas donaciones "hechas en razón de legítimas o de mejoras". Por tal motivo, nos ocuparemos de este caso más adelante y continuaremos nuestro estudio sobre el *primer acervo imaginario*.

Según lo previsto por la versión anterior del artículo 1251, *ibídem*, "[s]i lo que se ha dado o se da en razón de legítimas, excediere a la mitad del acervo imaginario, se imputará a la cuarta de mejoras, sin perjuicio de dividirse por partes iguales entre los legitimarios". Y continúa el artículo

---

[731] HERNANDO CARRIZOSA PARDO señala lo siguiente: "Nunca puede el causante donar imputando a la cuarta libre, porque el único pacto permitido entre un legitimario y quien le debe la legítima es anticipársela, o anticiparle una mejora, pero la imputación a cuarta libre equivaldría a un contrato sobre futura sucesión, que tendría objeto ilícito. A nadie le es posible despojarse contractualmente de su derecho de disponer por testamento". (*Las sucesiones*. Cuarta Edición. Ed. Lerner. Bogotá, 1959. Pág. 413).

[732] Cfr. LAFONT PIANETTA (*Derecho de sucesiones*. Tomo I. *Teoría del derecho sucesoral*. Segunda Edición. Ed. Librería del Profesional. Bogotá, 1980. Pág. 403) y VALENCIA ZEA (*Derecho ...* Tomo VI ... Pág. 461).

1252, en su texto original, con la precisión de que "[s]i las mejoras (comprendiendo el exceso de que habla el artículo precedente en su caso) no cupieren en la cuarta parte del acervo imaginario, este exceso se imputará a la cuarta parte restante, con preferencia a cualquier objeto de libre disposición, a que el difunto la haya destinado". Finaliza el inciso segundo del artículo 1264, anterior, con la siguiente regla: en caso de que lo donado exceda los anteriores cálculos, el legitimario tendrá que reintegrar el exceso a la herencia, por medio de la devolución de una o más especies, o pagar en dinero su valor.

Quizás la recta comprensión de las normas a aquí se alude no es del todo sencilla. Para simplificar su análisis, propondremos algunos casos:

1) *Caso 1: Liberalidad sin indicar a qué rubro se imputa, o con indicación de que se imputa a la legítima, y sin otorgar testamento.*

Supóngase que Luisa fallece, deja una herencia de $1.700 y le sobreviven sus hijos Rodrigo, Andrés, Natalia y Paola. En vida, Luisa donó irrevocablemente a Rodrigo $1.800 y a Natalia $500, <u>sin indicar a qué rubro se debían imputar las liberalidades</u>.

Para solucionar el caso, es primero necesario entender que, debido a que Luisa no indicó el rubro al que se debían imputar las donaciones irrevocables hechas a Rodrigo ($1.800) y a Natalia ($500), la ley suplió su silencio y las imputó a la legítima de cada uno (art. 1256 del Código Civil).

Acervo Líquido	$1.700
(+) Primer Acervo Imaginario	$1.800 + $500
Total = Acervo Líquido Imaginario	**$4.000**

El *acervo líquido imaginario* es el que servirá de base para determinar las cuartas (¼) a que aludía el hoy reformado artículo 1242. Por lo tanto, cada cuarta (¼) vale $1.000 ($4.000 ÷ 4).

Media (½) Legitimaria	$2.000
Cuarta (¼) de Mejoras	$1.000
Cuarta (¼) de Libre Disposición	$1.000
TOTAL = ACERVO LÍQUIDO IMAGINARIO	**$4.000**

La legítima rigorosa (hoy rigurosa) de cada hijo resulta de dividir la *media legitimaria* ($2.000) entre el número de hijos (4), lo que significa que la legítima rigorosa de cada hijo asciende a $500 ($2.000 ÷ 4). Dicho de otro modo, a título de legítima rigorosa Rodrigo tiene derecho a recibir $500, Andrés $500, Natalia $500 y Paola $500.

A la legítima de Natalia se imputa la donación irrevocable que recibió en vida de Luisa ($500). Así, queda pagada por completo su legítima rigorosa ($500 - $500).

A la legítima de Rodrigo se imputa la donación que recibió en vida de Luisa ($1.800). Sin embargo, queda un exceso de $1.300 ($1.800 - $500) que se tendría que imputar a la cuarta (¼) de mejoras, sin perjuicio de dividirla entre los legitimarios (art. 1251 del Código Civil).

Cuando se divide la cuarta (¼) de mejoras ($1.000) entre los legitimarios (4), se obtiene un resultado de $250 ($1.000 ÷ 4). Por lo tanto, al imputar el exceso de Rodrigo ($1.300) a la parte que le corresponde en la cuarta (¼) de mejoras ($250), queda un nuevo exceso de $1.050 ($1.300 - $250).

El nuevo exceso se debía imputar a la cuarta (¼) de libre disposición ($1.000), con preferencia a cualquier otra asignación que, sobre ese rubro, se hubiera hecho (art. 1252 del Código Civil). De modo que, imputado el nuevo exceso ($1.050) a la libre disposición ($1.000), quedaba un exceso de $50 ($1.050 – $1.000) que Rodrigo debía restituir a la sucesión, con miras a que sus hermanos no vieran injustificadamente menguadas sus asignaciones forzosas (art. 1264 del Código Civil).

Dado que Luisa no dejó testamento, ni dispuso en relación con la cuarta de mejoras, las legítimas rigorosas de cada hijo se ven incrementadas por lo que le corresponde a cada uno por mejoras ($250 para cada uno), pero no por el valor de la libre disposición que, como ya se dijo, fue absorbida en su totalidad por Rodrigo (art. 1249 del Código Civil)[733].

---

[733] En opinión disidente, VALENCIA ZEA considera que, para identificar el exceso restituible, cuando no media testamento se debe dividir el *acervo líquido imaginario* entre el número de hijos y confrontar el valor con el monto de la liberalidad. Para nuestro caso, los $4.000 se habrían tenido que dividir en 4 partes (número de hijos), lo que equivaldría a $1.000 y, luego, se debería confrontar ese valor con el de lo donado irrevocablemente a Rodrigo, de donde se deduciría que éste tendría que restituir a la herencia $800 ($1.800 - $1.000). Dice el tratadista: "Naturalmente que en la práctica no siempre son necesarios todos estos cálculos, pues si no hubo disposición concreta de la cuarta de mejoras y de la libre disposición, todo se reduce a decir que cada legitimario debe recibir una porción igual a la de los otros coherederos. Así, por ejemplo, si a un hijo legítimo se le anticiparon bienes por sesenta mil pesos, y a la muerte del padre existe una masa herencial de ciento cuarenta mil pesos y los herederos son cuatro hijos legítimos, obviamente a cada hijo legítimo le corresponden cincuenta mil pesos, y por ello el que recibió sesenta mil pesos debe restituir a los otros tres hijos legítimos la suma de diez mil pesos, a fin de que cada uno reciba una cuota de cincuenta mil pesos" (ARTURO VALEN-

Las hijuelas, en este caso, se habrían repartido de la siguiente manera:

ANDRÉS	Legítima rigorosa	$500
	Parte en la cuarta (¼) de mejoras	$250
	TOTAL	**$750**
NATALIA	Legítima rigorosa	$500
	Parte en la cuarta (¼) de mejoras	$250
	TOTAL	**$750**
PAOLA	Legítima rigorosa	$500
	Parte en la cuarta (¼) de mejoras	$250
	TOTAL	**$750**
RODRIGO	Legítima rigorosa	$500
	Parte en la cuarta (¼) de mejoras	$250
	Libre disposición completa	$1.000
	TOTAL	**$1.750**
	SUMATORIA TOTAL	*$4.000*

Nótese cómo la sumatoria total asciende a $4.000, que es equivalente al *acervo líquido imaginario*. Sin embargo, será con el dinero del *activo líquido* que se paguen efectivamente las hijuelas. Recordemos que Luisa había dejado $1.700, con lo cual se podrá pagar lo que le corresponde a Andrés

---

cıa ZEA. *Derecho civil.* Tomo VI. *De las sucesiones.* Sexta Edición. Ed. Temis. Bogotá, 1984. Pág. 382). Nos apartamos de la respetable consideración del civilista colombiano, en la medida en que el artículo 1252 del Código Civil, varias veces citado en este texto, señala claramente que el exceso que resulte de imputar a la cuarta de mejoras, previa división por partes iguales entre los legitimarios, "se imputará a la cuarta parte restante [o sea, a la cuarta de libre disposición], con preferencia a cualquier objeto de libre disposición, a que el difunto la haya destinado". De lo anterior se sigue que, a diferencia de lo previsto por la ley para la imputación del exceso de la liberalidad a las mejoras, en donde se indica que se debe dividir esta cuarta (de mejoras) "por partes iguales entre los legitimarios" (artículo 1251 del Código Civil), no hay norma semejante que conduzca a pensar que el exceso se debe imputar a la cuarta de libre disposición dividida "por partes iguales entre los legitimarios", incluso si no hay testamento. En nuestra opinión, que se apoya en los planteamientos de HERNANDO CARRIZOSA PARDO (véanse los ejemplos propuestos en *Las sucesiones.* Cuarta Edición. Ed. Lerner. Bogotá, 1959. Pág. 413 y 414), PEDRO LAFONT PIANETTA (*Derecho de sucesiones.* Tomo I. *Teoría del derecho sucesoral.* Segunda Edición. Ed. Librería del Profesional. Bogotá, 1980. Pág. 405) y FERNANDO VÉLEZ (*Estudio sobre el derecho civil colombiano.* Tomo IV. Segunda Edición. Ed. Imprenta París-América. París, 1926. Pág. 456 y 457), la cuarta libre se podía absorber –como se ejemplificó en este caso– completamente por la donación irrevocable o liberalidad hecha a favor de un legitimario, y no solo a la parte correspondiente a la división.

($750), lo que le corresponde a Paola ($750) y $200 de lo que le corresponde a Natalia ($250). El remanente de Natalia ($50) lo tendrá que asumir Rodrigo, bien sea mediante la devolución de una de las especies donadas o el pago en dinero, a su elección (art. 1264 del Código Civil). Ese remanente, sobra agregar, es exactamente igual al exceso que le corresponde restituir a Rodrigo, según se vio en líneas anteriores. Y, obviamente, Rodrigo y Natalia recibieron anticipadamente sus cuotas correspondientes.

2) Caso 2: Liberalidad sin indicar a qué rubro se imputa, o con indicación de que se imputa a la legítima, habiendo otorgado testamento.

Supóngase que Mario fallece, deja una herencia de $1.000, un testamento en el que asigna $150 de su libre disposición a su amigo Pedro y le sobreviven sus hijos Diego, Camilo, Andrea y Clara. En vida, Mario donó irrevocablemente a Camilo $750 y a Andrea $250, sin indicar a qué rubro se debían imputar las liberalidades.

Para solucionar el caso, se debe observar que, debido a que Mario no indicó el rubro al que se debían imputar las donaciones irrevocables hechas a Camilo ($750) y a Andrea ($250), la ley suplió su silencio y las imputó a la legítima de cada uno (art. 1256 del Código Civil).

Acervo Líquido	$1.000
(+) Primer Acervo Imaginario	$750 + $250
Total = Acervo Líquido Imaginario	**$2.000**

El *acervo líquido imaginario* es el que servirá de base para determinar las cuartas (¼) a que aludía el hoy reformado artículo 1242. Por lo tanto, cada cuarta (¼) vale $500 ($2.000 ÷ 4).

Media (½) Legitimaria	$1.000
Cuarta (¼) de Mejoras	$500
Cuarta (¼) de Libre Disposición	$500
TOTAL = ACERVO LÍQUIDO IMAGINARIO	**$2.000**

La legítima rigorosa (hoy rigurosa) de cada hijo resulta de dividir la *media legitimaria* ($1.000) entre el número de hijos (4), lo que significa que la legítima rigorosa de cada hijo asciende a $250 ($1.000 ÷ 4). Dicho de otro modo, a título de legítima rigorosa Diego tiene derecho a recibir $250, Camilo $250, Andrea $250 y Clara $250.

A la legítima de Andrea se imputa la donación irrevocable que recibió en vida de Mario ($250). Así, queda pagada por completo su legítima rigorosa ($250 - $250).

A la legítima de Camilo se imputa la donación que recibió en vida de Mario ($750). Sin embargo, queda un exceso de $500 ($750 - $250) que se tendría que imputar a la cuarta (¼) de mejoras, sin perjuicio de dividirla entre los legitimarios (art. 1251 del Código Civil).

Cuando se divide la cuarta (¼) de mejoras ($500) entre los legitimarios (4), se obtiene un resultado de $125 ($500 ÷ 4). Por lo tanto, al imputar el exceso de Camilo ($500) a la parte que le corresponde en la cuarta (¼) de mejoras ($125), queda un nuevo exceso de $375 ($500 - $125).

El nuevo exceso se debía imputar a la cuarta (¼) de libre disposición ($500), <u>con preferencia a cualquier otra asignación que, sobre ese rubro, se hubiera hecho</u> (art. 1252 del Código Civil). De modo que, imputado el nuevo exceso ($375) a la libre disposición ($500), queda un remanente en la libre disposición de $125 ($500 – $375). Por lo anterior, Camilo tiene derecho de preservar la donación sin restituir suma alguna (art. 1264 del Código Civil).

Según se dijo anteriormente, Mario otorgó testamento en el que, pese a no disponer nada en relación con la cuarta (¼) de mejoras, asignó a favor de su amigo Pedro, con cargo a su libre disposición, $150. Empero, de la cuarta (¼) de libre disposición solo quedan $125. Para resolver el inconveniente, basta observar que el artículo 1252 del Código Civil (hoy reformado) daba prelación a la imputación de los excesos en la libre disposición, al disponer que se hacía "con preferencia a cualquier objeto de libre disposición, a que el difunto la haya destinado". De manera que Pedro vería disminuida su asignación a $125, que era la única suma de que podía disponer Mario.

Por otro lado, debido a que en el testamento no se dispuso en relación con la cuarta (¼) de mejoras, las legítimas rigorosas de cada hijo se ven incrementadas en lo que le corresponde a cada uno por mejoras ($125 para cada uno) (art. 1249 del Código Civil).

Las hijuelas, en este caso, se habrían repartido de la siguiente manera:

DIEGO	Legítima rigorosa	$250
	Parte en la cuarta (¼) de mejoras	$125
	TOTAL	**$375**
CAMILO	Legítima rigorosa	$250
	Parte en la cuarta (¼) de mejoras	$125
	Libre disposición completa	$375
	TOTAL	**$750**
CLARA	Legítima rigorosa	$250
	Parte en la cuarta (¼) de mejoras	$125
	TOTAL	**$375**

ANDREA	Legítima rigorosa	$250
	Parte en la cuarta (¼) de mejoras	$125
	TOTAL	**$375**
PEDRO	Parte en la Libre disposición	$125
	TOTAL	**$125**
	SUMATORIA TOTAL	*$2.000*

Nótese cómo la sumatoria total asciende a $2.000, que es equivalente al *acervo líquido imaginario*. Sin embargo, será con el dinero del *activo líquido* que se paguen efectivamente las hijuelas que hacen falta por pagar. Recordemos que Mario había dejado $1.000, con lo cual se podrá pagar lo que le corresponde a Diego ($375), lo que le corresponde a Clara ($375), lo que le corresponde a Pedro ($125) y lo que falta que reciba Andrea ($125). Por su parte, Camilo recibió anticipadamente, a título de donación irrevocable, sus $750 y lo propio ocurrió con los $250 recibidos por Andrea.

3) Caso 3: Liberalidad con indicación de que se imputa a mejoras, sin otorgar testamento.

Supóngase que Luisa fallece, deja una herencia de $3.000 y le sobreviven sus hijos Rodrigo, Andrés, Natalia y Paola. En vida, Luisa donó irrevocablemente a Andrés $3.500, <u>con imputación a mejoras</u>, y a Paola $1.500, <u>sin indicar a qué rubro se debían imputar las liberalidades</u>.

Acervo Líquido	$3.000
(+) Primer Acervo Imaginario	$3.500 + $1.500
Total = Acervo Líquido Imaginario	$8.000

El *acervo líquido imaginario* es el que servirá de base para determinar las cuartas (¼) a que aludía el hoy reformado artículo 1242. Por lo tanto, cada cuarta (¼) vale $2.000 ($8.000 ÷ 4).

Para solucionar el caso, se debe observar que, debido a que Luisa no indicó el rubro al que se debían imputar la donación irrevocable hecha a Paola ($1.500), la ley suplió su silencio y la imputó a su legítima (art. 1256 del Código Civil). En cambio, como sí expresó que la liberalidad hecha en favor de Andrés se imputaba a mejoras, se deberá atender a su voluntad.

Media (½) Legitimaria	$4.000
Cuarta (¼) de Mejoras	$2.000
Cuarta (¼) de Libre Disposición	$2.000
TOTAL = ACERVO LÍQUIDO IMAGINARIO	$8.000

La legítima rigorosa (hoy rigurosa) de cada hijo resulta de dividir la *media legitimaria* ($4.000) entre el número de hijos (4), lo que significa que la legítima rigorosa de cada hijo asciende a $1.000 ($4.000 ÷ 4). Dicho de otro modo, a título de legítima rigorosa Rodrigo tiene derecho a recibir $1.000, Andrés $1.000, Natalia $1.000 y Paola $1.000.

A la legítima de Paola se imputa la donación irrevocable que recibió en vida de Luisa ($1.500). Sin embargo, queda un exceso de $500 ($1.500 - $1.000), que se deberá imputar a las mejoras que le correspondan (art. 1251 del Código Civil).

Antes de hacer la imputación de Paola, tenemos que Andrés recibió una donación irrevocable que, por expresa disposición de Luisa, se debe imputar a las mejoras. La liberalidad percibida por Andrés asciende a $3.500 y la cuarta (¼) de mejoras es tan solo de $2.000. ¿Cómo se soluciona el *impasse*? La respuesta la ofrecía el artículo 1254 del Estatuto Civil, al explicar que, "[s]i no hubiere cómo completar las legítimas y mejoras calculadas en conformidad con los artículos precedentes, se rebajarán unas y otras a prorrata". La inteligencia del artículo la explican CARRIZOSA PARDO[734] y VÉLEZ[735], en el sentido de que, para casos como el que ahora resolvemos, se debe prorratear el valor que le quepa a cada uno en las mejoras y, de haber exceso, éste se tendrá que sacar de la cuarta (¼) de libre disposición.

Así pues, tenemos una cuarta (¼) de mejoras que asciende a $2.000 y dos imputaciones que se le deben hacer: (i) una para Andrés, por valor de $3.500; y (ii) otra para Paola, por valor de $500. Al proporcionar los valores de Andrés y Paola, se obtiene que al primero le corresponde el 87,5 % ($3.500 x 100 ÷ 4.000) de la cuarta de mejoras, mientras que a la segunda solo el 12,5 % ($500 x 100 ÷ 4.000). En esa medida, si la cuarta de mejoras equivale a $2.000, a Andrés le corresponden $1.750 ($2.000 x 87,5 %) y a Paola $250 ($2.000 x 12,5 %).

Al imputar el exceso que tenía Paola ($500) en la proporción que le corresponde de la cuarta (¼) de mejoras ($250), resulta un nuevo exceso de $250 ($500 - $250), que se debe sacar de la cuarta (¼) de libre disposición. Y lo propio ocurre con Andrés: al imputar el valor de su donación irrevocable ($3.500) en la proporción que le corresponde de la cuarta (¼) de mejoras ($1.750), se obtiene un exceso de $1.750 ($3.500 - $1.750), que se debe sacar de la cuarta (¼) de libre disposición (art. 1252 del Código Civil).

---

[734] Cfr. HERNANDO CARRIZOSA PARDO. *Las sucesiones*. Cuarta Edición. Ed. Lerner. Bogotá, 1959. Pág. 415 y 416).

[735] Cfr. FERNANDO VÉLEZ. *Estudio sobre el derecho civil colombiano*. Tomo IV. Segunda Edición. Ed. Imprenta París-América. París, 1926. Pág. 456.

La cuarta (¼) de libre disposición asciende a $2.000 y a ella se deben imputar el nuevo exceso de Paola ($250) y el exceso de Andrés ($1.750). Ambos valores se imputan con preferencia a cualquier otra asignación (art. 1252 del Código Civil). Por consiguiente, dado que los excesos a imputar suman $2.000 y ese es el mismo importe de la cuarta (¼) de libre disposición, este último rubro se habrá copado por completo.

Pese a que Luisa no dejó testamento, tanto la cuarta de mejoras como la cuarta de libre disposición quedaron copadas, por lo que no es posible incrementar las legítimas rigorosas de cada hijo, en la forma prevista por el artículo 1249 del Código Civil.

Las hijuelas, en este caso, se habrían repartido de la siguiente manera:

ANDRÉS	Legítima rigorosa	$1.000
	Parte en la cuarta (¼) de mejoras	$1.750
	Parte en la libre disposición	$1.750
	TOTAL	**$4.500**
NATALIA	Legítima rigorosa	$1.000
	TOTAL	**$1.000**
PAOLA	Legítima rigorosa	$1.000
	Parte en la cuarta (¼) de mejoras	$250
	Parte en la libre disposición	$250
	TOTAL	**$1.500**
RODRIGO	Legítima rigorosa	$1.000
	TOTAL	**$1.000**
	SUMATORIA TOTAL	**$8.000**

Nótese cómo la sumatoria total asciende a $8.000, que es equivalente al *acervo líquido imaginario*. Sin embargo, será con el dinero del *activo líquido* que se paguen efectivamente las hijuelas. Recordemos que Luisa había dejado $3.000, con lo cual se podrá pagar lo que le corresponde a Natalia ($1.000), lo que le corresponde a Rodrigo ($1.000) y los $1.000 que le corresponden a Andrés para completar su hijuela. En efecto, Andrés recibió anticipadamente $3.500, pero como todo se imputó a mejoras —y el exceso se sacó de la libre disposición—, tiene derecho de reclamar su legítima rigorosa ($1.000) intacta. Paola, por su parte, también recibió anticipadamente su asignación, pero, en su caso, ésta se imputó a su legítima en primer lugar y los excesos se sacaron de la cuarta de mejoras y de libre disposición, por lo que nada tiene derecho de reclamar ahora.

4) Caso 4: Liberalidad con indicación de que se imputa a mejoras, y otorgando testamento.

Supóngase que Mario fallece, deja una herencia de $1.000, un testamento en el que asigna $150 de su libre disposición a su amigo Pedro y le sobreviven sus hijos Diego, Camilo, Andrea y Clara. En vida, Mario donó irrevocablemente a Camilo $750, con indicación de que se impute a mejoras, y $250 a Andrea, con indicación de que se impute a mejoras.

Acervo Líquido	$1.000
(+) Primer Acervo Imaginario	$750 + $250
Total = Acervo Líquido Imaginario	**$2.000**

El *acervo líquido imaginario* es el que servirá de base para determinar las cuartas (¼) a que aludía el hoy reformado artículo 1242. Por lo tanto, cada cuarta (¼) vale $500 ($2.000 ÷ 4).

Media (½) Legitimaria	$1.000
Cuarta (¼) de Mejoras	$500
Cuarta (¼) de Libre Disposición	$500
TOTAL = ACERVO LÍQUIDO IMAGINARIO	**$2.000**

La legítima rigorosa (hoy rigurosa) de cada hijo resulta de dividir la *media legitimaria* ($1.000) entre el número de hijos (4), lo que significa que la legítima rigorosa de cada hijo asciende a $250 ($1.000 ÷ 4). Dicho de otro modo, a título de legítima rigorosa Diego tiene derecho a recibir $250, Camilo $250, Andrea $250 y Clara $250.

Dado que las liberalidades se hicieron con cargo a las mejoras, se debe observar que esta cuarta (¼) asciende a $500, en tanto que las donaciones irrevocables que se le imputan ascienden a $1.000 ($750 de Camilo y $250 de Andrea). Por consiguiente, se hace necesario prorratear el valor de las donaciones irrevocables que se hicieron en favor de Camilo y Andrea, para identificar la proporción que le corresponde a cada uno en las mejoras (art. 1254 del Código Civil)[736]. Así, a Camilo le pertenece el 75 % ($750 x 100 ÷ $1000) de la cuarta de mejoras, mientras que a Andrea solo el 25 % ($250 x 100 ÷ 1.000). En otras palabras, habida cuenta de que la cuarta de mejoras equivale a $500, de la donación de Camilo se imputan $375 ($500 x 75 %) y de la de Andrea $125 ($500 x 25 %).

Con la anterior imputación, Camilo registra un exceso de $375 ($750 - $375) y Andrea registra un exceso de $125 ($250 - $125). Ambos excesos se deben sacar de la cuarta (¼) de libre disposición, con preferencia a cual-

---

[736] Véanse las precisiones que, sobre el particular, hacemos en el ejemplo anterior.

quier asignación distinta que haya hecho Mario (art. 1252 del Código Civil). En consecuencia, debido a que la sumatoria de los excesos de Camilo y Andrea es de $500, y esa suma es exactamente igual a la libre disposición, este último rubro se ha copado por completo, lo que excluye toda posibilidad de que Pedro tenga derecho de reclamar pago alguno en la sucesión.

Por lo anterior, Camilo y Andrea tienen derecho de preservar la donación sin restituir suma alguna (art. 1264 del Código Civil). Ello también hace que devenga inaplicable el artículo 1249 del Estatuto Civil, conforme al cual las legítimas rigorosas han de ser adicionadas con toda porción de los bienes que el testador "ha podido disponer a título de mejoras, o con absoluta libertad, y no ha dispuesto, y si lo ha hecho ha quedado sin efecto la disposición". Lo anterior, porque, como se vio, tanto la cuarta de mejoras como la libre disposición se encuentran plenamente copadas en este caso, al punto que la asignación hecha en favor de Pedro ha quedado sin efecto alguno.

Las hijuelas, en este caso, se habrían repartido de la siguiente manera:

DIEGO	Legítima rigorosa	$250
	TOTAL	**$250**
CAMILO	Legítima rigorosa	$250
	Parte en la cuarta (¼) de mejoras	$375
	Parte en la libre disposición	$375
	TOTAL	**$1.000**
CLARA	Legítima rigorosa	$250
	TOTAL	**$250**
ANDREA	Legítima rigorosa	$250
	Parte en la cuarta (¼) de mejoras	$125
	Parte en la libre disposición	$125
	TOTAL	**$500**
	SUMATORIA TOTAL	**$2.000**

Nótese cómo la sumatoria total asciende a $2.000, que es equivalente al *acervo líquido imaginario*. Sin embargo, será con el dinero del *activo líquido* que se paguen efectivamente las hijuelas que hacen falta por pagar. Recordemos que Mario había dejado $1.000, con lo cual se podrá pagar lo que le corresponde a Diego ($250), lo que le corresponde a Clara ($250) y lo que falta que reciban Camilo ($250) y Andrea ($250).

En de destacar que Camilo recibió anticipadamente $750, pero, como todo se imputó a mejoras —y el exceso se sacó de la libre disposición—, tiene derecho de reclamar su legítima rigorosa ($250) intacta. Lo propio ocurre con Andrea, quien recibió anticipadamente $250, todo imputado a mejoras —y el exceso se sacó de la libre disposición—, por lo que tiene derecho de reclamar su legítima rigorosa ($250) intacta. Otro es el caso de Pedro, quien no pudo recibir nada en la sucesión, en razón de que la libre disposición la coparon Camilo y Andrea.

B'. El primer acervo imaginario y las liberalidades en favor de los ascendientes, antes de la promulgación de la Ley 1934 de 2018

En un principio, recién expedido el Código Civil chileno, que sería luego extrapolado con cambios menores al Estado de Cundinamarca y después prohijado como Código de la Unión, se discutió si las colaciones del primer acervo eran solo aplicables a las liberalidades hechas en favor de los descendientes o si, por el contrario, también surtían efecto cuando el beneficiario era un ascendiente. Las razones que motivaron la discusión obedecían, en lo fundamental, a que los artículos 1251, 1252 y 1256 de nuestro Estatuto Civil, así como los cánones homólogos del Código chileno, se refieren constantemente a las *mejoras,* rubro que se encontraba estrictamente reservado para los *descendientes* y que, consiguientemente, excluía a los *ascendientes*[737]. Además, se decía que el artículo 1243 del Estatuto colombiano, y su homólogo chileno, se refería a las "cuartas" y que éstas solo cabían en los órdenes donde había descendientes, porque cuando se repartía en un orden en el que había ascendientes solo se calculaban mitades.

La disputa fue superada con relativa rapidez y es hoy pacífico que el primer acervo imaginario sí era aplicable en relación con las liberalidades hechas en favor de los *ascendientes*. Fue ese el querer de ANDRÉS BELLO cuando, como nota al pie del artículo con el que principiaba el tema de las acumulaciones imaginarias, sentenció[738]:

---

[737] Véanse a HERNANDO CARRIZOSA PARDO (*Las sucesiones.* Cuarta Edición. Ed. Lerner. Bogotá, 1959. Pág. 415), FERNANDO VÉLEZ (*Estudio sobre el derecho civil colombiano.* Tomo IV. Segunda Edición. Ed. Imprenta París-América. París, 1926. Pág. 430 y 431) y PEDRO LAFONT PIANETTA (*Derecho de sucesiones.* Tomo I. *Teoría del derecho sucesoral.* Segunda Edición. Ed. Librería del Profesional. Bogotá, 1980. Pág. 406 y 407). En la doctrina extranjera, destaca por supuesto el notable trabajo de grado, ya convertido en un clásico de obligatoria referencia en materia de sucesiones, de ÓSCAR PINOCHET CONTRERAS. *Asignaciones forzosas.* Trabajo para optar al grado de licenciado en la Facultad de Leyes y Ciencias Políticas de la Universidad de Chile. Ed. Nascimento. Santiago, 1926. Acápite II de la Tercera Parte.

[738] El texto de que disponemos para hacer la transcripción es la compilación original del Proyecto de Código Civil chileno de 1853 y, por tanto, las anotaciones de BELLO están redactadas en español antiguo. Para facilitar la comprensión del lector, el au-

"En este y los siguientes artículos se trata de las donaciones hechas a los legitimarios, y se procede sobre dos principios generales. El primero es que la sucesión de los ascendientes sigue las mismas reglas que la sucesión de los descendientes, en cuanto al cómputo de las legítimas, la revocabilidad o irrevocabilidad de las donaciones, y su imputabilidad a la porción libre o la porción legitimaria. So obtienen así la exacta reciprocidad de derechos, que nace de la paridad de razones, y la uniformidad de materias análogas, que tanto importa a la sencillez y armonía de las disposiciones legales. El segundo principio es que las donaciones se interpretan siempre en el sentido más favorable al donante: si en el instrumento de la donación no se expresa la calidad de revocable o irrevocable, se entiende revocable; si no se dice a qué porción de los bienes debe imputarse, se imputa a la porción legitimaria, etc."[739].

No hacen falta más argumentos para dejar al descubierto que el primer acervo imaginario sí procedía respecto de las liberalidades hechas en favor de ascendientes que, como se sabe, son también legitimarios. Aboquémonos, entonces, a estudiar las particularidades en la conformación de esta colación:

Ya vimos que el artículo 1256 de nuestro Código Civil, en su versión anterior, establecía que "[t]odos los legados, todas las donaciones, sean revocables o irrevocables, hechas a un legitimario que tenía entonces la calidad de tal, *se imputarán a su legítima, a menos que en el testamento o en la respectiva escritura o en acto posterior auténtico, aparezca que el legado o la donación ha sido a título de mejora*". Por oposición a lo que sucedía con la situación estudiada en el título anterior, cuando no había descendientes la masa partible no se dividía en cuatro partes (¼) iguales, sino en dos mitades (½): (i) la primera, para la legítima rigorosa; y (ii) la segunda, para la libre disposición. Comoquiera que en estos casos se echaba de menos la cuarta (¼) de mejoras, solo era una la posibilidad con que contaba el futuro causante: efectuar la liberalidad con imputación a la legítima[740].

---

tor ha hecho las adecuaciones ortográficas y gramaticales pertinentes a las palabras vertidas por el redactor del Código Civil, sin alterar, en lo más mínimo, su contenido.

[739]   ANDRÉS BELLO. *Obras completas de don Andrés Bello.* Volumen XI. *Proyecto de Código Civil (1846-1847).* Ed. Pedro G. Ramírez. Santiago de Chile, 1887. Pág. 83.

[740]   Caben aquí las mismas precisiones que hicimos en el título anterior sobre la posibilidad de donar con imputación a la libre disposición. Creemos que era perfectamente factible y así lo haremos ver en el título siguiente, aunque hubo quien se opuso a tal consideración. Obviamente, la consecuencia sería que tal liberalidad se acumularía en el segundo acervo. Con todo, esa discusión es hoy inútil por dos razones: (i) el artículo 1243, que regulaba el primer acervo imaginario fue

La forma de efectuar las colaciones imaginarias para este caso era mucho más sencilla, en razón de la única alternativa ofrecida por la normativa para el efecto (imputación a legítima). Por tal motivo, solo propondremos dos casos que permiten avizorar su utilidad práctica:

1) *Caso 1: Liberalidad sin indicar a qué rubro se imputa, o con indicación de que se imputa a la legítima, y sin otorgar testamento.*

Supóngase que Gabriel fallece, deja una herencia de $600 y le sobreviven sus padres Alberto y Juliana. En vida, Gabriel donó irrevocablemente a Juliana $2.400, <u>con indicación de que se imputaba a la legítima</u>.

Acervo Líquido	$600
(+) Primer Acervo Imaginario	$2.400
Total = Acervo Líquido Imaginario	**$3.000**

El *acervo líquido imaginario* es el que servirá de base para determinar las medias (½) a que siempre ha aludido, antes como ahora, el hoy reformado artículo 1242. Por lo tanto, cada media (½) vale $1.500 ($3.000 ÷ 2).

Media (½) Legitimaria	$1.500
Media (½) de Libre Disposición	$1.500
TOTAL = ACERVO LÍQUIDO IMAGINARIO	**$3.000**

La legítima rigorosa (hoy rigurosa) de cada padre resulta de dividir la *media legitimaria* ($1.500) entre el número de padres vivos (2), lo que significa que la legítima rigorosa de cada padre asciende a $750 ($1.500 ÷ 2). Dicho de otro modo, a título de legítima rigorosa Alberto tiene derecho a recibir $750 y Juliana $750.

A la legítima de Juliana se imputa la donación irrevocable que recibió en vida de Gabriel ($2.400). Sin embargo, queda un exceso de $1.650 ($2.400 - $750) que se tenía que imputar a la media (½) de libre disposición, con preferencia sobre cualquier otra asignación (art. 1252 del Código Civil).

Al imputar el exceso de Juliana ($1.650) a la media (½) de libre disposición ($1.500), queda un nuevo exceso de $150 ($1.650 - $1.500) que Juliana debe restituir a la sucesión, con miras a que Alberto no vea injustificadamente menguada su asignación forzosa (art. 1264 del Código Civil).

---

derogado; y (ii) el nuevo texto del artículo 1256 sí contempla expresamente la posibilidad de donar imputando a la libre disposición.

Pese a que Gabriel no dejó testamento, la totalidad de la media (½) de libre disposición fue absorbida por Juliana, por lo que no es dable que se incremente la cuota de Alberto mediante la aplicación del artículo 1249 del Código Civil.

Las hijuelas, en este caso, se habrían repartido de la siguiente manera:

ALBERTO	Legítima rigorosa	$750
	TOTAL	**$750**
JULIANA	Legítima rigorosa	$750
	Toda la media (½) de libre disposición	$1.500
	TOTAL	**$2.250**
	SUMATORIA TOTAL	***$3.000***

Nótese cómo la sumatoria total asciende a $3.000, que es equivalente al *acervo líquido imaginario*. Sin embargo, será con el dinero del *activo líquido* que se paguen efectivamente las hijuelas. Recordemos que Gabriel había dejado $600, con lo cual se podrá pagar parte de lo que le corresponde a Alberto ($750). El remanente ($150) lo tendrá que asumir Juliana, bien sea mediante la devolución de una de las especies donadas o el pago en dinero, a su elección (art. 1264 del Código Civil). Ese remanente, sobra agregar, es exactamente igual al exceso que le corresponde restituir a Juliana, según se vio en líneas anteriores. Y, obviamente, Juliana recibió anticipadamente su cuota ($2.250).

2) *Caso 2: Liberalidad sin indicar a qué rubro se imputa, o con indicación de que se imputa a la legítima, y habiendo otorgado testamento.*

Supóngase que Martha fallece, deja una herencia de $5.500, un testamento en el que asignó $500 de su libre disposición a Mario y le sobreviven sus cuatro abuelos Jaime, Myriam, Carlos y Gloria. En vida, Martha donó irrevocablemente a Myriam $400, con indicación de que se imputaba a su legítima, y $2.100 a Carlos, sin indicar a qué rubro se debía imputar.

Para solucionar el caso, se debe observar que, debido a que Martha no indicó el rubro al que se debía imputar la donación irrevocable hecha a Carlos ($2.100), la ley suplió su silencio y las imputó a su legítima (art. 1256 del Código Civil). En cambio, como sí expresó que la liberalidad hecha en favor de Myriam se imputaba a legítima, se deberá atender a su voluntad (lo cual parece sarcástico, porque en ese momento —antes de la ley 1934 de 2018— no había otra alternativa).

Acervo Líquido	$5.500
(+) Primer Acervo Imaginario	$2.100 + $400
Total = Acervo Líquido Imaginario	**$8.000**

El *acervo líquido imaginario* es el que servirá de base para determinar las medias (½) a que siempre ha aludido, antes como ahora, el hoy reformado artículo 1242. Por lo tanto, cada media (½) vale $4.000 ($8.000 ÷ 2).

Media (½) Legitimaria	$4.000
Media (½) de Libre Disposición	$4.000
TOTAL = ACERVO LÍQUIDO IMAGINARIO	**$8.000**

La legítima rigorosa (hoy rigurosa) de cada abuelo resulta de dividir la *media legitimaria* ($4.000) entre el número de abuelos vivos (4), lo que significa que la legítima rigorosa de cada abuelo asciende a $1.000 ($4.000 ÷ 4). Dicho de otro modo, a título de legítima rigorosa Jaime tiene derecho a recibir $1.000, Myriam $1.000, Carlos $1.000 y Gloria $1.000.

A la legítima de Myriam se le imputa la donación irrevocable que recibió en vida de Martha ($400). Le quedan faltando $600 para completar su legítima ($1.000 - $400).

A la legítima de Carlos se le imputa la donación irrevocable que recibió en vida de Martha ($2.100). Sin embargo, queda un exceso de $1.100 ($2.100 - $1.000) que se tendría que imputar a la media (½) de libre disposición, con preferencia sobre cualquier otra asignación (art. 1252 del Código Civil).

Al imputar el exceso de Carlos ($1.100) a la media (½) de libre disposición ($4.000), queda un remanente en este rubro de $2.900 ($4.000 - $1.100). Debido a que Martha asignó $500 a Mario, por medio de su testamento, se debe detraer esa suma de la libre disposición. Ello arroja un remanente en la media (½) de libre disposición de $2.400 ($2.900 - $500).

En aplicación de lo previsto por el artículo 1249 del Código Civil, las legítimas rigorosas de los abuelos se deben incrementar con toda porción de los bienes que el testador "ha podido disponer a título de mejoras, o con absoluta libertad, y no ha dispuesto, y si lo ha hecho ha quedado sin efecto la disposición". De consiguiente, los $2.400 de la libre disposición de Martha que no fueron asignados por vía del testamento, deben acrecer las cuotas de cada uno de los abuelos, formando así las *legítimas efectivas*.

Las hijuelas, en este caso, se habrían repartido de la siguiente manera:

	Legítima rigorosa	$1.000
JAIME	Parte en la libre disposición	$600
	TOTAL LEGÍTIMA EFECTIVA	**$1.600**
	Legítima rigorosa	$1.000
MYRIAM	Parte en la libre disposición	$600
	TOTAL LEGÍTIMA EFECTIVA	**$1.600**

CARLOS	Legítima rigorosa	$1.000
	Parte en la libre disposición (acrecimiento + imputación de liberalidad)	$1.700
	TOTAL LEGÍTIMA EFECTIVA + ANTICIPO IMPUTADO A L.D.	**$2.700**
GLORIA	Legítima rigorosa	$1.000
	Parte en la libre disposición	$600
	TOTAL LEGÍTIMA EFECTIVA	**$1.600**
MARIO	Parte en la libre disposición	$500
	TOTAL	**$500**
	SUMATORIA TOTAL	***$8.000***

Nótese cómo la sumatoria total asciende a $8.000, que es equivalente al *acervo líquido imaginario*. Sin embargo, será con el dinero del *activo líquido* que se paguen efectivamente las hijuelas. Recordemos que Martha había dejado $5.500 de herencia, con lo cual se podrá pagar lo que le corresponde a Jaime ($1.600), a Gloria ($1.600), a Mario ($500) y lo que falta para que Carlos ($600) y Myriam ($1.200) completen su hijuela. En efecto, Carlos ($2.100) y Myriam ($400) ya habían recibido anticipadamente parte de sus cuotas, a título de donación irrevocable.

C'. El segundo acervo imaginario antes de la promulgación de la ley 1934 de 2018: Generalidades

Hemos visto que la regla general para la integración del *primer acervo imaginario* era que la liberalidad se hiciera "en razón de legítimas o de mejoras", por lo que es claro que el donatario debía ser un *legitimario*. De ahí que los artículos 1251, 1252 y 1256 del Código Civil establecieran que la donación colacionable se imputaría a la *legítima* o a la *mejora* (esto último solo en tratándose de descendientes), según fuera el caso.

De acuerdo con la versión original del artículo 1244, *ibídem*, "[s]i el que tenía, a la sazón, legitimarios, hubiere hecho donaciones entre vivos a extraños, y el valor de todas ellas juntas excediere a la cuarta parte de la suma formada por este valor y al del acervo imaginario, tendrán derecho los legitimarios para que este exceso se agregue también imaginariamente al acervo, para la computación de las legítimas y mejoras". Y continuaba el artículo 1245: "Si fuere tal el exceso, que no sólo absorba la parte de bienes que el difunto ha podido disponer a su arbitrio, sino que menoscabe las legítimas rigorosas, o la cuarta de mejoras, tendrán derecho los legitimarios para la restitución de lo excesivamente donado, procediendo contra los donatarios, en un orden inverso al de las fechas de las donaciones; esto es, principiando por los más recientes".

De las normas transcritas se siguen varias reglas que gobiernan la interpretación e integración de este *segundo acervo imaginario*: (i) el donante debía tener, al momento en que se efectuó la donación, legitimarios; (ii) al momento del fallecimiento del donante, debían existir legitimarios, que eran los únicos facultados para solicitar la integración del segundo acervo; (iii) el donatario debía ser un "extraño"; y, (iv) para ser *colacionable*, la donación debía ser excesiva en relación con el patrimonio del causante. Veamos con más detalle:

En cuanto a la existencia de legitimarios (*ascendientes* y *descendientes*) en la fecha de la donación y al momento del fallecimiento del donante no se requiere mayor elucubración. Es un requisito fijado directamente por la ley. Sin embargo, sí es relevante mencionar que los legitimarios que sobreviven al *de cujus* no necesariamente tenían que ser los mismos que vivían para el momento en que se perfeccionó la donación irrevocable.

Por otro lado, en relación con quienes son considerados como "extraños", surge la tentación de responder que lo son todos aquellos que no son considerados "legitimarios". En efecto, si las reglas del *primer acervo imaginario* se refieren a los "legitimarios", por sustracción de materia se habría de deducir que los "extraños" son todos los que no reciben esta connotación.

Tal afirmación era correcta, pero solo en forma parcial: había casos en los que las donaciones hechas a personas que son legitimarias no se acumulaban en el *primer acervo* sino en el *segundo*, como ocurría cuando se donaba irrevocablemente en favor de un ascendiente, pese a que se tenía descendencia. El ascendiente es legitimario, según lo indica el artículo 1240 del Código Civil —tanto en su versión anterior como en la actual—, pero se ve desplazado en la sucesión por el descendiente porque, al morir el causante, su herencia se habrá de repartir en el primer orden sucesoral (no en el segundo) y la legítima rigorosa quedará reservada para éste, con exclusión de aquél.

Lafont Pianetta trae un criterio que, antes de la promulgación de la Ley 1934 de 2018, era muy útil para identificar, con buena precisión, cuándo estábamos ante "extraños", según los términos previstos en la legislación civil: es *extraña* "cualquier persona a quien deba deducirse la donación, expresa o tácitamente, de la cuota de libre disposición. Es decir, será un 'extraño' o tercero el donatario de donaciones irrevocables hechas en uso de la potestad de libre disposición"[741].

---

[741] Pedro Lafont Pianetta. *Derecho de sucesiones*. Tomo I. *Teoría del derecho sucesoral.* Segunda Edición. Ed. Librería del Profesional. Bogotá, 1980. Pág. 408.

En los títulos que anteceden explicamos que creíamos posible que se hicieran donaciones en favor de legitimarios con señalamiento expreso de que habrían de ser imputadas a la libre disposición del donante. Dijimos también que no era uniforme la opinión de la doctrina[742] en torno a esa posibilidad, para lo cual se expresaban argumentos que se pueden sintetizar así:

1) El artículo 1520 del Código Civil proscribe todo pacto sobre sucesión futura, por tener objeto ilícito. Además, establecía (en su versión anterior) que "[l]as convenciones entre la persona que debe una legítima y el legitimario, relativas a la misma legítima o a mejoras, están sujetas a las reglas especiales contenidas en el título de las asignaciones forzosas"[743].

2) El Título V del Libro Tercero de nuestro Código Civil, artículos 1226 a 1269, es el que se refiere a las asignaciones forzosas. Allí se explica que las legítimas rigorosas no son susceptibles de condición, plazo, modo o gravamen alguno (art. 1250), se confiere validez a la promesa del futuro causante, hecha en vida a un descendiente, de no donar ni asignar por testamento parte alguna de la cuarta de mejoras, al tiempo como se proscribe "cualesquiera otras estipulaciones sobre sucesión futura, entre un legitimario y el que le debe la legítima" (art. 1262)[744], y se ordena que todos los legados y donaciones (revocables e irrevocables), hechos por el futuro *de cujus* a un legitimario que entonces tenía la calidad de tal, se imputen a su legítima, salvo que se demuestre que la liberalidad se hizo a título de mejora (art. 1256)[745].

3) La ley no ofrecía la opción de que una liberalidad hecha en favor de los legitimarios se imputara a la libre disposición del donante, sino que preveía que era con cargo a la legítima y, excepcionalmente, a las mejoras. Por consiguiente, toda donación hecha en favor de los legitimarios tenía una imputación específica (era anticipo de legítima o mejora) y la variación de esta imputación (para decir que se hacía con cargo a la libre disposición) constituía un pacto sobre sucesión futura que no estaba expresamente habilitado por la legislación civil.

---

[742] HERNANDO CARRIZOSA PARDO. *Las sucesiones.* Cuarta Edición. Ed. Lerner. Bogotá, 1959. Pág. 413.

[743] Hoy se mantiene esa regla, con la variación de que no se hace referencia a las "mejoras".

[744] Este artículo fue derogado por la ley 1934 de 2018.

[745] La redacción de este artículo varió con la promulgación de la ley 1934 de 2018. Ahora es expresamente posible hacer donaciones con cargo a la libre disposición.

4) Además, ese pacto implicaría que el causante estaría disponiendo o renunciando a su derecho de otorgar testamento, lo cual contraviene las normas imperativas que regulan la materia sucesoral.

El hilo argumentativo que ofrece esa opinión es muy convincente y de robusta solidez. Sin embargo, en las antípodas se sienta otra posición[746] que parece más armónica con la concepción actual de la sucesión en el ordenamiento jurídico y resulta en la posibilidad de que se hagan liberalidades a favor de legitimarios, con expresa indicación sobre su imputación a la libre disposición. Esta es la síntesis de sus planteamientos:

1) Es cierto que la ley prohíbe todo pacto sobre sucesión futura y que, en tratándose de negocios jurídicos celebrados entre legitimarios y quienes deben la legítima, excepcionalmente se autoriza la promesa de no donar ni asignar por testamento parte alguna de la cuarta de mejoras (art. 1520 y 1262 del Código Civil).

2) También es cierto que la ley establece que lo que se entrega gratuitamente en vida del futuro causante a sus legitimarios, salvas las excepciones antes comentadas, se tiene como anticipo de lo que les ha de corresponder en la sucesión. Ello se sustenta, en opinión de POLACCO, en "el sacrosanto principio de que los progenitores deben querer con igual afecto a todos sus hijos". Por lo tanto, "si el ascendiente beneficia en vida a uno de sus descendientes, se debe presumir que lo hace solo a título de anticipo sobre la herencia futura y a efecto de procurarle medios de colocación o de emancipación económica"[747].

3) Nuestro Código Civil presume que el anticipo que le ha de corresponder al legitimario se reputa hecho a título de legítima, pero indica que se podrá probar que se hizo a título de mejora (art. 1256).

4) Aunque nada dice en relación con la facultad de imputar la liberalidad a la libre disposición, no por ese solo hecho se configura un pacto ilícito sobre sucesión futura. Con la donación hecha en vida no se promete ni se abdica de la facultad de otorgar testamento, por parte de quien debe la legítima. Mucho menos se renuncia a testar en relación con la libre disposición. Simple y sencillamente se opta

---

[746] Cfr. LAFONT PIANETTA (*Derecho de sucesiones*. Tomo I. *Teoría del derecho sucesoral*. Segunda Edición. Ed. Librería del Profesional. Bogotá, 1980. Pág. 403) y VALENCIA ZEA (*Derecho* ... Tomo VI ... Pág. 461 y siguientes).

[747] VITTORIO POLACCO. *De las sucesiones*. Trad. Santiago Sentís Melendo. Tomo II. Buenos Aires, 1950. Pág. 354 y 355.

por dar un anticipo al legitimario, sí, pero a buena cuenta de la libre disposición del futuro causante.

5) Carece de buen sentido pensar que un causante se encuentre facultado para "afectar" su libre disposición, por vía de la donación irrevocable hecha en vida a terceros no legitimarios, pero quede imposibilitado para hacerlo respecto de estos últimos. Ciertamente, el conocido aforismo jurídico según el cual "quien puede lo más, puede lo menos", resulta útil para cuestionar por qué se vedaría tal posibilidad, con base en la interpretación, si no fluye una prohibición semejante del texto legal.

6) Se repite que estas donaciones no se pueden tener como pactos sobre sucesión futura, de aquellos prohibidos por la ley, porque no se trata de un mandato para que la liberalidad *no se colacione,* lo que sería a todas luces ilegal. Tan solo se pretende afectar la libre disposición, como pacíficamente se permite en tratándose de no legitimarios, en favor de los legitimarios.

7) La presunción sobre la imputación de la donación que hace la ley (art. 1256 del Código Civil) en primer término a legítima, halla sustento en que se crea que el padre o madre ubica en un mismo plano a sus hijos. Empero, esa presunción es susceptible de prueba en contrario.

8) Nadie duda que, mediante testamento, un padre podría disponer de la totalidad de su libre disposición en favor de uno de sus legitimarios, con exclusión del resto. Si ello es así, como en efecto lo es, con mayor razón se debe admitir que las donaciones percibidas por legitimarios puedan ser imputadas a la libre disposición del donante, obviamente en el entendido de que se colacionen luego al momento de distribuir la sucesión.

Adherimos a esta última postura y, por tanto, creemos que las liberalidades hechas por los futuros causantes en favor de los legitimarios, con cargo a la libre disposición, no están vedadas por la ley. Esa opinión es hoy confirmada por la Ley 1934 de 2018, en cuya virtud se dispuso que los legados y donaciones hechas en favor de los legitimarios se imputarán a su legítima, salvo que se demuestre que se hizo con cargo a la libre disposición (nuevo texto del art. 1256 del Código Civil).

En todo caso, la anterior discusión es útil para poner de manifiesto que, antes de la promulgación de la Ley 1934 de 2018, las donaciones hechas a los legitimarios, no a título de legítima ni mejora, sino a título de libre disposición, se debían agregar al *segundo acervo imaginario.* De consiguiente, en este caso muy puntual se rompía también la regla general, según la cual son "extraños" todos aquellos que no son legitimarios, para permitir que los legitimarios del orden en que se repartía la herencia fueren también "extraños" y, por tanto, el valor de las donaciones irrevocables que hubieren recibido se tomara en cuenta para el *segundo acervo imaginario*.

En una palabra, son "extraños", para efectos de la integración del *segundo acervo imaginario*, los siguientes: (i) todo tercero que no sea legitimario y que se hubiere beneficiado de donaciones irrevocables hechas por el causante en vida; (ii) todo legitimario que no lo sea del orden en que se reparte la herencia (*v. gr.* ascendientes —son legitimarios— cuando en una sucesión hay descendientes —que hacen que la herencia se reparta en el primer orden, donde no se incluyen los ascendientes—); y (iii) todo legitimario del orden en que se reparte la herencia, si la donación irrevocable fue hecha con cargo a la libre disposición del donante y no a título de legítima o mejora.

Como dijimos, la tesis de Lafont, según la cual se es extraño cuando la imputación se hace a la libre disposición, era útil y válida hasta antes de la promulgación de la Ley 1934 de 2018. Luego de su promulgación, ya veremos que no es tan claro que el cargo a libre disposición haga que el donatario se repute "extraño" para efectos de la conformación de los acervos imaginarios.

El último aspecto que importa reseñar en este título, que es de mucho interés, se relaciona con aquello que es *colacionable*. A diferencia de lo que ocurre con el *primer acervo imaginario*, donde toda liberalidad hecha en favor del legitimario, con imputación a la legítima o a mejoras, es *colacionada*, en el *segundo acervo imaginario* solo se *colaciona* el exceso de lo que se haya donado irrevocablemente. No otro es el entendimiento del artículo 1244 cuando faculta a los legitimarios para que soliciten que el "exceso se agregue también imaginariamente al acervo". Veamos, entonces, en qué consiste el exceso y cómo se determina:

Decía el artículo 1244, en su versión original, que los legitimarios podrían solicitar la *colación* del *exceso* "[s]i el que tenía, a la sazón, legitimarios, hubiere hecho donaciones entre vivos a extraños, y el valor de todas ellas juntas excediere a la cuarta parte de la suma formada por este valor". Repárese en que el texto legal no prohibía las donaciones irrevocables (o entre vivos) en favor de extraños, ni ordenaba la *colación* del valor de *todas* las donaciones, sino que tan solo mandaba la agregación imaginaria del *exceso* que resultara de comparar el valor de las donaciones con la sumatoria de las donaciones y el *acervo líquido* o el *acervo líquido imaginario* (formado con el primer acervo), según sea el caso, dividido entre cuarto. En términos algebraicos se puede expresar la ecuación de la siguiente forma:

$$E = D - \frac{D + A}{4}$$

Donde:

E = Exceso.

D = Donaciones a extraños.

A = Acervo líquido o Acervo líquido imaginario.

Si se mira con detenimiento, la integración del *segundo acervo imaginario* solo procede cuando se forme un *exceso*. Entonces, desde una perspectiva lógica, la única manera de identificar si se ha formado tal *exceso* es mediante una verificación previa, por vía de la aplicación de la fórmula anterior. De otra manera, como lo puntualiza RAMÍREZ FUERTES[748], sería imposible determinar cuándo se ha formado un *exceso* y, consiguientemente, cuándo procede la solicitud de integración del *segundo acervo imaginario*. Porque, se repite, no basta con que el causante haya hecho donaciones irrevocables, durante su vida, en favor de "extraños".

Pues bien, para entender la aplicación práctica de la fórmula antes referida, entreténgase el siguiente caso: Martín fallece, deja una herencia de $5.000 y le sobreviven sus hijos José y Daniela. En vida, Martín hizo una donación irrevocable a José, imputando a la legítima, por valor de $1.000 y también efectuó donaciones irrevocables a su amiga Antonia, por valor de $12.000.

Entonces: el *activo líquido* asciende a $5.000. A ese valor se agrega el *primer acervo imaginario*, formado por los $1.000 irrevocablemente donados a José, a título de legítima. En total, tenemos un *activo líquido imaginario* de $6.000. Verifiquemos si hay un exceso en las donaciones, mediante la aplicación de la fórmula:

$$E = D - \frac{D + A}{4}$$

$$E = \$12.000 - \frac{\$12.000 + \$6.000}{4}$$

---

748 Cfr. ROBERTO RAMÍREZ FUERTES. *Sucesiones.* Sexta Edición. Ed. Temis. Bogotá, 2003. Pág. 176 a 178. En el mismo sentido, HERNANDO CARRIZOSA PARDO. *Las sucesiones.* Cuarta Edición. Ed. Lerner. Bogotá, 1959. Pág. 423 y 424.

$$E = \$12.000 - \frac{\$18.000}{4}$$

$$E = \$12.000 - \$4.500$$

$$E = \$7.500$$

Tenemos un exceso (E) de $7.500. De acuerdo con el artículo 1244 del Código Civil, en su versión anterior, tienen derecho los legitimarios para solicitar "que este exceso se agregue también imaginariamente al acervo, para la computación de las legítimas y mejoras".

Así pues, el nuevo *acervo líquido imaginario*, de acuerdo con lo establecido por el artículo 1242 del Código Civil, es de $13.500. Ello resulta de sumar el *acervo líquido* ($5.000), el *primer acervo imaginario* ($1.000) y el *segundo acervo imaginario* ($7.500). Debido a que hay descendientes, es menester proceder a calcular las cuartas de mejoras y libre disposición y la media legitimaria, así: $13.500 ÷ 4 = $3.375.

Media (½) Legitimaria	$6.750
Cuarta (¼) de Mejoras	$3.375
Cuarta (¼) de Libre Disposición	$3.375
TOTAL = ACERVO LÍQUIDO IMAGINARIO	**$13.500**

Para saber cómo proceder a continuación, ahora que ya hemos acumulado imaginariamente la donación irrevocable que Martín hizo en favor de Antonia, se debe observar lo previsto por el artículo 1245 del Código Civil, en su versión anterior: "Si fuere tal el exceso, que no solo absorba la parte de bienes de que el difunto ha podido disponer a su arbitrio, sino que menoscabe las legítimas rigorosas, o la cuarta de mejoras, tendrán derecho los legitimarios para la restitución de lo excesivamente donado, procediendo contra los donatarios, en un orden inverso al de las fechas de las donaciones, esto es, principiando por las más recientes".

La norma transcrita manda comparar el exceso ($7.500) con la parte de bienes que el difunto (Martín) pudo disponer libremente ($3.375 = cuarta de libre disposición). Hecha la comparación, se aprecia nítidamente que el exceso es mayor que la cuarta de libre disposición. De consiguiente, en atención a lo previsto por el propio artículo 1245, los legitimarios quedan facultados para solicitar la restitución de lo excesivamente donado. Para ese efecto, la ley ordena que se inicie por los donatarios más recientes y se vaya hacia los más antiguos.

En el ejemplo propuesto no hay más que una donataria: Antonia. Por lo tanto, José y Daniela, en su condición de legitimarios, tendrán derecho de perseguir a Antonia para que restituya lo excesivamente donado; esto es, el remanente que resulte de imputar el exceso a la libre disposición. Comoquiera que el exceso era de $7.500, luego de imputar este valor a la cuarta de libre disposición, que es de $3.375, queda un remanente de $4.125.

Al decir del artículo 1482 del Estatuto Civil, "[s]on rescindibles las donaciones en el caso del artículo 1245". La expresión *rescindibles* es incorrecta, porque no afecta al exceso una nulidad relativa, sino que se cumplió la condición resolutoria a que estaba sometida la donación. De manera que ha debido señalar el Código que, en estos casos, respecto del exceso restituible habría de operar la resolución de la donación.

En todo caso, más allá de la imprecisión terminológica, lo cierto es que, para nuestro ejemplo, Antonia tendrá que devolver $4.125 de la donación irrevocable que recibió en vida de Martín, pero podrá retener el resto ($12.000 - $4.125 = $7.875).

A manera de recapitulación, es posible afirmar que el procedimiento previsto por el Código Civil para el caso de las donaciones hechas a extraños consiste en cuatro pasos ineludibles:

1) Primero se debe verificar si el valor de las donaciones arroja un exceso. Para hacerlo, se deberá acudir a la fórmula algebraica que dejamos expresada en los párrafos anteriores.

2) En caso afirmativo, o sea, si resulta que hay un exceso, los legitimarios tendrán derecho de solicitar que ese exceso se *colacione* o *acumule imaginariamente* a la herencia. Habremos formado, así, el *segundo acervo imaginario*.

3) Luego de dividida la herencia en las partes que correspondan (cuatro si hay descendientes o dos si hay ascendientes), se *imputa* el exceso a la libre disposición.

4) Si, una vez *imputado* el exceso a la libre disposición, se obtiene un remanente, los legitimarios quedan facultados para solicitar la *restitución* de ese remanente. Para el efecto, se dirigirán contra los donatarios más recientes, según la fecha en que se hubiere perfeccionado la donación, y seguirán hacia atrás hasta la concurrencia del remanente. En esa medida, las donaciones irrevocables hechas en vida por el causante se resolverán, con lo cual quedarán obligados los donatarios de que se trate a restituir el valor que corresponda a la sucesión.

Ahora bien, la experiencia y sindéresis condujeron a que Carrizosa Pardo[749] estableciera dos reglas de capital importancia para determinar si hay lugar a restitución o no: (i) cuando hay descendientes, siempre habrá lugar a restitución si el valor de las donaciones excede de las siete novenas (7/9) partes del activo líquido o acervo líquido imaginario, según el caso; y (ii) cuando no hay descendientes, sino solo ascendientes, siempre habrá lugar a restitución si el valor de las donaciones excede cinco terceras (5/3) partes del activo líquido o acervo líquido imaginario, según el caso. Veamos la aplicación de estas reglas:

Tomemos como ejemplo el caso sobre el que trabajamos anteriormente. El *acervo líquido imaginario* en la sucesión de Martín era de $6.000 y las donaciones irrevocables hechas en vida a Antonia ascendían $12.000. Como en esa hipótesis había descendientes (José y Daniela), se debía confrontar el valor de las donaciones ($12.000) con las siete novenas (7/9) partes del acervo líquido imaginario (que equivale a multiplicar el valor del acervo líquido imaginario —$6.000— por 7 y dividirlo entre 9). Este último valor es de $4.666,67. Dado que el valor de las donaciones ($12.000) es mayor que las siete novenas (7/9) partes del *acervo líquido imaginario*, hay lugar a restitución.

Veamos qué sucedería, en el mismo ejemplo, si la donación hubiera sido de $4.500. Ello con el objeto de confirmar la utilidad de la regla planteada por Carrizosa. Estos son los supuestos: Martín fallece, deja una herencia de $5.000 y le sobreviven sus hijos José y Daniela. En vida, Martín hizo una donación irrevocable a José, imputando a la legítima, por valor de $1.000 y también efectuó donaciones irrevocables a su amiga Antonia, por valor de $4.500.

El *activo líquido* asciende a $5.000. A ese valor se agrega el *primer acervo imaginario*, formado por los $1.000 irrevocablemente donados a José, a título de legítima. En total tenemos un *activo líquido imaginario* de $6.000. Verificaremos nuevamente si hay un exceso en las donaciones:

$$E = D - \frac{D+A}{4}$$

$$E = \$4.500 - \frac{\$4.500 + \$6.000}{4}$$

[749] Véase a Hernando Carrizosa Pardo. *Las sucesiones.* Cuarta Edición. Ed. Lerner. Bogotá, 1959. Pág. 424 a 426.

$$E = \$4.500 - \frac{\$10.500}{4}$$

$$E = \$4.500 - \$2.625$$

$$E = \$1.875$$

Tenemos un exceso (E) de $1.875. De acuerdo con el artículo 1244 del Código Civil, en su versión anterior, tienen derecho los legitimarios para solicitar "que este exceso se agregue también imaginariamente al acervo, para la computación de las legítimas y mejoras".

Así pues, el nuevo *acervo líquido imaginario*, de acuerdo con lo establecido por el artículo 1242 del Código Civil, es de $7.875. Ello resulta de sumar el *acervo líquido* ($5.000), el *primer acervo imaginario* ($1.000) y el *segundo acervo imaginario* ($1.875). Debido a que hay descendientes, es menester proceder a calcular las cuartas de mejoras y libre disposición y la media legitimaria, así: $7.875 ÷ 4 = $1.968,75.

Media (½) Legitimaria	$3.937,5
Cuarta (¼) de Mejoras	$1.968,75
Cuarta (¼) de Libre Disposición	$1.968,75
TOTAL = ACERVO LÍQUIDO IMAGINARIO	**$7.875**

Se recordará que el artículo 1245 del Código Civil manda comparar el exceso ($1.875) con la parte de bienes que el difunto (Martín) pudo disponer libremente ($1.968,75 = cuarta de libre disposición). Hecha la comparación, se aprecia nítidamente que el exceso es <u>menor</u> que la cuarta de libre disposición. De consiguiente, no habrá lugar a restitución.

Ahora veamos qué sucedería, en el mismo ejemplo, si la donación hubiera sido de $4.700 (levemente mayor a las 7/9 partes del *acervo líquido imaginario*—$4.666,67—). Estos son los supuestos: Martín fallece, deja una herencia de $5.000 y le sobreviven sus hijos José y Daniela. En vida, Martín hizo una donación irrevocable a José, imputando a la legítima, por valor de $1.000 y también efectuó donaciones irrevocables a su amiga Antonia, por valor de $4.700.

El *activo líquido* asciende a $5.000. A ese valor se agrega el *primer acervo imaginario*, formado por los $1.000 irrevocablemente donados a José, a título de legítima. En total tenemos un *activo líquido imaginario* de $6.000. Verificaremos si hay un exceso en las donaciones:

$$E = D - \frac{D + A}{4}$$

$$E = \$4.700 - \frac{\$4.700 + \$6.000}{4}$$

$$E = \$4.700 - \frac{\$10.700}{4}$$

$$E = \$4.700 - \$2.675$$

$$E = \$2.025$$

Tenemos un exceso (E) de \$2.025. De acuerdo con el artículo 1244 del Código Civil, en su versión anterior, tienen derecho los legitimarios para solicitar "que este exceso se agregue también imaginariamente al acervo, para la computación de las legítimas y mejoras".

Así pues, el nuevo *acervo líquido imaginario*, de acuerdo con lo establecido por el artículo 1242 del Código Civil, es de \$8.025. Ello resulta de sumar el *acervo líquido* (\$5.000), el *primer acervo imaginario* (\$1.000) y el *segundo acervo imaginario* (\$2.025). Debido a que hay descendientes, es menester proceder a calcular las cuartas de mejoras y libre disposición y la media legitimaria, así: \$8.025 ÷ 4 = \$2.006,25.

Media (½) Legitimaria	\$4.012,5
Cuarta (¼) de Mejoras	\$2.006,25
Cuarta (¼) de Libre Disposición	\$2.006,25
TOTAL = ACERVO LÍQUIDO IMAGINARIO	**\$8.025**

El artículo 1245 del Código Civil manda comparar el exceso (\$2.025) con la parte de bienes que el difunto (Martín) pudo disponer libremente (\$2.006,25 = cuarta de libre disposición). Hecha la comparación, se aprecia nítidamente que el exceso es <u>mayor</u>, en solo \$18,75, que la cuarta de libre disposición. De consiguiente, sí habrá lugar a restitución.

Comprobada la regla de Carrizosa en el caso de los descendientes, es oportuno ahora revisar su buen suceso en el caso de los ascendientes. Tomemos el siguiente ejemplo: Lucas fallece, deja una herencia de \$3.000 y le sobreviven sus padres Joaquín y Lucía. En vida, Lucas donó irrevocablemente \$4.900 a su amigo Felipe.

El *acervo líquido* asciende a \$3.000. Si se sigue la regla de Carrizosa, habrá lugar a restitución cuando la donación exceda de cinco terceras (5/3) partes del acervo. En este caso, las 5/3 partes del *acervo líquido* ascienden a $5.000 (resulta de multiplicar $3.000 por 5 y dividir entre 3). En teoría, no debería haber lugar a restitución, porque la donación fue de $4.900 (< $5.000). Veamos:

Primero se comprobará si hay un exceso, mediante la aplicación de la fórmula:

$$E = D - \frac{D+A}{4}$$

$$E = \$4.900 - \frac{\$4.900 + \$3.000}{4}$$

$$E = \$4.900 - \frac{\$7.900}{4}$$

$$E = \$4.900 - \$1.975$$

$$E = \$2.925$$

Tenemos un exceso (E) de $2.925. De acuerdo con el artículo 1244 del Código Civil, en su versión anterior, tienen derecho los legitimarios para solicitar "que este exceso se agregue también imaginariamente al acervo, para la computación de las legítimas y mejoras".

Así pues, el *acervo líquido imaginario*, de acuerdo con lo establecido por el artículo 1242 del Código Civil, es de $5.925. Ello resulta de sumar el *acervo líquido* ($3.000) y el *segundo acervo imaginario* ($2.925). Debido a que no hay descendientes, sino solo ascendientes, es menester proceder a calcular la media (½) legitimaria y la media (½) de libre disposición, así: $5.925 ÷ 2 = $2.962,5.

Media (½) Legitimaria	$2.962,5
Media (½) de Libre Disposición	$2.962,5
TOTAL = ACERVO LÍQUIDO IMAGINARIO	**$5.925**

El artículo 1245 del Código Civil manda comparar el exceso ($2.925) con la parte de bienes que el difunto (Lucas) pudo disponer libremente ($2.962,5 = media de libre disposición). Hecha la comparación, se aprecia nítidamente que el exceso es <u>menor</u> que la media de libre disposición. De consiguiente, no habrá lugar a restitución.

Veamos, por último, ese mismo caso con una variación: Lucas fallece, deja una herencia de $3.000 y le sobreviven sus padres Joaquín y Lucía. En vida, Lucas donó irrevocablemente $5.100 a su amigo Felipe.

El *acervo líquido* asciende a \$3.000. Si se sigue la regla de Carrizosa, habrá lugar a restitución cuando la donación exceda de cinco terceras (5/3) partes del acervo. En este caso, las 5/3 partes del *acervo líquido* ascienden a \$5.000 (resulta de multiplicar \$3.000 por 5 y dividir entre tres). En teoría, sí debería haber lugar a restitución, porque la donación fue de \$5.100 (> \$5.000). Veamos:

Primero se comprobará si hay un exceso, mediante la aplicación de la fórmula:

$$= D - \frac{D + A}{4}$$

$$E = \$5.100 - \frac{\$5.100 + \$3.000}{4}$$

$$E = \$5.100 - \frac{\$8.100}{4}$$

$$E = \$5.100 - \$2.025$$

$$E = \$3.075$$

Tenemos un exceso (E) de \$3.075. De acuerdo con el artículo 1244 del Código Civil, en su versión anterior, tienen derecho los legitimarios para solicitar "que este exceso se agregue también imaginariamente al acervo, para la computación de las legítimas y mejoras".

Así pues, el *acervo líquido imaginario*, de acuerdo con lo establecido por el artículo 1242 del Código Civil, es de \$6.075. Ello resulta de sumar el *acervo líquido* (\$3.000) y el *segundo acervo imaginario* (\$3.075). Debido a que no hay descendientes, sino solo ascendientes, es menester proceder a calcular la media (½) legitimaria y la media (½) de libre disposición, así: \$6.075 ÷ 2 = \$3.037,5.

Media (½) Legitimaria	\$3.037,5
Media (½) de Libre Disposición	\$3.037,5
TOTAL = ACERVO LÍQUIDO IMAGINARIO	**\$6.075**

El artículo 1245 del Código Civil manda comparar el exceso (\$3.075) con la parte de bienes que el difunto (Lucas) pudo disponer libremente (\$3.037,5 = media de libre disposición). Hecha la comparación, se aprecia nítidamente que el exceso es <u>mayor</u>, en solo \$37,5, que la media de libre disposición. De consiguiente, sí habrá lugar a restitución.

Comprobada la veracidad de las reglas de Carrizosa, conviene hacer una salvedad o, más correctamente, explicar una única excepción, que se presenta cuando se ha formado el *primer acervo imaginario* y el valor de las liberalidades hechas por el causante en favor de sus legitimarios, a título de legítima o mejora, excede lo que éstos habrían podido recibir y absorben, por tanto, parte o toda la libre disposición. En tales casos, el artículo 1252 del Código Civil establecía con total claridad que el valor del exceso del *primer acervo* se habría de imputar a la libre disposición, "con preferencia a cualquier objeto de libre disposición, a que el difunto la haya destinado". Por consiguiente, si el *primer acervo* ha absorbido parte o toda la libre disposición, al momento de integrar el *segundo acervo* ya no habrá cómo *imputar* su valor a la totalidad de la *libre disposición*.

Entreténgase el siguiente ejemplo: Andrés fallece, deja una herencia de $500 y le sobreviven sus hijas Juana y Marcela. En vida, Andrés hizo una donación irrevocable a Juana, por valor de $3.500, con imputación a la legítima, y otra donación irrevocable en favor de su amigo Luis, por valor de $3.100.

Según la regla recién vista, si el valor de las donaciones irrevocables hechas en favor de "extraños" (Luis) es menor que siete novenas partes del *acervo líquido imaginario*, no habrá restitución. En nuestro caso, el *acervo líquido* es de $500 y la donación irrevocable que se hizo a Juana (legitimaria) es de $3.500, por lo que el *acervo líquido imaginario* asciende a $4.000. Las 7/9 partes de ese *acervo líquido imaginario* equivalen a $3.111,11 (resulta de multiplicar el *acervo líquido imaginario* —$4.000— por 7 y dividir entre 9). Luego, al ser el valor de la donación irrevocable en favor de Luis ($3.100) menor que ese valor ($3.111,11), no debería haber restitución. Veamos:

Primero se comprobará si hay un exceso:

$$E = D - \frac{D + A}{4}$$

$$E = \$3.100 - \frac{\$3.100 + \$4.000}{4}$$

$$E = \$3.100 - \frac{\$7.100}{4}$$

$$E = \$3.100 - \$1.775$$

$$E = \$1.325$$

Tenemos un exceso (E) de $1.325. De acuerdo con el artículo 1244 del Código Civil, en su versión anterior, tienen derecho los legitimarios para solicitar "que este exceso se agregue también imaginariamente al acervo, para la computación de las legítimas y mejoras".

Así pues, el *acervo líquido imaginario*, de acuerdo con lo establecido por el artículo 1242 del Código Civil, es de $5.325. Ello resulta de sumar el *acervo líquido* ($500), el *primer acervo imaginario* ($3.500) y el *segundo acervo imaginario* ($1.325). Debido a que hay descendientes, es menester proceder a calcular la media (½) legitimaria, la cuarta (¼) de mejoras y la cuarta (¼) de libre disposición, así: $5.325 ÷ 4 = $1.331,25.

Media (½) Legitimaria	$2.662,5
Cuarta (¼) de Mejoras	$1.331,25
Cuarta (¼) de Libre Disposición	$1.331,25
TOTAL = ACERVO LÍQUIDO IMAGINARIO	**$6.075**

El artículo 1245 del Código Civil manda comparar el exceso ($1.325) con la parte de bienes que el difunto (Andrés) pudo disponer libremente ($1.331,25 = cuarta de libre disposición). Hecha la comparación, se aprecia nítidamente que el exceso es <u>menor</u> que la cuarta de libre disposición. De consiguiente, <u>no</u> debería haber lugar a restitución alguna.

Empero, como se recordará, antes de efectuar la *imputación* del exceso a la totalidad de la *cuarta de libre disposición*, es necesario realizar la correspondiente *imputación* de las liberalidades hechas en favor del Juana (legitimaria), con fundamento en las cuales se formó el *primer acervo imaginario*. Entonces, sabemos que la donación irrevocable a Juana fue por valor de $3.500 y que su legítima rigorosa resulta de dividir la media legitimaria ($2.662,5) entre el número de descendientes (2). Luego la legítima rigorosa de Juana asciende a $1.331,25.

Hecha la primera *imputación*, se obtiene un exceso de $2.168,75 ($3.500 - $1.331,25), que se tendrá que sacar de la cuarta de mejoras, "sin perjuicio de dividirse por partes iguales entre los legitimarios" (art. 1251 del Código Civil). Debido a que la cuarta de mejoras equivale a $1.331,25, la parte de Juana en las mejoras es de $665,625 ($1.331,25 ÷ 2). Por lo tanto, esta segunda *imputación* genera un nuevo exceso de $1.503,125 ($2.168,75 — $665,625), que se deberá sacar de la libre disposición, "con preferencia a cualquier otro objeto" (art. 1252).

Comoquiera que la libre disposición tan solo equivale a $1.331,25 y el exceso de Juana es de $1.503,125, se *imputa* el exceso a la totalidad de la libre disposición y Juana debe restituir a la herencia $171,875 ($1.503,125 - $1.331,25).

Visto lo anterior, el exceso de la donación irrevocable que Andrés hizo en favor de Luis no tiene contra qué ser *imputado*, habida cuenta de que la libre disposición de Andrés fue completamente absorbida por Juana, con preferencia a todas las demás asignaciones. En consecuencia, a pesar de que el valor de la donación fue inferior a las siete novenas (7/9) partes del *acervo líquido imaginario,* Luis sí tendrá que restituir el exceso de $1.325, pero podrá retener el resto ($1.775, que resulta de restar el valor que debe restituir —$1.325— de la donación inicial —$3.100—).

Esta precisión, que es también aplicable a los casos en los que se reparta la herencia en el orden de los ascendientes, nos sirve para formular algunas consideraciones generales que se deben tener en cuenta en relación con el *segundo acervo imaginario:*

En primer lugar, la *imputación* del exceso *colacionado* a la *libre disposición* tiene preferencia sobre las demás asignaciones que el causante haya podido hacer con cargo a ese rubro, salvo en lo que toca con los excesos del *primer acervo imaginario,* como lo acabamos de demostrar. Esta afirmación se deriva de la integración lógica de los artículos 1245 y 1252 del Código Civil, en sus versiones anteriores a la promulgación de la ley 1934 de 2018.

Por lo tanto, si un causante donó irrevocablemente en vida a un extraño determinado valor y antes de morir otorgó testamento en el que hizo una asignación en favor de otro individuo con cargo a su libre disposición, primero se deberá imputar el valor del *exceso* de la donación irrevocable hecha en vida y después, si sobra alguna parte de la libre disposición, se podrá ejecutar la asignación testamentaria.

Pero si lo que sucede es que se hizo una liberalidad en favor de un legitimario en cuyo orden se reparte la herencia, con motivo de lo cual se forma el *primer acervo imaginario,* y el valor de esa liberalidad excede lo que el legitimario ha podido recibir a título de legítima y mejora, según el caso, esta liberalidad tendrá prelación en la *imputación* a la *libre disposición* del causante. Si hay algún remanente en la *libre disposición,* luego se podrá *imputar* el *exceso colacionado* en el *segundo acervo imaginario.*

En segundo lugar, creemos, al igual que LAFONT PIANETTA[750], que los aumentos derivados de la *segunda acumulación imaginaria,* cual sucede con la *primera,* no aprovechan a los demás acreedores hereditarios ni a los asignatarios que no sean legitimarios. Así lo prevé el artículo 1257 del Código Civil.

En tercer lugar, el inciso final del artículo 1245 del Código Civil, en su versión original, disponía que "[l]a insolvencia de un donatario no gravará a los otros". Significa ello que los legitimarios no podían reclamar la resti-

---

[750] Cfr. PEDRO LAFONT PIANETTA (*Derecho de sucesiones.* Tomo I. *Teoría del derecho sucesoral.* Segunda Edición. Ed. Librería del Profesional. Bogotá, 1980. Pág. 413 y 414).

tución del exceso a que tenían derecho de un donatario distinto de quien correspondiera en el tiempo. Recuérdese, al respecto, que la misma norma establecía que la restitución se debía pretender de los donatarios "en un orden inverso al de las fechas de las donaciones, esto es, principiando por las más recientes".

Así las cosas, si el causante hizo cinco donaciones irrevocables a extraños y en la sucesión resulta un exceso que debe ser restituido, los legitimarios deben perseguir al donatario de la última liberalidad. Mas cuando éste sea insolvente, y no pueda o tenga cómo restituir lo donado por el causante en vida, los legitimarios quedan imposibilitados para perseguir a los demás donatarios.

Ello conduce, en cuarto lugar, a que se tenga que aplicar, en esos eventos, el artículo 1254 del Código Civil que, en su versión anterior a la modificación incorporada por la Ley 1934 de 2018, establecía lo siguiente: "Si no hubiere cómo completar las legítimas y mejoras calculadas en conformidad con los artículos precedentes, se rebajarán unas y otras a prorrata". En esa forma, ante la imposibilidad de los legitimarios para perseguir a otros donatarios cuando el responsable de restituir el exceso sea insolvente, no queda más remedio que reducir las legítimas y mejoras a prorrata.

En quinto y último lugar, se debe hacer notar una peculiaridad: por medio de las donaciones irrevocables hechas en vida el causante puede disponer de un monto mayor al que hubiera podido si testara sobre su libre disposición. Sorprendente e inquietante resulta la afirmación, si se toma en consideración que la forma de calcular el exceso parece ser conducente para impedir que el causante burle las legítimas. Sin embargo, ello es así y se puede demostrar fácilmente. Veamos dos casos sencillos, ya empleados en los párrafos precedentes, a los que el lector puede fácilmente acudir:

1) Caso 1: Hipótesis con descendientes.

Martín fallece, deja una herencia de $5.000 y le sobreviven sus hijos José y Daniela. En vida, Martín hizo una donación irrevocable a José, imputando a la legítima, por valor de $1.000 y también efectuó donaciones irrevocables a su amiga Antonia, por valor de $4.700.

En la resolución del caso, concluimos que Antonia debía restituir la suma de $18,75, pero se quedó con $4.681,25. Ello significa que Martín pudo disponer, en vida, de $4.681,25.

Ahora bien, si en vida Martín no le hubiera donado irrevocablemente $4.700 a Antonia, sino que se los hubiera asignado en testamento, esto habría sucedido: Tendríamos un *acervo líquido* de $9.700 ($5.000 + $4.700) y un *primer acervo imaginario* de $1.000. Por lo tanto, habría un *acervo líquido imaginario* de $10.700 ($9.700 + $1.000). Como hay descendientes, sería necesario que calcular la media (½) legitimaria, la cuarta (¼) de libre disposición y la cuarta (¼) de mejoras, así:

Media (½) Legitimaria	$5.350
Cuarta (¼) de Mejoras	$2.675
Cuarta (¼) de Libre Disposición	$2.675
TOTAL = ACERVO LÍQUIDO IMAGINARIO	**$10.700**

De consiguiente, Martín solo habría podido entregar, como asignación en favor de Antonia, $2.675, que equivale a la totalidad de su libre disposición, y no los $4.700.

Si se compara el valor de lo que pudo donar irrevocablemente en vida ($4.681,25) con lo que pudo asignar mediante testamento ($2.675), fácilmente se advierte que el primer valor supera con crecer el segundo.

2) Caso 2: Hipótesis con ascendientes.

Lucas fallece, deja una herencia de $3.000 y le sobreviven sus padres Joaquín y Lucía. En vida, Lucas donó irrevocablemente $5.100 a su amigo Felipe.

En la resolución del caso, concluimos que Felipe debía restituir la suma de $35,5, pero se quedó con $5.062,5. Ello significa que Lucas pudo disponer, en vida, de $5.062,5.

Ahora bien, si en vida Lucas no le hubiera donado irrevocablemente $5.100 a Felipe, sino que se los hubiera asignado en testamento, esto habría sucedido: Tendríamos un *acervo líquido* de $8.100 ($5.100 + $3.000), sin ninguna clase de *acervos imaginarios*. Como no hay descendientes, sino solo ascendientes, sería necesario calcular la media (½) legitimaria y la media (½) de libre disposición, así:

Media (½) Legitimaria	$4.050
Cuarta (¼) de Libre Disposición	$4.050
TOTAL = ACERVO LÍQUIDO IMAGINARIO	**$8.100**

De consiguiente, Lucas solo habría podido entregar, como asignación en favor de Felipe, $4.050, que equivale a la totalidad de su libre disposición, y no los $5.100.

Si se compara el valor de lo que pudo donar irrevocablemente en vida ($5.062,5) con lo que pudo asignar mediante testamento ($4.050), fácilmente se advierte que el primer valor supera con crecer el segundo.

Se podría pensar que este es un beneficio desproporcionado y que, por tanto, hubiera sido conveniente ajustar el régimen legal para *colacionar* no solo el exceso de las donaciones irrevocables hechas a "extraños", sino su valor total. Empero, en línea con PINOCHET CONTRERAS, creemos que aquello sería "un atentado demasiado serio al derecho de propiedad, y hubo de evitarse"[751] en la Comisión redactora del Estatuto Civil.

Aunado a lo anterior, apunta CARRIZOSA PARDO que "[e]ste resultado [se refiere a la posibilidad de hacer una mayor proporción de liberalidades por actos entre vivos que por testamento] no es absurdo, sino, por el contrario, sabio y jurídico. La ley debe proteger con mayor precaución y severidad a la familia contra liberalidades del causante dispuestas en el testamento, que tienen consecuencias que no ha de ver ni soportar el testador mismo, que contra los actos gratuitos que haga en vida, con resultados que él mismo ha de experimentar. Una persona egoísta o ligera puede ser indiferente a lo que haya de sobrevenir después de su muerte, pero esa misma persona cuida mucho de que sus actos gratuitos no le traigan consecuencias enfadosas que haya de afrontar"[752].

B. Demostración de que la derogatoria del artículo 1243 del Código Civil fue producto de la torpeza legislativa, y no del real querer del Parlamento

Ya se vio la utilidad, no menor, de los acervos imaginarios en general y del primer acervo imaginario en particular. Es preciso, ahora, hacer notar que la derogatoria del artículo 1243 del Código Civil, hecha por la Ley 1934 de 2018, no obedeció a la deliberada intención del Congreso de la República de dar de baja el primer acervo imaginario, sino que fue producto de la torpeza, de la ligereza con que se abordó la materia en el trámite legislativo. Después de demostrar el equívoco que terminó con la exclusión de una de las instituciones más importantes del derecho sucesoral, resaltaremos y explicaremos, en detalle, las consecuencias jurídicas de ese yerro.

Dijimos que la intención original de los Parlamentarios que promovieron y presentaron el proyecto que a la postre se convertiría en la Ley 1934 de 2018 era aumentar la libertad de testar, por la vía de reducir la media

---

[751]   ÓSCAR PINOCHET CONTRERAS. *Asignaciones forzosas.* Trabajo para optar al grado de licenciado en la Facultad de Leyes y Ciencias Políticas de la Universidad de Chile. Ed. Nascimento. Santiago, 1926. Acápite II de la Tercera Parte.

[752]   HERNANDO CARRIZOSA PARDO. *Las sucesiones.* Cuarta Edición. Ed. Lerner. Bogotá, 1959. Pág. 428 y 429.

(½) legitimaria a un cuarto (¼) y eliminar definitivamente la cuarta (¼) de mejoras del ordenamiento jurídico colombiano. Así, la libre disposición en los primeros dos órdenes hereditarios sería de tres cuartas (¾) partes del acervo partible del causante, mientras que en los demás continuaría siendo la unidad completa.

En tal sentido, el artículo 5° del proyecto inicialmente radicado pretendía hacer algunos ajustes al artículo 1243 del Código Civil, fuente normativa del *primer acervo imaginario*. Decía el proyecto de norma[753]:

"Artículo 5°. El artículo 1243 del Código Civil quedará así:

'Artículo 1243. Para computar la cuarta de legítimas que se menciona en el artículo precedente, se acumularán imaginariamente al acervo líquido todas las donaciones revocables e irrevocables, hechas en razón de legítimas, según el valor que hayan tenido las cosas donadas al tiempo de la entrega, y las deducciones que, según el artículo 1234, se hagan a la porción conyugal'".

Repárese en que las modificaciones eran verdaderos ajustes, y no la eliminación del citado *acervo imaginario*, en la medida en que solo pretendían poner esta disposición a tono con la idea propuesta. En efecto, como se buscaba abolir el régimen de mejoras y disminuir la legítima rigorosa a una cuarta (¼) parte del acervo partible, se hacía imperativo explicar que la utilidad práctica del primer acervo imaginario era la formación exclusiva de la cuarta (¼) legitimaria. Mas nunca se insinuó la posibilidad de eliminar el primer acervo imaginario.

El Informe de Ponencia para Primer Debate en la Comisión I de la Cámara de Representantes, a cargo del Parlamentario RODRIGO LARA RESTREPO —autor del proyecto de ley—, fue copia verbatim del texto inicialmente radicado ante el Congreso de la República. Así se puede constatar en la Gaceta del Congreso de la República número 773 de 2016.

Luego de que se surtiera una interesante discusión de conveniencia política y social, mas no jurídica, al interior de la Comisión I de la Cámara de Representantes[754], se aprobó el texto puesto a su consideración sin cambios relevantes[755].

---

[753] Cfr. Gaceta del Congreso de la República número 602 de 2016.

[754] Las actas de la discusión están contenidas en las Gaceta del Congreso de la República números 1139 de 2016 y 15 de 2017.

[755] El texto aprobado en Primer Debate se puede consultar en el Informe de Ponencia para Segundo Debate, publicado en la Gaceta del Congreso de la República número 161 de 2017.

El Informe de Ponencia para Segundo Debate en Plenaria de la Cámara de Representantes[756] estuvo a cargo de los Parlamentarios RODRIGO LARA RESTREPO y ELBERT DÍAZ LOZANO. A causa de la acalorada discusión que se surtió en el seno de la Comisión I, los Ponentes decidieron sugerir que se abandonara la idea de reducir la media (½) legitimaria a un cuarto (¼), pero se aferraron a la idea de excluir las mejoras del ordenamiento jurídico colombiano.

En cuanto aquí interesa, el Informe de Ponencia al que nos hemos referido propuso la eliminación del artículo 5° del proyecto de ley, que modificaba el artículo 1243 del Código Civil (regulatorio del *primer acervo imaginario*), y planteó adicionar al artículo de derogatorias del proyecto de ley el artículo 1243 del Código Civil. Su explicación fue la siguiente:

> "Se elimina el artículo 5°, pues desaparece la cuarta de legítimas para que se disponga libremente por medio del testamento de la mitad de la masa de bienes"[757].

La sola lectura de la justificación transcrita permite avizorar, sin asomo de duda, la falta de diligencia del Informe de Ponencia. El artículo 5° del proyecto de ley modificaba el artículo 1243 del Código Civil, atañedero al *primer acervo imaginario*, en el sentido de acompasar su texto con la iniciativa parlamentaria. Así, el texto radicado ante el Congreso eliminaba del artículo 1243 la referencia a las mejoras y señalaba que el *primer acervo* se habría de integrar para el cómputo de la *cuarta de legítimas*.

Pero la explicación ofrecida por la Ponencia para Segundo Debate carece por completo de coherencia. Con la Ponencia se quiso rechazar la propuesta parlamentaria de reducir la media legitimaria a una cuarta parte del acervo partible; es decir, se pretendió dejar intacto el régimen legal que gobernaba las legítimas. La intención de la Ponencia no era "desaparecer" *las legítimas*, sino la propuesta que las reducía a una cuarta parte, lo cual confirma si se lee el artículo 4° del articulado propuesto:

> "Artículo 4° - El artículo 1242 del Código Civil quedará así:
>
> 'Artículo 1242.- Habiendo legitimarios, la mitad de los bienes, previas las deducciones de que habla el artículo 1016 y las agregaciones indicadas en los artículos 1243 a 1245, se dividen por cabezas o estirpes entre los respectivos legitimarios, según las reglas de la sucesión intestada; lo que cupiere a cada uno de esta división es su legítima rigurosa.

---

[756] Cfr. Gaceta del Congreso de la República número 161 de 2017.
[757] *Ibídem.*

> La mitad de la masa de bienes restantes constituyen la porción de bienes de que el testador ha podido disponer a su arbitrio'"[758].

Sobre las anteriores bases, la falta de coherencia que denunciamos en la explicación de la eliminación del artículo 5º del proyecto, y la posterior inclusión del artículo 1243 del Código Civil en las derogatorias, es evidente: ¿Qué tiene que ver que se rechace la propuesta de disminuir la cuota legitimaria con la eliminación del primer acervo imaginario? ¿Qué tiene que ver que el testador pueda disponer de la mitad de sus bienes, y no del 75 %, con la derogatoria del primer acervo imaginario? La respuesta para ambos interrogantes es la misma: nada.

La existencia de los acervos imaginarios, hemos insistido en ello, responde a la clara necesidad de evitar que se burle el régimen de legítimas y asignaciones forzosas, que constituyen límites ineludibles a la libertad de testar. Si lo pretendido por el Congreso era mantener esos límites, como en efecto lo era, no había ninguna explicación seria para deducir que, por ese hecho, debía desaparecer el primer acervo imaginario del ordenamiento jurídico. Es más, no solo no había una explicación seria, sino que se trataba de un verdadero contrasentido lógico y argumentativo:

¿Cómo se explica que se mantengan las legítimas, y con ellas los límites a la libertad testamentaria, pero se elimine una de las formas de hacer efectiva la protección de esas mismas legítimas? Si lo pretendido era destruir, soterradamente y a espaldas del pueblo colombiano, el régimen legal que evita que se burlen las asignaciones forzosas, ¿cómo se explica que se haya derogado el primer acervo imaginario, pero se haya mantenido el segundo (art. 1244)? Más aún: ¿de qué manera se justifica que se preserve el régimen de *imputación* y *restitución*, al propio tiempo como se haya dado al traste con el régimen de *colación*, que es el antecedente necesario de los otros dos? Ninguna de las anteriores preguntas tiene una respuesta.

Es palmario, entonces, que el Congreso no llegó a entender lo que significaba el *primer acervo imaginario* y, en lugar de consultar con expertos, en una extraña comprensión del alcance del artículo 1243 del Código Civil asumió que, a raíz de que la cuota de legítimas no sería una cuarta sino la mitad, ya no era necesaria esta disposición en el ordenamiento jurídico. En lo que evidentemente no reparó la Ponencia, se insiste, es en el hecho de que nuestro derecho positivo legislado ya preveía, antes como después de la modificación, que la cuota de legítimas era la mitad del acervo partible del causante.

---

[758] *Ibídem.*

Y si se quiere más claridad sobre el hecho de que no fue intencional la derogatoria del *primer acervo imaginario*, sino que obedeció a la llana torpeza del Congreso, basta volcar la mirada a la explicación de la modificación incorporada al artículo 4º del proyecto, modificatorio del artículo 1242 del Código Civil. En el Informe de Ponencia para Segundo Debate se lee lo siguiente:

> "El objetivo es dejar a disposición del testador solo la mitad de la masa de bienes, previas las referidas deducciones y **agregaciones**"[759]. (El destacado es nuestro).

Repárese en que el artículo 1242 del Código Civil, al que varias veces hemos aludido, es la norma que señala el método para determinar o calcular la legítima rigorosa. Primero se deben sumar todos los activos para hallar el *acervo bruto herencial*; luego se deducen las bajas generales de que trata el artículo 1016 del Código, con lo que se obtiene el *acervo líquido herencial*; después se hacen las agregaciones imaginarias, o sea, el *primer acervo imaginario*, constituido por las donaciones y liberalidades hechas en favor de los legitimarios a título de legítima o de mejora (antes de la ley 1934 de 2018), y el *segundo acervo imaginario*, constituido por el exceso de las donaciones irrevocables que se han hecho a "extraños". Así resulta un capital que denominamos *acervo líquido imaginario* y que obra como referente para calcular la media legitimaria y la libre disposición.

La justificación que antes se transcribe, plasmada en la Ponencia para segundo debate, da cuenta de que no se tuvo la intención, ni por asomo, de eliminar el primer acervo imaginario. No otra puede ser la interpretación cuando los propios ponentes explican la modificación propuesta a partir de que el testador pueda disponer de la mitad de sus bienes, "previas las referidas deducciones y agregaciones". ¿Cuáles son las agregaciones, si no el *primer* y *segundo acervo imaginario*? Si la voluntad del Legislador era eliminar el primer acervo y dejar solo el *segundo*, que se pasaría a llamar *único*, ¿por qué en la explicación de la propuesta los Ponentes se refirieron a las "agregaciones" en plural, en lugar de hacerlo en singular?

Es bien evidente que la derogatoria del *primer acervo imaginario* fue producto de un error, de una inadvertencia, de la torpeza, de la ligereza en el análisis y comprensión de la legislación colombiana, pero definitivamente no es atribuible a la voluntad serena, reflexiva y deliberada del Legislador. Por eso hemos insistido, desde el comienzo, en la fácil posibilidad de demostrar que no hubo aquí un real querer legislativo, sino un infortunado yerro.

---

[759] *Ibídem.*

Huelga agregar, en todo caso, que el infortunado yerro del Informe de Ponencia para Segundo Debate no fue advertido, cuestionado o increpado durante el resto del trámite legislativo[760]. Siguió inadvertido su curso hasta que se promulgó el proyecto conciliado y aprobado como ley de la República, número 1934 de 2018.

C. Distintas alternativas ofrecidas por la doctrina ante el execrable equívoco

Las consecuencias jurídicas que se derivan de la inadvertida derogatoria del *primer acervo imaginario* no son pocas. Tanto menos si se tiene en cuenta que, a pesar de la derogatoria del *primer acervo imaginario*, las reglas sobre *imputación* y *restitución* se mantuvieron, con algunos cambios, en nuestro derecho positivo legislado.

Es menester, de consiguiente, explorar las distintas alternativas que se han ofrecido en la doctrina para hacer frente a la infortunada equivocación legislativa.

A'. El primer acervo imaginario sí fue derogado: tesis de jorge parra benítez

En su artículo *La abolición del artículo 1243 del Código Civil y la protección de las legítimas rigurosas en Colombia*[761], JORGE PARRA BENÍTEZ reconoce que la derogatoria del artículo 1243 del Código Civil obedeció a "un error (…)

---

[760] El acta de la Plenaria de la Cámara de Representantes se encuentra publicada en la Gaceta del Congreso de la República número 729 de 2017. El Informe de Ponencia para Tercer Debate en la Comisión I del Senado de la República, a cargo del Senador GERMÁN VARÓN COTRINO, está disponible para consulta en la Gaceta del Congreso de la República número 909 de 2017. El acta de la discusión de la iniciativa en la Comisión I del Senado de la República se encuentra publicada en la Gaceta del Congreso de la República número 205 de 2018. El Informe de Ponencia para Cuarto Debate en Plenaria del Senado de la República, también a cargo del Senador GERMÁN VARÓN COTRINO, está disponible para consulta en la Gaceta del Congreso de la República número 233 de 2018. Las actas de la discusión de la iniciativa en la Plenaria del Senado de la República son legibles en las Gacetas del Congreso de la República números 822 y 962 de 2018. Los Informes de Conciliación se pueden consultar en las Gacetas del Congreso de la República números 481 y 482 de 2018.

[761] Véase a JORGE PARRA BENÍTEZ. *La abolición del artículo 1243 del Código Civil y la protección de las legítimas rigurosas en Colombia* en Revista de la Academia Colombiana de Jurisprudencia. Volumen 1. Número. 370. Ed. Academia Colombiana de Jurisprudencia. Bogotá, 2019. Pág. 7 a 38.

protuberante de lectura"[762] del Legislador, "cuando lo que debió hacerse fue cambiar en éste la expresión *cuarta de legítima* por *mitad legitimaria*"[763]. Y agrega el tratadista que la consecuencia jurídica de tal inadvertencia es, "[s] in rodeos, (…) que los anticipos efectuados a un legitimario por quien le debía la legítima no le serán descontados, aunque se conserve una norma sobre imputación, porque el monto de lo anticipado no puede ser considerado en la distribución final de la mitad legitimaria al no poderse colacionar"[764].

A juicio de PARRA, la colación o acumulación imaginaria solo procede si el ordenamiento jurídico expresamente así lo dispone, con clara indicación de la forma y condiciones para su aplicación. Por tanto, resulta imposible acudir a diversas normas del Estatuto Civil que se refieren tangencialmente a la citada acumulación, porque no precisan el procedimiento a seguir para la integración y formación del *primer acervo imaginario,* hoy desaparecido.

En forma extraña, aunque explicable por haber sido la derogatoria del artículo 1243 un error parlamentario, la estructura actual de nuestro Código Civil no consagra reglas sobre *acumulación* o *colación,* pero sí sobre *imputación* y *restitución.*

Respecto de la *imputación,* el nuevo artículo 1256 del Estatuto Civil, expresamente modificado por la ley 1934 de 2018, indica que los legados y donaciones hechos a los legitimarios se entienden hechos como anticipo de su *legítima,* salvo que en acto auténtico aparezca que se deben imputar a la *libre disposición* del causante. En opinión de PARRA BENÍTEZ, la disposición en análisis simplemente consagra "la aplicación de un anticipo, para restarlo, cuando haya de descontarse[765]. Pero el texto mismo no ordena en realidad el descuento, porque éste dependía del artículo 1243, que era la fuente cierta del cálculo de la legítima"[766].

En apoyo de su tesis, PARRA indica que el segundo inciso del artículo 1256 del Código Civil, que regula la *imputación,* establece que los gastos de educación no se toman en consideración para la "<u>computación</u>" de las le-

---

[762]   *Ibídem.* Pág. 20.

[763]   *Ibídem.* Pág. 21.

[764]   *Ibídem.* Pág. 21.

[765]   Es decir, en los supuestos que recogen el segundo párrafo del artículo 1256 y el artículo 1261 del Código.

[766]   JORGE PARRA BENÍTEZ. *La abolición del artículo 1243 del Código Civil y la protección de las legítimas rigurosas en Colombia* en Revista de la Academia Colombiana de Jurisprudencia. Volumen 1. Número. 370. Ed. Academia Colombiana de Jurisprudencia. Bogotá, 2019. Pág. 23.

gítimas[767]. En razón de que la norma en análisis se refiere al "cómputo" de las legítimas, que equivale al "cálculo", es preciso entonces concluir que lo querido por el Legislador es solo autorizar que se haga la *imputación* cuando previamente ha habido una colación que permita "calcular" o "computar" las legítimas, en lugar de permitir que la *imputación* se efectúe como descuento directo de la legítima correspondiente real de los herederos. Lo anterior se traduce en que, ante la imposibilidad de conformar el *primer acervo imaginario* por falta de norma para efectuar la *colación* (derogado el artículo 1243 del Código Civil), sea también inaplicable la disposición que regula la *imputación* (art. 1256 del Código Civil).

Luego de advertir las múltiples complicaciones que surgirían de entretener la posible aplicabilidad de las normas sobre *imputación* como autorizaciones para descontar directamente los anticipos entregados en vida contra las legítimas sin necesidad de *colación*[768] y de descartar tal posibilidad, Parra Benítez estudia una a una las disposiciones que, incluso después de la modificación introducida por la ley 1934 de 2018, se relacionan con el *primer acervo imaginario*, con el propósito de demostrar que se trata de simples "fuente[s] de distracción"[769], incapaces de desvirtuar la "pérdida de vigencia"[770] del *primer acervo imaginario* entre nosotros.

Comienza su análisis con el artículo 1242 del Código Civil, relacionado con la conformación de las medias legitimaria y de libre disposición, y afirma que la cita que en su nuevo texto se hace del artículo 1243, *ibídem*, es tan solo el producto de una "distracción".

Continúa con el artículo 1247, de acuerdo con el cual, "[s]i la suma de lo que se ha dado en razón de legítima no alcanzare la mitad del acervo imaginario, el déficit se sacará de los bienes, con preferencia a toda otra inversión". Vale aclarar que el nuevo texto de la disposición, introducido por el artículo 7º de la ley 1934 de 2018, es exactamente igual al originalmente consagrado por el Estatuto Civil. En todo caso, respecto de la preceptiva el tratadista sostiene que el objeto de la norma no es revivir el *primer acervo imaginario*, sino "honrar las legítimas con su pago preferente en relación con lo que el testador haya dispuesto por libre disposición"[771].

---

[767] *Ibídem*. Pág. 23.
[768] *Ibídem*. Pág. 23 a 26.
[769] *Ibídem*. Pág. 27.
[770] *Ibídem*. Pág. 27.
[771] *Ibídem*. Pág. 27.

Más adelante, se aborda el artículo 1251, en cuya nueva versión se dispone que, "[s]i lo que se ha dado o se da en razón de legítimas, excediere a la mitad del acervo imaginario, el exceso se imputará a la mitad de libre disposición, con exclusión del cónyuge sobreviviente, en el caso del artículo 1236, inciso 2, todo ello sin perjuicio de cualquier otro objeto de libre disposición, a que el difunto las haya destinado". El profesor señala que lo anterior se "traduce [en] que debe acatarse la voluntad del testador en esa libre disposición y solo cuando nada haya expresado se hará la imputación"[772]. Y seguidamente aclara que, "aunque en su parte inicial el artículo 1251 menciona el acervo imaginario, cuando dice, precisamente, que 'Si lo que se ha dado o se da en razón de legítimas, excediere a la <u>mitad del acervo imaginario</u>…', se trata de una alusión sin efecto, porque excluido del ordenamiento el artículo 1243 no hay lugar a la formación de acervo imaginario con las donaciones hechas a legitimarios"[773]. De manera que, en opinión de PARRA, el artículo 1251 resulta ser, como el artículo 1256, completamente inane.

Posteriormente, pasa al banquillo el artículo 1257 que establece, en la redacción prevista por el artículo 13 de la Ley 1934 de 2018, que "[l]a acumulación de lo que se ha donado irrevocablemente en razón de legítimas, para el cómputo prevenido por el artículo 1242 y siguientes, no aprovecha a los acreedores hereditarios ni a los asignatarios que lo sean a otro título que al de legítima". En torno a esta preceptiva, señala el profesor que la referencia a los artículos "siguientes" al artículo 1242, "carece de valor"[774] en cuanto toca con el artículo 1243.

Pero agrega que la interpretación es más compleja, pues la alusión a lo "donado irrevocablemente en razón de legítimas" "justamente llevaría a pensar que, como son éstas las que dan origen al antiguo acervo imaginario primero, todavía existe éste al tratar el artículo 1257 de la acumulación para descartar el provecho de acreedores hereditarios o de asignatarios no legitimarios"[775]. Para despachar desfavorablemente una postura semejante, PARRA BENÍTEZ acude a dos métodos de interpretación de la ley: (i) en primer lugar, acude al espíritu del Legislador (art. 27 del Código Civil), de donde concluye que no fue intención del Congreso revivir el *primer acervo imaginario*, sino reproducir textualmente la norma anterior, pero con supre-

---

[772] *Ibídem.* Pág. 28.
[773] *Ibídem.* Pág. 28.
[774] *Ibídem.* Pág. 28.
[775] *Ibídem.* Pág. 28.

sión de la referencia que se hacía a las *mejoras*; (ii) en segundo lugar, como alternativa adicional, echa mano de la individualización de la materia del canon, con lo cual asevera que el artículo 1257, en lugar de regular la acumulación imaginaria, procura evitar que algunos terceros reciban provecho de las acumulaciones. Así, concluye entonces que la referencia al "cómputo prevenido en los artículos 1242 y siguientes" está hecha, exclusivamente, a los artículos 1242 y 1244, por haber desaparecido el artículo 1243.

Finalmente, comenta el artículo 1264 del Código Civil, relativo a la restitución, cuyo nuevo inciso segundo indica que si al donatario de especies "le cupiere definitivamente una cantidad inferior al valor de las mismas especies, y estuviere obligado a pagar un saldo, podrá, a su arbitrio, hacer este pago en dinero, o restituir una o más de dichas especies, y exigir la debida compensación pecuniaria, por lo que el valor actual de las especies que restituya excediere el saldo que debe". Al decir del profesor, esta disposición "hace dudar de lo expuesto alrededor del primer acervo imaginario"[776]. En efecto, si hay lugar a restitución se debería entender con ello que así se repone el derecho de los otros asignatarios que han sido perjudicados con la merma de su cuota. Pero indica a renglón seguido que el destino de esta partida no está definido en el sistema de la Ley 1934 de 2018, por lo que, en aplicación del nuevo artículo 1251 del Código Civil, se podría deducir que "el excedente parará en libre disposición y no en legítimas"[777].

En nuestra opinión, una correcta lectura del argumento de PARRA BE-NÍTEZ conduce al entendimiento de que, en primer lugar, esta norma debería ser inaplicable, al menos cuando las donaciones en especie se hacen con imputación a la legítima. Ello porque, para que proceda la *restitución*, indudablemente debe haber primero una *imputación*. Y, comoquiera que el tratadista rechaza la factibilidad de hacer una *imputación* si no hay una *colación* (que era la reglada por el artículo 1243 del Código Civil, hoy derogado por la Ley 1934 de 2018), es forzoso concluir que no habría, por tanto, lugar a *restitución*.

Así las cosas, la interpretación sobre la aplicación del artículo 1264 del Código Civil que deja vertida el profesor en el texto se debe entender solo en el caso de que se argumente, además, que la *imputación* procede como descuento directo contra la legítima, sin necesidad de *colación* o *acumulación* previa. En ese evento, entonces, sí se podrá dar aplicación ulterior a una re-

---

[776] *Ibídem.* Pág. 29.
[777] *Ibídem.* Pág. 30.

gla de *restitución*, que de otro modo también debería ser estéril (como todas las normas antes comentadas), en la línea argumentativa de PARRA BENÍTEZ.

B'. El primer acervo imaginario no fue derogado: tesis de Pedro Lafont Pianetta y Néstor Raúl Charrupi Hernández

Dos, muy cercanas, son las visiones que se han esgrimido en relación con la defensa de la vigencia del *primer acervo imaginario*.

Por un lado, PEDRO LAFONT PIANETTA, en la décima edición del segundo volumen de su libro *Derecho de sucesiones*[778], sostiene lo siguiente:

Es verdad que el artículo 20 de la Ley 1934 de 2018 derogó la totalidad del artículo 1243 del Código Civil "en forma imprecisa"[779], cuando se debió limitar a la eliminación de la acumulación imaginaria por donaciones a título de mejoras. Empero, "a fin de darle el verdadero alcance a esta derogatoria, se hace necesario, de una parte, acudir al artículo 1242 C.C., inciso 2º (SIC), que según el artículo 4º de la Ley 1934 de 2018, que habla de las 'agregaciones indicadas en los artículos 1243 a 1245', que (SIC) deja vigente el 1243 C.C.; y, de la otra, se hace indispensable ajustar esta derogatoria al espíritu y contexto de la Ley 1934 de 2018 (Arts. 27 y 30 C.C.) que, como se ha visto, tuvo la intención de derogar las donaciones hechas a título de mejoras (Art. 1259 C.C.), quedando vigente (SIC) las donaciones a título de legítima, pues no solo no hubo la intención de eliminarla, sino, por el contrario, su intención fue la de reafirmarla en los artículos 1251, 1254, 1256, 1263 y 1264 del C.C. (Arts. 10 y ss. Ley 1934 de 2018)"[780].

Así, sostiene el tratadista que la única derogatoria sufrida por el artículo es la relativa a las donaciones hechas a título de mejoras y en lo relacionado con la distribución general, que ya no alude a las cuatro partes, sino a dos. Y "[e]n lo demás quedó vigente"[781].

Pero además se opone a la interpretación según la cual se hizo una derogatoria total del artículo 1243 del Código Civil, porque ello no solo iría en contravía del "espíritu de la misma ley de dejar vigente la posibilidad

---

[778]   Véase a PEDRO LAFONT PIANETTA. *Derecho de sucesiones*. Tomo II. *Sucesión testamentaria y contractual. La partición y protección sucesoral. Partición sucesoral anticipada.* Décima Edición. Ed. Librería del Profesional. Bogotá, 2019. Pág. 315 a 316 y 334 y siguientes.
[779]   *Ibídem.* Pág. 315.
[780]   *Ibídem.* Pág. 315.
[781]   *Ibídem.* Pág. 315.

de hacer donaciones a título de legítima y la de que ellas sean imputables a esta última y a la cuota de libre disposición (como se desprende de la reproducción de ellos en los artículos 1247 a 1261, 1264 y concord. del C.C.)"[782], sino que también conduciría "a no tener en cuenta en la sucesión del donante las donaciones hechas a ciertos legitimarios, lo que, a su turno, daría lugar a que los legitimarios-donatarios recibieran una cuota mayor a la que correspondería a los legitimarios-no donatarios, quebrantándose de esta manera las disposiciones constitucionales y legales arriba mencionadas de la imperativa distribución igualitaria de las legítimas"[783].

Por su parte, Néstor Raúl Charrupi Hernández, en el texto intitulado *La evolución del régimen sucesoral en el derecho colombiano. A propósito de la Ley 1934 de 2018*[784], defiende la vigencia del *primer acervo imaginario*, así:

La derogatoria del artículo 1243 del Código Civil se podría considerar, en principio, "como una medida que pretendía otorgar mayores libertades al testador"[785]. Sin embargo, carece de todo sentido que, en forma contradictoria, se haya derogado el *primer acervo imaginario* (art. 1243), mientras se dejó vigente el *segundo acervo imaginario* (art. 1244).

En opinión de Charrupi Hernández, la subsistencia del *primer acervo imaginario* se puede colegir de la reforma al artículo 1226 del Código Civil, que mantuvo como una de las asignaciones forzosas a las *legítimas*. En efecto, al haber sido concebidos los dos *acervos imaginarios* como mecanismos de protección de las *legítimas*, se hace necesaria su "existencia, procedencia y aplicación"[786].

Adicionalmente, el profesor se vale de la nueva redacción del artículo 1244 del Código Civil, que ordena, para efectos de calcular el *segundo acervo imaginario*, la confrontación de las donaciones irrevocables hechas a favor de extraños con "la mitad de la suma formada por este valor y al del <u>acervo imaginario</u>". En su criterio, "[e]sto significa que [la norma] parte de la existencia y configuración previa del primer acervo imaginario en aquellos eventos en los cuales haya habido donaciones realizadas por el causante a legitima-

---

[782]   *Ibídem*. Pág. 315 y 316.

[783]   *Ibídem*. Pág. 316.

[784]   Véase a Néstor Raúl Charrupi Hernández. *La evolución del régimen sucesoral en el derecho colombiano. A propósito de la Ley 1934 de 2018* en Revista de Derecho Privado. Número 40. Ed. Universidad Externado de Colombia. Bogotá, 2021. Pág. 437 a 462.

[785]   *Ibídem*. Pág. 457.

[786]   *Ibídem*. Pág. 457.

rios; no otra inteligencia puede otorgársele al artículo 1244 actual, ya que de lo contrario quedaría su aplicación huérfana de sentido y pertinencia"[787].

Más adelante, CHARRUPI sostiene que a la misma conclusión se llega si se analiza el nuevo texto del artículo 1256 del Código Civil, conforme al cual se mantuvo intacta la *imputación* a la legítima de las donaciones hechas en vida a un legitimario. A su juicio, la disposición "conduce a entender que para todos los efectos deberá adicionarse o colacionarse imaginariamente toda donación realizada por el causante a un legitimario —anticipo de legítima—, para así proceder a establecer el cómputo de las asignaciones forzosas, y en especial, las legítimas, lo que en últimas comporta la necesidad de configuración en estos eventos del primer acervo imaginario"[788].

Finalmente, en refuerzo de su posición el profesor recalca que los artículos 1247, 1251 y 1257 del Código Civil, en su redacción actual, remiten a los acervos imaginarios y, por tanto, despejan cualquier duda en torno a su vigencia.

C'. Nuestra posición sobre el particular

Delanteramente advertimos que, en nuestra opinión, el *primer acervo imaginario* sigue vigente en el ordenamiento jurídico colombiano.

No está en discusión que el artículo 20 de la Ley 1934 de 2018 expresamente anunció la derogatoria del artículo 1243 del Código Civil, sin ningún bemol o matiz. Tampoco lo está el hecho de que era el artículo 1243 el fundamento legal que directamente ordenaba el procedimiento para la conformación del *primer acervo imaginario*, ni que la derogatoria anunciada por la ley fue producto de un error del Parlamento. Aunado a ello, es evidente que la derogatoria del artículo 1243 del Código Civil parece ser suficientemente "clara", por lo que, en línea con lo previsto por el artículo 27, *ibídem*, no sería posible desatender "su tenor literal a pretexto de consultar su espíritu".

---

[787]   *Ibídem*. Pág. 457.

[788]   *Ibídem*. Pág. 458. Esta visión podría ser matizada, porque, aunque la regla general de *imputación* es que se haya hecho previamente una *colación*, sería perfectamente posible que la ley ordenara la *imputación* como descuento directo contra la *legítima* o el rubro pertinente, sin necesidad de *colación* previa. En nuestra opinión, como lo sostiene PARRA BENÍTEZ, la estructura actual de nuestro Código, al aludir al "*cómputo*" de las legítimas, condiciona la *imputación* a que haya una *colación* previa. Pero otros podrían sostener, en tesis contraria, que no se requiere ahora una *colación*, en virtud de la derogatoria del artículo 1243 del Código Civil, sino que la *imputación* se reduce a un descuento directo contra la legítima. Ello, por supuesto, sin entrar en las enormes dificultades prácticas y legales que se derivarían de tal planteamiento.

Empero, aunque la derogatoria del artículo que ordenaba de manera directa el procedimiento para la formación e integración del *primer acervo imaginario* es clara en apariencia, *la ley* —entendida como conjunto de disposiciones que gobiernan una materia— es absolutamente obscura. Si el Congreso de la República hubiera eliminado todos los artículos alusivos a ese *primer acervo imaginario*, no cabría duda de la forma en que se habría de proceder en cuanto a la aplicación de la ley, mas no lo hizo. Es así que el mismo cuerpo normativo (Ley 1934 de 2018) derogó expresamente el *primer acervo imaginario*, al propio tiempo como mantuvo y modificó, también expresamente, otros cánones del Estatuto Civil que se refieren a ese primer acervo imaginario[789]. Son estos últimos los que Parra Benítez llama "fuentes de distracción".

La obscuridad innegable va más allá de la subsistencia de las figuras de *imputación* y *restitución*. A pesar de que lo habitual es que la *imputación* proceda cuando ha mediado previamente una *colación* o *acumulación* (que fue la derogada por el Parlamento), nada obsta para que la ley disponga que la *imputación* se debe entender como un descuento directo contra el rubro que se vaya a afectar, sin que haya necesidad de *colación* alguna[790]. De ese modo, la *restitución* podría operar, libre y plenamente, siempre que hubiera normas precisas al respecto. Pero ocurre que la promulgación de la Ley 1934 de 2018 no estructuró un sistema para la operatividad de la rebaja directa de la legítima y, como más adelante se verá, la ausencia de normativa al respecto podría incluso, según la tesis que se adopte, lesionar gravemente los intereses de los demás legitimarios o los propios del causante al hacer las liberalidades en vida.

En todo caso, Jorge Parra Benítez, que estima abolido el *primer acervo imaginario*, sostiene que la estructura actual del Código, con la reforma de la Ley 1934, hace inaplicables las figuras de *imputación* y *restitución* en las liberalidades hechas en favor de los legitimarios en cuyo orden se reparte la herencia, porque, en su criterio, la redacción normativa exige, para su operatividad, una *colación* previa que ya no hay manera de hacer.

Este sucinto abrebocas nos permite afirmar, sin asomo de duda, que la claridad que se denuncia en la derogatoria del artículo 1243 del Código Civil (*primer acervo imaginario*) no es más que una apariencia. Es por ello que su verdadero sentido se debe desentrañar. Para ese propósito, el ejercicio

---

[789]   Cfr. artículos 1242, 1244, 1256 y 1257 del Código Civil, entre otros.

[790]   Sobre esta temática, el lector puede acudir Antonio Vela Sánchez. *Claves para la imputación de donaciones y legados en el haber hereditario* en Revista de Derecho Civil. Volumen V. Número 4. Ed. NOTYREG HISPANIA. Madrid, 2018. Pág. 333 a 360.

hermenéutico debe partir de dos bases fundamentales: (i) la primera está constituida por la Constitución Política y los principios generales del Derecho en abstracto y del Derecho de Familia en concreto; (ii) la segunda lo está por las reglas interpretativas de índole legal, cuales son las consagradas en el propio Código Civil.

En cuanto a la primera base, el criterio orientador de la interpretación que enseguida haremos se sustenta en la concepción de la familia como núcleo fundamental de la sociedad (art. 5 y 42 de la Carta Política), la igualdad de los hijos ante la ley (art. 42, *ibídem*), el principio general del efecto útil de las normas (que enseña que las normas se deben interpretar de tal manera que produzcan un efecto) y el principio *favoris familiæ* (conforme al cual lo dudoso de una disposición se debe resolver siempre en favor de la familia)[791].

Por lo que toca con la segunda base, es decir, aquella integrada por las reglas interpretativas consagradas en el propio Código Civil, es preciso evocar las instrucciones conferidas al efecto por los artículos 27 a 32, apoyados en las juiciosas consideraciones que, al efecto, se han hecho en los ya inveterados textos de estudio de la normativa civil. Veamos:

EDMOND CHAMPEAU y ANTONIO JOSÉ URIBE explican lo siguiente:

"129. Cuando el texto de la ley no es suficientemente claro, se emplean los procedimientos siguientes:

1º) Se coteja el texto que se trata de interpretar con otras disposiciones de la misma materia, o con las de materias análogas"[792] (artículo 30 del Código Civil).

Esa primera regla interpretativa es comentada por FERNANDO VÉLEZ, así:

"En una misma ley es natural que haya unidad, puesto que el pensamiento del Legislador debió ser *uno*. De modo que habiendo oscuridad en una parte de la ley, sería absurdo interpretar esa parte en sentido que destruya la debida correspondencia y armonía con ésta"[793].

[791] Véanse a JOSÉ OSVALDO CASÁS (*Tributación y familia* en Revista Jurídica. Número 27. Ed. Facultad de Jurisprudencia y Ciencias Sociales y Política de la Universidad Católica de Santiago de Guayaquil. Guayaquil, 2010. Pág. 339 a 419) y a JORGE PARRA BENÍTEZ (*Derecho* … Tomo I … Pág. 72 y 73).

[792] EDMOND CHAMPEAU y ANTONIO JOSÉ URIBE. *Tratado* … Tomo I … Pág. 90.

[793] FERNANDO VÉLEZ. *Estudio sobre el derecho civil colombiano.* Tomo I. Segunda Edición. Ed. Imprenta París-América. París, 1926. Pág. 35.

Continúan CHAMPEAU y URIBE con la siguiente regla:

"130. 2°) Se busca en los trabajos preparatorios de la ley el pensamiento de los que han tomado parte en su discusión. Así lo indica el inciso 2° del artículo 27"[794].

La visión de VÉLEZ se indica a continuación:

"Como ahora no se consignan en las leyes, como antes, los motivos que les sirven de fundamento, el mejor medio de conocer la historia de una ley, es el estudio de los proyectos en que se propuso al Congreso, de los informes que la acompañaron y de las discusiones que precedieron a su expedición"[795].

Luego de comentar las demás reglas de interpretación que se encuentran insertas en nuestro Estatuto Civil, pero que no afectarán nuestro análisis, CHAMPEAU y URIBE culminan con un criterio final:

"133. 5°) Se puede todavía, pero es un procedimiento que no debe emplearse sino con mucha cautela, examinar cuáles son las consecuencias buenas ó malas que resultaría[n] de determinada interpretación legal. Tal procedimiento corresponde muy bien á lo que se llama en matemáticas método de demostración por el absurdo; pero se sabe que, aun en aquéllas, donde los medios de razonamiento son mucho más seguros, el método *ad absurdo* es algo peligroso, y no se emplea sino a falta de otro. Con mayor razón debe desconfiarse de él en cuestiones de derecho, porque en ellas todo razonamiento es más delicado e incierto"[796].

Sobre las anteriores bases, procederemos entonces a dar aplicación a las reglas que obran como criterios hermenéuticos, a fin de desentrañar el verdadero sentido y alcance de la aparente derogatoria del *primer acervo imaginario*:

En punto al *contexto* y al *espíritu de la ley*, fácilmente se podría pensar que la derogatoria del primer acervo imaginario fue producto de la intención soterrada del Legislador de impedir la protección efectiva de las legítimas, habida cuenta de que el contexto *general* en que se presentó y sustentó el proyecto que se habría de convertir en la Ley 1934 de 2018 fue justamente el de ampliar en forma ostensible la libertad testamentaria. Pero, pese a que ya dedicamos un título entero a este propósito, resulta indispensable volver a indicar que el contexto *particular* que rodeó la derogatoria fue otro diametralmente opuesto.

---

794   EDMOND CHAMPEAU y ANTONIO JOSÉ URIBE. *Tratado* ... Tomo I ... Pág. 90.

795   FERNANDO VÉLEZ. *Estudio sobre el derecho civil colombiano*. Tomo I. Segunda Edición. Ed. Imprenta París-América. París, 1926. Pág. 35.

796   EDMOND CHAMPEAU y ANTONIO JOSÉ URIBE. *Tratado* ... Tomo I ... Pág. 91 y 92.

El lector recordará que el proyecto inicial pretendía aumentar la cuota de libre disposición a las tres cuartas (¾) partes del *acervo partible*, por la vía de eliminar la cuarta (¼) de mejoras y reducir la media (½) legitimaria a una cuarta (¼) parte[797]. Esa propuesta encontró marcada resistencia en la Comisión Primera de la Cámara de Representantes, donde se surtió el primer debate del proyecto de ley. En particular, como se puede leer en el acta 029 del 6 de diciembre de 2017, disponible en la Gaceta del Congreso de la República número 015 de 2017, los Representantes SAMUEL HOYOS MEJÍA[798] y ELBERT DÍAZ LOZANO[799] presentaron serios reparos al proyecto. El primero votó negativamente la iniciativa, mientras que el segundo lo hizo en forma positiva, aunque dejó radicada una proposición de constancia en la que se reducía la cuota de libre disposición, en relación con lo previsto por el proyecto de ley, a la mitad (½) del *acervo partible* y se aumentaba la legítima, también en relación con lo previsto por el proyecto de ley, a la otra mitad (½).

Es de capital relevancia comprender que cuando se emplean las expresiones *"reducción"* y *"aumento"* para aludir, en su orden, a las cuotas de libre disposición y de legítima rigorosa, obra como referente el proyecto de ley. Pero otro es el escenario si el punto de comparación es el ordenamiento jurídico para entonces vigente, porque en tal caso la cuota de libre dispo-

---

[797] Cfr. Gaceta del Congreso de la República número 602 de 2016.

[798] En su intervención, específicamente sobre el aspecto de la legítima rigorosa, dijo el Representante SAMUEL HOYOS: "[U]na de las razones por las que no estoy de acuerdo a pesar de las buenas intenciones del doctor Lara, es que por ejemplo los hijos extramatrimoniales podrían verse afectados en la medida en que participan de la porción de legitimarias, pero la de libre disposición podría cederse por ejemplo a los matrimoniales, viéndose afectados de esa manera o a la inversa, entonces por eso yo prefiero que el tratamiento sea igual para los hijos sin importar si son matrimoniales o no, tengan un tratamiento igual y que con la cuarta de libre disposición pues está bien que se pueda disponer. Ya que fui derrotado le propongo doctor Lara que estudien la posibilidad de reducirlo, aunque sea al 50 % la porción de libre disposición para la Plenaria. Muchas gracias".

[799] El Representante ELBERT DÍAZ señaló lo siguiente: "[A]lguien puede convencer a la persona que va a testar a que esa persona le deje ese 75 % a esa persona, y, ¿quién puede ser esa persona?, un muy allegado a la persona que va a testar o uno de los hijos, o un solo hijo puede convencer al papá o a la mamá que le deje el 75 % y lo que eso puede conllevar es precisamente problemas familiares internos, como ha sucedido, ustedes recuerdan el caso de este cantante que se murió hace poquito, le dejó todo a un solo hijo y los demás hermanos de esa persona se han transado en una pelea familiar que no se sabe qué consecuencias pueda tener. Es decir, eso del tema de que mejora la estructura familiar [se refiere al incremento de la libre disposición a ¾ partes] eso también puede ser lo contrario".

sición se "*aumentaría*", en la medida en que pasaría de ser una cuarta parte (¼) a la mitad (½) del *acervo partible*, y la legítima rigorosa quedaría "*intacta*", pues seguiría siendo la mitad (½) del *acervo partible*.

Ahora bien, fue con base en lo anterior que, en el Informe de Ponencia para Segundo Debate, en el que obró como uno de los ponentes el Representante ELBERT DÍAZ LOZANO, se incluyeron las modificaciones que habían sido radicadas como proposición en el Primer Debate, dirigidas a que la cuota de libre disposición fuera solo la mitad (½) del *acervo partible* y que la otra mitad (½) estuviera integrada por la legítima rigorosa. Pero en ese mismo Informe de Ponencia se eliminó, por error, el artículo 5° del proyecto y se incluyó el artículo 1243 del Código Civil en el listado de normas expresamente derogadas.

Más allá de la incoherente explicación que se dio, y que transcribimos y comentamos en título anterior, lo verdaderamente importante de este recuento es apreciar que el contexto *particular* en que se incluyó y aprobó la derogatoria no fue el de ampliar la libertad de testar, sino todo lo contrario: en el esfuerzo, mal encauzado, por mantener la cuota de legítimas y proteger, consiguientemente, a los legitimarios.

De manera que un análisis detallado del cuerpo normativo permite avizorar, sin asomo de duda, que el pensamiento del Legislador y el contexto de aprobación de la derogatoria no fue el de la ampliación de la libertad testamentaria, sino el de la protección de la legítima. Tal visión del asunto se robustece, formidablemente, cuando se entiende que el ponente del Informe para Segundo Debate en la Cámara de Representantes fue el mismo Parlamentario que en Primer Debate había radicado la proposición de mantener las legítimas intactas, con su debida y correlativa protección. Esas consideraciones excluyen la posibilidad de que la intención del Congreso hubiera sido desproteger las legítimas a espaldas del pueblo colombiano, mientras se aducía su aparente blindaje.

Aunado a lo anterior, enseguida se verá que las demás disposiciones normativas que conforman la Ley 1934 de 2018 sí parten de la existencia del *primer acervo imaginario*, a tal punto que no solo lo citan, sino que esas disposiciones preservan su estructura casi idéntica a la que tenían antes de la reforma. De esta forma se coadyuvará a la correcta comprensión del *contexto* en que se encuentra inserta la norma.

En primer lugar, el artículo 13 de la ley, que modificó el artículo 1257 del Código Civil, señala que "[l]a acumulación de lo que se ha donado irrevocablemente en razón de legítimas, para el cómputo prevenido por el artículo 1242 y siguientes, no aprovecha a los acreedores hereditarios ni a los asignatarios que lo sean a otro título que al de legítima". Bastante ilustrativa es la disposición al reconocer que hay en el ordenamiento jurídico una *acumulación*, o, lo que es lo mismo, una *colación*, de lo donado irrevocablemente en razón de legítimas. Ello se confirma con la retórica pregunta que se sigue a continuación: ¿A quién se le puede donar irrevocablemente a título de legítima si no es a un legitimario en cuyo orden se reparte la herencia? Es claro, por consiguiente, que la norma se refiere a la *acumulación* que recibe el nombre de *primer acervo imaginario*, aparentemente derogada por la misma Ley 1934.

Apartados de las respetables consideraciones de PARRA BENÍTEZ, creemos que no se puede pasar por alto el reconocimiento expreso que se hace en la ley de la existencia en el ordenamiento jurídico colombiano de un *acervo imaginario* en el que se *colacionan* las *donaciones irrevocables hechas en favor de un legitimario a título de legítimas*. Tanto menos si se tiene en cuenta la utilidad de la *acumulación*, también reseñada por la norma al indicar que se hace "para el cómputo prevenido en los artículos 1242 y siguientes". La pregunta obvia que surge es ¿cuál es el cómputo prevenido en los artículos 1242 y siguientes? Su respuesta, clara y contundente, es el de la formación de las legítimas.

Y si se acude a la individualización del canon, con el solo propósito de indicar que el objeto real de la norma es precisar la *acumulación* de esas liberalidades, las que se hacen en favor de legitimarios a título de legítima, no aprovechan a los terceros, tendremos que admitir, por fuerza de la razón, que ese método de interpretación nos habrá conducido a predicar la absoluta esterilidad de la disposición, en contravía del principio que exige que la hermenéutica empleada propenda porque las normas produzcan un efecto útil. Sobre esto volveremos más adelante.

En segundo lugar, el artículo 5º de la Ley 1934, que modificó el artículo 1244 del Código Civil, indica que, "[s]i el que tenía, a la sazón, legitimarios, hubiere hecho donaciones entre vivos a extraños, y el valor de todas ellas juntas excediere a la mitad de la suma formada por este valor y al del acervo imaginario, tendrán derecho los legitimarios para que este exceso se agregue también imaginariamente al acervo, para la computación de las legítimas".

Nótese que esta disposición también parte de la existencia —o subsistencia— del *primer acervo imaginario* en el ordenamiento jurídico colombiano. Es así que ordena, para determinar si hubo un exceso en las liberalidades hechas en vida por el causante en favor de terceros o extraños, comparar el valor de tales liberalidades con el importe equivalente a la suma de las liberalidades y el "acervo imaginario". ¿Cuál es, si no el primero, el "acervo imaginario" al que se refiere la norma? Solo se han conocido dos acervos imaginarios en nuestro medio: el primero, donde se acumulan las donaciones hechas en favor de legitimarios a título de legítima; y el segundo, en el que se acumula el exceso de las liberalidades hechas en vida por el causante en favor de extraños o terceros.

El artículo 1244 regula expresamente el *segundo acervo imaginario*, pero manda efectuar una comparación con un "acervo imaginario" que no puede ser otro que el primero. Y no se diga que, por coincidencia e inadvertencia, estamos simplemente aquí ante un descuido del Legislador.

En tercer lugar, el artículo 4 de la ley 1934 alteró la redacción del artículo 1242 del Código Civil, que gobierna el cómputo o cálculo a seguir para la formación de las legítimas y el acervo partible. En su texto, luego de establecer que del *acervo bruto* se deben deducir las bajas de que trata el artículo 1016, con lo cual se obtiene el *acervo líquido*, manda efectuar unas "agregaciones" e indica que tales son las prevenidas en los artículos "1243", 1244 y 1245. Puntualmente, la agregación a que aludía el artículo 1243 del Código Civil era la del *primer acervo imaginario*. ¿Será posible sostener que, también en este caso, nos encontramos, simple y llanamente, ante un descuido del Legislador?

Ahora bien, se podría replicar a lo anterior que, incluso si se admitiera que hay normas vigentes que reconocen la *acumulación* que da origen al *primer acervo imaginario*, y que por tanto éste subsiste en nuestro ordenamiento jurídico, se carece del ingrediente capital para saber cuáles son las liberalidades *acumulables* o *colacionables*. En efecto, el aparentemente desaparecido artículo 1243 del Código Civil indicaba que "todas las donaciones revocables e irrevocables, hechas en razón de legítimas o de mejoras", eran las que habrían de integrar el *primer acervo imaginario*. En la actualidad, derogado el artículo, no hay norma que así lo señale.

La contestación a esa réplica se sustenta en el *uno universo iure*, en lo que se ha denominado la *plenitud hermética del derecho*, que demanda la integración armónica del ordenamiento jurídico. Esta postura se refuerza con el método que se ha empleado históricamente en nuestro derecho sucesoral específicamente para suplir vacíos idénticos o muy similares al que es objeto de esta discusión.

En los albores de nuestro Estatuto Civil se llegó a preguntar si los desembolsos hechos para el pago de deudas a un legitimario-descendiente eran *colacionables* o si solo procedía la *imputación* directa de ese importe contra su legítima. La fuente del problema se originaba en que el artículo 1261 del Código Civil[800], en su versión original[801], nada decía en relación con la *acumulación* de estos desembolsos, sino que simplemente se refería a su *imputación*.

Esa discusión, por lo menos hasta antes de la entrada en vigor de la ley 1934, había perdido toda validez, porque nadie dudaba que los pagos eran plenamente colacionables. Y ello era así porque, en buena hora, la discusión se zanjó en una forma muy cuerda y racional por los comentaristas de nuestro Estatuto Civil, así:

> "578. Al hablar el Sr. Vera de las acumulaciones que deben hacerse en virtud del artículo 1,243[802], dice: «Son también acumulables los desembolsos hechos por la persona de cuya sucesión se exprese haber sido efectuados dichos pagos como una donación a título de legítima o mejora, puesto que sin esta explicación dichos valores quedan exceptuados de la acumulación y existirá sólo una subrogación por el ministerio de la ley» (...)

> El Sr. Vera resume el artículo 1,203, igual al 1261, manifestando que «quiere decir únicamente que si un padre paga las deudas de un legitimario, es como si le hiciera una donación, porque de este modo ha aumentado el patrimonio del hijo». (...)

> Antes de explicar el artículo 1,261, diremos que si lo relacionamos con el 1,243, es porque creemos, de acuerdo con lo que expusimos antes (Núms. 574, etc.), que todos los valores que gratuitamente reciba un legitimario de quien le debe la legítima, deben imputarse a éste a cuenta de su legítima o como mejora, y que la imputación de ellos implica que previamente se acumulan para poder computar las porciones o cuotas de que habla el artículo 1,243. Lo repetimos: esta regla uniforme es la natural y justa, a pesar de la manera como se expresa la ley en los casos que menciona"[803].

Repárese, al efecto, en que la norma era impropia al limitar su aparente espectro de aplicación a la *imputación* de los desembolsos, pero la recta razón de los intérpretes se impuso en el sentido de reconocer que, aun a pesar del silencio legal, verdaderamente este rubro debía ser previamente *colacionado*. Es, como lo señala Vélez, la manera "natural y justa" de comprender su alcance.

---

[800]   Decía la norma: "Los desembolsos hechos para el pago de las deudas de un legitimario, descendiente legítimo, se imputarán a su legítima, pero sólo en cuanto hayan sido útiles para el pago de dichas deudas. (...)". La expresión "legítimo" fue declarada inexequible por la Corte Constitucional en sentencia C-105 de 1994, M.P. Jorge Arango Mejía.

[801]   En su versión actual tampoco lo hace.

[802]   Código Civil, etc., comentario al art. 1,185.

[803]   Fernando Vélez. *Estudio sobre el derecho civil colombiano*. Tomo IV. Segunda Edición. Ed. Imprenta París-América. París, 1926. Pág. 441 y 442.

Con ese contexto, sea lo primero indicar que el propio artículo 1257 del Código Civil, en su nueva redacción, nos ofrece un insumo para entender las liberalidades *colacionables*, cuando se refiere a la "acumulación <u>de lo que se ha donado irrevocablemente</u> en razón de legítimas". Es claro, así, que una primera partida que cabe dentro de la acumulación que da origen al *primer acervo imaginario* es aquella comprendida por las *donaciones irrevocables* hechas en vida por el causante, en favor de quien tenía la condición de legitimario, a título de legítimas.

También se puede afirmar, sin rodeos, que el nuevo artículo 1261 del Código Civil, cuya redacción fue establecida por el artículo 14 de la Ley 1934, ofrece un elemento adicional que permite determinar otra partida colacionable: "Los desembolsos hechos para el pago de deudas de un legitimario, descendiente, (…), pero sólo en cuanto hayan sido útiles para el pago de dichas deudas". Ello, sin necesidad de mayores elucubraciones, al adscribir a las potentes razones indicadas por VÉLEZ, antes transcritas.

Además de lo expuesto, el artículo 1256 del Código Civil, modificado por el artículo 12 de la Ley 1934 de 2018, es fuente clara de la necesidad de efectuar una *acumulación* o *colación* imaginaria e indica, en forma más amplia, las partidas que son colacionables y las que no lo son. Dice su nuevo texto:

> "Artículo 1256. Imputaciones a la legítima. <u>Todos los legados y todas las donaciones, sean revocables o irrevocables, hechas a un legitimario que tenía entonces la calidad de tal</u>, se imputarán a su legítima, a menos que en el testamento o en la respectiva escritura o en acto posterior auténtico, aparezca que el legado o la donación se ha hecho para imputarse a la mitad de libre disposición.
>
> Sin embargo, <u>los gastos hechos para la educación de un descendiente no se tomarán en cuenta para la **computación** de legítimas ni de la mitad de libre disposición, aunque se hayan hecho con calidad de imputables. Tampoco se tomarán en cuenta para dichas imputaciones, los presentes hechos a un descendiente con ocasión de su matrimonio, ni otros regalos de costumbre</u>". (Se resalta).

Para explicar la manera en la que esta disposición alude al *primer acervo imaginario* y exige su conformación, es preciso adscribir a los planteamientos de PARRA BENÍTEZ cuando destaca el vocablo "computación", inserto en el inciso segundo de la norma. Si bien es claro que el profesor colombiano considera que el *primer acervo imaginario* desapareció de nuestro ordenamiento jurídico, y nosotros sustentamos la tesis contraria, coincidimos plenamente en que la referencia a la "computación", hecha por la disposición, solo puede arrojar como conclusión que ella se refiere a la necesidad de que haya una *colación* o *acumulación*.

El epígrafe del artículo 1256 del Código Civil es *"Imputaciones a legítima"*. Al ser la *imputación* una figura jurídica autónoma y distinta de la *acumulación*, una rápida mirada a la norma sugeriría que su texto no podría, en principio, reglar la *acumulación*. Sin embargo, en su inciso segundo se indica que hay un tipo de erogaciones que no se tienen en cuenta para la "computación" de las legítimas ni de la mitad de libre disposición. CABANELLAS define la expresión *computar* como "[c]alcular o contar por números"[804]. A su turno, el vocablo *cómputo* lo define como "[c]uenta o cálculo"[805].

Así las cosas, si se expresa en otros términos, la primera parte del inciso segundo del artículo 1256 indica que "los gastos hechos para la educación de un descendiente no se tomarán en cuenta para **el cálculo** de legítimas ni de la mitad de libre disposición". Si la función de la norma es únicamente *imputar*, que según CABANELLAS se define como "señalar el destino de una cantidad; indicar a qué cuenta corresponde"[806], ¿por qué la disposición alude a gastos que no se deben tener cuenta para un cómputo o cálculo? La respuesta es muy sencilla: porque aquí también se reconoce la existencia o subsistencia del *primer acervo imaginario* y se manda su conformación para poder efectuar las *imputaciones* correspondientes.

Y la inteligencia del artículo 1256 va más allá del simple reconocimiento de la vigencia del *primer acervo imaginario*, porque explica los rubros que no son *colacionables* y, si se entiende armónicamente la disposición, los que sí lo son. Entonces, la primera parte del artículo se refiere a "[t]odos los legados y todas las donaciones, sean revocables o irrevocables" e indica a dónde se deben *imputar*. La segunda parte inicia con el conector de contraste "sin embargo" y precisa que los "gastos hechos para la educación de un descendiente" y los "presentes" dados por causa de matrimonio u otros regalos de costumbre "no se tomarán en cuenta para la computación de legítimas ni de la mitad de libre disposición", por lo cual tampoco se imputarán.

Como se ve, al iniciar la segunda parte con un conector de contraste ("sin embargo"), se opone a la primera y crea una especie de excepción a la regla general. De manera que, cuando exceptúa a los gastos hechos por educación de los descendientes y los presentes habituales y por matrimo-

---

[804] GUILLERMO CABANELLAS. *Diccionario de derecho usual.* Tomo I. *A-D.* Cuarta Edición. Ed. Omeba. Buenos Aires, 1962. Pág. 443.

[805] GUILLERMO CABANELLAS. *Diccionario de derecho usual.* Tomo I. *A-D.* Cuarta Edición. Ed. Omeba. Buenos Aires, 1962. Pág. 443.

[806] GUILLERMO CABANELLAS. *Diccionario de derecho usual.* Tomo II. *E-M.* Cuarta Edición. Ed. Omeba. Buenos Aires, 1962. Pág. 350.

nio del *cálculo* de las legítimas, *a contrario* indica que "[t]odos los legados y todas las donaciones, sean revocables o irrevocables", sí son *colacionables* o susceptibles de ser tenidos en cuenta para ese *cálculo* de las legítimas.

Es posible afirmar, como sucinta recapitulación, que el artículo 1256 del Código Civil, en su nueva redacción, pese a que anuncia en su epígrafe que regulará la *imputación* de las liberalidades, o sea, la cuenta contra la cual se deben descontar, reconoce expresamente la necesidad de efectuar una *colación* o *acumulación* previa y determina que los valores que imaginariamente se acumulan son los de "[t]odos los legados y todas las donaciones, sean revocables o irrevocables", pero no los gastos hechos por educación de los descendientes y los presentes habituales y por matrimonio.

Nos parece que el anterior recuento ofrece suficientes insumos para concluir que, lejos de estar derogado, el *primer acervo imaginario* se encuentra vigente en nuestro ordenamiento jurídico, incluso si se admite que el artículo 1243 del Código Civil fue nominalmente dado de baja. Y ello es así en la medida en que el *uno universo iure* permite determinar la forma y el procedimiento para integrarlo, calcularlo y formarlo.

Acaso se podría sostener que lo único que queda por determinar es el valor por el cual se *colacionan* las liberalidades, porque el extinto artículo 1243 señalaba que era el que tuvieran al momento de la entrega. Mas la respuesta la ofrece, en nuestra opinión, el artículo 1263 del Código Civil, reformado por el artículo 15 de la Ley 1934 de 2018, que indica que "[l] os frutos de las cosas donadas revocable o irrevocablemente, a título de legítima, durante la vida del donante, pertenecerán al donatario, desde la entrega de ellas, y no figurarán en el acervo". En su sentido negativo, se puede deducir con facilidad que las cosas donadas revocable o irrevocablemente, a título de legítima, durante la vida del donante, sí figurarán en el acervo y su valor se debería tasar con base en el que tenían al momento de la entrega, que es también el momento en el que el donatario se hace a la propiedad de los frutos.

Pero si se quiere abundar en razones para establecer, más allá de lo expuesto, por qué el *primer acervo imaginario* sigue vigente, es posible emplear el método *reductio ad absurdum*, con la cautela y las advertencias prevenidas por CHAMPEAU y URIBE.

Si se asume que, definitivamente, las explicaciones en torno a la subsistencia del *primer acervo imaginario* son del todo insatisfactorias y que, consiguientemente, a raíz de la entrada en vigor de la Ley 1934, la *colación* o *acumulación* imaginaria desapareció de nuestro ordenamiento jurídico, dos serían las posibles interpretaciones subyacentes: (i) o bien las figuras relacionadas con la *imputación* y *restitución* son ahora inaplicables, a pesar de que el Legislador de 2018 las haya mantenido en el derecho positivo legislado; o (ii) bien las figuras de *imputación* y *restitución* siguen en vigor, pero no ya como pasos ulteriores a la *colación*, sino como descuento directo o rebaja contra las legítimas.

En caso de que se prohíje la primera alternativa se contravendrá, en materia grave, el principio general del derecho que demanda que la interpretación de las normas se haga en un sentido que las conduzca a surtir verdaderos efectos. Es así, en la medida en que se consideraría que, a pesar de su indudable vigencia en el ordenamiento jurídico, su esterilidad es absoluta. Carecen de efecto práctico alguno que permita su vívida aplicación en el discurrir normativo.

Al estudiar el artículo 1239 del Código Civil, sobre *legítimas*, la Corte Suprema de Justicia sostuvo lo siguiente:

> "La legítima se concibe, pues, como una asignación hereditaria forzosa, que limita la libertad del causante para disponer por causa de muerte de sus bienes, de los que constituyan su patrimonio al fenecer de su vida, pero que no restringe su libertad jurídica de contratación o disposición inter vivos, salvo la excepción concerniente al caso de las donaciones efectuadas por quien tenía a la sazón legitimarios, las que si fueron hechas a legitimarios han de colacionarse, a la muerte del causante, para el cómputo de las legítimas y de la cuarta de mejoras en su, caso (artículos 1243 y 23, Ley 45 de 1936), y si fueron hechas a extraños habrá de colacionarse el exceso que en ellas resulta, para que si éste menoscaba aquéllas asignaciones forzosas puedan los legitimarios proceder contra los donatarios, para la restitución de lo excesivamente donado, todo en la forma que determinan los artículos 1244 y 1245 del Código Civil.
>
> 10. Entre el sistema anglosajón de la absoluta libertad del pater familias para disponer por testamento, y el español de las asignaciones forzosas, restrictivas de esa libertad, el autor del Código optó por el último, pero sin desmedro alguno de la libertad jurídica del pater familias en el ámbito de su actividad entre vivos, con la reserva de haber de hacerse el cómputo de las donaciones, ya a legitimarios, ya a extraños, para los efectos indicados en los textos respectivos, como está dicho"[807].

Es muy clara la providencia transcrita al reconocer lo que varias veces se ha comentado aquí: el hecho de que nuestro ordenamiento jurídico albergue *asignaciones forzosas* es producto natural y obvio de que se quiso limitar

---

[807] Sentencia de la Sala de Casación Civil y Agraria de la Corte Suprema de Justicia, proferida el 22 de agosto de 1967, G.J. CXIX, Parte I, M.P. GUSTAVO FAJARDO PINZÓN, pág. 198 y 199.

la libertad testamentaria. Una de las asignaciones forzosas, prevista en el artículo 1226 del Código Civil según la reforma introducida por el artículo 2º de la Ley 1934 de 2018, es la *legítima*.

Por pervivir la *legítima* como asignación forzosa (sin contar los alimentos ni la porción conyugal), subsiste entonces también la limitación a la libertad testamentaria. El hecho de que se haya aumentado esa libertad, por medio de la eliminación de las mejoras como otra asignación forzosa, no significa que la *legítima* haya dejado de existir. De manera que, como lo explicó Bello desde siempre y se ha seguido entre nosotros, carecería por completo de sentido que el futuro causante pudiera burlar esas asignaciones por la vía de insolventar su patrimonio y salir impunemente librado.

Para ejemplificar muy brevemente, piénsese en la posibilidad, incluso advertida en el marco del debate parlamentario que precedió a la promulgación de la Ley 1934, de que un padre done en vida la totalidad de sus bienes a su hijo matrimonial, en claro perjuicio de su hijo extramatrimonial. Acaecido el deceso del padre y llegado el momento de partir la sucesión no se encontrarán bienes para adjudicar, lo que desencadenará que la legítima del hijo extramatrimonial haya sido impunemente burlada por el padre.

Tal postura, además de contravenir el principio del efecto útil de las normas, puede llegar a lesionar seriamente derechos constitucionalmente protegidos, como la igualdad de los hijos ante la ley (inc. 4º del artículo 42 de la Carta Política). Y si se acude al principio *favoris familiæ*, también llamado de favorabilidad, según el cual lo dudoso en una norma se debe resolver en favor de la familia, creemos que una cumplida protección de la familia se inclinaría por la protección de las legítimas para ser distribuidas, como lo regla la ley, entre todos los *legitimarios*, sin exclusión de algunos (salvo que medien causas para el desheredamiento o indignidad, pero ese es tema distinto).

Ahora bien, si se prohijara la segunda alternativa, de acuerdo con la cual la *imputación* sí es aplicable sin que haya habido previamente una *colación*, sino que se descuenta o rebaja directamente la legítima, se encontrarían serios problemas de operatividad normativa.

El primer interrogante que se tendría que solucionar es el relacionado con lo que se debe hacer con el valor que, por haber sido *imputado*, queda sin repartir. Entreténgase el caso de una madre que dona irrevocablemente en vida $250 a su hija María. Al fallecer, deja una herencia de $1.000 y le sobreviven sus hijos María y Nicolás. Si no fuera procedente la *acumulación* de los $250 donados, tendríamos un *acervo líquido* de $1.000 que se dividiría entre dos (2) para establecer la media (½) legitimaria y la media (½) de libre disposición. Así, la media (½) legitimaria equivaldría a $500 y la media (½) de libre disposición ascendería a $500.

De la media (½) legitimaria le correspondería, a cada hijo, la suma de $250 ($500 ÷ 2). Nicolás recibiría el importe sin problema, pero a María se le tendría que *imputar* el valor de la donación. Por lo que toca con la libre disposición, a cada hijo le correspondería un importe de $250, que se repartiría sin inconvenientes.

Al final, el partidor de la herencia se encontrará que, por haber sido *imputada* la donación directamente contra la parte que le correspondía a María en la legítima, sobran $250 que no se han repartido. ¿Qué se debe hacer con ese valor? ¿Se le entrega a Nicolás? ¿Se hace una liquidación adicional y sucesiva, nunca ordenada en nuestra legislación nacional?

Dejemos de lado el anterior inconveniente de aplicación normativa y demos paso al segundo problema, cual es el relacionado con la *restitución*. En caso de que la donación sea tan cuantiosa que supere la porción que correspondía al donatario a título de legítima y lo que le cupiere de la libre disposición, ¿hay obligación de *restituir*?

Si la respuesta es negativa, en términos prácticos estaremos ante la burla de las legítimas como asignaciones forzosas, contrario a lo querido por fundamento iusfilosófico que cimienta la estructura del sistema sucesoral colombiano, y cabrían los reparos comentados a la tesis que defiende la inaplicabilidad de las normas de *imputación* y *restitución* ante la aparente desaparición del *primer acervo imaginario*.

Si la respuesta es afirmativa, surge otro problema interpretativo que se habrá de resolver. Previo a adentrarnos en él, veamos un ejemplo de lo dicho hasta ahora:

En vida, Lorena dona irrevocablemente, a su hijo Roberto, $1.000. Al fallecer, Lorena deja una herencia de $500 y le sobreviven sus hijos Roberto y José. Si no fuera procedente la *acumulación* de los $1.000 donados, tendríamos un *acervo líquido* de $500 que se dividiría entre dos (2) para establecer la media (½) legitimaria y la media (½) de libre disposición. Así, la media (½) legitimaria equivaldría a $250 y la media (½) de libre disposición ascendería a $250.

De la media (½) legitimaria le correspondería, a cada hijo, la suma de $125 ($250 ÷ 2). José podría recibir su cuota, pero a Roberto se le tendría que *imputar* el valor de la donación. Al hacerlo, habría un exceso de $875 que resulta de restar el valor de la donación ($1.000) de la cuota de legítima ($125). El exceso se tendría que sacar, de acuerdo con lo previsto por el nuevo artículo 1251 del Código Civil, de "la mitad de libre disposición, (...) sin perjuicio de cualquier otro objeto de libre disposición"[808]. De manera que los $875 se *imputarán* a la libre disposición, que asciende a $250, por lo que tendremos un nuevo exceso de $625 ($875 - $250). ¿Qué se debe hacer con el exceso? ¿Procede la *restitución*?

Si la respuesta fuera negativa, como hemos explicado, sería completamente inane la disposición. La legítima de José se habría visto burlada, sin que hubiera medios para solicitar su cumplida protección.

Si la respuesta fuera positiva, además del sobrante sin repartir ($375), que resulta de los $125 *imputados* a la legítima de Roberto y los $250 *imputados* a la libre disposición, se sumaría el valor del exceso que se debe restituir ($625). Luego entonces el partidor se encontrará con que tiene un excedente de $1.000, sin saber qué debe hacer con él: ¿Se le entrega a José y se lo ubica en una situación mucho mejor a la que ordinariamente le habría correspondido? ¿Se hace una liquidación adicional y sucesiva, nunca ordenada en nuestra legislación nacional?

La situación se torna más delicada cuando el causante dispuso en vida, mediante liberalidades hechas en favor de sus legitimarios, de la totalidad de su patrimonio. En ese evento, ¿no procedería la *imputación* por no haber legítima alguna? O ¿sí procedería la restitución? La solución del interrogante conduce a dos extremos antagónicos que son igualmente reprochables, a saber:

En vida, Jaime dona irrevocablemente $1.000 a su hija Ángela. Al fallecer, Jaime no deja herencia y le sobreviven sus hijas Ángela y Luisa. Como no hay *acervo líquido* alguno, las legítimas serán de $0. ¿Procede en este caso la *imputación* y la subsecuente *restitución*?

Si la respuesta es negativa, la legítima de Luisa fue burlada por completo. A esta solución le cabrían los mismos reproches que hemos formulado insistentemente en el pasado.

Si la respuesta es afirmativa, entonces tendremos un nuevo valor de $1.000 en la sucesión. ¿Qué debemos hacer con él?, ¿Se le entrega a Luisa

---

[808] No nos detendremos en la variación normativa consistente en que antes el exceso tenía preferencia a todas las demás asignaciones que se hubieran hecho con cargo a la libre disposición y ahora no, porque para nuestro caso Lorena no otorgó testamento alguno. Esta situación será analizada, en detalle, en el Tomo IV de esta obra.

y se la ubica en una situación mucho mejor a la que ordinariamente le habría correspondido? ¿Se hace una liquidación adicional y sucesiva, nunca ordenada en nuestra legislación nacional?

En caso de que el nuevo valor se le adjudique a Luisa, se dejaría sin legítima a Ángela, lo que luce excesivamente perjudicial si se tiene en cuenta que fue decisión de su padre efectuar la liberalidad en favor suyo. Si se hace una liquidación adicional y sucesiva, ya no habría manera de hacer nuevas *imputaciones*, porque todas se hicieron con su subsiguiente *restitución*, sino que se seguirían las normas de la sucesión intestada.

Así pues, al no haber disposiciones testamentarias para observar, la legítima efectiva de Luisa sería de $500 y la de Ángela sería de $500, lo que equivaldría a dejar sin efecto y neutralizar la voluntad de Jaime al efectuar la donación en vida. Esta solución, evidentemente, no consulta lo querido por el Parlamento al promulgar la ley 1934 de 2018, que no fue cosa distinta que aumentar la facultad dispositiva del causante.

Si en ese caso se admitiera la vigencia del *primer acervo imaginario*, al *acervo líquido* ($0) se agregaría la donación hecha por Jaime en favor de Ángela ($1.000). Del *acervo líquido imaginario* ($1.000) se calcularía la media (½) legitimaria ($500) y la media (½) de libre disposición ($500). De la mitad legitimaria le correspondería, a cada hija, la suma de $250. *Imputado* el valor de la donación a la cuota de Ángela, quedaría un exceso de $750 ($1.000 - $250). El exceso se tomaría de la media (½) de libre disposición ($500), con lo que habría un remanente de $250 ($750 - $500). Ese remanente tendría que ser restituido y, con él, se pagaría la legítima de Luisa ($250).

Con esta alternativa se respetaría la voluntad de Jaime al querer mejorar la posición de Ángela (que quedaría con $750), pero no a tal grado como para burlar la legítima de Luisa (que quedaría con $250) y dejarla desprovista de protección.

Con todo, se repite, a juicio del autor el *primer acervo imaginario* sigue plenamente vigente entre nosotros, en virtud de la integración armónica del derecho positivo legislado. Empero, sería absolutamente conveniente que el Legislador, en el marco de las facultades conferidas por la Carta Política, sea quien zanje la controversia.

La operatividad del *primer acervo imaginario* en el nuevo ordenamiento jurídico se estudiará, por motivos de orden y oportunidad, en el Tomo IV.

2. Demás derogatorias

El artículo 20 de la ley 1934 de 2018 anunció, expresamente, la derogatoria de "los artículos 1243, 1252, 1253, 1259 y 1262". Obviaremos la referencia al artículo 1243, a cuyo estudio nos abocamos, con exclusividad, en el título anterior, y nos centraremos en las demás disposiciones:

La derogatoria del artículo 1252 del Código Civil es producto del nuevo régimen sucesoral en el que ya no tienen cabida las mejoras. Antiguamente la importancia de esta norma estribaba en que, cuando las liberalidades hechas en favor de legitimarios fueran tan cuantiosas que absorbieran su legítima, el artículo 1251 autorizaba su imputación contra la cuarta de mejoras, "sin perjuicio de dividirse entre partes iguales entre los legitimarios". Si resultaba otro exceso de esa imputación, el artículo 1252 ordenaba la imputación contra la cuarta de libre disposición, con preferencia a cualquier objeto a que se hubiera destinado esa partida por el causante.

Actualmente, el artículo 1251 del Código Civil, según la modificación incorporada por el artículo 10 de la Ley 1934 de 2018, establece que, cuando las liberalidades hechas en favor de legitimarios sean tan cuantiosas que absorban su legítima, el exceso se sacará de la libre disposición, sin perjuicio de cualquier objeto a que se haya destinado esa partida por el causante[809]. Por consiguiente, se hace innecesario preservar la disposición que consagraba el artículo 1252 y resulta plenamente explicable su derogatoria.

En cuanto toca con la derogatoria del artículo 1253 del Código Civil, su explicación fluye del hecho de que esta disposición regulaba expresamente lo atañedero a la cuarta de mejoras. No habiendo, como no hay, cuarta de mejoras en la estructura actual del sistema sucesoral colombiano, se hace totalmente innecesario preservar la regulación específica de la que alguna vez fue una asignación forzosa entre nosotros.

Así también se explica la derogatoria del artículo 1259 del Código Civil, que tenía por objeto regular la resolución de las donaciones hechas a título de mejora, cuandoquiera que la liberalidad se hubiera hecho a una

---

[809] Un lector cuidadoso se habrá percatado de la ostensible diferencia entre el régimen original del Código Civil y el previsto por la ley 1934 de 2018, más allá de la eliminación de las mejoras, por cuanto el primero preveía que el exceso se tomaría de la libre disposición "con preferencia" a cualquier objeto a que la hubiera destinado el causante, mientras que el segundo indica que esa imputación se hará "sin perjuicio" de cualquier objeto a que la haya destinado el causante. Esa variación, de no menor entidad, será analizada en el Tomo IV de esta obra.

persona que se creía descendiente del donante sin serlo en realidad o si el donatario faltare en la sucesión del causante por incapacidad, indignidad, desheredamiento o repudiación.

Finalmente, el artículo 1262 del Código Civil consagraba una excepción a la nulidad por objeto ilícito de los pactos sobre sucesión futura, cual era la constituida por la promesa de no donar ni asignar parte alguna en la cuarta de mejoras. Esa promesa, que solo podía ser celebrada entre el difunto y un descendiente, gozaba de plenos efectos y autorizaba al legitimario a reclamar en caso de incumplimiento. Sin embargo, al quedar excluida del ordenamiento la asignación forzosa de las mejoras, devino también inútil mantener esta disposición en el derecho positivo legislado.

IV. Exoneración especial de cumplir con la legítima rigorosa (hoy rigurosa): el caso de las Unidades Agrícolas Familiares (UAF)

El artículo 21 de la ley 1934 de 2018 establece lo siguiente:

> "Cuando vaya a disponerse testamentariamente de predios rurales de extensión inferior a cuatro (4) Unidades Agrícolas Familiares (UAF), no será aplicable el régimen de legítimas".

Como es obvio, surgen múltiples interrogantes que no son sencillos de absolver: ¿Qué pasa si ese es el único bien de la sucesión? ¿Quedará facultado el causante para burlar, sin consecuencia alguna, las legítimas? Si no es ese el único bien, ¿toda la sucesión del respectivo causante se tramitará sin observancia de las legítimas o solo en lo que toca con ese bien en particular? En la misma hipótesis, ¿el predio rural queda eximido de integrar los activos con los que se efectúa el cómputo previsto en el artículo 1242 del Código Civil para hallar el *acervo partible*? O, en realidad, ¿la autorización prevista en la ley tiene por objeto evitar la comunidad en el predio, sin perjuicio de que las legítimas se respeten apropiadamente?

Para desentrañar el verdadero alcance de la norma en análisis es requerido, por una parte, tener como criterios orientadores los postulados constitucionales de protección a la familia (art. 5° y 42 de la Carta Política), igualdad de los hijos ante la ley (art. 42, inc. 4°, *ibídem*) y el principio *favoris familiæ*. Por la otra, se debe tener en cuenta la verdadera voluntad del Legislador con la introducción de la norma y su armonía con el ordenamiento jurídico vigente. Veamos:

1. Apuntaciones preliminares sobre el régimen de Unidades Agrícolas Familiares (UAF) – Restricciones dispositivas

La Unidad Agrícola Familiar es definida por el artículo 38 de la ley 160 de 1994 como aquella "empresa básica de producción agrícola, pecuaria, acuícola o forestal cuya extensión, conforme a las condiciones agroecológicas de la zona y con tecnología adecuada, permite a la familia remunerar su trabajo y disponer de un excedente capitalizable que coadyuve a la formación de su patrimonio". La misma disposición prevé que "[l]a UAF no requerirá normalmente para ser explotada sino del trabajo del propietario y su familia, sin perjuicio del empleo de mano de obra extraña, si la naturaleza de la explotación así lo requiere".

La ley defirió a la Junta Directiva del INCORA (después INCODER y hoy Agencia Nacional de Tierras) la responsabilidad de establecer "los criterios metodológicos para determinar la extensión de la Unidad Agrícola Familiar por zonas relativamente homogéneas, y los mecanismos de evaluación, revisión y ajustes periódicos cuando se presenten cambios significativos en las condiciones de la explotación agropecuaria que la afecten". Así mismo, ordenó la fijación, en salarios mínimos mensuales legales vigentes, del "valor máximo total de la UAF que se podrá adquirir mediante las disposiciones de esta Ley".

La Junta Directiva del INCORA (después INCODER y hoy Agencia Nacional de Tierras) cumplió con el mandato de la ley 160 de 1994, mediante la resolución 041 de 1996. Para ejemplificar, se puede tomar en consideración el caso de la *regional Cundinamarca*. En la zona relativamente homogénea número 1 (*Provincia de Ubaté*), que comprende municipios como Ubaté, Sutatausta, Tenjo, Subachoque, Nemocón, Chía, Cajicá y Chocontá, la Unidad Agrícola Familiar (UAF) varía en su extensión, según se trate de suelos ondulados a quebrados o de parte plana. Para los primeros, la UAF tiene un rango de 12 a 16 hectáreas, mientras que, para los segundos, la UAF tiene un rango de 2 a 3 hectáreas. En la zona relativamente homogénea número 3 (*El Guavio*), que comprende municipios como La Calera, Guasca, Guatavita y Sesquilé, la Unidad Agrícola Familiar (UAF) también varía en su extensión, según se trate de suelos ondulados a quebrados o de parte plana, pero, en este caso, para los primeros la UAF tiene un rango de 15 a 25 hectáreas, mientras que, para los segundos, su rango es de 2 a 4 hectáreas.

Mas la situación es muy diferente en la *regional Bolívar*, cuya zona relativamente homogénea número 1, que comprende municipios como Simití, Santa Rosa del Sur y El Peñón, tiene una UAF que oscila entre las 85 y las 115 hectáreas, en tanto que en la zona relativamente homogénea número

4, que comprende municipios como Turbana, Arjona y San Cristóbal, la UAF tiene un rango de 26 a 36 hectáreas.

En cuanto a las libertades y restricciones dispositivas que existían antes de la ley 1934 de 2018, son varios los comentarios que se pueden hacer.

A pesar de la tautología, la Unidad Agrícola Familiar es una "empresa básica de producción (…) [que] permite a la *familia* remunerar su trabajo y disponer de un excedente capitalizable que coadyuve a la formación de su patrimonio". De consiguiente, para su explotación tan solo se requiere, ordinariamente, "del trabajo del propietario y su familia, sin perjuicio del empleo de mano de obra extraña, si la naturaleza de la explotación así lo requiere".

Además, como lo precisan los artículos 38 a 40 de la Ley 160 de 1994 y 32 y siguientes del acuerdo 394 de 2014, proferido por el INCODER (antes INCORA y hoy Agencia Nacional de Tierras), los adjudicatarios de las tierras quedan sometidos a un régimen de parcelación según el cual no pueden enajenar o ceder sus predios antes de que transcurran quince (15) años contados desde la adjudicación, salvo que cuenten con autorización de la Agencia Nacional de Tierras. Después de ese lapso, antes de proceder con la enajenación se debe informar a la Agencia, para que ejerza, si así lo desea, el derecho de opción, dentro de los tres (3) meses siguientes a que es notificada.

Respecto del *fraccionamiento*, tema muy delicado e importante porque fue objeto de capital discusión en el Congreso de la República en la antesala de la promulgación de la Ley 1934 de 2018, los artículos 44 de la Ley 160 de 1994 y 37 del Acuerdo 394 de 2014, del INCODER (antes INCORA y hoy Agencia Nacional de Tierras), consagran una prohibición general de fraccionar los predios rurales por debajo de la Unidad Agrícola Familiar. En consecuencia, sancionan con nulidad absoluta todo acto o contrato que tenga tal objeto.

Como excepción a la prohibición general antes comentada, el artículo 45 de la Ley 160 de 1994 autoriza que los predios rurales se fraccionen por debajo de la UAF en los casos de: (i) donaciones que el propietario de un predio de mayor extensión haga con destino a habitaciones campesinas y pequeñas explotaciones anexas; (ii) actos o contratos por virtud de los cuales se constituyan propiedades de superficie menor a la señalada para un fin principal distinto a la explotación agrícola; (iii) actos constituyan propiedades que por sus condiciones especiales sea el caso de considerar, a pesar de su reducida extensión, como "Unidades Agrícolas Familiares", conforme a la definición contenida en la ley; y (iv) sentencias que declaren la prescripción adquisitiva de dominio por virtud de una posesión iniciada antes del 29 de diciembre de 1961, y las que reconozcan otro derecho igualmente nacido con anterioridad a dicha fecha. Así mismo, el artículo 26 del Decreto 902 de 2017 autoriza a la Agencia Nacional de Tierras para adjudicar baldíos con una extensión menor que la prevista en la normativa para Unidades Agrícolas de Explotación, siempre que el ocupante pueda contar con condiciones de vida digna, no sea posible otorgarle la titulación de predios que asciendan a la UAF prevista en la normativa ni conferirle otro beneficio previsto en ese decreto.

Ahora bien, aunado a las limitaciones dispositivas temporales (15 años) y de extensión (límites mínimos y máximos de UAF), el régimen legal consagra otro tipo de limitaciones en materia sucesoral. Si el adjudicatario de un predio rural fallece sin haber cancelado a la Agencia Nacional de Tierras (antes INCORA y luego INCODER) el precio del inmueble, el ordinal 4º del artículo 40 de la Ley 160 de 1994 ordena que "el juez que conozca del proceso de sucesión adjudicará en común y proindiviso el dominio sobre el inmueble a los herederos, cónyuge supérstite, compañero o compañera permanente que tenga derecho conforme a la ley". En igual sentido, tratándose de baldíos, el artículo 5º de la Ley 1900 de 2018 establece que estos se deberán adjudicar "conjuntamente a los cónyuges o compañeros permanentes, siempre que hayan cumplido dieciséis años de edad, sean jefes de familia, compartan entre sí las responsabilidades sobre sus hijos menores, o con sus parientes hasta el segundo grado de consanguinidad si velaren por ellos". Ello supone, como es obvio, que, si fallece alguno de los cónyuges o compañeros permanentes, la mitad que le corresponde entrará en sucesión y terminará, salvo que se adjudique al otro cónyuge o compañero permanente, en un nuevo régimen de indivisión.

En la misma línea, el artículo 46 de la Ley 160 de 1994 consagra una sabia regla sucesoral, conforme a la cual se debe procurar que, en las particiones hereditarias, las adjudicaciones no terminen en la constitución de predios de extensión inferior a una (1) UAF. Ello, como se normal, propende por evitar el ocioso fraccionamiento de la tierra. Por consiguiente, el partidor deberá procurar asignar estos predios en común y proindiviso entre los familiares que corresponda.

Puede ocurrir, sin embargo, que los herederos y el consorte o compañero permanente supérstite no quieran permanecer en tal comunidad. En el evento de que el hipotético fraccionamiento resulte en predios inferiores a una (1) UAF, excepcionalmente el Juez deberá convocar al Ministerio Público para que rinda su concepto y, llegado el caso, se podrá proceder conforme a lo previsto por el artículo 1394 del Código Civil; esto es, llevar a cabo una subasta privada o pública del predio. Empero, cuando las circunstancias así lo aconsejen para la debida protección a los "herederos, legatarios o cónyuge sobreviviente del 'de cujus' que hayan venido habitando el fundo en cuestión derivando de éste su sustento", el Juez podrá ordenar mantener la indivisión durante un lapso determinado.

En frases breves, en el régimen anterior a la Ley 1934 de 2018, por las comentadas restricciones de orden legal, la libertad testamentaria no alcanzaba para evitar la indivisión que se hubiere de generar en la partición de la herencia de un causante adjudicatario de predios rurales destinados a ser UAF. Con especial hincapié, se debe tener en cuenta aquella indivisión que perentoriamente ordena el artículo 40, ordinal 4°, de la Ley 160 de 1994, para aquellos casos en los que el titular del predio fallezca sin haber pagado la totalidad del precio de adquisición al Estado.

2. Alcances de la norma según la intención del Legislador en relación con la disposición testamentaria de predios con extensión inferior a cuatro (4) Unidades Agrícolas Familiares (UAF)

En la exposición de motivos del proyecto que más tarde se convertiría en la ley 1934 de 2018 se anunció la incorporación de esta disposición, así:

"La presente iniciativa de ley propone ampliar la libertad de testar mediante la reducción de las legítimas a una cuarta parte de la masa sucesoral y la eliminación de la cuarta de mejoras con el fin de permitir la libre disposición de las tres cuartas partes de los bienes, sin perjuicio de la porción conyugal y de los alimentos que se deban por ley. Se establece una excepción a esta norma en lo referente a la pequeña propiedad rural, a fin de evitar la excesiva fragmentación de las tierras en microfundios, en virtud de lo cual quedan eximidas del régimen de legítimas las sucesiones testadas de predios rurales de extensión inferior al equivalente de cuatro (4) Unidades Agrícolas Familiares (UAF), las que quedarán en libertad de testar sin perjuicio de la porción conyugal y de los alimentos que se deben por ley"[810].

Ya se explicó que, finalmente, la ley no aumentó la libre disposición a ¾ partes del *acervo partible*, sino a la mitad, y tampoco disminuyó la media de legítimas a ¼ parte. En punto al tema que aquí se analiza, se observa que la intención del Legislador al aducir que levantaría la restricción forzosa de las legítimas para las sucesiones testadas de predios rurales de extensión inferior a 4 UAF fue la de evitar el continuo fraccionamiento de la propiedad que, si bien podría resultar más productivo, generaba menores ingresos *per cápita*.

---

[810] Gaceta del Congreso de la República número 602 de 2016.

Más adelante, en los Informes de Ponencia para Primer y Segundo Debate se adujo una explicación muy similar, pero se indicó que la libertad testamentaria era "sin perjuicio de las asignaciones forzosas". A juicio de algunos, esta referencia indeterminada a las "asignaciones forzosas", una de las cuales es la legítima, podría ayudar a comprender que no se quiso por esta vía dejar desprovistos de protección a los legitimarios.

En particular, durante el Segundo Debate del Proyecto de Ley en la Cámara de Representantes, el Parlamentario INTI ASPRILLA solicitó que se le aclarara el alcance del artículo que aquí se comenta y la respuesta del Representante RODRIGO LARA fue la siguiente:

> "[E]n materia de tierras, la única certeza que uno tiene en materia de tierras cuando es hijo de un propietario en Colombia es que cuando uno reciba su pedazo va a ser más pobre que su padre, que tenía una finca más grande, ¿por qué? Porque la ley de reparto por igual destruye la unidad económica de generación en generación, por eso es que Colombia es el país con más minifundios y microfundios de América Latina, porque al mismo tiempo es el país con menor libertad de testamento. Lo que queremos acá es que la pequeña propiedad rural pueda ser objeto de trasmisión a uno de los hijos, el hijo campesino, a fin de que de una generación a otra lo que era una unidad agrícola familiar que daba sustento digno a una familia no termine convertido en 5, 6, 7 o 10 pedazos de tierra que no son titularizados, que no terminan generando ninguna riqueza, sino que llevan a desplazar al campesino.
>
> Si usted quiere evitar el avance latifundista en Colombia, la mejor herramienta es esta que es espontánea, es mantener incólume la pequeña propiedad rural. La alternativa que proponen algunos sectores de izquierda para evitar el avance latifundista es crear zonas de reserva campesina, medida respetable, pero que no necesariamente comparto porque los efectos no son positivos en términos económicos. Usted no puede enajenar los bienes o los predios dentro de una zona de reserva campesina o solo los puede enajenar a quienes tienen también predios dentro de esa zona. Nada mejor que mantener incólume la pequeña propiedad rural, dándole libertad al campesino de transferir o a su hijo campesino o a otro ese pequeño pedazo de tierra para que esa tierra o ese pedazo de tierra pequeño sea indestructible con el paso del tiempo y evite así el avance latifundista. Ese es el propósito, respetado colega doctor Inti"[811].

Sin juzgar la veracidad o no del argumento proveído por el Representante LARA, ni la certidumbre sobre la relación causal que denuncia entre la restricción a la libertad testamentaria y el hecho de que Colombia sea el país con más minifundios y latifundios de Latinoamérica, lo cierto es que la votación

---

[811] Acta de Plenaria número 228 del 20 de junio de 2017, disponible para consulta en la Gaceta del Congreso de la República número 729 de 2017.

favorable en la Cámara de Representantes abrió paso para que el proyecto llegara al Senado de la República. Allí, en el Informe de Ponencia para Tercer Debate, el Senador Germán Varón Cotrino propuso modificar el artículo que aquí se discute, con el propósito de aumentar la libertad testamentaria a las sucesiones que incluyeran predios de hasta 5 UAF, a fin, según su criterio, "de hacerlo acorde con el artículo 46 de la Ley 160 de 1994". Veamos:

> "Igualmente, se modificó el artículo 21 del proyecto con el fin de consagrar una excepción a las asignaciones forzosas que existen para testar cuando se trate de casos de pequeña propiedad rural, con el fin de evitar la fragmentación excesiva de las tierras en microfundios. En consecuencia, quedarían eximidas del régimen de legítimas, las sucesiones testadas de predios rurales cuya extensión sea inferior o equivalente a cinco (5) Unidades Agrícolas Familiares (UAF), en este escenario se tendría la posibilidad de testar libremente sin perjuicio de las asignaciones forzosas. Lo anterior, con el fin de hacerlo acorde con el artículo 160 de la Ley 160 de 1994, que creó las unidades agrícolas para impedir que, en virtud de la sucesión, el tamaño de la unidad agrícola pueda disminuirse a límites inferiores de los contemplados en la norma"[812].

No es muy claro el motivo por el cual aumentar la "libertad testamentaria" a sucesiones de predios rurales con una extensión de hasta cinco (5) Unidades Agrícolas Familiares (UAF) equivalía a ajustar su coherencia con el artículo 46 de la ley 160 de 1994. En todo caso, durante el trámite del Tercer Debate en el Senado de la República, el Parlamentario Germán Varón Cotrino ahondó en la explicación de este artículo, así:

> "Es un proyecto que obviamente debe compaginar aquellos artículos del Código Civil en los cuales se menciona cómo, cuándo y cuánto será la masa sucesoral y en ese sentido se han modificado varios de los artículos del Código Civil; pero su propósito principal es no dejar una cuarta de libre disposición, sino que la mitad de la masa herencial sea de libre disposición.
>
> Y se establece una excepción por unas razones que el autor y los ponentes consideran viables en la Cámara y que tiene que ver con las unidades agrarias, las cuales se solicita que sean excluidas cuando sean menores a 5 unidades.
>
> Estamos hablando entonces, si me lo autorizan, que cuando se vaya disponer testamentariamente de predios rurales de extensión inferior a 5 Unidades Agrícolas Familiares (UAF), no será aplicable el régimen de legítimas ¿qué quiere decir ello? Que también podrá disponer de esas unidades sin necesa-

---

[812] Gaceta del Congreso de la República número 909 de 2017.

riamente tener que asignarlas en las condiciones que el Código Civil establece que se divide la masa sucesoral"[813].

También en el marco del Primer Debate la Senadora CLAUDIA LÓPEZ propuso derogar el artículo porque, a su juicio, no tenía sentido establecer una excepción a la nueva regla general de partir la masa herencial, cuando hubiere legitimarios, en dos mitades (una de libre disposición y la otra de legítimas). Sin oposición, y acompañada por el Ponente, la proposición derogatoria fue respaldada por la totalidad de Senadores presentes en el Debate. Por ese motivo, nada se discutió en el Cuarto Debate al respecto.

Finalmente, después de que se conformara la Comisión Accidental de Conciliación, los textos aprobados por la Plenaria de la Cámara de Representantes y el Senado de la República fueron cotejados y los miembros de la Comisión decidieron dejar el artículo que exime el cumplimiento de las legítimas en tratándose de predios con extensión inferior a cuatro (4) Unidades Agrícolas Familiares. El texto conciliado fue aprobado por cada una de las Plenarias y así se convirtió, luego de su sanción y promulgación, en la Ley 1934 de 2018.

El anterior recuento sobre la intención del Legislador nos parece muy claro para decir que lo querido con el artículo 21 de la Ley 1934 fue, efectivamente, permitir que no se aplique la restricción forzosa de las legítimas en tratándose de la disposición testamentaria de predios rurales de extensión inferior a cuatro (4) Unidades Agrícolas Familiares (UAF). Puesto en otros términos, quiso el Legislador autorizar, sin más, la abierta burla de las legítimas en estos casos específicos, mientras que la restricción se mantuvo para todas las demás sucesiones.

Entonces, en relación con el alcance y extensión de la norma según lo pretendido por el Legislador, es de advertir que se lee en la exposición de motivos y en los diferentes Informes de Ponencia que la intención de la norma era evitar la restricción forzosa constituida por las legítimas en "las sucesiones testadas" donde "el activo principal"[814] sea un predio rural de extensión inferior al equivalente de cuatro (4) Unidades Agrícolas Fa-

---

[813]   Acta de la Comisión I del Senado de la República número 034 del 10 de abril de 2018, disponible para consulta en la Gaceta del Congreso de la República número 205 de 2018.

[814]   Dice el Informe de Ponencia para Primer Debate: "La ley propuesta hace una excepción al establecer la libertad testamentaria cuando *el activo principal* de la sucesión sea un predio de valor menor a cuatro UAF, con el fin de frenar la fragmentación

miliares (UAF). Sin embargo, en los términos en que quedó redactado el texto legal indica que, "[c]uando vaya a disponerse testamentariamente de predios rurales de extensión inferior a cuatro (4) Unidades Agrícolas Familiares (UAF), no será aplicable el régimen de legítimas".

Surge palmario el interrogante sobre qué sucede en el caso de una sucesión en la que el caudal relicto albergue otros bienes y derechos, pero el principal sea el predio rural de extensión inferior a cuatro (4) UAF. ¿Queda eximido el testador de cumplir con las legítimas respecto de *todo* el patrimonio o solo en lo que toca con el predio? Alguien podría afirmar, amparado en los antecedentes normativos, que es correcta la primera interpretación. Nosotros creemos que se trata de una excepción y, por tanto, su interpretación restrictiva derivaría en la absoluta imposibilidad de extender la inconstitucional exoneración de cumplir con el régimen de legítimas a todo el caudal relicto.

En todo caso, ese y otros interrogantes no merecen mayor detenimiento en este escrito porque, como se hará ver en los títulos siguientes, en nuestro criterio esta disposición es inconstitucional y su alcance debe ser modulado, incluso en perjuicio de lo querido por el Parlamento, para ajustar la norma a los mandatos de la Carta Política.

3. Inconstitucionalidad de la exoneración de cumplir con la restricción forzosa constituida por la legítima rigorosa (hoy rigurosa)

Se estima imprescindible hacer la capital salvedad de que, en criterio del autor de esta obra, la disposición en análisis es abiertamente inconstitucional[815], no consulta los postulados del Estado Social de Derecho, lesiona gravemente los intereses de la familia y, consiguientemente, sería incapaz de resistir un eventual análisis de constitucionalidad o, en su defecto, sería admisible que en juicios particulares se solicitara su inaplicación por vía de la excepción de inconstitucionalidad prevista en el artículo 4º Superior. Esta visión del asunto está sustentada en los artículos 1º, 2º, 5º, 13, 16, 42, 58 y 62 de la Carta Política.

---

de la propiedad de la tierra en zonas del país en las que prevalece el microfundio". (Se resalta). Cfr. Gaceta del Congreso de la República número 773 de 2016.

[815] Esta posición es también compartida por TATIANA OSPINA VARGAS. *Autonomía de la voluntad y libertad testamentaria en Colombia: Alcances y modificaciones de la Ley 1934 de 2018*. Monografía para optar por el título de Abogada de la Facultad de Ciencias Jurídicas de la Pontificia Universidad Javeriana. Bogotá, 2020. Pág. 46 y siguientes.

La libertad de disponer de los propios bienes en vida y después de la muerte encuentra su respaldo constitucional en la libertad individual (art. 5° y 16) y el derecho a la propiedad privada (art. 58). ROBERTO SUÁREZ FRANCO aporta una buena síntesis del fundamento constitucional del derecho a testar, en los siguientes términos:

"Entre nosotros, el artículo 58 de la Constitución Política garantiza la propiedad privada y los derechos adquiridos con arreglo a las leyes civiles. Si el testamento, como resulta ser la opinión más aceptada, es una manera de ejercer el derecho de dominio para que sus disposiciones se cumplan después de la muerte del testador, ha de entenderse que [se] acoge la primera tesis; en consecuencia, la supresión del derecho [a testar] estaría sometida a una reforma constitucional (...)"[816].

En la misma línea, pero ya en relación con la *libertad* del testador, la Corte Constitucional se ha pronunciado en varias oportunidades. Por su relevancia, a continuación se transcriben algunos apartes de la sentencia C-552 de 2014, M.P. MAURICIO GONZÁLEZ CUERVO, en la que se reiteró la sentencia C-660 de 1996, M.P. CARLOS GAVIRIA DÍAZ. En las providencias se explica, con mucha claridad, el sustento constitucional que subyace a la *libertad* que tiene el testador al momento de disponer de sus bienes:

"5.2.1. Las facultades con que cuenta el testador son conferidas por Legislador con base en dos garantías constitucionales conferidas a toda persona (i) el derecho a la propiedad privada y (ii) la autonomía de la voluntad. Respecto de la primera la Corte en la sentencia C-660 de 1996 consideró lo siguiente:

'Uno de los elementos esenciales del derecho de propiedad es que el propietario tiene <u>la facultad de disponer libremente de sus bienes, siempre y cuando lo haga dentro de los límites señalados en el artículo 58 antes transcrito. En consecuencia, bien puede éste vender, donar, o realizar cualquier otro acto translaticio de dominio que la ley permita. Dentro de esta gama de posibilidades, el legislador considera que, con ocasión de la muerte, el propietario puede decidir el destino de sus bienes; obviamente según las reglas sucesorales señaladas por él.</u> Así pues, puede decirse que la Constitución define el derecho de propiedad en concordancia con los postulados del Estado social de derecho, autorizando al legislador para que lo concrete y regule; y a su vez el legislador, en ejercicio de tal atribución constitucional, concede a las personas, bajo ciertos supuestos legales, la posibilidad de decidir a quién, y en qué términos, dejará sus bienes. De aquí se deriva la autorización del legislador de permitir que el testador someta a condición ciertas asignaciones'. (subrayas fuera de texto)

5.2.2. En cuanto a la segunda, vista desde el punto de vista sucesoral, se indicó que:

---

816 ROBERTO SUÁREZ FRANCO. *Derecho de sucesiones*. Séptima Edición. Ed. Temis. Bogotá, 2019. Pág. 165.

'La ley permite que la voluntad del *de cujus* se manifieste a través del testamento, es decir, en un acto jurídico unilateral solemne, mediante el cual se determina la forma en que se han de repartir los bienes que se dejan al morir. Recuérdese que la facultad del testador para disponer de sus bienes no es ilimitada pues, para que el testamento sea válido, deben respetarse los órdenes sucesorales establecidos en la ley. De tal forma que, sobre la mitad de los bienes, en el campo de las legítimas, su facultad se limita prácticamente a reiterar lo dispuesto en la ley. Ya en la cuarta de mejoras su competencia se amplía, puesto que puede decidir a cuál, o cuáles de los descendientes les mejorará su asignación, ofreciéndoles una mayor expectativa patrimonial'".

Repárese, al respecto, en que el Tribunal Constitucional reconoce que la *libertad* del testador halla su origen en las garantías constitucionales de propiedad privada y autonomía de la voluntad. Sin embargo, tales facultades no pueden ser concebidas como un poder omnímodo, carente de frenos o restricciones.

Es claro que obran como principales frenos a la *libertad* del testador el orden público y las buenas costumbres. Además, la Corte Constitucional ha juzgado en varias oportunidades que la intromisión de las cláusulas testamentarias en el fuero interno del individuo-asignatario constituye "una injerencia indebida en su capacidad para autodeterminarse (…). Así, aunque en el caso de las asignaciones condicionales testamentarias éstas no constituyan una obligación o prohibición para el asignatario, en todo caso restringen la libertad del individuo y, por tanto, carecen de validez constitucional"[817].

Es así como en Sentencia C-513 de 2013, M.P. Jorge Ignacio Pretelt Chaljub, se declaró la inexequibilidad parcial del artículo 1133 del Código Civil, en la parte en la que autorizaba que una asignación testamentaria se dejara bajo la condición de que el asignatario permaneciera en estado de viudedad si tenía "uno o más hijos del anterior matrimonio, al tiempo de deferírsele la asignación". Y también de esa manera, en Sentencia C-101 de 2005, M.P. Alfredo Beltrán Sierra, la Corporación declaró la inexequibilidad del artículo 1134 del Código Civil, conforme al cual era posible dejar a la mujer, mediante asignación testamentaria, un derecho de usufructo, de uso o de habitación, o una pensión periódica, mientras permaneciera soltera o viuda. En opinión del Tribunal, "la igualdad entre sexos, el derecho a conformar una familia y a optar por un determinado estado civil, son intereses jurídicos que no se pueden sacrificar en aras de garantizar la autonomía del testador a imponer condiciones testamentarias, pues ese

---

[817] Sentencia C-513 de 2013, M.P. Jorge Ignacio Pretelt Chaljub.

derecho se encuentra sujeto a límites, uno de ellos y de gran significación, el derecho a autodeterminarse en la vida según sus propias convicciones".

Además de los anteriores límites, de naturaleza evidentemente constitucional, resulta oportuno ahora tratar los que más interesan a este escrito: las asignaciones forzosas, específicamente la legítima, y su fundamento *supralegal*. Anticipamos atrás que el límite a la libertad de testar constituido por la legítima rigorosa halla sustento en los artículos 1°, 2°, 5°, 13, 16, 42, 58 de la Carta Política. Veamos, *in extenso*, los planteamientos de la Corte Constitucional que así lo refuerzan:

> "Es, igualmente, necesario hacer la salvedad de que la cuarta de libre disposición [hoy media] le permite al testador de manera libre, favorecer a quienes a bien tenga, por lo que, tampoco es cierto que el testador no pueda disponer de una parte de sus bienes, en favor de personas que, por ley, no tienen la calidad de legitimarios.

> Hechas las precisiones que anteceden, en cuanto al examen concreto de los cargos formulados, tiénese lo siguiente:

> Como esta Corporación ya ha tenido ocasión de señalarlo, las asignaciones forzosas, —llamadas así, precisamente, para connotar que, en ningún caso, pueden ser afectadas y que, de consiguiente, se suplen cuando el testador no las ha hecho— implican un límite a la libertad de testar libremente, cuyo sustento constitucional, principalmente se encuentra en los artículos 1°., 2°., 5°., 42 y 58 de la Carta Política.

> Ciertamente, esta Corte ya ha tenido oportunidad de consignar su pensamiento acerca del fundamento constitucional que, en los citados preceptos superiores, encuentran las restricciones impuestas a la libertad de testar libremente, a causa, principalmente, de los límites que a la autonomía de la voluntad y al derecho de propiedad, imponen la primacía del interés general, los derechos de los demás, y el amparo y protección debidos a valores supremos de rango constitucional.

> Así lo expresó en Sentencia C-660 de 1996, de la que fue ponente el H.M. Carlos Gaviria Díaz, en la que examinó in extenso los derechos del testador desde la óptica de las restricciones que comportan, tanto los límites constitucionales al derecho de propiedad, como a la autonomía de la voluntad, con ocasión de demanda ciudadana que, en ese entonces, cuestionaba el artículo 1135 del Código Civil, en cuanto permite que el testador someta una asignación testamentaria, a la condición de que su beneficiario tenga un cierto estado civil o ejerza determinada profesión u oficio. (...)

> Es, pues, claro que los límites a la libertad de testar ciertamente se explican por cuanto la autonomía de la voluntad, el derecho de propiedad, el derecho al libre desarrollo de la personalidad, los principios de libertad e igualdad, la

libertad de conciencia y los derechos inmanentes a la personalidad jurídica que la accionante estima conculcados, no son en modo alguno, derechos absolutos. Menos aún en el Estado Social de Derecho.

Si la actora llega a la conclusión contraria es porque la lectura que de la Carta Política hace es incorrecta por lo cual, erradamente le atribuye a los preceptos que consagran las citadas garantías un contenido absoluto, propio de una filosofía eminentemente individualista, como ciertamente lo fue el credo liberal de los siglos XVIII y XIX. Es bien sabido que esa visión fue históricamente superada, y sustituida por la filosofía del Estado Social de Derecho, cuyos valores plasmó el Constituyente de 1991, entre otros, al afianzar los límites a los derechos individuales y al profundizar la dimensión social en la concepción sobre el Estado de Derecho.

En este orden de ideas, esta Corte reitera que no es constitucionalmente de recibo, aducir el derecho al libre desarrollo de la personalidad y el principio de la autonomía de la voluntad, como si se tratase de barreras infranqueables que pudiesen impedir la eficaz protección del interés público pues, como también lo ha puesto de presente, la protección del interés general y del bien común, que son también postulados fundamentales del Estado Social de Derecho, imponen a los mencionados derechos, límites y condicionamientos que son constitucionalmente válidos. De donde se deduce que, por este aspecto, los cargos son infundados.

Reitera la Corporación que los límites que al derecho de testar libremente ha impuesto el legislador, a través de la institución de las legítimas forzosas, tanto en la sucesión testada como en la intestada, buscan proteger a la familia y se originan en razones de interés público.

Tales restricciones son, por lo demás, razonables y constitucionalmente válidas pues se desprenden de la primacía del interés general, representado, en este caso, en la protección de la familia; se explican por razón de la intangibilidad de los derechos económicos que, en favor de sus miembros, ha de producir 'la voluntad responsable' de conformarla, efectos que, como es sabido, se proyectan intemporalmente. No existe pues, por este aspecto fundamento en las acusaciones formuladas las que, por tanto, no pueden prosperar.

De igual modo, en sentir de esta Corte, la consagración en normas de orden público, de reglas sucesorales sobre la constitución de legítimas rigorosas en favor de los consanguíneos, que en todos los casos, rijan el destino post mortem de los bienes del causante, es cabal desarrollo de la competencia de regulación normativa que los artículos 42 y 150 de la Carta Política confieren al legislador, tanto para regular la materia hereditaria como, además y principalmente, para plasmar en ella las restricciones que resultan de los postulados constitucionales que proclaman la primacía del interés general y la protección de valores superiores, a los que históricamente el Constituyente ha dado especial significación, que adquieren una especial connotación en la Constitución de 1991, como la familia, 'institución básica' (Artículo 5º.C.P.)

que es sujeto de amparo y de protección especial por parte del Estado, pues representa el 'núcleo fundamental de la sociedad.' (Artículo 42 C.P.)

En resumen: los derechos sucesorales de los legitimarios que protegen las legítimas rigorosas son la natural y obvia proyección en el tiempo de la 'voluntad responsable' de conformar una familia, pues emanan de la vocación hereditaria que, a su turno, es consecuencia de la filiación y, ésta, a su vez, surge del parentesco que, entre otros, nace de los vínculos de consanguinidad que forman una familia, con prescindencia de las diversas modalidades en que esta puede tener lugar, según lo contempla el mismo artículo 42 Constitucional.

Constituyen, pues, clara expresión de la 'progenitura responsable' y son también manifestación de 'los consiguientes derechos y deberes' que se derivan del 'estado civil de las personas', materias todas éstas sobre las que le corresponde al Congreso legislar, al tenor de lo preceptuado por el multicitado artículo 42 de la Carta Política"[818].

La pluma fluida de la Corte enseña, sin ápice de duda, que las legítimas como asignación forzosa son un desarrollo directo, claro e inobjetable de los artículos 5° y 42 de la Carta, cuando disponen que la *familia* es el núcleo fundamental de la sociedad. También permite entrever que una visión arraigadamente individualista, como lo sería aquella que estima omnímodo y desbordado del testador en relación con su patrimonio, es hoy trasnochada y se encuentra superada por el paradigma del Estado Social de Derecho que impera en Colombia.

Más allá de la concepción de la *familia* como núcleo fundamental de la sociedad, las legítimas rigorosas proyectan el querer del Constituyente al ordenar la conformación familiar sobre el pilar de la 'voluntad responsable', en lugar de ilimitada, desbordada y completamente exenta de barreras. Ellas protegen, además, la 'progenitura responsable' y son proyección de 'los consiguientes derechos y deberes' derivados del 'estado civil de las personas'.

Desde esta perspectiva, luce indiscutiblemente contraria a los mandatos superiores la decisión legislativa de exonerar a los propietarios de predios de extensión inferior a cuatro (4) Unidades Agrícolas Familiares de cumplir con las legítimas, en perjuicio de sus legitimarios. Tanto más si se toma en consideración el argumento esgrimido para hacerlo, cual fue "evitar el

---

[818] Sentencia C-641 de 2000, M.P. Fabio Morón Díaz. Esta providencia fue reiterada, posteriormente, en sentencia C-247 de 2017, M.P. Alejandro Linares Cantillo.

fraccionamiento de la propiedad rural"[819]. Al contrastar la fundamentación parlamentaria que sirvió de base para la exoneración de cumplir el régimen de legítimas con el sustento constitucional de estas últimas claramente se advierte una incongruencia que es solo susceptible de ser zanjada en favor de los legitimarios, con la correlativa protección de su legítima en la sucesión. No hacerlo conduciría al contrasentido lógico de pretender que, so pretexto de salvaguardar la ausencia de fraccionamiento de la propiedad, con miras a que ésta sea productiva para un hijo, los demás queden completamente desprovistos de medios para su subsistencia.

¿Cuál es el sentido de una progenitura responsable y de ubicar a la familia como núcleo fundamental de la sociedad si se autoriza que, para que uno de los legitimarios sea próspero, los demás legitimarios puedan ver burlado su derecho en la sucesión? Fue ese el razonamiento legislativo cuando se previó el régimen legal que disciplinaría la sucesión testamentaria de los predios rurales con extensión inferior a cuatro (4) UAF; razonamiento que, bueno es indicarlo, se enfocó ociosamente en la aparente consolidación del derecho de propiedad y en el individualismo absoluto, pero soslayó por completo el hecho de que nuestro Estado Social y Constitucional de Derecho ya superó ese apabullante individualismo que se pregonaba en épocas pretéritas y transitó además hacia una comprensión más amplia y más tozuda de los deberes de solidaridad familiar y progenitura responsable.

Y no se diga que a las potísimas razones de índole constitucional que aquí se exponen se puede oponer otra, también de naturaleza *supralegal,* consistente en que lo querido por el Legislador de 2018 fue desarrollar el artículo 60 de la Carta Política, conforme al cual "[e]l Estado promoverá, de acuerdo con la ley, el acceso a la propiedad". Tal proposición carece, en forma grave, de solidez lógica, porque equivale a sostener que es intención del Estado promover que un legitimario, o cualquier tercero, acceda a la propiedad y, más propiamente, a la rural, en perjuicio de los demás legitimarios. Pero, adicionalmente, se soporta en una premisa empírica poco seria en la medida en que desconoce lo que importantes estudiosos del tema de tierras han concluido con vehemencia: los predios pequeños en extensión pueden llegar a ser mucho más productivos que los grandes. Basta,

---

[819] Dice la exposición de motivos: "La ley propuesta hace una excepción al establecer la libertad testamentaria cuando el activo principal de la sucesión sea un predio de valor menor a 4 UAF, con el fin de frenar la fragmentación de la propiedad de la tierra en zonas del país en las que prevalece el microfundio". Gaceta del Congreso de la República número 602 de 2016.

al efecto, consultar los planteamientos de ANA MARÍA IBÁÑEZ, ex Decana de la Facultad de Economía de la Universidad de los Andes, sobre el particular.

De manera que la contradicción que se plasma no pasa de ser un sofisma, una apariencia que no entraña en realidad oposición alguna entre el artículo 60 y los demás cánones de la Carta Política. De ello no cabe duda, habida cuenta de que el acceso a la propiedad rural es fácilmente desarrollable, y en mayor grado, con la protección efectiva de las legítimas. No se requiere más que un sencillo ejemplo para entender que cuando se respetan las legítimas en una sucesión de un causante que tenía, a su sazón, tres hijos, se concede acceso a la propiedad a cada uno de ellos; en cambio, si se autoriza la adjudicación del predio a solo uno, tendremos un titular del derecho real de dominio y dos personas que no llegaron a serlo.

Jamás podría obrar como contraargumento el hecho de que no se trata de acceder a la propiedad por el solo hecho de hacerlo, sin garantizar las condiciones mínimas de subsistencia digna, pues para ello han sido instituidas las Unidades Agrícolas Familiares de que trata la ley 160 de 1994 y la demás normativa concordante. Y en lo demás nada se opone a que un predio de menor extensión genere mayor productividad y provecho que uno de mayor extensión. Luego, se insiste, un argumento de esta naturaleza no pasa de ser un simple sofisma.

A todo lo cual es de agregar, fuera de lo expuesto, que el reproche constitucional se hace más severo todavía si se mira desde la óptica de la igualdad material y la igualdad de los hijos ante la ley que reclaman, en su orden, los artículos 13 y 42 de la Carta Política.

En una perspectiva abstracta, no hay manera de sostener la desigualdad en que quedan los legitimarios de causantes que eran propietarios de predios rurales con extensión menor a cuatro (4) Unidades Agrícolas Familiares y los legitimarios de todos los demás causantes. Mientras que los últimos estarán cubiertos por el manto de las legítimas como proyección de los postulados constitucionales, los primeros no lo estarán, sino que quedan sujetos a la incierta voluntad, omnímoda, absoluta y desbordada del causante. ¿Qué explicación constitucional tiene esta desigualdad entre legitimarios, según su causante sea propietario de predios rurales con extensión menor a cuatro (4) UAF o de otro tipo de bienes? Ninguna. No hay explicación y no la puede haber, porque resulta ilógica y desproporcionada la desprotección de la ley en relación con los primeros, bajo el cuestionable argumento de no fraccionar la propiedad y permitir su consolidación y productividad para solo uno de los legitimarios (o ninguno, si es que el causante testa en favor de cualquier tercero).

Desde un ángulo concreto, tampoco es posible justificar la desigualdad en que pueden quedar unos legitimarios en relación con los demás. Se repite que luce exótico y bastante frívolo el argumento de autorizar que una persona pueda testar la totalidad de su predio en favor de uno solo de sus legitimarios, con exclusión de los otros, para el solo efecto de que el asignatario pueda consolidar la propiedad y recibir réditos más formidables. Así, los otros legitimarios quedarán a la deriva, como si nunca hubieran sido hijos o padres del *de cujus*.

4. Alcances del artículo 21 de la Ley 1934 de 2018 desde una perspectiva constitucional

En el título anterior se explicó que son bastantes y muy variados los reparos que se pueden formular en relación con el artículo 21 de la Ley 1934 de 2018, a tal punto que se sostiene que no solo no resistirá un control abstracto de constitucionalidad, sino que, en casos particulares, dependiendo de las circunstancias, se podría incluso solicitar la inaplicación de la disposición por vía de la excepción de inconstitucionalidad que se deriva del artículo 4º de la Carta Política. Por tal motivo, se juzga imperativo indicar cuál es, en opinión del autor, una correcta interpretación del artículo en análisis, de acuerdo con los lineamientos previstos por el ordenamiento constitucional.

PEDRO LAFONT PIANETTA[820] y JORGE PARRA BENÍTEZ[821] se han dado a la titánica labor de intentar conciliar el texto legal con los postulados *supra-legales*, el principio general *favoris familiæ* y la interpretación en favor del derecho positivo legislado. Para el primero, "dentro de una interpretación sistemática, [la expresión 'no será aplicable el régimen de legítimas'] no debe ser entendida patrimonialmente en su composición sino testamentariamente en su ejercicio". Para el segundo, "[l]a armonía del artículo 21 de la ley 1934 de 2018 con el artículo 46 de la ley 160 de 1994 lleva a entender que el alcance de aquél no puede ser el de excluir en los casos que abarca

---

[820] Véase a PEDRO LAFONT PIANETTA. *Derecho de sucesiones.* Tomo II. *Sucesión testamentaria y contractual. La partición y protección sucesoral. Partición sucesoral anticipada.* Décima Edición. Ed. Librería del Profesional. Bogotá, 2019. Pág. 317 a 325.

[821] Véase a JORGE PARRA BENÍTEZ. *La abolición del artículo 1243 del Código Civil y la protección de las legítimas rigurosas en Colombia* en Revista de la Academia Colombiana de Jurisprudencia. Volumen 1. Número. 370. Ed. Academia Colombiana de Jurisprudencia. Bogotá, 2019. Pág. 7 a 38. Específicamente sobre este punto, páginas 30 a 36.

el derecho de los legitimarios a su legítima, sino que éste no puede ser definido por el testamento según la voluntad del testador".

Por ser muy similar el alcance de sus consideraciones, se tomará como referente, en este título, a LAFONT PIANETTA. El profesor sostiene que la obscuridad de la norma hace indispensable darle la interpretación más adecuada de acuerdo con nuestro sistema jurídico. Para el efecto, sostiene lo siguiente:

"[L]a 'inaplicabilidad' mencionada [se refiere a la inaplicabilidad del régimen de legítimas que prevé la norma] debe entenderse no en relación con la composición herencial de la legítima, sino con relación, como lo dice el mismo artículo, 'cuando vaya a disponerse testamentariamente' de tales predios como disposición testamentaria (...). Ello se funda:

De una parte, en que, conforme a las normas constitucionales y legales arriba citadas tales predios rurales si (SIC) deben tenerse en cuenta para la conformación de la herencia y, desde luego, para la conformación de la legítima, y, por consiguiente, para la distribución igualitaria de las legítimas.

Por lo que, en este aspecto, si (SIC) se aplica y se tiene en cuenta el régimen de legítimas.

Y, de la otra, en que si la norma citada condiciona la inaplicabilidad del régimen de legítima cuando 'vaya a disponerse testamentariamente' respecto de esos predios rurales' (SIC), es porque está indicando, de un lado, que 'las legítimas' no se tienen en cuenta como 'asignación forzosa' en los términos del artículo 1239 C.C., en el sentido de que obligue al causante a hacer partícipes forzosamente a los legitimarios; y, del otro, que esa restricción forzosa no se predica de la libertad testamentaria para disponer de esos predios rurales. Es decir, que con respecto a estos predios esa disposición quiso decir que el causante no estaba obligado a hacer partícipes a sus legitimarios en esos 'predios rurales'. Pero tal regulación no era indispensable porque la legítima no es de un bien sino de una cuota. Sin embargo, ello parece haber sido necesario porque ordinariamente, aunque por otras razones, siempre se hacía partícipes a los legitimarios en la sucesión parcelaria, de la UAF y de los minifundios.

En otros términos, con esa expresión se prescribe que con relación a esos predios rurales, ahora se goza de una mayor libertad testamentaria que antes no se tenía. Pues basada en la interpretación estricta (preventiva y la legislación anterior, de fraudes) de los principios de unidad empresarial, familiar y territorial, las parcelas y las unidades agrícolas familiares, no podían quedar a cargo de una sola persona; ni tampoco podían fraccionarse o cederse, salvo autorización de Incoder (hoy la Agencia de Tierras) (Arts. 38, 40, num. 1, y 46 Ley 160/1994). Y de a otra, que en cualquier predio rural con restricciones, tampoco podían vulnerarse los límites mínimos, máximos, salvo las excepciones de ley.

Por lo tanto, la inaplicabilidad legitimaria mencionada, solamente indica que sobre esos predios rurales el testador ahora goza de libertad absoluta para

poder dejárselo a aquel o aquellos que sepan, conozcan y garanticen la continuidad de la empresa familiar sin fraccionamiento, dentro de los límites
mínimos y máximos y las excepciones legales (Art. 45 Ley 160/1994) de fraccionamiento testamentario (*v. gr.* para habitaciones campesinas y pequeñas
explotaciones anexas; para superficies menores explotables; etc.), tal como lo
reconoce la exposición de motivos. (...)

Es en este aspecto en donde se adquiere la libertad para evitar la indivisión o el
fraccionamiento, asignándoselo a una sola persona que, por su trabajo, dedicación y familiaridad puede mantener funcionalmente su empresa familiar"[822].

Aunque, como antes se vio, nos apartamos del esfuerzo que se imprime
en tratar de demostrar que la intención del Legislador no era exonerar de
la aplicación de las restricciones forzosas a las sucesiones testamentarias de
predios rurales con extensión menor a cuatro (4) UAF, porque creemos
que esa sí fue su deliberada intención, adscribimos plenamente a la interpretación de los alcances que de esta norma se hace en el fragmento transcrito. Así las cosas, una visión constitucional y prudente del asunto sugeriría que la inserción de una disposición como la consagrada en el artículo
21 de la ley 1934 de 2018 no era necesaria, porque el régimen sucesoral
ya preveía la posibilidad de testar sin mayores restricciones sobre la libre
disposición, incluso si el objeto a asignar era un predio rural con extensión
menor a cuatro (4) UAF. Sin embargo, su conveniencia o utilidad estriba
en la facultad de que, en la sucesión parcelaria, se pueda evitar la indivisión
que ordenan varias normas del régimen de tierras y, en particular, el ordinal 4° del artículo 40 de la Ley 160 de 1994, que antes se comenta.

Lo anterior no supone, naturalmente, que sea factible ignorar el predio
rural para la conformación del *acervo partible* y el natural cálculo de las
legítimas. Ello no puede ser así. Sencillamente indica que, en caso de que
el testador cuente con suficientes activos para respetar las legítimas, quedará autorizado para disponer del predio rural en favor de quien él desee.
Mas cuando el caudal relicto se componga exclusivamente de tal predio, la
única alternativa posible, si lo estima conveniente el causante, será asignar
testamentariamente la mitad de libre disposición a quien prefiera, pero
con absoluto respeto de la legítima rigorosa (hoy *rigurosa*).

Otra palpable utilidad que tendría la norma es la relacionada con la
nulidad de los actos o contratos dispositivos cuando no han transcurrido

---

[822] PEDRO LAFONT PIANETTA. *Derecho de sucesiones*. Tomo II. *Sucesión testamentaria y
contractual. La partición y protección sucesoral. Partición sucesoral anticipada.* Décima
Edición. Ed. Librería del Profesional. Bogotá, 2019. Pág. 319, 320 y 321.

quince (15) años desde la adjudicación del predio. Sabido es que el testamento es, por excelencia, un acto jurídico unilateral y dispositivo, entre otras características, lo que lleva a cuestionar si, pese a que siempre se ha podido otorgar testamento en relación con los predios rurales destinados a la explotación familiar (UAF, artículo 38 de la Ley 160 de 1994), su naturaleza misma lo haría susceptible de nulidad cuando no hubiere transcurrido el lapso de quince (15) años desde la adjudicación, previsto en la ley para el cambio de titularidad del derecho real de dominio. Esa discusión es hoy inoperante, o al menos debería serlo, si se entiende que el artículo 21 de la Ley 1934 de 2018 expresamente facultó a los propietarios para asignar este tipo de predios por testamento, lo que impediría, *prima facie*, que se alegara su posible nulidad.

V. Vigencia

El aspecto relacionado con los efectos temporales de las leyes sucesorales ha sido de particular interés para la doctrina clásica y la legislación. En efecto, las disposiciones sobre el régimen hereditario entrañan una especial relevancia, en la medida en que ellas gobiernan la forma en la que se habrá de proceder al momento de partir o dividir el caudal de un sujeto determinado al momento de su fallecimiento. Por tal motivo, la promulgación de una normativa al respecto ha de alcanzar situaciones nuevas, que surjan bajo su imperio, y cobija a quienes se encuentran vivos en ese momento específico; puede alterar la vocación hereditaria de personas que han consolidado situaciones jurídicas con anterioridad a su promulgación, cual sucede con los matrimonios o la filiación.

Es así que, tras ocupar varias páginas de los libros de texto, la doctrina se ha inclinado por reconocer que la eficacia temporal de este tipo de normas es de carácter retrospectivo. Para confirmarlo, basta acudir a las obras de DOMENICO BARBERO[823], THEODOR KIPP[824], JULIUS BINDER[825] o AURELIO CANDIAN[826].

---

[823] Cfr. DOMENICO BARBERO. *Sistema del derecho privado.* Tomo V. *Sucesiones por causa de muerte.* Trad. Santiago Sentís Melendo. Ed. Ejea. Buenos Aires, 1967. Núm 1027 a 1030.

[824] Cfr. THEODOR KIPP. *Derecho de sucesiones.* Tomo V. Vol. 2°. Trad. Ramón María Rocca Sastre. Ed. Bosch. Barcelona, 1951. Núm. 144.

[825] Cfr. JULIUS BINDER. *Derecho de sucesiones.* Trad. José Luis La Cruz Berdejo. Ed. Labor S.A. Barcelona y Madrid, 1953. Núm. 2.

[826] Cfr. AURELIO CANDIAN. *Instituciones de derecho privado.* Trad. Pascual Leone. Ed. Uteha. México D.F, 1961. Núm. 26 y 27.

Pero no es solo la doctrina la que se ha encargado de la difícil labor de escudriñar y establecer los efectos temporales de la ley sucesoral. Las legislaciones domésticas fueron muy conscientes de las complicaciones que podrían surgir al momento de repartir una herencia, por lo que, en lo que hace a Colombia, el Parlamento fue cuidadoso en la materia y la reguló por medio de la Ley 153 de 1887. Dicen, al respecto, los artículos 34 y 35:

"ART 34. Las solemnidades externas de los testamentos se regirán por la ley coetánea a su otorgamiento; pero las disposiciones contenidas en ellos estarán subordinadas a la ley vigente en la época en que fallezca el testador.

En consecuencia, prevalecerán sobre las leyes anteriores a la muerte del testador las que al tiempo en que murió regulaban la incapacidad o indignidad de los herederos o asignatarios, las legítimas, mejoras, porción conyugal y desheredaciones.

ART 35. Si el testamento contuviere disposiciones que según la ley bajo la cual se otorgó no debían llevarse a efecto, lo tendrá, sin embargo, siempre que ellas no se hallen en oposición con la ley vigente al tiempo de morir el testador".

Antes de abordar el fondo de los artículos transcritos, es menester aclarar que su objeto se centra en determinar lo concerniente a las sucesiones testadas. Ello es así, habida cuenta de que las sucesiones intestadas entrañan menos complejidades, pues en estos casos no media una declaración de voluntad del causante, legalmente vinculante, en punto a la forma de distribuir su caudal hereditario. En tal sentido, aunque el tránsito normativo, mientras el futuro *de cujus* vive, puede impactar o afectar situaciones jurídicas previamente consolidadas (verbigracia la desaparición de la porción conyugal o la modificación de los órdenes sucesorales con el objeto de igualar los derechos de los hijos sin importar su filiación), los derechos hereditarios solo se consolidan con la apertura sustancial de la sucesión, que ocurre al momento de fallecer el causante (art. 1012 del Código Civil). De consiguiente, las normas vigentes que gobiernen la forma en que se ha de repartir la herencia son plenamente aplicables, sin que se pueda aducir que entran en conflicto con una manifestación de voluntad del causante, legalmente vinculante.

En cambio, otra es la situación cuando media testamento. Si el testamento es definido por la normativa civil como aquel acto "en que una persona dispone del todo o de una parte de sus bienes para que tenga pleno efecto después de sus días" (art. 1055 del Código Civil), significa ello que estamos ante una indiscutible manifestación de voluntad del testador, amparada en sus efectos por la ley. De modo que su naturaleza jurídicamente vinculante, en cuanto toca con la forma de repartir el caudal relicto, sí puede colisionar con la normativa. Y no podría ser distinto, pues resulta factible que la voluntad del futuro *de cujus* haya estado orientada o limitada por la normativa vigente al momento del otorgamiento del testamento, pero esa normativa es pasible de modificación. Así, al momento de fallecer el causante se abrirá la sucesión sustancial (art. 1012 del Código Civil) y las normas entonces vigentes regirán lo concerniente a la herencia.

Para hacer frente a las vicisitudes que se podrían presentar en las sucesiones testadas en específico, el Legislador ideó los artículos que previamente fueron objeto de transcripción y fijó las siguientes reglas:

En primer lugar, dividió el análisis sobre la validez del testamento. Así, para juzgar si un acto de esa naturaleza se ajusta a la ley, es preciso distinguir las formalidades externas de las estipulaciones propiamente tales. Las primeras son aquellas ritualidades que la ley demanda (verbigracia el número de testigos que deben estar presentes o el funcionario competente para recibir la declaración de voluntad). Las segundas son las referidas a la forma en que se ha de repartir la herencia, ellas vivifican, si se quiere, la verdadera voluntad del testador.

En relación con las primeras (*formalidades externas*), la validez está dictada por las leyes coetáneas al momento del otorgamiento del testamento (art. 34 de la Ley 153 de 1887). De manera que si la normativa establece que, para su validez, el testamento debe ser otorgado en presencia de tres (3) testigos, y así se procede, el acto no será luego susceptible de ser declarado nulo si una disposición posterior al otorgamiento, pero previa al fallecimiento del testador, indica que se requieren ahora cinco (5) testigos.

Por lo que hace a las segundas (*estipulaciones propiamente tales*), la validez se juzga conforme a las reglas vigentes al momento del fallecimiento del testador (art. 34 de la Ley 153 de 1887). Por consiguiente, supóngase que, al momento de otorgar determinado testamento, la normativa preveía que la libre disposición del causante, habiendo legitimarios, era de tres cuartas (¾) partes del acervo partible y el testador decide dejar esa cantidad a una amiga; pero, antes de su fallecimiento, se promulga una nueva ley que indica que la libre disposición del causante, habiendo legitimarios, se reduce a una cuarta (¼) parte del acervo partible. Comoquiera que las reglas vigentes cuando fallece el testador son aquellas que obran como marco para juzgar la validez de las estipulaciones testamentarias, resulta inobjetable que la cláusula en que se dispuso de las tres cuartas (¾) partes del acervo partible en favor de una extraña es contraria a derecho.

La lógica que subyace a esta disposición, muy cuerda por demás, es la siguiente: si una persona dispone de sus bienes para el futuro, en vigencia de una ley con determinadas restricciones, nada obsta para que esa misma persona, en vida, cambie su testamento cuando la normativa varía (sea para ampliar o restringir la libertad testamentara).

En segundo lugar, el Legislador previó la posibilidad de que un testador, bajo el imperio de una ley determinada, decida disponer de sus bienes en una forma que resulta contraria a los mandatos normativos, pero antes de fallecer se promulga una nueva ley que convalida la voluntad del futuro causante. En forma consecuente con lo previamente expuesto, se quiso conferir validez a las estipulaciones testamentarias si, pese a incumplir las reglas vigentes al momento del otorgamiento del testamento, se avienen a las normas imperantes para la época del fallecimiento del testador (art. 35 de la Ley 153 de 1887).

Así pues, supóngase que, al momento de otorgar un testamento, la normativa preveía que la libre disposición del causante, habiendo legitimarios, era de una cuarta (¼) parte del acervo partible y el testador decide dejar la mitad (½) de su herencia cantidad a un compañero de trabajo; pero, antes de su fallecimiento, se promulga una nueva ley que indica que la libre disposición del causante, habiendo legitimarios, se incrementa a tres cuartas (¾) partes del acervo partible del acervo partible. Comoquiera que las reglas vigentes cuando fallece el testador son aquellas que obran como marco para juzgar la validez de las estipulaciones testamentarias, resulta inobjetable que la cláusula en que se dispuso de la mitad (½) del acervo partible en favor de un extraño se ajusta a derecho (arts. 34 y 35 de la Ley 153 de 1887).

Esa es la regla general aplicable a las sucesiones testadas, que permite juzgar la validez de un testamento en particular. Será necesario que, para los comentarios que enseguida se exponen, el lector la tenga bien presente.

En la Ley 1934 se consagró una disposición exótica en torno a su vigencia. Se trata del artículo 22 del cuerpo normativo que indica lo siguiente:

> "Esta ley entrará a regir a partir del 1 de enero del año siguiente de su expedición y no será aplicable a los testamentos que hayan sido depositados en notaría antes de la vigencia de la presente ley, los cuales seguirán regulados por la legislación anterior".

No genera dificultad la época de entrada en vigor del cuerpo normativo. En efecto, dado que su promulgación ocurrió el 2 de agosto de 2018, la entrada en vigor tuvo lugar el 1º de enero de 2019. Mas en lo atañedero al resto de la proposición normativa surgen serios interrogantes que se procurará absolver:

La ley específicamente indica que sus mandatos "no será[n] aplicable[s] a los testamentos que hayan sido depositados en notaría antes [de su vigencia]"; esto es, antes del 1º de enero de 2019. Y agrega que esos testamentos "seguirán regulados por la legislación anterior".

Evidentemente, tan desafortunada redacción constituye una excepción a la regla general sobre la validez de las estipulaciones testamentarias que se explicó con anterioridad. Es así, porque la ley somete "los testamentos" depositados antes de su entrada en vigor a la "legislación anterior" y expresamente se exime de ser aplicable a tales testamentos.

Para precisar el alcance y contenido de esta norma, se estima oportuno segregar su análisis entre las sucesiones intestadas y testadas. A ese efecto, aunado a lo explicado, el lector querrá tener en mente que toda sucesión sustancial se abre el momento de fallecer el causante, mientras que la sucesión procesal se abre cuando se inicia el juicio o trámite que culmina con la partición de la herencia. Veamos:

1. Sucesiones intestadas

El artículo 22 de la ley 1934 de 2018 se refirió, impropiamente, a los *testamentos*, y no a las *sucesiones*, como más adelante se analizará. Pero es regla de imperativa aceptación que las sucesiones intestadas reciben su nombre porque, justamente, el causante no otorgó testamento alguno.

Sobre esas bases, se tendría que afirmar que el citado artículo 22 no se refirió expresamente a este tipo de sucesiones y, consiguientemente, a ellas las gobiernan las reglas generales en la materia, sin que quepan excepciones de naturaleza alguna. En tal sentido, como se dejó previamente anotado, la regla general de toda sucesión es que la normativa que la preside sea aquella vigente al momento de fallecer el causante (que implica también la apertura sustancial de la sucesión). Así también, es irrelevante si los trámites judiciales o notariales en orden a su partición se inician en otro momento.

Veremos, a continuación, los efectos de la Ley 1934 de 2018 sobre las sucesiones intestadas, según se hayan abierto sustancialmente antes o después del 1º de enero de 2019:

A. *Apertura sustancial anterior al 1º de enero de 2019*

Cuando el causante haya fallecido con anterioridad al 1º de enero de 2019, las disposiciones de la ley 1934 de 2018 no serán aplicables, ni en todo ni en parte. Por lo tanto, la sucesión estará presidida por las normas vigentes al momento de fallecer el *de cujus*.

Entonces, si el deceso ocurrió, para ejemplificar, el 30 de junio de 2018, las normas vigentes sobre mejoras, legítima rigorosa, legitimarios, conformación de acervos imaginarios, imputación, restitución, indignidad, porción conyugal y determinación de los herederos serán las que presidan la sucesión.

B. *Apertura sustancial posterior al 1° de enero de 2019*

Cuando el causante fallezca con posterioridad al 1° de enero de 2019, las disposiciones de la ley 1934 de 2018 sí serán aplicables, en cuanto corresponda, a la sucesión. Una mirada rápida sugeriría que la intención de la ley fue solo regular las sucesiones testadas, por lo que no habría disposiciones aplicables a la sucesión, pero ello no es así. Para ejemplificar, acudiremos a dos casos:

1°) *Caso 1*: En vida, Mario dona irrevocablemente a su hijo José, el 23 de mayo de 2017, una casa por valor de $500. El 5 de febrero de 2019 Mario fallece, deja una herencia de $100 y le sobreviven sus tres hijos José, Paula y Camilo.

Para determinar el *acervo partible*, conforme a las reglas del artículo 1242 y siguientes, se hace necesario tomar el *acervo líquido* ($100) y adicionarlo con el valor de las donaciones hechas por el causante en vida. Comoquiera que la única donación se hizo en favor de José, que es legitimario en cuyo orden se reparte la sucesión de Mario, la donación por valor de $500 se habrá de colacionar en el *primer acervo imaginario*. La suma de ambos rubros ($100 + $500) conformará el *acervo líquido imaginario* ($600).

Debido a que la Ley 1934 de 2018 eliminó la cuarta (¼) de mejoras, el *acervo líquido imaginario* solo se ha de dividir entre dos, para hallar la media (½) legitimaria y la media (½) de libre disposición. Por tanto, en esta sucesión, vale la media legitimaria $300, mientras que la libre disposición asciende a otros $300.

A su turno, para hallar las legítimas de cada hijo, se hace necesario dividir media (½) legitimaria entre el número de hijos (3), lo que arroja como resultado que, a cada uno, le corresponden $100 a título de legítima rigorosa. Dado que José fue donatario de una casa avaluada en $500, ese valor se habrá de imputar a su legítima ($100), con lo cual se verifica un exceso de $400.

El exceso, dice el nuevo artículo 1251 del Código Civil, "se imputará a la mitad de libre disposición, con exclusión del cónyuge sobreviviente, en el caso del artículo 1236, inciso 2, todo ello sin perjuicio de cualquier otro objeto de libre disposición, a que el difunto las haya destinado". Por consiguiente, dado que Mario nada dispuso en relación con su media libre, la totalidad del exceso de José ($400) se saca de la libre disposición ($300). Queda entonces un nuevo exceso de $100, el cual se habrá de restituir (art. 1264 del Código Civil).

En ese caso, José preservará $400 de la casa donada, Paula tendrá derecho de recibir $100 a título de legítima y Camilo recogerá otros $100 a título de legítima.

Si el deceso de Mario hubiere ocurrido antes del 1° de enero de 2019, el *acervo líquido imaginario* ascendería a $600. Así, la media (½) legitimaria ascendería a $300, la cuarta (¼) de mejoras a $150 y la cuarta (¼) de libre disposición a $150.

La donación efectuada a José se imputaría, en primer término, a su legítima, lo que resultaría en un exceso de $400 ($500 - $100). Ese exceso se imputaría, luego, a la parte que le corresponde a José en las mejoras (una tercera parte, porque son tres hijos, de la cuarta de mejoras). Por tanto, la segunda imputación arrojaría un nuevo exceso de $350 ($400 - $50). El nuevo exceso se habría de imputar, por último, a la libre disposición, con preferencia a toda otra destinación que hubiera hecho Mario, con lo cual quedaría un exceso final de $200 ($350 - $150), que José tendría que restituir. La legítima efectiva de Paula ascendería a $150 y la de Camilo a otros $150.

Nótese, entonces, cómo en este primer caso hubo un verdadero cambio en la regulación aplicable a la materia sucesoral, aun sin mediar testamento.

2°) Caso 2: En vida, Roberto dona irrevocablemente a su novia Claudia, el 10 de octubre de 2015, un apartamento por valor de $1.000. El 15 de junio de 2019 Roberto fallece, deja una herencia de $100 y le sobreviven sus dos hijos Juan y Pablo.

Para determinar el *acervo partible*, conforme a las reglas de los artículos 1242 y siguientes, se hace necesario tomar el *acervo líquido* ($100) y adicionarlo con el valor de las donaciones hechas por el causante en vida. Comoquiera que la única donación se hizo en favor de Claudia, que es no es heredera en el orden en que se reparte la sucesión de Roberto, es menester determinar si la donación por valor de $1.000 se debe acumular en el *segundo acervo imaginario*.

Al efecto, dispone el nuevo artículo 1244 del Código Civil que "[s]i el que tenía, a la sazón, legitimarios, hubiere hecho donaciones entre vivos a extraños, y el valor de todas ellas juntas excediere a la mitad de la suma formada por este valor y al del acervo imaginario, tendrán derecho los legitimarios para que este exceso se agregue también imaginariamente al acervo, para la computación de las legítimas". Con miras a determinar si hay algún exceso, la nueva fórmula aplicable es la siguiente[827]:

$$E = D - \frac{D + A}{2}$$

Donde:

E = Exceso.

D = Donación.

A = Acervo líquido o Primer acervo líquido imaginario, según el caso.

Al aplicar la ecuación al caso concreto, se tiene lo siguiente:

$$E = \$1.000 - \frac{\$1.000 + \$100}{2}$$

$$E = \$1.000 - \frac{\$1.100}{2}$$

$$E = \$1.000 - \$550$$

$$E = \$450$$

El exceso determinado, por valor de \$450, se debe confrontar con la libre disposición de Roberto. Dado que el *acervo líquido*, en este caso, es de \$100, la media legitimaria asciende a \$50 y la media de libre disposición asciende a los \$50 restantes. Por lo tanto, al imputar el exceso a la libre disposición, queda un remanente de \$400 (\$450 - \$50), que Claudia deberá restituir (Art. 1245 del Código Civil).

Si el deceso de Roberto hubiera ocurrido antes del 1º de enero de 2019, el *acervo líquido* ascendería a \$100. Así, la media legitimaria sería de \$50, la cuarta de mejoras de \$25 y la cuarta de libre disposición de \$25. Para determinar si Claudia debía restituir parte alguna de la donación, era necesario determinar si había exceso, así:

$$E = D - \frac{D + A}{4}$$

---

[827]   Del análisis pormenorizado de la nueva regulación del segundo acervo imaginario nos ocuparemos en el Tomo IV.

$$E = \$1.000 - \frac{\$1.000 + \$100}{4}$$

$$E = \$1.000 - \frac{\$1.100}{4}$$

$$E = \$1.000 - \$275$$

$$E = \$725$$

El exceso se tenía que confrontar con la libre disposición (\$25), por lo que quedaría un remanente de \$700, que Claudia tendría que restituir.

2. Sucesiones testadas

Previamente se indicó que había abdicado de tecnicismo el Legislador al ordenar, en el artículo 22 de la Ley 1934 de 2018, que las disposiciones de ese cuerpo normativo no fueran aplicables "a los testamentos que hayan sido depositados en notaría antes de la vigencia de la presente ley". Ha debido señalar, con mayor claridad, que las sucesiones testadas se regirían por la ley anterior, siempre que el testamento hubiera sido depositado en notaría antes de la entrada en vigor de ese cuerpo normativo.

Abstracción hecha de tal imprecisión, que es en verdad superable por la hermenéutica jurídica, no parece posible pasar por alto que con tal aseveración se estatuyó una excepción a la regla general que rige la validez de las estipulaciones testamentarias. Esta última, como se dijo, indica que la voluntad del causante tiene como parámetro de control a la ley vigente al momento de su fallecimiento, independientemente de la fecha en que se otorgó el testamento. La primera, en cambio, parece señalar que el parámetro de control de la voluntad del causante será la ley que se encontraba vigente al momento del otorgamiento del testamento, y no aquella en vigor para la fecha del deceso.

Por constituir una excepción a la regla general, el artículo 22 de la Ley 1934 de 2018 queda sujeto a una interpretación estricta y restrictiva, al paso que no admite la aplicación de la analogía. Veamos los distintos casos que pueden ocurrir, en punto a la sucesión testamentaria, y la forma en la que, a nuestro juicio, se debe proceder:

A. Apertura sustancial anterior al 1° de enero de 2019, con testamento otorgado antes del 1° de enero de 2019

En caso de que el testamento se haya otorgado antes del 1° de enero de 2019 y el deceso del causante también se haya verificado con anterioridad a esa fecha, la excepción prevista en el artículo 22 de la Ley 1934 de 2018 no será aplicable. Por el contrario, las disposiciones a consultar serán las previstas en los artículos 34 y 35 de la ley 153 de 1887.

Así las cosas, la validez de las formalidades externas del testamento se juzgará con base en la legislación vigente al momento de su otorgamiento, en tanto que la validez de las estipulaciones testamentarias se juzgará en función del ordenamiento en vigor al fallecer el *de cujus*.

B. Apertura sustancial posterior al 1° de enero de 2019, con testamento otorgado después del 1° de enero de 2019

En estos eventos tampoco habrá lugar a aplicar el artículo 22 de la Ley 1934 de 2018, porque el testamento respectivo no se depositó en notaría antes del 1° de enero de 2019, sino después. De consiguiente, las normas que presidirán la sucesión serán aquellas previstas en los artículos 34 y 35 de la Ley 153 de 1887.

En otras palabras, la validez de las formalidades externas del testamento se juzgará con base en la legislación vigente al momento de su otorgamiento, en tanto que la validez de las estipulaciones testamentarias se juzgará en función del ordenamiento en vigor al fallecer el *de cujus*.

C. Apertura sustancial posterior al 1° de enero de 2019, con testamento otorgado antes del 1° de enero de 2019

Cuando el causante fallezca con posterioridad al 1° de enero de 2019, pero otorgue su testamento antes de esa fecha, sí será aplicable la excepción consagrada en el artículo 22 de la Ley 1934 de 2018. De suerte que la validez del testamento, tanto en lo que toca con sus formalidades externas como en lo que hace a sus estipulaciones, se habrá de juzgar con base en la "ley anterior". Pero fluye el interrogante obvio: ¿cuál es el alcance de la expresión "ley anterior"?

Para responder no resulta útil acudir a los antecedentes normativos, pues en ellos se constata que, desde la radicación del proyecto de ley, el artículo sobre su vigencia tuvo la misma redacción, sin que haya sido objeto de explicación, discusión o modificación durante el trámite parlamentario. Es menester, entonces, acudir a otros métodos de interpretación que permitan establecer el verdadero alcance de la expresión "ley anterior".

En primer lugar, se podría entender que la expresión se refiere a las normas que gobiernan las formalidades externas del testamento. Si ello es así, sería una disposición inocua y sin aplicación práctica, porque el artículo 34 de la Ley 153 de 1887 ya era suficientemente claro al prevenir que el parámetro de control de tales formalidades externas es aquel constituido por "la ley coetánea a su otorgamiento". En eso coinciden ambos cuerpos normativos.

En segundo lugar, se podría entender que la expresión se refiere a las normas que gobiernan las estipulaciones testamentarias. En tal hipótesis, sería necesario analizar si la expresión "ley anterior" se refiere (i) por un lado, a las normas formales que remiten a las regulaciones pertinentes sobre la sucesión; o, (ii) por el otro, a las normas sustanciales que presiden la sucesión.

Por lo que toca con lo primero, las normas formales que remiten a las regulaciones pertinentes sobre la sucesión son los artículos 34 y 35 de la ley 153 de 1887. En efecto, antes de la entrada en vigor de la ley 1934 de 2018 era en esas disposiciones que se ordenaba (i) que las estipulaciones contenidas en los testamentos estarían subordinadas a la ley vigente en la época en que fallezca el testador; (ii) la prevalencia de las leyes que, al morir el causante, regulaban la incapacidad o indignidad de los herederos o asignatarios, las legítimas, mejoras, porción conyugal y desheredaciones, sobre las leyes anteriores a la muerte del testador; y (iii) la validez de las disposiciones testamentarias que, según la ley bajo la cual se otorgó el testamento, no debían llevarse a efecto, siempre que ellas no se hallen en oposición con la ley vigente al tiempo de morir el testador.

De manera que si lo querido por el artículo 22 de la Ley 1934 de 2018 al decir "ley anterior" fue remitir a los artículos 34 y 35 de la ley 153 de 1887, se generará lo que en Derecho Internacional Privado se conoce como un *conflicto de leyes*, porque éstos últimos remiten, a su vez, a la legislación vigente al momento de fallecer el causante. No habría problema en solventar el *conflicto de leyes* mediante la aplicación de la ley 1934 de 2018, si lo único expresado por el artículo 22 hubiera sido que "los testamentos depositados en notaría" antes de la vigencia de ese cuerpo normativo se gobernarían por la "ley anterior", pero sucede que la disposición fue más allá y expresamente indicó que la Ley 1934 "no será aplicable a [esos] testamentos".

No resulta tan sencillo, en esos términos, concluir que las disposiciones de la Ley 1934 de 2018 sí pueden ser aplicadas a las sucesiones sustanciales abiertas en su vigencia, pero con testamento otorgado antes de ella, si la propia ley prohibió tal aplicación. Para dirimir la controversia, resulta ahora conveniente acudir a la otra posible interpretación que ofrece el artículo 22 de la Ley 1934 de 2018 al referirse a la "ley anterior".

Si el artículo 22 de la Ley 1934 de 2018 quiso, al aludir a la "ley anterior", remitir a las normas sustanciales que presiden la sucesión, es como si ese cuerpo normativo hubiere querido que el intérprete hiciera caso omiso de su promulgación. Entonces, más allá de los artículos 1012 y 1013 del Código Civil, que regulan la apertura sustancial de la sucesión y la delación de la herencia, habrá necesidad de acudir, entre otros, a los artículos 1226 a 1269, *ibídem*, sobre las asignaciones forzosas.

Creemos que esto último fue lo querido por el Legislador. Aunque no es fácilmente comprensible el motivo por el cual quiso introducir una excepción a la regla general sobre la normativa aplicable a las sucesiones, tampoco se encuentra reparo desde el punto de vista constitucional que haga inaplicable este mandato. Fue, como se dijo, un exótico planteamiento del Congreso, quizás motivado por la falta de conocimiento de la normativa sucesoral. Pero ello *per se* no invalida su contenido.

Acaso se podría reprochar el haber conferido la posibilidad a los causantes para determinar el régimen sucesoral que presidirá su sucesión. En ello coincidimos, porque no parece lógico que una persona pueda elegir, como quien compra un bien, la ley aplicable a su herencia. Sin embargo, la normativa anterior a la promulgación de la Ley 1934 de 2018 tiende a ser, las más de las veces, mucho más garantista en relación con la protección de los legitimarios y las asignaciones forzosas que se erigen como desarrollo de los artículos 1°, 2°, 5°, 16, 42 y 58 de la Carta Política. Y si a eso se reduce el cuestionamiento, sencillamente se dirá que quien desee gozar de mayor libertad en sus disposiciones para después de sus días podrá, lisa y llanamente, otorgar un nuevo testamento o revocar el anterior. Incluso si se admitiera la imposibilidad de que un individuo elija el régimen aplicable a su sucesión, y por esa vía se conminara a que tal sucesión estuviera presidida por el régimen de la ley 1934 de 2018, en lugar de proteger a los legitimarios y a las asignaciones forzosas se los perjudicaría, porque las nuevas disposiciones señalan, por ejemplo: (i) que el exceso de las donaciones hechas a título de legítima se debe imputar a la libre disposición sin perjuicio de las otras asignaciones hechas por el causante, mientras que antes la imputación se hacía con perjuicio de las otras asignaciones (art. 1251 del Código Civil, en sus versiones anterior y nueva); y (ii) que la libre disposición asciende al 50 % del *acervo partible*, en tanto que antes se tenían las mejoras como asignación forzosa, que constituían el 25 % del *acervo partible* y solo se podían entregar a los legitimarios descendientes.

Pero el punto es disputadísimo. Lafont Pianetta[828] cree que, por donde se mire, es completamente inocuo el artículo 22 de la Ley 1934 de 2018 en la medida en que toda sucesión testada se debe regir por las normas de esa ley, y no por las disposiciones anteriores.

Esclarecido este aspecto, se estudiará la aplicación del artículo 22 de la Ley 1934 de 2018, según se trate de sucesiones propiamente testadas o de sucesiones mixtas, a saber:

A'. Sucesiones propiamente testadas

Puede ocurrir que la sucesión sea propiamente testada; esto es, que mediante el testamento se haya dispuesto de la totalidad de los bienes del causante. Veamos algunos casos, con la forma en que aplicaría la vigencia temporal de la Ley 1934 de 2018:

1°) Caso 1: Una señora otorga su testamento el 30 de diciembre de 2018 (antes del 1° de enero de 2019) y dispone que: (i) su libre disposición, íntegra, se entregue a su hermana María; (ii) sus mejoras, completas, se entreguen a sus nietos Lorenzo y Mauricio; y (iii) las legítimas de cada uno de sus cuatro hijos, Juan, José, Rodolfo y Alicia, se paguen con determinados bienes.

Si la mujer fallece el 3 de enero de 2019 (luego de la entrada en vigor de la Ley 1934 de 2018), la sucesión se habrá de regir, por completo, por las disposiciones testamentarias. Así, María recibirá toda la libre disposición, que corresponde a una cuarta (¼) parte del acervo partible; Lorenzo y Mauricio recibirán todas las mejoras, que corresponden a otra cuarta (¼) parte del acervo partible; y Juan, José, Rodolfo y Alicia recibirán cada uno, una cuarta (¼) parte de la legítima rigorosa que equivale a la mitad (½) del acervo partible.

Aunque no corresponde jurídicamente, no habría inconveniente, en este caso, de aplicar la ley nueva. Porque no se debe olvidar que el artículo 1127 del Código Civil indica que, en tratándose de testamentos, "prevalecerá la voluntad del testador claramente manifestada, con tal que no se oponga a los requisitos o prohibiciones legales". Tan nítida disposición es explicada por Juan Jordano Borea, así:

---

[828] Pedro Lafont Pianetta. *Derecho de sucesiones.* Tomo II. *Sucesión testamentaria y contractual. La partición y protección sucesoral. Partición sucesoral anticipada.* Décima Edición. Ed. Librería del Profesional. Bogotá, 2019. Pág. 327 a 332.

"El testamento es un negocio unilateral no recepticio y, por tanto, no destinado a suscitar confianza en «otra parte» o en un «declaratorio»; en estas circunstancias, es lógico y justo que se atribuya al sentido subjetivo del declarante (testador) el poder decisorio en materia de interpretación.

La verdad es que la disciplina interpretativa del testamento se explica por la misma naturaleza y estructura del acto de última voluntad, del que el testamento constituye su prototipo, como típico negocio unilateral *mortis causa* de atribución patrimonial que opera mediante institución de heredero y el legado (…)

El criterio hermenéutico de la búsqueda de la real *mens testantis* encuentra precisamente su verdadero fundamento tecno-jurídico en esta diversa naturaleza y estructura del acto de última voluntad, que obliga al intérprete a encararlo desde el ambiente y desde el punto de vista del propio testador"[829].

Sobre esas bases, incluso si se pretendiera aplicar la nueva ley, en la que ya no hay mejoras, sería necesario acudir a la voluntad de la causante. Así, parecería entrar en colisión la disposición que se hizo de "la libre disposición, íntegra", en favor de María, con aquella efectuada respecto de entregar "las mejoras, completas", a sus nietos Lorenzo y Mauricio; pero tal colisión lo sería tan solo en apariencia, porque la testadora consideraba que su libre disposición, "íntegra", solo ascendía a la cuarta (¼) parte de su acervo partible y que las mejoras "completas" ascendían a otra cuarta (¼) parte del acervo. Por consiguiente, ahora que la libre disposición "íntegra" es de la mitad (½) del acervo y ya no existen mejoras, no se podría pretender perjudicar a Lorenzo y Mauricio, claros adjudicatarios de la causante, so pretexto de favorecer a María con la libre disposición "íntegra", sino que, de la totalidad de la libre disposición (la mitad del acervo partible), la mitad (una cuarta parte del acervo partible) se entregará a María y la otra mitad (otra cuarta parte del acervo partible) la recogerán Lorenzo y Mauricio.

2º) *Caso 2:* Un señor otorga su testamento el 10 de marzo de 2017 (antes del 1º de enero de 2019) y dispone que: (i) con cargo a su libre disposición, se entregue a su vecino Jorge el 30 % del acervo partible; (ii) con cargo a sus mejoras, se entregue a su nieta Catalina el 20 % del acervo partible; y (iii) que las legítimas de cada uno de sus dos hijos se paguen con determinados bienes.

---

[829] JUAN JORDANO BOREA. *Interpretación del testamento.* Ed. Bosch. Barcelona, 1958. Pág. 38 y siguientes.

Si el señor fallece el 20 de marzo de 2020 (después del 1° de enero de 2019), el parámetro de control de las estipulaciones testamentarias será la normativa anterior a la ley 1934 de 2018, como si ésta no existiera. De manera que la libre disposición debería ascender solo al 25 % del acervo partible, no al 30 %, porque es lo que corresponde verdaderamente a la cuarta (¼) de libre disposición. En consecuencia, el vecino Jorge no tendrá cómo recibir el 30 % asignado en testamento, aunque si esa sucesión se hubiera regido por la ley actual, ello sí habría sido posible.

B'. Sucesiones mixtas (en parte testadas y en parte no)

De frecuente ocurrencia entre nosotros son los casos en los que las personas únicamente otorgan testamentos para disponer respecto de una parte de su patrimonio, pero no de la totalidad. Es aquí donde se hace más vívido el inconveniente de que el Legislador haya previsto, en el artículo 22 de la Ley 1934 de 2018, que las disposiciones de ese cuerpo normativo no serían aplicables "a los testamentos" depositados en notaría antes del 1° de enero de 2019. ¿Qué significa la expresión "a los testamentos"? ¿Cómo se conjuga la aplicación de la "ley anterior" con la nueva?

Pues bien, es evidente que las disposiciones de la ley anterior son incompatibles, en su gran mayoría (cuando no en la totalidad), con la Ley 1934 de 2018. Por tanto, no se estima viable aplicar, en una misma sucesión, ambas leyes para gobernar distintos aspectos. No vemos cómo sería ello posible, sin terminar por afectar gravemente la coherencia del ordenamiento jurídico.

Sobre esas bases, para analizar el alcance de la Ley 1934 en cuanto hace a las sucesiones mixtas, propondremos algunos ejemplos:

1°) Caso 1: Iván otorga testamento el 3 de abril de 2018 (antes del 1° de enero de 2019) y dispone que a su compañero de clases, Sebastián, se le adjudique un inmueble avaluado en $500. Iván fallece el 6 de octubre de 2019, deja una herencia de $1.500 y le sobrevive su única hija Melissa.

El *acervo líquido* es de $1.500 y con base en él se habrán de calcular las cuartas aplicables, así:

Media (½) Legitimaria	$750
Cuarta (¼) de Mejoras	$375
Cuarta (¼) de Libre Disposición	$375
TOTAL = ACERVO LÍQUIDO	**$1.500**

Al confrontar la libre disposición de Iván ($375) con el valor del inmueble dejó, por testamento, a Sebastián ($500), se observa que hay un exceso de $125. En la medida en que la asignación testamentaria irrespeta las asignaciones forzosas, el legado de Sebastián se tendrá que disminuir al valor del que Iván efectivamente podía disponer ($375). El resto será adjudicado a Melissa, a título de legítima efectiva, compuesta por $750 de legítima rigorosa y $375 por la cuarta de mejoras.

Si la sucesión se hubiera tramitado bajo las reglas de la ley 1934 de 2018, Iván perfectamente habría podido legar el inmueble a Sebastián y le hubieran sobrado $250 en su libre disposición que irían a parar a Melissa, quien terminaría con una legítima efectiva compuesta por $750 de legítima rigorosa y $250 por la parte de la libre disposición que Iván no utilizó.

2°) Caso 2: Julio otorga testamento el 9 de mayo de 2012 (antes del 1° de enero de 2019) y dispone que, a título de mejoras, se le entregue a su nieta Elena la suma de $8.000. Julio fallece el 10 de abril de 2021 (después del 1° de enero de 2019), deja una herencia de $32.000 y le sobreviven sus hijos Nicolás y Patricia.

El *acervo líquido* es de $32.000 y con base en él se habrán de calcular las cuartas aplicables, así:

Media (½) Legitimaria	$16.000
Cuarta (¼) de Mejoras	$8.000
Cuarta (¼) de Libre Disposición	$8.000
TOTAL = ACERVO LÍQUIDO	$32.000

Al confrontar lo dejado a Elena ($8.000) con la cuarta de mejoras ($8.000), no se observa incompatibilidad alguna con que ella reciba lo que le corresponde a título de mejoras. Lo demás se repartirá, por partes iguales, como legítima efectiva de Nicolás y Patricia.

3°) Caso 3: Álvaro dona irrevocablemente, el 17 de agosto de 2014, una casa por valor de $1.000 a su hijo Francisco, a título de legítima. El 5 de mayo de 2018, Álvaro otorga testamento y dispone que se le entregue a su socia Laura la suma de $600. Álvaro fallece el 10 de septiembre de 2020, deja una herencia de $2.000 y le sobreviven sus hijos Francisco, Marcela y Manuela.

El *acervo líquido* asciende a $2.000. Por razón de la donación efectuada, a título de legítima, a Francisco, se forma el *primer acervo imaginario* en cuantía de $1.000. Así, el *acervo líquido imaginario* es de $3.000. Con base en ese valor se deben calcular las cuartas aplicables, a saber:

Media (½) Legitimaria	$1.500
Cuarta (¼) de Mejoras	$750
Cuarta (¼) de Libre Disposición	$750
TOTAL = ACERVO LÍQUIDO	**$3.000**

Para identificar las legítimas rigorosas de cada hijo, se divide la media legitimaria ($1.500) entre 3, lo que arroja un resultado de $500. Comoquiera que Francisco recibió una donación irrevocable, a título de legítima, el valor de la liberalidad se imputa a su legítima, con lo cual queda un exceso de $500 ($1.000 - $500).

El exceso, como lo ordenaba la versión anterior del artículo 1251 del Código Civil, se imputa a la cuarta de mejoras, "sin perjuicio de dividirse por partes iguales entre los legitimarios". Dado que la cuarta de mejoras equivale a $750, su valor se debe dividir entre el número de hijos legitimarios (3), para un valor, por hijo, de $250. El exceso de Francisco ($500) se imputa al valor de mejoras que le corresponde ($250), que resulta en un nuevo exceso de $250 ($500 - $250).

El nuevo exceso, en los términos del anterior artículo 1252 del Código Civil, se sacaba de la cuarta de libre disposición, "con preferencia a cualquier objeto de libre disposición, a que el difunto la haya destinado". Comoquiera que la cuarta de libre disposición vale $750, de allí se toma la totalidad del nuevo exceso de Francisco.

Queda, entonces, un saldo de $500 en la libre disposición de Álvaro. Sin embargo, en su testamento había ordenado entregar $600 a Laura que, por no ser legitimaria, solo podría recibir su asignación con cargo a la libre disposición y, habida cuenta de que la libre disposición se vio menguada por la donación hecha a Francisco, ella solo podrá recoger un total de $500.

Por lo demás, Marcela y Manuela recibirán, cada una, a título de legítima efectiva, $500 por concepto de legítima rigorosa y $250 por mejoras.

Nótese que aquí solo se testó en relación con una parte de la libre disposición, pero se aplicó la normativa anterior para el cómputo e imputación de la donación hecha a Francisco (legitimario), porque de lo contrario habría sido imposible conciliar la nueva ley con la anterior. En efecto, la nueva ley dispone que el exceso en la legítima se toma de la libre disposición, "sin perjuicio de cualquier objeto de libre disposición, a que el difunto la haya destinado". De aplicar esa regulación, Laura habría recibido los $600 y Francisco se habría visto obligado a restituir.

Reiteramos que, en nuestra opinión, no es admisible aplicar en forma concomitante las dos leyes a una misma sucesión.

Capítulo XX.
Régimen de las leyes 1943 de 2018 y 2010 de 2019

La suscripción del Acuerdo de Paz entre el gobierno del Presidente SANTOS y el grupo terrorista de las FARC condujo a un incremento inusitado en el gasto público. Así, con motivo de las elecciones presidenciales celebradas en 2018, fruto de las cuales resultó ungido en la primera magistratura IVÁN DUQUE MÁRQUEZ, se hizo imperativo gestionar la aprobación de un compendio normativo enderezado a financiar las erogaciones del Estado.

Con ese contexto, el Gobierno Nacional presentó, ante el Congreso de la República, el proyecto que a la postre se promulgaría como ley 1943 de 2018. Tal compendio, sin embargo, fue declarado inexequible por la Corte Constitucional colombiana, habida cuenta del acaecimiento de irregularidades en el trámite parlamentario, mediante Sentencia C-481 de 2019, M.P. ALEJANDRO LINARES CANTILLO. Por ello, el Ejecutivo tuvo que radicar una nueva iniciativa ante el Legislativo, muy similar a la anterior, luego sancionada con el número 2010 de 2019.

Las anteriores consideraciones ponen de manifiesto la importancia de estudiar, conjuntamente y bajo un mismo título, las leyes 1943 de 2018 y 2010 de 2019. En efecto, aunque sus textos difieren en algunos puntos, la columna vertebral de los compendios normativos es prácticamente idéntica. Veamos:

SECCIÓN I. PRESERVACIÓN DEL SISTEMA CEDULAR O ANALÍTICO PARA LA DEPURACIÓN DEL IMPUESTO SOBRE LA RENTA DE LAS PERSONAS NATURALES

Las leyes 1943 y 2010 preservaron, en lo fundamental, el sistema cedular o analítico que había sido incorporado por la ley 1819 de 2016, a instancias de la recomendación formulada por la Comisión de Expertos que se hubo de conformar en aquella oportunidad. Empero, según se analiza enseguida, se modificaron las cédulas hasta entonces imperantes, en el sentido de reducir su cantidad. Si antes se depuraban cinco cédulas en forma independiente (trabajo, pensiones, rentas de capital, rentas no laborales y dividendos y participaciones), ahora solo se requeriría depurar tres: (i) la cédula de rentas de trabajo, de capital y no laborales (que llamaremos cédula general); (ii) la cédula de rentas de pensiones; y (iii) la cédula de dividendos y participaciones. Así se desprende de lo previsto por los artículos 29 de la ley 1943 y 37 de la ley 2010, modificatorios, en lo pertinente, del artículo 330 del Estatuto Tributario.

Veamos, a continuación, su composición y contenido:

I. Cédula general

Los artículos 32 de la ley 1943 y 40 de la ley 2010 modificaron, en idénticos términos, el artículo 335 del Estatuto Tributario. El nuevo texto asignado dispone que la cédula general se integra por los ingresos: (i) de las rentas de trabajo a que alude el artículo 103 del Estatuto Tributario; (ii) de las rentas de capital, es decir, las obtenidas por concepto de intereses, rendimientos financieros, arrendamientos, regalías y explotación de la propiedad intelectual; y (iii) de todos los que no se clasifiquen expresamente en ninguna otra cédula, con excepción de los dividendos y las ganancias ocasionales, que se rigen según sus reglas especiales.

En condiciones normales, se pensaría que la depuración de la cédula general debería proceder en forma conjunta, esto es, mediante la imputación de costos y gastos asociados indistintamente a todos los tipos de ingreso, pero ello no es así. Suficientemente claro es el artículo 336 del Estatuto Tributario (arts. 33 de la Ley 1943 y 41 de la Ley 2010) al precisar las imputaciones de ingresos no constitutivos de renta, costos y gastos se hacen contra los ingresos a los cuales se asocian. Y, de la misma manera, los artículos 1.2.1.20.2 y 1.2.1.20.3 del Decreto 1625 de 2016 precisan cuáles son los ingresos de cada sub cédula y las rentas exentas y deducciones directamente imputables a ellas.

Ahora bien, como se recordará, la Corte Constitucional, en Sentencia C-120 de 2018, M.P. GLORIA STELLA ORTIZ DELGADO, condicionó la exequibilidad del artículo 336 del Estatuto Tributario (en su versión anterior) al entendido de que "los contribuyentes que perciban ingresos considerados como rentas de trabajo derivados de una fuente diferente a la relación laboral o legal y reglamentaria pueden detraer, para efectos de establecer la renta líquida cedular, los costos y gastos que tengan relación con la actividad productora de renta". Por tal motivo, en la nueva redacción de la norma se lee que "también se podrán restar los costos y gastos asociados a las rentas de trabajo provenientes de honorarios o compensaciones por servicios personales, en desarrollo de una actividad profesional independiente. Los contribuyentes a los que les resulte aplicable el parágrafo 5 del artículo 206 del Estatuto Tributario deberán optar entre restar los costos y gastos procedentes o la renta exenta prevista en el numeral 10 del mismo artículo". En últimas, no fue nada distinto a la incorporación, en el texto legal, del mandato constitucional que ya había sido ordenado por la Corte.

II. *Cédula de pensiones*

En cuanto toca con la cédula de pensiones, las leyes 1943 y 2010 no modificaron el texto que la Ley 1819 de 2016 le asignó al artículo 337 del Estatuto Tributario. Por consiguiente, el lector se puede remitir a los comentarios formulados en la Subsección II de la Sección I del Capítulo XIX de este Tomo.

III. *Cédula de dividendos y participaciones*

Tampoco hubo cambios en cuanto a la integración de la cédula de dividendos y participaciones, por parte de las leyes 1943 y 2010. Por ello, el lector puede acudir a los planteamientos vertidos en la Subsección V de la Sección I del Capítulo XIX de este Tomo.

SECCIÓN II. TARIFAS

Con motivo de la unificación de las cédulas de rentas de trabajo, pensiones y no laborales en una sola (cédula general), dejó de tener sentido la distinción tarifaria que regía para cada una de ellas en virtud de lo previsto por la Ley 1819 de 2016. En consecuencia, los artículos 26 de la Ley 1943 de 2018 y 34 de la Ley 2010 de 2019 unificaron las alícuotas aplicables a la Cédula General, con sus sub cédulas, y la Cédula de Pensiones, así:

De la confrontación entre el régimen tarifario asignado por las leyes 1943 y 2010 y el previsto por la Ley 1819, saltan a la vista varias conclusiones importantes:

1°) En cuanto toca con la alícuota marginal superior aplicable a las rentas de trabajo y las rentas de pensiones hubo un apreciable incremento. En efecto, mientras que la Ley 1819 de 2016 había previsto un tope del 33 %, las leyes 1943 y 2010 contemplaron uno del 39 %.

2°) En relación con esas mismas rentas, hubo también un incremento en los tramos, que pasaron de ser cuatro[830] en vigencia de la Ley 1819 a ser siete[831] con las leyes 1943 y 2010. La explicación ofrecida por el Gobierno Nacional obedeció a la necesidad de procurar una mayor progresividad en el tributo[832].

3°) Pese a que la tarifa marginal aplicable a los primeros cuatro tramos permaneció incólume con las modificaciones, los tres nuevos tramos fueron sujetados, en su orden, a las alícuotas del 35 %, 37 % y 39 %.

4°) En lo que atañe a la alícuota marginal superior aplicable a las rentas de capital y no laborales hubo también un incremento: en la Ley 1819 de 2016 se preveía un tope del 35 %, en tanto que las leyes 1943 y 2010 señalaron uno del 39 %.

5°) También se incrementaron los tramos, pues eran seis[833] en vigencia de la Ley 1819 y pasaron a ser siete[834] al cobijo de las leyes 1943 y 2010.

6°) La variación entre los extremos y la cantidad de los tramos obligó, naturalmente, a que se alteraran también las tarifas marginales aplicables a cada uno de ellos.

Ahora bien, la misma suerte corrió la tarifa aplicable para los dividendos y participaciones. Aquí importa anotar, sin embargo, que los regímenes previstos por las leyes 1943 y 2010 variaron entre sí, por lo que se impone su análisis individual:

Como se recordará, la Ley 1819 de 2016 señaló que los dividendos y participaciones se gravarían, según su cuantía, así: (i) entre 0 y 600 UVT, con la tarifa marginal del 0 %; (ii) >600 y 100 UVT, con la tarifa marginal del 5 %; y (iii) >1000 en adelante, con la tarifa marginal del 10 %.

---

[830]   Eran los siguientes: (i) de 0 UVT a 1090 UVT; (ii) >1090 UVT a 1700 UVT; (iii) >1700 UVT a 4100 UVT; y (iv) >4100 UVT en adelante.

[831]   Son los siguientes: (i) de 0 UVT a 1090 UVT; (ii) >1090 UVT a 1700 UVT; (iii) >1700 UVT a 4100 UVT; (iv) >4100 UVT a 8670 UVT; (v) >8670 UVT a 18900 UVT; (vi) >18900 UVT a 31000 UVT; y (vii) >31000 UVT en adelante.

[832]   Véase la Gaceta del Congreso de la República número 933 de 2018.

[833]   Eran los siguientes: (i) de 0 UVT a 600 UVT; (ii) >600 UVT a 1000 UVT; (iii) >1000 UVT a 2000 UVT; (iv) >2000 UVT a 3000 UVT; (v) >3000 UVT a 4000 UVT; (vi) >4000 UVT en adelante.

[834]   Son los siguientes: (i) de 0 UVT a 1090 UVT; (ii) >1090 UVT a 1700 UVT; (iii) >1700 UVT a 4100 UVT; (iv) >4100 UVT a 8670 UVT; (v) >8670 UVT a 18900 UVT; (vi) >18900 UVT a 31000 UVT; y (vii) >31000 UVT en adelante.

Pues bien, el artículo 27 de la Ley 1943 de 2018 previó el siguiente régimen tarifario:

Basta confrontar ambas disposiciones para advertir que: (i) se disminuyeron los tramos; (ii) el segundo tramo, en la ley 1943, iniciaba en cantidades superiores a 300 UVT, mientras que, en la Ley 1819, el primer tramo cobijaba hasta 600 UVT; y (iii) la alícuota marginal superior en la Ley 1819 ascendía al 10 %, en tanto que en la ley 1943 lo hacía al 15 %.

Seguidamente, el artículo 35 de la ley 2010 de 2019 estableció que las tarifas serían así:

Según se aprecia, si bien en la ley 2010 se mantuvieron los mismos tramos que en la ley 1943, la tarifa marginal superior disminuyó del 15 % al 10 %. Al respecto, en los antecedentes legislativos se observa que los Representantes a la Cámara Richard Aguilar y Édgar Jesús Díaz propusieron una reducción del 15 % al 5 %, pero la variación finalmente adoptada por los Ponentes del Informe para Primer y Tercer Debate de las Comisiones Terceras y Cuartas conjuntas, de Cámara de Representantes y Senado, fue disminuir la alícuota al 10 %[835].

Pese a que se echa de ver explicación puntual alguna que haya motivado el cambio de que aquí se trata, lo cierto es que ella es evidente: la antitécnica implementación de un sistema de doble tributación económica (sociedad-socio) sobre las utilidades corporativas, superada entre nosotros desde la promulgación de la ley 75 de 1986, sin consultar los alcances reales de la imposición combinada, daban al traste con el decreto de dividendos por las compañías y desincentivaban la inversión en nuestro país[836].

Ahora bien, como ocurría con la ley 1819, este impuesto especial gravó tanto las utilidades susceptibles de ser distribuidas como "ingreso no constitutivo de renta ni de ganancia ocasional", por haber estado sometidas a

---

[835] Véase, al respecto, la Gaceta del Congreso de la República número 1131 de 2019.

[836] Sobre este punto, muy interesantes reflexiones se formulan en los siguientes textos: (i) JUAN RAFAEL BRAVO ARTEAGA. *El impuesto de renta sobre dividendos* en Comentarios a la reforma tributaria estructural. Ley 1819 de 2016. Dir. Juan Guillermo Ruiz Hurtado. Ed. Instituto Colombiano de Derecho Tributario e Instituto Colombiano de Derecho Aduanero. Bogotá, 2017. Pág. 41 a 57; y (ii) MAURICIO A. PLAZAS VEGA y CLAUDIA J. PLAZAS MOLINA. *Tributación sobre los dividendos en Colombia. La deducibilidad de los intereses relacionados con los dividendos desde la óptica del artículo 177-1 del Estatuto Tributario* en Desafíos de la tributación empresarial. Dir. Carolina Rozo Ramírez. Ed. Ed. Instituto Colombiano de Derecho Tributario e Instituto Colombiano de Derecho Aduanero. Bogotá, 2021. Pág. 19 a 57.

tributación en cabeza de la Compañía (ordinal 3º del artículo 49 del Estatuto Tributario), así como aquellas susceptibles de ser distribuidas como "gravadas", por no haber tributado en cabeza de la Entidad que las repartía (parágrafo 2º del artículo 49 del Estatuto Tributario).

La diferencia entre ambos tipos de utilidades, entonces, radica en que aquellas que se distribuyan como "gravadas" se someten primero a la tarifa del impuesto sobre la renta corporativo (es esta una diferencia con lo previsto por la ley 1819 de 2016) y luego, sobre el saldo, se aplica la tarifa del impuesto especial sobre los dividendos.

SECCIÓN III. LA LEY 2155 DE 2021: UNA REFORMA DE URGENCIA

Debido a la pandemia del coronavirus – Covid-19, Colombia, como todos los países del mundo, entró en recesión económica y se impuso la necesidad de gestar una nueva reforma tributaria. La propuesta inicialmente radicada por el Gobierno Nacional traía importantes cambios a la tributación de las personas naturales, y específicamente las rentas familiares, pero su presentación ante el Congreso de la República originó múltiples alteraciones del orden público que desembocaron en el retiro de la iniciativa y la renuncia del Ministro de Hacienda.

En su lugar, el nuevo Ministro de Hacienda, José Manuel Restrepo Abondano, se dio a la tarea de socializar la urgente necesidad de recaudo con distintos sectores de la Nación, fruto de lo cual se estructuró, organizó, gestó y radicó una nueva iniciativa que, como lo ha reconocido el propio Gobierno Nacional, tiene naturaleza temporal y transitoria. De acuerdo con lo esperado, el proyecto que se convertiría en la Ley 2155 de 2019 incorporó medidas superficiales de recaudo que no llegaron a impactar directamente la tributación de las personas naturales, bastante afligidas con la crisis económica surgida por la pandemia, pero, como es apenas obvio, se hubo de gestar una nueva reforma que será estudiada en el próximo título.

Con motivo de lo anterior, no hay necesidad de profundizar, para cuanto aquí interesa, en los pormenores de este compendio normativo.

Capítulo XXI.
Régimen de la Ley 2277 de 2022

Después de unos controversiales comicios electorales, rodeados de una cuestionable campaña de desprestigio, se hizo a la presidencia de la República, en un hecho sin antecedentes, el candidato del desmovilizado grupo terrorista M-19, GUSTAVO FRANCISCO PETRO URREGO. El 8 de agosto de 2022, un día después de la posesión del nuevo Gobierno, el Ministro de Hacienda, JOSÉ ANTONIO OCAMPO, radicó el proyecto que, a la postre, se convertiría en la Ley 2277 de 2022.

Como se anticipó en el título que antecede, la reforma de que aquí se trata sí incluyó regulaciones muy importantes en relación con la tributación de las personas naturales. En lo fundamental, se pudiera decir que la filosofía del cambio normativo estuvo imbuida por los dictados de la OCDE, puesto que trató de acentuar la tributación sobre las personas naturales (no las jurídicas). Así se observa de la exposición de motivos legible en la Gaceta del Congreso de la República número 917 de 2022:

> "Los ingresos tributarios en Colombia son sustancialmente bajos en comparación con otros a países de Latinoamérica y miembros de la OCDE. (...)
>
> El recaudo por concepto del Impuesto de Renta de Personas Naturales (IRPN) en Colombia es el más bajo entre una muestra de 36 países de economías avanzadas y de otras economías de la región[837]. (...) Este resultado se explica en parte por: i) excesivas deducciones y rentas exentas, las cuales deterioran la base gravable sobre la cual se aplica este impuesto; y ii) el tratamiento diferencial que presentan los ingresos por ganancias ocasionales y dividendos, los cuales se gravan a una tarifa inferior a la tabla de tarifas marginales de la cédula general, pese a que representan una alta porción de los ingresos de los contribuyentes más pudientes. (...)
>
> En un país con tantas necesidades de gasto, el bajo recaudo del IRPN conlleva a que la estructura tributaria del país se soporte principalmente sobre las empresas e impuestos indirectos, afectando la progresividad del sistema. En efecto, en 2018 la participación del impuesto de renta de personas jurídicas en Colombia era 2,5 veces el promedio de la OCDE, al tiempo que, para el IVA, esta participación fue de 1,3 veces (Gráfico 4). (...)

---

[837] Con información del Fondo Monetario Internacional para 2019, Colombia se encontraba en el puesto 76 entre una muestra de 134 países en lo referente al recaudo por el IRPN (https://data.imf.org/?sk=77413f1d-1525-450a-a23a-47aeed40fe78).

> Como fue explicado anteriormente, los ingresos del Gobierno Central en Colombia como proporción del PIB son relativamente bajos al compararlos tanto con otros países de América Latina como con el resto del mundo (Gráfico 9). Según la OCDE (2022), el bajo recaudo es producto, en parte, de los reducidos ingresos tributarios de renta provenientes de personas naturales. Por ello, la inclinación de la carga tributaria sobre las empresas surge como una forma de compensar la estrecha base tributaria con altas tarifas a aquellas operaciones privadas con dificultades para evadir el pago de impuestos (Comisión Expertos en Beneficios Tributarios, 2021). Si se compara el ingreso representado por el impuesto de renta a personas jurídicas (IRPJ) como porcentaje de los ingresos tributarios totales, Colombia se encuentra por encima del promedio latinoamericano y de los países de la OCDE (Gráfico 9), lo cual implica que no sería recomendable incrementar la carga tributaria general de personas jurídicas".

De los planteamientos transcritos se coligen dos conclusiones importantes: (i) el ingreso representado por el impuesto sobre la renta de las personas naturales como porcentaje de los ingresos tributarios totales, en Colombia, es ostensiblemente más bajo que el de los demás países de la OCDE; y (ii) el ingreso representado por el impuesto sobre la renta de las personas jurídicas como porcentaje de los ingresos tributarios totales, en Colombia, es ostensiblemente más alto que el de los demás países de la OCDE.

Lo anterior explica que el Gobierno Nacional, motivado por el interés de aumentar la progresividad del sistema, hubiera propuesto importantes modificaciones a la forma de tributación de las personas naturales. Sin embargo, lo que obvió por completo el Ejecutivo (y no llegó a corregir el Parlamento en el trámite legislativo) fue que tal esquema debía venir aparejado de una ostensible reducción en la forma de tributación de las personas jurídicas. Y, hay que decirlo, la ley 2277 de 2022 no solo no disminuyó la tributación de las personas jurídicas, sino que la aumentó apreciablemente. En efecto, pese a no haber incrementado la alícuota general del 35 % (que, según se explicó en el título que antecede, fue producto de un acuerdo Nacional con los gremios y sectores empresariales, pero con naturaleza transitoria, a fin de conjurar la crisis económica que afligía al país), sí incorporó sendas limitaciones a la depuración de las bases gravables.

Esta circunstancia habrá de conducir, como no podría ser de otra manera, a una altísima presión fiscal que, seguramente, tendrá incidencia directa sobre el crecimiento económico del país y la inversión extranjera directa.

Pues bien, abstracción hecha de la anterior consideración, las múltiples variaciones que sufrió el sistema de tributación de las personas naturales hacen necesario un estudio independiente de las siguientes temáticas: (i) mínimo vital exento; (ii) límite cuantitativo general de rentas exentas y deducciones; (iii) deducción por dependientes; (iv) retención en la fuente; (v) tarifas; y (vi) ganancias ocasionales. Veamos:

SECCIÓN I. REDUCCIÓN EFECTIVA DEL MÍNIMO VITAL EXENTO

Supra[838] se vio que la renta exenta prevista en el ordinal 10° del artículo 206 del Estatuto Tributario ha recibido, de antaño, la connotación de protección al mínimo vital de los individuos[839]. Ese tratamiento tributario de favor, muy lógico por demás, con los años ha sido fruto de diversas limitaciones. En efecto, con motivo de la ley 788 de 2002 se redujo su tope porcentual al 25 % y se estableció un máximo cuantitativo de $4.000.000 mensuales (que se ajustaron progresivamente hasta la expedición de la ley 1111 de 2006, por la cual se incorporó el sistema de unidades de valor tributario, y se fijó en 240 UVT). Seguidamente, la ley 1607 de 2012 aclaró que la detracción del importe correspondiente de la base gravable procedía después de "restar del valor total de los pagos laborales recibidos por el trabajador, los ingresos no constitutivos de renta, las deducciones y las demás rentas exentas". Ahora, con motivo de la promulgación de la ley 2277 de 2022, el artículo 2° del compendio normativo asignó un límite cuantitativo anual (no mensual) de 790 UVT por contribuyente. Dice la norma:

> "**ARTÍCULO 2.** Modifíquense el numeral 10 y los parágrafos 3 y 5 del artículo 206 del Estatuto Tributario, los cuales quedarán así:
>
> 10. El veinticinco por ciento (25 %) del valor total de los pagos laborales, limitada anualmente a setecientos noventa (790) UVT. El cálculo de esta renta exenta se efectuará una vez se detraiga del valor total de los pagos laborales recibidos por el trabajador, los ingresos no constitutivos de renta, las deducciones y las demás rentas exentas diferentes a la establecida. en el presente numeral.
>
> **PARÁGRAFO 3.** Para tener derecho a la exención consagrada en el numeral 5 de este artículo, el contribuyente debe cumplir los requisitos necesarios para acceder a la pensión, de acuerdo con la Ley 100 de 1993,

---

[838] El lector puede acudir a la Subsección I de la Sección IV del Capítulo XIII, la Sección I del Capítulo XIV, la Sección I del Capítulo XV y la Sección VI del Capítulo XVIII.

[839] Sobre esta temática, en particular, véase la sentencia de la Corte Constitucional C-061 de 2021, M.P. Mauricio Piñeros Perdomo.

El tratamiento previsto en el numeral 5 del presente artículo será aplicable a los ingresos derivados de pensiones, ahorro para la vejez en sistemas de renta vitalicia, y asimiladas, obtenidas en el exterior o en organismos multilaterales.

PARÁGRAFO 5. La exención prevista en el. numeral 10 también procede en relación con las rentas de trabajo que no provengan de una relación laboral o legal y reglamentaria".

Nótese la ostensible disminución que sufrió la renta exenta de que aquí se trata. Si bien no hubo variación en lo que atañe al tope cualitativo (que permaneció en el 25 %), el límite cuantitativo se redujo de 240 UVT mensuales a 790 UVT anuales. Esto es, para indicar términos de comparación equiparables, el nuevo compendio normativo autoriza la detracción de 790 UVT al año, en tanto que el antiguo permitía la detracción de 2.880 UVT al año.

La razón de semejante limitación quedó vertida en la exposición de motivos del Gobierno Nacional (legible en la Gaceta del Congreso de la República número 917 de 2022) y se finca, en esencia, en la procura de la equidad vertical:

"4.1.2. Equidad vertical.

En línea con la propuesta de unificación de rentas líquidas gravables y el tratamiento de depuración explicado en la sección anterior, este Proyecto de Ley busca mejorar la progresividad del Estatuto Tributario, en cumplimiento del principio de equidad vertical del sistema gracias a la disminución de los topes nominales globales de rentas exentas y deducciones (beneficios tributarios). En este sentido, se estimaron nuevos límites de forma tal que un contribuyente del IRPN con ingresos brutos mayores a 10 millones mensuales no pueda tener una renta exenta superior al contribuyente que se encuentra en este umbral. De esta forma, se evita que los contribuyentes de mayores ingresos puedan acceder a beneficios tributarios que erosionen su base y, de esta manera, reducir de manera indiscriminada su impuesto a cargo.

Si bien la nueva delimitación reduce sustancialmente los topes nominales vigentes, lo anterior no va en contravía del principio de equidad vertical del sistema tributario, toda vez que estimaciones de la Dirección General de Política Macroeconómica (DGPM) sugieren que únicamente el 2,4 % de las personas con ingresos en Colombia perciben rentas brutas mayores a 10 millones mensuales, los cuales corresponden al 13,2 % de los declarantes del IRPN de mayores ingresos. (…) De esta manera, este Proyecto de Ley contempla la disminución de: (…) ii) tope nominal de la renta exenta de 25 % de los ingresos laborales de 2.880 UVT a 790 UVT anuales (…). (…)

Por otra parte, en la práctica, los topes nominales establecidos actualmente para la renta exenta automática del 25 % aplicable a las rentas laborales, así como para el total de rentas exentas y deducciones de la cédula general, son significativamente elevados, relativos a la estructura de ingresos del país. De igual forma, tal y como se presentó en el capítulo 3, es necesario disminuir dichos topes con el objetivo de incrementar la progresividad del estatuto tributario y evitar que contribuyentes de mayores ingresos disminuyan en mayor medida su impuesto a cargo frente a contribuyentes de menores ingresos. Teniendo esto en cuenta, se plantea una disminución del límite de la renta exenta automática de los ingresos laborales de 2.880 UVT a 790 UVT (...)".

SECCIÓN II. LÍMITE CUANTITATIVO GENERAL DE RENTAS EXENTAS Y DEDUCCIONES PARA LAS PERSONAS NATURALES

Muy de la mano con la limitación de que trata la Sección que antecede, el Gobierno Nacional estableció un tope para las rentas exentas y deducciones con fundamento en las cuales las personas naturales pueden depurar su base gravable del impuesto sobre la renta. Como se recordará, a partir de la promulgación de la Ley 1819 de 2016 se incorporaron, en el artículo 336 del Estatuto Tributario, los cuestionables[840] límites cuantitativo (de 5.040 UVT anuales) y cualitativo (del 40 %) sobre los ingresos netos del contribuyente.

Pues bien, el artículo 7º de la Ley 2277 de 2022 modificó, nuevamente, el artículo 336 del Estatuto Tributario y señaló un límite cuantitativo de 1.340 UVT anuales; es decir, tan solo 111,66 UVT mensuales, mientras que la norma anterior autorizaba un máximo de 420 UVT por mes.

Al igual que sucedió con la limitación del mínimo vital exento, este tope tuvo por propósito procurar la equidad vertical en el sistema. Así se sigue de los mismos planteamientos del Gobierno Nacional vertidos en la exposición de motivos del proyecto que, a la postre, se convertiría en la Ley 2277 de 2022, que quedaron transcritos en el título que antecede.

SECCIÓN III. DEDUCCIÓN POR DEPENDIENTES

En relación con la temática de los dependientes, dos fueron las reformas introducidas por la Ley 2277 de 2022: (i) por un lado, se incorporó

---

[840] Sin perjuicio de que, en nuestro criterio, la conformidad de los límites a que aquí se alude con la Carta Política es cuestionable, precisamente por no respetar la verdadera capacidad contributiva de los individuos (causa eficiente de la tributación), la Corte Constitucional declaró su exequibilidad mediante sentencia C-061 de 2021, M.P. Mauricio Piñeros Perdomo.

una deducción adicional a la que ya consagraba el artículo 387 del Estatuto Tributario; y, (ii) por el otro, se aclaró un vacío que imperaba en relación con las personas mayores de dieciocho años que no se encuentran estudiando y cuya situación de dependencia se origina en factores físicos o psicológicos. Para efectos de mayor claridad, a continuación se estudia cada una de las temáticas en dos Subsecciones distintas.

I. *Deducción por dependientes propiamente tal*

De acuerdo con la modificación incorporada por la Ley 1607 de 2012 al artículo 387 del Estatuto Tributario, se dejó plenamente establecido que eran susceptibles de detracción de la base gravable (hoy de la cédula general) de los contribuyentes personas naturales: (i) los intereses o corrección monetaria por créditos para la adquisición de vivienda; (ii) los pagos por salud, limitados a 16 UVT mensuales; y (iii) los pagos por dependientes, con un límite de hasta el 10 % del total de los ingresos brutos provenientes de la relación laboral o legal y reglamentaria del respectivo mes o 32 UVT mensuales.

Particularmente, en lo atañedero a la materia que aborda este título, el artículo 387 del Estatuto Tributario sustituyó la vetusta expresión de *educación* de los dependientes del contribuyente por la genérica expresión de *deducción por dependientes*, con lo cual, como se indicó previamente, se armonizó el entendimiento tributario con el Derecho Común, en la medida en que amplió el cúmulo de erogaciones a lo que se conoce como *alimentos*. Esa importante y oportuna ampliación se preservó en la Ley 2277 de 2022.

Sin embargo, con motivo de la ostensible limitación incluida por este compendio normativo a las rentas exentas y deducciones que se pueden restar de la base gravable de la cédula general del impuesto sobre la renta de las personas naturales (hasta 1.340 UVT anuales), el artículo 7° de la ley en comentario modificó el artículo 336 del Estatuto Tributario, en el sentido de precisar lo siguiente:

> "Sin perjuicio de lo establecido en el inciso 2 del artículo 387 del Estatuto Tributario el trabajador podrá deducir, en adición al límite establecido en el inciso anterior, setenta y dos (72) UVT por dependiente hasta un máximo de cuatro (4) dependientes".

Esta modificación no estuvo inicialmente prevista en el proyecto radicado por el Gobierno Nacional, sino que vino a ser incorporada en el Informe de Ponencia para Primer Debate de las Comisiones Terceras y Cuartas Conjuntas de la Cámara de Representantes y el Senado de la República, legible en las Gacetas del Congreso de la República números 1199 y 1200 de 2022. En cuanto aquí interesa, los Ponentes estimaron necesario incrementar la deducción, con el fin de reconocer la realidad de las familias colombianas. Veamos:

> "De otra parte, en cuanto a las modificaciones incorporadas sobre los límites aplicables a beneficios tributarios en la depuración de la renta líquida gravable la cédula general, se estimó pertinente realizar algunos ajustes, con el propósito de atender algunas inquietudes y preocupaciones manifestadas por los congresistas. Por una parte, según cifras del Departamento Administrativo Nacional de Estadística —DANE, el hogar promedio del país se encuentra compuesto por 3 personas y, en su mayoría, corresponde a hogares donde la madre es la cabeza de la familia. En este sentido, se estimó pertinente adicionar como deducción un monto en UVT anual por dependiente, hasta un máximo de 4 dependientes, con el fin de reconocer estas realidades y proteger el núcleo familiar".

Repárese en que la modificación propuesta por el Informe de Ponencia, según la explicación transcrita, pretende establecer una deducción "adicional" a la prevista en el artículo 387 del Estatuto Tributario, que no fue materia de variación por la ley 2277 de 2022 en este aspecto, para hacer frente a las preocupaciones de los Congresistas, relacionadas con la composición demográfica de los hogares colombianos (más de un dependiente). Por consiguiente, aunque se trata de una deducción que versa sobre la misma materia que regula el inciso segundo del artículo 387 del Estatuto Tributario, no se confunde ni se identifica con ella. En consecuencia, los contribuyentes tendrán derecho de restar el 10 % de sus ingresos brutos laborales mensuales por concepto de un dependiente, sin exceder de 32 UVT por mes, y, adicionalmente, por cada dependiente adicional (hasta un máximo de 4 dependientes) podrán restar 72 UVT anuales en la depuración de la base gravable del impuesto sobre la renta.

La anterior conclusión se ratifica, incontestablemente, con la explicación proporcionada por el mismo Informe de Ponencia en relación con las modificaciones propuestas al artículo 336 del Estatuto Tributario (que en ese momento del trámite legislativo se encontraban en el artículo 6° del proyecto de ley y en la ley 2277 de 2022 se encuentran en el artículo 7°), cuando indica que la deducción de 72 UVT hasta por 4 dependientes será adicional a al límite de las rentas exentas y deducciones imputables a la renta liquida gravable de la cédula general. Veamos:

> "ARTÍCULO 6. Se amplía el límite de las rentas exentas y las deducciones especiales imputables a la renta líquida gravable de la cédula general de 1.210 a 1.340 UVT anuales y se establece que, en adición a este límite, el trabajador podrá deducir 72 UVT por dependiente hasta un máximo de 4 dependientes. Se establece que las personas naturales que adquieran bienes y/o servicios,

podrán solicitar como deducción en el impuesto sobre la renta, el 1 % del valor de dichas adquisiciones, sin que exceda doscientas cuarenta (240) UVT en el respectivo año gravable, siempre y cuando, las adquisiciones estén soportadas con factura electrónica y se hayan pagado por cualquier medio electrónico, entre otros. Dicha deducción no se encuentra sujeta al límite previsto en el numeral 3 del artículo 336 del Estatuto Tributario y no se tendrá en cuenta para el cálculo de la retención en la fuente, ni podrá dar lugar a pérdidas".

II. Aclaración sobre la dependencia de los mayores de 18 años y menores de 23 en situación de discapacidad

Previo a la modificación incorporada por el artículo 9º de la ley 2277 de 2022, el parágrafo segundo del artículo 387 del Estatuto Tributario preveía una definición legal sobre quiénes se consideraban dependientes y precisaba que recibían tal connotación, entre otros: (i) los hijos del contribuyente que tuvieren hasta 18 años de edad; (ii) los hijos del contribuyente con edad entre 18 y 23 años, cuando el padre o madre contribuyente persona natural se encontrare financiando su educación en instituciones formales de educación superior certificadas por el ICFES o la autoridad oficial correspondiente; o en los programas técnicos de educación no formal debidamente acreditados por la autoridad competente; y (iii) los hijos del contribuyente mayores de 23 años que se encontraren en situación de dependencia originada en factores físicos o psicológicos que sean certificados por Medicina Legal.

Zarama Vásquez y Zarama Martínez advirtieron, desde muy temprano, que, en lo atañedero al tercer grupo, la ley "dejó sin derecho a deducción por el hijo incapacitado [léase en situación de discapacidad] que no pueda estudiar, mientras se encuentra entre los 18 y 23 años, en que vuelve a generar el derecho"[841]. Esta preocupación se desvaneció con la expedición del decreto reglamentario 1070 de 2013, pues su artículo 4º dispuso que, "[p]ara efectos de lo previsto en el parágrafo 2º del artículo 387 del Estatuto Tributario, en relación con el cónyuge o compañero permanente, *los hijos de cualquier edad* y los padres o hermanos del contribuyente, se entenderá que la discapacidad originada en factores físicos o psicológicos será certificada para la aplicación de las deducciones respectivas mediante examen médico expedido por el Instituto Nacional de Medicina Legal y Ciencias Forenses" (bastardillas fuera del original).

---

[841] Fernando Zarama Vásquez y Camilo Zarama Martínez. Reforma tributaria … Pág. 79.

Nótese que la regulación fue contundente al permitir que la discapacidad, fuente de la deducción, se acreditara respecto de los "hijos de cualquier edad", sin distinguir odiosa e inconstitucionalmente, como se podría desprender de una lectura exegética de la ley.

Inicialmente, el texto normativo transcrito fue compilado en el artículo 1.2.4.1.20 del decreto 1625 de 2016, único reglamentario en materia tributaria. Pese a la reforma íntegra de este canon, introducida por el decreto 2250 de 2017, y que se encaminó a regular una situación completamente ajena a la que ahora se comenta, este último cuerpo normativo también modificó el texto del artículo 1.2.4.1.18 del decreto 1625 de 2016 y, en su ordinal 3°, dispuso que darían lugar a la deducción por dependientes "[l]os hijos del contribuyente mayores de dieciocho (18) años que se encuentren en situación de dependencia originada en factores físicos o psicológicos que sean certificados por Medicina Legal". De esta forma, la controversia se mantuvo zanjada.

Empero, pese a que nadie dudaría la *ratio legis* de la deducción a que aquí se alude no es otra que permitir la disminución de la renta del contribuyente con las erogaciones en que incurre para satisfacer las necesidades de sus familiares que no pueden procurársela por sí mismos; vale decir, que *dependen* económicamente de él, lo cierto es que una hermenéutica necia, obtusa y exegética podría conducir a discusiones innecesarias tendientes a cuestionar si este tipo de individuos darían lugar a la deducción por dependientes, habida cuenta de que, independientemente de lo afirmado por el reglamento, no era esa la hipótesis normativa regulada expresamente en la ley.

Así las cosas, en forma afortunada, desde el Primer Debate, el Representante a la Cámara Julián Peinado Ramírez presentó una proposición en el sentido de modificar el ordinal 3° del parágrafo segundo del artículo 387 del Estatuto Tributario, para disminuir la edad de 23 a 18 años[842]. Aunque su proposición no fue tenida en cuenta por los Informes de Ponencia para Primer Debate de las Comisiones Terceras y Cuartas Conjuntas de la Cámara de Representantes y el Senado de la República, ni se adoptó en los textos definitivos de esos debates[843], ni se adoptó por el Informe de Ponencia para Debate en Plenaria del Senado de la República[844], ni en el Informe de Ponencia para Debate en Plenaria de la Cámara de Representantes[845], du-

---

[842] Véanse las Gacetas del Congreso de la República números 1199 y 1200 de 2022.

[843] Véase la Gaceta del Congreso de la República número 1283 de 2022.

[844] Véase la Gaceta del Congreso de la República número 1359 de 2022.

[845] Véase la Gaceta del Congreso de la República número 1358 de 2022.

rante el debate en la Plenaria de la Cámara de Representantes sí hizo eco su llamado[846] y los congresistas aceptaron la modificación. Desde luego, en la Comisión Accidental de Conciliación[847] que se hubo de conformar, se decidió mantener este artículo.

Así las cosas, el artículo 9º de la ley 2277 de 2022 estableció lo siguiente:

> **"ARTÍCULO 9.** Modifíquese el numeral 3 del parágrafo segundo del artículo 387 del Estatuto Tributario, el cual quedará así:
>
> 3. Los hijos del contribuyente mayores de dieciocho (18) años que se encuentren en situación de dependencia, originada en factores físicos o psicológicos que sean certificados por Medicina Legal".

SECCIÓN IV. GANANCIAS OCASIONALES

Como hemos puntualizado, las ganancias ocasionales son rentas que se perciben de manera extraordinaria y esporádica; vale decir, sucesiones, donaciones, actos gratuitos *inter vivos* o enajenaciones de activos fijos poseídos por más de dos años, entre otros. Precisamente por su naturaleza excepcional, y con el fin de hacer frente a las prácticas elusivas, desde el año 2012 (con la ley 1607) se les confirió un tratamiento legal más benévolo que el previsto para los ingresos que quedan alcanzados por el impuesto sobre la renta básico.

Sin embargo, la Ley 2277 de 2022 fue bastante agresiva en esta materia. En efecto, so pretexto de lograr una verdadera equidad vertical, el Gobierno Nacional propuso modificar drásticamente el tratamiento de las ganancias ocasionales. Pero su cometido solo se alcanzó en forma parcial, pues los congresistas generaron una fuerte resistencia que se hubo de traducir en una morigeración del proyecto inicialmente puesto bajo su tutela.

Veremos, en esta Sección, las modificaciones incorporadas en dos frentes fundamentales, a saber: (i) las ganancias ocasionales exentas; y (ii) la tarifa de este impuesto complementario.

---

[846]   Véase la Gaceta del Congreso de la República número 1385 de 2022.
[847]   Véanse la Gacetas del Congreso de la República números 1412 y 1413 de 2022.

I. Exenciones

1. Rentas exentas en sucesiones, donaciones y actos jurídicos gratuitos inter vivos

Sin perjuicio de que más adelante ahondaremos en ello, en el Proyecto Inicial, el Gobierno Nacional pretendía retornar al ya superado régimen de ganancias ocasionales en el que la tarifa del tributo complementario era idéntica a la del impuesto sobre la renta. Sin embargo, en buena hora se hubieron de gestar fuertes resistencias al interior del Congreso de la República, que terminaron por obligar al Gobierno a mantener un sistema autónomo e independiente como el que hasta ahora se había manejado.

En vista de esa intención inicial de mezclar, para la determinación de la tarifa aplicable, las rentas líquidas de las ganancias ocasionales y las del impuesto sobre la renta básico, el Gobierno sugirió adecuar las exenciones provenientes de sucesiones, donaciones y actos jurídicos gratuitos *inter vivos*, con el siguiente razonamiento:

> "Finalmente, considerando la unificación de rentas líquidas gravables que se expuso anteriormente, resulta relevante y necesario ajustar las tarifas de rentas exentas por concepto de herencias y donaciones, discriminando entre vivienda, bienes inmuebles diferentes a vivienda y otros conceptos. En este sentido, se considera el principio de equidad vertical, reconociendo la diferencia de heredar o recibir una donación de un activo en un contexto de bajos ingresos frente a uno de altos ingresos, o si el activo tiene un mayor o menor grado de liquidez.

> Así, solo la persona que disponga de una herencia o donación de una vivienda urbana o rural cuyo valor equivalga a un patrimonio similar al de un contribuyente que recibe ingresos mensuales por más de 10 millones, deberá tributar más; sin embargo, contará con una renta exenta que pasaría de 7.700 a 13.000 UVT, considerando la unificación de las rentas líquidas y la base gravable. Para el caso de los bienes inmuebles diferentes a vivienda, estos tendrán una exención correspondiente al 50% de la asignada a vivienda (6.500 UVT), reconociendo el principio de capacidad de pago y el nivel de iliquidez de estos inmuebles. Respecto al resto de activos, estos contarán con una exención de 25% de la asignada a vivienda (3.250 UVT) —consistente con la renta exenta que aplica para los rendimientos financieros de la indemnización de seguros de vida—. Por último, para las herencias y legados de personas diferentes a legitimarios, se propone reducir el tope nominal desde 2.290 a 1.625 UVT. Es necesario subrayar que, dada la unificación de rentas líquidas gravables, se cuenta con un tramo de 1.090 UVT gravado con tarifa de 0%.

> Los anteriores ajustes en las rentas exentas de ganancias ocasionales responden a la necesidad de avanzar en una normatividad más progresiva, que busque garantizar la suficiencia de los recursos y la consistencia derivada de

la unificación de las RLG [léase rentas líquidas gravables], permitiendo la eliminación de beneficios tributarios injustificados y siendo consistentes con que el monto de renta exenta no afecte, en general, a personas que perciban ingresos de hasta 10 millones mensuales"[848].

Esa justificación resulta de la mayor importancia porque, a pesar de ser vencida la propuesta del Gobierno Nacional de mezclar las rentas líquidas de ganancias ocasionales y del impuesto sobre la renta básico, el ostensible incremento en las exenciones por esas materias (salvo para los herederos y legatarios diferentes de legitimarios y cónyuge o compañero(a) permanente supérstite, así como los donatarios) se mantuvo incólume a lo largo del tránsito legislativo y el artículo 30 de la ley 2277 de 2022, modificatorio del artículo 307 del Estatuto Tributario, consagró el siguiente texto:

"**Artículo 307. Ganancias ocasionales exentas.** Las ganancias ocasionales que se enumeran d continuación están exentas del impuesto a las ganancias ocasionales:

1. El equivalente a las primeras trece mil (13. 000) UVT del valor de un inmueble de vivienda de habitación de propiedad del causante.

2. El equivalente a las primeras seis mil quinientas (6.500) UVT de bienes inmuebles diferentes a la vivienda de habitación de propiedad del causante.

3. El equivalente a las primeras tres mil doscientas cincuenta (3.250) UVT del valor. de las asignaciones que por concepto de porción conyugal o de herencia O legado. reciban el cónyuge supérstite y cada uno de los herederos o legatarios, según el caso.

4. El veinte por ciento (20%)) del valor de los bienes y derechos recibidos por personas diferentes de los legitimarios y/o el cónyuge supérstite por concepto de herencias y legados, y el veinte por ciento (20%) de los bienes y derechos recibidos por concepto de donaciones y de otros actos jurídicos inter vivos celebrados a título gratuito, sin que dicha suma supere el equivalente a mil seiscientos veinticinco (1.625) UVT.

5. Igualmente están exentos los libros, las ropas y utensilios e uso personal y el mobiliario de la casa del causante".

Nos referiremos a las exenciones con la misma estructura empleada para analizar la ley 1607 de 2012. Veamos:

---

[848]   Gaceta del Congreso de la República número 917 de 2022.

A. Rentas exentas objetivas en sucesiones

Se mantuvo la exención objetiva en los primeros dos ordinales, con algunas variaciones:

En cuanto al ordinal primero, se observan dos cambios: (i) por un lado, la disposición anterior se refería a un inmueble de vivienda urbana de propiedad del causante, mientras que la nueva norma alude a un inmueble de vivienda de habitación de propiedad del causante; y, (ii) por el otro, la exención se incrementó de 7.700 UVT a 13.000 UVT.

El primer aspecto, es decir, el objeto sobre el cual recae la exención, implicó una limitación severa, pues eliminó todo margen de maniobrabilidad que pudieran tener los interesados en la sucesión respectiva. En efecto, antiguamente se permitía elegir cualquier inmueble de propiedad del causante, con la única condición de que éste fuera de vivienda urbana; por oposición, ahora solo se autoriza la aplicación del beneficio cuandoquiera el inmueble, además de ser de propiedad del causante, se destine a su propia habitación. De esa forma, ¿se pierde la exención si el individuo residía, antes de su fallecimiento, en un hogar geriátrico? Bastante injusto parecería.

El segundo aspecto, es decir, el referido al incremento del monto de la exención, comporta un indudable acierto y no requiere mayor elucubración.

Ahora bien, en cuanto al ordinal segundo, se observan dos cambios: (i) por un lado, la preceptiva anterior se aplicaba a un inmueble rural de propiedad del causante, independientemente de que haya estado destinado a vivienda o a explotación económica, siempre que no se tratara casas, quintas o fincas de recreo, mientras que la nueva cobija uno o varios bienes inmuebles diferentes a la vivienda de habitación de propiedad del causante; y, (ii) por el otro, la exención disminuyó de 7.700 UVT a 6.500 UVT.

El primer aspecto, es decir, el objeto sobre el cual recae la exención, implicó una importante ampliación. En efecto, antiguamente se limitaba en número (uno nada más) y en destinación (debía ser rural y no podía ser utilizado como casa, quinta o finca de recreo). Ahora, en cambio, la legislación no limita en número, puesto que se refiere en plural a los "bienes", y tampoco impone restricciones en función de la destinación, más allá de exigir que no sea la "vivienda de habitación".

El segundo aspecto, es decir, el monto de la exención, entraña una disminución que no requiere mayor elucubración.

B. Rentas exentas subjetivas en sucesiones, donaciones y actos jurídicos gratuitos inter vivos

Los ordinales 3° y 4° tampoco sufrieron variación en cuanto a su esencia, pues allí se preserva la regulación de una exención subjetiva. Es así porque, en función de la calidad del receptor de los bienes, se le asigna un monto exento.

Desafortunadamente, el Gobierno Nacional y el Congreso de la República dejaron pasar una oportunidad histórica para corregir el deleznable yerro en que incurrió la Ley 1607 de 2012 en esta materia (y que se comenta *supra*) y mantuvieron la impropia redacción que da lugar a confusiones e interpretaciones complicadas en relación con la determinación de la(s) exención(es) aplicable(s) a los herederos y legatarios distintos de los cónyuges o compañeros permanentes supérstites y los herederos y legatarios legitimarios.

En todo caso, con base en el mismo razonamiento que antes se dejó indicado, estimamos razonable entender que los cónyuges o compañeros permanentes supérstites y los herederos y legatarios que ostenten la condición de legitimarios tienen derecho de aplicar la exención prevista en el ordinal tercero; esto es, 3.250 UVT. Obviamente, es de hacer notar que hubo una apreciable reducción, toda vez que la disposición anterior autorizaba la detracción de 3.490 UVT.

Por su parte, los herederos y legatarios distintos de los cónyuges o compañeros permanentes supérstites y los herederos y legatarios que ostenten la condición de legitimarios podrán aplicar la exención prevista en el ordinal cuarto; esto es, hasta el 20 % de lo que recojan a título de herencia o legado, sin que ello pueda superar 1.625 UVT. E idéntico tratamiento (este sí sin ninguna clase de controversia) habrán de recibir los donatarios.

Como se ve, en este último aspecto hubo una reducción cuantitativa (de 2.290 UVT a 1.625 UVT), pese a que no se tocó el límite cualitativo (20 %).

C. Segundo caso de rentas exentas subjetivas en sucesiones

El ordinal quinto del artículo 307 del Estatuto Tributario, que consagra la exoneración total de tributación de los libros, ropas y utensilios de uso personal y el mobiliario de la casa del causante, no fue materia de modificación. En este aspecto, son aplicables las críticas mencionadas en el apartado dedicado a discutir esta exención, con motivo de su incorporación en la Ley 1607 de 2012.

2. Rentas exentas en la venta de casas o apartamentos de habitación poseídos por dos o más años

En su exposición de motivos, mucho se dolió el Gobierno Nacional de que las exenciones previstas en el sistema de ganancias ocasionales distorsionaban abruptamente el sistema y requerían, urgentemente, de una mejora. A continuación se transcriben algunos de sus planteamientos:

"**3.1.1.4. Rentas no gravadas y exentas en ganancias ocasionales.** En Colombia existen rentas no gravadas y rentas exentas en ganancias ocasionales que tienen como objetivo, por ejemplo, reconocer el nivel de liquidez de la ganancia obtenida, evitar la doble tributación cuando se pagan impuestos en el exterior, proteger la vivienda e impulsar el desarrollo de mercados específicos. Sin embargo, algunas de ellas no tienen una fundamentación evidente. (…)

En materia de rentas exentas se encuentran algunas sin justificación aparente y otras que pueden ser sujetas de mejoras. (…)

En cuanto a las exenciones que pueden ser sujetas a mejoras se encuentran las ganancias ocasionales provenientes de la venta de viviendas, que tienen un tramo exento de 7.500 UVT si cumplen con las siguientes condiciones: i) el precio total de la venta de la vivienda no supera 15.000 UVT; y ii) los ingresos son utilizados para la compra de vivienda, ya sea por el pago de créditos hipotecarios directamente relacionados con la venta o los ingresos se destinan a cuentas AFC. Esta renta exenta protege a los hogares que quieren cambiar de vivienda y promueve por esa vía el sector de la construcción y comercialización de inmuebles habitacionales. No obstante, la condición de 15.000 UVT, equivalentes a 570 millones de pesos de 2022, crea una discontinuidad en el acceso a dicha renta exenta y puede generar incentivos perversos para las ventas de vivienda que superen dicho valor, los cuales podrían buscar cómo fragmentar el pago de la vivienda por diferentes mecanismos y así acceder a la renta exenta para reducir el impuesto a pagar"[849].

Con ese contexto, el Proyecto Inicial pretendió dejar exoneradas las primeras 3.000 UVT de la utilidad generada en la venta de la casa o apartamento de habitación de las personas naturales contribuyentes del impuesto sobre la renta y complementarios, que la Ley 1607 de 2012 había fijado en 7.500 UVT, pero no imponía restricciones adicionales que sí consagraba la legislación vigente (*v. gr.* (i) que la utilidad se depositara en cuentas de ahorro para el fomento de la construcción (AFC) o que se destine al pago total o parcial de uno o más créditos hipotecarios vinculados directamente con la

---

[849] *Ibídem.*

casa o apartamento objeto de la venta; y (ii) que la casa o apartamento de habitación tuviera un valor catastral o autoavalúo no superior a 15.000 UVT).

El Informe de Ponencia para Primer y Tercer Debate de las Comisiones Terceras y Cuartas Conjuntas del Senado de la República y la Cámara de Representantes, legible en las Gacetas del Congreso de la República números 1199 y 1200 de 2022, da cuenta de las acaloradas discusiones de que fue objeto esta medida. En efecto, allí se observan las siguientes proposiciones: (i) el Representante a la Cámara CARLOS ADOLFO ARDILA ESPINOSA propuso elevar la exención de 3.000 a 7.000 UVT; (ii) los Representantes a la Cámara SARAY ELENA ROBAYO BECHARA, ÓSCAR DARÍO PÉREZ PINEDA, OLMES DE JESÚS ECHEVERRÍA DE LA ROSA y CRISTIAN MUNIR GARCÉS ALJURE y los Senadores de la República LILIANA ESTHER BITAR CASTILLA y CIRO ALEJANDRO RAMÍREZ CORTÉS propusieron eliminar el artículo modificatorio del artículo 311-1 del Estatuto Tributario; (iii) el Representante a la Cámara JOSÉ ELIECER SALAZAR LÓPEZ y el Senador de República GUIDO ECHEVERRY PIEDRAHITA propusieron aumentar la exención de 3.000 a 7.500 UVT; (iv) la Representante a la Cámara IRMA LUZ HERRERA RODRÍGUEZ y los Senadores de la República CARLOS EDUARDO GUEVARA VILLABÓN, ANA PAOLA AGUDELO GARCÍA y MANUEL ANTONIO VIGÜEZ PIRAQUIVE propusieron elevar la exención de 3.000 a 4.500 UVT; (v) el Representante a la Cámara ELKIN RODOLFO OSPINA OSPINA propuso elevar la exención de 3.000 a 5.250 UVT; (vi) la Representante a la Cámara SARAY ELENA ROBAYO BECHARA y el Senador de la República JUAN CARLOS GARCÉS ROJAS propusieron limitar la exención a que la venta se ajustara a lo previsto en el artículo 90 del Estatuto Tributario; (vii) el Representante a la Cámara JUAN DIEGO MUÑOZ CABRERA propuso que la exención principiara a regir desde 2024; (viii) los Representantes a la Cámara JEZMI LIZETH BARRAZA ARRAUT, GILMA DÍAZ ARIAS, MODESTO ENRIQUE AGUILERA VIDES y GLORIA LILIANA RODRÍGUEZ VALENCIA propusieron aumentar la exención de 3.000 a 5.263 UVT; y (ix) el Senador de la República JUAN CARLOS GARCÉS ROJAS propuso aumentar la exención de 3.000 a 5.000 UVT y mantener el requisito de destinación de los recursos.

Pues bien, el Comité de Ponentes acogió la proposición del Senador Juan Carlos Garcés Rojas y plasmó el siguiente texto en el articulado del Pliego de Modificaciones:

"**Artículo 16°.** Modifíquese el artículo 311-1 del Estatuto Tributario, el cual quedará así:

Artículo 311-1. Utilidad en la venta de la casa o apartamento. Estarán exentas las primeras cinco mil (5.000) UVT de la utilidad generada en la venta de la casa o apartamento de habitación de las personas naturales contribuyentes del impuesto sobre la renta y complementarios, siempre que la totalidad de los dineros recibidos como consecuencia de la venta sean depositados en las cuentas de ahorro denominadas "Ahorro para el Fomento de la Construcción, AFC", y sean destinados a la adquisición de otra casa o apartamento de habitación, o para el pago total o parcial de uno o más créditos hipotecarios vinculados directamente con la casa o apartamento de habitación objeto de venta. En este último caso, no se requiere el depósito en la cuenta AFC, siempre que se verifique el abono directo al o a los créditos hipotecarios, en los términos que establezca el reglamento que sobre la materia expida el Gobierno Nacional. El retiro de los recursos a los que se refiere este artículo para cualquier otro propósito, distinto a los señalados en esta disposición, implica que la persona natural pierda el beneficio y que se efectúen, por parte de la respectiva entidad financiera las retenciones inicialmente no realizadas de acuerdo con las normas generales en materia de retención en la fuente por enajenación de activos que correspondan a la casa o apartamento de habitación".

El texto transcrito se mantuvo incólume a lo largo del tránsito legislativo y quedó consagrado en el artículo 31 de la ley 2277 de 2022.

De lo anterior se sigue que, en la actualidad, la exención asciende a 5.000 UVT (ya no 7.500), con la condición de que la utilidad se deposite en cuentas de ahorro para el fomento de la construcción (AFC) o que se destine al pago total o parcial de uno o más créditos hipotecarios vinculados directamente con la casa o apartamento objeto de la venta. Sin embargo, en buena hora se eliminó la limitación relativa a la aplicación del beneficio respecto de inmuebles que estuvieran valorados hasta por 15.000 UVT.

II. Tarifa

En materia de la tarifa del impuesto complementario sobre las ganancias ocasionales, el Gobierno Nacional presentó serios reparos y adujo que esa era una de las principales causas de inequidad en Colombia. Así se desprende de los siguientes planteamientos, vertido en la exposición de motivos del proyecto que, a la postre, se convertiría en la ley 2277 de 2022 (legible en la Gaceta del Congreso de la República número 917 de 2022):

"El recaudo por concepto del Impuesto de Renta de Personas Naturales (IRPN) en Colombia es el más bajo entre una muestra de 36 países de economías avanzadas y de otras economías de la región1. En 2020, los ingresos provenientes del IRPN en el país ascendieron a 1,3 % del PIB, 6,2 veces menos que el promedio de la OCDE (8,0 % del PIB) e inferior al recaudo de otros países de Latinoamérica como México (3,8 %), Chile (2,0 %) o Costa Rica (1,5 %) (Gráfico 3). Este resultado se explica en parte por: i) excesivas deducciones y rentas exentas, las cuales deterioran la base gravable sobre la cual se aplica este impuesto; y ii) el tratamiento diferencial que presentan los ingresos por ganancias ocasionales y dividendos, los cuales se gravan a una tarifa inferior a la tabla de tarifas marginales de la cédula general, pese a que representan una alta porción de los ingresos de los contribuyentes más pudientes. (…)

En la actualidad el IRPN toma en cuenta los ingresos de trabajo, honorarios, capital, no laboral, pensiones, ganancias ocasionales y dividendos. En promedio para los declarantes del IRPN, el 70 % corresponden a rentas de trabajo y pensiones (ingresos principalmente laborales), 16,7 % a honorarios y no laborales (ingresos mixtos), y el restante 13,3 % a rentas de capital, ganancias ocasionales y dividendos (ingresos de capital).

En Colombia algunas rentas de capital de las personas naturales, entendidas en un sentido amplio como las rentas de capital — rendimientos financieros, regalías y arrendamientos—, ganancias ocasionales —las cuales incluyen herencias y donaciones— y dividendos y/o participaciones, presentan un tratamiento tributario disímil frente al resto de ingresos, lo que deteriora la equidad horizontal del IRPN.

Por una parte, las ganancias ocasionales presentan tarifas inferiores a la tarifa marginal máxima de la cédula general, lo que afecta el principio de equidad. Mientras que la cédula general tiene una tabla de tarifas marginales con una máxima de 39 %, las ganancias ocasionales están gravadas a tarifas de 10 % o 20 % dependiendo de su naturaleza[850]. Este tratamiento diferencial implica que dos personas con el mismo nivel de ingresos pueden contribuir montos diferentes por percibir tipos de ingresos distintos, lo que afecta la equidad horizontal del impuesto de renta. (…)

En el último decil, los ingresos brutos presentan una recomposición de ingresos en favor de ingresos de capital y mixtos. En este sentido, las ganancias ocasionales y dividendos, al tener un tratamiento tarifario diferente respecto a la cédula general, ocasionan una disminución de la tarifa efectiva de tributación en los ingresos más altos (Gráfico 5). Lo anterior rompe con el principio de equidad vertical y desconoce la capacidad de pago al reducir el impuesto a cargo de los contribuyentes de mayores ingresos. En particular, para el 0,1 % de los declarantes más ricos, el 60,9 % de sus ingresos provienen de rentas de capital, 25,6 % de ingresos mixtos y el restante 13,5 % de ingresos laborales. (…)

---

[850] Las ganancias ocasionales provenientes de loterías, rifas y apuestas son gravados a una tarifa de 20 %, mientras que aquellas por enajenación de activos fijos, las utilidades originadas en la liquidación de sociedades, herencias, donaciones e indemnizaciones por seguros de vida están gravadas con una tarifa de 10 %.

En la actualidad, el impuesto de renta de personas naturales incluye cuatro componentes: i) la cédula general, la cual contiene los ingresos de trabajo, capital, honorarios e ingresos no laborales; ii) la cédula de pensiones; iii) la cédula de dividendos y iv) un tratamiento independiente para las ganancias ocasionales (GG.OO). Como se evidenció en el capítulo 3 (diagnóstico del estatuto tributario colombiano), el tratamiento disímil para diferentes tipos de ingreso, específicamente los relacionados con ganancias ocasionales y dividendos, complejiza el sistema tributario, deteriora la equidad horizontal y puede generar incentivos perversos a la elusión fiscal, especialmente para las personas de más altos ingresos.

Por esa razón, las disposiciones incluidas en este Proyecto de Ley buscan corregir ese tratamiento diferencial para mejorar la equidad horizontal, avanzar en materia de simplicidad del estatuto tributario y aumentar el recaudo, sin dejar de reconocer las diferencias intrínsecas en la depuración de cada tipo de ingreso.

Considerando lo anterior, este Proyecto de Ley rediseña el proceso para calcular el impuesto a cargo del impuesto de renta a personas naturales (IRPN), de manera que se nivelen las condiciones tributarias de las distintas rentas líquidas y se simplifique el sistema. (…)

Con el propósito de ser consistentes con las conclusiones del capítulo 3 y el tratamiento de las ganancias ocasionales de personas naturales, se cimentó el ajuste sobre el impuesto aplicado a las ganancias ocasionales de personas jurídicas. Considerando que un promedio ponderado de la tarifa efectiva de tributación para las ganancias ocasionales en el caso de personas naturales arroja un porcentaje cercano al 30 %, se propone una modificación al tratamiento de este mismo concepto en personas jurídicas y asimiladas, locales y extranjeras, buscando mantener la paridad en el tratamiento de esta fuente de ingresos. De esta forma, la tarifa para ganancias ocasionales de empresas se ubicaría en 30 %, lo que, a su vez, se traduce en una tributación más equitativa y una mayor disponibilidad de recursos para la Nación".

Sobre las anteriores bases, el Proyecto Inicial previó un vertiginoso incremento de la tarifa del impuesto complementario sobre las ganancias ocasionales, así: (i) las sociedades y entidades extranjeras pasarían de una alícuota del 10 % a una del 30 %; (ii) las personas naturales sin residencia en el país pasarían de una alícuota del 10 % a una del 30 %; y (iii) las personas naturales residentes en el país pasarían de una alícuota del 10 % a la que les correspondiera en el impuesto sobre la renta básico (que oscila entre el 0 y el 39 %).

Respecto del último aspecto, bueno es advertir que la filosofía de la reforma pretendía depurar cada una de las cédulas de manera independiente y luego, como se explica en la exposición de motivos antes transcrita, agregar las rentas líquidas resultantes (incluida la de las ganancias ocasionales) para hallar la alícuota aplicable en la tabla prevista en el artículo 241 del Estatuto Tributario. Esa propuesta resulta ser abiertamente injusta pues, como se ha explicado hasta la saciedad, las ganancias ocasionales corresponden a ingresos esporádicos, excepcionales y poco habituales. Por lo mismo, las personas naturales deben subsistir de ingresos fijos (laborales o de capital) y deviene exótico pretender que, por una causa extraordinaria (como el fallecimiento de un familiar que resulta en la obtención de una herencia), se vean obligados a incrementar vertiginosamente su carga tributaria.

Cual sucedió con la exención atribuible a la utilidad en la enajenación de la casa o apartamento de habitación, esta medida encontró fuertes resistencias al interior del Parlamento.

Así, en materia de la alícuota de sociedades y entidades nacionales y extranjeras, se formularon las siguientes proposiciones: (i) los Representantes a la Cámara Carlos Adolfo Ardila Espinosa y Juan Loreto Gómez Soto propusieron disminuir la alícuota del 30 % al 15 %; (ii) el Representante a la Cámara José Eliecer Salazar López propuso generar un incremento gradual de la alícuota del 13 % para 2023, 16 % para 2024 y 20 % a partir de 2025; (iii) los Representantes a la Cámara César Cristian Gómez Castro e Irma Luz Herrera Rodríguez y los Senadores de la República Carlos Eduardo Guevara Villabón, Ana Paola Agudelo García y Manuel Antonio Vigüez Piraquive propusieron reducir la alícuota del 30 % al 20 %; (iv) los Representantes a la Cámara Armando Antonio Zabaraín D'Arce, Wadith Alberto Manzur Imbett, Juliana Aray Franco y Yamil Hernando Arana Padauí y los Senadores de la República Efraín José Cepeda Sarabia y Liliana Esther Bitar Castilla propusieron disminuir la alícuota del 30 % al 12 %; y (v) los Representantes a la Cámara Cristian Munir Garcés Aljure, Olmes de Jesús Echeverría de la Rosa, Hugo Danilo Lozano Pimiento, Yerica Sugein Acosta Infante y Óscar Darío Pérez Pineda y los Senadores de la República Ciro Alejandro Ramírez Cortés y Miguel Uribe Turbay propusieron eliminar el artículo modificatorio del artículo 313 del Estatuto Tributario.

En materia de la alícuota de las personas naturales residentes, las siguientes proposiciones se recibieron: (i) los Representantes a la Cámara Carlos Adolfo Ardila Espinosa, José Eliecer Salazar López, Modesto Enrique Aguilera Vides y Jezmi Lizeth Barraza Arraut y el Senador de la República JUAN PABLO GALLO MAYA propusieron disminuir la alícuota al 15 %; (ii) el Representante a la Cámara WILMER YAIR CASTELLANOS HERNÁNDEZ propuso incluir un parágrafo para indicar que, si la utilidad en la enajenación de inmuebles era superior a 1.090 UVT, la tarifa sería del 15 %; (iii) el Representante a la Cámara CÉSAR CRISTIAN GÓMEZ CASTRO propuso disminuir la alícuota al 20 %; (iv) los Representantes a la Cámara ARMANDO ANTONIO ZABARAÍN D'ARCE, WADITH ALBERTO MANZUR IMBETT, JULIANA ARAY FRANCO y YAMIL HERNANDO ARANA PADAUÍ y los Senadores de la República EFRAÍN JOSÉ CEPEDA SARABIA y LILIANA ESTHER BITAR CASTILLA propusieron disminuir la alícuota al 12 %; y (v) el Representante a la Cámara WILDER IBERSON ESCOBAR ORTIZ propuso una tarifa incremental del 15 % en 2023, 20 % para 2024, 25 % para 2025 y 30 % a partir del 2026.

Y, en materia de la alícuota para las personas naturales sin residencia en el país, se formularon las siguientes proposiciones: (i) el Representante a la Cámara CARLOS ADOLFO ARDILA ESPINOSA propuso disminuir la alícuota del 30 % al 15 %; (ii) el Representante a la Cámara JOSÉ ELIECER SALAZAR LÓPEZ propuso generar un incremento gradual de la alícuota del 13 % para 2023, 16 % para 2024 y 20 % a partir de 2025; (iii) los Representantes a la Cámara ARMANDO ANTONIO ZABARAÍN D'ARCE, WADITH ALBERTO MANZUR IMBETT, JULIANA ARAY FRANCO y YAMIL HERNANDO ARANA PADAUÍ y los Senadores de la República EFRAÍN JOSÉ CEPEDA SARABIA y LILIANA ESTHER BITAR CASTILLA propusieron disminuir la alícuota del 30 % al 15 %; y (iv) la Representante a la Cámara IRMA LUZ HERRERA RODRÍGUEZ y los Senadores de la República CARLOS EDUARDO GUEVARA VILLABÓN, ANA PAOLA AGUDELO GARCÍA y MANUEL ANTONIO VIGÜEZ PIRAQUIVE propusieron reducir la alícuota del 30 % al 20 %.

Finalmente, los Ponentes decidieron, con buen acuerdo, fijar la tarifa del impuesto sobre las ganancias ocasionales en el 15 % para todos los contribuyentes. Esa proposición permaneció inalterada a lo largo del tránsito legislativo y quedó plasmada en los artículos 32, 33 y 34 de la ley 2277 de 2022, modificatorios de los artículos 313, 314 y 316 del Estatuto Tributario, respectivamente.

Como se aprecia del anterior recuento, si bien hubo un incremento del 50 % en la alícuota del impuesto complementario sobre las ganancias ocasionales (que pasó de ser 10 % a 15 %), el incremento fue muy inferior al inicialmente pretendido por el Gobierno Nacional.

Referencias

Abella, Arturo. *Así fue el nueve de abril.* Ed. Ediciones Internacional de Publicaciones. Bogotá, 1973.

Acedo Penco, Ángel y Pérez Gallardo Leonardo. *El divorcio en el derecho iberoamericano.* Coord. por Ángel Acedo Penco y Leonardo Pérez Gallardo. Ed. Temis, Ubijus, Reus y Zavalia. Bogotá, México, Madrid y Buenos Aires, 2009.

Aguado Montaño, Eustorgio Mariano. *Derecho de sucesiones.* Ed. Leyes. Bogotá, 2002.

Agudelo Villa, Hernando. *Criterios liberales sobre la reforma tributaria.* Constancia del Representante a la Cámara, leída en la sesión del 3 de diciembre de 1986 de las Comisiones Terceras del Senado de la República y la Cámara de Representantes. El documento se puede visualizar en la Revista del Instituto Colombiano de Derecho Tributario. Número 33. Año 23. Ed. Instituto Colombiano de Derecho Tributario. Bogotá, 1987.

Aguirre, Edith. *Do changes in divorce legislation have an impact on divorce rates? The case of unilateral divorce in Mexico* en Latin American Economic Review. Núm. 28. Ed. Springer Open. Nueva York, 2019.

Aguirre Vargas, Carlos. *Las asignaciones alimenticias forzosas y la porción conyugal* en Obras Jurídicas de Carlos Aguirre Vargas. Ed. Imprenta Gutenberg. Santiago de Chile, 1891.

Alarcón Peña, Andrea. *Economía social de mercado como sistema constitucional económico colombiano. Un análisis a partir de la jurisprudencia de la Corte Constitucional* en Revista Estudios Constitucionales. Vol. 16. Núm. 2. Ed. Centro de Estudios Constitucionales de la Universidad de Talca. Santiago, 2018.

Allais, Maurice Félix Charles. *L'impôt sur le capital et la réforme monétaire.* Primera Edición. Ed. Hermann. París, 1977.

Allen, Douglas. *Marriage and divorce: comment* en American Economic Review. Núm. 82. Ed. American Economic Association. Nashville, 1992.

– *No-fault divorce in Canada: Its cause and effect* en Journal of Economic Behavior & Organization. Núm. 37. Ed. Elsevier. Amsterdam, 1998.

Alvarado, Manuel Antonio. *Tratado de ciencia tributaria.* Ed. Siglo XX. Bogotá, 1941

Alvarado, Manuel Antonio y Raisbeck James. *Su impuesto sobre la renta, patrimonio y exceso de utilidades.* Ed. ABC. Bogotá, 1938.

Álvarez Arroyo, Francisco. *Reflexiones sobre la intervención de la norma financiera en la economía y la sociedad: fines fiscales y extrafiscales de los tributos* en Del Derecho de la Hacienda Pública al Derecho Tributario: Estudios en honor a Andrea Amatucci. Coord. Mauricio A. Plazas Vega. Ed. Temis y Jovene Editore. Bogotá, 2011

Álvarez de las Asturias, Nicolás. *El Concilio de Trento y la indisolubilidad del matrimonio: reflexiones hermenéuticas acerca del alcance de su doctrina* en Revista Española de Teología. Volumen 75. Ed. Universidad Eclesiástica San Dámaso. Madrid, 2015.

Alviar, Óscar y Rojas, Fernando. *Elementos de finanzas públicas de Colombia.* Ed. Temis. Bogotá, 1989.

Amatucci, Andrea. *La autonomía del derecho de la hacienda pública y el derecho tributario*. Ed. Universidad del Rosario. Bogotá, 2008.

Medidas fiscales para el desarrollo económico. Disponible en http://www.uckmar.net/ILADT/tema1/italia/Amatuccinew.htm#_ftn17

Amaya, J.J. *Situación actual del Concordato después de las sentencias de la Corte Constitucional de Colombia: punto de vista eclesiástico* en Revista Colombia Universitas Canónica. Vol. 15. Ed. Pontificia Universidad Javeriana. Bogotá, 1994.

Amézquita de Almeida, Josefina. *La mujer, sus obligaciones y sus derechos*. Ed. A.A. Bogotá, 1977.

– *Lecciones de derecho de familia*. Ed. Temis. Bogotá, 1980.

Andreozzi, Manuel. *Derecho tributario argentino*. Ed. Tipográfica Editora Argentina. Buenos Aires, 1951.

Andrews, William D. *A consumption-type or cash flow personal income tax* en Harvard Law Review. Volumen 87. Número 6. Cambridge, 1974.

Angarita Gómez, Jorge. *Estado civil y nombre de la persona natural*. Ed. Librería Jurídica Sánchez. Medellín, 1995.

Aprile Gniset, Jacques. *El impacto del nueve de abril sobre el centro de Bogotá*. Ed. Centro Cultural Jorge Eliecer Gaitán. Bogotá, 1983.

Arango, Rodolfo. *Constitución económica y procesos judiciales* en Revista de Tutela, Acciones Populares y de Cumplimiento. Núm. 11. Tomo I. Ed. Legis. Bogotá, 2000.

Arangio-Ruiz, Vincenzo. *Le genti e la città*. Ed. Tipografía d'Angelo. Messina, 1914.

Ardant, Gabriel. *L'histoire de l'impôt*. Ed. Fayord. París, 1972.

Aristóteles. *La política*. Introducción, traducción y notas de Manuela García Valdés. Ed. Gredos. Madrid, 1988.

Arregui, Antonio María y Zalba, Marcelino. *Compendio de teología moral*. Ed. Imprenta Elexpuru Hermanos. Bilbao, 1951.

Associazione per lo sviluppo dell'industria nel Mezzogiorno (SVIMEZ). *Un secolo di statistiche italiane nord e sud, 1861-1961*. Roma, 1961.

Astolfi, Riccardo. *La lex Iulia et papia*. Ed. CEDAM. Milán, 1970

Auerbach, Alan J. *The theory of excess burden and optimal taxation*. Papel de trabajo número 1025 para el National Bureau of Economic Research. Noviembre de 1982.

Avery Jones, John Francis. *The sources of Addington's income tax*, disponible en: https://media.bloomsburyprofessional.com/rep/files/9781849467988sample.pdf

Badillo Abril, Fernando. *La prescripción de las obligaciones alimentarias* en Ámbito Jurídico, edición del 25 de octubre de 2019. Disponible en: https://www.ambitojuridico.com/noticias/analisis/civil-y-familia/la-prescripcion-de-las-obligaciones-alimentarias

Barbero, Domenico. *Sistema del derecho privado*. Tomo V. *Sucesiones por causa de muerte*. Trad. Santiago Sentís Melendo. Ed. Ejea. Buenos Aires, 1967.

Barrientos, Armando y Powell, Martin. *The route map of the third way* en The third way and beyond: Criticisms, futures and alternatives. Editores: Sarah Hale, Will Leggett y Luke Martell. Ed. Manchester University Press. Manchester, 2004.

Becerra Becerra, Héctor Julio. *Recuento histórico de las reformas tributarias en Colombia* en Memorias de las XXXI Jornadas Colombianas de Derecho Tributario. Ed. Instituto Colombiano de Derecho Tributario. Bogotá, 2007

Bello, Andrés. *Obras completas de don Andrés Bello*. Volumen XIII. Ed. Pedro G. Ramírez. Santiago de Chile, 1890.

- *Obras completas de don Andrés Bello*. Volumen XII. *Proyecto de Código Civil (1853)*. Ed. Pedro G. Ramírez. Santiago de Chile, 1888.

- *Obras completas de don Andrés Bello*. Volumen XI. *Proyecto de Código Civil (1846-1847)*. Ed. Pedro G. Ramírez. Santiago de Chile, 1887.

- *Obras completas de Andrés Bello*. Volumen XIV. Segunda Edición. Dir. Rafael Caldera. Caracas, 1981.

- *Obras completas de Andrés Bello*. Volumen III. Segunda Edición. Dir. Rafael Caldera. Caracas, 1981.

- *Obras completas de Andrés Bello*. Volumen XXII. *Temas educacionales II*. Segunda Edición. Dir. Rafael Caldera. Caracas, 1982.

Belluscio, Augusto César. *Manual de derecho de familia*. Tomo II. Quinta Edición. Ed. Depalma. Buenos Aires, 1989.

- *Manual de derecho de familia*. Tomo II. Séptima Edición. Ed. Depalma. Buenos Aires, 2004.

Beltrán Villegas, Miguel Ángel. *La dictadura de Rojas Pinilla (1953-1957) y la construcción del "enemigo interno" en Colombia: el caso de los estudiantes y campesinos* en Revista Universitaria de Historia Militar. Volumen 8. Número 17. Ed. Centro de Estudios de la Guerra. España, 2019.

Berliri, Antonio. *Principii di diritto tributario*. Vol I. Trad. Fernando Vicente-Arche Coloma. Ed. De Derecho Financiero. Madrid, 1964.

- *Principii di diritto tributario*. Vol II. Trad. Fernando Vicente-Arche Coloma. Ed. De Derecho Financiero. Madrid, 1964.

Bernard, Marie-Paul. *Histoire de l'autorité paternelle en France*. Ed. Montdidier. París, 1863.

Betancourt Builes, Luis Enrique; Leyva Zambrano, Álvaro y Piñeros Perdomo, Mauricio. *Declaración de principios y observaciones del ICDT sobre los proyectos de reforma tributaria de 1998* en Revista del Instituto Colombiano de Derecho Tributario. Núm. 49. Año 35. Ed. Instituto Colombiano de Derecho Tributario. Bogotá, 1999.

Bîlbă, Corneliu. *The parent-child relation in Hobbes: beyond private life and public reason* en Revista de Cercetare si Interventie Sociala. Vol. 32. Ed. Lumen Publishing House. Bucarest, 2011.

Binder, Julius. *Derecho de sucesiones*. Trad. José Luis La Cruz Berdejo. Ed. Labor S.A. Barcelona y Madrid, 1953

Bird, Richard. *Taxation and development, lessons from the Colombian experience*. Ed. Harvard University Press. Cambridge, 1970.

- *Intergovernmental Finance in Colombia*. Ed. Harvard Law School. International Tax Program. Cambridge, 1981.

Blum, Walter J. y Kalven, Harry. *The uneasy case for progressive taxation* en The University of Chicago Law Review. Volumen 19. Número 3. Chicago, 1952.

Blumenstein, Ernst. *La causa nel diritto tributario svizzero*. Ed. Antonio Milani. 1939.

Braun, Herbert. *Mataron a Gaitán*. Ed. Aguilar. Bogotá, 2008.

Bravo Arteaga, Juan Rafael. *Nociones fundamentales de derecho tributario*. Ed. Instituto Colombiano de Derecho Tributario. Bogotá, 1973.

 – *El impuesto de renta sobre dividendos* en Comentarios a la reforma tributaria estructural. Ed. Instituto Colombiano de Derecho Tributario e Instituto Colombiano de Derecho Aduanero. Bogotá, 2017.

 – *Derecho tributario: escritos y reflexiones*. Ed. Universidad del Rosario. Bogotá, 2008.

 – *Nociones fundamentales de derecho tributario*. Tercera Edición, Segunda Reimpresión. Ed. Legis. Bogotá, 2007 [2000].

Bravo Cucci, Jorge. *Intervenciones de la norma tributaria en la economía. Los fines extrafiscales de los tributos* en Del Derecho de la Hacienda Pública al Derecho Tributario: Estudios en honor a Andrea Amatucci. Coord. Mauricio A. Plazas Vega. Ed. Temis y Jovene Editore. Bogotá, 2011

Bravo González, Juan de Dios. *Comentarios a la ley 6° de 1992 en materia del impuesto sobre la renta* en Revista del Instituto Colombiano de Derecho Tributario. Número 43. Año 29. Ed. Instituto Colombiano de Derecho Tributario. Bogotá, 1993.

Becker, Gary. *A treatise on the family*. Ed. Harvard University. Cambridge, 1981.

Beltrame, Pierre. *Los sistemas fiscales*. Ed. Oikos Tau. Barcelona, 1977.

Bocanument-Arbeláez, Mauricio. *Estructuras de familia en Colombia: tensiones entre el reconocimiento y la exclusión*. Tesis para optar por el título de Doctor en Derecho de la Universidad de Medellín. Medellín, 2017.

Bodin, Jean. *Los seis libros de la república*. Trad. Pedro Bravo Gala. Tercera Edición. Ed. Tecnos. Madrid, 1997.

Bolaños, Ildemar. *Unión marital de hecho*. Ed. Leyer. Bogotá, 2002.

Bonnecase, Julien. *Elementos de derecho civil*. Tomo I. Trad. José María Cajicá. Ed. José María Cajicá. Puebla, 1945.

Bonfante, Pietro. *Istituzioni di diritto romano*. Trad. Luis Bacci y Andrés Larrosa. Tercera Edición. Ed. Reus. Madrid, 1965.

Borda, Guillermo. *Tratado de derecho civil. Familia*. Ed. Abeledo Perrot. Buenos Aires, 1993.

 – *Manual de derecho de familia*. Séptima Edición. Ed. Abeledo Perrot. Buenos Aires, 1975.

Bossert, Gustavo. *Régimen jurídico del concubinato*. Ed. Astrea. Buenos Aires, 1992.

 – *Régimen jurídico de los alimentos*. Ed. Astrea. Buenos Aires, 1993.

Bossert, Gustavo y Zannoni, Eduardo. *Manual de derecho de familia*. Sexta Edición. Ed. Astrea. Buenos Aires, 2004.

Botero Montoya, Rodrigo. *Memoria de Hacienda 1974-1976*. Tomo I. Ed. Talleres Gráficos del Banco de la República de Colombia. Bogotá, 1976.

Boughton, James. *Silent revolution: The International Monetary Fund, 1979-1989*. Ed. International Monetary Fund. Washington, 2001.

Brugger, Christian. *The indissolubility of marriage and the Council of Trent*. Ed. The Catholic University of America Press. Washington, 2017.

Brunialti, Attilio. *Il diritto amministrativo italiano e comparato nella scienza e nelle istituzioni.* Vol. II. Ed. Unione tipografico-editrice torinese. Torino, 1914.

Bry, Georges. *Principles de droit romain.* Quinta Edición. Ed. Recueil Sirey. París, 1912.

Buchanan, James McGill. *The collected works of James M. Buchanan.* Compiladores James McGill Buchanan y Geoffrey Brennan. Volumen 9. *The power to tax: Analytical foundations of a fiscal constitution* [1980]. Ed. Liberty Fund. Indianapolis, 2000.

– *Man and the State.* Mont Pèlerin Society Presidential Talk. Agosto de 1986.

Burbano de García, Stella. *Matrimonio, divorcio y separación de cuerpos.* Ed. Librería Wilches. Bogotá, 1978. Pág. 71.

Burgeilles, Raoul. *Recherches historiques sur le droit ecrit: puissance paternelle.* Tesis para optar por el título de Doctor en Derecho de la Universidad de Burdeos. Ed. Universidad de Burdeos. Burdeos, 1903.

Busso, Eduardo. *Código civil anotado.* Ed. Ediar. Buenos Aires, 1945.

Cabanellas, Guillermo. *Diccionario de derecho usual.* Tomos I a IV. Cuarta Edición. Ed. Omeba. Buenos Aires, 1962.

Cáceres-Delpiano, Julio y Giolito, Eugenio. *How unilateral divorce affects children.* Papel de Trabajo número 3342. Ed. Institute for the Study of Labor (IZA). Bonn, 2008.

Calvino, Juan. *Institución de la religión cristiana.* Trad. Cipriano de Valera. Quinta Edición. Barcelona, 1999.

Camacho Rueda, Aurelio. *Ponencia para primer debate sobre las modificaciones introducidas por el Honorable Senado de la República, al proyecto de ley "Reorgánica del Impuesto sobre la Renta",* incluida como anexo en las Memorias de Hacienda de 1959. Ed. Imprenta Nacional. Bogotá, 1959.

Candian, Aurelio. *Instituciones de derecho privado.* Trad. Pascual Leone. Ed. Uteha. México D.F, 1961

Cañón Ramírez, Pedro Alejo. *Derecho civil.* Tomo II. Volumen 1. Familia. Ed. Presencia. Bogotá, 1995.

Carbonnier, Jean. *Derecho civil.* Tomo I. Volumen II. *Situaciones familiares y cuasi-familiares.* Trad. Manuel María Zorrilla Ruiz. Ed. Bosch. Barcelona, 1961.

Cardona Hernández, Guillermo. *Tratado de sucesiones.* Ed. Abogados Librería. Pereira, 1992.

Carnelutti, Francesco. *Teoría general del derecho.* Trad. Francisco Xavier Osset. Ed. Revista de Derecho Privado. Madrid, 1955.

Carrizosa Pardo, Hernando. *Las sucesiones.* Cuarta Edición. Ed. Lerner. Bogotá, 1959.

Casás, José Osvaldo. *El deber de contribuir como presupuesto para la existencia del Estado. Notas preliminares en torno a la justicia tributaria* en El tributo y su aplicación: perspectivas para el siglo XXI. Vol. I. Coordinada por César García Novoa y Catalina Hoyos Jiménez. Ed. Marcial Pons. Buenos Aires, 2008.

– *Tributación y familia* en Revista Jurídica. Número 27. Ed. Facultad de Jurisprudencia y Ciencias Sociales y Política de la Universidad Católica de Santiago de Guayaquil. Guayaquil, 2010.

Castán Vásquez, José María. *La patria potestad.* Ed. Revista de Derecho Privado. Madrid, 1960.

Castillo Rugeles, Jorge Antonio. *Derecho de familia.* Ed. Leyer. Bogotá, 2000.

Castillo Yara, Esperanza. *La custodia compartida en Colombia: elementos fundantes de una nueva concepción* en Revista Actualidad Jurídica Iberoamericana. Núm. 13. Ed. Instituto de Derecho Iberoamericano. Valencia, 2020.

Castro Ortiz, Richard Ernest. *La educación en el Concordato de 1973 entre Colombia y la Santa Sede.* Tesis para optar por el título de Magíster en Derecho Canónico. Ed. Pontificia Universidad Javeriana. Bogotá, 2016.

CEPAL. *America Latina: la politica industrial en el marco de la nueva estrategia internacional para el desarrollo.* E/CEPAL/G.1161. 26 de febrero de 1981.

Champeau, Edmond y Uribe, Antonio José. *Tratado de derecho civil colombiano.* Tomo I. *De las personas.* Ed. Librairie de la Société du Recueil General des lois et des arrets. París, 1899.

Charrupi Hernández, Néstor Raúl. *La evolución del régimen sucesoral en el derecho colombiano. A propósito de la Ley 1934 de 2018* en Revista de Derecho Privado. Número 40. Ed. Universidad Externado de Colombia. Bogotá, 2021.

Chirino Castillo, Joel. *Concubinato y matrimonio* en Homenaje a Miguel Ángel Zamora y Valencia por el Colegio de Profesores de Derecho Civil de la Facultad de Derecho de la UNAM. Ed. UNAM. Ciudad de México, 2018.

Cicerón, Marco Tulio. *De legibus.*

-   *Retórica a Herenio.* Introducción, traducción y notas de Salvador Núñez. Ed. Gredos. Madrid, 1997.

-   *De officiis.* Traducido del latín por Walter Miller. Ed. William Heinemann Ltd. Londres, 1928.

Claro Solar, Luis. *Explicaciones de derecho civil chileno y comparado.* Volumen I. De las personas. Ed. Jurídica Chile. Santiago de Chile, 1978.

Clavijo, Sergio. *Impuestos, gasto público y 'fiscalizadores creíbles': breve historia de las comisiones de finanzas públicas en Colombia* en Revista Desarrollo y Sociedad. Número 40. Ed. Universidad de los Andes. Bogotá, 1988

-   *Código de derecho canónico.* Anotado y comentado por Pedro Lombardía y Juan Ignacio Arrieta. Ed. Universidad de Navarra. Pamplona, 1983.

Colás Escandón, Ana María. *El régimen de relaciones personales entre abuelos y nietos fijado judicialmente, con especial referencia a su extensión (a propósito de la STS, Sala 2.ª, Nº. 138/2014, de 8 de septiembre)* en Revista Derecho Privado y Constitución. Núm. 29. Ed. Centro de Estudios Políticos y Constitucionales. Madrid, 2015.

Colin, Ambroise y Capitant, Henri. *Curso elemental de derecho civil.* Tomo II. Volumen I. Ed. Reus. Madrid, 1946.

-   *Cours elémentaire de droit civil français.* Tomo I. Ed. Dalloz. París, 1914.

Colquhoun, Patrick Macchombaich. *A summary of the Roman civil law.* Vol I. Ed. William Benning and Company. Londres, 1849.

Comisión de Expertos para la Equidad y la Competitividad Tributaria. *Informe final presentado al Ministerio de Hacienda y Crédito Público.* Ed. Fedesarrollo. Bogotá, 2015.

Comité de los Derechos del Niño. *Observación general número 8.* U.N. Doc. CRC/C/GC/8, del 21 de agosto de 2006. Aprobada en el 42° período de sesiones, celebrado en Ginebra entre el 15 de mayo y el 2 de junio de 2006.

– *Observaciones finales sobre los informes periódicos cuarto y quinto combinados Colombia.* U.N. Doc. CRC/C/COL/CO/4-5, del 6 de marzo de 2015. Aprobada en el 60° período de sesiones, celebrado en Ginebra.

Comité de Maltrato infantil de la Sociedad Chilena de Pediatría. *El maltrato infantil desde la bioética: el sistema de salud y su labor asistencial ante el maltrato infantil, ¿qué hacer?* en Revista Chilena de Pediatría. Vol 28. Ed. Sociedad Chilena de Pediatría. Santiago de Chile, 2007.

Congregación para la Doctrina y la Fe. *Instrucción sobre el respeto de la vida humana naciente y la dignidad de la procreación.* Ed. Tipografía Políglota Vaticana. Ciudad del Vaticano, 1987.

Constaín, Juan Esteban. *Así fue el primer plebiscito votado en el país.* Publicado por El Tiempo, el 1° de octubre de 2016. Disponible en: https://www.eltiempo.com/archivo/documento/CMS-16716227

Cook, John Jeffrey. *William Pitt and his taxes,* disponible en: http://www.taxadvisers.org.uk/content/view.cfm/downloads/BTR_04_2010_Pitt_and_his_taxes_Offprint1_1.pdf

Coral Borrero, María Cristina y Torres, Franklin. *Instituciones de derecho de familia.* Ed. Doctrina y Ley. Bogotá, 2002.

Corchuelo, Alberto y Misas, Gabriel. *Internacionalización del capital y ampliación del mercado interno. El sector industrial colombiano* en Revista Uno en Dos. Número 8. Ed. Hombre Nuevo. Medellín, 1977

Corcoran, Paul. *Dominion and generation, Hobbes on conjugal and domestic relations* en Conferencia de la Australasian Political Studies Association. Ed. University of Newcastle. Newcastle, 2006

Corral Talciani, Hernán. *La familia en los 150 años del Código Civil Chileno* en Revista Chilena de Derecho. Volumen 32. Número 3. Ed. Pontificia Universidad Católica de Chile. Santiago, 2005.

– *Indisolubilidad matrimonial y divorcio ante el derecho civil* (en Revista Chilena de Derecho. Número 1. Volumen 19. Ed. Pontificia Universidad Católica de Chile. Santiago, 1992.

– *Comentario a la exposición de Luis Díez-Picazo y Ponce de León* en El Código Civil chileno. Vigencia y proyección de sus instituciones fundamentales en conmemoración de los 150 años de su promulgación. Simposio internacional organizado por la Universidad de Valparaíso. Valparaíso, 2005.

– *La familia en el Código Civil francés y en el Código Civil chileno* en El Código Civil francés de 1804 y el Código Civil chileno de 1855. Influencias, confluencias y divergencias. Ed. Ian Henríquez Herrera y Hernán Corral Talciani. Ed. Universidad de los Andes. Santiago de Chile, 2004.

Cortés, Matías. *Ordenamiento tributario español.* Ed. Civitas. Madrid, 1985.

Cruz de Quiñones, Lucy. *La emergencia en materia tributaria. Análisis de las medidas adoptadas y algunas propuestas* en Revista de la Academia Colombiana de Jurisprudencia. Volumen 1. Número 371. Ed. Academia Colombiana de Jurisprudencia. Bogotá, 2020.

– *Tratamientos tributarios diferenciales: una ardua cuestión teórica* en Memorias de las XXVII Jornadas Colombianas de Derecho Tributario. Ed. Instituto Colombiano de Derecho Tributario. Bogotá, 2003.

Cruz Santos, Abel. *Finanzas públicas.* Ed. Lerner. Bogotá, 1988.

Cuevas, Homero. *La estructura industrial colombiana* en Controversias de Economía Colombiana. Ed. Universidad Externado de Colombia. Bogotá, 1976.

Currie, Lauchlin Bernard. *Bases de un programa de fomento para Colombia.* Ed. Banco de la República de Colombia. Bogotá, 1951.

Çakar, Enver. *Les Turkmènes d'Alep à lépoque ottomane (1516-1700)* en Aleppo and Its Hinterland in the Ottoman Period. Editores: Stefan Winter y Mafalda Ade. Ed. Brill. Leiden, 2019.

D'amati, Nicola. *Nozione critica del diritto finanziario,* en Rivista di Diritto e Pratica Tributaria. Núm. 4. Italia, 1957.

Deere, Carmen Diana y León, Magdalena. *El liberalismo y los derechos de propiedad de las mujeres casadas en el siglo XIX en América Latina* en ¿Ruptura e inequidad?: Propiedad y género en la América Latina del siglo XIX. Ed. Siglo del Hombre. Bogotá, 2005.

De Grazia, Victoria. *How fascism ruled women: Italy 1922-1925.* Ed. University of California Press. Los Angeles, 1992.

De la Cueva, Arturo. *Derecho Fiscal.* Quinta Edición. Editorial Porrúa. México 2017.

De la Garza, Sergio Francisco. *Derecho financiero mexicano.* 5ª Edición. Ed. Porrúa. México, 1973.

De Castro y Bravo, Federico. *El matrimonio de los hijos (Con motivo del Concordato con la Santa Sede)* en Revista Anuario de Derecho Civil. Núm. 4. Ed. Instituto de Estudios Jurídicos. Madrid, 1954.

De Cervantes Saavedra, Miguel. *El juez de los divorcios y otros entremeses.* Colección de Clásicos Carroggio. Ed. Carroggio de Ediciones. Barcelona, 1977.

De Soto, Domingo. *Relecciones y opúsculos.* Tomo I. *Introducción general, De Dominio, Sumario, Fragmento: An liceat...* Trad. Jaime Brufau Prats. Ed. San Esteban. Salamanca, 1995.

– *De la justicia y del derecho.* Tomo I. Trad. Jaime Torrubiano Ripoll. Ed. Reus. Madrid, 1926.

– *De la justicia y del derecho.* Tomo II. Trad. Jaime Torrubiano Ripoll. Ed. Reus. Madrid, 1926.

Del Vecchio, Giorgio. *Filosofía del derecho.* Trad. Luis Legaz y Lacambra. Novena Edición. Ed. Bosch. Barcelona, 1969.

Deleury, Edith; Rivet, Michèle y Neault, Jean-Marc. *De la puissance paternelle à l'autorité parentale: une institution en voie de trouver sa vraie finalité* en Les Cahiers de Droit. Vol. 15. Núm. 4. París, 1974.

Delmas-Marty, Mireille y Labrusse-Riou, Catherine. *Matrimonio y divorcio.* Ed. Temis. Bogotá, 1987.

– *Derecho de familia dentro del Mandato Claro.* Ed. Ministerio de Justicia. Bogotá, 1974.

Devis Echandía, Hernando. *Aspectos sustanciales y procesales de la nueva ley de divorcio, separación de cuerpos y de bienes.* Mimeógrafo. Bogotá, 1976.

Díez Vargas, Cecilia. Cátedra de Derecho de Familia en Colegio Mayor de Nuestra Señora del Rosario. Marzo 19 de 2019

– Cátedra de Derecho de Familia en Colegio Mayor de Nuestra Señora del Rosario. Abril 28 de 2020

– *La reforma al régimen de capacidad jurídica en Colombia: ley 1996 de 2019.* Ponencia en el III Encontro Internacional sobre os Direitos das Poessoas com Deficiência. Realizado virtualmente el 25 y 26 de noviembre de 2020.

Domínguez Benavente, Ramón y Domínguez Águila, Ramón. *Derecho sucesorio.* Tomo II. Segunda Edición. Ed. Editorial Jurídica de Chile. Santiago de Chile, 1998.

Domínguez Giraldo, Luis Alberto. *Derecho de familia. Los alimentos (juicio oral).* 2ª Edición. Ed. Librería Jurídica Sánchez Ltda. Bogotá, 2016.

Du Plessis de Grenédan, Joachim. *Histoire de l'autorité paternelle dans l'ancien droit français, depuis les origines jusqu'à la Révolution.* Tesis para optar por el título de Doctor en Derecho de la Universidad Sorbona. Ed. Universidad Sorbona. París, 1900.

Due, John y Friedlander, Ann. *Análisis económico de los impuestos.* Ed. Editorial de Derecho Financiero. Buenos Aires, 1990.

Duverger, Maurice. *Éléments de fiscalité.* Ed. Presses Universitaires de France. París, 1976.

Elhefnawy, Nader. *Was Tony Blair's Prime Ministership Neoliberal?: A Survey of British Economic Policy, 1979-2007* en Social Science Research Network. Disponible en: https://ssrn.com/abstract=3676360. Miami, 2020.

Elorriaga de Bonis, Fabián. *Derecho sucesorio.* Segunda Edición. Ed. Abeledo Perrot. Santiago de Chile, 2010.

Engels, Friedrich. *El origen de la familia, la propiedad privada y el Estado.* Trad. Enrique Luque. Ed. Alianza. Madrid, 2016.

Enneccerus, Ludwig; Kipp, Theodor y Wolff, Martin. *Tratado de derecho civil.* Tomo IV. Vol. I. *El Matrimonio.* Ed. Bosch. Barcelona, 1941.

Escuela Superior de Administración Pública (ESAP). *Historia y análisis de la ley 81 de 1960 "Reorgánica del impuesto sobre la renta.* Tomo I y II. Ed. Imprenta Nacional. Bogotá, 1961.

Espinosa Valderrama, Abdón. *Memoria de Hacienda 1966-1970.* Ed. Talleres Gráficos del Banco de la República de Colombia. Bogotá, 1970.

– *Espuma de los acontecimientos* en El Tiempo. Edición del 23 de octubre. Bogotá, 1983.

Estrada, Alexei Julio. *Economía y ordenamiento constitucional* en I Jornadas de Derecho Constitucional y Administrativo. Universidad Externado de Colombia. Bogotá, 2000.

Etzioni, Amitai. *The spirit of community rights, responsibilities and the communitarian agenda.* Ed. Crown Publishers. Carmarthen, 1993.

– *The essential communitarian reader.* Ed. Rowman & Littlefield Publishers. Oxford, 1998.

Fajnzylber, Fernando. *La industrialización trunca de América Latina.* Ed. Nueva Imagen. México D.F., 1983.

Falsitta, Gaspare. *Corso istituzionale di diritto tributario.* Ed. Antonio Milani. Verona, 2009.

Fanzolato, Eduardo. *Alimentos y reparaciones en la separación y en el divorcio.* Ed. Depalma. Buenos Aires, 1993.

Fedele, Andrea. *Appunti della lezioni di diritto tributario.* Ed. Giappichelli Editori. Torino, 2000.

Feldstein, Martin Stuart. *Taxing consumption* en The new republic. Volumen 174. Número 9. Washington D.C., 1976.

Fernández de Buján, Antonio. *Derecho privado romano.* Cuarta Edición. Ed. Iustel. Madrid, 2011.

Ferreiro Galguera, Juan. *Uniones de hecho: perspectiva histórica y derecho vigente* en Uniones de Hecho. Edit. J.M. Martinell y María Teresa Piñol. Ed. Universitat de Lleida. Lleida, 1998.

Fichera, Franco. *Imposizione ed extrafiscalità nel sistema costituzionale.* Ed. Edizioni scientifiche Italiane. Nápoles, 1978

Fisher, Irving y Fisher, Herbert. *Constructive income taxation: A proposal for reform* en The American Economic Review. Volumen 33. Número 1. Parte 1. Nueva York, 1943.

Fischietti, Pietro. *La difesa della razza.* Ed. Youcanprint. Italia, 2019.

Flora, Federico. *Manuale di scenza delle finanze.* Trad. Víctor Paret. Ed. Librería General de Victoriano Suárez. Madrid, 1928.

Flores Zavala, Ernesto. *Elementos de finanzas públicas mexicanas,* 13 Edición. Ed. Porrúa. México, 1971.

Flórez, Luis Bernardo. *El modelo neoliberal en Colombia 1974-1948* en Modelos de Desarrollo Económico. Colombia 1960-1982. Ed. La Oveja Negra. Bogotá, 1982

Foster, Reginaldus Thomas y McCarthy, Daniel Patrick. *The mere bones of Latin according to the thought and system of Reginald.* Ed. The Catholic University of America Press. Washington, 2015.

Franco Tamayo, Juan Daniel. *La capacidad en la unión marital de hecho: una reflexión sobre la familia delineada por el poder.* Ed. Facultad de Derecho y Ciencias Políticas de la Universidad de Antioquia. Medellín, 2020.

Friedberg, Leora. *Did unilateral divorce raise divorce rates? Evidence from panel data* en American Economic Review. Vol. 88. Núm. 3. 1998.

Friedman, Milton y Friedman, Rose D. *Capitalism and freemdom.* Ed. University of Chicago Press. Chicago, 1982.

— *Free to choose: A personal statement.* Ed. Harcout Brace Jovanovich. Nueva York, 1980.

Friedman, David. *The machinery of freedom: Guide to radical capitalism.* Tercera Edición. Ed. Open Court. Chicago, 2014.

Fueyo Laneri, Fernando. *Derecho civil.* Tomo I. Volumen III. Ed. Imprenta Litográfica Universo. Valparaíso, 1959.

Gaceta Constitucional. *Numero 52* de 1991.

— *Numero 133* de 1991.

— *Número 136* de 1991.

— *Número 5* de 1991.

— *Número 8* de 1991.

– *Número 23* de 1991.

– *Número 24* de 1991.

– *Número 46* de 1991.

– *Número 80* de 1991.

– *Número 109* de 1991.

– *Número 103* de 1991.

– *Número 113* de 1991.

Gaceta del Congreso de la República de Colombia. *Numero 24* de 1988.

– *Número 318* de 1995.

– *Número 171* de 1998.

– *Número 398* de 2002.

– *Número 536* de 2002.

– *Número 614* de 2002.

– *Número 345* de 2003.

– *Numero 353* de 2003.

– *Número 572* de 2003.

– *Número 634* de 2003.

– *Número 691* de 2003.

– *Número 198* de 2004.

– *Número 666* de 2012.

– *Número 829* de 2012.

– *Número 030* de 2013.

– *Número 425* de 2013.

– *Número 743* de 2014.

– *Número 723* de 2015.

– *Número 602* de 2016.

– *Número 613* de 2016.

– *Número 773* de 2016.

– *Número 894* de 2016.

– *Número 1088* de 2016.

– *Número 1139* de 2016.

– *Número 1156* de 2016.

– *Número 1158* de 2016.

– *Número 161* de 2017.

– *Número 15* de 2017.

– *Número 729* de 2017.

– *Número 909* de 2017.

– *Número 205* de 2018.

- *Número 233* de 2018.
- *Número 481* de 2018.
- *Número 482* de 2018.
- *Número 822* de 2018.
- *Número 862* de 2018.
- *Número 933* de 2018.
- *Número 811* de 2019.
- *Número 1131* de 2019.
- *Número 1325* de 2020.

Gallón Giraldo, Carlos. *Separación de bienes y disolución de la sociedad conyugal por mutuo consentimiento de los cónyuges.* Bogotá, 1981. Revisado y actualizado en enero 29 de 2005. Pág. 2. Recuperado de: https://www.slideshare.net/sergiodani28/02separacion-de-bienes-y-disolucion-de-la-sociedad-conyugal-1

- *Divorcio, familia y matrimonio.* Ed. Gráficas Venus. Bogotá, 1974.

Galvis, Silvia y Donadio, Alberto. *El jefe supremo. Rojas Pinilla en la violencia y en el poder.* Ed. Hombre Nuevo. Medellín, 2002.

Gambón Alix, Germán. *La adopción.* Ed. Bosch. Barcelona, 1960.

Gaos, José. *Obras completas sobre Ortega y Gasset y otros trabajos de historia de las ideas en España y la América española.* Tomo IX. Ed. Universidad Nacional Autónoma de México. México D.F., 1992.

García Cantero, Gabriel. *Las relaciones familiares entre nietos y abuelos según la ley de 21 de noviembre de 2003.* Ed. Civitas. Madrid, 2004.

García Lozada, Nelson y Almonacid Sierra, Juan Jorge. *La constitución económica de 1991: instrumento jurídico para la democratización de la economía colombiana* en Revista Economía y Derecho. Núm. 10. Ed. Universidad Nacional de Colombia. Bogotá, 1998.

García Máynez, Eduardo. *Introducción al Estudio del Derecho.* Decimoquinta Edición. Ed. Porrúa S.A. México,1968.

García Parra, Jaime. *Memoria de Hacienda 1978-1980.* Tomo II. Ed. Imprenta Nacional. Bogotá, 1980.

García Restrepo, Álvaro Fernando. *Unión marital de hecho y sociedad patrimonial.* Ed. Ediciones Doctrina y Ley. Bogotá, 2001.

García Restrepo, Álvaro Fernando y Roca Betancur, Luz Stella. *Hacia un justo régimen de bienes entre compañeros permanentes.* Ed. Semilla y Viento. Medellín, 1994.

García Sarmiento, Eduardo. *Elementos de derecho de familia.* Ed. Temis. Bogotá, 1999.

- *La jurisdicción de familia y alimentos.* Ed. El Foro de la Justicia Ltda. Bogotá, 1991.

Garrone, José Alberto. *Diccionario Jurídico.* Tomo I. Ed. Abeledo Perrot. Buenos Aires, 1986.

Giannini, Achille Donato. *Diritto finanziario e scienza delle finanze* en Rivista Italiania Diritto finanziario e scienza delle finanze. 1939

- *Instituzioni di diritto tributario*, 7 Edición. Trad. Fernando Sainz de Bujanda. Ed. De Derecho Financiero. Madrid, 1957.

– *La classificazione delle imposte nel diritto tributario* en Studi dedicati alla memoria di Pier Paolo Zanzucchi / dalla Facoltà di giurisprudenza. Ed. Vita e Pensiero. Milán, 1927.

Giddens, Anthony. *The third way: the renewal of social democracy*. Ed. Polity Press. Oxford, 1998.

Giuliani Fonrouge, Carlos María. *Derecho Financiero*. Obra actualizada por Susana Camila Navarrine y Rubén Óscar Asorey. Vol. I. 5 Edición. Ed. De Palma. Buenos Aires, 1993.

– *Anteproyecto de Código fiscal: precedido de un estudio sobre lo contencioso-fiscal en la legislación argentina y comparada: doctrina, legislación y jurisprudencia sobre derecho fiscal*. Ed. Seminario de Ciencias Jurídicas y Sociales. Buenos Aires, 1942.

Godoy Fajardo, Juan Pablo. *Los fines extrafiscales de los tributos* en Del Derecho de la Hacienda Pública al Derecho Tributario: Estudios en honor a Andrea Amatucci. Coord. Mauricio A. Plazas Vega. Ed. Temis y Jovene Editore. Bogotá, 2011

Goes, Eunice. *The third way and the politics of community* en The third way and beyond: Criticisms, futures and alternatives. Editores: Sarah Hale, Will Leggett y Luke Martell. Ed. Manchester University Press. Manchester, 2004.

Gómez Piedrahíta, Hernán. *Derecho de familia*. Ed. Temis. Bogotá, 1992.

– *Código de Familia colombiano*. Ed. Librería Jurídica Wilches. Bogotá, 1994.

Gómez R., José J. *El régimen de bienes en el matrimonio*. Tercera Edición. Ed. Temis. Bogotá, 1961.

Gómez Sánchez, Yolanda. *El derecho a la reproducción humana*. Ed. Marcial Pons. Madrid, 1994.

Gómez Sjöberg, Luis Miguel. *Intervenciones de la norma financiera en la economía* en Del Derecho de la Hacienda Pública al Derecho Tributario: Estudios en honor a Andrea Amatucci. Coord. Mauricio A. Plazas Vega. Ed. Temis y Jovene Editore. Bogotá, 2011.

González, Felipe. *El 9 de abril de 1948 a nivel del pavimento*. Ed. El Tiempo. Bogotá, 9 de abril de 1968

González, Francisco y Calderón, Valentina. *Las reformas tributarias durante el siglo XX (I)* en Boletines de Divulgación Económica. Ed. Departamento Nacional de Planeación y Giro Editores. Bogotá, 2002.

González Valencia, José María. *Comentarios al Código Civil por el doctor José María González Valencia* en Revista Jurídica 194. Ed. Universidad Nacional de Colombia. Bogotá, 1916.

Gorini, Bruno. *La causa giuridica dell'obbligazione tributaria* en Rivista Italiana di Diritto Finanziario. Tomo I. Ed. Giuffrè. Milán, 1940.

Graetz, Michael J. *Implementing a progressive consumption tax* en Harvard Law Review. Volumen 92. Número 8. Cambridge, 1979.

Greenidge, Abel Hendry Jones. *Infamia*. Ed. Oxford University Press. Londres, 1894.

Griziotti, Benvenuto. *Per l'unitá della cattedra di diritto finanziario e scienza delle finanze e per il prestigio degli studi finanziari in Italia* en Rivista de Diritto Finanziario e Scienza delle Finanze, diciembre de 1942.

– *Primi elementi di scienza delle finanze*. Ed. Guiffrè. Milán, 1962

–   *Studi di scienza delle finanze e diritto finanziario.* Ed. Guiffrè. Milán, 1956.

–   *I principi delle entrate extrafiscali* en Rivista di Diritto Finanziario e Scienza delle Finanze. Parte I. Dir. Luigi Einaudi. Ed. Giuffè. Milán, 1951.

–   *L'imposition fiscale des étrangers* en Recueil de Cours de L'Académie de Droit International de La Haye. Vol. 13. Ed. Sirey. París, 1927.

–   *Riflessioni di diritto internazionale, politica, economia e finanza.* Ed. Treves. Pavía, 1936.

Grocio, Hugo. *De iure belli ac pacis.* Trad. Jean Barbeyrac y Richard Tuck. Ed. Liberty Fund. Indianapolis, 2005.

Gruber, Jonathan. *Is making divorce easier bad for children?* En Journal of Labor Economics. Núm. 22. Ed. University of Chicago Press. Chicago, 2004.

Guzmán Álvarez, Martha Patricia. *El régimen económico del matrimonio.* Ed. Universidad del Rosario. Bogotá, 2006.

Guzmán Brito, Alejandro. *La doble naturaleza de deuda hereditaria y asignación hereditaria forzosa de los alimentos debidos por ley a ciertas personas* en Revista Chilena de Derecho. Núm. 2. Vol. 35. Ed. Pontificia Universidad Católica de Chile. Santiago de Chile, 2008.

Gutiérrez Castro, Édgar. *La pasión de gobernar: La administración Betancur 10 años después.* Ed. Tercer Mundo. Bogotá, 1997.

Hartwell, Ronald Max. *A history of the Mont Pelerin Society.* Ed. Liberty Fund. Indianapolis, 1995.

Hayek, Friedrich August. *The collected works of F.A. Hayek.* Volumen XVII. *The constitution of liberty, definitive edition.* Editado por Ronald Hamowy. Ed. University of Chicago Press. Chicago, 2011.

–   *Camino de servidumbre: Textos y documentos.* Volumen II. Trad. Jesús Huerta de Soto. Ed. Unión Editorial. Madrid, 2008.

–   *Denationalisation of money: The argument refined.* Tercera Edición. Ed. Institute of Economic Affairs. Londres, 1990.

–   *Law, legislation and liberty: A new statement of the liberal principles of justice and political economy.* Volumen 3. Ed. Routledge Classics. Londres, 2013.

–   *Individualism and economic order.* Ed. The University of Chicago Press. Chicago, 1980 [1948].

Heineccius, Johann Gottlieb. *Recitaciones del derecho civil según el orden de la Instituta.* Tomo II. Segunda Edición. Traducida del latín por Luis de Collántes y revisada de nuevo por Vicente Salvá. Ed. Librería de don Vicente Salvá. París, 1847.

Henríquez Ureña, Pedro. *Literary currents in hispanic America.* Ed. Harvard University Press. Cambridge, 1945.

Hernández Ibáñez, Carmen. *Relaciones entre los nietos y los abuelos en el ámbito del derecho civil* en Revista Actualidad Civil. Núm. 1. Ed. Wolters Kluwer. Madrid, 2002.

Hersey, Mason. *Lewis Henry Morgan and the anthropological critique of civilization* en Dialectical Anthropology. Vol. 18. Núm. 1. Ed. Springer. Berlin/Heidelberg, 1993.

Hensel, Albert. *Derecho tributario.* Trad. Leandro Stok y Francisco Cejas. Ed. Nova Tesis. Rosario, 2004.

Hinestrosa Forero, Fernando. *Relaciones entre padres e hijos* en Revista Iusta. Núm. 5. Ed. Universidad Santo Tomás de Aquino. Bogotá, 1985.

– *Curso de obligaciones. Conferencias.* Segunda Edición Mimeografiada. Ed. Universidad Externado de Colombia. Bogotá, 1960.

Hobbes, Thomas. *De cive.* Impreso por J.C. para R. Royston. Londres, 1651.

– *Leviathan or the matter, forme, & power of a common-wealth ecclesiastical and civill.* Impreso para Andrew Crooke. Londres, 1651.

Homero. *La odisea.*

Hommes Rodríguez, Rudolf. *Memoria al Congreso Nacional 1992.* Ed. Ministerio de Hacienda y Crédito Público. Bogotá, 1992.

– *Memoria al Congreso Nacional 1992-1993.* Ed. Ministerio de Hacienda y Crédito Público. Bogotá, 1993.

Hubeñak, Florencio. *Raíces y desarrollo de la teoría de las dos espadas* en Prudentia Iuris. Núm. 78. Ed. Pontificia Universidad Católica Argentina. Buenos Aires, 2014.

Ingrosso, Gustavo. *Diritto finanziario.* Ed. Jovene Editore. Nápoles, 1956.

– *Istituzioni di diritto finanziario.* Vol. II. Ed. Jovene. Nápoles, 1935.

International Bank for Reconstruction and Development (IBRD). *Current economic position and prospects of Colombia WH-172.* Volúmenes I y II. Ed. Banco Mundial. Washington, 1967

Jarach, Dino. *El hecho imponible.* Tercera Edición. Ed. Abeledo-Perrot. Buenos Aires, 1943.

Jaramillo, Esteban. *La reforma tributaria en Colombia, un problema fiscal y social.* Ed. Banco de la República. Bogotá, 1918.

Jaramillo Ocampo, Hernán. *Memorias de hacienda 1949.* Segunda Parte. *Jefatura de Rentas e Impuestos Nacionales.* Ed. Imprenta del Banco de la República. Bogotá, 1949.

– *Momentos estelares de la política colombiana.* Ed. Tercer Mundo. Bogotá, 1990.

Johnson, John y Mazingo, Christopher. *The economic consequences of unilateral divorce for children.* Ed. Universidad de Illinois. Chicago, 2000.

Jordano Borea, Juan. *Interpretación del testamento.* Ed. Bosch. Barcelona, 1958.

Josserand, Louis. *Cours de droit civil positif français.* Tomo I. Tercera Edición. Ed. Recueil Sirey. París, 1938.

Junguito, Roberto y Rincón, Hernán. *La política fiscal en el siglo XX en Colombia* en Economía colombiana del siglo XX. Ed. Fondo de Cultura Económica del Banco de la República. Bogotá, 2007.

Junguito Bonnet, Roberto. *Exposición de motivos al proyecto de ley 080, Cámara de Representantes.* Gaceta del Congreso de la República número 398 de 2002.

Justiniano. *Institutas.* Libro 2.9.1. Disponible para consulta en *The institutes of Justinan.* Introducción, traducción y notas de Thomas Collet Sandars. Decimocuarta Impresión. Ed. The Lawbook Exchange. Nueva Jersey, 2007.

Kaldor, Nicholas. *An expenditure tax.* Ed. The MacMillan Company. Nueva York, 1957.

Kalmanovitz, Salomón. *Economía y nación una breve historia de Colombia.* Cuarta Edición. Ed. Tercer Mundo. Bogotá, 1997.

Kipp, Theodor. *Derecho de sucesiones*. Tomo V. Vol. 2°. Trad. Ramón María Rocca Sastre. Ed. Bosch. Barcelona, 1951

Lacruz Berdejo, José Luis y Sancho y Rebullida, Francisco de Asís. *Derecho de sucesiones*. Ed. Bosch. Barcelona, 1981.

Laffer, Arthur Betz. *Reinstatement of the dollar: The blueprint*. Ed. Rolling Hill Estates. California, 1980.

Laffer, Arthur Betz y Ranson, R. David. *Inflation, taxes and equity values*. Ed. H.C. Wainwright & Co. Boston, 1979.

Laffer, Arthur Betz y Kadlec, Charles W. *The point of linking the dollar to gold* en Wall Street Journal. Edición publicada el 13 de octubre de 1982.

Lafont Pianetta, Pedro. *Derecho de familia*. Cuarta Edición. Ed. Librería del Profesional. Bogotá, 2009.

– *Derecho de familia. Unión marital de hecho*. Ed. Librería Ediciones el Profesional. Bogotá, 1992.

– *Derecho de sucesiones*. Tomo I. *Teoría del derecho sucesoral*. Segunda Edición. Ed. Librería del Profesional. Bogotá, 1980.

– *Derecho de sucesiones*. Tomo I. *Parte general y sucesión intestada*. Decimoprimera Edición. Ed. Librería del Profesional. Bogotá, 2020.

– *Derecho de sucesiones*. Tomo II. *Sucesión testamentaria y contractual. La partición y protección sucesoral. Partición sucesoral anticipada*. Décima Edición. Ed. Librería del Profesional. Bogotá, 2019.

Larraín Ríos, Hernán. *Divorcio*. Ed. Editorial Jurídica de Chile. Santiago de Chile, 1996.

Larrea Holguín, Juan Ignacio. *Derecho civil del Ecuador*. Volumen II, Derecho matrimonial. Cuarta Edición. Ed. Corporación de Estudios y Publicaciones. Quito, 1985.

– *Reformas sobre el matrimonio en la ley 43* en Revista Jurídica. Ed. Universidad Católica de Santiago de Guayaquil. Santiago de Guayaquil, 1990.

Latorre Uriza, Luis Felipe. *El estatuto de la mujer casada*. Ed. Kelly. Bogotá, 1941.

– *Régimen patrimonial en el matrimonio*. Ed. Imprenta Nacional de Colombia. Bogotá, 1932.

Laufenburger, Henry. *Théorie économique et psychologique des finances publiques*. Vol. I. Quinta Edición. Ed. Sirey. París, 1956.

Lehmann, Heinrich. *Derecho de familia*. Trad. José María Navas. Ed. Revista de Derecho Privado. Madrid, 1953.

Leiva Ramírez, Eric y Muñoz González, Ana Lucía. *La corrección moderada y el derecho al libre desarrollo de la personalidad de las niñas y niños no emancipados según la jurisprudencia de la Corte Constitucional* en Revista Nova et Vetera. Núm. 21. Ed. Colegio Mayor de Nuestra Señora del Rosario. Bogotá, 2012.

Leroy-Beaulieu, Paul. *Traité de la science des finances*. Vol. I. Segunda Edición. Ed. Guillaumin et Cie. Paris, 1879.

Lewin Figueroa, Alfredo. *Historia de las reformas tributarias en Colombia* en Fundamentos de la Tributación. Coord. Eleonora Lozano Rodríguez. Ed. Universidad de los Andes y Temis. Bogotá, 2008.

– *El impuesto de industria y comercio. Origen, desarrollo legal, régimen actual y proyectos de ley* en Revista del Instituto Colombiano de Derecho Tributario. Número 24. Año 17. Ed. Instituto Colombiano de Derecho Tributario. Bogotá, 1981.

Llamabías, Jorge. *Código civil anotado.* Tomo I. Ed. Abeledo-Perrot. Buenos Aires, 1978.

Llorente Martínez, Rodrigo. *Memoria de Hacienda 1971-1973.* Tomo II. Ed. Talleres Gráficos del Banco de la República de Colombia. Bogotá, 1973.

Locke, John. *Segundo tratado sobre el gobierno civil, un ensayo acerca del verdadero origen, alcance y fin del gobierno civil.* Trad. Carlos Mellizo. Ed. Tecnos. Madrid, 2006.

López Blanco, Hernán Fabio. Ponencia presentada en el XIV Congreso Colombiano de Derecho Procesal. Barranquilla, 1993.

– *La ley de divorcio: implicaciones procesales.* Ed. Dupre. Bogotá, 1994.

López del Carril, Julio. *Derechos y obligaciones alimentarias.* Ed. Abeledo Perrot. Buenos Aires, 1981.

López Freyle, Isaac. *Principios de la tributación.* Segunda Edición. Ed. Lerner. Bogotá, 1962.

Lotero Contreras, Jorge. *El pensamiento cepalino: estructuralsmo y regulación del desarrollo* en Revista Lecturas de Economía. Número 27. Ed. Universidad de Antioquia. Bogotá, 1988.

Lozano Rodríguez, Eleonora. *El impuesto sobre la renta en el derecho comparado. Reflexiones para Colombia. Concepción del rédito de enriquecimiento como hecho imponible del impuesto de renta: una perspectiva de derecho comparado* en El impuesto sobre la renta en el derecho comparado. Reflexiones para Colombia. Homenaje al Dr. Juan Rafael Bravo Arteaga. Tomo I. Obra de varios autores coordinada por Álvaro Leyva Zambrano, Paul Cahn-Speyer Wells, Mauricio A. Plazas Vega, Mauricio Piñeros Perdomo, Carlos Ramírez Guerrero y Vicente Amalla Mantilla. Ed. Instituto Colombiano de Derecho Tributario. Bogotá, 2008.

Lundberg, Shelly; Pollak, Robert. A. y Stearns, Jenna. *Family inequality: Diverging patterns in marriage, cohabitation, and childbearing* en Journal of Economic Perspectives. Vol. 30. Núm. 2. Ed. American Economic Association. Nueva York, 2016. Pág. 79 a 102.

Machado, José Olegario. *El código civil argentino interpretado por los tribunales de la República.* Tomo I. Ed. Félix Lajouane Editores. Buenos Aires, 1905.

Maffuccini, Matteo. *Manuale di diritto tributario.* Ed. Il Foro Tributario. Roma, 1942.

Malagón Pinzón, Miguel y Pardo Motta, Diego Nicolás. *Laureano Gómez, la Misión Currie y el proyecto de reforma constitucional de 1952* en Revista Criterio Jurídico. Volumen 9, Número 2. Ed. Pontificia Universidad Javeriana de Cali. Cali, 2009.

Mankiw, Gregory. *Principios de Economía.* Tercera Edición. Ed. Mc Graw Hill/Interamericana de España. Madrid, 2004.

Manresa y Navarro, José María. *Comentarios al código civil español.* Tomo II. Ed. Reus. Madrid, 1944.

Marcadé, Víctor-Napoleón. *Explication théorique et practique du code civil.* Tomo XII. *De la prescription.* Séptima Edición. Ed. Delamotte et Fils. París, 1874.

Marx, Karl. *El Capital.* Ed. Siglo XXI de España Editores. Madrid, 2017.

Maya Barroso, Delio Enrique. *La Laicidad del Estado Colombiano* en Revista Criterios. Vol. 1. Núm. 2. Ed. Universidad San Buenaventura. Bogotá, 2008.

Mayer, J.P. *Trayectoria del pensamiento político*. Segunda Reimpresión. Ed. Fondo de Cultura Económica. México D.F. – Buenos Aires, 1961.

Mayer, Otto. *Derecho administrativo alemán*. Ed. Depalma. Buenos Aires, 1950.

Mazeaud, Henri, Leon y Jean. *Leçons de droit civil*. Tomo I. Ed. Montchrestien. París, 1955.

— *Leçons de droit civil*. Tomo I. Trad. Luis Alcalá Zamora. Ed. Ediciones Jurídicas Europa-América. Buenos Aires, 1959.

— *Leçons de droit civil*. Tomo III. Trad. Luis Alcalá Zamora. Ed. Ediciones Jurídicas Europa-América. Buenos Aires, 1959.

— *Leçons de droit civil*. Tomo IV. Trad. Luis Alcalá Zamora. Ed. Ediciones Jurídicas Europa-América. Buenos Aires, 1959.

Mazzinghi, Jorge Adolfo. *Derecho de familia*. Tomo I. *El matrimonio como acto jurídico*. Tercera Edición. Ed. Depalma. Buenos Aires, 1995.

— *Derecho de familia*. Tomo III. *Separación personal y divorcio*. Tercera Edición. Ed. Depalma. Buenos Aires, 1996.

— *Derecho de familia*. Tomo IV. *Filiación. Procreación artificial. Adopción. Patria potestad. Tutela y curatela. Parentesco. Violencia familiar. Mediación*. Tercera Edición. Ed. Depalma. Buenos Aires, 1999.

— *Tratado de derecho de familia*. Tomo IV. *Filiación. Procreación asistida. Patria potestad, tutela y curatela. Parentesco. Mediación*. Cuarta Edición. Ed. La Ley. Buenos Aires, 2006.

— *Tratado de derecho de familia*. Tomo III. *Separación personal y divorcio*. 4ª Edición. Ed. La Ley. Buenos Aires, 2006.

McKinnon, Ronald. *Money and capital in economic development*. Primera Edición. Ed. Brookings Institution Press. Washington, 1973.

McLennan, John Ferguson. *Primitive marriage: an inquirí into the origin of the form of capture in marriage ceremonies*. Ed. Adam and Charles Black. Edinburgo, 1865

Meade, James. *The structure and reform of direct taxation*. Reporte para el Institute of Fiscal Studies. Ed. George Allen & Unwin. Londres, 1978.

Medina Pabón, Juan Enrique; Díez Vargas, Cecilia; Rueda Serrano, Manuel Guillermo y Torres Villareal, María Lucía. *Nuevo régimen de protección legal a las personas con discapacidad mental*. Ed. Universidad del Rosario. Bogotá, 2009

Medina Pabón, Juan Enrique. *Derecho civil. Derecho de familia*. Quinta Edición. Ed. Universidad del Rosario. Bogotá, 2018.

Mehl, Lucien. *Elementos de ciencia fiscal*. Ed. Bosch Casa Editorial. Barcelona, 1964.

Mejía Palacio, Jorge. *Memoria de Hacienda 1962*. Ed. Imprenta Nacional. Bogotá, 1962.

Melcare-Zachara, Johanne. *La puissance paternelle au XIXe siècle (1804-1889)*. Tesis para optar por el título de Doctora en Derecho por la Universidad de Nantes. Ed. Universidad de Nantes. Nantes, 2019.

Messineo, Francesco. *Manual de derecho civil y comercial*. Tomo VII. *Derecho de las sucesiones por causa de muerte. Principios de derecho privado internacional*. Trad. Santiago Sentís Melendo. Ed. Ejea. Buenos Aires, 1956.

Micheli, Gian Antonio. *Corso di diritto tributario*. Trad. Julio Banacloche. Ed. De Derecho Reunidas. Caracas, 1975.

Minogue, Kenneth. *The liberal mind*. Ed. Random House. Nueva York, 1963.

Mirowsky, Philip. *What's wrong with the Laffer Curve?* En Journal of Economic Issues. Volumen 16. Número 3. Ed. Taylor & Francis. Nueva York, 1982.

Mises, Ludwig. *El socialismo: análisis económico y sociológico*. Trad. Luis Montes de Oca. Ed. Hermés. México D.F., 1961.

Mora Toscano, Óliver. *La reforma tributaria de 1935 y el fortalecimiento de la tributación directa en Colombia* en Revista Apuntes del Cenes- Universidad Pedagógica y Tecnológica de Colombia. Bogotá, 2013.

Morales Acacio, Alcides. *Lecciones de derecho de familia*. Ed. Leyer. Bogotá, 1997.

Monroy Cabra, Marco Gerardo. *Métodos alternativos de solución de conflictos*. Ed. Legis. Bogotá, 1997.

– *Matrimonio civil y divorcio en Colombia*. Ed. Temis. Bogotá, 1979.

– *Derecho de familia, infancia y adolescencia*. Decimosexta Edición. Ed. Librería Ediciones del Profesional. Bogotá, 2017.

– *Derecho de familia y de menores*. Novena Edición. Ed. Librería del Profesional. Bogotá, 2004.

Montesquieu, Charles Louis de Secondat. *Del espíritu de las leyes*. Vol. I. Trad. Nicolás Estévanez. Ed. Garnier Frères. París, 1924

Montoya Osorio, Martha Elena y Montoya Pérez, Guillermo. *Las personas en el derecho civil colombiano*. Ed. Leyer. Bogotá, 2010.

Montoya Pérez, Guillermo. *Uniones maritales de hecho*. Ed. Fondo Editorial Universidad EAFIT. Medellín, 2016.

Morgan, Lewis Henry. *Ancient society; or researches in the lines of human progress from savagery, through barbarism to civilization*. Ed. Henry Holt and Company. Nueva York, 1877.

Mucius Scævola, Q. *Código civil comentado y concordado*. Tomo III. Ed. Imprenta de Ricardo Rojas. Madrid, 1942.

Mukarker Ovalle, Víctor. *Algunos aspectos de la patria potestad en las Sagradas Escrituras* en Revista Chilena de Derecho. Vol. 7. Núm. 1/6. IV Jornadas chilenas de Derecho natural. Ed. Universidad Católica de Chile. Santiago de Chile, 1980.

Musgrave, Richard. *Fiscal reform for Colombia: Final Report and Staff Papers of the Colombian Commission on Tax Reform, Richard A. Musgrave, President*. Ed. The Law School of Harvard University. Cambridge, 1971

Noyola Vásquez, Juan Francisco. *Desequilibrio fundamental y fomento económico en México*. Ed. Escuela Nacional de Economía. México D.F., 1949

Nozick, Robert. *Anarquía, Estado y utopía*. Primera Edición en Español. Trad. Rolando Tamayo. Ed. Fondo de Cultura Económica. Buenos Aires, 1988.

Ocampo, José Antonio. *Raúl Prebisch y la agenda del desarrollo en los albores del siglo XXI*. Documento presentado en el Seminario "La Teoría del Desarrollo en los Albores del Siglo XXI" de la CEPAL, que tuvo lugar en Santiago de Chile el 28 y 29 de agosto de 2001.

–   *Historia Económica de Colombia*. Ed. Fondo de Cultura Económica y Fedesarrollo. Bogotá, 2015.

–   *Osvaldo Sunkel, el estructuralismo y el neoestructuralismo* en Del estructuralismo al neoestructuralismo. La travesía intelectual de Osvaldo Sunkel. Editores: Alicia Bárcena y Miguel Torres. Ed. Comisión Económica para América Latina y el Caribe (CEPAL). Santiago de Chile, 2019.

–   *La política económica durante la administración Samper* en A diez años del salto social ¿Que no nos dejaron gobernar? Coord. Ernesto Samper Pizano. Ed. D'Vinni S.A. Bogotá, 2008.

–   *Evaluación de la situación fiscal colombiana* en Revista Coyuntura Económica. Vol. 27. Núm. 2. Ed. Fedesarrollo. Bogotá, 1997.

Ocampo, José Antonio y Perry Rubio, Guillermo. *La reforma fiscal, 1982-1983* en Coyuntura Económica: Investigación Económica y Social. Ed. Fedesarrollo. Bogotá, 1983.

OCDE/CEPAL/CIAT/BID (2017), *Revenue Statistics in Latin America and the Caribbean 1990-2015.*

Organización de Naciones Unidas. Consejo Económico y Social. *INFORME PROVISIONAL DE LA CONFERENCIA SOBRE POLITICA FISCAL ORGANIZADA POR EL PROGRAMA CONJUNTO DE TRIBUTACION OEA/BID/CEPAL.* Documento E/CN.12/638 del 15 de enero de 1963.

Orlando, Vittorio Emanuele. *Primo trattato completo di diritto amministrativo italiano.* Ed. Società Editrice Libraria. Milán, 1915.

Orozco de Triana, Alba Lucía. Carta enviada por al Presidente de la Corte Suprema de Justicia, Alfonso Reyes Echandía, el 6 de abril de 1983, en el marco del estudio de constitucionalidad del decreto legislativo 237 de 1983. Disponible para su consulta en Revista del Instituto Colombiano de Derecho Tributario. Número 27. Año 19. Ed. Instituto Colombiano de Derecho Tributario. Bogotá, 1983.

Ortiz Monsalve, Álvaro. *Capacidad plena de los mayores de edad en situación de discapacidad mental y guardas de menores emancipados.* Ed. Temis. Bogotá, 2021.

Ospina Gómez, Nelson. *Es constitucional el matrimonio civil notarial o judicial de la trieja* en Ámbito Jurídico, edición del 20 de junio de 2017, disponible en https://www.ambitojuridico.com/noticias/civil/civil-y-familia/es-constitucional-el-matrimonio-civil-notarial-o-judicial-en-trieja

Ospina Vargas, Tatiana. *Autonomía de la voluntad y libertad testamentaria en Colombia: Alcances y modificaciones de la Ley 1934 de 2018.* Monografía para optar por el título de Abogada de la Facultad de Ciencias Jurídicas de la Pontificia Universidad Javeriana. Bogotá, 2020.

Ossandón Buljevic, Carlos. *Andrés Bello y el giro moderno de la filosofía en América Latina* en Revista La Cañada: Pensamiento Filosófico Chileno. Núm. 2. Ed. Centro Difusor del Pensamiento Filosófico. Santiago de Chile, 2011.

Otero, Alfonso. *La patria potestad en el derecho histórico español* en Anuario de Historia del Derecho Español. Núm. 26. Ed. Boletín Oficial del Estado y Ministerio de Justicia. Madrid, 1956.

Özel, Oklay. *The collapse of rural order in ottoman Anatolia.* Volumen 61 de la serie The Ottoman Empire and its heritage. Editores: Suraiya Faroqhi, Halil Ínalcik y Bogaç Ergene. Ed. Brill. Leiden, 2016.

Pacheco, Joaquín Francisco y González y Serrano, José. *Comentario histórico, crítico y jurídico a las Leyes de Toro.* Obra póstuma. Tomo II. Ed. Imprenta y Fundición de M. Tello. Madrid, 1876.

Pantaleoni, Maffeo. *Teoria della traslazione dei tributi.* Ed. A. Paolini. Roma, 1882.

Parra Benítez, Jorge. *Derecho de familia.* Tomo I. *Parte sustancial.* Tercera Edición. Ed. Temis. Bogotá, 2019.

– *La abolición del artículo 1243 del Código Civil y la protección de las legítimas rigurosas en Colombia* en Revista de la Academia Colombiana de Jurisprudencia. Volumen 1. Número. 370. Ed. Academia Colombiana de Jurisprudencia. Bogotá, 2019.

Parra Escobar, Armando. *El nuevo régimen de impuestos. Análisis y normas legales del impuesto sobre la renta y complementarios.* Segunda Edición. Ed. Desarrollo S.A. Bogotá, 1975.

Pateman, Carole. *'God hath ordained to man a helper': Hobbes, patriarchy and conjugal right* en British Journal of Political Science. Vol. 9. Núm. 4. Ed. Cambridge University Press. Cambridge, 1989.

Pérez Luño, Antonio Enrique. *Derechos humanos, Estado de derecho y constitución.* Ed. Tecnos. Madrid, 1995.

Perrino, Jorge Óscar. *Derecho de familia.* Tomo I. Ed. Lexis Nexis. Buenos Aires, 2006.

– *Derecho de familia.* Tomo II. Ed. Lexis Nexis. Buenos Aires, 2006.

Perry Rubio, Guillermo. *Decidí contarlo. Conversaciones sobre cincuenta años de economía y política en Colombia.* Ed. Debate. Bogotá, 2019.

– *Memoria al Congreso Nacional 1994-1995.* Ed. Editextos 2000. Bogotá, 1995.

– *Exposición de motivos al proyecto de ley 026 Cámara, 158 Senado.* Disponible en Revista del Instituto Colombiano de Derecho Tributario. Núm. 46. Año. 32. Vol. I. Ed. Instituto Colombiano de Derecho Tributario. Bogotá, 1996.

Perry Rubio, Guillermo y Cárdenas Santamaría, Mauricio. *Diez años de reformas tributarias en Colombia.* Ed. Universidad Nacional de Colombia. Bogotá, 1986.

Peters, Elizabeth. *Marriage and divorce: informational constraints and private contracting* en American Economic Review. Núm. 76. Ed. American Economic Association. Nashville, 1986.

– *Marriage and divorce: reply* en American Economic Review. Núm. 82. Ed. American Economic Association. Nashville, 1992.

Pinilla Pineda, Álvaro. *La custodia de los hijos: una mirada legal y jurisprudencial* en Carta de derecho de familia. Vol. 2. Núm. 1. Ed. Instituto Colombiano de Bienestar Familiar. Bogotá, 2005.

Pinochet Contreras, Óscar. *Asignaciones forzosas.* Trabajo para optar al grado de licenciado en la Facultad de Leyes y Ciencias Políticas de la Universidad de Chile. Ed. Nascimento. Santiago, 1926.

Pieschacón Forondona, Herman. *Lecciones de derecho notarial.* Ed. Pontificia Universidad Javeriana. Bogotá, 2001

Piñeros Perdomo, Mauricio. *Incentivos tributarios* en Memorias de las XXII Jornadas de Derecho Tributario. Tomo I. Ed. Instituto Colombiano de Derecho Tributario. Bogotá, 1998.

Pirano, Marco y Forito, Stefano. *La formazione dello Sato fascista. Scritti e discorsi di Alfredo Rocco, 1925-1934.* Vol. III. Ed. Lulu.com. Roma, 2014

Piza Rodríguez, Julio Roberto. *Evolución del impuesto sobre la renta en el sistema tributario colombiano* en El impuesto sobre la renta y complementarios, consideraciones teóricas y prácticas. Ed. Universidad Externado de Colombia. Bogotá, 2010.

— *Curso de derecho tributario, procedimiento y régimen sancionatorio.* Primera Edición, Segunda Reimpresión. Ed. Universidad Externado de Colombia. Bogotá, 2013.

Pizano Salazar, Diego. *Algunos creadores del pensamiento económico contemporáneo.* Ed. Fondo de Cultura Económica. México, 1980.

Planiol, Marcel. *Tratado elemental de derecho civil.* Vol. IV. Trad. José María Cajicá. México D.F., 1946.

— *Traité élémentaire de droit civil conforme aux programme officiel des facultés de droit.* Tomo I. Novena Edición. Ed. Librairie Génerale de Droit & de Jurisprudence. París, 1923.

Planiol, Marcel; Ripert, Georges y Boulanger, Jean. *Traité élémentaire de droit civil.* Tomo I. Ed. Librairie Générale de Droit et de Jurisprudence. París, 1961

— *Traité élémentaire de droit civil.* Tomo VIII. Trad. Leonel Pereznieto Catro. Ed. Oxford Press University. México D.F., 1999.

Planiol, Marcel y Ripert, Georges, con el concurso de René Savatier. *Tratado práctico de derecho civil francés.* Tomo I. *De las personas.* Trad. Mario Díaz Cruz. Ed. Cultural S.A. La Habana, 1935.

Planiol, Marcel y Ripert, Georges, con el concurso de André Rouast. *Tratado práctico de derecho civil francés.* Tomo II. *La familia.* Trad. Mario Díaz Cruz, con colaboración de Eduardo Le Riverend Brusone. Ed. Cultural S.A. La Habana, 1939.

Planiol, Marcel y Ripert, Georges, con el concurso de André Trasbot. *Tratado práctico de derecho civil francés.* Tomo V. *Donaciones y testamentos.* Trad. Mario Díaz Cruz, con colaboración de Eduardo Le Riverend Brusone. Ed. Cultural S.A. La Habana, 1935.

Planiol, Marcel y Ripert, Georges, con el concurso de Eduard Le Riverend Brusone. *Tratado práctico de derecho civil francés.* Tomo VIII. *Regímenes económicos matrimoniales.* Trad. Mario Díaz Cruz. Ed. Cultural S.A. La Habana, 1938.

Platón. *Obras completas de Platón.* Tomo VII. *La República.* Libro V. Ed. Patricio de Azcárate. Madrid, 1872.

— *Obras completas de Platón.* Tomo VII. *La República.* Libro IV. Ed. Patricio de Azcárate. Madrid, 1872.

— *Obras completas de Platón.* Tomo VI. *Timeo; o de la naturaleza.* Ed. Patricio de Azcárate. Madrid, 1872.

Plazas Vega, Mauricio Alfredo. *Derecho de la hacienda pública y derecho tributario.* Tomo II. Ed. Temis. Bogotá, 2017.

— *Las ideas políticas de la independencia y la emancipación en la Nueva Granada.* Segunda Edición. Ed. Temis. Bogotá, En Prensa.

— *Las ideas políticas de la independencia y la emancipación en la Nueva Granada.* Ed. Temis. Bogotá, 2019.

- *Derecho de la hacienda pública y derecho tributario.* Tomo I. Segunda Edición. Ed. Temis. Bogotá, 2006.

- *Derecho de la Hacienda Pública y Derecho Tributario.* Tomo I. Tercera Edición. Ed. Temis. Bogotá, 2016.

- *El frente nacional.* Ed. Temis. Bogotá, 2011.

- *El impuesto sobre el valor agregado.* Tercera Edición. Ed. Temis. Bogotá, 2015.

- *Historia de las ideas políticas y jurídicas.* Primera Edición. Tomo II. *La modernidad: El liberalismo.* Ed. Temis. 2014.

- *La codificación tributaria.* Ed. Universidad del Rosario. Bogotá, 2012.

Plazas Molina, Catalina. *El principio de irretroactividad en materia tributaria.* Ed. Temis. Bogotá, 2017.

Plazas Vega, Mauricio Alfredo y Plazas Molina, Claudia Jimena. *Tributación sobre los dividendos en Colombia. La deducibilidad de los intereses relacionados con los dividendos desde la óptica del artículo 177-1 del Estatuto Tributario* en Desafíos de la tributación empresarial. Dir. Carolina Rozo Ramírez. Ed. Ed. Instituto Colombiano de Derecho Tributario e Instituto Colombiano de Derecho Aduanero. Bogotá, 2021.

Plutarco. *Plutarch's Lives.* Trad. Bernadotte Perrin. Ed. Loeb Classical Library. Londres, 1914.

Polacco, Vittorio. *De las sucesiones.* Trad. Santiago Sentís Melendo. Tomo II. Buenos Aires, 1950.

Popper, Karl Raimund. *La sociedad abierta y sus enemigos.* Trad. Eduardo Loedel Rodríguez. Ed. Paidós. Barcelona, 1992.

Posada, Carlos Esteban. *Recuperación indecisa y perspectiva ortodoxa* en Economía Colombiana. Números 163 y 164. Ed. Contraloría General de la República. Bogotá, 1984.

Prebisch, Raúl. *El desarrollo económico de la América Latina y algunos de sus principales problemas* en Revista de Desarrollo Económico. Vol. 26. Número 103. Buenos Aires, 1986.

Prieto, Vicente. *El Concordato de 1973 y la evolución del Derecho Eclesiástico colombiano situación actual y perspectivas de futuro* en Revista General de Derecho Canónico y Derecho Eclesiástico del Estado. Núm. 22. Ed. Iustel. Madrid, 2010.

- *Proyecto de ley por el cual se promulga el Estatuto de Familia.* Ed. Instituto Colombiano de Bienestar Familiar. Bogotá, 1974.

Pufendorf, Samuel. *Le droit de la nature et des gens, ou système général des príncipes les plus importans de la morale, de la jurisprudence et de la politique.* Trad. Jean Barbetrac. Ed. Jean Nours. Londres, 1740.

Puig Peña, Federico. *Tratado de derecho civil español.* Tomo II. Volumen I. Ed. Imprenta Calarsó. Barcelona, 1947.

Pugliese, Mario. *Istituzioni di diritto finanziario: diritto tributario.* Trad. Ed. Fondo de Cultura Económica. México, 1939.

- *L'imposizione delle imprese di carattere internazionale.* Ed. CEDAM. Padua, 1930.

Quiroz Monsalvo, Aroldo Wilson. *Manual de familia.* Tomo VI. Segunda Edición. Ed. Doctrina y Ley. Bogotá, 1999.

– *Manual de derecho civil.* Tomo V. Segunda Edición. Ed. Ediciones Doctrina y Ley. Bogotá, 2011.

Ramírez Cardona, Alejandro. *Derecho sustancial tributario.* Ed. Retina. Bogotá, 1974.

– *Derecho tributario sustancial y procedimental.* Tercera Edición. Ed. Temis. Bogotá, 1985.

Ramírez Fuertes, Roberto. *Sucesiones.* Sexta Edición. Ed. Temis. Bogotá, 2003.

Ramírez Martínez, María Alejandra. *Las enfermedades y anomalías como causa de divorcio en la legislación colombiana.* Tesis para optar por el título de Abogada. Colegio Mayor de Nuestra Señora del Rosario. Repositorio. Bogotá, 1996.

Ramírez Sánchez, John Eisenhower. *El derecho de alimentos.* 1ª Edición. Editorial Leyer. Bogotá, 2017.

Ranelletti, Oreste. *Diritto finanziario.* Ed. Stab. Tipo-Litográfico G Tenconi. Milán, 1927.

– *Natura giuridica dell'imposta* en Municipio Italiano, 1898.

– *Natura giuridica dell'imposta* en Revista *Diritto e pratica tributaria.* Tomo I. Ed. CEDAM. Padua, 1974.

Restrepo Salazar, Juan Camilo. *Hacienda pública.* 10 edición. Ed. Universidad Externado de Colombia. Bogotá, 2015.

– *Exposición de motivos al proyecto de ley número 045 de 1998.* Gaceta del Congreso de la República número 171 de 1998.

Revista del Instituto Colombiano de Derecho Tributario. Número 33. Año 23. Ed. Instituto Colombiano de Derecho Tributario. Bogotá, 1987.

– Número 41. Año 27. Ed. Instituto Colombiano de Derecho Tributario. Bogotá, 1991.

– Número 43. Año 29. Ed. Instituto Colombiano de Derecho Tributario. Bogotá, 1993.

Reyes Casas, Luz Myriam y Ochoa Andrade, Néstor Javier. *La unión marital de hecho y su revolución jurisprudencial a partir de la Constitución de 1991.* Segunda Edición. Ed. Universidad Autónoma del Caribe. Barranquilla, 2013.

Ricardo, Rafael A. y Barriga, Alberto. *Impuesto sobre la renta y complementarios. Legislación, jurisprudencia, casos, consultas resueltas, instrucciones y normas para la liquidación del impuesto.* Ed. CAHUR. Bogotá, 1948.

Rivero Hernández, Francisco. *Derecho de visita.* Ed. Bosch. Barcelona, 1997.

– *La protección del derecho de visita por el Convenio Europeo de Derechos Humanos. Dimensión constitucional* en Revista Derecho Privado y Constitución. Núm. 20. Ed. Centro de Estudios Políticos y Constitucionales. Madrid, 2006.

Robles, Lorenzo. *Compendio de la concordancia de la teología moral con el Código Civil chileno en los tratados de justicia, derecho y contratos. Memoria única aprobada por la Facultad de Teología de la misma Universidad, con ocasión del Certamen Literario del año de mil ochocientos sesenta y tres.* Segunda Edición. Ed. Imprenta San Diego. Santiago de Chile, 1896.

Rocha Alvira, Antonio. *De la prueba en derecho.* Ed. Ibáñez. Bogotá, 2013.

Rodríguez, Óscar. *Nuevas perspectivas en historiografía fiscal* en Cuadernos de Economía. Volumen 15. Número 24. Ed. Universidad Nacional de Colombia. Bogotá, 1996

Rodríguez, Sonia. *La protección de los menores en el derecho internacional privado mexicano.* Ed. Universidad Nacional Autónoma de México. México D.F., 2006.

Rodríguez Fonnegra, Jaime. *De la sociedad conyugal: o, Régimen de los bienes determinado por el matrimonio*. Tomo II. Ed. Lerner. Bogotá, 1964.

Rodríguez Grez, Pablo. *Instituciones de derecho sucesorio*. Tomo I. Segunda Edición. Ed. Editorial Jurídica de Chile. Santiago de Chile, 2002.

Rodríguez Piñeres, Eduardo. *Derecho civil colombiano*. Tomo I. Ed. Dike. Bogotá, 1990.

–   *Curso elemental de derecho civil colombiano*. Tomo I. Ed. Librería Americana. Bogotá, 1919.

Rojas Araque, Darío. *El Concordato eclesiástico de 1973 y la competencia de la Corte Constitucional Colombiana* en Revista Colombia Universitas Canónica. Ed. Pontificia Universidad Javeriana. Bogotá, 2004.

Rojas Gómez, Miguel Enrique. *Lecciones de derecho procesal*. Tomo 6. *Procesos de familia e infancia*. Ed. Esaju. Bogotá, 2021.

Rojas Osorio, Carlos. *Tres aspectos de la filosofía de Andrés Bello* en Revisa Universitas Philosophica. Vol. 10. Núm. 19. Ed. Pontificia Universidad Javeriana de Colombia. Bogotá, 1992.

Romero Cifuentes, Abelardo. *Curso de sucesiones*. Ed. Librería del Profesional. Bogotá, 1983.

Rousseau, Jean Jacques. *El contrato social o principios de derecho político*. Trad. María José Villaverde. Madrid, 1992.

–   *El contrato social, o principios del derecho político*. Trad. Andebeng-Abeu Alingue. Ed. Panamericana. Bogotá, 2007.

–   *Discurso sobre economía la política*. Trad. Fabio Vélez. Ed. Maia Ediciones. Madrid, 2011.

–   *Emilio, o de la educación*. Trad. Mauro Armiño. Ed. Alianza. Madrid, 2011.

Rosales, Osvaldo. *Balance y Renovación en el Paradigma Estructuralista del Desarrollo Latinoamericano* en Revista de la CEPAL. Núm. 34. Ed. Comisión Económica para América Latina y el Caribe (CEPAL). Santiago de Chile, 1988.

Rubellin Devichi, Jacqueline. *Droit de la famille*. Obra colectiva dirigida por Jacqueline Rubellin Devichi. Ed. Dalloz. París, 1996.

Ruiz Manotas, Paola Margarita. *El divorcio en Colombia y su relación con el posicionamiento social de la mujer*. Tesis para optar por el título de Magíster en Derecho de la Universidad del Norte. Barranquilla, 2017.

Ruz Lártiga, Gonzalo. *La evolución de la autoridad parental en Francia y su incidencia en las facultades y deberes del progenitor no custodio* en Revista de Derecho. Vol. 30. Núm. 2. Ed. Universidad Austral de Chile. Valdivia, 2017.

Saavedra Lozano, Saúl y Buenaventura Lalinde, Eduardo. *Derecho romano, traducciones y apuntes*. Tomo I. Tesis para optar por el título de Doctores en Jurisprudencia del Colegio Mayor de Nuestra Señora del Rosario. Ed. Centro S.A. Bogotá, 1942.

Sagrada Biblia. Traducida de la vulgata latina al español, aclarado el sentido de algunos lugares con la luz que dan los textos originales hebreo y griego e ilustrada con varias notas sacadas de los Santos Padres y Expositores Sagrados por Félix Torres Amat. Ed. Sopena Argentina S.A.C.I. e I. Charlotte –Carolina del Norte–, 1959.

Sáinz de Bujanda, Fernando. *Hacienda y Derecho*. Tomo II. Ed. Instituto de Estudios Políticos. Madrid, 1962.

San Agustín de Hipona. *In Ioannis Evangelium Tractatus.*

 – *Sermón 13.*

 – *La ciudad de Dios.*

San Ambrosio. *De Ioseph patriarcha.*

 – *De Tobia.*

San Juan Pablo II. Exhortación apostólica *Familiaris Consortium,* del 22 de noviembre de 1981.

Santaella Quintero, Héctor. *El modelo económico en la Constitución de 1991* en Revista Derecho del Estado. Núm. 21. Ed. Universidad Nacional de Colombia. Bogotá, 2001.

Santo Tomás de Aquino. *Comentario a las sentencias de Pedro Lombardo.*

 – *Suma de Teología.* Trad. Armando Bandera González, Niceto Blázquez, José Luis Espinel Marcos, Pedro Fernández Rodríguez, Luciano Gómez Becerro, Jesús Hernando Franco, Ángel Martínez Casado, Manuel Morán Flecha, Antonio Osuna Fernández-Largo y Victorino Rodríguez Rodríguez. Ed. Biblioteca de Autores Cristianos. Madrid, 1994.

 – *De regno.*

Sanz de Santamaría, Carlos. *Memoria de hacienda 1945. Cuarta Parte. Rentas e impuestos nacionales.* Ed. Imprenda del Banco de la República. Bogotá, 1945.

 – *Memoria de Hacienda 1964.* Ed. Imprenta Nacional. Bogotá, 1964.

Samuelson, Paul y Nordhaus, William. *Economía.* Decimoséptima Edición. Trad. Esther Rabasco y Luis Toharía. Ed. Mc Graw Hill. Madrid, 2002.

Sánchez Lombana, Leonardo Fabián; Vargas Plazas, Marialejandra y García Sánchez, Viviana. *Análisis de la causal de abandono absoluto en la privación de la patria potestad.* Tesis para optar por el título de Especialistas en Derecho de Familia de la Universidad La Gran Colombia. Ed. Facultad de Derecho de la Universidad La Gran Colombia. Bogotá, 2016.

Schurer, Kevin y Arkell Tom. *Surveying the people: the interpretation and use of document sources for the study of population in the later seventeenth century.* Ed. Leopard Head's Press. Londres, 1992.

Scoca, Salvatore. *Sulla causa giuridica dell'imposta* en Rivista di Diritto Pubblico. Tomo I. Ed. Giuffrè. Milán, 1932.

Segura Calvo, Sonia Esperanza. *Derecho de sucesiones.* Séptima Edición. Ed. Ibáñez. Bogotá, 2021.

 – *Derecho de familia.* Ed. Ibáñez. Bogotá, 2020.

Seligman, Edwin Robert Anderson. *On the shifting and incidence of taxation.* Cuarta Edición. Ed. Columbia University Press. Nueva York, 1921.

Selznick, Philip. *Social justice: a communitarian perspective* en The Responsive Community. Vol. 6. Núm. 4. California, 1996

Serrano Quintero, Luz Amparo. *Una mirada al derecho de familia desde la psicología jurídica: personas, parejas, infancia y adolescencia.* Ed. Universidad Santo Tomás de Aquino. Bogotá, 2017.

Service, Elman R; Barnard, Alan; Bodemann, Y. Michal; Fleuret, Patrick; Fried, Morton; Harding, Thomas G; Köcke, Jasper; Krader, Lawrenc; Kuper, Adam; Legros, Dominique; Makarius, Raoul; Moore, John H; Pilling, Arnold R; Skalník, Peter; Strathern, Andrew; Tooker, Elisabeth; y Whitecotton, Joseph W. *The mind of Lewis H. Morgan [and comments and reply]* en Current Anthropology. Vol. 22. Núm. 1. Ed. The University of Chicago Press. Chicago, 1981

Séneca, Lucio Anneo. *De clementia*. Estudio preliminar, traducción y notas de Carmen Codoñer. Ed. Tecnos. Madrid. 1988.

Serpa Erazo, Jorge. *Rojas Pinilla. Una historia del siglo XX*. Ed. Planeta. Bogotá, 1999.

Serrano Gómez, Rocío. *Matrimonio y divorcio durante el radicalismo liberal (1849-1885)* en Anuario de historia regional y de las fronteras. Volumen 6. Número 1. Ed. Universidad Industrial de Santander. Santander, 2001.

Shaw, Eric. *What matters is what works: The third way and the case of the private finance initiative* en The third way and beyond: Criticisms, futures and alternatives. Editores: Sarah Hale, Will Leggett y Luke Martell. Ed. Manchester University Press. Manchester, 2004.

Silva Luján, Gabriel. *El origen del Frente Nacional y la Junta Militar*, en "Nueva Historia de Colombia. Historia política 1946-1958". Volumen II. Dirigida por Álvaro Tirado Mejía. Ed. Planeta. Bogotá, 1989.

Solow, Robert. *The economic of resources or the resources of economics* en The American Economic Review. Vol. 64. Núm. 2. Ed. American Economic Association. Nueva York, 1974.

– *Comments* en Guidelines: Informal Controls and the Market Place. Editores: George Shultz y Robert Aliber. Ed. University of Chicago Press. Chicago, 1966.

Somarriva Undurraga, Manuel. *Derecho de familia*. Ed. Nascimento. Santiago de Chile, 1946.

– *Evolución del código civil chileno*. Segunda Edición. Ed. Temis. Bogotá, 1983.

– *Derecho sucesorio*. Tomo II. Sexta Edición. Ed. Editorial Jurídica de Chile. Santiago de Chile, 2005.

Sorman, Guy. *La solución liberal*. Trad. María Cristina Sadoy. Ed. Atlántida S.A. Buenos Aires, 1984.

Stevenson, Betsey. *The impact of divorce laws on marriage-specific capital* en Journal of Labor Economics. Núm. 25. Ed. University of Chicago Press. Chigago, 2007.

Stiglitz, Joseph. *The role of the State in financial markets* en The World Bank Economic Review. Vol. 7. Washington, 1993.

Suárez Blázquez, Guillermo. *La patria potestad en el derecho romano y en el derecho altomedieval visigodo* en Revista de Estudios Histórico-Jurídicos. Núm. 36. Ed. Escuela de Derecho de la Pontificia Universidad Católica de Valparaíso. Valparaíso, 2014.

– *Aproximación al tránsito jurídico de la patria potestad: desde Roma hasta el derecho altomedieval visigodo de España* en Revista Mexicana de Historia del Derecho. Núm. XXVIII. Ed. Universidad Autónoma de México. México D.F., 2012.

Suárez Franco, Roberto. *Derecho de familia*. Tomo I. *Régimen de las personas*. Ed. Temis. Bogotá, 2017.

– *Derecho de familia*. Tomo II. *Régimen de los incapaces*. Ed. Temis. Bogotá, 2014.

– *Desarrollo actual de los regímenes económicos de la pareja. Sociedad conyugal y sociedad patrimonial de hecho* en Realidades y Tendencias del Derecho en el Siglo XXI. Derecho Privado. Tomo IV. Vol. II. Ed. Temis. Bogotá, 2010.

– *Derecho de sucesiones.* Séptima Edición. Ed. Temis. Bogotá, 2019.

Sunkel, Osvaldo. *Del desarrollo hacia adentro al desarrollo desde dentro* en Revista Mexicana de Sociología. Volumen 53. Ed. Universidad Autónoma de México. México D.F., 1991.

– *El desarrollo desde dentro: un enfoque neoestructuralista para América Latina.* Ed. Fondo de Cultura Económica de México. México D.F., 1991.

Sunkel, Osvaldo y Ramos, Joseph. *Hacia una síntesis neoestructuralista* en El desarrollo desde dentro. Un enfoque neoestructuralista para la América Latina. Ed. Fondo de Cultura Económica. México D.F., 1991.

Sunkel, Osvaldo y Zuleta, Gustavo. *Neoestructuralismo versus neoliberalismo en los años noventa* en Revista de la CEPAL. Núm. 42. (LC/CL 1642-P). Ed. Comisión Económica para América Latina y el Caribe (CEPAL). Santiago de Chile, 1990

Talavera Fernández, Pedro Agustín. *La unión de hecho y el derecho a no casarse.* Ed. Comares. Granada, 2001.

Talero Espejo, Jorge Humberto, con colaboración de César Augusto Báez Alipio. *Impuesto sobre la renta de las personas naturales* en Comentarios a la Ley 1819 de 2016, de Reforma Tributaria Estructural. Ed. Temis. Bogotá, 2017.

Tam, Henry. *Third way politics and communitarian ideas: time to take a stand* en The International Scope Review. Vol. 1. Núm. 2. Ed. Social Capital Foundation. Bruselas, 1999.

Taylor, Milton y Richman, Raymond, con colaboración de Carlos Casas Morales. *Fiscal survey for Colombia. Fiscal problems and proposals for reform. Joint tax program of the Organization of American States and the Interamerican Development Bank.* Ed. The Johns Hopkins Press. Maryland, 1965

Temple, Michael. *New Labour's third way: pragmatism and governance* en The British Journal of Politics and International Relations. Vol. 2. Núm. 3. Ed. Sage Publications. Londres, 2000.

Tertuliano. *Adversus Marcionem.* Libro 2.

– *Apologeticus.*

Tesoro, Giorgio. *Principii di diritto tributario.* Ed. Luigi Macri. Bari, 1938.

Thiénot, Louis. *Rapport sur la loi du 6 février 1893 relative au régime de la séparation de corps.* Ed. Cotillon. París, 1893

Tirado Mejía, Álvaro. *Rojas Pinilla: del golpe de opinión al exilio* en Nueva Historia de Colombia. Dir. Álvaro Tirado Mejía. Tomo II. Ed. Planeta. Bogotá, 1989.

Torrado Torrado, Helí Abel. *Lecciones básicas de derecho civil. Unión marital de hecho. De la sociedad patrimonial entre compañeros permanentes.* Cuarta Edición. Ed. Universidad Sergio Arboleda y Legis. Bogotá, 2014.

– *Derecho de familia. Unión marital de hecho. De la sociedad patrimonial entre compañeros permanentes.* Séptima Edición. Ed. Universidad Sergio Arboleda y Legis. Bogotá, 2021.

Tribunal de la Sagrada Rota Romana. Sentencia del 17 de julio de 1924. Magistrados Maximo Massimi (ponente), Rafael Chimenti y Julio Grazioli.

Trotabas, Louis. *Une présentation synthétique de la science des Finances. A propos d'un livre récent de Benvenuto Griziotti* en Revue de science et de législation financière. Año 46. Ed. Giard et Brière. París, 1954.

– *L'applicazione della teoria della causa nel diritto finanziario* en Rivista di Diritto Finanziario et Scienza delle Finanze. Parte I. Ed. Giuffè. Milán, 1937.

Turbay Marulanda, Juan Manuel y Cabal Cabal, Camilo Arturo. *Un código tributario para Colombia.* Ed. Venus. Bogotá, 1975.

Umaña Luna, Eduardo. *Los derechos humanos en Colombia.* Ed. Lito-Textos. Bogotá, 1974.

– *Estado-Familia.* Ed. Universidad Nacional de Colombia. Bogotá, 1995.

– *La familia en la estructura jurídico-política colombiana.* Ed. Temis. Bogotá, 1973.

Uprimny Yepes, Rodrigo y Rodríguez, César Augusto. *Constitución y modelo económico en Colombia: hacia una discusión productiva entre economía y derecho* en Revista Debates de Coyuntura Económica. Ed. Dejustcia. Bogotá, 2005.

Urdinola, Antonio José; Cárdenas Sarria, Jorge; Lewin Figueroa, Alfredo; Vivas, Jorge; González, Sergio y Alzate de Buriticá, Stella. Carta enviada por la Comisión Política Central del Partido Liberal al Comité Asesor para la Reforma Tributaria el 11 de noviembre de 1986. Se puede visualizar en Revista del Instituto Colombiano de Derecho Tributario. Número 33. Año 23. Ed. Instituto Colombiano de Derecho Tributario. Bogotá, 1987.

Uribe Alarcón, María Victoria. *Antropología de la inhumanidad: un ensayo interpretativo sobre el terror en Colombia.* Ed. Universidad de los Andes. Bogotá, 2018.

Valerio Máximo. *Factorum et dictorum memorabilium.* Trad. Samuel Speed. Ed. Impreso para Benjamin Caryle y John Fish. Londres, 1684.

Vallejo Tobón, Juan Álvaro; Echeverry Ceballos, Julio César; y Palacio Laverde, Rodrigo León. *La unión marital de hecho y el régimen patrimonial entre compañeros permanentes.* Ed. Dike. Medellín, 2001.

Vallejo Zamudio, Luis E. *El modelo de crecimiento hacia adentro: una interpretación del caso colombiano* en Revista Apuntes del CENES. Vol. 24. Ed. Universidad Pedagógica y Tecnológica de Colombia. Bogotá, 2003.

Van Wetter, Polynice Alfred Henri. *Pandectes.* Volumen 5°. *Des droits de famille. Du droit héréditaire.* Ed. Librairie Génerale de Droit Et De Jurisprudence. París, 1911.

Vanoni, Ezio. *Elementi di diritto tributario.* Ed. CEDAM. Padova, 1940.

– *Naturaleza e interpretación de las leyes tributarias.* Trad. Juan Martín Queralt. Ed. Giuffrè. Milán, 1961.

Valdés Costa, Ramón. *Instituciones de derecho tributario.* Segunda Edición. Ed. Depalma. Buenos Aires, 2004.

Valencia Zea, Arturo. *Derecho civil.* Tomo V. *Derecho de familia.* Sexta Edición. Ed. Temis. Bogotá, 1983.

– *Derecho civil.* Tomo VI. *De las sucesiones.* Sexta Edición. Ed. Temis. Bogotá, 1984.

– *Derecho civil.* Tomo I. *Parte general y personas.* Quinta edición. Ed. Temis. Bogotá, 1972.

Vargas Pinzón, Mateo. *La naturaleza retroactiva de las leyes de interpretación y su admisibilidad en materia tributaria* en Revista del Instituto Colombiano de Derecho Tributario. Núm. 82. Ed. Instituto Colombiano de Derecho Tributario e Instituto Colombiano de Derecho Aduanero. Bogotá, 2020. Pág. 120.

Vargas Pinzón, Mateo; Buitrago Fernández, José Ricardo y Castro Ortiz, Laura Lusma. *Matrimonio y régimen de bienes. Observaciones a los artículos 1603 a 1718 del proyecto del Código Civil* en Observaciones al "Proyecto de Código Civil de Colombia: reforma del Código Civil y su unificación en obligaciones y contratos con el Código de Comercio". Facultad de Jurisprudencia del Colegio Mayor de Nuestra Señora del Rosario. Compilado por Yira López Castro, Tatiana Oñate Acosta y Nicolás Pájaro Moreno. Bogotá, 2020.

Vargas Pinzón, Mateo y De Brigard Garnica, Nicolás. *Obligación tributaria formal* en "Procedimiento Tributario". Ed. Colegio Mayor de Nuestra Señora del Rosario y Temis. Coord. Juan de Dios Bravo González y Catalina Plazas Molina. Bogotá, 2022.

Vargas Pinzón, Mateo y Díez Vargas, Cecilia. *Régimen de causales objetivas y subjetivas del divorcio en Colombia: la cuestión a debate* en Ámbito Jurídico, publicación del 10 de septiembre de 2019. Disponible en: https://www.ambitojuridico.com/noticias/especiales/civil-y-familia/regimen-de-causales-objetivas-y-subjetivas-del-divorcio-en

Vela Sánchez, Antonio. *Claves para la imputación de donaciones y legados en el haber hereditario* en Revista de Derecho Civil. Volumen V. Número 4. Ed. NOTYREG HISPANIA. Madrid, 2018.

Velarde Aramayo, María Silvia. *Minoraciones y beneficios tributarios.* Tesis para optar por el título de Doctora en Derecho de la Universidad de Salamanca. Ed. Universidad de Salamanca. Salamanca, 1996.

Velásquez, Fernando. *Derecho penal. Parte general.* Tercera Edición. Ed. Temis. Bogotá, 1997.

Velásquez Jaramillo, Luis Guillermo. *Bienes.* Ed. Temis, Sexta Edición. Bogotá D.C., 1996.

Vélez, Fernando. *Estudio sobre el derecho civil colombiano.* Tomo VII. Segunda Edición. Ed. Imprenta París-América. París, 1926.

– *Estudio sobre el derecho civil colombiano.* Tomo IV. Segunda Edición. Ed. Imprenta París-América. París, 1926. Pág. 428 y 429.

– *Estudio sobre el derecho civil colombiano.* Tomo I. Segunda Edición. Ed. Imprenta París-América. París, 1926.

– *Estudio sobre el derecho civil colombiano.* Tomo II. Segunda Edición. Ed. Imprenta París-América. París, 1926.

– *Estudio sobre el derecho civil colombiano.* Tomo III. Segunda Edición. Ed. Imprenta París-América. París, 1926.

Velilla, Marco Antonio. *Reflexiones sobre la constitución económica colombiana* en Constitución Económica Colombiana. Colección de Derecho Económico y de los Negocios. Varios Autores. Ed. El Navegante. Bogotá, 1996

Vergara Ciordia, Javier. *Familia y educación familiar en la Grecia antigua* en Estudios sobre Educación. Vol. 25. Ed. Universidad de Navarra. Navarra, 2013.

Vicente-Arche Coloma, Fernando. Comentarios a la traducción de la obra de Antonio Berliri. *Principii di diritto tributario,* Vol I. Trad. Fernando Vicente-Arche Coloma. Ed. De Derecho Financiero. Madrid, 1964.

Vidal Perdomo, Jaime. *Derecho constitucional general.* Ed. Universidad Externado de Colombia. Bogotá 1985

Villaveces, Carlos. *Reforma tributaria* en Revista del Banco de la República. Edición del 20 de septiembre de 1953. Ed. Imprenta Nacional. Bogotá, 1953.

- *Memorias de hacienda 1954.* Ed. Imprenta del Banco de la República. Bogotá, 1954.

Villamizar, Juan Carlos. *Pensamiento económico en Colombia: la construcción de un saber.* Ed. Universidad del Rosario. Bogotá, 2013.

Villareal, René. *La contrarrevolución monetarista: teoría, política económica e ideología del neoliberalismo.* Ed. Ediciones Océano. Bogotá, 1983

Villegas, Héctor Belisario. *Curso de finanzas, derecho financiero y tributario.* Ed. Astrea de Alfredo y Ricardo Depalma. Buenos Aires, 2005.

- *Curso de finanzas, derecho financiero y tributario.* Quinta Edición. Ed. Depalma. Buenos Aires, 1992.

Vismara, Giulio. *Pratica e disciplina del Concubinato nella Gallia visigota* en Estudios de Derecho Romano en Honor a Álvaro D'ors. Tomo II. Ed. EUNSA. Madrid, 1987.

Vitta, Cino. *Diritto amministrativo.* Tercera Edición. Tomo II. Ed. Unione tipografico-editrice torinese. Torino, 1950.

Wagner, Adolph. *Finanzwissenschaft.* Vol. II. Segunda Edición Leipzig, 1890.

Wallerstein, Judith y Blakeslee, Sandra. *Padres e hijos después del divorcio.* Trad. Javier Vergara. Ed. Javier Vergara Editor. Buenos Aires, 1990

Wallerstein, Judith; Lewis, Julia M. y Blakeslee, Sandra. *The unexpected legacy of divorce: the 25 year landmark study* en Psychoanalitic Psychology. Ed. American Psychological Association. Vol. 21. Washington, 2004.

Weill, Alex y Terré, François. *Droit civil. Les personnes. La famille. Les incapacités.* Cuarta Edición. Ed. Dalloz. París, 1978

White, Lynn K. *Determinants of divorce: A review of research in the eighties* en Journal of Marriage and Family. Vol. 52. Núm. 4. Ed. National Council on Family Relations. Minneapolis, 1990.

Wiesner Durán, Eduardo. *Memoria de Hacienda 1981.* Ed. Imprenta Nacional. Bogotá, 1984.

Wolfers, Justin. *Did Unilateral Divorce Laws Raise Divorce Rates? A Reconciliation and New Results* en American Economic Review. Núm. 96. Ed. American Economic Association. Nashville, 2006.

Yebra Martul-Ortega, Perfecto. *Los fines extrafiscales del impuesto* en Tratado de Derecho Tributario. Coord. Andrea Amatucci. Ed. Temis. Bogotá, 2001

Zachariæ, Karl Salomo. *Le droit civil français.* Traducido del alemán por G. Massé y Ch. Vergé. Tomo I. Quinta Edición. Ed. Auguste Durand Libraire. París, 1854.

Zanobini, Guido. *Corso di diritto amministrativo.* Vol. IV. Ed. Simone. Milán, 1948.

Zannoni, Eduardo A. *Derecho de familia.* Tomo II. Ed. Astrea. Buenos Aires, 1993.

- *El concubinato.* Ed. Depalma. Buenos Aires, 1970.

- *Régimen del matrimonio civil y divorcio: ley 23.515.* Ed. Astrea. Buenos Aires, 1987.

- *Derecho civil.* Tomo II. *Derecho de familia.* Ed. Astrea. Buenos aires, 1989.

Zarama Vásquez, Fernando y Zarama Martínez, Camilo. *Reforma tributaria comentada, ley 1607 de 2012.* Ed. Legis. Bogotá, 2013.

Zitelmann, Ernst. *Lücken im Recht.* Ed. Dunker & Humbolt. Leipzig, 1903.

Reseña del autor

MATEO VARGAS PINZÓN es abogado graduado del Colegio Mayor de Nuestra Señora del Rosario con profundización en Derecho de la Hacienda Pública y Derecho Tributario. Especialista en Derecho Tributario de la misma Universidad. Magister en Leyes (LL.M) de la universidad de Columbia (Nueva York, Estados Unidos). Profesor titular de la asignatura de Derecho de Familia en el Pregrado en Jurisprudencia del Colegio Mayor de Nuestra Señora del Rosario; de las asignaturas Procedimiento Administrativo Tributario, Proceso Contencioso Administrativo en Materia Tributaria e Impuesto sobre el Valor Agregado II en la Especialización en Derecho Tributario de la misma Universidad; y de la asignatura Relaciones Jurídicas Paterno Filiales y Régimen de Alimentos en la Especialización en Derecho de Familia de la misma Universidad.

Autor de los artículos "Importación del concepto de beneficiario efectivo en los CDI y su diferencia con el concepto de beneficiario efectivo en la normativa interna colombiana" en la Revista 86 del Instituto Colombiano de Derecho Tributario (ICDT); "El arbitraje tributario en el ordenamiento jurídico colombiano" en la Revista 78 del ICDT; y "La palmaria inconstitucionalidad del principio de lesividad de la Ley 1819 de 2016" en la Revista 76 del ICDT. Así mismo, es autor del capítulo "Régimen sancionatorio" en Comentarios a la ley 1819 de 2016 de Reforma Tributaria Estructural, Ed. Temis (2017).

Es coautor del capítulo "El impuesto sobre el valor agregado, aspectos internacionales" en Derecho Aduanero, Ed. Universidad del Rosario y Tirant Lo Blanch (2020); el artículo "Régimen de causales objetivas y subjetivas del divorcio en Colombia: la cuestión a debate en Ámbito Jurídico", edición del 10 de septiembre de 2019. Disponible en: https://www.ambitojuridico.com/noticias/especiales/civil-y-familia/regimen-de-causales-objetivas-y-subjetivas-del-divorcio-en; y el capítulo "Guía metodológica: trámite del proceso administrativo de restablecimiento de derechos en el Código de la Infancia y la Adolescencia" en Retos del Derecho de Familia Contemporáneo, Ed. Universidad del Rosario (2022).

De igual manera, sirvió como co-traductor al español de la obra *Introducción a la tributación de las rentas internacionales*, de autoría del profesor Phillippe Malherbe, Ed. ICDT (2021).